MODERNO DICCIONARIO ILUSTRADO
DE LA
LENGUA CASTELLANA
Y DE
SINÓNIMOS

CON MÁS DE 100.000 EQUIVALENCIAS DE LAS
10.000 PALABRAS DE USO MÁS FRECUENTE

PAGINA UNO

1 - Título e índice
2 - Prólogo
3 - DICCIONARIO DE LA LENGUA CASTELLANA
    4- Reseña editorial
    5- Presentación
    6- Relación de ABREVIATURAS Y EPÍGRAFES
    7- CONCEPTUARIO
  419- SUPLEMENTOS
  420- EL CÓNDOR
  421- Tabla de MITOLOGÍA
  422- ESTADOS MIEMBROS DE LA O.N.U.
  423- MONEDAS DEL MUNDO
  424- Tabla de PESOS Y MEDIDAS
  424- Tabla de TEMPERATURAS
  425- Tabla de algunas DENSIDADES RELATIVAS
  426- SÍMBOLOS LÓGICOS Y SÍMBOLOS DE LA
      TEORÍA DE CONJUNTOS
  426- SÍMBOLOS DE FUNCIONES TRIGONOMÉTRICAS
  426- OTROS SÍMBOLOS DE FUNCIONES
  427- OPERACIONES ARITMÉTICAS
  427- IGUALDADES, IDENTIDADES, ECUACIONES,
      DESIGUALDADES, INECUACIONES
  427- OTROS SÍMBOLOS ALGEBRAICOS
  428- ELEMENTOS QUÍMICOS
  428- Lista de los ELEMENTOS NATURALES
      Y ARTIFICIALES
429 - DICCIONARIO DE SINONIMOS
    430- Reseña editorial
    431- Presentación
    432- SINÓNIMOS DE SINÓNIMO
    433- VOCABULARIO BASE

PRÓLOGO

El objetivo principal de esta obra ha sido la recopilación de todas las palabras que forman parte del inmenso patrimonio del Idioma Castellano.

Hemos analizado con el mayor interés todos los vocablos incluídos en este Diccionario, dada la gran importancia que actualmente ocupa el idioma español en el mundo.

El lenguaje, como sistema de comunicación, es el nexo que une culturalmente a todos los individuos que hablan un mismo idioma. Desde el grito del cóndor en los cielos andinos al de la ballena en las profundidades de los mares, todos los animales se comunican entre sí con mayor o menor riqueza de expresión. En este sentido, el Hombre ha alcanzado su mayor grado de comunicación, no sólo en riqueza expresiva, sino en cantidad de medios y sistemas. Entre éstos destaca la comunicación verbal, porque a través de la palabra conseguimos una mayor fluidez de expresión. Para lograr este objetivo es necesario el uso permanente de un buen diccionario, que contenga todos los vocablos del idioma, para así adquirir una mejor cultura.

Nuestro Diccionario ha sido objeto de una completa revisión, lo que nos ha permitido incluir todos los vocablos o acepciones que la evolución del mundo moderno exige actualmente.

No sólo hemos pretendido hacer un buen y moderno Diccionario, sino que lo hemos completado con un amplio Tratado de Sinónimos, con lo cual, el usuario, además de acceder al significado de una palabra, dispone rápidamente de las alternativas que le ofrecen los diferentes vocablos que tienen ese mismo significado, lo que amplía en gran medida la riqueza de su léxico y su bagaje cultural.

MODERNO DICCIONARIO ILUSTRADO DE LA LENGUA CASTELLANA

MODERNO **DICCIONARIO** ILUSTRADO
DE LA
LENGUA CASTELLANA
«CÓNDOR»

Publicado por EDITORIAL ANDRADE
Luis Sagnier, 74 - 08032 BARCELONA (España)

Director: NATANIEL ANDRADE URRA
Director Técnico: ANTONIO VERA RAMÍREZ
Redacción: SILVIA MARTÍNEZ COLLINS

© EDITORIAL ANDRADE, 1989
ISBN 84-87418-00-7
Dep. Legal B 33560-89

Impreso en Industrias Gráficas ALPES, S.A.
Avda. Josep Tarradellas, 63 - Local 6 y 7
08901 L'HOSPITALET DE LLOBREGAT (Barcelona)
ESPAÑA

La presentación y composición tipográfica son propiedad registrada de la Editorial para su colección Libros Cóndor, asimismo registrada.

PRESENTACIÓN

Actualmente, nuestro idioma no consiste únicamente en el original léxico hispánico, sino que hay que añadirle el enorme caudal lingüístico que ha aportado América, no sólo con sus lenguas autóctonas, sino con su gran inventiva e inteligencia aplicadas a la creación o adaptación de algunas palabras o expresiones de modo que manifestaran más adecuadamente su modo de ver, ser y sentir. Así, por fortuna, hemos construído un amplísimo idioma realmente diverso y de tal riqueza de conceptos y expresiones que es prácticamente imposible reunirlo en un solo volumen mínimamente manejable. Sin embargo, sí podemos seleccionar lo más representativo, práctico y de uso más frecuente de este idioma, y ofrecerlo a toda persona ávida de mayores conocimientos y capacidad de expresión y comprensión.

El consultar un diccionario significa disponer ya de una considerable cultura y de una encomiable disposición a aumentarla sin cesar. Son precisamente los más cultos quienes con más frecuencia recurren al diccionario, porque saben que su contenido los irá enriqueciendo a lo largo de su vida. Pero no sólo sirve el Diccionario para que sepamos más cosas y con más exactitud, sino que nos proporciona la base para una mayor y mejor relación con nuestros semejantes. Cuanto más sabemos, más hablamos; cuanto más hablamos, más nos relacionamos; cuanto más nos relacionamos, más nos comunicamos.

El idioma, las palabras, permiten expresar ideas y sentimientos, y esto debemos hacerlo del mejor modo posible, para mejor comprender y ser comprendidos. La falta de un acento, o la ausencia o cambio de una letra por otra, cambian una palabra, y esto puede dar lugar a que cambie el sentido de toda la frase de la que forma parte. Con el diccionario resolvemos nuestras dudas ortográficas, o de comprensión o de expresión. Y cada vez más nos atrevemos a escribir y, sobre todo, a hablar, a comunicarnos directamente con nuestros semejantes, con lo cual no sólo nos iremos enriqueciendo unos a otros aportando cada cual su saber al tema en debate, y sus ideas a la evolución y a la relación, sino que estableceremos una sólida base para la convivencia en paz entre todos los seres humanos dignos de tal nombre y realmente aspirantes a la evolución creativa.

Abreviaturas y Epígrafes

Acúst.	acústica	despect.	despectivo	*Mar.*	marina
adj.	adjetivo	dic.	dícese	*Mat.*	matemáticas
adv.	adverbio	dim.	diminutivo	*Med.*	medicina
adv. afirm.	adverbio de afirmación	*Econ.*	economía	*Metrol.*	metrología
adv. c.	adverbio de cantidad	*Electr.*	electricidad	*Mil.*	militar
adv. l.	adverbio de lugar	*Electrón.*	electrónica	*Min.*	minería
adv. m.	adverbio de modo	*Electrotec.*	electrotecnia	*Mineral.*	mineralogía
adv. neg.	adverbio negativo	esp.	especialmente	*Mit.*	mitología
adv. t.	adverbio de tiempo	etc.	etcétera	mov.	movimiento
Aeron.	aeronáutica	*Etnol.*	etnología	*Mús.*	música
Agr.	agricultura	expr.	expresión	neg.	negación, negativo
Alg.	álgebra	ext.	extensión	núm.	número
amb.	ambiguo	f.	femenino	onomat.	onomatopeya
Amer.	americanismo	fam.	familiar, familia	*Opt.*	óptica
Anat.	anatomía	*Farm.*	farmacia	pl.	plural
ant.	antiguo, antiguamente	fest.	festivo	pobl.	población
anton.	antonomasia	fig.	figurado	*Poét.*	poética
Antrop.	antropología	*Fil.*	filosofía	pral.	principal
apl.	aplícase	*Fís.*	física	pref.	prefijo
aprox.	aproximadamente	*Fisiol.*	fisiología	prep.	preposición
Arit.	aritmética	*For.*	forense	prnl.	pronominal
Arqueol.	arqueología	gén.	género	pron.	pronombre
Arquit.	arquitectura	*Geogr.*	geografía	pron. dem.	pronombre demostrativo
Astrol.	astrología	*Geol.*	geología		demostrativo
Arquit.	arquitectura	*Geom.*	geometría	pron. pers.	pronombre personal
Astrol.	astrología	gr.	griego		personal
Astrofís.	astrofísica	gralte.	generalmente	pron. poses.	pronombre posesivo
Astron.	astronomía	*Gram.*	gramática	pron. relat.	pronombre relativo
Biol.	biología	homón.	homónimo	prov.	provincia
Bioquím.	bioquímica	impers.	impersonal	*Quím.*	química
Bot.	botánica	import.	importante	*Quím.-Fís.*	química-física
c.	ciudad	indet.	indeterminado	*Quím. Org.*	química orgánica
Cir.	cirugía	insep.	inseparable	r.	reflexivo
cm	centímetro	intr.	intransitivo	*Rel.*	religión
com.	común	interj.	interjección	*Ret.*	retórica
Com.	comercio	irón.	irónico	s.	sustativo
comp.	comparativo	irreg.	irregular	simb.	símbolo
compl.	complemento	kg	kilogramo	sing.	singular
conj.	conjunción	km	kilómetro	sinón.	sinónimo
conj. advers.	conjunción adversativa	km²	kilómetro cuadrado	sit.	situado
conj. comp.	conjunción comparativa	lat.	latín	superl.	superlativo
conj. cond.	conjunción condicional	*Ling.*	lingüística	Tecnol.	tecnología
conj. copulat.	conjunción copulativa	*Lóg.*	lógica	tr.	transitivo
conj. disyunt.	conjunción disyuntiva	long.	longitud	ú.	úsase
conj. ilat.	conjunción ilativa	m	metro	v.	verbo
Constr.	construcción	m.	masculino	*Vet.*	veterinaria
defect.	defectivo	-m	-mente	vulg.	vulgar
Dep.	deportes	m. adv.	modo adverbial	*Zool.*	zoología
Der.	derecho	m. conj.	modo conjuntivo		

A

A f. Primera letra del abecedario español y primera de sus vocales. Tiene un timbre entre palatal y velar.
A prep. Introduce el complemento, el complemento directo de persona o cosa personificada, y los circunstanciales de lugar, tiempo, modo e instrumento.
A-, AN- Prefijos que denotan privación o negación.
AB- Prefijo que indica separación o exceso.
ABACERÍA f. Tienda donde se vende bacalao, legumbres secas, vinagre, etcétera.
ABACIAL adj. Rel. al abad, a la abadesa o a la abadía.
ÁBACO m. Parte que corona el capitel. // Cuadro con bolas movibles que se utiliza para contar.
ABAD m. Superior de un monasterio. // Dignidad superior de algunas colegiatas.
ABADEJO m. Bacalao.
ABADESA f. Superiora en ciertas comunidades religiosas.
ABADÍA f. Dignidad de abad o abadesa. // Iglesia o monasterio regido por un abad o una abadesa.
ABAJEÑO, ÑA adj. y s. Amer. Natural de costas o tierras bajas.
ABAJO adv. En o hacia la parte inferior o posterior.
ABALANZAR tr. Lanzar violentamente. // r. Arrojarse inconsideradamente a decir o hacer algo.
ABALORIO m. Conjunto de cuentecillas de vidrio agujereadas, con que se hacen adornos y labores.
ABANDERADO m. El que lleva la bandera.
ABANDERAR tr. y r. Registrar bajo la bandera de un Estado un buque.
ABANDONAR tr. Desamparar a una persona o cosa. // Dejar un lugar. // r. fig. Dejarse dominar por pasiones o vicios. // Descuidar uno su aseo.
ABANDONO m. Acción, y efecto de abandonar o abandonarse.
ABANICAR tr. y r. Hacer aire con el abanico.
ABANICO m. Instrumento para hacer aire.
ABANTO m. Ave rapaz (fam. falcónidas), parecida al buitre.
ABARATAR tr. Disminuir o bajar el precio de una cosa.
ABARCA f. Calzado de cuero o caucho.
ABARCAR tr. Ceñir con los brazos o con la mano. // fig. Rodear, comprender, contener. // Amer. Acaparar.
ABARQUILLAR tr. y r. Encorvar un cuerpo como pasta de barquillos.
ABARRANCAR tr. Hacer barrancos. // tr. y r. Meter en un barranco. I intr. y r. Encallar una embarcación.
ABARROTAR tr. Fortalecer con barrotes. // Cargar un buque al máximo. // Atestar de géneros un local.
ABARROTES m. pl. Amer. Artículos de comercio o comestibles.
ABASTECER tr. y r. Proveer de cosas necesarias.
ABASTECIMIENTO m. Acción y efecto de abastecer o abastecerse.
ABASTO m. Provisión de víveres. // Abundancia.

ABATE m. Eclesiástico de órdenes menores. // Clérigo extranjero.
ABATIMIENTO m. Acción y efecto de abatir o abatirse.
ABATIR tr. y r. Derribar. // fig. Humillar; hacer perder el ánimo. // tr. Hacer que baje una cosa. // Inclinar, tumbar.
ABAZÓN m. Bolsa que tienen muchos monos a ambos lados de la boca.
ABDICACIÓN f. Acción y efecto de abdicar.
ABDICAR tr. Ceder o renunciar derechos, esp. a la soberanía de un pueblo.
ABDOMEN m. Cavidad del cuerpo comprendida entre la pelvis y el tórax.
ABDOMINAL adj. Rel. al abdomen.
ABDUCCIÓN f. Movimiento por el que un miembro u órgano se aleja del plano medio del cuerpo.
ABDUCTOR m. Díc. del músculo capaz de producir una abducción.
ABECÉ m. Abecedario. // Rudimentos de una ciencia, facultad, etc.
ABECEDARIO m. Serie de las letras de un idioma.
ABEDUL m. Bot. árbol de la fam. betuláceas, de escasa altura y hojas alternas y caducas.
ABEJA f. Zool. Insecto himenóptero, provisto de aparato bucal chupador. Vive en enjambres constituidos por una reina, encargada de la reproducción, varios centenares de zánganos, que fecundan a la reina, y varios miles de obreras, hembras estériles que recogen el néctar y el polen de las flores para elaborar miel y cera.

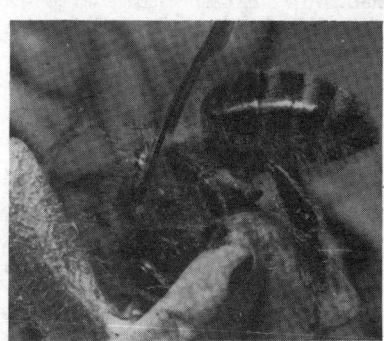

abeja libando el polen

ABEJORRO m. Zool. Insecto himenóptero, muy velludo y provisto de larga trompa. // Insecto coleóptero, muy zumbador, que roe las hojas de las plantas.
ABENCERRAJE m. Individuo de una familia del reino musulmán granadino.
ABERRACIÓN f. Extravío. // Astron. Desvío aparente de los astros. // Biol. Desviación del tipo normal. // Opt. Defecto de los espejos y de las lentes, por el cual no coinciden en un mismo foco los rayos de luz que emanan de un solo punto.

ABERRANTE adj. Apartado de lo normal.
ABERTURA f. Acción de abrir o abrirse. // Hendidura. // *Opt.* Relación entre el diámetro y la distancia focal de una lente u objetivo.
ABETO m. *Bot.* árbol de la fam. abietáceas, de hojas aciculares. Crece en regiones montañosas y frías, y alcanza alturas de hasta 50 m.
ABEY m. *Bot.* árbol de la fam. leguminosas, de unos 20 m. de altura, propio de las Antillas.
ABIERTO, TA adj. Llano, raso. //fig. Ingenuo, sincero.
ABIETÁCEAS f. pl. *Bot.* Fam. de plantas gimnospermas del orden coníferas. Comprende árboles de hoja perenne y acicular y frutos cónicos.
ABIGARRADO, DA adj. De varios colores mal combinados. // Díc. de lo heterogéneo reunido sin concierto.
ABIGARRAR tr. Dar a una cosa varios colores mal combinados.
ABISAL O ABISMAL adj. Perten. al abismo profundo insondable.
ABISMAR tr. y r. Hundir en un abismo. //fig. Confundir, abatir.
ABISMO m. Profundidad grande y peligrosa. // fig. Cosa inmensa, insondable, incomprensible.
ABJURACIÓN f. Acción y efecto de abjurar.
ABJURAR tr. e intr. Desdecirse con juramento; renunciar solemnemente.
ABLACIÓN f. *Cir.* Extirpación total o parcial de un órgano. // *Geol.* Erosión.
ABLANDAR tr. y r. Poner blanda una cosa. // Laxar, suavizar. // Mitigar la fiereza o la ira de alguien.
ABLATIVO m. *Gram.* Caso de la declinación, que hace en la oración oficio de complemento. Expresa procedencia, situación, modo, tiempo, instrumento, etc., y en castellano va precedido generalmente de preposición.
ABLUCIÓN f. Lavatorio. I Acción de purificarse por medio del agua, según ritos de algunas religiones.
ABNEGACIÓN f. Sacrificio de la voluntad, afectos o intereses en servicio de Dios o del prójimo.
ABNEGAR tr. y r. Renunciar uno voluntariamente a sus deseos o intereses.
ABOCAR tr. Asir con la boca. // Verter el contenido de un recipiente en otro. // tr. y r. Acercar.
ABOCHORNAR tr. y r. Causar bochorno el calor. //fig. Sonrojar.
ABOFETEAR tr. Dar de bofetadas.
ABOGACÍA f. Profesión y ejercicio del abogado.
ABOGADO, DA m. y f. Persona legalmente autorizada para defender en juicio los intereses de los litigantes. // fig. Mediador.
ABOGAR intr. Defender un juicio. // fig. Interceder en favor de alguien.
ABOLENGO m. Ascendencia de abuelos.
ABOLICIONISMO m. Doctrina que propugna la abolición de la esclavitud.
ABOLICIONISTA adj. y s. Díc. del que procura la abolición de un precepto o costumbre.
ABOLIR tr. Derogar, dejar sin vigor un precepto o costumbre.
ABOLLAR tr. Hacer a alguna cosa una o varias concavidades.
ABOMBAR tr. Dar figura convexa.
ABOMINAR tr. Condenar y maldecir a personas o cosas. // Tener odio.
ABONAR tr. Acreditar. // Salir fiador. // Hacer buena una cosa, mejorarla. // Echar abonos a la tierra. // tr. y r. Inscribir o inscribirse mediante pago, a algún servicio o diversión.
ABONO m. Acción y efecto de abonar o abonarse, y derecho que se adquiere. // Fianza, seguridad. // *Agr.* Sustancia que aumenta la fertilidad de la tierra.
ABORDAJE m. Acción y efecto de abordar.
ABORDAR tr. Tocar o chocar una embarcación con otra. // Atracar una nave a un desembarcadero. // fig. Acercarse a uno para tratar un asunto. // Emprender un negocio.
ABORIGEN adj. Originario del suelo en que vive. // adj. y s. Díc. del primitivo morador de un país.
ABORRECER tr. Tener aversión a una persona o cosa. I Abandonar las aves el nido, los huevos o las crías. I tr. y r. Aburrir, fastidiar.
ABORREGARSE prnl. Cubrirse el cielo de nubes blanquecinas.
ABORTAR tr. e intr. Parir antes del tiempo en que el feto puede vivir. // tr. fig. Producir alguna cosa deforme o abominable. // intr. fig. Fracasar, malograrse una empresa.
ABORTIVO, VA adj. y s. Que tiene virtud para hacer abortar.
ABORTO m. Acción de abortar. // Cosa abortada.
ABOTAGARSE r. Hincharse el cuerpo.
ABOTONAR tr. y r. Abrochar con botones.
ABOVEDAR tr. Cubrir con bóveda.
ABRA f. Bahía no muy extensa.
ABRACADABRA m. Palabra cabalística a la cual se atribuía la propiedad de curar ciertas enfermedades.
ABRASAR tr. y r. Reducir a brasa, quemar. // r. fig. Sentir uno mucho calor o ardor. // Estar muy agitado de alguna pasión.
ABRASIÓN f. Acción y efecto de raer o desgastar por fricción.
ABRASIVO, VA adj. y s. Que produce abrasión.
ABRAZAR tr. y r. Ceñir con los brazos. // Estrechar entre los brazos. // tr. fig. Contener, incluir.
ABREVADERO m. Lugar donde se abreva al ganado.
ABREVAR tr. Dar de beber al ganado. // Remojar las pieles para adobarlas. // Regar.
ABREVIAR tr. Acortar, reducir a menos tiempo o espacio. // Acelerar.
ABREVIATURA f. Representación de las palabras en la escritura con sólo varias o una de sus letras.
ABRIGAR tr. y r. Resguardar del frío. // tr. fig. Auxiliar, amparar.

ABRIGO m. Defensa contra el frío. // Cosa que abriga. // Prenda para abrigar que se pone sobre las demás.
ABRIL m. Cuarto mes del año; consta de 30 días. // pl. fig. Años de la primera juventud.
ABRILLANTAR tr. Labrar en facetas como las de los brillantes las piedras preciosas. // Dar brillantez.
ABRIR tr. y r. Descubrir lo que está cerrado u oculto. // Separar del marco u la hoja o las hojas de la puerta. // tr. Descorrer el pestillo, desechar la llave. // Tirar de los cajones de una mesa o mueble. // Romper las cartas o paquetes para sacar su contenido. // fig. Comenzar ciertas cosas.
ABROCHAR tr. y r. Cerrar o ajustar con broches, botones, etc.
ABROGAR tr. Abolir, anular.
ABROJO m. *Bot.* Nombre de varias plantas de la fam. cigofiláceas, perjudiciales para los sembrados.
ABRÓTANO m. *Bot.* Planta arbustiva (fam. compuestas), de flores amarillas.
ABRUMAR tr. Agobiar con algún grave peso. // fig. Causar gran molestia.
ABRUPTO, TA adj. Escarpado.
ABSCESO m. Acumulación de pus, en un tejido orgánico.
ABSCISA f. *Geom.* La primera en un sistema de coordenadas. En el plano, el eje X.
ABSCISIÓN f. Separación de una parte pequeña de un cuerpo, hecha con un instrumento cortante.
ABSENTISMO m. Costumbre de residir el propietario fuera del lugar en que radican sus bienes.
ÁBSIDE amb. Parte del templo, abovedada y comúnmente semicircular, que sobresale en la fachada posterior.
ABSOLUCIÓN f. Acción de absolver.
ABSOLUTISMO m. Sistema político en que el gobernante no tiene limitaciones legales ni constitucionales de ningún tipo.
ABSOLUTO, TA adj. Que excluye toda relación. // Sin restricción alguna.
ABSOLVER tr. Dar por libre de algún cargo u obligación. // Perdonar, remitir a un penitente sus pecados.
ABSORBER tr. Atraer y retener un cuerpo las moléculas de un líquido o gas. // fig. Consumir enteramente. // Atraer a sí, cautivar.
ABSORCIÓN f. Acción y efecto de absorber. // *Fisiol.* Fenómeno por el cual las sustancias hidrosolubles (sangre, linfa) penetran en los tejidos.
ABSORTO, TA adj. Admirado, pasmado.
ABSTEMIO, MIA adj. Que no bebe vino ni otros licores alcohólicos.
ABSTENCIÓN f. Acción y efecto de abstenerse.
ABSTENCIONISMO m. Doctrina o práctica que propugna la abstención, sobre todo en política.
ABSTENERSE r. Privarse de algo.
ABSTERGER tr. *Med.* Limpiar y desinfectar las superficies orgánicas.
ABSTINENCIA f. Acción de abstenerse. // Virtud que consiste en privarse de satisfacer los apetitos. // Privación de comer carne por motivos religiosos.
ABSTRACCIÓN f. Acción y efecto de abstraer o abstraerse.
ABSTRACTO, TA adj. Que significa alguna cualidad con exclusión del sujeto.
ABSTRAER tr. Separar intelectualmente las cualidades de un objeto para considerarlas por separado. // Intr. y r. Con la prep. de, prescindir. // r. Enajenarse de los objetos sensibles para entregarse a la meditación.
ABSTRUSO, SA adj. De difícil comprensión.
ABSURDO, DA adj. Contrario a la razón. // m. Dicho o hecho repugnante a la razón.
ABUBILLA f. *Zool.* Ave insectívora de colores vistosos y plumaje elegante. Tiene el pico largo y curvo, y cresta eréctil.
ABUCHEAR tr. Sisear, reprobar con murmullos o ruidos.
ABUELA f. Respecto de una persona, madre de su padre o de su madre. // fig. Mujer anciana.
ABUELO m. Respecto de una persona, padre de su padre o de su madre. // fig. Hombre anciano.
ABULENSE adj. y s. Natural de Ávila.
ABULIA f. Falta de voluntad.
ABÚLICO, CA adj. Que padece abulia.
ABULTAR tr. Aumentar el bulto de alguna cosa. // Ponderar, encarecer. I Intr. Tener o hacer bulto.
ABUNDANCIA f. Gran cantidad.
ABUNDAR Intr. Tener en abundancia. // Hallarse en abundancia. // Estar adherido a una idea u opinión, persistir en ella.
ABURRIMIENTO m. Cansancio, tedio.
ABURRIR tr. Molestar, cansar. // r. Cansarse de alguna cosa.
ABUSAR intr. Usar mal, impropia o indebidamente de algo o alguien.
ABUSO m. Acción y efecto de abusar.
ABYECCIÓN f. Bajeza. // Humillación.
ABYECTO, TA adj. Bajo, vil.
ACÁ adv. //. Indica lugar menos determinado que el que denota el adv. aquí. // adv. t. Con ciertas prep. y otros adv., denota el presente.
ACABADO, DA adj. Perfecto, completo. // Malparado, destruido. // m. Retoque de una obra o labor.
ACABAR tr. y r. Dar fin a una cosa. // tr. Apurar, consumir. // Matar. // intr. Rematar, finalizar. // Morir. // intr. y r. Extinguirse.
ACACIA f. *Bot.* Planta (fam. leguminosas) de hojas compuestas y flores olorosas en racimos colgantes.
ACADEMIA f. Casa con jardín, cerca de Atenas, donde enseñó Platón. // Escuela filosófica fundada por Platón. // Sociedad científica, literaria o artística establecida con autoridad pública. // Establecimiento docente.
ACADEMICISMO m. Calidad de académico, que observa las normas clásicas.

ACADÉMICO, CA adj. Díc. del miembro de la escuela de Platón. // Díc. de los estudios y títulos que tienen validez legal.
ACAECER intr. Suceder.
ACAHUAL m. *Bot.* Planta parecida al girasol, común en México.
ACALORAR tr. Dar o causar calor. // tr. y r. Fatigar con el trabajo o ejercicio. // r. fig. Enardecerse en la conversación o disputa.
ACALLAR tr. Hacer callar. // fig. Aplacar, sosegar.
ACAMPAR intr. Detenerse y permanecer en despoblado.
ACANALAR tr. Hacer canales o estrías en alguna cosa. // Dar a una cosa forma de canal.
ACANTÁCEAS f. pl. *Bot.* Fam. de plantas herbáceas dicotiledóneas, trepadoras o arbustivas.
ACANTILADO m. *Geol.* Costa cortada a plomo, de perfil variable.
ACANTO m. *Bot.* Planta (fam. acantáceas) de flores blancas o violeta.
ACANTONAR tr. y r. Distribuir y alojar las tropas en poblados.
ACAPARAR tr. Adquirir y retener mercancías en cantidad para dar la ley al mercado.
ACARICIAR tr. Hacer caricias. //fig.Tratar a alguno con amor y ternura.//Complacerse en pensar en algo con esperanza de conseguirlo.
ÁCAROS m.pl.*Zool.* Arácnidos de tamaño muy reducido. Tienen quelíceros cortantes y aparato bucal picador-chupador.
ACARREAR tr. Transportar en carro, y por ext. transportar en general.//fig. Producir daños.
ACASO m. Suceso imprevisto.// adv. m. Por casualidad.// adv.de duda. Quizá, tal vez.
ACATAR tr. Tributar homenaje de sumisión y respeto.
ACATARRAR tr. Resfriar, constipar.
ACAUDALAR tr. Hacer o reunir caudal.
ACAUDILLAR tr. Mandar gente de guerra.// Conducir, dirigir, guiar.
ACAULE adj. *Bot.* Planta que parece carecer de tallo.
ACCEDER tr. Consentir en lo que otro solicita.// Ceder.
ACCÉSIT m. Recompensa inferior inmediata al premio en certámenes.
ACCESO m. Acción de llegar.// Entrada o paso.//fig. Arrebato.
ACCESORIO, RIA adj. Que depende de lo principal./ / m. pl. Utiles auxiliares.
ACCIDENTAL adj. No esencial.// Casual, contingente.
ACCIDENTAR tr. y r. Producir accidente.
ACCIDENTE m. Lo que no es esencial en una cosa./ / Suceso no previsto, gralte, desgraciado.// Irregularidad en el terreno.// *Gram.* Modificación que sufren algunas palabras para cambiar de género, número, persona, etc.// *Mús.* Signo con que se altera la tonalidad de un sonido.

ACCIÓN f. Ejercicio de una potencia.// Efecto de hacer.// Postura, ademán.// *fam.* Posibilidad de ejecutar alguna cosa.// *Com.* Cada una de las partes en que se considera dividido el capital de una sociedad.// Título que acredita el valor de estas partes.// *For.* Derecho a pedir alguna cosa en juicio.// *Mil.* Hecho de armas.
ACCIONAR tr. Poner en funcionamiento un mecanismo.
ACCIONISTA *Com.* Dueño de una o varias acciones de una sociedad.
ACEBO m. *Bot.* Arbol silvestre (fam. aquifoliáceas), de hojas espinosas, propio de zonas tropicales.
ACEBUCHE m. *Bot.* Olivo silvestre.
ACECINAR tr. Salar las carnes y secarlas al aire y al humo.
ACECHAR tr. Observar, aguardar cautelosamente.
ACEDAR tr. y r. Poner agria una cosa.// fig. Desazonar, disgustar.
ACEDERA f. *Bot.* Planta poligonácea que se utiliza como condimento.
ACEDÍA f. Indisposición del estómago, por haberse acedado la comida.
ACEDO,DA adj. Acido.
ACÉFALO,LA adj. Falto de cabeza.// fig. Díc. de la comunidad sin jefe.
ACEITE m. Líquido graso que se saca de la aceituna y, por ext., el que se obtiene de otras plantas y algunos animales.
ACEITUNA f. Fruta del olivo.
ACELERACIÓN f. Acción y efecto de acelerar o acelerarse.
ACELERADOR m. Mecanismo de permite regular la velocidad de un automóvil.
ACELERAR tr. y r. Dar celeridad.
ACELGA f. *Bot.* Hortaliza comestible, de hojas carnosas.
ACÉMILA f. Mula o macho de carga.
ACEMITA f. Pan hecho de acemite.
ACEMITE m. Salvado con alguna porción de harina.
ACENDRAR tr. Purificar los metales por la acción del fuego.
ACENTO m. Mayor intensidad con que se pronuncia una sílaba dentro de una palabra: recibe el nombre de a. prosódico o tónico. // Signo con que se indica en la escritura la existencia de una sílaba tónica: es el a. ortográfico. Su representación varía según las lenguas, y puede ser agudo, grave o circunflejo.// Particular modo de hablar de cada nación o provincia.// Sonido, entonación.
ACENTUAR tr. Dar acento prosódico a las palabras./ / Ponerles acento ortográfico.// fig. Recalcar.
ACEPCIÓN f. Sentido en que se toma una palabra o frase.
ACEPTACIÓN f. Acción y efecto de aceptar.// Aprobación, aplauso.
ACEPTAR tr. Recibir uno voluntariamente lo que se le da.// Aprobar.// Obligarse por escrito al pago de una

letra de cambio.
ACEQUIA f. Canal por donde se conducen las aguas para regar.
ACERA f. Orilla de las vías públicas, destinada al tránsito de peatones.// *Arquit*. Paramento de un muro.
ACERÁCEAS f. pl. *Bot.* Fam. de árboles del gén. *Acer*, de hojas opuestas y fruto seco.
ACERAR tr. Comunicar las propiedades del acero a otros metales.// tr. y r. fig. Fortalecer.
ACERBO, BA adj. Áspero al gusto.// fig. Cruel, riguroso.
ACERCA DE m. adv. Sobre la cosa de que se trata, o en orden a ella.
ACERCAR tr. y r. Poner cerca o a menor distancia de lugar o tiempo.
ACERÍA f. Fábrica de acero
ACERO m. Aleación de hierro, con aprox. un 1 % de carbono y pequeñas cantidades de otros metales. // fig. Arma blanca, y esp. la espada // Valor, ánimo, resolución.
ACÉRRIMO, MA adj. fig. Superl. de acre. Muy fuerte o vigoroso.
ACERTAR tr. Dar en el punto a que se dirige una cosa. // Hallar el medio para el logro de algo. // Dar con lo cierto. //tr. e intr. Encontrar hallar. // intr. Con la prep. a y un infinitivo, suceder casualmente.
ACERTIJO m. Especie de enigma para entretenerse en acertarlo.
ACERVO m. Montón de cosas menudas. // Conjunto de bienes que pertenecen a una colectividad.
ACETATO m. *Quim.* Sal o éster del ácido acético.
ACÉTICO, CA adj. *Quim.* Pert. o rel. al vinagre o sus derivados.
ACETILENO m. *Quim.* Hidrocarburo que se obtiene por la acción del agua sobre el carburo de calcio.
ACETONA f. *Quim.* Líquido incoloro, muy inflamable, de olor etéreo y sabor picante.
ACETRE m. Caldero pequeño.
ACIAGO, GA adj. Infausto, infeliz.
ACIANO m. *Bot.* Centaura.
ACÍBAR m. Sustancia amarga que se obtiene del áloe.
ACICALAR tr. Limpiar, alisar. // tr. y r. fig. Adornar, peinar.
ACICATE m. Espuela. // Fig. Incentivo.
ACICULAR adj. De figura de aguja
ACIDEZ f. Calidad de ácido.
ACIDIA f. Pereza, flojedad.
ACIDIFICAR tr. Hacer ácida una cosa.
ÁCIDO, DA adj. Que tiene sabor parecido al del vinagre o del limón.// *Quim.* Sustancia que puede formar sales combinándose con un óxido metálico o con otra base. Enrojece la tintura de tornasol y tiene un típico sabor agrio.
ACÍDULO, LA adj. Ligeram. ácido.
ACIERTO m. Acción y efecto de acertar. // fig. Habilidad, destreza.

ACIMUT m. *Astron*. Arco de horizonte medido en sentido retrógrado desde el punto sur hasta la vertical de un astro.

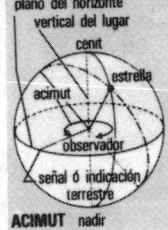

ACINESIA f. Cesación de movimiento.
ACIPENSÉRIDOS m. pl. *Zool*. Fam. de peces condrósteos de gran tamaño.
ACLAMACIÓN f. Acción y efecto de aclamar.
ACLAMAR tr. Dar voces la multitud en honor de alguna persona. // Conferir, por voz común, algún cargo.
ACLARACIÓN f. Acción y efecto de aclarar o aclararse.
ACLARAR tr. r. Disipar, quitar lo que ofusca la claridad de algo. // tr. Volver a lavar la ropa con agua sola. // intr. Disiparse las nubes o la niebla.
ACLIMATAR tr. y r. Acostumbrar un ser orgánico a unclima distinto del suyo.
ACNÉ f. *Med*. Enfermedad cutánea por obstrucción de las glándulas sebáceas.
ACOBARDAR tr. intr. y r. Amedrentar.
ACODAR tr. y r. Apoyar uno el codo. // *Agr*. Enterrar el tallo de una planta sin separarlo del tronco principal para que eche raíces.
ACOGER tr. Admitir uno en su casa o compañía a otras personas. // Aceptar. // Amparar. // r. Refugiarse.
ACOGOLLAR tr. Cubrir las plantas delicadas para protegerlas del frío.
ACÓLITO m. Clérigo que ha recibido la orden de acolitado. // Monaguillo.
ACOMETER tr. Embestir con ímpetu. // Emprender. // Dar a alguien repentinamente una enfermedad o deseo.
ACOMODADIZO, ZA adj. Que a todo se aviene fácilmente.
ACOMODADO, DA adj. Conveniente, apto. // Rico. // Que está cómodo.
ACOMODAR tr. Ordenar, ajustar unas cosas con otras. // Disponer de modo conveniente. // Disponer de modo conveniente. // Adecuar, adaptar. // tr. fig. Colocar en un cargo.
ACOMPAÑAMIENTO m. Acción y efecto de acompañar // *Mús.* Sostén armónico de una melodía principal.
ACOMPAÑAR tr. y r. Estar o ir en compañía de otros. // tr. Juntar una cosa a otra.
ACOMPASADO, DA adj. Hecho o puesto a compás. // Que habla pausadamente.
ACOMPASAR tr. Compasar.
ACOMPLEJAR tr. Causar a una persona un complejo

11

psíquico, turbarla. // r. Experimentar un complejo.
ACONDICIONAR tr. Dar cierta calidad o condición.// Con los adv. *bien, mal*, etc., disponer alguna cosa de manera adecuada, o al contrario.
ACONGOJAR tr. y r. Oprimir, aflijir.
ACÓNITO m. *Bot.* Planta ranunculácea, medicinal y venenosa.
ACONSEJAR tr. Dar consejo. // Sugerir algo. // r. Pedir consejo.
ACONSONANTAR intr. Ser una palabra consonante a otra.// Rimar los versos en consonantes.
ACONTECER intr. Suceder, ocurrir.
ACONTECIMIENTO m. Hecho import.
ACOPIAR tr. Reunir en cantidad alguna cosa.
ACOPLAR tr. Ajustar dos piezas o cuerpos exactamente. // tr. y r. Aparear. // Conciliar a personas.
ACORAZADO, DA adj. Provisto de coraza. // *Mar.* m. Buque de guerra blindado de gran tonelaje.
ACORAZAR tr. Revestir con planchas de hierro o acero buques de guerra, fortificaciones u otras cosas. acordar tr. Resolver en común. // Conciliar. // tr. y r. Recordar.
ACORDE adj. Conforme, en consonancia.// *Mús.* m. Conjunto armónico de sonidos.acordeón m. Mús. Instrumento de viento. Consiste en dos pequeños fuelles y un par de teclados de válvulas.
ACORRALAR tr. y r. Encerrar el ganado en el corral. // Encerrar a uno dentro de estrechos límites. // Intimidad, acobardar.
ACORTAR tr. y r. Disminuir la longitud, duración o cantidad de alguna cosa.
ACOSAR tr. Perseguir sin tregua.
ACOSTAR tr. y r. Tender a alguno para que duerma o descanse.
ACOSTUMBRAR tr. y r. Hacer adquirir costumbre. / / intr. Tener costumbre.
ACOTAR tr. Poner límites a un terreno. // fijar o determinar.
ACOTILEDÓNEAS f. pl. Bot. Plantas carentes de cotiledones.
ACRACIA f. Doctrina de los ácratas.
ÁCRATA adj. y s. Partidario de la supresión de toda autoridad. // Anarquista.
ACRE adj. Aspero y picante. // *Metrol.* Medida inglesa de superficie. Equivale a 4047 m².
ACRECENTAR tr. y r. Aumentar. // tr. Mejorar, enriquecer.
ACRECER tr. y r. Aumentar.
ACREDITAR tr. y r. Hacer digna de crédito una cosa, probarla. // tr. Dar crédito o reputación.
ACREEDOR, RA adj. y s. Díc. de la persona a quien se debe algo.
ACRIBILLAR tr. Abrir muchos agujeros en alguna cosa. // Molestar con frecuencia.
ACRIMINAR tr. Acusar de algún crimen o delito.
ACRIMONIA f. Actitud, aspereza.
ACRIOLLARSE r. *Amer.* Adoptar un extranjero las costumbres del país.
ACRISOLAR tr. Depurar los metales en el crisol. // Purificar.
ACRITUD f. Acrimonia.
ACROBACIA f. Movimiento o pirueta que efectúa un avión en el aire.
ACRÓBATA com. Persona que ejecuta habilidades en el trapecio en la cuerda floja. // Gimnasta.
ACROMÀTICO, CA adj. Díc. del instrumento óptico que deja pasar la luz sin descomponerla.
ACROMION m. *Anat.* Apòfisis del omóplato, articulada con la clavícula.
ACRÓPOLIS f. El sitio más alto y fortificado de las c. griegas.

ACRÓPOLIS de Atenas

ACRÓSTICO, CA adj. Díc. de la composición poética cuyas letras iniciales, medias o finales forman un vocablo o frase.
ACTA f. Relación escrita de lo acordado en una junta.
ACTINIA f. *Zool.* Animal celentéreo, falto de esqueleto.
ACTITUD f. Postura de cuerpo humano o de un animal. // fig. Disposición de ánimo.
ACTIVAR tr. Avivar, acelerar.
ACTIVIDAD f. Facultad de obrar. // Diligencia. // Conjunto de tareas propias de una persona o entidad.
ACTIVISTA com. Agitador político.
ACTIVO, ACTIVA adj. Que obra o actúa. // Eficaz. // *Com.* m. Importe total del haber de una persona natural o jurídica. // *Gram.* Que denota acción.
ACTO m. Hecho o acción .// Hecho público. // Parte de un drama.
ACTOR m. El que representa en el teatro. // *For.* Demandante.
ACTRIZ f. Mujer que representa en el teatro.
ACTUAL adj. Presente. // Que sucede en el tiempo del que se habla.
ACTUALIDAD f. Tiempo presente.
ACTUALIZAR tr. Hacer actual una cosa.
ACTUAR tr. y r. Poner en acción. // intr. Ejercer una persona o cosa actos propios de su naturaleza.
ACUARELA f. Pintura sobre papel o cartón con colores diluidos en agua.

ACUARIO m. Depósito de agua donde se tienen vivos animales y plantas.
ACUARTELAR tr. y r. Poner la tropa en cuarteles. // Retener la tropa en cuartel.

Margarita Xirgu **ACTRIZ**

ACUÁTICO, CA adj. Que vive en el agua.
ACUCIAR tr. Dar prisa. // Desear con vehemencia.
ACUCHILLAR tr. Herir o matar con el cuchillo. // Alisar con cuchilla los muebles o suelos de madera.
ACUDIR intr. Ir uno a un sitio. // Ir en socorro de alguno.// Recurrir a alguno o valerse de él.
ACUEDUCTO m. Conducto artificial que lleva agua a una población.
ACUERDO m. Decisión que se toma en los tribunales o juntas. // Resolución premeditada de una persona. // Armonía entre dos personas. // Pacto.
ACUMULADOR m. Pila o batería que reconvierte la energía eléctrica gastada en nueva corriente.
ACUMULAR tr. Juntar, amontonar. // Imputar alguna culpa.
ACUNAR tr. Mecer en la cuna.
ACUÑAR tr. Sellar una pieza de metal con el cuño o el troquel.// Fabricar monedas.
ACUOSO, SA adj. Abundante de agua.
ACUPUNTURA f. *Med.* Terapeútica china basada en la punción de determinadas partes del cuerpo.
ACURRUCARSE r. Encogerse.
ACUSACIÓN f. Acción de acusar o acusarse.
ACUSAR tr. Imputar culpa a alguien. // Denunciar.
ACUSATIVO m. Caso de la declinación. Indica el complemento directo del verbo.
ACÚSTICA f. Parte de la física que trata todo lo concerniente al sonido.
ACÚSTICO, CA adj. Perten. o rel. al oído, o a la acústica.
ACHACAR tr. Atribuir, imputar.
ACHAPARRADO, DA adj. Dic. de las personas o cosas bajas y gruesas.

ACHAQUE m. Indisposición habitual.
ACHATAR tr. y r. Poner chata una cosa.
ACHICAR tr. y r. Amenguar el tamaño de una cosa. / / fig. Humillar. // Sacar el agua de una mina, embarcación, etc.
ACHICORIA f. *Bot.* Planta de la fam. compuestas. La raíz se usa como sucedáneo del café.
ACHICHARRAR tr. y r. Freir, asar. // Calentar demasiado.
ACHISPAR tr. y r. Poner casi ebria a una persona.
AD Prep. insep. Denota dirección, proximidad.
ADAGIO m. Refrán. // Adv. Mús. Movimiento lento. / / m. Pieza musical con ese movimiento.
ADALID m. Caudillo de gente de guerra. // fig. Guía y cabeza de algún partido, corporación, etc.
ADAPTACIÓN f. *Biol.* Acción o efecto de la adecuación morfológica y fisiológica de un organismo al medio ambiente.
ADAPTAR tr. y r. Acomodar, ajustar una cosa a otra.
ADARGA f. Escudo de cuero.
ADECENTAR tr. y r. Poner decente.
ADECUACIÓN f. Acción y efecto de adecuar o adecuarse.
ADECUAR tr. y r. Proporcionar, acomodar, apropiar una cosa a otra.
ADEFESIO m. fam. Despropósito, disparate. // Persona de exterior ridículo y extravagante.
ADELANTADO, DA adj. Precoz. // Aventajado, excelente.
ADELANTAMIENTO m. Acción y efecto de adelantar o adelantarse.
ADELANTAR tr. y r. Mover hacia adelante. //tr. Acele-

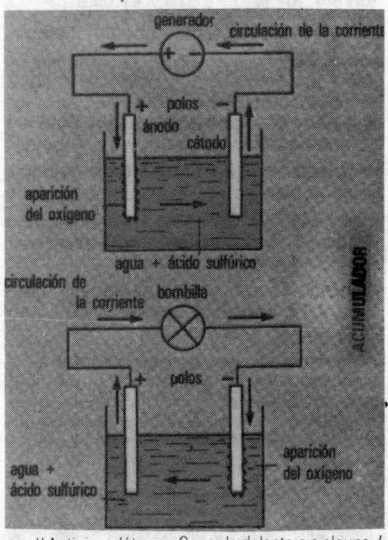

rar. // Anticipar.// tr. y r. Ganar la delantera a alguno./ / Aventajar a alguno.
ADELANTE adv. l. Más allá. // Hacia la parte opuesta

13

a otra. // adv. t. Con prep. antepuesta, o siguiendo a algunos adv. , denota tiempo futuro
ADELANTO m. Anticipo. // Adelantamiento.
ADELFA f. *Bot*. Arbusto de la fam. apocináceas, de hojas lanceoladas y muy tóxicas.
ADELGAZAR tr. y r. Poner delgada a una persona o cosa.
ADEMÁN m. Movimiento o actitud con que se manifiesta un afecto del ánimo. // pl. Modales.
ADEMÁS adv. c. A más de esto o aquello.
ADENITIS f. *Med.* Inflamación de una glándula o ganglio.
ADICCIÓN f. *Amer*. Hábito de consumir alcaloides.
ADICIÓN f. Acción y efecto de añadir. // *Mat.* Suma.
ADICIONAR tr. Hacer adiciones.
ADICTO, TA adj. y s. Apegado.
ADIESTRAR tr. y r. Hacer diestro.// Enseñar, intruir./ / tr. Guiar.
ADINERADO, DA adj. Que tiene mucho dinero.
¡ADIÓS¡ interj. que se emplea para despedirse. // m. Despedida.
ADIPOSO, SA adj. Lleno de grasa; de la naturaleza de la grasa.
ADITAMENTO m. Añadidura.
ADITIVO, VA adj. Que puede o debe añadirse.
ADIVINACIÓN f. Acción y efecto de adivinar.
ADIVINANZA f. Adivinación. // Acertijo.
ADIVINAR tr. Predecir lo futuro o descubrir las cosas ocultas, por medio de agüeros o sortilegios.// Descubrir por conjeturas alguna cosa.// Acertar lo que quiere decir un enigma.
ADIVINO, NA m. y f. Persona que adivina.
ADJETIVACIÓN f. Acción y efecto de adjetivar o adjetivarse.
ADJETIVAR tr. Concordar una cosa con otra. // tr. y r. Dar al nombre valor de adjetivo.
ADJETIVO, VA adj. Que dice relación a una cualidad o accidente. // *Ling.* Clase de palabras que desempeñan en la oración funciones de complemento nominal adjunto y secundario. Poseen variación de número, y gralte., de género. Los adjetivos se dividen, según la gramática tradicional, en calificativos y determinativos.
ADJUDICACIÓN f. Acción y efecto de adjudicar o adjudicarse.
ADJUDICAR tr. Declarar que una cosa corresponde a una persona. // r. Apropiarse uno alguna cosa.
ADJUNTAR tr. Enviar, juntam. con un escrito, notas, facturas, etc.
ADJUNTO, TA adj. Que va o está unido con otra cosa.
ADMINICULO m. Lo que sirve de ayuda o auxilio para una cosa.
ADMINISTRACIÓN f. Acción de administrar. // Empleo de administrador.// Oficina donde se ejerce ese empleo.
ADMINISTRADOR, RA m. y f. Persona que administra bienes ajenos.

ADMINISTRAR tr. Gobernar, regir, aplicar. // Ejercer algún ministerio o empleo.// Suministrar. // Conferir los sacramentos. // tr. y r. Aplicar o hacer tomar medicamentos.
ADMIRACIÓN f. Acción y efecto de admirar o admirarse. // Cosa admirable. // Signo ortográfico (¡!) que expresa admiración o denota énfasis.
ADMIRAR tr. Causar sorpresa la vista o consideración de alguna cosa extraordinaria o inesperada. // Tener en singular estimación a una persona o cosa.
ADMISIÓN f. Acción de admitir.
ADMITIR tr. Recibir, dar entrada. // Aceptar. // Permitir o sufrir.
ADMONICIÓN f. Amonestación.
ADMONITOR m. El que amonesta.
ADOBAR tr. Arreglar, aderezar. // Guisar. // Poner en adobe las carnes. // Curtir las pieles.
ADOBE m. Masa de barro moldeada en forma de ladrillo y secada al aire, que se emplea en construcción.
ADOBO m. Acción y efecto de adobar. // Caldo con que se sazona un manjar.
ADOCENADO, DA adj. Vulgar y de muy escaso mérito.
ADOCTRINAR tr. Instruir.
ADOLECER intr. Caer enfermo. // fig. Tratándose de afectos o vicios, tenerlos.
ADOLESCENCIA f. Edad que sucede a la niñez y que comprende desde la pubertad hasta la edad adulta.
ADOLESCENTE adj. y s. Que está en la adolescencia.
ADONDE adv. l. A qué parte, o la parte que. // Donde.
ADONDEQUIERA adv. l. A cualquier parte. // Dondequiera.
ADONIS m. fig. Mancebo hermoso.
ADOPCIÓN f. Acción y efecto de adoptar.
ADOPTAR tr. Recibir como hijo al que no lo es naturalmente. // Admitir alguna opinión o doctrina. // Tomar resoluciones o acuerdos.
ADOPTIVO, VA adj. Díc. de la persona adoptada o de la que adopta.
ADOQUIN m. Piedra labrada en forma de prisma rectangular. // fig. y fam. Persona torpe e ignorante.
ADOQUINADO m. Suelo empedrado con adoquines.
ADORAR tr. Reverenciar a un ser considerándolo como cosa divina. // Reverenciar y honrar a Dios. // fig. Amar con extremo.
ADORMECER tr. y r. Dar o causar sueño. // tr. Acallar, entretener. // fig. Calmar, sosegar.// tr. y r. Empezar a dormirse.
ADORMECIMIENTO m. Acción y efecto de adormecer o adormecerse.
ADORMIDERA f. *Bot.* Planta herbácea (fam. papaveráceas), de aspecto parecido a la amapola. De su fruto se obtiene el opio.
ADORMILARSE O ADORMITARSE r. Dormirse a medias.
ADORNAR tr. y r. Engalanar con adornos. // tr. Servir de adorno una cosa a otra. // fig. Dotar a un ser de per-

fecciones, enaltecerlo.
ADORNO m. Lo que se pone para la hermosura de personas o cosas.
ADOSAR tr. Poner una cosa contigua a otra por su envés.
ADQUIRIR tr. Ganar, conseguir con el propio trabajo. // Comprar. // For. Hacer propio un derecho o cosa que a nadie pertenece.
ADQUISICIÓN f. Acción y efecto de adquirir.// La cosa adquirida.
ADQUISITIVO, VA adj. Que sirve para adquirir.
ADREDE adv. m. Con deliberada intención.
ADRENAI adj. Díc. de lo que está cerca del riñón.
ADRENALINA f. *Bioquim.* Hormona segregada por las glándulas suprarrenales.
ADSCRIBIR tr. Inscribir, atribuir. // tr. y r. Agregar a una persona al servicio de un cuerpo o destino.
ADSCRIPCIÓN f. Acción y efecto de adscribir o adscribirse.
ADSORCIÓN f. *Quim.-Fis.* Retención de las moléculas de un fluido sobre la superficie de un sólido o de un líquido.
ADUANA f. Oficina pública, establecida en las costas y fronteras para registar los géneros y mercaderías que se importan o exportan, y cobrar los derechos que adeudan.
ADUCIR tr. Tratándose de pruebas, razones, etc., presentarlas.
ADUEÑARSE r. Hacerse uno dueño de una cosa o apoderarse de ella.
ADULACIÓN f. Acción y efecto de adular.
ADULAR tr. Alabar a uno, con exageración o sin motivo, para agradarle o captarse su voluntad.
ADULTERACIÓN f. Acción y efecto de adulterar o adulterarse.
ADULTERAR intr. Cometer adulterio // tr. y r. fig. Falsificar alguna cosa.
ADULTERIO m. Ayuntamiento carnal ilegítimo de hombre con mujer, siendo uno de los dos o ambos casados. // Falsificación, fraude.
ADÚLTERO, RA adj. y s. Que comete adulterio. // Adj. Rel. al adulterio o a quien lo comete.
ADULTO, TA adj. y s. Llegado a su mayor crecimiento o desarrollo.
ADUSTEZ f. Calidad de adusto.
ADUSTO, TA adj. Quemado, tostado. // fig. Austero, rígido.
ADVENEDIZO, ZA adj. y s. Forastero. // Que pretende figurar entre gentes de más alta condición social.
ADVENIMIENTO m. Venida o llegada. // Ascenso de un sumo pontífice o de un soberano al trono.
ADVENTICIO, CIA adj. *Bot.* Díc. del órgano que nace fuera de su sitio habitual.
ADVERBIAL adj. Perteneciente al adv. o que participa de su índole.
ADVERBIO. m. *Ling.* Parte de la oración gramatical que sirve para modificar la significación del verbo o de cualquiera otra palabra que tenga un sentido calificativo o atributivo. Hay adverbios de lugar, tiempo, modo, cantidad, orden, afirmación, negación, duda, comparativos, superlativos y disminutivos.
ADVERSARIO, RIA m. y f. Persona contraria y enemiga.
ADVERSATIVO, VA adj. *Ling.* Que denota oposición o contrariedad de concepto o sentido.
ADVERSIDAD f. Calidad de adverso.// Suerte adversa, infortunio.
ADVERSO, SA adj. Contrario.
ADVERTENCIA f. Acción y efecto de advertir.
ADVERTIR tr. e intr. Fijar en algo la atención, observar. // tr. LLamar la atención de uno sobre algo.// Aconsejar.
ADVOCACIÓN f. Título que se da a un templo, altar o imagen.
ADYACENTE adj. Situado en la proximidad de otra cosa.
AÉREO, A adj. De aire. // Perten. o rel. al aire. // fig. Sutil, vaporoso.
AEROBIO, BIA adj. *Biol.* Díc. de los organismos microscópicos que para vivir necesitan el oxígeno.
AERODINÁMICA f. Parte de la mecánica de fluidos que estudia el movimiento de los gases y la interacción del aire con los cuerpos que se mueven en su seno.
AERÓDROMO m. Campo destinado al aterrizaje y despegue de aviones.
AEROFAGIA f. *Med.* Deglución intermitente y espasmódica de aire.
AEROLITO m. *Astron.* Meteorito de constitución pétrea.
AERONÁUTICA f. Ciencia de la navegación por el aire.
AERONAVE f. Término que designa cualquier tipo de vehículo destinado a la navegación aérea.
AEROPLANO m. Denominación antigua del avión.
AEROPUERTO m. Aeródromo dotado de todos los medios auxiliares de la navegación aérea.
AERÓSTATO m. Aparato volador más ligero que el aire.
AFABILIDAD f. Calidad de afable.
AFABLE adj. Agradable, suave en el trato.
AFAMADO, DA adj. Famoso.
AFANAR intr. y r. Entregarse al trabajo con apremio.
AFANÍPTEROS m. pl. *Zool.* Orden de insectos hematófagos conocidos con el nombre común de pulgas.
AFASIA f. *Med.* Incapacidad de hablar, causada por lesión cerebral.
AFEAR tr. y r. Poner fea a una persona o cosa. // tr. fig. Vituperar.
AFECCIÓN f. Impresión que hace una cosa en otra. // Afición.
AFECTACIÓN f. Acción de afectar. // Falta de naturalidad.
AFECTAR tr. Poner demasiado estudio en las palabras, movimientos, etcétera, de modo que pierdan la

naturalidad. // Fingir. // Anexar. // Atañer, tocar. // Producir alteración.//tr. y r. Hacer impresión una cosa en una persona.
AFECTIVIDAD f. Calidad de afectivo. // Conjunto de los fenómenos afectivos.
AFECTIVO, VA adj. Perten. o rel. al afecto o a la sensibilidad.
AFECTO, TA adj. Inclinado a alguna persona o cosa. // Díc. de las posesiones o rentas sujetas a alguna carga. // m. Pasión del ánimo, como ira, amor, odio, etc.
afectuoso, sa adj. Cariñoso.
AFEITAR tr. y r. Adornar con afeites. // Raer con navaja la barba y el bigote, y por ext. el pelo de cualquier parte del cuerpo.
AFEITE m. Aderezo. // Cosmético.
AFELIO m. *Astron.* Punto de la órbita de un planeta en que está más alejado del Sol.
AFEMINAR tr. y r. Hacer a uno perder la energía varonil, o inclinarle a que se parezca a las mujeres.
AFÉRESIS f. *Gram.* Supresión de algún sonido al principio de un vocablo.
AFERRAR tr. e intr. Agarrar o asir fuertemente.
AFIANZAR tr. Dar fianza por alguno.// tr. y r. Afirmar o asegurar; apoyar, sostener. // Asir, agarrar.
AFICIÓN f. Inclinación a alguna persona o cosa. // Ahinco, eficacia.
AFICIONAR tr. Inducir a otro a que guste de alguna persona o cosa. // tr. r. prendarse de alguna persona o cosa.
AFÍDIDOS m. pl. *Zool.* Fam. de insectos del orden homópteros.
AFIJO, JA adj. y s. m. *Gram.* Díc. del pron. personal cuando va pospuesto y unido al verbo, y también de las prep. y partículas que se emplean en la formación de palabras derivadas y compuestas.
AFILADOR m. El que tiene por oficio afilar instrumentos cortantes.
AFILAR tr. Sacar filo a un arma o instrumento. // Aguzar, sacar punta.
AFILIACIÓN f. Acción y efecto de afiliar o afiliarse.
afiliar tr. y r. Juntar, asociar una persona a alguna colectividad.
AFILIGRANAR tr. Hacer filigrana.
AFÍN adj. Próximo, contiguo.// Que tiene afinidad con otra cosa.
AFINAR tr. y r. Dar el último punto a una cosa.// tr. Poner en tono justo los instrumentos músicos.// *Min.* Purificar los metales.
AFINCAR intr. y r. Adquirir fincas. // r. Establecerse en un lugar.
AFINIDAD f. Semejanza de una cosa con otra. // Parentesco que se establece entre cada cónyuge y los deudos por consanguinidad del otro. // *Quim.* Tendencia que tienen dos o más sustancias a reaccionar entre sí.
AFIRMACIÓN f. Acción y efecto de afirmar o afirmarse.
AFIRMAR tr. y r. Poner firme. // Asegurar alguna cosa. // r. Asegurarse en algo para estar firme.
AFIRMATIVO, VA adj. Que denota o implica la acción de afirmar.
AFLICCIÓN f. Efecto de afligir o afligirse.
AFLIGIR tr. y r. Causar molestia o sufrimiento. // Causar tristeza.
AFLOJAR tr. y r. Disminuir la presión o la tirantez. // tr. fig. y fam. Soltar, entregar. // intr. fig. Perder fueza una cosa.
AFLORAR intr. Asomar a la superficie un filón o una masa mineral.
AFLUENCIA f. Acción y efecto de afluir. // Abundancia.
AFLUENTE m. Río secundario que desemboca en otro principal.
AFLUIR intr. Acudir en abundancia, o concurrir en gran número, a un lugar determinado. // Verter un río sus aguas en las de otro.
AFLUJO m. *Fisiol.* Afluencia excesiva de líquidos a un tejido orgánico.
AFONÍA f. *Med.* Falta o disminución de la voz.
AFÓNICO, CA adj. Falto de voz.
AFORAR tr. Valuar las mercaderías para el pago de derechos. // Medir la cantidad de agua que lleva una corriente.
AFORISMO m. Sentencia breve que se propone como regla.
AFORO m. Acción y efecto de aforar. // Capacidad de un recipiente // Caudal de un curso de agua // Ca-

afilador (grabado francés, s. XVIII)

pacidad total de un recinto de espectáculos públicos.
AFORTUNADO, DA adj. Que tiene fortuna o buena suerte.// Feliz.
AFÓTICO, CA adj. Falto de luz.
AFRANCESADO, DA adj. y s. Que gusta de imitar a los franceses.

AFRENTA f. Deshonor que resulta de algún dicho o hecho.
AFRENTAR tr. Causar afrenta. // Humillar. // r. Avergonzarse.
AFRICADO, DA adj. y s. f. Díc. del sonido cuya articulación consiste en una oclusión y una fricación formadas rápidamente.
AFRICANO, NA adj. y s. Natural de África. // adj. Perten. a esta parte del mundo.
AFRODISÍACO, CA adj. y s. m. Díc. de la sustancia que estimula el apetituo sexual.
AFRONTAR. tr. e intr. Poner una cosa enfrente de otra. // tr. Poner cara a cara. // Hacer frente al enemigo.
AFTA f. *Med.* ulcera pequeña y blanquecina que se forma en la boca.
AFUERA adv. l. Fuera del sitio en que uno está. // En la parta exterior. // f. pl. Alrededores.
AGACHAR tr. e intr. fam. inclinar alguna parte del cuerpo, especialm. la cabeza. // r. fam. Encogerse, doblando el cuerpo hacia tierra.
AGALLA f. *Bot.* Excrecencia que causa en las hojas de robles y encinas la picadura de ciertos insectos. // *Zool.* Cada uno de los opérculos óseos que cubren las branquias de los peces teleósteos. // pl. fig. y fam. Animo esforzado.

AGALLAS

ÁGAPE m. Convite de caridad entre los primeros cristianos. Por ext., banquete.
AGARRADA f. fam. Altercado, riña.
AGARRADERA f. *Amer.* Asa
AGARRADERO m. Asa o mango.
AGARRADO, DA adj. figu. y fam. Mezquino.
AGARRAR tr. Asir fuertemente, coger, hacer presa.
AGARROTAR tr. Apretar fuertemente.// Estrangular en el garrote. // r. Quedarse un miembro rígido.
AGASAJAR tr. Tratar con atención expresiva y cariñosa. // Halagar.
AGASAJO m. Acción de agasajar. // Regalo o muestra de afecto.
ÁGATA f. *Mineral.* Variedad de calcedonia de diversos colores.

AGAVE amb. *Bot.* Planta amararillácea de hojas carnosas, de las que se obtienen fibras muy resistentes y, por fermentación, bebidos alcohólicas, como el pulque. Originaria de México, se conoce con el nombre de pita.
AGAZAPAR tr. fig. y fam. Apresar a alguno. // r. fam. Agacharse.
AGENCIA f. Diligencia, solicitud.// Oficina del agente. // Sucursal subordinada de una empresa.
AGENCIAR tr. e intr. Solicitar, gestionar. // Conseguir alguna cosa con diligencia o maña.
AGENDA f. Cuaderno en que se apunta lo que se ha de hacer.
AGENTE adj. Que obra o tiene virtud de obrar. // m. Persona o cosa que produce un efecto. // Persona que obra con poder de otro. // Geol.Cualquier causa natural capaz de cambiar la fisonomía de la Tierra.
AGIGANTAR tr. y r. fig. Dar a alguna cosa proporciones gigantescas.
ÁGIL adj. Ligero. // Díc. de la persona que se mueve con facilidad.
AGILIDAD f. Calidad de ágil.
AGIO m. *Econ.* Margen de beneficio obtenido con ciertas operaciones bancarias.
AGITACIÓN. f. Acción y efecto de agitar o agitarse.
AGITAR tr. y r. Mover con frecuencia y violentamente. // fig. Inquietar, turbar. // tr. fig. Provocar la inquietud política y social.
AGLOMERACIÓN f. Acción y efecto de aglomerar o aglomerarse.
AGLOMERAR. tr. y r. Amontonar, juntar.
AGLUTINACIÓN f. Acción y efecto de aglutinar o aglutinarse.
AGLUTINAR tr. y r. Conglutinar, unir.
AGNÓSTICO, CA adj. Perteneciente o relativo al agnosticismo.
AGNOSTOZOICO, CA adj. y s. m. *Geol.* Díc. del terreno precámbrico sin fósiles. Es sinónimo de Era Arcaica.
AGOBIAR tr. y r. Encorvar la parte superior del cuerpo. // tr. Fig. Deprimir, abatir. // Causar gran molestia o fatiga.
AGOBIO m. Acción y efecto de agobiar o agobiarse. / / Angustia.
AGOLPAR tr. Juntar de golpe en un lugar. // r. Juntarse de golpe muchas personas, animales o cosas.
AGONÍA f. Angustia del moribundo. // fig. Aflicción extremada.
AGONIZAR tr. Auxiliar al moribundo. // intr. Estar el enfermo en la agonía.// fig. Sufrir agustiosamente.
ÁGORA f. Plaza pública en las ciudades griegas.
AGORAR tr. Predecir con superstición // fig. Presentir y anunciar desgracias.
AGORERO, RA adj. y s. Que adivina por agüeros.// Que cree en agüeros.
AGOSTAR tr. y r. Secar o abrasar el calor las plantas./ / fig. Ajar.

AGOSTO m. Octavo mes del año; consta de 31 días.
AGOTAR tr. y r. Extraer todo el líquido de un recipiente.// fig. Consumir.
AGRACEJO m. *Bot.* Arbusto de las fam. berberidáceas, que produce bayas rojas comestibles.
AGRACIAR tr. Dar gracia a una persona o cosa. // Conceder alguna gracia.
AGRADABLE adj. Que produce complacencia o agrado.
AGRADAR intr. y r. Complacer, contentar, gustar. // r. Sentir agrado o gusto.
AGRADECER tr. Sentir gratitud.// Mostrar gratitud, dar gracias.
AGRADECIMIENTO m. Acción y efecto de agradecer.
AGRADO m. Afabilidad.//Complacencia, voluntad o gusto.
AGRANDAR tr. y r. Hacer más grande alguna cosa.
AGRARIO, RIA adj. Perteneciente o relativo al campo.
AGRAVAR tr. Aumentar el peso de alguna cosa. // Oprimir con gravámenes o tributos. // tr. y r. Exagerar una cosa.
AGRAVIAR tr. Hacer agravio. // Apesadumbrar. // r. Ofenderse o mostrarse resentido por algún agravio.
AGRAVIO m. Ofensa que se hace a uno en su honra o fama con algún dicho o hecho.
AGRAZ m. *Agr.* Uva que no llega a madurar y el zumo que de ella se extrae.
AGREDIR tr. Acometer a alguno para matarlo o hacerle daño.
AGREGADO m. Conjunto de cosas homogéneas que forman un cuerpo.// Empleado adscrito a un servicio del cual no es titular.
AGREGAR tr. y r. Unir, juntar.// Destinar a alguna persona a un cuerpo u oficina, pero sin darle plaza efectivas. // Anexar.
AGRESIÓN f. Acción y efecto de agredir. // Acto contrario al derecho de otro.
AGRESIVIDAD f. Acometividad. //Carácter agresivo en general.
AGRESIVO, VA adj. Propenso a ofender o a provocar a los demás.
AGRESOR, RA adj. y s. Que comete agresión.
AGRESTE adj. Campesino o perteneciente al campo. // Aspero, inculto. // fig. Rudo, tosco.
AGRIAR tr. y r. Poner agria una cosa. // fig Exasperar los ánimos.
AGRÍCOLA adj. Concerniente a la agricultura y al que la jerce.
AGRICULTOR, RA m. y f. Persona que labra o cultiva la tierra.
AGRICULTURA f. Arte de cultivar, beneficiar y hacer productiva la tierra para obtener de ella los productos que el hombre necesita para su alimentación y vestido.
AGRIDULCE adj. s. Que tiene mezcla de agrio y dulce.
AGRIETAR tr. y r. Abrir grietas.
AGRIMENSURA f. Arte de medir tierras.

AGRIMONIA *Bot.* Género de plantas de la fam. rosáceas, de hojas largas y flores amarillas.
AGRIO, GRIA adj. y s. De sabor ácido. // fig. Acre, áspero, desabrido.// m. Zumo ácido. // m. pl. Frutos agrios o agridulces, como el limón y la lima.
AGRONOMÍA f. Conjunto de conocimientos aplicables al cultivo de la tierra.
AGROPECUARIO, RIA adj. Que tiene relación con la agricultura y la ganadería.
AGRUPACIÓN f. Acción y efecto de agrupar o agruparse.
AGRUPAR tr. y r. Reunir en grupo.
AGUA f. Cuerpo formado por la combinación de un volumen de oxígeno y dos de hidrógeno. // pl. Visos u ondulaciones que tienen algunas tablas, piedras, maderas, etcétera.
AGUACATE m. *Bot.* Arbol de la fam. lauráceas, propio de climas cálidos.
AGUACERO m. Lluvia repentina, impetuosa y de poca duración.
AGUACHENTO, TA adj. *Amer.* Apl. a lo que pierde su jugo y sales, por estar muy impregnado de agua.
AGUADERO m. Abrevadero.
AGUADOR, RA m. y f. Persona que tiene por oficio llevar o vender agua.
AGUAFIESTAS com. Persona que turba cualquier diversión o regocijo.
AGUANTAR tr. Reprimir o contener. // Resistir pesos o trabajos. // Admitir a disgusto algo molesto.
AGUANTE m. Sufrimiento, paciencia. //Vigor para resistir pesos, trabajos, etc.
AGUAR tr. y r. Mezclar agua con vino u otro licor. // figu. Turbar, interrumpir algo agradable.
AGUARDAR tr. y r. Esperar
AGUARDIENTE m. Bebida espiritosa que, por destilación, se saca del vino y de otras sustancias.
AGUARRÁS m. *Quim.* Disolvente orgánico que se obtiene por destilación de ciertas resinas. Recibe también el nombre de esencia de trementina.
AGUATERO m. *Amer.* Aguador.
AGUDIZAR tr. Hacer aguda una cosa. // r. Agravarse.
AGUDO, DA adj. Delgado, sutil. Díc. del corte o punta de armas, instrumentos, etc. // fig. Sutil, perspicaz. / /Gracioso, oportuno.// Apl. al dolor vivo y penetrante. // Díc. de la enfermedad grave y de no larga duración.
AGÜERO m. Presagio sacado del canto o vuelo de las aves y de fenómenos meteorológicos. // Pronóstico formado supersticiosamente.
AGUERRIDO, DA adj. Ejercitado en la guerra.
AGUERRIR tr. y r. defect. Acostumbrar a los peligros de la guerra.
AGUIJÓN m. *Zool.* Apéndice que poseen algunos himenópteros y otros animales, como la raya y el escorpión. Es un órgano defensivo y con él inyectan sustancias tóxicas.
ÁGUILA f. *Zool.* Ave falconiforme, diurna, de gran tamaño y vuelo muy rápido. Su pico es corvo en la punta.

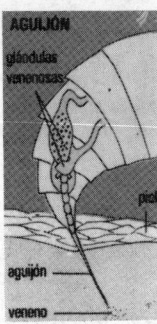

aguileño, ña adj. Díc. del rostro largo y delgado. // Díc. de la nariz alargada y curva.

ÁGUILA imperial

AGUILUCHO m. Cría de águila.
AGUINALDO m. Regalo que se da en Navidad o en alguna otra fiesta.
AGUJA f. Barrita puntiaguda con un ojo por donde se pasa el hilo, cuerda, etc., con que se cose, borda o teje. // Tubito metálico de pequeño diámetro con el que se inyectan sustancias en el organismo.// Manecilla.// Especie de estilete que reproduce las vibraciones inscritas en los discos.// Obelisco, pilar.// Chapitel estrecho y alto de una torre.// *Geol.* Prominencia aguda que presentan las cimas de algunas montañas.
AGUJEREAR tr. y r. Hacer uno o más agujeros a una cosa.
AGUJERO m. Abertura más o menos redonda en alguna cosa.
AGUJETAS f. pl. Dolores que se sienten en los músculos después de algún ejercicio violento.
AGUTÍ m. *Zool.* Mamífero roedor de la fam. dasipróctidos.
AGUZAR tr. Hacer o sacar punta a una cosa. // Sacar filo. // fig. Estimular.
¡AH! interj. Denota pena, admiración o sorpresa.
AHERROJAR tr. Poner a alguno prisiones de hierro. // fig. Subyugar.
AHERRUMBRARSE r. Tomar una cosa color o sabor de hierro. // Cubrirse de herrumbre.
AHÍ Adv. l. En ese lugar o a ese lugar. // En esto, o en eso.
AHIJADO, DA m. y f. Cualquier persona, respecto de sus padrinos.
AHIJAR tr. Prohijar o adoptar al hijo ajeno.
AHINCAR tr. Instar con ahínco, estrechar. // r. Apresurarse.
AHÍNCO m. Empeño o diligencia grande con que se hace o solicita algo.
AHÍTO, TA adj. Apl. al que padece alguna indigestión. // fig. Cansado de alguna persona o cosa.
AHOGAR tr. y r. Quitar la vida a alguno impidiéndole la respiración.// fig. Extinguir. //tr., intr. y r. fig. Oprimir, acongojar.
AHOGO m. fig. Aprieto o aflicción grande. // Apremio, prisa.
AHONDAR tr. Hacer más honda una cavidad. // Por ext., excavar.
AHORA adv. t. A esta hora, en el tiempo presente./ / fig. Poco tiempo ha.// Dentro de muy poco.// conj. advers. Pero, sin embargo.
AHORCAR tr. y r. Quitar a uno la vida colgándole por el cuello.
AHORRAR tr. y r. Reservar alguna parte del gasto ordinario. // fig. Evitar algún riesgo o dificultad.
AHORRO m. Acción de ahorrar. // Lo que se ahorra.
AHUECAR tr. Poner hueca alguna cosa. // Mullir. / / intr. y fam. Ausentarse. // r. fig. y fam. Hincharse, engreírse.
AHUMADO, DA adj. Apl. a los cuerpos transparentes que tienen color sombrío.
AHUMAR tr. Poner al humo alguna cosa. //r. Tomar los guisos sabor a humo. // Ennegrecerse una cosa con el humo.
AHUYENTAR tr. Hacer ruido. // fig. Desechar cualquier cosa que moleste.
AIMARÁ adj. y s. Díc. de los indios que habitan la reg. del lago Titicaca, entre Perú y Bolivia. //m. Lengua que hablan.
AIRAR tr. y r. Mover a ira. // Agitar.
AIRE m. Mezcla de gases, principalmente nitrógeno y oxígeno, que forma la atmósfera de la Tierra. // fig. Parecido, semejante. // Primor, gracia o perfección en el modo de hacer las cosas.
AIREAR tr. Ventilar alguna cosa. // fig. Dar publicidad a una cosa. // r. Ponerse al aire.
AIRÓN m. *Zool.* Penacho de plumas que tienen algunas aves en la cabeza.// Garza real.
AIROSO, SA adj. fig. Garboso o gallardo. // Díc. del que lleva a cabo una empresa felizmente.
AISLADOR m. *Electrotec.* Elemento de materia aislante, al que se fija un conductor eléctrico para asegurar el aislamiento entre éste y la tierra y entre varios conductores.
AISLAMIENTO m. Acción y efecto de aislar o aislarse. // fig. Incomunicación.
AISLAR tr. Cercar de agua por todas partes algun lugar.// tr. y r. Dejar una cosa sola y separada de otras. / fig. Retirar a una persona del trato con la gente.
¡AJÁ! interj. fam. que se emplea para denotar aprobación.

19

AJAR tr. y r. Maltratar o deslucir alguna cosa. // fig. Tratar mal de palabra a alguno para humillarle.
AJE m. Achaque, enfermedad.
AJEDREZ m. Juego entre dos personas, cada una de las cuales dispone de 16 piezas movibles que se colocan sobre un tablero dividido en 64 escaques.
AJENJO m. *Bot.* Planta perenne (fam. compuestas), de flores amarillas. Es amarga y aromática. // Licor que se obtiene de la planta.
AJENO, NA adj. Perten. a otro. // De distinta naturaleza o condición. // fig. Distante, lejano. // Impropio.
AJETREARSE r. Cansarse con una ocupación, o yendo y viniendo de una parte a otra.
AJETREO m. Acción de ajetrearse.
AJÍ m. *Amer.* Pimiento.
AJIMEZ m. Ventana arqueada, dividida en el centro por una columna.
AJO m. *Bot.* Planta herbácea (fam. liliáceas), con bulbo que se usa como condimento.
AJONJOLÍ m. *Bot.* Planta anual (fam. pedaliáceas), de flor blanca y semillas comestibles.
AJUAR m. Conjunto de enseres y ropas de una casa. // El que aporta la mujer al matrimonio.
AJUSTAR tr. y r. Hacer y poner alguna cosa de modo que se adapte a otra. // Apretar una cosa de forma que encajen sus varias partes. // Arreglar, moderar. // Concertar alguna cosa.
AJUSTE m. Acción y efecto de ajustar o ajustarse.
AJUSTICIADO, DA m. f. Reo en quien se ha ejecutado la pena de muerte.
AJUSTICIAR tr. Castigar al reo con la pena de muerte
AL Contrac. de la pre. a y el art. *el.*
ALA f. Parte del cuerpo de algunos animales, de que se sirven para volar. // Hilera o fila. // Parte inferior del sombrero, que rodea la copa. // Parte exterior de las ventanas de la nariz. // *Aeron.* Cada una de las estructuras que sobresalen a ambos lados del avión para servirle de sustentación.
ALABANZA f. Acción de alabar o alabarse. // Expresión con que se alaba.
ALABAR tr. y r. Elogiar, celebrar conpalabras. // r. Jactarse.
ALABARDA f. Arma que consta de un asta de madera, y de una moharra provista de una cuchilla transversal

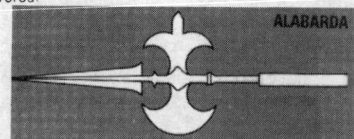
ALABARDA

ALABASTRO m. *Mineral.* Variedad de yeso de grano fino, blanco amarillento, traslúcido en láminas delgadas.
ÁLABE m. *Tenol.* Paleta curva que forma parte de una turbina o de una rueda hidráulica.
ALABEARSE r. Torcerse o combase una tabla de madera.
ALABEO m. Vicio que toma una tabla al alabearse.
ALACENA f. Hueco hecho en la pared, con puertas y anaqueles.
ALACRÁN m. *Zool.* Escorpión.
ALADIERNA f. *Bot.* Arbusto ornamental de la fam. ramnáceas.
ALAMBICAR tr. Destilar en alambique, // fig. Examinar una cosa atentamente. // Sutilzar excesivamente en el lenguaje, conceptos, etc.
ALAMBIQUE m. *Quim.* Aparato utilizado ant. para la destilación de líquidos. Consta de una caldera y de un serpentín.
ALAMBRADA f. *Mil.* Red de alambre.
ALAMBRAR tr. Cercar un sitio con alambre.
ALAMBRE m. Hilo tirado de cualquier metal.
ALAMEDA f. Sitio poblado de álamos.
ÁLAMO m. *Bot.* Árbol de la fam. salicáceas, propio de zonas templadas. Se conoce también con el nombre de *chopo.*
ALANTOIDES m. *Amat.* Bolsa membranosa que comunica con la cavidad instestintal del embrión de los reptiles, aves y mamíferos.
ALARDE m. Ostentación que se hace de alguna cosa.
ALARGAR tr. y r. Dar más longitud a una cosa. // Hacer que una cosa dure más tiempo. // tr. Estirar, desencoger // Alcanzar algo y darlo a otro que está

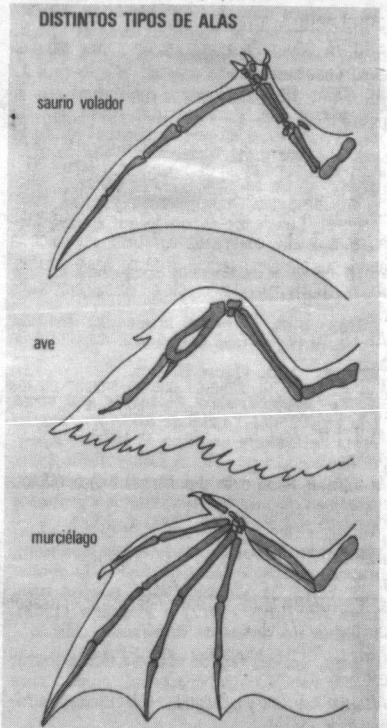
DISTINTOS TIPOS DE ALAS
saurio volador
ave
murciélago

apartado.
ALARIDO f. Grito lastimero.
ALARMA f. Aviso que se da en un ejército para que se prepare a la defensa o al combate. // Rebato. // fig. Inquietud o sobresalto repentino. // *Tecnol.* Dispositivo que da una señal de alerta o pone en marcha un sistema defensivo.
ALAZÁN, NA adj. y s. Díc. del color rojizo. // Díc. esp. del caballo que tiene el pelo de ese color.
ALBA f. Amanecer. // Primera luz del día. // Túnica blanca que se usapara celebrar los oficios divinos.
ALBACEA com. Persona encargada por el testador de cumplir la ultima voluntad y custodiar los bienes del finado.
ALBAHACA f.*Bot.* Planta herbácea (fam. labiadas). Tiene aplicaciones médicas.
ALBAÑAL m. Conducto que da salida a las aguas inmundas.
ALBAÑIL m. Maestro u oficial de albañilería.
ALBAÑILERÍA f. Arte de construir edificios u obras con ladrillos, piedra, cal, yeso, etc.
ALBARÁN m. Resguardo que se firma y entrega al portador de una mercancía.
ALBARDA f. Pieza del aparejo de las caballerías de carga. Consta de dos especies de almohadas rellenas de paja y unidas sobre el lomo del animal.
ALBARELO m. Pieza cilíndrica de cerámica, de boca ancha.
ALBARICOQUE m.*Agr.* Fruto del albaricoquero, de piel aterciopelada, sabor dulce y hueso liso.
ALBARICOQUERO m. *Bot.* Arbol frutal (fam. rosáceas), de 5 a 6 m de altura.
ALBATROS m. *Zool.* Ave marina (fam. diomedeidos). de gran tamaño y vuelo veloz.

ALBAYALDE m. Carbonato básico de plomo, de color blanco.
ALBEDRÍO m. Potestad de obrar por reflexión y elección. Díc. más ordinariamente *libre albedrío*.
ALBERCA f. Depósito artificial de agua.
ALBÉRCHIGO m. Fruto del alberchiguero. // Albaricoque.
ALBERCHIGUERO m. Variedad de melocotonero.
ALBERGAR tr. Dar albergue u hospedaje. // intr. y r. Tomar albergue.
ALBERGUE m. Lugar de hospedaje. // Cueva en que se refugian los animales.
ALBIGENSES m. pl. Adeptos de una secta cátara que se difundió por Francia en los siglos XII y XIII. Su centro fue la c. de Albi.
ALBINISMO m. *Biol.* Ausencia total o parcial del pigmento oscuro de la piel.
ALBOQUE m. Especie de dulzaina. // Instrumento musical parecido a una flauta.
ALBÓNDIGA f. Bola de carne o pescado picado, trabado con pan, huevos batidos y especias.
ALBORADA f. Tiempo de amanecer. // Acción de guerra al amanecer. // Toque militar al alba.
ALBOREAR intr. Amanecer o rayar el día.
ALBORNOZ m. Tela de estambre muy torcido y fuerte. // Bata.
ALBOROTAR tr. y r. Inquietar alterar, perturbar. // Sublevar.//pernl. Tratándose del mar, encresparse.
ALBOROTO f. Vocerío o estrépito. // Desorden, tumulto. // Motín. //Sobresalto.
ALBOROZAR tr. y r. Causar alborozo.
ALBOROZO m. Extraordinario regocijo, placer o alegría.
ALBRICIAS f. pl. Regalo que se da a quien trae la primera noticia de alguna buena nueva.
ALBUFERA f. Laguna formada por el agua del mar en playas bajas.
ALBUGO m. *Med.* Mancha blanca de la córnea o de las uñas.
ÁLBUM m. Libro en blanco que sirve para coleccionar autógrafos, fotografías, grabados, sellos, etc.
ALBÚMINAS f. pl. *Bioquim.* Sustancias proteínicas simples en cuya composición entran carbono, nitrógeno y, a veces, azufre.
ALBUMINARIA F. *Med.* Presencia de albúmina en la orina.
ALBUR m. fig. Azar a que se fía el resultado de alguna empresa.
ALBURA f. Blancura perfecta. // Clara de huevo. // *Bot.* Capa blanca y tierna de los troncos de ciertos vegetales.
ALCACER m. Cebada verde y en hierba.
ALCACHOFA f. Inflorescencia comestible de la alcachofera.
ALCACHOFERA f. *Bot.* Planta hortense, perenne, de la fam. compuestas.
ALCAHUETE, TA m. y f. Persona que solicita a una mujer por cuenta de otros para usos lascivos.
ALCAIDE m. El que tenía a su cargo la defensa de un castillo. // En las cárceles, encargado de la custodia de los presos.
ALCALDE m. Presidente del ayuntamiento de cada término municipal.
ALCALDESA f. Mujer que ejerce el cargo de alcalde.
ALCALDÍA f. Cargo de alcalde. // Territorio de su jurisdicción. // Oficina del alcalde.
ÁLCALI m. *Quim.* Base
ALCALINOS m. pl. *Quim.* Elementos de carácter fuertemente metálico. Forman sales solubles en agua. Son el litio, sodio, potasio, rubidio y cesio.
ALCALINOTÉRREOS adj. y m. pl. *Quim.* Elementos

21

de carácter metálico. Forman sales insolubles en agua. Son el berilio, magnesio, calcio, estroncio, bario y radio.

ALCALOIDES m. pl. *Quím.* Bases orgnánicas nitrogenadas que se encuentran an algunas plantas dicotiledóneas.

ALCANCE m. Persecución. // Distancia a la que llega el brazo de una persona, o un arma. // fig. Capacidad o talento.

ALCANCÍA f. Vasija cerrada con una hendedura por donde se echan monedas.

ALCANFOR m. *Quím.* Sustancia sólida blanca, cristalina y volátil. Se utiliza en farmacia.

ALCANFORERO m. *Bot.* arbol de la fam. lauráceas, de grandes dimensiones. De sus hojas se extrae el alcanfor.

ALCANTARILLA f. Puentecillo en un camino. // Conducto subterráneo que da paso a las aguas residuales y de lluvia.

ALCANTARILLADO m. Red de alcantarillas

ALCANZAR tr. Llegar a juntarse con una persona o cosa que va delante. // Llegar a tocar o coger. // fig. Lograr. // Saber, comprender.

ALCAPARRA f. *Bot.* Planta de la fam. caparidáceas, de flores blancas. Su fruto se utiliza como condimento.

ALCARAVÁN m. *Zool.* Ave palmípeda (fam. burínidos), de patas largas y pies ligeramente palmeados.

ALCARRIA f. Terreno alto y raso.

ALCATRAZ m. *Zool.* Ave marina de la fam. súlidos. Habita en acantilados de los mares templados.

ALCAYATA f. Escarpia.

ALCAZABA f. Recinto fortificado, dentro de una población murada.

ALCÁZAR m. Recinto fortificado.

ALCE m. *Zool.* Rumiante de la fam. cérvidos, muy corpulento.

ALCOBA f. Aposento destinado a dormir. // Caja de balanza.

ALCOHOL m. *Quím. Org.* Compuesto derivado de un hidrocarburo por sustitución de átomos de hidrógeno ligados a un carbono saturado, por iones hidroxilo (OH). Es un líquido transparente, inflamable, de olor penetrante y grato.

ALCOHÓLICO, CA adj. Que contiene alcohol. // adj. y s. Alcoholizado.

ALCOHOLISMO m. Abuso de las bebidas alcohólicas, y trastornos y enfermedades que ello provoca.

ALCOHOLIZAR tr. Echar alcohol en otro líquido. // tr. y r. Habituar a las bebidas alcohólicas.

ALCORNOQUE m.*Bot.* Arbol perennifolio de la fam. fagáceas, propio del Mediterráneo occidental.

ALCURNIA f. Ascendencia, linaje.

ALCUZA f. Vasija de forma cónica, para el aceite de uso diario.

ALCUZCUZ m. Pasta de harina y miel, reducida a granitos redondos.

ALDABA f. Pieza de metal que se pone en las puertas para llamar golpeando con ella.

ALDABONAZO m. Golpe con la aldaba.

ALDEA f. Pueblo de corto vecindario.

ALDEANO, NA adj. y s. Natural de una aldea. // fig. Inculto.

ALDEHÍDOS m. pl. *Quím. Org.* Compuestos resultantes de la oxidación o la deshidrogenación de los alcoholes.

ALEACIÓN f. *Metal.* y *Quím.* Argregado cristalino de elementos metálicos por fusión conjunta y posterior solidificación.

ALEAR tr. Mezclar dos o mjás metales fundiéndolos.

ALEATORIO, RIA adj. Rel. al juego de azar. // Dependiente de algún suceso fortuito.

ALECCIONAR tr. y r. Instruir.

ALEDAÑO, ÑA adj. Lindante. // m. Confín, término, límite.

ALEGACIÓN f. Acción de alegar. // Alegato.

ALEGAR tr. Citar algo como prueba o defensa. // *For.* Traer el abogado leyes y razones en defensa de su causa.

ALEGATO m. Escrito en el cual expone el abogado los fundamentos del derecho de su cliente.

alce común (Alces alces)

alce de El Cabo (Taurotragus oryx)

ALEGORÍA f. Ficción en virtud de la cual una cosa significa otra distinta. // Obra o composición de sentido alegórico.

ALEGRAR tr. Causar alegría. // fig. Avivar, hermosear. // r. Recibir o sentir alegría.

ALEGRE adj. Lleno de alegría. /6 Que siente u ocasiona alegría. // fig. Aplicado a los colores, vivo.
ALEGRÍA f. Animación y sentimiento grato que produce la posesión o esperanza de algún bien. // Palabras o signos con que se manifiesta.
ALEGRO adv. m. *Mús.* Con movimiento moderadamente vivo.
ALEGRÓN m. fam. Alegría intensa y repentina.
ALEJAMIENTO m. Acción y efecto de alejar o alejarse.
ALEJANDRINO adj. y s. Verso de catorce sílabas.
ALEJAR tr. y r. Poner lejos o más lejos.
ALELAR tr. y r. Poner lelo.
ALELUYA Voz que la Iglesia usa en la demostración de júbilo. //f. Cada una de las estampitas que forman una serie, con una explicación en versos pareados.
ALEMÁN, NA adj. y s. Natural de Alemania. // adj. Perten. a este país. // m. Idioma alemán.
ALENTAR intr. Respirar; cobrar aliento. // tr. y r. Animar.
ALERCE m. *Bot.* Arbol ornamental, caducifolio, de la fam. pináceas; alcanza los 20 m. de altura.
ALERGIA f. Estado hipersensible ante determinados estímulos, que normalmente son inofensivos.
ALÉRGICO, CA adj. Rel. a la alergia.
ALERO m. Parte inferior del tejado, que sale fuera de la pared.
ALERONES m. pl. *Aeron.* Pequeños planos movibles situados en el borde de las alas del avión.
ALERTA adv. m. Con vigilancia y atención. U. con los verbos *estar, andar, vivir,* etc.
ALERTAR tr. Poner alerta.
ALETA f. *Zool.* Apéndice natatorio de peces y mamíferos acuáticos.
ALETARGAR tr. y r. Causar o padecer letargo.
ALETEAR intr. Mover las alas sin echar a volar. //fig. Mover los brazos.
ALETEO m. Acción de aletear. // fig. Palpitación violenta del corazón.
ALEVÍN m. *Zool.* Nombre que se da a las crías de los peces de agua dulce.
ALEVOSÍA f.Cautela para asegurar sin riesgo la comisión de un delito. // Traición, perfidia.
ALFA f. Primera letra del alfabeto griego.
ALFABETIZAR tr. Ordenar alfabéticamente. //Enseñar a leer y escribir.
ALFABETO m. Conjunto de signos gráficos usado en la transcripción de una lenga. // Abecedario.
ALFALFA f. *Bot.* Planta perenne de la fam. leguminosas, de raíz profunda y muy dividida. Se emplea como forraje.
ALFANJE m. Sable corto y corvo.
ALFAQUE m. Banco de arena en la desembocadura de los ríos.
ALFARERÍA f. Arte de fabricar vasijas de barro. // Lugar donde se fabrican.
ALFARERO m. El que hace vasijas de barro.

ALFÉIZAR f. *Arq.* Vuelta que hace la pared en el corte de una puerta o ventana.
ALFEÑIQUE m. Pasta de repostería.// fig.y fam. Persona enfermiza.
ALFÉREZ m. Subteniente o segundo teniente.
ALFIL m. Pieza del juego de ajedrez que se mueve diagonalmente.
ALFILER m. Clavillo metálico que sirve para sujetar alguna parte de los vestidos, tocados, etc., de la persona. // Joya de forma de broche.
ALFOLÍ m. Granero. // Almacén de sal.
ALFOMBRA f. Tejido con que se cubre el suelo.
ALFÓNCIGO m. *Bot.* Arbol terebintáceo. Fruto en drupa con almendra comestible llamado *pistacho*.
ALFORJA f. Bolsa doble que se usa para viaje y acarreo. // Provisión de lo necesario para el viaje.
ALGA f. *Bot.* Vegetal talofito, unicelular o pluricelular, con pigmentos asimiladores y membrana celulósica o pectinica. Vive en aguas dulces o marinas.
ALGALIA f.Sustancia untuosa de olor fuerte y sabor acre.
ALGARABÍA f. Lengua árabe. //fig. y fam. Lengua o escritura ininteligible. // Gritería confusa.
ALGARADA f. Alboroto.
ALGARROBA f. *Agr.* Fruto del algarrobo.
ALGARROBO m. *Bot.* Arbol de la fam. leguminosas, oriundo de Arabia. Da flores rojas y pequeñas y fruto comestible.
ALGAZARA f. Vocería de las tropas, al acometer al enemigo.// Ruido, gritería.
ÁLGEBRA f. Parte de la matemática que formula razonamientos abstractos por medio de símbolos.
ALGEBRAICO, CA adj. Perteneciente o relativo al álgebra.
ALGESIA f. Sensibilidad al dolor.
-ALGIA Sufijo derivado del gr. *algos*, dolor.
ALGIDEZ f. *Med.* Frialdad glacial. // Enfriamiento del cuerpo.
ÁLGIDO, DA adj. Muy frío. // Fig. Máximo, crítico, clímax.
ALGO prono. indet. Denota cantidad indet. // adv. c. Un poco.
ALGODÓN m. *Bot.* Planta dicotiledénea de la fam. malváceas. Su fruto es una cápsula ovoide que contiene las semillas, recubiertas de una borra blanca de largas fibras.
ALGODONAL m. Plantación de algodón.
ALGORITMIA f. Ciencia del cálculo aritmético y algebraico.
ALGORITMO m. *Arit.* Nombre dado a los números y a los símbolos matemáticos.
ALGUACIL m. Oficial inferior de justicia, que ejecuta las órdenes del tribunal a quien sirve.
ALGUIEN Pron. indet. con que se significa una persona cualquiera, que no se nombra.
ALGÚN adj. Apócope de *alguno*. Se usa sólo ante nombres masculinos.

ALGUNO, NA adj. Se aplica a una persona o cosa indeterminada. // Bastante. // pron. indet. Alguien.
ALHAJA f. Joya. // Adorno o mueble precioso. // fig. Cosa de mucho valor y estima.
ALHARACA f. Viva manifestación de ira, admiración, alegría, etc.
ALHELÍ m. *Bot.* Planta crucífera vivaz, cultivable en macetas para ornamentación.
ALHUCEMA f. *Bot.* Espliego.
ALIÁCEO, A adj. Perten. al ajo o que tiene su olor o sabor.
ALIADO, DA adj. y s. Díc. de la persona con quien uno se ha unido.
ALIANZA f. Acción de aliarse dos o más gobiernos o personas. // Pacto. // Anillo matrimonial.
ALIARSE r. Unirse o coligarse los príncipes o Estados unos con otros. // Unirse o coligarse con otro.
ALIAS adv. lat. De otro modo, por otro nombre. // Apodo.
ALICAÍDO, DA adj. Caído de alas. // fig. y fam. Débil. // Triste.
ALICATADO m. Obra de azulejos, generalmente de estilo árabe.
ALICATAR tr. Azulejar.
ALICATES m. pl. *Tecnol.* Tenacillas de acero, de puntas fuertes.
ALICIENTE m. Atractivo, incentivo.
ALICUOTA adj. Proporcional.
ALIENACIÓN f. Acción y efecto de alienar. / *Psicol.* Trastorno mental.
ALIENAR tr. y r. Enajenar.
ALIENTO m. Acción de alentar.// Respiración. // Soplo. // fig. Vigor del ánimo.
ALIGACIÓN f. Ligazón, trabazón o unión de una cosa con otra.
ALIGERAR tr. y r. Hacer ligero o menos pesado. // tr. Abreviar, acelarar. // fig. Aliviar, moderar.
ALIJAR tr. Desembarcar la carga de una embarcación. // Transbordar género de contrabando.
ALIJO m. Acción de alijar. // Conjunto de géneros de contrabando.
ALIMAÑA f. Animal perjudicial a la caza menor. // Animal dañino.
ALIMENTACIÓN f. Acción y efecto de alimentar o alimentarse.
ALIMENTAR tr. y r. Dar alimento a los animales o vegetales. // tr. Suministrar a una máquina lo necesario para que funcione. // Hablando de vicios, virtudes, etc., fomentarlos.
ALIMENTICIO, CIA adj. Que alimenta o tiene la propiedad de alimentar.
ALIMENTO m. Cualquier sustancia que los seres vivos toman para subsistir. // fig. Lo que mantiene la existencia de algunas cosas que, como el fuego, necesitan de pábulo.
ALINDAR tr. Señalar los lindes a una heredad. // tr. y r. Poner lindo, hermoso.

ALINEACIÓN f. Acción y efecto de alinear o alinearse.
ALINEAR tr. y r. Poner en línea recta.
ALINEAMIENTO m. alineación.
ALIÑAR tr. Aderezar, condimentar.
ALIÑO m. Acción y efecto de aliñar. // Condimento con que se sazona la comida.
ALIOLI m. Salsa mahonesa con ajo.
ALISAR tr. y r. Poner lisa una cosa. // tr. Arreglar el cabello con el peine.
ALISIOS adj. y s. pl. *Meteor.* Vientos constantes y regulares producidos por recalentamiento de las masas de aire ecuatoriales.
ALISMÁCEAS f. pl. *Bot.* Fam. de plantas monocotiledóneas acuáticas. Comprende numerosas especies.
ALISO m. *Bot.* Arbol de la fam. betuláceas, parecido al abedul.
ALISTAR tr. y r. Poner en lista a alguno. // r. Sentar plaza en la milicia.
ALITERACIÓN f. *Ret.* Figura que consiste en repetir un sonido.
ALIVIAR tr. Aligerar. // tr. y r. Quitar a una persona o cosa parte del peso que sobre ella carga. // fig. Disminuir la enfermedad, las fatigas.
ALIVIO m. Acción y efecto de aliviar o aliviarse.
ALJABA f. Caja portátil para flechas.
ALJAMA f. Junta de moros o judíos.// Sinagoga.// Mezquita.
ALJAMÍA f. Nombre que daban los moros a la lengua castellana.
ALJIBE m. Cisterna. // *Mar.* Caja que contiene el agua a bordo.
ALMA f. Sustancia espiritual e inmortal, que informa al cuerpo humano y con él constituye la esencia del hombre. // Por ext., principio sensitivo que da vida e instinto a los animales. // fig. Persona. // Viveza, energía.
ALMACÉN m. Casa o edificio donde se guardan o se venden géneros.
ALMACENAR tr. Poner o guardar en almacén. // Acopiar o guardar muchas cosas.
ALMÁCIGA f.*Quím.* Resina amarillenta y aromática que se extrae de una variedad de lentisco.
ALMÁCIGA f. *Agr.* Lugar donde se siembran las semillas de las plantas para trasplantarlas.
ALMÁCIGO m. *Bot.* Lentisco.
ALMÁDENA f. Mazo de hierro para romper piedras.
ALMADRABA f. Pesca de atunes.// Lugar donde se hace esta pesca.
ALMADREÑA f. Zueco de madera.
ALMANAQUE m. Catálogo de todos los días del año, distribuidos por meses con datos astronómicos, etc.
ALMAZARA f. Molino de aceite.
ALMEJA f. *Zool.* Molusco bivalvo comestible, frecuente en los mares europeos.
ALMENA f. Cada uno de los prismas que coronan los muros de las antiguas fortalezas.

ALMENARA f. Fuego que se hace en las atalayas para dar aviso de algo.
ALMENDRA f. *Agr.* Fruto del almendro y su semilla, comestible y rica en aceites. // Semilla carnosa de cualquier fruto en drupa.
ALMENDRADO, DA adj. De figura de almendra. // m. Pasta hecha con almendras, harina y miel o azúcar.
ALMENDRO m. *Bot.* Arbol de la fam. rosáceas. Tiene ríz profunda, hojas lanceoladas, flores rosadas o blancas y tronco rugoso.
ALMETE m. Pieza de la armadura antigua que cubría la cabeza.
ALMEZ m. *Bot.* Arbol ornamental, caducifolio, de la fam. ulmáceas.
ALMIAR m. Pajar al descubierto, con un palo largo en el centro.
ALMÍBAR m. Azúcar disuelto en agua y cocido hasta que toma consistencia de jarabe.
ALMIBARADO, DA adj. fig. y fam. Meloso, excesivamente dulce.
ALMIBARAR tr. Cubrir con almíbar. // Suavizar las palabras.
ALMIDÓN m. Sustancia hidrocarbonada presente en las semillas y rizomas de casi todos los vegetales.
ALMIDONADO, DA adj. fig. y fam. Díc. de la persona ataviada con afectación.
ALIMINAR m. Torre de las mezquitas.
ALMIRANTAZGO m. Alto consejo de la armada. // Empleo o grado de almirante.
ALMIRANTE m. Jefe superior de la armada, con rango de general.
ALMIREZ m. Mortero de metal.
ALMIZCLE m. Sustancia odorífera, untuosa, de sabor amargo, que se saca del almizclero.
ALMIZCLERO m. *Zool.* Mamífero rumiante (fam. cérvidos). En la región umbilical posee una bolsa que produce y almacena el almizcle.
ALMOGÁVAR m. Soldado de una tropa escogida, que se empleaba para hacer correrías.
ALMOHADA f. Colchoncillo para reclinar la cabeza o para sentarse.// Funda de lienzo en que se mete la almohada.
ALMOHADE adj. y s. Díc. de los secuaces del africano Ibn Tumart, que, proclamándose Mesías del Islam, dió lugar a la fundación de un nuevo imperio.
ALMOHADÓN m. Almohada usada para sentarse o apoyar los pies.
ALMONEDA f. Venta pública de bienes muebles con puja.
ALMORÁVIDE adj. y s. Díc. del individuo de una tribu del Atlas, guerrera y avasalladora, que en el s. XI dominó el occidente de Africa.
ALMORRANAS f. pl. *Med.* Hemorroides.
ALMORZAR intr. Tomar el almuerzo.// tr. Comer en el almuerzo una u otra cosa.
ALMUERZO m. Comida que se toma por la mañana./ / Comida del mediodía.// Acción de almorzar.

ALMUNIA f. Huerto, granja.
ALOCADO, DA adj. Que tiene cosas de loco.// Irreflexivo.
ALOCUCIÓN f. Discurso dirigido por un superior a sus inferiores.
ALODIO m. Término que durante la Edad Media designaba toda heredad, patrimonio o cosa alodial.
ÁLOE m. *Bot.* Planta de la fam. liliáceas, de hojas carnosas. De algunas especies se extrae el acíbar.
Alojamiento m. Acción y efecto de alojar o alojarse. // Lugar donde uno está alojado.
ALOJAR tr. y r. Hospedar, aposentar.// Colocar una cosa dentro de otra.
ALONDRA f. *Zool.* Ave de la fam. aláulidos. Su plumaje es pardo con listas negras.
ALOPATÍA f. *Med.* Terapéutica que produce en el estado sano fenómenos diferentes de los que caracterizan las enfermedades en que se emplea.
ALOPECIA f. *Med.* Pérdida total o parcial del pelo.
ALOQUE adj. De color rojo claro.
ALOTROPÍA f. *Quim.* Propiedad por la cual un elemento simple puede presentarse en diferentes estados y conpropiedades distintas.
ALPACA f. *Zool.* Mamífero unguiado (fam. camélidos), parecido a la cabra, pero con el cuello muy largo. Su cuerpo está cubierto de largos mechones de lana.
ALPACA f. *Metal.* Aleación de cobre, cinc y niquel.
ALPARGATA f. Calzado de cáñamo en forma de sandalia. // cualquier calzado sencillo de lona.
ALPINISMO m. Deporte que consiste en la ascensión a altas montañas.
ALPINO, NA adj. Perten. a los Alpes, y, por ext., a las montañas altas.
ALPISTE m. *Bot.* Planta gramínea que se utiliza como forraje; la semilla, con el mismo nombre, sirve de alimento a las aves.
ALQUERÍA f. Casa de labranza, granja.
ALQUILAR tr. Dar a otro una cosa para que use de ella mediante el pago de la cantidad convenida.
ALQUIMIA f. Ciencia y pensamiento anterior a la química moderna, que buscó por métodos empíricos la transmutación de las sustancias.
ALQUITRÁN m. *Quim. Org.* Sustancia untuosa, densa, oscura y combustible, obtenida por destilación de diferentes materias orgánicas.
ALREDEDOR adv. l. Denota la situación de personas o cosas que circundan a otras. // adv. c. fam. Cerca, sobre poco más o menos. // m. pl. Contorno de un lugar.
ALTA f. Orden por la que el enfermo dado por sano debe dejar el hospital. // Ingreso de una persona en un cuerpo o profesión, etc.
ALTANERÍA f. Vuelo alto de algunas aves. // Caza con halcones y otras aves de alto vuelo.// fig. Altivez, soberbia.
ALTANERO, RA adj. Apl. al halcón y otras aves de

rapiña. // fig. altivo.
ALTAR m. Monumento para inmolar la víctima y ofrecer el sacrificio.//En el culto católico, ara o piedra consagrada. // Por ext., lugar donde se coloca el ara.

alquimia: miniatura de un tratado medieval

ALTAVOZ m. *Acús.* Aparato capaz de transformar la energía eléctrica en energía acústica e irradiarla.

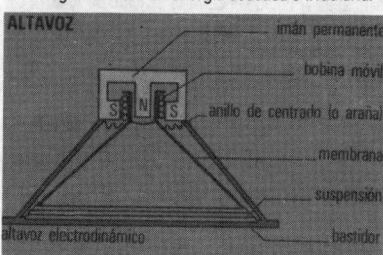

ALTEA f. *Bot.* Planta vivaz de la fam. malváceas.
ALTERACIÓN f. Acción de alterar o alterarse.// Sobresalto, inquietud.// Alboroto, tumulto.
ALTERAR tr. y r. Cambiar la esencia o forma de una cosa. // Perturbar, trastornar. // Estropear, dañar.
ALTERCADO m. Acción de altercar.
ALTERCAR intr. Disputar, porfiar.
ALTERNADOR m. *Electrotec.* Máquina dinamoeléctrica capaz de transformar la energía mecánica de rotación en energía eléctrica en forma de corriente alterna.
ALTERNANCIA f. Acción y efecto de alternar.
ALTERNAR tr. Variar las acciones diciendo o haciendo ya unas cosas, ya otras, y repitiéndolas sucesivamente. // intr. Sucederse por turno unas personas a otras o varias cosas entre sí. // Efecto de alternar.
ALTERNATIVO, VA adj. Que se dice, hace o sucede con alternación.
ALTERNO, NA adj. Alternativo. // *Bot.* Díc. de las hojas que nacen aisladas sin ser opuestas ni verticiladas.
ALTEZA f. Altura. // Fig. Elevación, excelencia. // Tratamiento que se da a los hijos de los reyes, a los infantes y a los que ostentan el título de príncipes.
ALTIBAJOS m. pl. fig. y fam. Desigualdades o altos y bajos de un terreno. // Alternativa de bienes y males.
ALTILLO m. Cerrillo o sitio elevado. // Desván o sobrado.
ALTÍMETRO m. Instrumento para medir alturas.
ALTIPAMPA f. *Amer.* Altiplanicie.
ALTIPLANICIE f. Meseta de mucha extensión situada a gran altitud.
ALTISONANTE adj. Altísono. Díc. del lenguaje o estilo usado afectadamente.
ALTÍSONO, NA adj. Altamente sonoro.
ALTITUD f. Altura.
ALTIVEZ f. Orgullo, soberbia.
ALTIVO, VA adj. Orgulloso. //Erguido, elevado, hablando de cosas.
ALTO, TA adj. Levantado, elevado sobre la tierra. // Más elevado con relación a otro término inferior. // Tratándose de ríos, parte que está más próxima a su nacimiento. // Remoto, antiguo. //Díc. de las personas de gran dignidad. //Arduo, difícil. // Profundo. //fig. Dicho del precio de las cosas, caro.// Fuerte, que se oye a gran distancia. // Avanzado.
ALTO m. *Mil.* Detención o parada de la tropa.
ALTOCÚMULO m. *Meteor.* Formación nubosa blanca o grisácea.
ALTOZANO m. Monte de poca altura en terreno llano.
ALTRAMUZ m. *Bot.* Planta herbácea anual de la fam. papilionáceas. La semilla es comestible.
ALTRUISMO m. Complacencia en el bien ajeno, aun a costa del propio.
ALTURA f. Elevación de un cuerpo sobre la superficie de la tierra. // Región del aire a cierta elevación

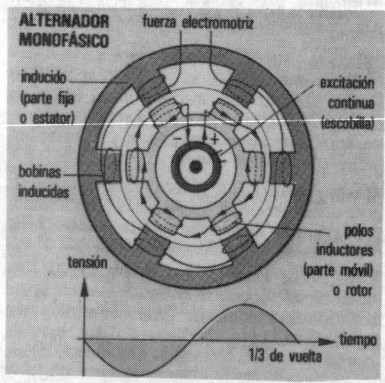

sobre la tierra. // Cumbre de los montes. // fig. Mérito. // Altitud. // pl.Cielo.

ALUBIA f. Judía.
ALUCINACIÓN f. acción de alucinar o alucinarse. // *Psicol.* Sensación subjetiva que no va precedida de impresión en los sentidos.
ALUCINAR tr. y r. Ofuscar haciendo que se tome una cosa por otra. // intr. Confundirse, ofuscarse.
ALUCINÓGENOS m. pl. *Farm.* Sustancias alcaloides cuya administración produce perturbaciones en la percepción.
ALUD m. *Geol.* Gran masa de nieve que desciende bruscamente de los montes a los valles.
ALUDIR intr. Referirse a personas o cosas sin nombrarlas.
ALUMBRADO m. *Tecnol.* Conjunto de luces que alumbran una población o lugar.
ALUMBRAMIENTO m. Acción y efecto de alumbrar. // fig. Parto.
ALUMBRAR tr. e intr. Llenar de luz y claridad. // tr. Poner luz en algún lugar. // Acompañar con luz a otro. // Disipar la oscuridad y el error. // intr. Parir la mujer.
ALUMBRES m. pl. *Quím.* Sales dobles formadas por el sulfato de un metal monovalente y el de otro metal trivalente.
ALUMINIO m. *Quím.* y *Metal.* Metal de color blanco, ligero, blando, dúctil, maleable, muy reflectante y buen conductor de la electricidad.
ALUMNNADO m. Conjunto de alumnos de un centro docente.
ALUMNO, NA m. y f. Persona criada por alguno respecto de éste. // Discípulo, respecto de su maestro o de la escuela o colegio a que asiste.
ALUNIZAR intr. Posarse en la superficie de la Luna un aparato astronáutico.
ALUSIÓN f. Acción de aludir.
ALUVIAL adj. De aluvión.
ALUVIÓN m. Avenida fuerte de agua, inundación. // *Geol.* Acumulación de material detrítico arrastrado por las aguas. // fig. Cantidad de personas o cosas agolpadas.
ALUZAR tr. Alumbrar.
ÁLVEO m. Madre del río o arroyo.
ALVEOLAR adj. Perten., rel. o semejante a los alveolos.
ALVEOLO O ALVÉOLO m. Celdilla. // *Anat.* Cavidad de la mandíbula donde está engastado el diente.
ALZA f. Aumento de precio que toma alguna cosa. // Regla graduada fija en las armas de fuego, que sirve para precisar la puntería.
ALZACUELLO m. Prenda de traje eclesiástico, especie de corbatín.
ALZAMIENTO m. Acción y efecto de alzar o alzarse. // Puja que se hace en una subasta. // Rebelión.
ALZAPRIMA f. Palanca.
ALZAR tr. Levantar. // Cortar la baraja. // Quitar alguna cosa. // Recoger y guardar algo. // *Amer.* r. Fugarse y hacerse montaraz el animal doméstico.

ALLÁ adv. l. Indica lugar menos determinado que allí. // adv. t. Precediendo a nombres significativos de tiempo, denota pasado remoto.
ALLANAMIENTO m. Acción y efecto de allanar o allanarse.
ALLANAR tr. y r. Poner llana una cosa. // tr. fig. Vencer alguna dificultad. // Pacificar, sujetar. // fig. Entrar a la fuerza en casa ajena. // r. Caerse a plomo.
ALLEGADO, DA adj. Cercano, próximo. // adj. y s. Pariente.
ALLEGAR tr. Recoger, juntar. // tr. y r. Acercar una cosa a otra.
ALLENDE adv. l. De la parte de allá. // adv. c. Además. *allí* adv. l. En aquel lugar. // A aquel lugar. // adv. t. Entonces.
AMA f. Señora de la casa o familia. // Dueña de alguna cosa. // La que tiene criados, respecto de ellos. // Criada principal de una casa. // Mujer que cría una criatura ajena.
AMABILIDAD f. Calidad de amable.
AMABLE adj. Digno de ser amado. // Afable, complaciente, afectuoso.
AMAESTRAR tr. y r. Adiestrar.
AMAGAR tr. e intr. Dejar ver la intención de hacer algo. // intr. Estar próximo o sobrevenir. // Amenazar. // r. fam. Ocultarse.
AMAGO m. Acción de amagar // Señal o indicio de algo.
AMAINAR intr. Aflojar, perder su fuerza el viento. // fig. Ceder en algún deseo, disminuir el esfuerzo. // *Mar.* Recoger las velas de una embarcación.
AMALGAMA f. Acción y efecto de amalgamar.
AMALGAMAR tr. y r. Combinar el mercurio con otros metales. // fig. Mezclar cosas de naturaleza distinta.
AMAMANTAR tr. Dar de mamar.
AMANCEBAMIENTO m. Trato ilícito y habitual de hombre y mujer.
AMANCEBARSE r. Unirse en amancebamiento.
AMANECER intr. Empezar a aparecer la luz del día. // fig. Empezar a manifestarse alguna cosa.
AMANERAMIENTO m. Acción de amanerarse. // Falta de variedad en el estilo.
AMANERARSE tr. y r. Contraer un artista o un escritor el vicio de dar a sus obras cierta uniformidad y monotonía. // Contraer alguien vicio semejante en el modo de hablar.
AMANSAR tr. y r. Domesticar a un animal // fig. Apaciguar. // Domar el carácter violento de una persona.
AMANTE adj. Que ama. // adj. y s. Hombre o mujer amancebados. // m. Pl. Hombre y mujer que se aman.
AMANUENSE com. Persona que escribe al dictado. // Escribiente.
AMAÑAR tr. Componer mañosamente alguna cosa. // r. Darse maña.
AMAÑO m. Disposición para hacer con maña una cosa. // fig. Traza para conseguir o ejecutar algo.

AMAPOLA f. *Bot.* Nombre común aplicado a varias especies papaveráceas.
AMAR tr. Tener amor a personas o cosas.
AMARANTO m. *Bot.* Planta ornamental, con inflorescencias verdosas y coloreadas vistosamente.
AMARAR intr. Posarse en el agua un hidroavión.
AMARGAR intr. y r .Tener alguna cosa gusto parecido al de la hiel, acíbar, etc. // tr. Comunicar sabor desagradable a una cosa.// tr. y r. Fig. Causar aflicción.
AMARGO, GA adj. Que amarga. // fig. Que causa aflicción o disgusto. // Afligido, disgustado.
AMARILIDÁCEAS f. pl. *Bot.* Fam. de plantas lilifloras. Comprende un millar de especies, la mayoría ornamentales.
AMARILIS f. *Bot.* Planta bulbosa (fam. amarilidáceas), de flores grandes y color rosado brillante.
AMARILLEAR intr. Ir tomando una cosa color amarillo. // Palidecer.
AMARILLO, LLA adj. y s.De color semejante al oro, el limón , etc.
AMARRA f. Cable con que se asegura una embarcación. // pl. fig.y fam. Protección, apoyo.
AMARRADERO m. Poste, pilar o argolla donde se amarra alguna cosa.
AMARRAR tr. Atar y asegurar por medio de cuerdas. // Sujetar el buque en el puerto.
AMARRE m. Acción y efecto de amarrar.
AMARTELAR tr. y r. Atormentar, esp. con celos. // r. Enamorarse de una persona o cosa.
AMASAR tr. Hacer masa mezclando harina, yeso, etc., con agua. // fig. Formar mediante la combinación de varios elementos. // Unir, amalgamar.
AMASIJO m. Porción de masa hecha con harina, yeso, tierra, etc., y agua. // fig. y fam. Mezcla de ideas que causan confusión.
AMATISTA f. *Mineral.* Cuarzo.
AMAZACOTADO, DA adj. Pesado. // fig. Dicho de obras literarias o artísticas, confuso, falto de orden.
AMAZONA f. Mujer perten. a una tribu guerrera. //fig. Mujer que monta a caballo.
AMBAGES m. pl. Rodeos. // fig. Circunloquios.
ÁMBAR m. *Quím.* Resina fósil de una planta conífera. Es traslúcido, amarillento, ligero, duro y quebradizo.
AMBICIÓN f. Deseo ardiente de conseguir poder, riquezas, fama, etc.
AMBIDEXTRO, TRA adj. Que usa igualmente de la mano izquierda que la de la derecha.
AMBIENTE m. Aire tranquilo que rodea los cuerpos. // Condiciones o circunstancias que rodean a las personas, animales o cosas.
AMBIGUO, GUA adj. Que puede entenderse de varios modos y dar motivo a dudas o confusión. // Incierto, dudoso.
ÁMBITO m. Contorno de un lugar. // Espacio comprendido dentro de límites determinados.

AMBOS, BAS adj. pl. El uno y el otro; los dos.
AMBROSÍA O AMBROSIA f. Manjar de los dioses. // fig. Cualquier manjar o bebida de gusto delicado.
AMBULANCIA f. Hospital ambulante que sigue los movimientos de un ejército. // Vehículo para el transporte de heridos y enfermos.
AMBULANTE adj. y s. Que va de un lugar a otro sin tener asiento fijo.
AMBULATORIO m. Dispensario.
AMEBA f. *Zool.* Protozoo rizópodo unicelular. Se mueve por seudópodos, se alimenta por fagocitosis y se reproduce por bipartición.
AMEDRENTAR tr. y r. Infundir miedo, atemorizar.
AMÉN adv. m.Excepto, a excepción. // adv. c. además.
AMENAZA f. Acción de amenazar. // Dicho o hecho con que se amenaza.
AMENAZAR tr. Manifestar con actos o palabras que se quiere hacer algún mal a otro. // tr. e intr. fig. Dar indicios de estar inminente alguna cosa mala.
AMENGUAR tr. e intr. Disminuir, menoscabar. // fig. Deshonrar.
AMENIDAD f. Calidad de ameno.
AMENIZAR tr. Hacer ameno algún sitio, o alguna cosa.
AMENO, NA adj. Grato, placentero. // fig. Que recrea o deleita.
AMENORREA f. *Med.* Falta de menstruación.
AMENTO m. *Bot.* Inflorescencia en racimo denso, con flores unisexuales.
AMERICANA f. Prenda de vestir semejante a la chaqueta.
AMERICANISMO m. Vocablo o giro propio de los americanos que hablan español.
AMERICANO, NA adj. y s. Natural de América. // adj. Perteneciente a esta parte del mundo.
AMERINDIO, DIA adj. Díc. de los indios americanos y de lo relativo a ellos.
AMETRALLADORA f. Arma de fuego automática que carga y dispara proyectiles a gran velocidad.
AMIANTO m. *Mineral.* Mineral de aspecto filamentoso, usado para hacer tejido sin combustibles. Es un silicato de calcio, alúmina y hierro.
AMIBA. f. *Biol.* Ameba.
AMIGABLE adj. Que convida a la amistad. // Dicho de cosas, amistoso.
AMÍGDALA f *Anat.* Cada una de las dos glándulas situadas a los lados de la entrada del esófago. Tienen forma de almendra.
AMIGDALITIS f. *Med.* Inflamación e infección de las amígdalas.
AMIGO, GA adj. y s. Que tiene amistad. // adj. Amistoso. // fig. Que gusta mucho de alguna cosa.
AMILÁCEO, A adj. *Quím.* Díc. de la sustancia que contiene almidón.
AMILANAR tr. fig. Causar miedo a uno, aturdiéndole. // Hacer caer el ánimo. // r. Abatirse.
AMILASAS f. pl. *Bioquim.* Enzimas capaces de

transformar el almidón en azúcar.
AMILLARAR tr. Evaluar los caudales de los vecinos de un pueblo para repartir entre ellos las contribuciones.

América
«De español e india, mestizo».
(M. América, Madrid)

Monumento a Simón Bolívar

Monumento a Simón Bolívar

AMINAS f. pl. *Quim. Org.* Compuestos orgánicos básicos derivados del amoníaco por sustitución de los átomos de hidrógeno por radicales orgánicos.
AMINOÁCIDOS m. pl. *Bioquim.* Compuestos orgánicos caracterizados por tener simultáneamente una función ácida y una función básica.
AMINORAR tr. Minorar
AMISTAD f. Afecto personal desinteresado y recíproco. // Merced, favor. // pl. Personas con las que se tiene amistad.
AMISTOSO, SA. Adj. Perteneciente o relativo a la amistad.
AMNESIA f. *Med.* Pérdida de la memoria por trastorno patológico.
AMNIOS m. *Anat.* Membrana delgada y transparente que rodea el feto de los vertebrados terrestres.
AMNISTÍA f. Perdón colectivo de ciertos delitos, esp. políticos.
AMNISTIAR tr. Conceder amnistía.
AMO m. Señor de la casa o familia. // Dueño de alguna cosa. // El que tiene criados, respecto de ellos. // Mayoral, capataz.
AMODORRAMIENTO m. Acción y efecto de amodorrarse.
AMODORRARSE r. Caer en modorra.
AMOHINAR tr. y r. Causar mohína, tristeza, preocupación.
AMOJAMAMIENTO m. Delgadez o sequedad de carnes.
AMOJONAR tr. Señalar con mojones los linderos de una propiedad.
AMOLAR tr. Sacar corte o punta a un instrumento de muela. // fig. Adelgazar. // fig. y fam. Fastidiar.
AMOLDAR tr. y r. Ajustar una cosa al molde. // fig. Ajustar la conducta de alguno a una pauta.
AMOLLAR intr. Ceder, aflojar.
AMONESTACIÓN f. Acción y efecto de amonestar.
AMONESTAR tr. Hacer presente alguna cosa para que se procure o evite.// Advertir, prevenir.
AMONIACAL adj. Perteneciente o relativo al amoniaco.
AMONÍACO m. *Quím.* Gas incoloro de olor penetrante, que licua con facilidad. Es un compuesto hidrogenado del nitrógeno, muy soluble en agua.
AMONITES O AMONITA m. *Paleont.* Molusco cefalópodo, tetrabranquial, petrificado, muy corriente en los periodos Triásico y Jurásico.
AMONTONAR tr. y r. Poner desordenadamente unas cosas sobre otras. // tr. Apiñar personas o animales. // Reunir cosas en abundancia.
AMOR m. Sentimiento por el que tendemos a buscar lo que consideramos bueno para poseerlo y gozarlo. // Sentimiento por el que tendemos a procurar la felicidad del prójimo. // Atracción entre los sexos.
AMORAL adj. Díc. de la persona desprovista de sentido moral. // Apl. También a las obras en las que se prescinde del fin moral.
AMORALIDAD f. Calidad de amoral.
AMORATARSE f. Ponerse morado.
AMORCILLO m. Figura de niño con que se representa a Cupido.
AMORDAZAR tr. Poner mordaza.
AMORFO, FA adj. Sin forma bien determinada. // *Fis.* Que no presenta estructura cristiana.
AMORÍO m. fam. Relación amorosa de escasa duración e intensidad.
AMORTAJAR tr. Poner la mortaja al difunto.
AMORTIGUADOR m. Mecanismo de forma variable cuyo objeto es disminuir y anular los efectos de un choque, tracción o flexión.
AMORTIGUAR tr. y r. Dejar como muerto. // fig. Hacer menos viva, intensa o violenta alguna cosa.
AMORTIZACIÓN f. Acción y efecto de amortizar.
AMORTIZAR tr. Pasar los bienes a manos muertas. // Redimir el capital de una deuda. // Recuperar los fondos invertidos en alguna empresa.
AMOSCARSE r. *fam.* Enfadarse.
AMOTINAR tr. y r. Alzar en motín a una multitud. // fig. Turbar las potencias o los sentidos.
AMPARAR tr. Proteger. // r. Valerse del favor o protección de alguno.
AMPELOGRAFÍA f. *Agr.* Descripción de las variedades de la vid y conocimiento de su cultivo.

AMPERIO m. *Metrol.* Unidad de intensidad de corriente eléctrica, correspondiente al paso de una carga de un culombio cada segundo.
AMPLIACIÓN f. Acción y efecto de ampliar.
AMPLIAR tr. Extender. // Reproducir una fotografía en tamaño mayor.
AMPLIFICADOR m. *Electrón.* Sistema electrónico para amplificar el nivel de energía de una corriente eléctrica.
AMPLIFICAR tr. Ampliar.
AMPLIO, PLIA adj. Espacioso
AMPLITUD f. Extensión, dilatación.
AMPOLLA f. Vejiga formada por elevación de la epidermis. // Vasija de vidrio o cristal, de cuello largo y cuerpo ancho. // Burbuja que se forma en el agua cuando hierbe.
AMPOLLAR tr. y r. hacer ampollas en la piel. // Hacer hueco.
AMPULOSO, SA adj. Díc. del lenguaje hinchado y redundante.
AMPUTACIÓN f. *Cir.* Operación quirúrgica consistente en el corte circular de un miembro.
AMPUTAR tr. Cortar en derredor y por entero.
AMUEBLAR tr. Dotar de muebles un edificio o alguna parte de él.
AMULETO m. Figura, medalla o cualquier otro objeto portátil al que se atribuye virtud sobrenatural.
AMURALLAR tr. Proteger con muros.
ANACARDIÁCEAS f. pl. *Bot.* Fam. de plantas leñosas arbustivas provistas de tubos resiníferos.
ANACONDA f. *Zool.* Serpiente de la fam. boidos, de gran tamaño y color gris verdoso con manchas oscuras. Vive en América del Sur.
ANACORETA com. Persona que vive en lugar solitario, entregada a la contemplación y a la penitencia.
ANACREÓNTICO, CA adj. Propio y característico de Anacreonte. // adj. y s. f. Apl. a la composición poética en que se cantan los placeres del amor, del vino, etc.
ANACRONISMO m. Error que supone acaecido un hecho antes o después del tiempo en que sucedió. // Antigualla.
ÁNADE com. *Zool.* Ave de la fam. anátidos, de cuello corto y pico largo. Vive cerca del agua y tiene costumbres migratorias.
ANAEROBIO, BIA adj. *Biol.* Díc. del microorganismo capaz de vivir en ausencia de oxígeno.
ANÁFORA f.*Ret.* Figura que consiste en repetir una o más palabras al comienzo de varias frases o versos sucesivos.
ANAFRODITA adj. y s. Díc. del que se abstiene de placeres sexuales.
ANAGLIFO m. Vaso u otra obra tallada, de relieve abultado y tosco.
ANAGRAMA m. Transposición de las letras de una palabra o sentencia, de que resulta otra distinta.
ANALÉPTICO, CA adj. *Farm.* Díc. del fármaco estimulante del sistema nervioso central. Activa los centros vegetativos.
ANALES m. pl. Relaciones de sucesos por años.
ANALFABETISMO m. Falta de instrumentación elemental.
ANALFABETO, TA adj. y s. Que no sabe leer ni escribir.
ANALGESIA f. *Med.* Falta o supresión de toda sensación dolorosa.
ANALGÉSICO, CA adj. Rel. a la analgesia. // m. Medicamento que produce analgesia.
ANÁLISIS amb. Distinción y separación de las partes de un todo hasta llegar a conocer sus principios o elementos // fig. Examen que se hace de alguna obra // *Ling.* Examen de los elementos componentes de un conjunto lingüístico para determinar la categoría, propiedades gramaticales, y función de cada uno de ellos en el discurso. // *Mat.* Arte de resolver problemas por el álgebra. // *Quím.* Conjunto de métodos empleados para identificar y determinar cuantitativamente los elementos constituyentes de un compuesto o de una mezcla.
ANALÍTICO, CA adj. Perteneciente o relativo al análisis.
ANALIZAR tr. Hacer análisis de alguna cosa.
ANALOGÍA f. Relación de semejanza entre cosas distintas.
ANÁLOGO, GA adj. Que tiene analogía con otra cosa.
ANANÁS m. *Bot.* Planta de hojas carnosas (fam. bromeliáceas), denominada también *piña de América*.
ANAQUEL m. Cada una de las tablas puestas horizontalmente en muros, armarios, etc., para colocar objetos.
ANARQUÍA f.Falta de todo gobierno en un Estado. // fig. Desorden, confusión. // Por ext., desconcierto, incoherencia, barullo.
ANARQUISMO m. Conjunto de doctrinas de los anarquistas. // Doctrina política que preconiza la libertad absoluta del hombre y la abolición del Estado y de la propiedad privada.
ANARQUISTA adj. Propio del anarquismo. // com. Persona que profesa el anarquismo.
ANÁSTROFE f. *Gram.* Inversión violenta en el orden de las palabras.
ANATEMA amb. Excomunión. // Maldición, imprecación.
ANATEMIZAR tr. Imponer el anatema. // Maldecir a alguno. // Condenar a una persona o cosa.
ANÁTIDOS m. pl. *Zool.* Familia de aves anseriformes.
ANATOMÍA f. Parte de la biología que estudia la estructura, situación y relaciones de las diferentes partes de los cuerpos orgánicos.
ANCA f. Cada una de las dos mitades laterales de la parte posterior de algunos animales. // Cadera.
ANCESTRAL adj. Perteneciente o relativo a los antepasados.
ANCIANIDAD f. Último período de la vida ordinaria del hombre.

ANCIANO, NA adj. y s. Díc. de la persona que tiene muchos años.
ANCLA f. *Mar.* Instrumento de hierro forjado en forma de arpón, que sujeto al extremo de un cable y arrojado al mar sirve para inmovilizar las embarcaciones.
ANCLAJE m. Mar. Acción de anclar la nave. // Fondeadero.
ANCLAR intr. Mar. Echar anclas. // Quedar sujeta a la nave por medio del ancla.
ÁNCORA f. Ancla. // fig. Lo que puede servir de amparo en un peligro.
ANCHO, CHA adj. Que tiene más o menos anchura. // Holgado. // fig. Desembarazado, libre. // Orgulloso. // m. Anchura.
ANCHOA f. Boquerón desangrado y curado en salmuera.

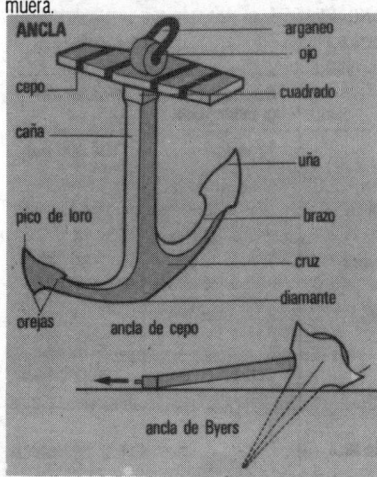

ANCHURA f. Latitud. // fig. Libertad, soltura, desahogo.
ANDADURA f. Acción o modo de andar.
ANDALUCITA f. Mineral. Silicato de aluminio cristalizado en el sistema rómbico, de brillo vítreo.
ANDAMIADA O ANDAMIAJE f. o m. Conjunto de andamios.
ANDAMIO m. *Constr.* Estructura provisional con plataformas móviles o fijas, empleada para remozar fachadas o ejecutar obras en edificios.
ANDANA f. Orden de algunas cosas puestas en línea.
ANDANADA f. Andana. // Descarga cerrada de toda una batería de uno de los costados de un buque.
ANDANTE adv. m. *Mús.* Con movimiento moderadamente lento.
ANDANTINO adv. m. *Mús.* Con movimiento más vivo que el andante, pero menos que el alegro.
ANDANZA f. Caso o suceso. // Correría o viaje // Suceso, aventura.
ANDAR intr. y r. Ir de un lugar a otro dando pasos. // Trasladarse lo inanimado. // intr. Moverse una máquina para ejecutar sus funciones. // Hablando del tiempo, pasar o correr.
ANDAR m. Andadura. // Modo de proceder.
ANDARAJE m. Rueda de la noria.
ANDARIEGO, GA adj. y s. Andador.
ANDARÍN, NA adj. y s. Díc. de la persona andadora.
ANDARIVEL m. Maroma tendida entre las dos orillas de un río o entre dos puntos de un puerto mediante la cual pueden palmearse las embarcaciones menores.
ANDAS f. pl. Tablero que, sostenido por dos varas horizontales, sirve para conducir personas o cosas. // Féretro.
ANDÉN m. En las estaciones de los ferrocarriles, especie de acera situada a cierta altura a lo largo de la vía. // En los puertos de mar, espacio de terreno sobre el muelle. // Acera de un puente. // Anaquel.
ANDINO, NA adj. Perten. o rel. a la cordillera de los Andes.
ANDRAJO m. Pedazo de ropa muy usada. // fig. y despect. Persona o cosa despreciable.
ANDRO- Prefijo, y también sufijo (andro-, -andria), derivados del griego, significa varón.
ANDROCÉFALO, LA adj. Díc. del animal que tiene cabeza humana.
ANDROCEO m. *Bot.* Conjunto de estambres que en las flores hermafroditas constituyen el tercer verticilo.
ANDROFOBIA f. Aversión morbosa a lo masculino.
ANDRÓGINO, NA adj. Que posee caracteres sexuales masculinos y femeninos.
ANDRÓMINA f. *fam.* Embuste, enredo.
ANDURRIAL m. Paraje extraviado o fuera de camino. U. más en pl.
ANÉCDOTA f. Relación breve de algún rasgo o suceso más o menos notable.
ANECDOTARIO m. Colección de anécdotas.
ANECDÓTICO, CA adj. Perten. o rel. a la anécdota. // Díc. del tema secundario de un discurso o escrito.
ANEGADIZO, ZA adj. y s. m. Que frecuentemente se anega o inunda.
ANEGAR tr. y r. Ahogar a uno sumergiéndolo en el agua. // Inundar de agua. // tr. Abrumar, molestar. // r. Naufragar la nave.
ANEJO, JA adj. Agregado y dependiente de otro.
ANÉLIDOS m. pl. *Zool.*Tipo de animales vermiformes, terrestres o acuáticos, con anillos o pliegues transversales y cuerpo blando.
ANEMIA f. *Med.* Reducción cuantitativa de la sangre o de los glóbulos sanguíneos, ocasionada por toxinas, enfermedades o hemorragias.
ANEMÓFILO, LA adj. *Bot.* Díc. de las plantas en las que el transporte del polen lo realiza el viento.
ANEMOGRAFÍA f. Parte de la meteorología que trata de la descripción de los vientos.
ANEMÓMETRO m. *Meteor.* Aparato utilizado para medir la velocidad o la fuerza del viento.
ANEMONE O ANÉMONA f. *Bot.* Planta herbácea (fam. ranunculáceas), de flores grandes y vistosas.
ANEMOSCOPIO m. *Meteor.* Aparato utilizado para

conocer la dirección del viento.
ANESTESIA f. *Med.* Pérdida total o parcial de la sensibilidad a causa de una enfermedad o producida artificialmente con un anestésico.
ANESTÉSICO, CA adj. Perten. o rel. a la anestesia. // m. pl. *Farm.* Fármacos capaces de suspender la sensibilidad.
ANEURISMA amb. *Med.* Dilatación patológica y permanente de un vaso sanguíneo por alteración de sus paredes.
ANEXAR tr. Unir o agregar una cosa a otra con dependencia de ella.
ANEXIÓN f. Acción y efecto de anexar.
ANEXIONAR tr. y r. Anexar.
ANEXIONISMO m. Doctrina que defiende las anexiones, esp. tratándose de territorios.
ANEXO, XA adj. y s. Unido a otra cosa con dependencia de ella.
ANFETAMINA f. *Farm.* Psicofármaco estimulante que actúa sobre el sistema nervioso central y sobre el cardiovascular.
ANFI- Prep. inseparable que significa alrededor y doble.
ANFIBIO, BIA adj. Que puede vivir o desarrollar una actividad indistintamente dentro y fuera del agua.

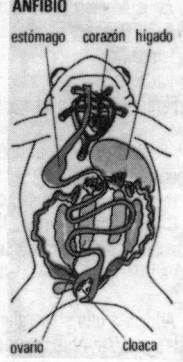

ANFIBIO
estómago corazón hígado
ovario cloaca

ANFIBIOS m. pl. *Zool.* Clase de vertebrados amniotas que habitan parcialmente en tierra y parcialmente en el agua. Tienen respiración branquial en la fase larvaria y pulmonar cuando son adultos.
ANFÍBOLES m. pl. *Mineral.* Serie de minerales compuestos de una doble cadena de silicio unida por átomos de oxígeno.
ANFIBOLITA f. *Geol.* Roca metamórfica esquistosa, dura y de color verde.
ANFIBOLOGÍA f. Doble sentido, vicio de la palabra o manera de hablar a que puede darse más de una interpretación.
ANFINEUROS m. pl.*Zool.* Grupo de moluscos caracterizados por tener el sistema nervioso formado por dos pares de cordones longitudinales.
ANFIPRÓSTILO adj. y s.Díc. del templo griego que tenía pórtico y columnas en dos de sus fachadas.
ANFISBENA f. *Zool.* Nombre común de numerosos reptiles saurios de la fam. anfisbénidos. Viven bajo tierra, carecen de extremidades y tienen el cuerpo recubierto de escamas.
ANFITEATRO m. Edificio de figura oval con gradas alrededor, donde se celebraban espectáculos. // Conjunto de asientos colocados en gradas semicirculares que hay en aulas, teatros y otros locales públicos.
ANFITRIÓN m. fig. y fam. El que tiene convidados a su mesa.
ÁNFORA f. Cántaro de cuello largo y estrecho, provisto de dos asas.
ANFRACTUOSIDAD f. Calidad de anfractuoso.
ANFRACTUOSO, SA adj. Quebrado, sinuoso, tortuoso, desigual.
ANGARILLAS f. pl. Armazón compuesta de dos varas con un tabladillo en medio, en que se llevan a mano materiales diversos.
ÁNGEL m. Espíritu celeste criado por Dios para su ministerio. // fig. Gracia, simpatía.
ANGELICAL adj. Perten. o rel. a los ángeles. // fig. Que parece un ángel.
ANGÉLICO, CA adj. Angelical.
ANGELOTE m. fig. y fam. Niño gordo y de apacible condición. // Persona sencilla y apacible. // *Zool.* Pez elasmobranquio escualiforme. Aunque de aspecto parecido a la raya, es un verdadero tiburón.
ÁNGELUS m. Oración que comienza con las palabras *Angelus Domini.*
ANGEVINO, NA adj. Natural de Angers o de Anjou. // Perten. o rel. a la casa de Anjou.
ANGINA f. *Med.* Inflamación de las amígdalas o partes adyacentes.
ANGIOLOGÍA f. Parte de la anatomía que estudia los vasos sanguíneos y linfáticos.
ANGIOSPERMAS f. pl. *Bot.* División del reino vegetal que comprende las plantas fanerógamas cuyos óvulos se hallan encerrados en una cavidad llamada ovario. Son plantas leñosas o herbáceas, con flores y semillas.
ANGLICANISMO m. Religión oficial de Inglaterra. Su doctrina se inspiró en la teología luterana y calvinista.
ANGLICISMO m. Giro o modo de hablar propio de la lengua inglesa.
ANGLOSAJÓN, NA adj. y s. Descendiente de los distintos pueblos germanos que invadieron Inglaterra hacia el s. V. // *Ling.* m. Lengua germánica de la cual procede el inglés.
ANGOSTO, TA adj. Estrecho, reducido.
ANGOSTURA f. Calidad de angosto.
ANGSTRÖM *Metrol.* Unidad de longitud, de símbolo A, equivalente a una diez mil millonésima parte del metro.
ANGUILA f. *Zool.* Pez teleósteo (fam. anguílidos). Vive en aguas dulces hasta alcanzar su madurez, entonces emigra al mar de los Sargazos, donde muere

después de la fecundación.
anguílidos m. pl. Zool. Fam. de peces de cuerpo alargado y cilíndrico.
ANGULA f. *Zool.* Fase larvaria de la anguila. Se encuentra remontando los ríos en grandes bancos.
ANGULAR adj. Perten. o rel. al ángulo. // De figura de ángulo.
ÁNGULO m. *Geom.* Porción de plano comprendida entre dos semirrectas (lados) que tienen un origen común (vértice). // Rincón. // Esquina o arista // fig. Punto de vista.
ANGULOSO, SA adj. Que tiene ángulos o esquinas.
AGUSTIA f. Aflicción, congoja // Náusea, repugnancia.
ANGUSTIAR tr. y r. Causar angustia, afligir, acongojar.

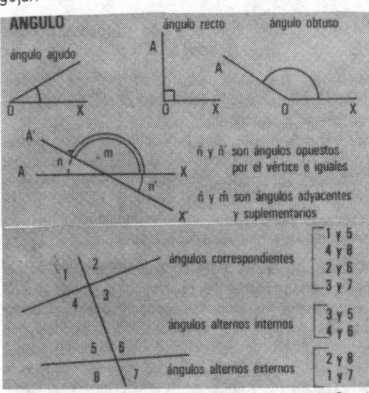

ANGUSTIOSO, SA adj. Lleno de angustia. // Que la causa, o la padece.
ANHELAR intr. Respirar con dificultad. // tr. e intr. Tener ansia o deseo vehemente de conseguir alguna cosa.
ANHELO m. Deseo vehemente.
ANHELOSO, SA adj. Díc. de la respiración frecuente y fatigosa. // Que siente anhelo.
ANHÍDRIDOS m. pl. *Quím.* Denominación dada a los óxidos de elementos o radicales orgánicos que, al combinarse con el agua, forman ácidos. Son los óxidos de los elementos no metálicos.
ANHIDRO, DRA adj. *Quím.* Díc. del compuesto que no posee ninguna molécula de agua en su estructura.
ANIDAR intr. y r. Hacer nido las aves o vivir en él. // fig. Morar, habitar. // intr. Hallarse o existir algo en una persona o cosa. // tr. fig. Abrigar, acoger.
ANILINA O FENILALAMINA f. *Quím.* Org. Amina del benceno. Es un líquido incoloro, de olor desagradable. Se utiliza para la obtención de colorantes.
ANILLA f. Anillo que sirve para colocar colgaduras o cortinas. // Anillo al cual se ata un cordón para sujetar un objeto.
ANILLO m. Aro pequeño. // Aro que se lleva por adorno en los dedos de la mano. // *Arq.* Moldura que rodea los fuestes de las columnas. // *Zool.* Cada una de las bandas en que los insectos, gusanos y otros animales tienen dividido el cuerpo.
ÁNIMA f. Alma. Alma que pena en el purgatorio. //fig. Lo que se mete en el hueco de algunas piezas para darle solidez.
ANIMACIÓN f. Acción y efecto de animar o animarse. // Viveza, expresión en las acciones, palabras o movimientos. // Afluencia de gente en una reunión.
ANIMADO, DA adj. Dotado de alma. // Alegre, divertido. // Concurrido.
ANIMADOR, RA adj. y s. Que anima. // m. y f. Amer. Persona que tiene como profesión organizar y animar fiestas y reuniones.
ANIMADVERSIÓN f. Enemistad, ojeriza. // Crítica o advertencia severa.
ANIMAL adj. Perten. o rel. al animal. // Perten. o rel. a la parte sensitiva de un ser viviente, a diferencia de la parte espiritual. //m. Ser orgánico que vive, siente y se mueve por propio impulso.
ANIMALADA f. fam. Borricada.
ANIMAR tr. Infundir vigor o energía moral a uno. // Excitar a una acción. // r. Cobrar ánimo y esfuerzo.
ANÍMICO, CA adj. Psíquico.
ANIMISMO m. Creencia en la actividad voluntaria de los seres orgánicos e inorgánicos y de los fenómenos de la naturaleza.
ÁNIMO m. Alma o espíritu en cuanto es principio de la actividad humana. // Valor, esfuerzo, energía. // Intención, voluntad. // fig. Atención o pensamiento.
ANIMOSIDAD f. Aversión, ojeriza.
ANIÑADO, DA adj. Apl. al que en su aspecto o acciones se parece a los niños.anión m. *Fís. Quím.* íon con una o varias cargas negativas.
ANIQUILAR tr. y r. Reducir a la nada.// fig. Destruir o arruinar enteramente. // r. fig. Deteriorarse mucho alguna cosa.
ANÍS m. *Bot.* Planta de la fam. umbelíferas, de raíz fusiforme. El fruto, muy aromático, se utiliza para preparar licores.
ANISADO m. Aguardiente anisado.
ANISAR tr. Echar anís o espíritu de anís a una cosa.
ANISETE m. Licor compuesto de aguardiente, azúcar y anís.
ANIVERSARIO, RIA adj. Anual. // m. Día en que se cumplen años de algún suceso.
ANO m. *Anat.* Orificio terminal del conducto digestivo por el que se expelen los excrementos.
ANOCHE adv. t. En la noche de ayer.
ANOCHECER intr. Empezar a faltar la luz del día, venir la noche. // Estar en un paraje, situación o condición determinados al empezar la noche.
ANOCHECER m. Tiempo durante el cual anochece.
ANODINO, NA adj. y s. m. Que sirve para calmar el dolor. // adj. Insignificante, ineficaz.
ÁNODO m. *Electr.* Polo positivo de un generador electrolítico.

ANOFELES m. *Zool.* Insecto díptero de la fam. culícidos. Es el transmisor de las fiebres palúdicas.
ANOMALÍA f. Irregularidad, discrepancia de una regla.
ANONÁCEAS f. pl. *Bot.* Familia de plantas leñosas intertropicales. Son aromáticas y estimulantes.
ANONADAR tr. y r. Reducir a la nada. // fig. Humillar, abatir. // Pasmar. // tr. fig. Apocar, disminuir mucho alguna cosa.
ANONIMATO m. Condición o estado de anónimo.
ANÓNIMO, MA adj. Díc. de la obra que no lleva el nombre de su autor. // adj. y s. m. Díc. del autor cuyo nombre no es conocido. // m. Carta o papel sin firma en que, por lo común, se dice algo ofensivo.
ANORMAL adj. Díc. de lo que accidentalmente se halla fuera de su natural estado. // com. Persona cuyo desarrollo es inferior al que corresponde a su edad.
ANORTITA f. *Mineral.* Silicato doble de aluminio y calcio.
ANOTACIÓN f. Acción y efecto de anotar.
ANOTAR tr. Poner notas en un escrito, cuenta o libro. // Apuntar.
ANOVULATORIO, RIA adj. y s. m. *Farm.* Fármaco que suspende la ovulación, impidiendo la fecundación.
ANQUILOSAR tr. y r. Producir anquilosis. // r. fig. Detenerse una cosa en su progreso.
ANQUILOSIS f. *Med.* Pérdida total o parcial de los movimientos de una articulación.
ÁNSAR m. *Zool.* Nombre común que se aplica al ganso salvaje.
ANSERIFORMES m. pl. *Zool.* Orden de aves acuáticas de pico ancho y plano, patas cortas y palmeadas, excelentes nadadoras.
ANSIA f. Congoja o fatiga que causa inquietud o agitación violenta. // Angustia o aflicción del ánimo. // Náusea. // Anhelo.
ANSIAR tr. Desear con ansia.
ANSIEDAD f. Estado de agitación o inquietud. // Angustia que acompaña a muchas enfermedades.
ANTA f. *Zool.* Alce.
ANTAGÓNICO, CA adj. Que denota o implica antagonismo.
ANTAGONISMO m. Rivalidad oposición, esp. en doctrinas y opiniones.
ANTAGONISTA com. Persona o cosa opuesta o contaria a otra.
ANTAÑO adv. t. En el año que precedió al corriente. // Por ext., en tiempo antiguo.
ANTE m. Alce. // Búfalo indio. // Piel de ante, y por ext., piel de otros animales adobada y curtida.
ANTE prep. En presencia de, delante de. // En comparación, respecto de. // Se usa como prefijo.
ANTEANOCHE adv. t. En la noche de anteayer.
ANTEAYER adv. t. En el día que precedió inmediatamente al de ayer.
ANTEBRAZO m. *Anat.* Parte del miembro superior comprendida entre el codo y la muñeca.

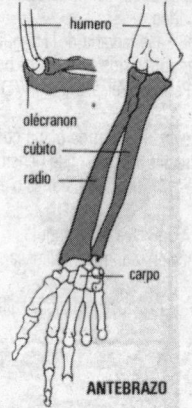

ANTEBRAZO

ANTECÁMARA f. Pieza que está ante la sala principal o la habitación donde se recibe.
ANTECEDENTE adj. Que antecede. // m. Acción, dicho o circunstancia anterior que sirve para juzgar hechos posteriores. // *Gram.* Nombre u oración a que hacen referencia los pronombres relativos.
ANTECEDER tr. Preceder.
ANTECESOR, RA adj. Anterior en tiempo. // m. y f. Persona que precedió a otra. // m. Antepasado.
ANTEDICHO, CHA adj. Expresado con anterioridad.
ANTEDILUVIANO, NA adj. Anterior al diluvio universal. // fig. Antiquísimo.
ANTELACIÓN f. Anticipación con que, en orden al tiempo, sucede una cosa respecto a otra.
ANTEMANO, DE adv. t. Con anticipación, anteriormente.
ANTEMERIDIANO, NA adj. Anterior al mediodía.
ANTENA f. *Electrotec.* Conjunto de elementos conductores dispuestos en el espacio de modo conveniente para la emisión o la recepción de ondas electromagnéticas. // *Zool.* pl. Apéndices cefálicos propios de la mayoría de artrópodos.
ANTEOJERA f. Cada una de las piezas que se ponen junto a los ojos de las caballerías para que no vean por los lados.
ANTEOJO m. *Opt.* Instrumento óptico formado por dos sistemas de lentes (objetivo y ocular) montados en tubos deslizantes y que produce imágenes virtuales de los objetos reales situados a gran distancia.
ANTEPASADO, DA adj. Dicho de tiempo anterior a otro tiempo pasado ya. // Abuelo o ascendiente.
ANTEPECHO m. Pretil o baranda.
ANTEPENÚLTIMO, MA adj. Inmediatamente anterior al penúltimo.
ANTEPONER tr. y r. Poner delante. // Preferir, estimar más.
ANTEPROYECTO m. Conjunto de trabajos preliminares para redactar un proyecto.

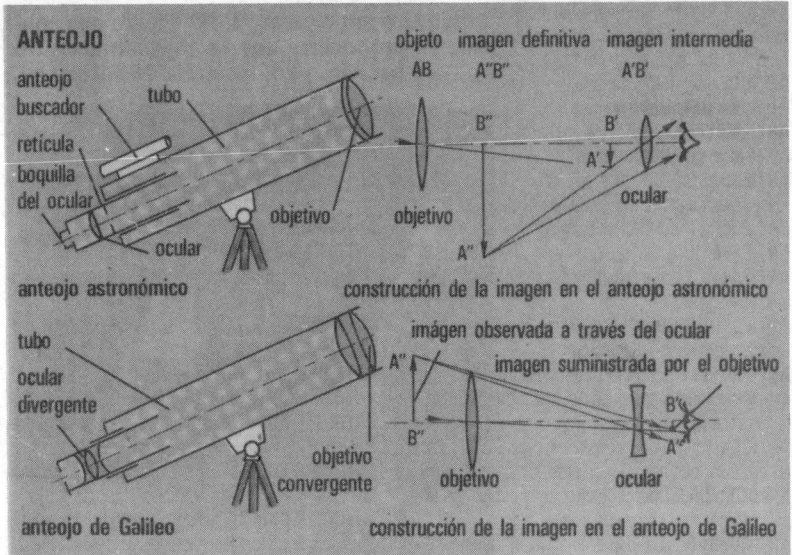

ANTERA f. *Bot.* Organo floral que forma parte del estambre de las fanerógamas.
ANTERIOR adj. Que precede en lugar o tiempo.
ANTES adv. t. y l. Denota prioridad de tiempo o lugar. // conj. advers. Denota idea de contrariedad y preferencia.
ANTESALA f. Antecámara.
ANTI- Prep. inseparable que denota oposición o contrariedad.
ANTIAÉREO, A adj. y s. m. Perten. o rel. a la defensa contra aviones militares.
ANTIBIÓTICO m. *Bioquim.* y *Farm.* Agente microbiano de acción selectiva que tiene la propiedad de inhibir el crecimiento de bacterias y otros microorganismos patógenos a los que incluso llega a destruir.
ANTICANÓNICO, CA adj. Opuesto a los cánones y demás disposiciones eclesiásticas.
ANTICATARRAL adj. Que combate el catarro.
ANTICICLÓN m. *Meteor.* Movimiento rotatorio de una masa de aire que se origina cuando hay una zona de alta presión envuelta por otra baja.
ANTICIPACIÓN f. Acción y efecto de anticipar o anticiparse.
ANTICIPAR tr. Hacer que ocurra una cosa antes de tiempo regular o señalado. // Fijar tiempo anterior al señalado para hacer algo. // Tratándose de dinero, darlo antes del tiempo señalado. // Anteponer. // Aventajar. // r. Adelantarse uno en la ejecución de una cosa.
ANTICIPO m. Anticipación.
ANTICLERICALISMO m. Doctrina que proclama una actitud hostil respecto al clero y a la Iglesia.
ANTICLINAL adj. y s. *Geol.* Pliegue convexo de los estratos de un terreno que deja al exterior los materiales más modernos y envuelve en su interior a los más antiguos.
ANTICUADO, DA adj. Que no está en uso desde hace mucho tiempo.
ANTICUARIO m. El que estudia, colecciona o negocia con las cosas antiguas.

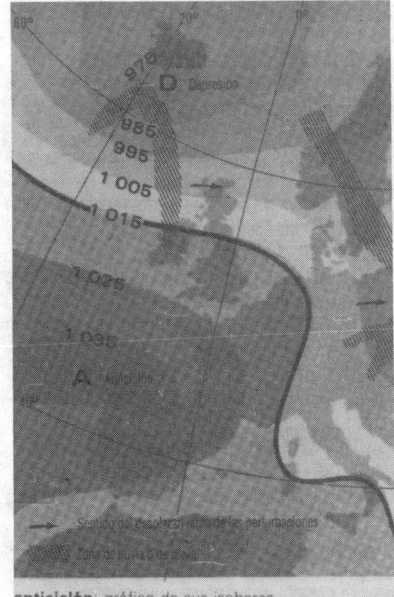

anticiclón: gráfico de sus isobaras

ANTICUERPO m. *Bioquím.* Sustancia proteica formada por el organismo animal ante la presencia de un cuerpo extraño (antígeno) en uno de sus tejidos.

ANTÍDOTO m. *Med.* Fármaco que neutraliza una determinada sustancia venenosa.

ANTIEMÉTICO, CA adj. y s. m. *Farm.* Que detiene o calma el vómito.

ANTIESPASMÓDICO, CA adj. *Med.* Díc. de los fármacos o extractos vegetales que combaten los espasmos.

ANTIESTÉTICO, CA adj. Contrario a la estética, feo.

ANTIFAZ m. Velo, máscara o cosa semejante con que se cubre la cara.

ANTIFLOGÍSTICO, CA adj. *Med.* Que contrarresta los efectos de una inflamación.

ANTÍFRASIS f. *Ret.* Figura que consiste en decir algo con voces que signifiquen lo contrario de lo que debiera decir.

ANTÍGENO m. *Bioquím.* Sustancia orgánica de carácter protéico, que es capaz de producir anticuerpos.

ANTIGUALLA f. Obra u objeto muy antiguo. // Mueble, adorno, etc., que ya no está de moda.

ANTIGÜEDAD f. Calidad de antiguo. // Tiempo antiguo. // Tiempo transcurrido desde que se obtiene un empleo. // pl. Objetos antiguos.

ANTIGUO, GUA adj. Que existe desde hace mucho tiempo. // Que existió o sucedió en tiempo remoto. // pl. Los que vivieron en siglos remotos.

ANTILOGÍA f. Contradicción entre dos textos o expresiones.

ANTÍLOPE m. *Zool.* Nombre común de numerosas especies de mamíferos artiodáctilos de la fam. bóvidos.

ANTIMONIO m. *Quím.* Elemento simple, de símbolo Sb. Pertenece a la familia del fósforo. En estado sólido es de color blanco brillante.

ANTINOMIA f. Contradicción entre leyes simultáneamente vigentes. // Contradicción entre dos principios racionales.

ANTIPAPA m. El que no está elegido canónicamente papa y pretende ser reconocido como tal.

ANTIPARRAS f. pl. fam. Anteojos, gafas.

ANTIPATÍA f. Repugnancia o aversión que se siente hacia una persona o cosa.

ANTIPIRÉTICO m. *Farm.* Fármaco que provoca un descenso de la fiebre.

ANTÍPODA adj. y s. Díc. de un habitante del globo terreste con respecto a otro que more en lugar diametralmente opuesto.

ANTISEMITISMO m. Oposición u odio a los judíos.

ANTISÉPTICO, CA adj. y s. m. *Farm.* Díc. de la sustancia que impide el desarrollo de microorganismos en los tejidos vivos.

ANTÍTESIS f. Oposición o contrariedad de dos juicios o afirmaciones. // Persona o cosa enteramente opuesta en sus condiciones a otra.

ANTOJARSE r. Hacer objeto de vehemente deseo una cosa. U. sólo en las terceras personas con los pron. personales *me, te, le ,nos*, etcétera.

ANTOJO m. Deseo vivo de algo.

ANTOLOGÍA f. Selección de textos literarios representativos de un autor, época, etc.

ANTÓNIMO, MA adj. y s. m. Díc. de las palabras que expresan ideas opuestas o contarias.

ANTONOMASIA f. *Ret.* Sinécdoque que consiste en poner el nombre apelativo por el propio.

ANTORCHA f. Tea

ANTRACENO m. *Quím. Org.* Hidrocarburo sólido que cristaliza en láminas azuladas. Se obtiene del alquitrán.

ANTRACITA f. *Min.* Carbón mineral mluy rico en carbono.

ÁNTRAX m. *Med.* Tumor inflamatorio.

ANTO m. Caverna, cueva, gruta.

ANTROPOFAGIA f. Costumbre de comer carne humana.

ANTROPÓFAGO, GA adj. y s. Díc. del que come carne humana.

ANTROPOLOGÍA f. Ciencia que estudia el hombre y considera sus variedades raciales, geográficas, etc.

ANTROPOMORFISMO m. Conjunto de doctrinas que atribuyen a la divinidad la figura o cualidades del hombre.

ANTROPOMORFO, FA adj. y s. m. Que tiene forma o apariencia humana.

ANTROPOZOICO, CA adj. y s. m. *Geol.* Era geológica comprendida entre el terciario y los tiempos actuales, con una duración aproximada de un millón y medio de años. También se denomina era cuaternaria o neozoica.

ANUAL adj. Que sucede o se repite cada año. // Que dura un año.

ANUALIDAD f. Importe anual de una renta.

ANUARIO m. Libro que se publica al comienzo de cada año, suministrando datos para el ejercicio de determinadas profesiones.

ANUDAR tr. y r. Hacer uno o más nudos. // fig. Juntar, unir.

ANUENCIA f. Consentimiento.

ANULACIÓN f. Acción y efecto de anular o anularse.

ANULAR adj. De figura de anillo.

ANULAR tr. Dar por nulo un precepto, contrato, etc.

ANUNCIAR tr. Dar noticia de alguna cosa. // Pronosticar.

ANUNCIO m. Acción y efecto de anunciar. // Conjunto de palabras o signos que anuncia algo.

ANUROS m. pl. *Zool.* Orden de anfibios carentes de cola.

ANVERSO m. Cara principal de una cosa.

ANZUELO m. Garfio que sirve para pescar.

AÑADIDURA f. Lo que se añade a una cosa.

AÑADIR tr. Agregar una cosa a otra. // Aumentar, ampliar.

AÑAGAZA f. Señuelo para coger aves. // fig. Artificio

para atraer con engaño.
AÑEJO, JA adj. Que tiene uno o más años. // fig. y fam. Que tiene mucho tiempo.
AÑICOS m. pl. Pedazos en que se divide una cosa al romperse.
AÑIL m. Colorante que se extrae del tallo y las hojas de ciertas plantas leguminosas del mismo nombre.
AÑO m. Tiempo que transcurre durante una revolución del eje de la Tierra en su órbita alrededor del Sol. // Periodo de doce meses.
AÑORANZA f. Nostalgia, aflicción causada por la ausencia.
AÑORAR tr. e intr. Padecer añoranza
AOJAR tr. Hacer mal de ojo. //fig. Desgraciar o malograr una cosa.
AORTA f. *Anat.* Arteria principal del cuerpo que distribuye toda la sangre oxigenada partiendo del ventrículo izquierdo.
AOVAR intr. Poner huevos las aves y otros animales.
APABULLAR tr. fam. Dejar a uno confuso y sin saber qué responder.
APACENTAR tr. Dar pasto al ganado. // fig. Instruir, enseñar.
APACIBLE adj. Manso, agradable. // De buen temple, tranquilo.
APACIGUAR tr. y r. Poner en paz, sosegar, aquietar.
APACHE adj. y s. Díc. del individuo de un grupo étnico amerindio perteneciente a la familia atapascana.
APADRINAR tr. Acompañar o asistir como padrino a una persona. // fig. Proteger. // r. Ampararse.
APAGAR tr. y r. Extinguir el fuego o a la luz. // Aplacar, disipar.
APAGÓN m. Extinción pasajera y accidental del alumbrado eléctrico.
APAISADO, DA adj. Díc. de lo que es más ancho que alto.
APALABRAR tr. Concertar de palabra dos o más personas una cosa.
APALANCAR tr. Levantar, mover alguna cosa con palanca.
APALEAR tr. Dar golpes con palo o cosa semejante. // Varear.
APAÑAR tr. Coger. // Recoger y guardar alguna cosa, apoderarse de ella. // Acicalar, asear. // Aderezar la comida. // Remendar lo que está roto. // r. fam. Darse maña para hacer alguna cosa.
APAÑO m. Acción y efecto de apañar. // fam. Remiendo hecho en alguna cosa. // Maña para hacer alguna cosa.
APARADOR m. Mueble donde se guarda el servicio de la mesa. // Escaparate.
APARATO m. Apresto de lo que se necesita para algún fin. // Pompa, ostentación. // Artificio mecánico compuesto de diferentes piezas combinadas para un fin. // *Anat.* Conjunto de tejidos, órganos, etc. que intervienen en el desarrollo de una función.

APARATOSO, SA adj. Que tiene mucho aparato u ostentación. // Que exagera.
APARCAMIENTO m. Acción y efecto de aparcar. // Lugar destinado a ello.
APARCAR tr. Colocar transitoriamente un vehículo en un lugar.
APARCERÍA f. Trato o convenio de los que van a la parte en una granjería.
APARCERO, RA m. y f. Persona que tiene aparcería con otra u otras.
APAREAR tr. Ajustar una cosa con otra // tr. y r. Unir una cosa con otra formando par. // Juntar las hembras de los animales con los machos.
APARECER intr. y r. Manifestarse, dejarse ver. // Encontrarse, hallarse. // Hablando de obras escritas, publicarse.
APAREJADOR, RA m. y f. Ayudante técnico del arquitecto, con título profesional.
APAREJAR tr. y r. Preparar, disponer. // Adornar. // Poner el aparejo a las caballerías.
APAREJO m. Preparación para alguna cosa. // Arreo necesario para montar o cargar las caballerías. // pl. Conjunto de objetos necesarios para hacer ciertas cosas.
APARENTAR tr. Dar a entender lo que no es o no hay.
APARENTE adj. Que parece y no es. // Conveniente, adecuado. // Que se muestra a la vista.
APARICIÓN f. Acción y efecto de aparecer o aparecerse.
APARIENCIA f. Aspecto exterior. // Verosimilitud, probabilidad. // Cosa que parece y no es.
APARTADO, DA adj. Retirado, distante. // Diferente.
APARTAMENTO m. Habitación. // Vivienda.
APARTAMIENTO m. Acción y efecto de apartar o apartarse. // Apartamento.
APARTAR tr. y r. Separar, dividir. // Quitar a una persona o cosa del lugar donde estaba. // Alejar. // tr. fig. Disuadir.
APARTE adv. l. En otro lugar. // A distancia. // adv. m. Separadamente. // Con omisión de. // m. Lo que dice cualquier personaje de una obra teatral como hablando para sí. // adj. Diferente.
APASIONAR tr. y r. Causar alguna pasión. // tr. Afligir. // r. Aficionarse con exceso a una persona o cosa.
APATÍA f. Impasibilidad de ánimo. // Dejadez, falta de energía.
APÁTRIDA adj. y s. Díc. de la persona que carece de nacionalidad.
APEADERO m. En los ferrocarriles, sitio de la vía preparado para el servicio público.
APEAR tr. y r. Bajar a uno de una caballería o vehículo. // fig. y fam. Disuadir.
APECHUGAR intr. Empujar con el pecho. // fig. y fam. Hacer algo que requiere esfuerzo.
APEDAZAR tr. Despedazar. // Remendar.
APEDREAR tr. Tirar piedras a una persona o cosa. // Matar a pedradas. // impers. Caer pedrisco.

APEGARSE r. fig. Cobrar apego.
APEGO m. fig. Afición o inclinación particular.
APELACIÓN f. Acción de apelar. // fam. Consulta de médicos.
APELAR intr. For. Recurrir al tribunal superior para que enmiende la sentencia dada por el inferior. // intr. y r. fig. Recurrir a alguien.
APELATIVO adj. y s. Nombre común.
APELMAZAR tr. y r. Hacer que una cosa esté menos hueca de lo que requiere para su uso. // fig. Sobrecargar.
APELOTONAR tr. y r. Formar pelotones.
APELLIDAR tr. Gritar convocando, excitando, etc. // Nombrar, llamar. // r. Tener tal nombre o apellido.
APELLIDO m. Nombre de familia con que se distinguen las personas. // Sobrenombre.
APENAR tr. y r. Causar pena.
APENAS adv. m. Penosamente. // Casi no. // adv. t. Luego que.
APÉNDICE m. Cosa adjunta o añadida a otra, de la cual es parte accesoria. // Anat. Prolongación delgada de la parte inferior del ciego.
APENDICITIS f. Med. Inflamación de las paredes del apéndice.
APERAR. tr. Componer, aderezar.
APERCIBIMIENTO m. Acción y efecto de apecebir o apercibirse.
APERCIBIR tr. y r. Prevenir, disponer lo necesario para alguna cosa. // Percibir. // tr. Amonestar.
APERGAMINARSE r. fig. y fam. Acartonarse.
APERITIVO, VA adj. y s. m. Que abre el apetito. // m. Lo que se toma antes de una comida principal.
APERO m. Conjunto de instrumentos, y de animales, destinados a las faenas agrícolas, y, por ext., a cualquier oficio.
APERTURA f. Acción de abrir. // Tratándose de asambleas, teatros, etcétera, acto de dar principio. // Tendencia favorable a la comprensón de actitudes distintas de las que uno sostiene.
APESADUMBRAR tr. y r. Causar pesadembre .
APESTAR. tr. y r. Causar, comunicar la peste. // tr. fig. Corromper, viciar. // intr. Comunicar mal olor.
APÉTALO, LA adj. Que carece de pétalos.
APETECER tr. Tener gana de alguna cosa, desearla. // intr. Gustar.
APETENCIA f. Apetito. // Inclinación del hombre a desear algo.
APETITO m. Impulso instintivo que nos lleva a satisfacer deseos o necesidades. // Gana de comer. // fig. Lo que excita el deseo.
APIADAR tr. Causar piedad. // Tratar con piedad. // r. Tener piedad.
ÁPICE m. Extremo superior de una cosa. // Acento u otro signo ortográfico que se pone sobre las letras. // fig. Parte pequeñísima.
APICULTURA f. Arte de criar abejas para aprovechar la miel y la cera que producen.

APILAR tr. Amontonar, poner una cosa sobre otra.
APIÑAR tr. y r. Juntar o agrupar estrechamente personas o cosas.
APIO. m. Bot. Planta herbácea bianual (fam. umbelíferas), de tallo estriado y raíces carnosas.
APISONADORA f. Máquina locomóvil, montada sobre rodillos muy pesados, que se emplea para apisonar las carreteras.
APISONAR tr. Apretar con pisón la tierra u otra cosa.
APLACAR tr. y r. Amansar, suavizar.
APLANAR tr. Allanar. // r. Caerse a plomo un edificio. // fig. Perder la animación.
APLANÉTICO, CA adj. Opt. Díc. del sistema óptico que no presenta aberración esférica ni coma.
APLASTAR tr. y r. Deformar una cosa por presión o golpe. // tr. fig. y fam. Derrotar, humillar.
APLATANAR tr. Restar actividad a alguien. // r. Entregarse a la indolencia.
APLAUDIR tr. Palmotear en señal de aprobación o de entusiasmo. // Alabar, aprobar de algún modo.
APLAUSO m. Acción y efecto de aplaudir.
APLAZAR tr. Convocar para tiempo y sitio señalados. // Diferir un acto.
APLICACIÓN f. Acción y efecto de aplicar o aplicarse. // fig. Afición con que se hace alguna cosa.
APLICAR tr. Poner una cosa sobre otra o en contacto con otra. // fig. Emplear alguna cosa para mejor conseguir un determinado fin. // Referir a un caso particular lo que se ha dicho en general. // Atribuir a uno algún hecho o dicho. // Destinar, adjudicar. // r. fig. Dedicarse a un estudio o ejercicio. // Poner esmero en ejecutar alguna cosa.
APLIQUE m. Candelero o lámpara que se fija en la pared.
APLOMAR tr. Constr. Examinar con la plomada si las paredes se van construyendo verticalmente. // r. Desplomarse. // Cobrar aplomo.
APLOMO m. Gravedad, serenidad. // Verticalidad. // Plomada.
APOCADO, DA adj. fig. De poco ánimo. // Vil, de baja condición.
APOCALÍPTICO, CA adj. Perten., rel. o parecido al Apocalipsis. // fig. Terrorífico, espantoso.
APOCAMIENTO m. fig. Cortedad o encogimiento de ánimo. // Abatimiento.
APOCAR tr. Disminuir. // tr. y r. fig. Humillar.
APOCINÁCEAS f. pl. bot. Fam. de plantas dicolitedóneas de hojas perennes fruto capsular o folicular y semillas con albumen carnoso.
APÓCOPE f. Gram. Término con que se designa la supresión de algún sonido al fin de un vocablo.
APÓCRITO, FA. adj. Fingido.
APODAR tr. Poner o decir apodos.
APODERADO, DA adj. y s. Díc. del que tiene poderes de otro para representarlo.
APODERAR tr. dar poder una persona a otra para que la represente. // r. Hacerse uno dueño de una cosa.

APODÍCTICO, CA adj. *Lóg.* Demostrativo, que no admite contradicción.

APODO m. Nombre que suele darse a una persona, tomado de sus defectos o de alguna otra circustancia.

APÓDOSIS f. *Ling.* Término con que se designa la proposición principal en las construcciones condicionales; la subordinada se llama prótasis.

APÓFISIS f. *Anat.* Parte saliente de un hueso.

APOGEO m. *Astron.* Punto de la órbita de un cuerpo que gira alrededor de la Tierra en el que su distancia a ésta es máxima. // fig. Punto culminante en gloria, virtud, poder, etc.

APOLILLAR tr. y r. Roer destruir la polilla las ropas u otras cosas.

APOLÍNEO, A adj. Perteneciente o relativo a Apolo.

APOLOGÉTICA f. Ciencia que expone las pruebas y fundamentos de la verdad de la religión católica.

APOLOGÍA f. Discurso en defensa o alabanza de personas o cosas.

APÓLOGO m. Fábula o narración alegórica.

APOLTRONARSE r. Llevar una vida sedentaria. // Arrellanarse.

APOPLEJÍA f. *Med.* Extravasación de sangre de un órgano. Apl. principalmente a la cerebral.

APOQUINAR tr. *vulg.* Pagar.

APORREAR tr. y r. Golpear con porra o sin ella. // Ahuyentar las moscas.

APORTAR tr. Llevar, conducir, traer. // Dar, proporcionar, contribuir.

APOSENTAR tr. Dar habitación y hospedaje. // r. Tomar casa, alojarse.

APOSENTO m. Cuarto o pieza de una casa. // Posada, hospedaje.

APOSICIÓN f. *Gram.* Yuxtaposición de dos o más sustantivos o frases, de forma que uno de ellos desempeña una función calificativa o determinativa respecto del otro.

APÓSITO m. Remedio que se aplica exteriormente, con paños, vendas, etcétera.

APOSTA adv. m. Adrede.

APOSTAR tr. Pactar entre sí los que disputan que el que estuviese equivocado perderá el dinero o cualquier otra cosa que se determine. // Arriesgar cierta cantidad de dinero pronosticando tal o cual resultado de un juego, etc. // tr. y r. Poner a alguien en determinado puesto para algún fin.

APOSTASÍA f. Acción y efecto de apostatar.

APÓSTATA com. Persona que comete apostasía.

APOSTATAR intr. Abandonar las ideas religiosas y, por ext., el partido, doctrina, etc., que uno profesaba.

APOSTILLA f. Acotación que interpreta, aclara o completa un texto.

APÓSTOL m. Cada uno de los doce primeros discípulos de Jesucristo. Por ext., se da también este nombre a Pablo y Bernabé. // El que predica a los infieles. // El propagador de una doctrina.

APOSTOLADO m. Oficio de apóstol. // Congregación de los apóstoles. // fig. Campaña de propaganda en pro de una causa.

APOSTÓLICO, CA adj. Perten. o rel. a los apostoles. // Perten. al Papa, o que dimana de su autoridad.

APOSTROFAR tr. Dirigir apóstrofes.

APÓSTROFE amb. *Ret.* Figura que consiste en dirigir la palabra con vehemencia en segunda persona a alguien presente o ausente.

APÓSTROFO m. Signo gráfico (') usado para indicar la elisión de una vocal.

APOSTURA f. Gentileza, buena disposición en la persona. // Aspecto.

APOTEGMA m. Dicho breve y sentencioso.

APOTEMA f. *Geom.* En un polígono regular, distancia desde el centro a uno cualquiera de los lados.

APOTEÓSICO, CA O APOTEÓTICO, CA adj. Perteneciente a la apoteosis.

APOTEOSIS f. fig. Ensalzamiento de una persona con grandes alabanzas. // Momento álgido de una fiesta, espectáculo, etc.

APOYAR tr. y r. Hacer que una cosa descanse sobre otra. // Basar, fundar. // tr. fig. Favorecer, ayudar. // Probar, sostener una opinión o doctrina. // r. fig. Servirse de una persona o cosa como de apoyo.

APOYO. m. Lo que sirve para sostener. // fig. Protección, auxilio. // Confirmación o prueba de una opinión o doctrina.

APRECIAR tr. Poner precio. // Calcular, percibir debidamente la magnitud, grado, etc., de las cosas. // tr. y r. Estimar, querer a alguien.

APRECIO m. Acción y efecto de apreciar. // Estimación afectuosa de una persona.

APREHENDER tr. Coger, asir, prender a una persona, o alguna cosa.

APREHENSIÓN f. Acción y efecto de aprehender.

APREMIAR tr. Dar prisa para que uno haga prontamente una cosa. // Obligar a uno con mandamiento de autoridad a que haga alguna cosa. //Imponer apremio o recargo.

APREMIO m. Acción y efecto de apremiar. // Mandamiento de autoridad judicial para compeler el pago de alguna cantidad. // Recargo de impuestos por demora en el pago.

APRENDER tr. Adquirir el conocimiento de algo. // Tomar algo en la memoria.

APRENDIZ, ZA m. y f. Persona que aprende algún arte u oficio.

APRENDIZAJE m. Acción y efecto de aprender algún arte u oficio.

APRENSIÓN f. Aprehensión. // Escrúpulo; idea infundada o extraña, figuración.

APRESAR tr. Asir, hacer presa. // Aprisionar.

APRESTAR tr. y r. Disponer lo necesario para alguna cosa.

APRESTO m. Preparación para alguna cosa.

APRETAR tr. Estrechar ciñendo. // Poner una cosa sobre otra haciendo fuerza. // Espolear. // Estrechar

algo o reducirlo a menor volumen. // tr. y r. Apañar estrechamente. // tr. Acosar. // fig. Angustiar, Afligir.
APRETÓN m. Apretadura muy fuerte y rápida.
APRETUJAR tr. fam. Apretar mucho o reiteradamente. // r. Oprimirse varias personas en un recinto estrecho.
APRETURA f. Opresión causada por la excesiva concurrencia de gente. // fig. Aprieto.
APRIETO Apretura de gente. // Fig. Conflicto, apuro.
A PRIORI m. adv. lat. Con anterioridad.
APRISA adv. m. Con celeridad.
APRISCO m. Paraje donde se recoge el ganado para resguardarlo de la intemperie.
APRISIONAR tr. Poner en prisión. // Poner prisiones. // fig. Atar, sujetar..
APROBADO m. En exámenes, calificación de aptitud.
APROBAR tr. Dar por bueno. // Tratándose de doctrinas, asentir a ellas. // Tratándose de personas, declarar hábil. // Obtener aprobado.
APRONTAR tr. Prevenir, disponer con prontitud. // Entregar una cosa sin dilación.
APROPIAR tr. Hacer propia de alguno cualquier cosa. // r. Adueñarse de una cosa.
APROVECHAMIENTO m. Acción y efecto de aprovechar o aprovecharse.
APROVECHAR intr. Servir de provecho una cosa. // intr. y r. Hablando de virtud, estudios, etc., adelantar en ellos. // tr. Emplear útilmente una cosa. // r. Sacar utilidad de algo.
APROVISIONAR tr. Abastecer.
APROXIMAR tr. y r. Arrimar, acercar.
ÁPTERO, RA adj. Que carece de alas. // Arq. Díc. de los templos que carecen de columnas en sus fachadas laterales.
APTITUD f. Cualidad que hace apto a un objeto para cierto fin. // Suficiencia, capacidad.
APTO, TA adj. Idóneo, hábil.
APUESTA f. Acción y efecto de apostar. // Cosa que se apuesta.
APUESTO, TA adj. Ataviado, adornado.
APUNTADOR m. El que en el teatro va apuntando a los actores lo que han de decir.
APUNTALAR tr. Poner puntales. // fig. Sostener, afirmar.
APUNTAR tr. Dirigir un arma arrojadiza o de fuego. // Señalar hacia un sitio determinado. // Tomar nota por escrito de algo. // Sacar punta. // Unir ligeramente. // Leer el apuntador a los actores lo que han de recitar. // fam. Zurcir. // fig. Señalar, indicar. // intr. Empezar a manifestarse alguna cosa.
APUNTE m. Nota escrita de alguna cosa. // Dibujo rápido tomado al natural.
APUÑALAR tr. Dar de puñaladas.
APURAR tr. Extremar, llegar hasta el cabo. // Acabar, agotar. // fig. Molestar. // tr. y r. fig. Apremiar, dar prisa. // r. Afligirse.
APURO m. Aprieto, escasez grande. // Conflicto, Apremio, prisa.
AQUEJAR tr. fig. Acongojar, afligir.
AQUEL, LLA, LLO Pron. demostrativo que designa lo que está lejos del que habla y del que escucha.
AQUELARRE m. Reunión nocturna de brujos y brujas, con la supuesta intervención del demonio.
AQUENDE adv. l. De la parte de acá.
AQUENIO m. Bot. Fruto seco, indehiscente, con el pericarpio no soldado a la semilla.
AQUERENCIARSE r. Tomar querencia a un lugar.
AQUÍ adv. l. En este lugar. // A este lugar.
AQUIESCENCIA f. Consentimiento.
AQUIETAR tr. y r. Sosegar, apaciguar.
AQUIFOLIÁCEAS f. pl. Bot. Fam. de plantas leñosas, con hojas alternas y flores de simetría regular.
AQUILATAR tr. Graduar los quilates de oro, perlas, etc. // fig. Examinar y apreciar el mérito de una persona o de una cosa.
AQUILÓN m. Norte, polo ártico y viento que sopla de esta parte.
ARA f. Altar en que se ofrecen sacrificios. // Piedra consagrada sobre la cual se celebra la misa.
ÁRABE adj. y s. Natural de Arabia. // adj. Perten. a esta región de Asia. // m. Idioma árabe.
ARABESCO m. Tema decorativo propio del arte árabe, en que se combinan armoniosamente los motivos geométricos, vegetales, etc.
ARÁBICO, CA O ARÁBIGO, GA adj. Árabe. // m. Idioma árabe.
ARÁCNIDOS m. pl. Zool. Clase de artrópodos de respiración traqueal que presentan el cuerpo dividido en dos segmentos: cefalotórax y abdomen. Tienen un par de quelíceros y cuatro pares de patas.
ARADO m. Agr. Utensilio agrícola para remover y ahuecar la tierra.
ARAGONITO m. Mineral. Variedad de carbonato cálcico cristalizado en el sistema rómbico.
ARALIÁCEAS f. pl. Bot. Familia de plantas dicotiledóneas, generalmente trepadoras.
ARAMEO, A adj. y s. Descendiente de Aram. // Natural del país de Aram. // Perten. a este pueblo bíblico.
ARANCEL m. Tarifa oficial que determina los derechos que se han de pagar, esp. en aduanas. // Tasa, valoración, norma, etc.
ARANCELARIO, RIA adj. Perteneciente o relativo al arancel.
ARANDELA f. Corona o anillo metálico, de uso frecuente en las máquinas y artefactos, para evitar el roce entre dos piezas.
ARANEIDOS m. pl. Zool. Orden de arácnidos con prosoma no segmentado.
ARAÑA f. Zool. Arácnido pulmonado, con ocho ojos dispuestos en arco, boca con dos palpos, cuatro pares de patas y abdomen abultado, que segrega una sustancia que forma hilos.
ARAÑAR tr. y r. Herir a alguien en la piel con las uñas, un alfiler, etc. // tr. Hacer rayas superficiales en cosas

lisas como el vidrio, etcétera.
ARAÑAZO m. Acción y efecto de arañar. // Señal que queda al arañar.
ARAR tr. Remover la tierra haciendo en ella surcos con el arado.
ARAUCANOS m. pl. *Etnol.* Grupo étnico amerindio, que inicialmente ocupaba casi todo el territorio chileno.
ARAUCARIÁCEAS f. pl. Bot. Fam. de gimnospermas coníferas de porte arbóreo y hojas aciculares.
ARBITRAJE m. Acción o facultad de arbitrar. // Juicio arbitral.
ARBITRAL adj. Perteneciente o relativo al juez árbitro.
ARBITRAR tr. Proceder uno libremente. // Dar o proponer arbitrios. // For. Juzgar como árbitro.
ARBITRARIEDAD f. Acto contrario a la justicia o la razón.
ARBITRARIO, RIA adj. Que depende del arbitrio.// Que procede con arbitrariedad. // Que incluye arbitrariedad.
ARBITRIO m. Albedrío, facultad de decidir. // Autoridad. // Medio que se propone para el logro de un fin. // Sentencia del juez árbitro.
ÁRBITRO, TRA adj. y s. Díc. del que puede hacer algo por sí solo. // m. Persona que decide quién tiene razón en una disputa.
ÁRBOL m. *Bot.* Planta fanerógama, leñosa y perenne. Posee tallo simple (tronco) con crecimiento secundario y se ramifica formando una copa de forma característica en cada especie.
ARBOLADO, DA adj. Díc. del sitio poblado de árboles. // m. Conjunto de árboles.
ARBOLADURA f. *Mar.* Conjunto de piezas de madera o hierro que lleva una embarcación para suspender las velas.
ARBOLAR tr. Enarbolar. // *Mar.* Poner la arboladura a una embarcación.
ARBOLEDA f. Sitio poblado de árboles.
ARBÓREO, A adj. Perten. o rel. al árbol. // Semejante al árbol.
ARBORESCENTE adj. Díc. de la planta que tiene caracteres parecidos a los del árbol.
ARBORICULTURA f. Cultivo de los árboles.
ARBORIFORME adj. De forma de árbol.
ARBOTANTE m. *Arq.* Arco que se apoya en un contrafuerte y que contrarresta el empuje de una bóveda.
arbusto m. *Bot.* Planta leñosa de poca altura y que generalmente se ramifica desde la base.
ARCA f. Caja con una tapa asegurada por un lado con goznes y por el otro con candado.// Caja para guardar dinero.
ARCABUZ m. Arma antigua de fuego, semejante al fusil.
ARCADA f. Conjunto o serie de arcos. esp. en los puentes. //Ojo de un arco o puente. // Movimiento violento del estómago, que excita el vómito.
ARCADUZ m. Caño por donde se conduce el agua.
// Cangilón de una noria.
ARCAICO, CA adj. Perten. o rel. al arcaísmo. // Muy antiguo.
ARCAÍSMO m. Voz, frase o manera de decir anticuadas. // Imitación de las cosas de la antigüedad.
ARCÁNGEL m. Espíritu celeste.
ARCANO, NA adj. Secreto, recóndito. // m. Secreto muy reservado.
ARCE m. *Bot.* Arbol de la fam. aceráceas, de leño muy duro y moteado de negro.
ARCÉN m. Margen u orilla. //Brocal del pozo.
ARCILLA f. *Geol.* Elemento terroso formado por silicatos de aluminio hidratados, como resultado de la erosión de rocas silíceas. Disuelta en agua y cocida a elevada temperatura, adquiere solidez y dureza.
ARCIPRESTAZGO m. Dignidad o cargo de arcipreste. // Territorio de su jurisdicción.
ARCIPRESTE m. Presbítero que, por nombramiento del obispo, ejerce ciertas atribuciones sobre los curas e iglesias de un territorio.
ARCO m. *Geom.* Porción continua de curva. // Arma que sirve para disparar flechas. // Vara delgada, que mantiene tensas las cerdas con las que se hieren las cuerdas de varios instrumentos de cuerda.// *Arq.* Obra en forma de arco, que cubre un vano entre dos pilares o puntos fijos.

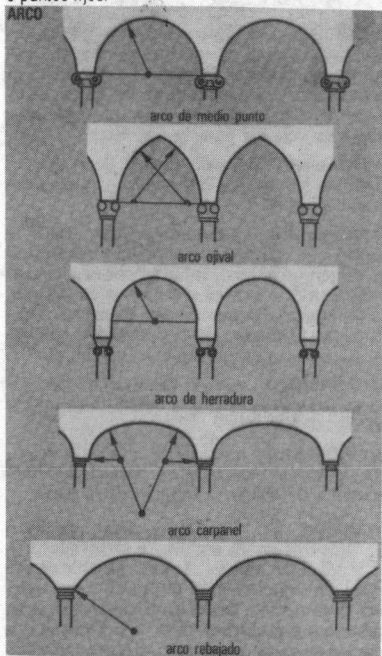

ARCO

arco de medio punto

arco ojival

arco de herradura

arco carpanel

arco rebajado

ARCONTE m. Magistrado de Atenas y de otras ciudades-estado de la antigua Grecia.
ARCHI- Prefijo que ante un sustantivo denota preeminencia o superioridad (*archiduque*), y ante un adjetivo

equivale a muy (*archisabido*).
ARCHIDIÓCESIS f. Diócesis arzobispal.
ARCHIDUQUE m. Duque revestido de autoridad superior a la de otros duques.
ARCHIPIELAGO m. Parte del mar poblado de islas.
ARCHIVAR tr. Guardar papeles o documentos en un archivo. // Por ext. dar por terminado un asunto.
ARCHIVO m. Lugar destinado a guardar documentos. // Conjunto de estos documentos.
ARCHIVOLTA f. *Arq.* Conjunto de molduras que decoran un arco en su paramento exterior vertical.
ARDER intr. Estar encendido. // fig. Tratándose de pasiones, estar muy agitado en ellas. // Repudrirse el estiércol, produciendo calor y vapores. // tr. y r. Quemar.
ARDID m. Artificio usado hábilmente para conseguir algo.
ARDIDO, DA adj. Valiente, intrépido. // *Amer.* Irritado, enojado.
ARDIENTE adj. Que arde. // Que causa ardor. // fig. Fervoroso.
ARDILLA f. *Zool.* Nombre común de diversas especies de mamíferos roedores. Posee una larga cola provista de abundante pelo. Es un animal muy ágil que trepa con facilidad.

ARDOR m. Calor grande. // fig. Resplandor. // Enardecimiento de los afectos y pasiones. // Intrepidez.
ARDUO, DUA adj. Muy difícil.
ÁREA f. Espacio de tierra comprendido entre ciertos límites. // Superficie ocupada por un edificio. // *Geom.* Medida de la superficie delimitada por una curva cerrada en un plano en otra superficie.
ARENA f. *Geol.* Roca sedimentaria de naturaleza silícea o calcárea, de grano fino. Procede de la disgregación mecánica de otras rocas.
ARENAL m. Suelo de arena movediza. // Extensión de terreno arenoso.
ARENGA f. Discurso solemne que se pronuncia con el fin de enardecer los ánimos.
ARENGAR intr. y tr. Pronunciar una arenga.
ARENILLA f. Arena menuda. // Cálculo de pequeño tamaño en la vejiga.
ARENISCA f. *Geol.* Roca sedimentaria, generalmente silícea, formada por arenas cementadas, que se emplea en la construcción.
ARENQUE m. *Zool.* Pez osteíctio (fam. ciupeidos), parecido a la sardina. Se encuentra en grandes bancos en los mares del N.
AREÓMETRO m. *Fis.* Aparato de medición del peso específico (o densidad) de los líquidos.
ARETE m. Aro pequeño, esp. el que se usa como pendiente.
ARGAMASA f. Mortero hecho de cal, arena y agua, que se emplea en las obras de albañilería.
ARGENTADO, DA. adj. Plateado; de color semejante al de la plata.
ARGENTAR tr. Platear.
ARGÉNTEO, A adj. De plata. // fig.Semejante a la plata.
ARGENTERÍA f. Bordadura brillante de plata u oro.
ARGENTÍFERO, RA adj. Que contiene plata.
ARGENTINO, NA adj. Argénteo. // adj. y s. Natural de la República Argentina. // Perten. a este país.
ARGO O ARGÓN. m. *Quim.* Elemento simple perteneciente a la familia de los gases nobles. Muy estable y quimicamente inerte.
ARGOLLA f. aro grueso que se fija a algún sitio y que sirve para amarre.
ARGONAUTA *Zool.* Género de moluscos cefalópodos que habita en aguas templadas.
ARGOT. m. Jerga.
ARGUCIA f. Sutileza, sofisma, argumento falso presentado con agudeza.
ARGUIR tr. Sacar en claro, deducir como consecuencia natural. // Descubrir, probar. // intr. Poner argumentos contra algo o alguien.
ARGUMENTACIÓN f. Acción de argumentar. // Argumento para convencer.
ARGUMENTAL adj. Perteneciente o relativo al argumento.
ARGUMENTAR intr. y r. Arguir.
ARGUMENTO m. Razonamiento que se emplea para probar o demostrar una proposición. // Asunto de que trata una obra.
ARIA f. Composición musical con letra para una sola voz.
ARIDEZ f. Calidad de árido.
ÁRIDO, DA adj. Seco, estéril. // fig. Falto de amenidad.// m. pl. Granos, legumbres, etc., a los que se aplican medidas de capacidad.
ARIETE m. Viga larga y pesada que ant. se empleaba como máquina de guerra para demoler murallas.
ARILO m. *Bot.*Envoltura exterior de la semilla.
ARIO, RIA adj. y s. *Etnol.* Díc. del individuo de un pueblo primitivo que habitó en el centro de Asia y del cual proceden los pueblos indoeuropeos.
ARISCO, CA adj. Aspero, que rehúye el trato con otros.

ÁREAS

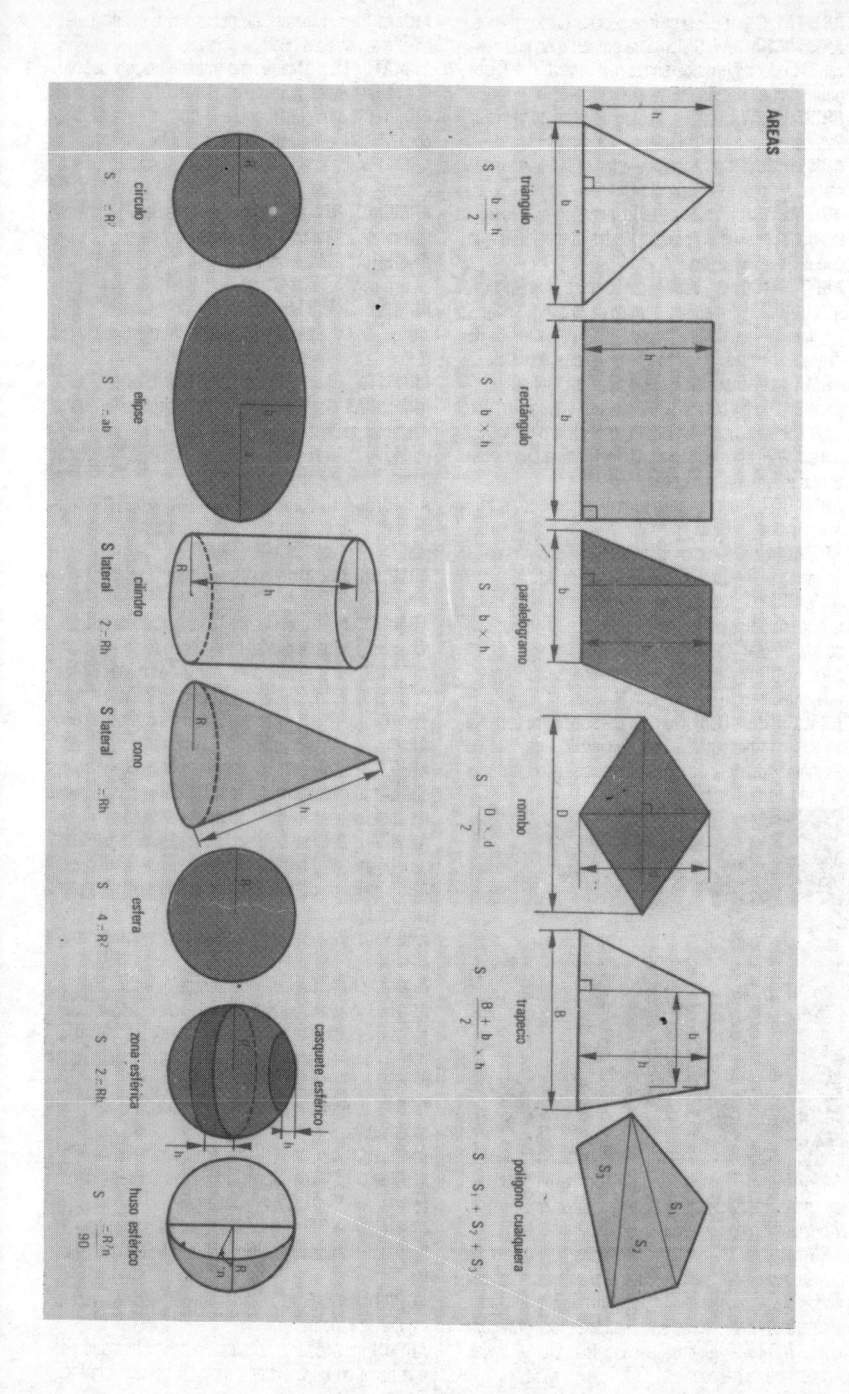

triángulo
$$S = \frac{b \times h}{2}$$

rectángulo
$$S = b \times h$$

paralelogramo
$$S = b \times h$$

rombo
$$S = \frac{D \times d}{2}$$

trapecio
$$S = \frac{B + b}{2} \times h$$

polígono cualquiera
$$S = S_1 + S_2 + S_3$$

círculo
$$S = \pi R^2$$

elipse
$$S = \pi a b$$

cilindro
$$S \text{ lateral} = 2\pi R h$$

cono
$$S \text{ lateral} = \pi R h$$

esfera
$$S = 4\pi R^2$$

zona esférica
$$S = 2\pi R h$$

casquete esférico
$$S = 2\pi R h$$

huso esférico
$$S = \frac{\pi R^2 n}{90}$$

ARISTA f. *Geom.* Recta de intersección de dos planos.
ARISTOCRACIA f. Sistema de gobierno en que ejercen el poder algunas personas privilegiadas. // Clase noble de una nación, provincia, etcétera.
ARISTÓCRATA com. Individuo de la aristocracia. // Partidario de la aristocracia.
ARISTOCRÁTICO, CA adj. Perten. o rel. a la aristocracia. // Fino, distinguido.
ARITMÉTICA f. Parte de la matemática que estudia los números, sus propiedades y las operaciones que con ellos se pueden efectuar.
ARITMÉTICO, CA adj. Perten. o rel. a la aritmética.
ARLEQUÍN m. Personaje cómico de la antigua comedia italiana, que llevaba traje de cuadros o rombos de distintos colores. // Persona vestida con este traje.
ARMA f. Instrumento para atacar o defenderse. // Cada uno de los cuerpos que constituyen los ejércitos combatientes. // pl. Armadura. // Milicia o profesión militar. // Hechos de armas. // fig. Medios que sirven para conseguir alguna cosa.
ARMADA f. Conjunto de fuerzas navales de un estado. // Escuadra.
ARMADÍA f. Conjunto de maderos unidos con otros en forma plana, para poderlos conducir a flote.
ARMADILLO m. *Zool.* Mamífero desdentado de la fam. dasipódidos. Tiene el cuerpo recubierto por una coraza de placas corneas.
ARMADOR *Mar.* m. El que por su cuenta arma o avía una embarcación.
ARMADURA f. Conjunto de piezas de hierro con que se vestían los combatientes. // *Constr.* Conjunto de elementos que forman el entramado que debe sostener el tejado de un edificio.

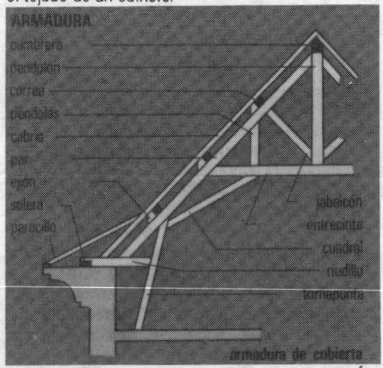

ARMAMENTO m. *Mar.* Equipo y provisión de un buque para el servicio a que se le destina. // *Mil.* Aparato y prevención de todo lo necesario para la guerra.
ARMAR tr. y r. Poner a uno armas. // Proveer de armas. // Aparejar para la guerra. // tr. Juntar entre sí varias piezas de que se compone un mueble, artefacto, etcétera. // tr. y r. fig. y fam. Disponer, formar alguna cosa. // Mover pleitos, escándalos, etc. // Aviar, proveer de lo necesario.

ARMARIO m. Mueble con puertas, y con anaqueles en el interior, para guardar objetos.
ARMATOSTE m. Máquina o mueble tosco y pesado que resulta excesivamente engorroso.
ARMAZÓN amb. Pieza sobre la que se arma alguna cosa. // Acción y efecto de armar, juntar.
ARMELLA f. *Tecnol.* Anillo metálico provisto de una espiga.
ARMENIO, NIA adj. Perten. a Armenia. // adj. y s. Natural de este país. // m. Lengua armenia.
ARMERÍA f. Sitio en que se guardan armas, o tienda en que se venden.
ARMIÑO m. *Zool.* Mamífero carnívoro de la fam. mustélidos, ágil y agresivo. Muy apreciado en peletería. // Piel de este animal.
ARMISTICIO m. Suspensión de hostilidades.
ARMONÍA f. Combinación de sonidos simultáneos y diferentes, pero acordes. // fig. Proporción y correspondencia de unas cosas con otras. // *Mús.* Arte de formar y enlazar los acordes.
ARMÓNICA f. Instrumento musical que presenta una serie de orificios con lenguetas fijadas sobre un soporte.
ARMÓNICO, CA adj. Perteneciente o relativo a la armonía.
ARMONIO m. Organo pequeño, el cual se da aire por medio de un fuelle que se mueve con los pies.
ARMONIZAR tr. Poner en armonía dos o más partes de un todo. // intr. Estar en armonía. // *Mús.* Escoger y escribir los acordes correspondientes a una melodía.
ARNA f. Vaso de colmena.
ARNÉS m. Conjunto de armas de acero defensivas que se acomodaban al cuerpo. // pl. Guarniciones de las caballerías.
ÁRNICA f. *Bot.* Hierba vivaz de la fam. compuestas, de tallo áspero y hojas simples.
ARO m. Pieza de una materia rígida en figura de circunferencia.
AROMA f. Flor del aromo. // m Perfume, olor muy agradable.
AROMÁTICO, CA adj. Que tiene olor agradable.
AROMO m. *Bot.* Arbusto espinoso de la fam. mimosáceas. Es planta ornamental de las zonas templadas.
ARPA f. Instrumento músico, de figura triangular, con cuerdas tensadas en posición vertical.
ARPAR tr. Arañar o rasgar con las uñas. // Hacer tiras alguna cosa.
ARPEGIAR intr. *Mús.* Hacer arpegios.
ARPEGIO m. *Mús.* Sucesión de los sonidos de un acorde.
ARPÍA f. Ave fabulosa de la mitología grecolatina. // fig. y fam. Persona codiciosa. // Mujer muy mala o muy fea.
ARPILLERA f. *Text.* Tejido basto de fibra de yute o estopa de cáñamo.
ARPÓN m. *Mar.* Instrumento de pesca formado por una barra en cuyo extremo hay un punzón con dos

púas vueltas hacia atrás.
ARQUEAR tr. Medir la cabida de una embarcación.
ARQUEO m. *Mar.* Capacidad de una embarcación.
ARQUEOLOGIA f. Ciencia que investiga y clasifica los restos de las civilizaciones primitivas situándolos en su desarrollo histórico.
ARQUEOLÓGICO, CA adj. Perten. o rel. a la arqueología. // fig. Antiguo
ARQUEÓLOGO, GA m. y f. Persona que profesa la arqueología.
ARQUETIPO m. Modelo original y primario.
ARQUITECTO, TA m. y f. Persona que profesa o ejerce la arquitectura.
ARQUITECTÓNICO, CA adj. Perten. o rel . a la arquitectura.
ARQUITECTURA f. Arte de proyectar y construir edificios a partir de unas estructuras materiales sólidas, que posteriormente albergarán las distintas formas de vida humana.
ARQUITRABE m. *Arq.* Parte inferior del entablamento, la cual descansa inmediatamente sobre el capitel de la columna.

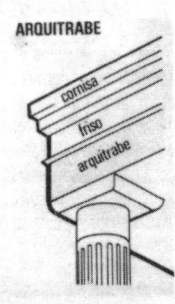

ARQUITRABE
cornisa
friso
arquitrabe

ARQUIVOLTA f. Archivolta.
ARRABAL m. Barrio fuera del recinto de la población. // Sitio extremo de una población. // Población anexa a otra mayor.
ARRABALERO, RA adj. y s. Habitante de un arrabal. // fig. y fam. Díc. de la persona que da muestra de mala educación.
ARRACIMARSE r. Unirse o juntarse algunas cosas en figura de racimo.
ARRAIGAR intr. y r. Echar o criar raíces. // fig. Hacerse muy firme un afecto, vicio, o costumbre, etc. // tr. fig. Establecer, fijar firmemente una cosa. // r. Establecerse en un lugar.
ARRAMBLAR tr. Dejar los ríos o torrentes cubiertos de arena el suelo inundado. // fig. Arrastrarlo todo con violencia.
ARRANCAR tr. Sacar de raíz.// Sacar una cosa del lugar de que forma parte. // Quitar con violencia o astucia. // tr. e intr. Iniciarse el funcionamiento de una máquina o el movimiento de un vehículo. // intr. fig. Provenir.
ARRANQUE m. Acción y efecto de arrancar. // fig.

Impetu de cólera, piedad, amor, etc. // Pujanza, brío.
ARRAPIEZO m. Harapo. // fig. y despect. Muchacho mal vestido.
ARRAS f. pl. Lo que se da como prenda o señal de algún contrato.
ARRASAR tr. Allanar la superficie de alguna cosa. // Destruir. // Igualar con el rasero. // tr. y r. Llenar los ojos de lágrimas.
ARRASTRAR tr. Llevar a una persona o cosa por el suelo, tirando de ella. // LLevar, mover. // fig. Impulsar una fuerza irresistible. // LLevar uno tras sí. // Tener por consecuencia inevitable. // intr. y r. Ir de un punto a otro rozando con el cuerpo en el suelo.// r. fig. Humillarse vilmente.
ARRASTRE m. Acción de mover arrastrando cosas.
ARREAR tr. Estimular las bestias para que aviven el paso. // intr. Ir, caminar de prisa.
ARREBATADO, DA adj. Impetuoso. // fig. Inconsiderado, violento.
ARREBATAMIENTO m. Acción de arrebatar o arrebatarse. // fig. Excitación causada por alguna pasión. // Extasis.
ARREBATAR tr. Tomar alguna cosa con violencia. // Llevar tras sí o consigo con fuerza irresistible. // tr. y r. fig. Sacar de sí, conmover poderosamente. // trl y r. Arrobar el espíritu. // r. Enfurecerse.
ARREBATO m. Arrebatamiento.
ARREBOL m. Color rojo que a veces provocan los rayos del sol en las nubes.
ARREBUJAR tr. Coger mal y sin orden una cosa flexible. // tr. u r. Cubrir el cuerpo con ropa. // Revolver, enredar.
ARRECIAR tr. y r. Dar fuerza y vigor. // Intr. y r. Irse haciendo cada vez màs fuerte o violenta alguna cosa.
ARRECIFE m. *Geol.* Masa rocosa inmersa en el mar a poca profundidad o a flor de agua.
ARRECHUCHO m. fam. Arranque de cólera. // Indisposición pasajera.
ARREDRAR tr. y r. Apartar. // fig. Hacer volver atrás. // Amedrentar.
ARREGLAR tr. y r. Sujetar a regla; ajustar, conformar. // tr. Componer, ordenar, concertar.
ARREGLO m. Acción de arreglar o arreglarse. // Regla, orden. // Conciliación.
ARRELLANARSE r. Extenderse en el asiento con toda comodidad.
ARREMANGAR tr. y r. Remangar.
ARREMETER intr. Acometer con impetu y furia. // Arrojarse con presteza.
ARREMOLINARSE r. fig. Amontonarse, apiñarse las gentes.
ARRENDAJO m. *Zool.* Ave paseriforme de la fam. córvidos.
ARRENDAMIENTO m. Acción de arrendar. // Contrato por el cual se arrienda. // Precio en que se arrienda.
ARRENDAR tr. Ceder o adquirir por precio el aprovechamiento temporal de inmuebles, rentas, etc.

ARRENDATARIO, RIA adj. y s. Que toma en arrendamiento alguna cosa.

ARREO Atavío, adorno. // pl. Guarniciones de las caballerías.

ARREPENTIMIENTO m. Pesar de haber hecho alguna cosa.

ARBEPENTIRSE r. Pesarle a uno de haber hecho o haber dejado de hacer alguna cosa.

ARRESTAR tr. Detener, poner preso. // r. Determinarse, arrojarse a una empresa ardua.

ARRESTO m. Accion de arrestar. // Determinación para empreder una cosa. U. más en pl.

ARRIANISMO m. Doctrina expuesta por Arrio (s. IV) que negaba en la Santísima Trinidad la consubstancialidad del Hijo con el Padre.

ARRIAR tr. *Mar.* Bajar las velas o las banderas que están izadas. // Soltar un cabo, cadena, etc.

ARRIBA adv. l. A lo alto, hacia lo alto. // En la parte alta. // En los escritos, antes.

ARRIBAR intr. Llegar una nave a puerto. // intr. y r. Llegar por tierra a cualquier paraje.

ARRIBEÑO, ÑA adj. y s. *Amer.* Nombre con que los habitantes de las costas denominan a los que proceden de las tierras altas.

ARRIBISTA com. Persona que progresa por medios rápidos y sin escrúpulos.

ARRIBO m. Llegada.

ARRIENDO m. Arrendamiento.

ARRIERO m. El que trajina con bestias de carga.

ARRIESGADO, DA adj. Aventurado, peligroso. // Osado, imprudente.

ARRIESGAR tr. y r. Poner a riesgo.

ARRIMAR tr. y r. Poner una cosa junto a otra. // fig. Arrinconar. // fig. y fam. Dar. // r. Apoyarse sobre alguna cosa. // Agregarse, juntarse a otros. // fig. Valerse de la protecciòn de alguien o algo.

ARRIMO m. Acción de arrimar o arrimarse. // Apoyo, sostén.

ARRINCONAR tr. Poner alguna cosa en un rincón. // Estrechar a uno hasta que halle obstáculo para retroceder. // fig. Desatender a alguien. // r. fig. y fam. Retirarse.

ARRISCADO, DA adj. Lleno de riscos. // Atrevido, resuelto.

ARRITMIA f. Falta de ritmo.

ARROBA f. Antigua unidad de peso equivalente a 25 libras.

ARROBAMIENTO m. Acción de arrobar o arrobarse. // Extasis.

ARROBAR tr. Embelesar. // r. Enajenarse, quedar fuera de sí.

ARRODILLAR tr. Hacer que uno hinque la rodilla o ambas rodillas. // intr. y r. Ponerse de rodillas.

ARROGANTE adj. Altanero, soberbio. // Valiente. // Gallardo.

ARROGARSE r. Atribuirse, apropiarse.

ARROJAR tr. Impeler con violencia alguna cosa. // Echar. // fig. Tratándose de cuentas, documentos, etc,. presentar. // fam. Vomitar. // r. Precipitarse.

ARROJO m. fig. Osadía, intrepidez.

ARROLLAR tr. Envolver una cosa en forma de rollo. // fig. Derrotar. // Atropellar. // Dominar, superar.

ARROPAR tr. y r. Abrigar con ropa.

ARROPE m. Mosto cocido que toma consistencia de jarabe.

ARROSTRAR tr. Hacer cara a las calamidades o peligros. // tr. e intr. Sufrir, tolerar.

ARROYO m. Caudal corto de agua. // Cauce por donde corre. // Parte de la calle por donde corren las aguas.

ARROZ m. *Bot.* Planta anual de la fam. gramíneas, de raíces fibrosas, tallo en caña, hojas largas y flores pequeñas en panoja. Crece en climas cálidos y muy húmedos.

ARROZAL m. Tierra sembrada de arroz.

ARRUGA f. Pliegue que se hace en la piel. // Pliegue irregular que se hace en la ropa o en cualquier cosa flexible.

ARRUGAR tr. y r. Hacer arrugas. // r. Encogerse.

ARRUINAR tr. y r. Causar ruina. // fig. Destruir, ocasionar grave daño.

ARRULLAR tr. Atraer con arrullos el palomo o el tòrtolo a la hembra. // fig. Adormecer al niño con arrullos. // fig. y fam. Enamorar con palabras dulces.

ARRULLO m. Canto grave y monótono con que se enamoran las palomas y las tòrtolas. // Habla dulce con que se enamora a las personas. // fig. Cantarcillo para adormecer a los niños. // Susurro.

ARRUMAR tr. *Mar.* Distribuir y colocar la carga en un buque.

ARRUMBAR tr. Arrinconar algo.

ARRUMBAR intr. *Mar.* Fijar el rumbo de una nave.

ARSENAL m. Establecimiento donde se construyen y reparan las embarcaciones. // Almacén general de armas y otros efectos de guerra.

ARSÉNICO m. *Quím.* Elemento químico de símbolo As. No metal, se encuentra libre en la naturaleza.

ARTE amb. Virtud, disposición y habilidad para hacer alguna cosa. // Acto o facultad mediante los cuales el hombre expresa una realidad objetiva y subjetiva. // Conjunto de reglas necesarias para hacer bien alguna cosa. // Maña, astucia.

ARTEFACTO m. Obra mecánica hecha según arte. // Máquina rudimentaria.

ARTEJO m. Nudillo de los dedos. // *Zool.* Cada una de las piezas articuladas que forman los ápendices de los artrópodos.

ARTEMISA f. *Bot.* Planta herbácea de la fam. compuestas, de tallo estriado. Es olorosa y amarga. Se denomina tambien anastasia.

ARTERIA f. *Anat..* Cada uno de los vasos sanguíneos que distribuyen por todo el organismo la sangre procedente del corazón.

ARTERÍA f. Amaño, astucia usada para algún fin.

ARTERIAL adj. Relativo a las arterias.
ARTERIOESCLEROSIS f. *Med.* Enfermedad que consiste en el endurecimiento de las arterias.
ARTERO, RA adj. Mañoso, astuto.
ARTESA f. Cajón rectangular que sirve para amasar pan.
ARTESANAL adj. Perten. o rel. a la artesanía.
ARTESANIA f. Clase social constituida por los artesanos. // Arte u obra de los artesanos.
ARTESANO, NA m. y f. Persona que ejerce un arte u oficio mecánico.
ARTESON m. *Arq.* Elemento constructivo poligonal, cóncavo y con adornos.
ARTESONADO m. *Arq.* Techo o bóveda adornado con artesones.
ÁRTICO, CA adj. Perteneciente, cercano o relativo al polo ártico.
ARTICULACION f. Acción y efecto de articular o articularse. // Pronunciación clara de las palabras. // Posición de los órganos de la voz para la pronunciación de un sonido. // *Anat.* Unión de dos o más huesos para formar una unidad funcional.

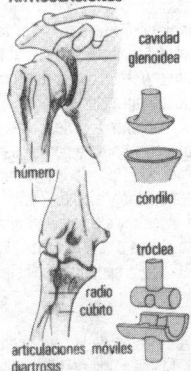

ARTICULACIONES
cavidad glenoidea
húmero
cóndilo
tróclea
radio
cúbito
articulaciones móviles diartrosis

ARTICULADO, DA adj. Que tiene articulaciones. // m. Conjunto de artículos de un tratado, ley, etc.
ARTICULAR tr. y r. Unir. // Pronunciar con claridad las palabras. //tr. Colocar los órganos de la voz para la pronunciación adecuada de los sonidos.
ARTICULATORIO, RIA adj. Perteneciente o relativo a la articulaión de los sonidos del lenguaje.
ARTÍCULO m. Una de las partes en que suelen dividirse los escritos. // Cada una de las divisiones de un diccionario encabezada con distinta palabra. // Disposición numerada de un tratado, ley, etc. // Escrito que se publica en un periódico. // Mercancía.// *Gram.* Elemento gramatical que se antepone al sustantivo para expresar su género y número. En castellano presenta las formas *el, la, lo, los , las* (artículo determinado) y *un, una, unos, unas* (artículo indeterminado)
ARTÍFICE com. Artista. // Persona que ejecuta una obra.

ARTIFICIAL adj. Hecho a mano o arte del hombre. // No natural.
ARTIFICIO m. Arte o habilidad con que está hecha alguna cosa. // Predominio de la elaboración artística sobre la natural. // fig. Disimulo, cautela.
ARTILUGIO m. despect. Aparato de poca importancia y duración.
ARTILLERIA f. Arte de construir y utilizar armas y municiones bélicas.// Conjunto de artefactos para la guerra de que dispone un ejército, flota, etc.
ARTILLERO m. El que sirve en la artillería.
ARTIMAÑA f. Trampa para cazar animales. // fam. Artificio o astucia.
ARTIODÁCTILOS m. pl. *Zool.* Orden de mamíferos ungulados con dedos pares terminados en pezuñas.
ARTISTA com. Persona que cultiva alguna de las bellas artes.
ARTRITIS f. *Med.* Enfermedad de tipo inflamatorio que afecta a las articulaciones y estructuras adyacentes.
ARTRÓPODOS m. pl. *Zool.* Tipo de invertebrados metazoos, el más numeroso del reino animal. Comprende más de un millón de especies. Se caracterizan por presentar el cuerpo dividido en segmentos articulados y recubierto por placas quitinosas.
ARTROSIS f. *Med.* Enfermedad crónica y degeneración de las articulaciones.
ARÚSPICE m. Sacerdote que en la antigua Roma examinaba las entrañas de las víctimas para hacer presagios.
ARZOBISPADO m. Dignidad del arzobispo. //Territorio en que el arzobispo ejerce jurisdicción.
ARZOBISPAL adj. Perten. o rel al arzobispo.
ARZOBISPO m. Obispo de la iglesia metropolitana o que tiene honores de tal.
AS m. Carta que en la baraja lleva el número uno. //fig. Persona que sobresale en un ejercicio o profesión.
ASA f. Parte que sobresale del cuerpo de una vasija, bandeja, etc,. y que sirve para asir el objeto a que pertenece.
ASADO m. Carne asada.
ASADURA f. Conjunto de las entrañas del animal.
ASATEAR tr. Disparar saetas contra alguien. // Causar a uno repetidamente molestias.
ASALARIADO, DA adj. y s. Que percibe un salario por su trabajo.
ASALARIAR tr. Señalar salario a una persona.
ASALTAR tr. Acometer una plaza o fortaleza. // Allanar una morada. // fig. Sobrevenir de pronto una enfermedad, un pensamiento, etc.
ASALTO m. Acción y efecto de asaltar.
ASAMBLEA f. Reunión numerosa de personas convocadas para algún fin. // Cuerpo político y deliberante.
ASAR tr. Hacer comestible un manjar por acción del fuego. // fig. Tostar, abrasar. // r. fig. Sentir extremado ardor o calor.

ASARO m. *Bot.* Planta de la fam,. aristoloquiáceas, que despide un olor fuerte y nauseabundo. Se usa como vomitivo.

ASAZ adv. c. Bastante, harto, muy.

ASCENDENCIA f. Serie de ascendientes o antecesores de una persona.

ASCENDER intr. Subir de un sitio bajo a otro más alto. // fig. Adelantar en empleo o dignidad. // tr. Conceder un ascenso.

ASCENDIENTE com. Padre, madre o cualquiera de los abuelos, de quien desciende una persona. // m. Influencia.

ASCENSION f. Acción y efecto de ascender a un lugar más alto. // Por excelencia, la de Cristo a los cielos. // Exaltación a una dignidad suprema, como la del trono.

ASCENSO m. Subida. // fig. Promoción a mayor dignidad o empleo.

ASCENSOR m. *Tecnol.* Cabina elevadora usada para el ascenso o descenso de personas o cosas de un piso a otro.

ASCESIS f. Doctrina y práctica de la vida ascética.

ASCETA m. Persona que hace vida ascética.

ASCETICO, CA adj. Díc. de la persona que se dedica a la práctica de la perfección espiritual. // Perten. o rel. a esta práctica.

ASCETISMO m. Profesión y doctrina de la vida ascética, que aspira a la perfección por el camino de la renuncia a todas las cosas terrenas y la lucha contra las pasiones e instintos carnales mediante la práctica regular de mortificaciones corporales.

ASCLEPIADACEAS f. pl. *Bot.* Fam. de plantas angiospermas.

ASCO m. Repugnancia que incita al vómito. // Impresión causada por alguna cosa que repugna. // Esta misma cosa.

ASCO m. *Bot.* Célula madre en la que permanecen encerradas las esporas de los ascomicetes hasta llegar a la madurez.

ASCOMICETES m. pl. *Bot.* Clase de hongos adaptados a la vida saprofítica, parasitaria o simbiótica.

ASCUA f. Trozo de materia sólida que por la acción del fuego se pone incandescente y sin llama.

ASEAR tr. y r. Adornar, componer con curiosidad y limpieza.

ASECHANZA f. Engaño o artificio para hacer daño a otro.

ASECHAR Poner asechanzas.

ASEDIAR tr. Cercar un punto fortificado, para impedir que salgan los que están en él o que reciban socorro de fuera. // fig. Importunar.

ASEDIO m.. Acción y efecto de asediar.

ASEGURAR tr. Establecer, fijar sólidamente. // tr. y r. Tranquilizar. // Afirmar la certeza de lo que se refiere. // Preservar de daño a las personas y cosas. // tr. Dar firmeza o seguridad, con hipoteca o prenda. // Poner a cubierto una cosa de daños que un accidente pueda ocasionarle.

ASEIDAD f. Atributo de Dios, por el cual existe por si mismo.

ASEMEJAR tr. Hacer una cosa con semejanza a otra. // tr. y r. Representar una cosa semejante a otra.

ASENSO m. Acción y efecto de asentir.

ASENTADERAS f. pl. fam. Nalgas.

ASENTADO, DA adj. Sentado, juicioso. // fig. Estable, permanente.

ASENTAMIENTO m. Acción y efecto de asentar o asentarse. // Establecimiento en que se ejerce una profesión.

ASENTAR tr. y r. Sentar. // Colocar a uno en determinado lugar, en señal de posesión de algún empleo o cargo. // tr. Colocar una cosa de modo que permanezca firme. // Tratándose de pueblos o edificios, situar, fundar. // Aplanar, alisar. // Presuponer alguna cosa. // Dar por cierto un hecho. // Poner algo por escrito. // r. Establecerse en un pueblo o paraje. // Tratándose de líquidos, posarse.

ASENTIMIENTO m. Asenso. // Consentimiento.

ASENTIR intr. Admitir como cierto lo que otro ha afirmado antes.

ASEO m. Limpieza. // Esmero.

ASEPSIA f. *Med.* Ausencia de agentes patógenos en los tejidos vivos. // Técnica de destrucción de gérmenes infecciosos por esterilización.

ASEPTICO, CA adj. *Med.* Perten. o rel. a la asepsia. // Díc. de lo que está libre de gérmenes patógenos.

ASEQUIBLE adj. Que puede conseguirse. // Apl. a personas de trato llano y afable. // Fácil. // Barato.

ASERCIÓN f. Acción y efecto de afirmar. // Proposición en que se afirma o da por cierta alguna cosa.

ASERRADERO m. Paraje donde se asierra la madera u otra cosa.

ASERRAR tr. Serrar.

ASERTO m. Afirmación de la certeza de una cosa.

ASESINAR tr. Matar a una persona alevosamente.

ASESINATO m. Acción y efecto de asesinar.

ASESINO, NA adj. y s. Que asesina, homicida.

ASESORAMIENTO m. Acción y efecto de asesorar o asesorarse.

ASESORAR tr. Dar consejo o dictamen. // r. Tomar consejo.

ASESTAR tr, Dirigir un arma hacia el objeto que se quiere alcanzar con ella. // Descargar contra un objeto o persona el proyectil o el golpe de un arma.

ASEVERACION f. Acción y efecto de aseverar.

ASEVERAR tr. Asegurar, afirmar con certeza lo que se dice.

ASEXUAL adj. Sin sexo o sin diferenciación de los dos sexos; ambiguo, indeterminado.

ASFALTO m. Elemento bituminoso utilizado para recubrir el pavimento de las carreteras.

ASFIXIA f. *Fisiol.* y *Med.* Interrupción de la función respiratoria por efecto de inmersión, suspensión o falta de oxigenación de la sangre.

ASFIXIAR tr. y r. Producir asfixia.
ASI adv. m. De esta, o de esa manera. // Tanto, de tal manera.// También, igualmente. // Aunque, por más que.
ASIATICO, CA adj. y s. Natural de Asia. // adj. Perten. a esta parte del mundo.
ASIDERO m. Parte por donde se ase alguna cosa. // fig. Ocasión, pretexto.
ASIDUIDAD f. Frecuencia, puntualidad o aplicacion constante a una cosa.
ASIDUO, DUA adj. Frecuente, puntual, perseverante.
ASIENTO m. Silla, banco, o cualquier cosa que sirve para sentarse en ella. // Lugar que una persona ocupa en algún sitio. // Lugar en que está o estuvo fundado un pueblo o edificio. // Parte inferior de una vasija, botella, etc., sobre la que se asienta. // Poso, sedimento. // Anotación deuna cosa. // fig. Estabilidad, permanencia. // Cordura.
ASIGNACION f. Acción y efecto de asignar. // Cantidad de dinero asignada a alguien.
ASIGNAR tr. Señalar lo que corresponde a una persona o cosa.
ASIGNATARIO, RIA m. y f. *Amer.* Persona a quien se asigna una herencia o legado.
ASIGNATURA f. Cada una de las materias que se enseñan en un instituto docente.
ASILAR tr. Dar asilo.
ASILO m. Lugar de refugio para los perseguidos. // Establecimiento benéfico en que se recogen menesterosos. // fig. Amparo.
ASIMETRíA f. Falta de simetría.
ASIMILACION f. Acción y efecto de asimilar o asimilarse.
ASIMILAR tr. y r. Asemejar, comparar. // tr. Equiparar.
ASIMISMO o **ASÍ MISMO** m. adv. De este o del mismo modo. // También.
ASINCRONISMO m. Falta de sincronismo.
ASINDETON m. Ret. Figura que consiste en omitir las conjunciones para dar viveza al concepto.
ASINTOTA f. Geom. Recta o curva que se acerca indefinidamente a otra linea sin llegar nunca a ser tangentes.
ASIR tr. Tomar o coger con la mano y, en general, coger, prender. // r. Agarrarse de alguna cosa.
ASIRIO, RIA adj. y s. Natural de Asiria. // adj. Perten. a este país. // m. Lengua asiria.
ASIRIOLOGÍA f. Ciencia que trata de la escritura, lengua, historia, etc., de Asiria.
ASISTENCIA f. Acción de asistir o presencia actual. // Concurrencia. // Socorro, favor.
ASISTENTA f. Mujer que sirve como criada en una casa sin residir en ella.
ASISTIR tr. Acompañar a alguno en un acto público. // Prestar servicios en una casa. // Ayudar. // Tratándose de enfermos, cuidarlos. // intr. Concurrir a alguna casa o reunión. // Estar o hallarse presente.

ASMA f. *Med.* Enfermedad caracterizada por insuficiencia respiratoria.
ASMATICO, CA adj. Perten. o rel. al asma. // adj. y s. Que la padece.
ASNAL adj. Perten. o rel. al asno. // fam. Bestial o brutal.
ASNO m. *Zool.* Mamifero de la fam. équidos. Tiene los cascos estrechos y pequeños y las orejas de gran longitud.
ASOCIACION f. Acción de asociar o asociarse. // Conjunto de personas o de cosas asociadas.
ASOCIADO, DA m. y f. Persona que forma parte de una asociación.
ASOCIAR tr. Juntar personas o cosas para que colaboren en la consecución de un fin. // Tomar uno compañero que le ayude. // r. Reunirse, juntarse para algún fin.
ASOLAR tr. Poner por el suelo, destruir, arrasar. // r. Tratándose de líquidos, posarse.
ASOMAR intr. Empezar a mostrarse. // tr. y r., Mostrar alguna cosa por una abertura o por detrás de alguna parte.
ASOMBRAR tr. Hacer sombra. // Oscurecer un color. // tr. y r. fig. Asustar, espantar. // Causar gran admiración.
ASOMBRO m. Susto, espanto. // Grande admiración.
ASOMBROSO, SA adj. Que causa asombro.
ASOMO m. Acción de asomar o asomarse. // Indicio de alguna cosa.
ASONANCIA f. Correspondencia de un sonido con otro. // *Ret.* Forma de rima que consiste en buscar la coincidencia de palabras cuyas vocales postsónicas son iguales.
ASONANTAR intr. Ser una palabra asonante a otra. // Rimar con asonancia.
ASONANTE adj. y s. Díc. de una voz con respecto a otra de la misma asonancia.
ASONAR intr. Hacer asonancia.
ASPA f. Figura de X representada por dos maderos atravesados o por cualquier cosa que adopte esta forma.
ASPADO, DA adj. Que tiene forma de aspa.
ASPAR tr. Torturar a una persona clavándola en una aspa. // fig. y fam. Mortificar a alguien.
ASPAVENTAR tr. Atemorizar, espantar.
ASPAVIENTO m. Demostración exagerada de espanto, sentimiento, etc.
ASPECTO m Apariencia de las personas y los objetos a la vista. // Semblante, apariencia.
ASPEREZA f. Calidad de áspero. // Desigualdad del terreno.
ASPERJAR tr. Rociar, esparcir en menudas gotas un líquido.
ASPERO, RA adj. Insuave al tacto, por tener la superficie desigual, o con granulaciones, etc. // Escabroso, dicho del terreno desigual. // Desapacible al gusto o al oído. // fig. Desabrido, riguroso, rígido.

ASPERSIÓN f. Acción y efecto de asperjar.
ÁSPID m. *Zool.* Nombre común de varias especies de serpientes venenosas, particularmente la víbora común.
ASPILLERA f. Abertura larga y estrecha en un muro para disparar por ella.
ASPIRACION f. Acción y efecto de aspirar. // *Fon.* Sonido del lenguaje que resulta al emitir con cierta fuerza el aliento, hallándose abierto el canal articulatorio.
ASPIRADO, DA adj. *Fon.* Díc. del sonido que se pronuncia emitiendo con cierta fuerza el aire de la garganta.
ASPIRAR tr. Atraer el aire exterior a los pulmones. // Pretender algún empleo, dignidad, etc. // Pronunciar con aspiracion.
ASPIRINA f. *Farm.* Nombre comercial de un fármaco analgésico, antitérmico y antirreumático, constituido a base de ácido acetilsalicílico.
ASQUEAR tr., intr. y r. Sentir asco de alguna cosa; repudiarla.
ASQUEROSIDAD f. Suciedad que mueve a asco.
ASTA f. Palo de la lanza. // Palo de la bandera. // Cuerno.
ASTENIA f. *Med.* Conjunto de transtornos tales como la fatiga, indiferencia, agotamiento, etc.
ASTER m. *Biol.* Conjunto de filamentos citoplasmáticos refringentes que parten de la centrosfera.
ASTERISCO m. Signo ortográfico (*) empleado para ciertos usos convencionales.
ASTEROIDE m. *Astron.* Cada uno de los planetas que forman un cinturón entre las órbitas de Marte y Júpiter.
ASTEROIDEOS m. pl. *Zool.* Clase de equinoideos de cuerpo deprimido, erizado de pequeñas espinas. Presentan el cuerpo prolongado por cinco brazos. Se les conoce comúnmente con el nombre de *estrellas de mar.*
ASTIL m. Mango de las hachas, azadas, etc. // Barra horizontal de la balanza. // Eje córneo de la pluma de ave.
ASTILLA f. Fragmento irregular desgajado de una pieza de madera, y por ext. de cualquier otro material.
ASTILLAR tr. Hacer astillas.
ASTILLOSO, SA adj. Apl. a los cuerpos que fácilmente se rompen formando astillas.
ASTRACÁN m. Piel de cordero nonato o recién nacido, muy fina y con el pelo rizado.
ASTRACANADA f. Farsa teatral disparatada y chabacana.
ASTRÁGALO m. *Anat.* Hueso corto, par e irregular del tarso. // *Arq.* Moldura convexa en forma de anillo, que rodea el fuste de la columna debajo del tambor del capitel.
ASTRAL adj. Perten. o rel. a los astros.
ASTRINGIR tr. Apretar, contraer alguna sustancia los tejidos orgánicos. // fig. Sujetar, obligar.
ASTRO m. Cuerpo celeste.
ASTROFÍSICA f. Ciencia que aplica las leyes físicas al conocimiento de la naturaleza, dimensiones y origen de los astros.
ASTROLABIO m. *Astron.* Antiguo instrumento destinado a la observación del movimiento de los astros para la determinación de su posición en el firmamento.
ASTROLOGÍA f. Arte que estudia los astros para determinar por medio de su influencia los acontecimientos presentes y futuros.
ASTROLÓGICO, CA adj. Perten. o rel. a la astrología.
ASTRÓLOGO, GA m. y f. Persona que profesa la astrología.
ASTRONAUTA m. y f. Tripulante de una astronave.
ASTRONÁUTICA f. Ciencia de la navegación en el espacio extraterrestre.
ASTRONÁUTICO, CA adj. Perten. o rel. a la astronáutica.
ASTRONAVE f. *Aeron.* Vehículo destinado a los viajes tripulados por el espacio interplanetario.
ASTRONOMÍA f. Ciencia que estudia los astros, su posición y movimiento en el espacio (astrometría y astrodimámica), su estructura física (astrofísica) , su composición química (astroquímica) y su evolución. Trata también de la estructura global del universo (cosmología).
ASTRONÓMICO, CA adj. Perten. o rel. a la astronomía. //fig. y fam. Díc. de cantidades extraordinariamente grandes.
ASTRÓNOMO m. El que se dedica a la astronomia.
ASTROSO, SA adj. Infausto, desgraciado. // Andrajoso.
ASTUCIA f. Calidad de astuto.// Ardid.
ASTUTO, TA adj. Agudo, hàbil para engañar o evitar el engaño.
ASUETO m. Vacación por un periodo breve.
ASUMIR tr. Atraer a sí, tomar para sí.
ASUNCIÓN f. Acción y efecto de asumir. // Por excelencia, elevación de la Virgen Maria a los cielos.

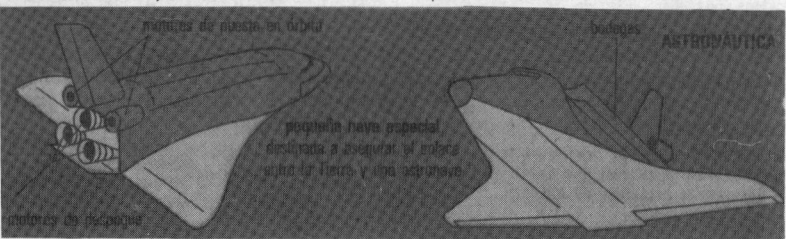

ASUNTO m. Materia de que se trata. // Tema o argumento de una obra. // Negocio.
ASUSTADIZO, ZA adj. Que se asusta con facilidad.
ASUSTAR tr. y r. Causar susto.
ATACAR tr. Acometer. // Apretar, atiborrar. // fig. Impugnar. // Tratándose del sueño, enfermedades, etc., venir repentinamente.
ATADIJO m. fam. Lío pequeño. // Lo que sirve para atar.
ATADO m. Conjunto de cosas atadas.
ATADURA f. Acción y efecto de atar. // Cosa con que se ata. // fig. Unión o enlace.
ATAJAR intr. Ir por un atajo. // tr. Cortarle el paso a alguien saliéndole al encuentro por un atajo. // Detener la acción de una persona o el curso de una cosa.
ATAJO m. Senda por donde se abrevia el camino. // Pequeño grupo de cabezas de ganado. // fig. Procedimiento o medio rápido.
ATALAYA f. Torre hecha en lugar alto para vigilar desde ella la lejanía. // Cualquier altura desde donde se ve mucho espacio. // m. El que vigila en la atalaya.
ATALAYAR tr. Vigilar desde una atalaya. // fig. Espiar las acciones de otros.
ATAÑER intr. Corresponder, tocar.
ATAQUE m. Acción de atacar. // fig. Acceso o acometimiento repentino de un estado morboso.
ATAR tr. Unir, juntar o sujetar con ligaduras o nudos. // fig. Impedir el movimiento. // r. fig. Ceñirse a una cosa o materia determinada.
ATARAXIA f. Imperturbabilidad.
ATARAZANA f. Arsenal de embarcaciones.
ATARDECER intr. Caer la tarde, oscurecer.
ATARDECER m. Ultima hora de la tarde.
ATAREAR tr. Poner o señalar tarea. // r. Entregarse al trabajo.
ATARJEA f. Conducto de desagüe para aguas inmundas.
ATASCADERO m. Lodazal donde se atascan los carros. // fig. Estorbo que impide la continuación de algo.
ATASCAR tr. Tapar con estopones las grietas, agujeros, etc. // Impedir que continúe alguna cosa. // tr. y r. Obstruir un conducto. // r. Quedarse detenido en un barrizal.
ATASCO m. Impedimento que no permite el paso. // Obstrucción de un conducto.
ATAÚD m. Caja donde se pone un cadáver para enterrarlo.
ATAVIAR tr. y r. Componer, adornar.
ATÁVICO, CA adj. Perten. o rel al atavismo.
ATAVÍO m. Compostura y adorno. // Vestido.
ATAVISMO m. Semejanza con los antepasados. // *Biol.* Tendencia de los animales y vegetales a volver al tipo originario.
ATAXIA f. *Med.* Transtorno caracterizado por la falta de coordinación de los movimientos sin que exista parálisis.

ATEÍSMO m. Doctrina que niega teoricamente la existencia de Dios.
ATEMORIZAR tr. y r. Causar temor.
ATEMPERAR tr. y r. Moderar, templar. // Acomodar una cosa a otra.
ATENACEAR o **ATENAZAR** tr. Arrancar con tenazas pedazos de carne a una persona. // fig. Torturar.
ATENCION f. Acción de atender. // Cortesía, demostración de respeto. // pl. Negocios, obligaciones.
ATENDER tr. Esperar o aguardar. // tr. e intr. Acoger favorablemente, o satisfacer un deseo, ruego o mandato. // Aplicar los sentidos al conomiento de algo. / / Cuidar de alguna persona o cosa. // intr. Tener en cuenta alguna cosa.
ATENEO m. Nombre de algunas asociaciones culturales. // Local en que están establecidas.
ATENERSE r. Adherirse a una persona o cosa teniéndola por más segura. // Sujetarse uno en sus acciones a alguna cosa.
ATENIENSE adj. Perten. o rel . a Atenas.
ATENTADO m. Procedimiento abusivo de una autoridad. // Agresión contra la vida o la integridad de una persona. // Acción contraria a lo que se considera recto.
ATENTAR tr. Emprender alguna cosa ilegal o ilícita. // Intentar esp. hablando de un delito. // intr. Cometer atentado.
ATENTO, TA adj. Que tiene fija la atención en algo. // Comedido.
ATENUANTE adj. Que atenúa.
ATENUAR tr. Poner tenue o delgada alguna cosa. // fig. Disminuir alguna cosa.
ATEO, A adj. y s. Que niega la existencia de Dios.
ATERIR tr. y r. Paralizar el exceso de frío.
ATERRAR tr. Bajar al suelo. // Derribar, abatir. // Cubrir con tierra. // tr. y r. Aterrorizar.
ATERRIZAJE m. Acción de aterrizar.
ATERRIZAR intr. Establecer contacto con el suelo un avión, como resultado de una maniobra de descenso.
ATERRORIZAR tr. y r. Causar terror.
ATESORAR tr. Reunir y guardar dinero o cosas de valor.
ATESTADO m. Documento oficial en que una autoridad hace constar como cierta alguna cosa.
ATESTAR tr. Llenar una cosa hueca, apretando lo que se mete en ella. // Meter o introducir una cosa en otra. // tr. y r. fig. y fam. Atracar de comida.
ATESTIGUAR tr. Declarar, afirmar como testigo alguna cosa.
ATEZAR tr. Poner liso, terso o lustroso. // tr. y r. Ennegrecer.
ATIBORRAR tr. Llenar un recipiente de alguna cosa, apretándola mucho. // tr. y r. fig. y fam. Atracar de comida.
ATICISMO m. Delicadeza, elegancia que caracteriza a los escritores atenienses de la edad clásica.
ATICO, CA adj. Perten. al Atica o a Atenas. // Perten.

o rel. al aticismo. // m. Ultimo piso de un edificio.
ATILDADO, DA adj. Pulcro, elegante.
ATILDAR tr. Poner tildes a las letras. // tr. y r. fig. Componer, asear.
ATINAR intr. Encontrar lo que se busca a tiento. // Dar en el blanco. // Acertar una cosa por conjeturas.
ATIPLAR tr. Elevar la voz o el sonido de un instrumento hasta el tono de tiple.
ATISBAR tr. Mirar algo con cuidado. // Vislumbrar algo con dificultad.
ATISBO m. Acción de atisbar. // Débil indicio de alguna cosa.
ATIZAR tr. Remover el fuego o añadirle combustible para que arda más. // fig. Avivar pasiones o discordias. // tr. y r. fig. y fam. Dar algo como golpes, puñaladas, etcétera.
ATLANTE m. *Arq.* Cada una de las estatuas de hombres que se ponen en lugar de columnas.
ATLÁNTICO, CA adj. Perten. o rel. a los montes Atlas, o al personaje mitológico Atlas, o al océano Atlántico.
ATLAS m. Colección de mapas geográficos. // *Anat.* Primera vértebra cervical, que sostiene la cabeza.
ATLETA com. Persona que practica ejercicios o deportes que requieren el empleo de la fuerza. // Persona corpulenta.
ATLETISMO m. Conjunto de carreras, saltos y pruebas combinadas que se realizan conforme a reglas internacionalmente estipuladas.
ATMÓSFERA f. Capa gaseosa que envuelve la Tierra. // fig. Espacio a que se extienden las influencias de una persona o cosa. // Ambiente. // *Metrol.* Unidad de presión.

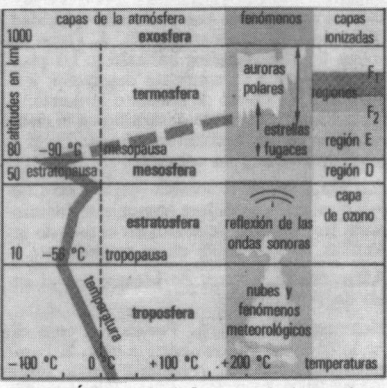

ATMOSFÉRICO, CA adj. Perten. o rel. a la atmósfera.
ATOLÓN m. *Geol.* Isla madrepórica propia de los mares tropicales, de forma circular y con una laguna central.
ATOLONDRADO, DA adj. fig. Que procede sin reflexión.
ATOLONDRAR tr. y r. Aturdir, turbar los sentidos.
ATOLLADERO m. Atascadero.
ATOLLAR intr. y r. Dar en un atolladero. // r. fig. y fam. Atascarse.
ATÓMICO, CA adj. Perten. al átomo.
ATOMIZADOR m. Pulverizador de líquidos.
ATOMIZAR tr. Dividir en partes muy pequeñas. // Pulverizar finísimamente un líquido.

ÓRDENES DE MAGNITUDES ATÓMICAS	
RADIO DEL ÁTOMO DE HIDRÓGENO	$0.529 \cdot 10^{-10}$ m
RADIO DEL NÚCLEO DE HIDRÓGENO	10^{-15} m
MASA DEL ELECTRÓN	$0.910 \cdot 10^{-30}$ kg
CARGA DEL ELECTRÓN	$1,6 \cdot 10^{-15}$ culombio

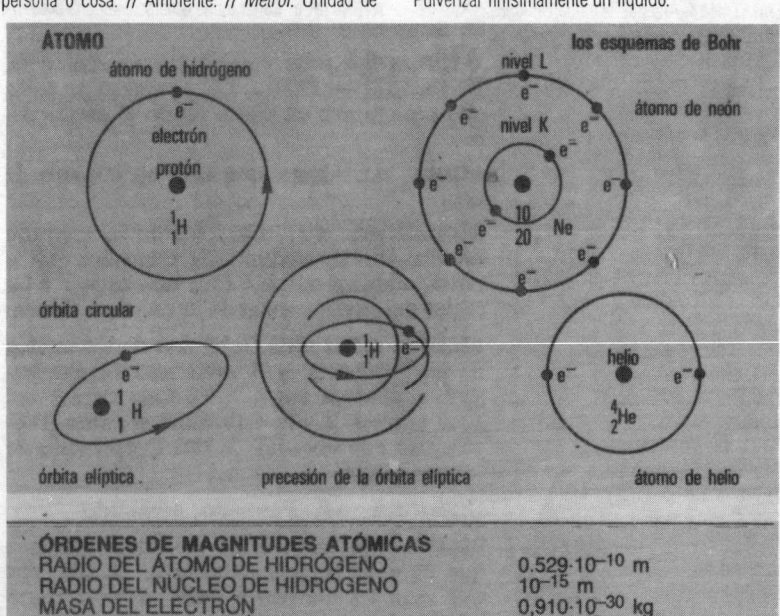

ÁTOMO m. *Fis*. La menor partícula en que puede dividirse un elemento químico conservando sus propiedades y pudiendo ser objeto de una reacción química. // Partícula material de pequeñez extremada.

ATONALIDAD f. *Mùs*. Calidad de atonal. // Carencia de tonalidad definida en determinadas composiciones musicales.

ATONÍA f. Falta de vigor. // *Med*. Debilidad de los tejidos orgánicos, en particular de los contráctiles.

ATÓNITO, TA adj. Pasmado.

ÁTONO, NA adj. Apl. a la vocal, sílaba o palabra que se pronuncia sin acento prosódico.

ATONTAR tr. y r. Aturdir, atolondrar.

ATORAR tr., intr. y r. Atacar, obstruir. // r. Atragantarse.

ATORMENTAR tr. Dar tormento a alguien. // tr. y r. Causar dolor. // fig. Causar aflicción o disgusto.

ATORNILLAR tr. Introducir un tornillo haciéndolo girar alrededor de su eje. // Sujetar con tornillos.

ATORRANTE m. *Amer*. Vagabundo, holgazán. // fig. Pícaro.

ATOSIGAR tr. Envenenar. // tr. y r. fig. Fatigar, abrumar a alguien.

ATRACADERO m. Paraje donde pueden atracar las embarcaciones menores.

ATRACADOR, RA m. y f. Persona que atraca o saltea.

ATRACAR tr. y r. fam. Hacer comer y beber con exceso, hartar. // tr. Acercar, arrimar. // Asaltar con propósito de robo, saltear. // *Amer*. Agarrar. // *Mar*. Arrimar una embarcación a otra o a un muelle.

ATRACCIÓN f. Acción de atraer. // Fuerza para atraer. // pl. Espectáculos o distracciones variados que se celebran en un mismo lugar.

ATRACO m. Acción de atracar o saltear.

ATRACÓN m. fam. Acción y efecto de atracar de comida.

ATRACTIVO, VA adj. Que atrae o tiene fuerza para atraer.// m. Encanto, gracia.

ATRAER tr. Traer hacia sí alguna cosa // fig. Inclinar una persona a otra su voluntad, opinión, etc.// Ocasionar , acarrear.

ATRAGANTARSE r. No poder tragar algo que se atraviesa en la garganta ./ fig. y fam. Turbarse en la conversación.

ATRANCAR tr.Asegurar la puerta con una tranca.// tr. y r. Obstruir.

ATRAPAR tr. fam. Coger al que huye o va de prisa. //Coger alguna cosa.

ATRÁS adv. I. Hacia la parte o en la parte que está o queda a las espaldas de uno. // Detrás.

ATRASAR tr. y r. Retardar. // intr. y r. Señalar el reloj tiempo pasado ya. // r.Quedarse atrás.

ATRASO m. Efecto de atrasar o atrasarse ./ pl. Pagas vencidas y no pagadas.

ATRAVESADO, DA adj. Que tiene los ojos un poco vueltos.// fig. Que tiene mala intención.

ATRAVESAR tr. Poner una cosa de modo que pase de una parte a otra.// Pasar un objeto por encima de otro o hallarse puesto sobre él oblicuamente.// Pasar un cuerpo penetrándolo de parte a parte.// Poner delante algo que impida el paso.// Pasar cruzando de una parte a otra.// r. Ponerse alguna cosa en medio de otras.

ATREVERSE r. Determinarse a algo arriesgado.//Insolentarse.// fig. Llegar a ofender.

ATREVIMIENTO m. Acción y efecto de atreverse.

ATRIBUCION f. Acción de atribuir.//Facultad que a una persona da el cargo que ejerce.

ATRIBUIR tr. y r. Aplicar hechos o cualidades a una persona o cosa. // Asignar una cosa a alguno ./ fig. Achacar, imputar.

ATRIBULAR tr. Causar tribulación. // r. Padecerla.

ATRIBUTIVO,VA adj. Que indica o enuncia un atributo o cualidad. //*Ling*. Perten. o rel. al atributo de la oración.Apl. a los verbos *ser*, *estar*,y otros, cuando forman parte del predicado nominal.

ATRIBUTO m. Cada una de las cualidades o propiedades de un ser.//*Ling*. Palabra o palabras con función nominal que, en las construcciones copulativas, expresa una cualidad o estado atribuidos al sujeto.

ATRICIÓN f. Dolor de haber ofendido a Dios por miedo al castigo.

ATRIL m. Mueble en forma de plano inclinado para sostener libros o papeles y leerlos con comodidad.

ATRINCHERAMIENTO m. Acción de atrincherar o atrincherarse. // Conjunto de trincheras.

ATRINCHERAR tr. Fortificar una posición militar con trincheras. // r. Ponerse en trincheras a cubierto del enemigo.

ATRIO m. Espacio descubierto y cercado de pórticos que hay en algunos edificios. // Zaguán.

ATROCIDAD f. Crueldad grande. // fam. Exceso.// Dicho o hecho muy necio o temerario.

ATROFIA f. *Biol*. Disminución del volumen de un tejido o un órgano , con pérdida de su funcionalidad.

ATROFIAR tr. Producir atrofia. // r. Padecer atrofia.

ATRONAR tr. Asordar con ruido como de trueno.// Aturdir.

ATROPELLAR tr. Pasar precipitadamente por encima de alguien. // Derribar o empujar ./ fig. Agraviar a alguno empleando violencia.// tr. e intr. Proceder sin miramientos.// r. fig. Apresurarse demasiado.

ATROPELLO m. Acción y efecto de atropellar o atropellarse.

ATROPINA f. *Bioquím*. Alcaloide empleado en farmacia que se extrae de la belladona.

ATROZ adj. Cruel , inhumano.// Enorme, grave.//fam. Muy grave.

ATUENDO m. Aparato ,ostentación.// Atavío, vestido.

ATÚN m. *Zool*. Pez osteíctio de la fam. escómbridos, de gran tamaño. Recorre velozmente grandes distancias y abunda en el Mediterráneo.

ATURDIMIENTO m. Perturbación de los sentidos.// Torpeza.

ATURDIR tr. y r. Causar aturdimiento.// Confundir, pasmar.

ATURULLAR o **ATURRULLAR** tr. y r. fam. Confundir a uno, dejarle sin saber qué decir o hacer.

ATUSAR tr. Recortar e igualar el pelo con las tijeras.

AUDACIA f. Osadía, atrevimiento.

AUDAZ adj. Osado, atrevido.

AUDIBLE adj. Que se puede oír.

AUDICIÓN f. Acción de oír.

AUDIENCIA f. Acto de oír alguna autoridad a las personas que acuden a ellos. // Tribunal de justicia colegiado.

AUDÍFONO m. *Acúst.* Aparato electrónico destinado a superar la sordera.

AUDITIVO, VA adj. Que tiene virtud de oír.// Perten. al órgano del oido.

AUDITORIO m. Conjunto de oyentes.// Sala destinada a conciertos, conferencias, etc.

AUGE m. Elevación grande en dignidad o fortuna, apogeo.

AUGUR m. Sacerdote que en la antigua Roma practicaba la adivinación.

AUGURAR tr. Adivinar, pronosticar. // Presagiar, predecir.

AUGURIO m. Presagio.

AUGUSTO, TA adj. Díc. de lo que infunde o merece respeto y veneración.

AULA f. Local destinado a dar clases en centros de enseñanza.

ÁULICO, CA adj. Perten. a la corte o a palacio.

AULLAR intr. Dar aullidos.

AULLIDO m. Voz triste y prolongada del lobo, el perro y otros animales.

AUMENTAR tr., intr. y r. Dar mayor extensión o intensidad a una cosa.

AUMENTATIVO, VA adj. Que aumenta.//*Gram.* Díc. de los vocablos que expresan mayor tamaño o intensidad que los positivos de que proceden.

AUMENTO m. Acrecentamiento o extensión de una cosa.

AÚN adv. c. y m. Hasta, también.

AÚN adv. c. y m. Todavía.

AUNAR tr. y r. Unir, confederar para algun fin. // Unificar.

AUNQUE conj. advers. Denota oposición a pesar de la cual puede ser, ocurrir o hacerse alguna cosa.

¡AUPA! interj. usada para esforzar a levantarse o a levantar algún peso.

AUPAR tr. y r. Levantar o subir a una persona.// fig.Ensalzar

AURA f. Viento suave y apacible. // Hálito, soplo.

ÁUREO, A adj. De oro. // Parecido al oro o dorado.

AUREOLA o **AUREÓLA** f. Disco luminoso que suele colocarse detrás de la cabeza de las imágenes santas. // fig. Círculo que rodea algunas cosas.

AURÍCULA f. *Anat.* Cada una de las cavidades de la parte superior del corazon.

AURICULAR adj. Perten. o rel. al oído. // *Acúst.* Transductor electroacústico que transforma las señales eléctricas en ondas sonoras.

AURÍFERO, RA adj. Que contiene oro.

AURIGA m.El que dirige las caballerias que tiran de un carruaje.

AURORA f. Luz y, también, momento que precede a la salida del sol. // Primeros tiempos de una cosa.

AUSCULTAR tr. *Med.* Aplicar el oído o el estetoscopio a determinadas regiones del cuerpo.

AUSENCIA f. Acción y efecto de ausentarse o de estar ausente.

AUSENTAR tr. Hacer que uno se aleje de un lugar. // r. Separarse de un lugar.

AUSENTE adj. y s. Díc. del que está separado de alguna persona o lugar.

AUSPICIAR tr. *Amer.* Patrocinar, favorecer.

AUSPICIO m. Agüero. // Protección, favor. // pl. Señales que en el comienzo de un negocio parecen presagiar su buen o mal fin.

AUSTERIDAD f. Calidad de austero. // Mortificación de los sentidos.

AUSTERO, RA adj. Agrio, áspero al gusto. // Retirado, mortificado. // Sobrio. // Severo.

AUSTRAL adj. Perten. al austro o sur.

AUSTRO m. Viento que sopla de la parte del sur. // Sur.

AUTARQUÍA f. Poder para gobernarse a sí mismo. // Independencia económica de un Estado.

AUTENTICAR tr. Autorizar o legalizar alguna cosa. // Acreditar.

AUTENTICIDAD f. Calidad de auténtico.

AUTÉNTICO, CA adj. Acreditado de cierto y positivo. // Autorizado o legalizado; que hace fe pública.

AUTILLO m. *Zool.* Ave rapaz nocturna, parecida a la lechuza.

AUTO- Forma prefija, derivada del griego *autós*, que significa *propio, por uno mismo*.

AUTO m. *For.* Resolución judicial. // pl. Conjunto de actuaciones de un procedimiento judicial.

AUTO m. Coche automóvil.

AUTOBIOGRAFÍA f. Vida de una persona escrita por ella misma.

AUTOBOMBO f. fest. Elogio desmesurado y público que hace uno de sí mismo.

AUTOBÚS m. Vehículo destinado al transporte de pasajeros en servicio urbano o interurbano.

AUTOCAR m. Vehículo destinado al transporte de pasajeros, esp. apto para recorridos largos.

AUTOCLAVE f. Recipiente metálico herméticamente cerrado para resistir la presión interior del vapor.

AUTOCRACIA f. Sistema de gobierno en el cual la voluntad de un solo hombre es la suprema ley.

AUTÓCRATA com. Persona que ejerce la autoridad suprema en un Estado.

AUTOCRÍTICA f. Crítica de sí mismo.

AUTÓCTONO, NA adj. y s. Apl. a los pueblos o

gentes originarios del mismo país en que viven.
AUTODETERMINACIÓN f. Derecho de todo pueblo a formar un Estado nacional.
AUTODIDACTO, TA adj. y s. Que se instruye por sí mismo.
AUTODOMINIO m. Dominio de sí mismo.
AUTOESCUELA f. Escuela para enseñar a conducir automóviles.
AUTÓGENO, NA adj. *Metal.* Díc. de la soldadura entre dos piezas metálicas, efectuada sin incorporar ninguna otra materia.
AUTOGIRO m. *Aeron.* Aparato volador, precursor del helicóptero.
AUTÓGRAFO, FA adj. y s. m. Apl. al escrito de manos de su mismo autor.
AUTÓMATA m. *Tecnol.* Aparato mecánico o eléctrico que imita la forma y movimiento de un ser animado. / / fig. y fam. Persona que se deja dirigir por otra.
AUTOMÁTICO, CA adj. Díc. de los mecanismos que funcionan en todo o en parte por sí solos. // fig. Maquinal, no deliberado.
AUTOMATISMO m. *Fisiol.* Ejecución de movimientos sin intervención directa de la conciencia.
AUTOMATIZAR tr. Aplicar a una industria aparatos o procedimientos automáticos.
AUTOMÓVIL adj. Díc. de lo que se mueve por sí mismo. // m. Vehículo capaz de funcionar con motor propio; se desplaza sobre cuatro o más ruedas y no utiliza rieles.
AUTOMOVILISMO m. Conjunto de conocimientos referentes a la construcción, funcionamiento y manejo de automóviles. // Deporte que se practica en automóvil.
AUTOMOVILISTA com. Persona que conduce un automóvil.
AUTONOMÍA f. Estado y condición del pueblo que goza de independencia política. // Libertad e independencia de cualquier entidad o individuo.
AUTÓNOMO, MA adj. Que goza de autonomía.
AUTOPISTA f. Vía de comunicación para automóviles, con calzadas independientes para cada sentido, con un mínimo de dos carriles.
AUTOPSIA f. *Med.* Examen anatómico de un cadáver.
AUTOR, RA m. y f. El que es causa de alguna cosa. // El que la inventa. // Persona que ha hecho una obra científica, literaria o artística. // Hablando de un delito, persona que lo comete.
AUTORIDAD f. Carácter o representación de una persona por su empleo, mérito o nacimiento. // Potestad, facultad. // Poder que cada pueblo tiene establecido para su gobierno interior. // Poder que tiene una persona sobre otra. // Persona revestida de algún poder.
AUTORITARIO, RIA adj. Que se funda exclusivamente en la autoridad. // adj. y s. Partidario extremado del principio de la autoridad. // adj. Apl. al régimen político en que todo el poder se halla en manos de una sola persona o *dictador*.
AUTORITARISMO m. Sistema fundado en la sumisión incondicional de la autoridad.
AUTORIZACIÓN f. Acción y efecto de autorizar.
AUTORIZAR tr. Dar a uno autoridad o facultad para hacer alguna cosa. // Aprobar o abonar. // Permitir.
AUTORRETRATO m. Retrato de una persona hecho por ella misma.
AUTOSERVICIO m. Establecimiento en que cada cliente se sirve por sí mismo.
AUTOSUGESTIÓN f. Sugestión espontánea por la que una persona experimenta estados de ánimo o físicos sin causa objetiva.
AUTÓTROFO, FA adj. *Biol.* Díc. de los organismos que se nutren exclusivamente de sustancias inorgánicas.
AUTOVÍA f. Tren automotor. // Carretera de circulación rápida con algunos cruces al mismo nivel.
AUXILIAR adj. y s. Que auxilia. // m. Empleado subalterno. // Profesor encargado de sustituir a los catedráticos.
AUXILIAR tr. Dar auxilio. // Ayudar a bien morir.
AUXILIO m. Ayuda, socorro.
AVAL m. Firma que se pone al pie de un documento de crédito para responder de su pago en caso de no efectuarlo la persona obligada a él.
AVALANCHA f. Alud.
AVALAR tr. Garantizar mediante aval.
AVALUAR tr. Valuar.
AVANCE m. Acción de avanzar. // Anticipo o dinero. // Avanzo.
AVANZAR tr. Adelantar, mover hacia adelante. // intr. y r. Ir hacia adelante.
AVANZO m. Balance de un comerciante. // Presupuesto de una obra.
AVARICIA f. Afán desordenado de poseer riquezas para atesorarlas.
AVARICIOSO, SA adj. Avariento.
AVARIENTO, TA adj. y s. Que tiene avaricia.
ÁVARO, RA adj. y s. Avariento.
AVASALLAR tr. Sujetar o someter a obediencia. // Atropellar. // r. Hacerse vasallo de un señor.
AVE f. *Zool.* Animal vertebrado, con el cuerpo cubierto de plumas, mandíbulas en pico, provisto de alas y que se reproduce por huevos.
AVECINAR tr. y r. Acercar.
AVECHUCHO m. Ave de figura desagradable. // fig. y fam. Sujeto despreciable.
AVEJENTAR tr. y r. Poner viejo a uno, o hacer que lo parezca.
AVELLANA f. *Bot.* Fruto del avellano, seco, monospermo i indehiscente, con pericarpio leñoso y semilla aceitosa comestible.
AVELLANO m. *Bot.* Planta arbustiva caducifolia (fam. betuláceas).
AVEMARÍA f. Oración que empieza con la salutación del arcángel Gabriel a la virgen.

AVES
petirrojo
guacamayo
pájaro bobo
gaviota
águila
gorrión
búho
ave lira
golondrina

AVENA f. *Agr.* y *Bot.* Planta herbácea de la fam. gramíneas, con inflorescencias en panículo. El fruto, de gran valor nutritivo, se emplea como forraje.

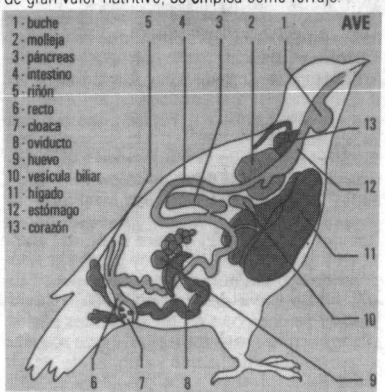

AVE
1 - buche
2 - molleja
3 - páncreas
4 - intestino
5 - riñón
6 - recto
7 - cloaca
8 - oviducto
9 - huevo
10 - vesícula biliar
11 - hígado
12 - estómago
13 - corazón

AVENENCIA f. Convenio, transacción. // Conformidad y unión.
AVENIDA f. Crecida impetuosa de un río o arroyo. // Vía o calle ancha.
AVENIR tr. y r. Concordar, ajustar las partes discordes. // f. Entenderse bien, vivir en armonía con alguien. // Ponerse de acuerdo.
AVENTAJADO, DA adj. Que aventaja a lo ordinario; notable.
AVENTAJAR tr. y r. Adelantar, poner en mejor estado. // tr. Anteponer, preferir.
AVENTAR tr. Echar aire a alguna cosa. // Echar al viento alguna cosa. // fig. y fam. Echar o expulsar a alguien.
AVENTURA f. Suceso extraordinario. // Riesgo, empresa de resultado incierto. // Amorío.
AVENTURADO, DA adj. Arriesgado, atrevido, inseguro.
AVENTURAR tr. y r. Arriesgar. // tr. Decir alguna cosa atrevida o de la que se tiene duda.
AVENTURERO, RA adj. y s. Que busca aventuras.
AVERGONZAR tr. Causar vergüenza. // r. Tener vergüenza o sentirla.
AVERÍA f. Daño o deterioro que padece una mercancía. // Desperfecto ocurrido en un mecanismo, que impide o perjudica su funcionamiento.
AVERIAR tr. y r. Echar a perder alguna cosa. // Estropear.
AVERIGUACIÓN f. Acción y efecto de averiguar.
AVERIGUAR tr. Inquirir, llegar a saber la verdad de algo.
AVERNO m. *poét.* Infierno.
AVERSIÓN f. Odio o repugnancia que se tiene a alguna persona o cosa.
AVESTRUZ m. *Zool.* Ave corredora de la fam. estruciónidos. Es el ave de mayor tamaño entre todas las existentes, y posee robustas y largas patas.
AVETORO m. *Zool.* Ave de la fam. ardeidos, parecida a la garza.
AVEZAR tr. y r. Acostumbrar.
AVIACIÓN f. Sistema de transporte aéreo por medio de aparatos más pesados que el aire.
AVIADOR, RA adj. y s. Dic. de la persona que gobierna un aparato de aviación.
AVIAR tr. Disponer alguna cosa para el camino. // Aderezar la comida. // fam. Apresurar la ejecución de lo que se está haciendo. // tr. y r. fam. Arreglar, componer.
AVÍCOLA adj. Perten. o rel. a la avicultura.
AVICULTURA f. Parte de la zootecnia dedicada al estudio de la cría de aves para el aprovechamiento de sus productos.
AVIDEZ f. Ansia, codicia.
ÁVIDO, DA adj. Ansioso, codicioso.
AVIESO, SA adj. Torcido, fuera de regla. // Malo o mal inclinado.
AVINAGRADO, DA adj. fig. y fam. De condición acre y áspera.
AVÍO m. Prevención, apresto.
AVIÓN m. *Aeron.* Aparato cuyo peso es superior al del aire y que mediante la aplicación de una fuerza propulsora puede volar.
AVIONETA f. Avión pequeño y de poca potencia.
AVISADO, DA adj. Discreto, sagaz.
AVISAR tr. Dar noticia de algún hecho. // Advertir o aconsejar. // Llamar a alguien para que preste un servicio.
AVISO m. Noticia dada a alguno. // Indicio. // Advertencia. // Precaución, atención. // Prudencia, discreción. // *Amer.* Anuncio.
AVISPA f. *Zool.* Insecto himenóptero de la fam. véspidos, provisto de aguijón cuya picadura es dolorosa. Su color es negro con bandas transversales amarillas.
AVISPADO, DA adj. fig. y fam. Vivo, despierto, agudo.
AVISPAR tr. Avivar, picar a las caballerías. // tr. y r. fig. y fam. Hacer despierto y avisado a alguno.
AVISPERO m. Panal o nido de avispas. // Conjunto o multitud de avispas.
AVISTAR tr. Alcanzar con la vista alguna cosa. // r. Entrevistarse.
AVITAMINOSIS f. *Med.* Enfermedad carencial debida a escasez o falta de vitaminas.
AVITUALLAMIENTO m. Acción y efecto de avituallar.
AVITUALLAR tr. Proveer de vituallas.
AVIVAR tr. Dar viveza, animar. // fig. Encender, acalorar. // Activar. // intr. y r. Cobrar vida, vigor. // tr. Apresurar, estimular.
AVIZOR adj. y s. m. Que avizora.
AVIZORAR tr. Acechar.
AVUTARDA f. *Zool.* Ave zancuda de la fam. otídos. Tiene cuerpo robusto y vuelo muy torpe.
AXIAL adj. Perten. o rel. al eje.
AXILA f. Sobaco. // *Bot.* Angulo formado por una parte de la planta con el tronco o con las ramas.

AXIOMA m. Principio fundamental, cuya evidencia no puede tener demostración. Su verdad queda patentizada en la simple comprensión de sus términos.
AXIOMÁTICO, CA adj. Incontrovertible, evidente.
AXIS m. *Anat.* Segunda vértebra cervical.
AXOLOTE m. *Zool.* Larva neoténica de los anfibios urodelos. Puede reproducirse antes de sufrir la metamorfosis e incluso permanecer en fase larvaria toda su vida.
AXÓN m. *Biol.* Prolongación de las células nerviosas.
¡AY! interj. Expresa dolor, susto. Seguida de la partícula *de* y un nombre o un pronombre, denota temor, amenaza, etc.
AYER adv. t. En el día que precedió inmediatamente al de hoy. // fig. En tiempo pasado. // m. Tiempo pasado.
AYO, YA m. y f. Persona encargada en una casa de cuidar y educar a los niños y jóvenes.
AYUDA f. Acción y efecto de ayudar. // Persona o cosa que ayuda. // Lavativa. // m. Subalterno que servía en algún oficio de palacio.
AYUDAR tr. Prestar cooperación. // Por ext., auxiliar, socorrer. // r. Valerse de la ayuda de otro.
AYUNAR intr. Abstenerse total o parcialmente de comer o beber. // Privarse de algún gusto o deleite.
AYUNO m. Acción y efecto de ayunar.
AYUNO, NA adj. Que no ha comido. // fig. Privado de algún gusto o deleite. // Que no tiene noticia de algo o no lo comprende.
AYUNTAMIENTO m. Junta, reunión. // Corporación compuesta de un alcalde y varios concejales para la administración de un municipio. // Casa consistorial. // Cópula carnal.
AZABACHE m. *Mineral.* Variedad de lignito, compacta y de color negro.
AZADA f. Instrumento que consiste en una pala de hierro, cortante por un borde y provista en el opuesto de un anillo donde encaja el astil, formando con la pala un ángulo agudo.
AZAFATA f. Criada de la reina. // Camarera que sirve en un avión, autocar, etc. // Empleada de compañías de aviación.
AZAFRÁN m. *Bot.* y *Agr.* Planta herbácea de la fam. iridáceas. Sus estigmas, de color rojo anaranjado y fuerte olor, tienen propiedades aromáticas, colorantes e higiénicas.
AZAGAYA f. Lanza o dardo arrojadizo.
AZAHAR m. *Bot.* Flor blanca y de olor muy intenso que producen los naranjos, los limoneros y los cidros.
AZAR m. Casualidad, caso fortuito. // Desgracia imprevista.
AZARAR tr. y r. Turbar, sobresaltar, avergonzar. // r. Ruborizarse. // Malograrse un asunto.
AZAROSO, SA adj. Que tiene en sí azar o desgracia. // Turbado.
AZIMUT m. *Astron.* Acimut.
ÁZOE m. *Quim.* Nombre ant. del nitrógeno.
AZOGAR tr. Cubrir con azogue alguna cosa. // fig. y fam. Turbarse y agitarse mucho.
AZOGUE m. Mercurio.
AZOICO, CA adj. Que contiene nitrógeno.
AZOR m. *Zool.* Ave falconiforme de aspecto parecido al gavilán y vuelo ágil y veloz.
AZORAR tr. y r. Conturbar, sobresaltar, avergonzar. // Irritar.
AZOTAINA f. fam. Zurra de azotes.
AZOTAR tr. y r. Dar azotes. // fig. Golpear una cosa repetida y violentamente contra otra.
AZOTE m. Vara, tira de cuero o cualquier instrumento que sirve para azotar. // Golpe dado con el azote. // Golpe dado en las nalgas con la mano. // fig. Aflicción, calamidad, y persona que las causa.
AZOTEA f. Cubierta llana de un edificio por la cual se puede andar.
AZTECA adj. y s. Díc. del individuo de un antiguo pueblo invasor y dominador del territorio conocido después con el nombre de México. // adj. Perten. o rel. a este pueblo.

Chicomecóatl, escultura **azteca**

AZÚCAR amb. *Quím. Org.* Nombre común de la sacarosa. Es un disacárido hidrolizable, soluble y de sabor dulce. Se obtiene de la caña de azúcar y de la remolacha.
AZUCARADO, DA adj. Semejante al azúcar en el gusto. // fig. y fam. Afable o meloso en las palabras.
AZUCARAR tr. Bañar o endulzar con azúcar. // fig. y

fam. Suavizar y endulzar alguna cosa. // Bañar con almíbar.
AZUCARERO, RA adj. Perten. o rel. al azúcar. // m. y f. Recipiente para servir el azúcar en la mesa.
AZUCENA f. *Bot.* Planta liliácea de hojas lanceoladas y flores grandes, blancas y olorosas.
AZUD amb. Rueda para sacar agua de un río; funciona impulsada por la misma corriente. // Presa de riego.
AZUELA f. Herramienta que se utiliza para desbastar la madera.
AZUFRE m. *Quím.* Elemento simple de carácter no metálico, composición quebradiza y color amarillo; símbolo S. Se encuentra cristalizado en el sistema rómbico, en masas amorfas y formando parte de numerosos compuestos (pirita, galena).
AZUL adj. y s. Del color del cielo sin nubes. // m. El cielo, el espacio. // *Fís.* Quinto color del espectro solar.
AZULADO, DA adj. De color azul o que tira a él.
AZULEJO m. Ladrillo pequeño vidriado, de cualquier color.
AZURITA f. *Mineral.* Carbonato de cobre hidratado que cristaliza en el sistema monoclínico.
AZUZAR tr. Incitar a los perros. // fig. Irritar, estimular.

B

B f. Segunda letra del abecedario español, y la primera de sus consonantes. Tiene articulación bilabial sonora, y su nombre es *be*.
BABA f. Saliva que aveces fluye de la boca del hombre y de algunos animales. // Líquido viscoso que segrega la babosa, el caracol, etcétera.
BABEAR intr. Expeler la baba.
BABEL amb. fig. y fam. Lugar en que hay gran desorden y confusión.
BABILÓNICO, CA adj. Perten. o rel. a Babilonia. Fastuoso.
BABLE m. Dialecto del grupo leonés, hablado en Asturias.
BABOR m. *Mar.* Lado izquierdo de una embarcación, mirando de popa a proa.
BABOSA f. *Zool.* Molusco gasterópodo de las fam. ariónidos y limácidos. Su cuerpo es alargado y fusiforme y carece de concha.
BABOSO, SA adj. y s. Que echa muchas babas. // fig. y fam. Que no tiene edad y condiciones para lo que hace o dice.
BABUCHA f. Zapato ligero y sin tacón, usado esp. por los moros.
BACA f. Artefacto en forma de parrilla que se coloca en el techo de los automóviles para llevar bultos.
BACALAO m. *Zool.* Pez Osteíctio de la fam. gádidos, de cuerpo largo y comprimido. Se encuentra en las aguas frías del hemisferios N, esp. en los alrededores de Terranova.
BACANAL adj. y s. f. Perten. al dios Baco. // f. fig. Orgía con mucho desorden y tumulto.
BACANTE f. Mujer que celebraba las fiestas bacanales. // fig. Mujer descocada.
BACÍA f. Vasija.
BACILO m. *Biol.* Bacteria gralte. patógena, en forma de bastoncito.
BACÍN m. Vaso alto y cilíndrico para los excrementos mayores.
BACINETE m. Pieza de la armadura que cubría la cabeza.
BACTERIA f. *Biol.* Organismo unicelular microscópico que carece de pigmentos asimiladores y se reproduce por bipartición.

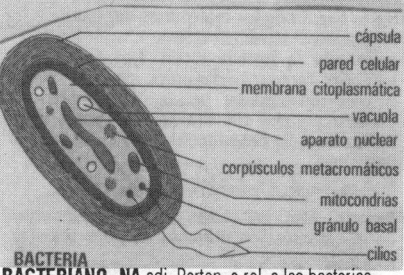

BACTERIA
— cápsula
— pared celular
— membrana citoplasmática
— vacuola
— aparato nuclear
— corpúsculos metacromáticos
— mitocondrias
— gránulo basal
— cilios

BACTERIANO, NA adj. Perten. o rel. a las bacterias.
BACTERIOLOGÍA f. *Biol.* y *Med.* Rama de la microbiología que estudia las bacterias.
BÁCULO m. Palo o cayado para apoyarse en él. // fig. Alivio, arrimo.
BACHE m. Hoyo en una carretera, calle, etc. //*Aeron.* Desigualdad en la densidad de la atmósfera, que provoca un descenso brusco del avión.
BACHICHA com. *Amer.* Nombre con el que se designa a los italianos y a su lengua.
BACHILLER com. Persona que ha obtenido el grado que se concede al terminar el bachillerato.
BACHILLERATO m. Grado de bachiller, y estudios necesarios para obtenerlo.
BADAJO m. Pieza que cuelga en el interior de las campanas, esquillas, etc., para hacerlas sonar. // fig. y fam. Persona habladora y necia.
BADANA f. Piel curtida de carnero u oveja.
BADÉN m. Zanja que forman en el terreno las aguas llovedizas.
BADIÁN m. *Bot.* Arbol perennifolio de la fam. magnoliáceas.
BAGAJE m. Equipaje militar de un ejército en marcha. // Por ext., equipaje de un viajero. // fig. Conjunto de conocimientos de una persona.
BAGATELA f. Cosa de poco valor.
BAGRE m. *Zool.* Pez osteíctio, abundante en los ríos de América.
¡BAH! interj. Denota incredulidad o desdén.
BAHÍA f. Entrada de mar en la costa menor que un golfo.
BAILAR intr. y tr. Mover los pies, el cuerpo y los brazos con ritmo, generalmente, al compás de una mú-

sica. // intr. Moverse u oscilar una cosa sin salir del sitio donde está.
BAILARÍN, NA adj. y s. Que baila. // m. y f. Persona que por profesión baila.
BAILE m. Acción de bailar. // Serie de movimientos que hacen los que bailan. // Festejo en que se juntan varias personas y se baila.
BAILOTEAR intr. Bailar sin formalidad.
BAJA f. Disminución del precio o valor de una cosa; descenso. // Cese de una persona en un cuerpo, profesión, etc. // *Mil.* Pérdida o falta de un individuo, y documento que acredita dicha falta.
BAJÁ m. Título honorífico de Turquía.
BAJADA f. Acción de bajar. // Camino por donde se baja.
BAJAMAR f. Fin o término del reflujo del mar. // Tiempo que éste dura.
BAJAR intr. y r. Ir a un lugar que está más bajo. // intr. Disminuirse una cosa. // tr. Poner algo en lugar inferior al que ocupaba. // Inclinar hacia abajo. // Disminuir el precio y valor de una cosa. // tr., intr. y r. Apear.

Baile de san Juan en Cotacache, anónimo

BAJEL m. Buque, barco.
BAJEZA f. Hecho vil, acción indigna.
BAJÍO m. En los mares, ríos, etc., elevación del fondo, que impide flotar a las embarcaciones. // *Amer.* Terreno bajo.
BAJO, SA adj. De poca altura. // Díc. de lo que está en lugar inferior. // Inclinado hacia abajo. // Díc. de las últimas etapas de un período histórico. // Díc. de las clases sociales más humildes. // fig. Vil, despreciable. // Aplicado a expresiones, lenguaje, etc., vulgar. // Dicho del precio, poco considerable. // Tratándose de sonidos, grave. // Que no se oye de lejos. // m. Lugar hondo. // Bajío. // *Mús.* La más grave de las voces humanas.
BAJÓN m. fig. y fam. Disminución brusca en algo.
BAJORRELIEVE m. *Arq.* Obra escultórica en que los objetos que se representan se destacan poco del fondo.
BALA f. Proyectil macizo de arma de fuego. // Fardo apretado de mercancías.
BALADA f. Composición poética, de carácter lírico y tono melancólico, en que se refieren sucesos legendarios o tradicionales.
BALADÍ adj. De poco valor.
BALADRO m. Grito, alarido.
BALADRONADA f. Bravata, fanfarronada.
BALALAICA f. Instrumento músico ruso parecido a la guitarra, con caja de firma triangular.
BALANCE m. Movimiento que hace un cuerpo, inclinándose ya a un lado, ya a otro. // fig. Vacilación, inseguridad. // *Com.* Cómputo del activo y del pasivo de un negocio, y resultado de dicho cómputo.
BALANCEAR intr. y r. Dar o hacer balances. // fig. Dudar, vacilar.
BALANCEO m. Acción y efecto de balancear o balancearse.
BALANCÍN m. Mecedora. // Asiento colgante. // *Tecnol.* Barra que oscila alrededor de un eje situado entre sus extremos.
BALANDRA f. Embarcación pequeña con cubierta y sólo un palo.
BALANDRO m. Balandra pequeña.
BÁLANO m. *Anat.* Glande, extremo del miembro viril.
BALANZA f. Instrumento para pesar, formado por una barra suspendida horizontalmente, y de cuyos extremos penden dos platillos.

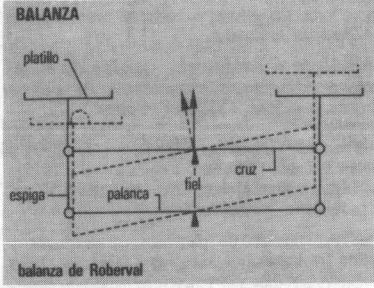

BALANZA

platillo
espiga   palanca   fiel   cruz

balanza de Roberval

BALAR intr. Dar balidos.
BALARRASA m. fig. y fam. Aguardiente fuerte. // Tarambana.
BALAUSTRADA f. Serie de balaustres.
BALAUSTRE o **BALAÚSTRE** m. Cada una de las columnitas que forman los antepechos de balcones, escaleras, etcétera.
BALAY m. *Amer.* Cesta de mimbre o carrizo.
BALAZO m. Disparo, impacto o herida de bala.
BALBUCEAR intr. Hablar con pronunciación dificultosa y vacilante.

BALCÓN m. Hueco abierto al exterior en el muro de un edificio desde el suelo de una habitación, con barandilla saliente. // Miranda.
BALDA f. Anaquel de armario.
BALDADO, DA adj. Tullido, impedido.
BALDAQUÍN o **BALDAQUINO** m. Dosel de seda. // Pabellón que cubre el altar.
BALDAR tr. y r. Impedir una enfermedad o accidente el uso de algún miembro. // Dejar maltrecho a alguno.
BALDE m. Cubo que se emplea para sacar y transportar agua.
BALDE, *de* m. adv. Gratis. // Sin motivo, sin causa. // *en balde* m. adv. En vano.
BALDÍO, A adj. y s. Díc. de la tierra yerma y estéril. // adj. Inútil.
BALDÓN m. Oprobio, injuria.
BALDOSA f. Ladrillo gralte. fino, que sirve para recubrir suelos.
BALEAR tr. *Amer.* Herir o matar a balazos.
BALIDO m. Voz de algunos animales, como el carnero, la oveja, etc.
BALÍSTICA f. parte de la mecánica que estudia el movimiento de los proyectiles y cohetes.

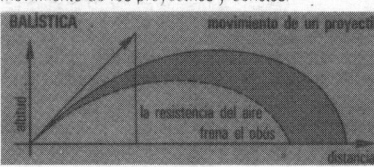

BALIZA f. Señal fija o flotante para indicar algo a los navegantes.
BALNEARIO, RIA adj. Perten. o rel. a baños públicos. // m. Edificio con baños medicinales.
BALOMPIÉ m. Fútbol.
BALÓN m. Pelota grande de viento que se usa en varios juegos. // Este mismo juego. // Recipiente flexible para contener cuerpos gaseosos.
BALONCESTO m. Juego entre dos equipos, de cinco jugadores cada uno, los cuales, valiéndose de las manos, tratan de introducir el balón en la meta contraria, que consiste en una red pendiente de un aro.
BALONMANO m. Variante del fútbol que se juega con las manos.
BALONVOLEA m. Juego entre dos equipos, de seis jugadores cada uno, que se hallan separados por una red tendida horizontalmente, y que tratan de echar con la mano un balón por encima de ella.
BALSA f. Hueco del terreno que se llena de agua.
BALSA f. Conjunto de maderos unidos con que se forma una plataforma flotante.
BALSAMINA f. *Bot.* Planta anual de la fam. cucurbitáceas, de tallos sarmentosos y fruto capsular con semillas de gran tamaño.
BÁLSAMO m. *Quim.* Sustancia resinosa y aromática formada por resinas y aceites volátiles, que procede de la exudación de la corteza de ciertos árboles.

BÁLTICO, CA adj. Perten. o rel. al mar Báltico.
BALUARTE m. Obra pentagonal de fortificación que sobresale del muro exterior. // Fortaleza. // fig. Amparo y defensa.
BALUMBA f. *Amer.* Barullo, alboroto.
BALLENA f. *Zool.* Mamífero cetáceo de gran tamaño. Tiene el cuerpo fusiforme adaptado al medio acuático, y carece de dientes. // Cada una de las láminas córneas y elásticas que tiene la ballena en la mandíbula superior.
BALLENATO m. *Zool.* Cría de la ballena.
BALLESTA f. Máquina ant. de guerra para arrojar piedras o saetas gruesas. // *Tecnol.* Dispositivo amortiguador de las oscilaciones que se producen en ferrocarriles y automóviles.
BALLET m. Representación basada en la danza y la mímica.
BAMBALEAR intr. y r. Bambolear. // fig. No estar firme alguna cosa.
BAMBALINA f. Cada una de las tiras del lienzo pintado que cuelgan del escenario del teatro.
BAMBOLEAR intr. y r. Moverse a un lado y otro.
BAMBÚ m. *Bot.* Planta gramínea de tallo grueso y flexible.
BANAL adj. Trivial, insignificante.
BANANA f. Plátano, fruto.
BANANO m. Plátano, árbol.
BANASTA f. Cesto grande.
BANCA f. Asiento de madera, sin respaldo. // fig. Conjunto de bancos o banqueros.
BANCAL m. *Agr.* Terreno rectangular para plantar legumbres y frutales.
BANCARIO, RIA adj. Relativo al banco o a la banca.
BANCARROTA f. Quiebra. // fig. Descrédito de sistema o doctrina.
BANCO m. Asiento en que pueden sentarse varias personas. // Mesa de trabajo de carpinteros, cerrajeros, etc. // Conjunto de peces que van juntos en gran número. // *Econ.* Establecimiento financiero que recibe en custodia y con interés fondos del público, y realiza diversos tipos de servicios y operaciones.
BANDA f. Cinta que, como distintivo, se lleva atravesada desde un hombro al costado opuesto. // Faja.
BANDA f. Porción de gente armada. // Conjunto de partidarios de alguno. // Lado. // Bandada, manada. // Conjunto musical en que predominan los instrumentos de viento.
BANDADA f. Conjunto de aves que vuelan juntas y, por ext., conjunto de peces.
BANDAZO m. Tumbo violento que da una embarcación hacia un lado.
BANDEJA f. Pieza de metal o de otra materia plana o algo cóncava, para llevar cosas.
BANDERA f. Tela rectangular que se asegura por uno de sus lados a una asta y se emplea como insignia.
BANDERÍA f. Bando o parcialidad.
BANDERILLA f. Palo delgado, con un arponcillo en el

extremo, que se clava a los toros durante la lidia.
BANDIDAJE m. Bandolerismo.
BANDIDO, DA adj. y s. Fugitivo de la justicia. // m. Bandolero. // Persona perversa y desenfrenada.
BANDO m. Edicto o mandato publicado de orden superior.
BANDO m. Facción, partido. // Bandada.
BANDOLERA f. Correa que cruza por el pecho y la espalda.
BANDOLERISMO m. Existencia continuada de bandoleros en una comarca. // Desmanes propios de bandoleros.
BANDOLERO m. Ladrón, salteador de caminos.
BANDURRIA f. Instrumento músico de cuerda, menor que la guitarra. Tiene 12 cuerdas pareadas y se toca con púa.
BANQUERO m. El que se dedica a operaciones bancarias.
BANQUETA f. Asiento sin respaldo. // Banquillo para los pies.
BANQUETE m. Comida a que concurren muchas personas para celebrar algo. // Comida espléndida.
BANQUILLO m. Asiento en que se coloca el procesado ante el tribunal.
BAÑADO m. Bacín. //*Amer.* Terreno húmedo y con charcos.
BAÑAR tr. y r. Meter el cuerpo o parte de él en un líquido. // tr. Sumergir alguna cosa en un líquido. // Regar o tocar el agua alguna cosa. // Cubrir algo con una capa de otra sustancia. // Tratándose del sol, la luz, etc., dar de lleno en alguna cosa.
BAÑERA f. Baño, pila.
BAÑO m. Acción y efecto de bañar o bañarse. // Líquido para bañarse. // Pila que sirve para bañarse. // Cuarto de baño. // Capa con que queda cubierta la cosa bañada. // pl. Balneario.
BAOBAB m. *Bot.* Arbol de la fam. bombáceas, de gran corpulencia, propio de regiones tropicales.
BAPTISTERIO m. Pila bautismal, y sitio donde está.
BANQUETEAR tr. Maltratar, molestar.
BAQUIANO, NA adj. Experto. // adj. y s. Práctico de los caminos.
BÁQUICO, CA adj. Perten. o rel. a Baco. // fig. Perten. a la embriaguez.
BAR m. *Metrol.* Unidad de presión equivalente a un millón de dinas aplicadas sobre 1 cm².
BAR m. Establecimiento de bebidas y cosas de comer.
BARAHÚNDA f. Ruido y confusión grandes.
BARAJA f. Conjunto de naipes que sirven para varios juegos.
BARAJAR tr. Mezclar unos naipes con otros antes de repartirlos. // tr. y r. fig. Mezclar unas personas o cosas con otras.
BARANDA f. Barandilla.
BARANDAL m. Listón que une por arriba y por abajo los balaustres.
BARANDILLA f. Antepecho compuesto de balaustres y barandales.
BARATIJA f. Cosa de poco valor.
BARATO, TA adj. Vendido o comprado a bajo precio. // fig. Que se logra con poco esfuerzo. // m. Venta de algo a bajo precio. // adv. m. Por poco precio.
BARATURA f. Bajo precio de las cosas vendibles.
BARBA f. Parte de la cara que está debajo de la boca. // Pelo que nace en esta parte de la cara y en las mejillas.
BARBACANA f. Fortificación avanzada para defender puertas, etc. // Muro bajo a modo de antepecho.
BARBACOA f. parrilla usada para asar carne o pescado. // *Amer.* Zarzo sostenido con puntales, que sirve de camastro. // Casita construida sobre árboles o estacas.
BARBADA f. Quijada inferior de las caballerías.
BARBARIE f. fig. Rusticidad, falta de cultura. // Fiereza, crueldad.
BARBARISMO m. Vicio del lenguaje, que consiste en pronunciar o escribir mal las palabras, o en emplear vocablos impropios. // fig. Barbaridad. // fig. y fam. Barbarie.
BÁRBARO, RA adj. y s. Díc del individuo de cualquiera de los pueblos que en el s. V abatieron el Imperio romano. // Perten. a estos pueblos. II fig. Cruel. II Arrojado. // Inculto, grosero.
BARBECHAR tr. Arar la tierra para la siembra, o para que se meteorice y descanse.
BARBECHO m. *Agr.* Tierra de labor que se deja sin cultivar durante algún tiempo.
BARBERÍA f. Tienda y oficio del barbero.
BARBERO m. El que tiene por oficio cortar los cabellos, afeitar la barba, etc.
BARBILAMPIÑO adj. Díc. del que no tiene barba, o tiene poca.
BARBILLA f. Punta de la barba.
BARBITÚRICOS m. pl. *Farm.* y *Quím.* Grupo de hipnóticos derivados del ácido barbitúrico.
BARBO m. *Zool.* Pez osteíctio de agua dulce, de la fam. ciprínidos.
BARBOTAR o **BARBOTEAR** intr. y r. Barbullar.
BARBULLAR intr. fam. Hablar atropelladamente, metiendo mucha bulla.
BARCA f. Embarcación pequeña para pescar o traficar en las costas o para atravesar los ríos.
BARCAZA f. Lanchón para carga y descarga de los buques.
BARCO m. *Mar.* Vehículo flotante y de forma adecuada para llevar en su interior personas o cosas.
BARDO m. Poeta de los antiguos celtas y, por ext., poeta en general.
BAREMO m. Cuaderno o tabla de cuentas ajustadas.
BARGUEÑO m. Mueble de madera con muchos cajoncitos y gavetas.
BARIA f. En el sistema centesimal, unidad de presión equivalente a una dina por cm².
BARICENTRO m. *Geom.* Punto de intersección de las

medianas de un triángulo.

BARIO m. *Quím.* Elemento simple de carácter metálico, alcalinotérreo; símbolo Ba. Es de color blanco amarillento, dúctil y fusible.

BARÍTONO m. *Mús.* Voz media entre la del tenor y la del bajo.

BARLOVENTO m. *Mar.* Parte de donde viene el viento.

BARNIZ m. *Quím.* Disolución de sustancias resinosas que, extendida sobre una superficie, seca dejando una capa homogénea y brillante.

BARNIZAR tr. Dar barniz.

BARÓMETRO m. *Fís.* Instrumento para determinar la presión atmosférica.

BARÓN m. Título nobiliario.

BARONESA f. Mujer del barón. II Mujer que goza una baronía.

BARONÍA f. Dignidad de barón. II Territorio sobre el que recae este título.

BARQUILLO m. Hoja delgada de pasta de harina con azúcar y arrollada gralte. en forma de canuto.

BARRA f. Pieza larga de metal u otra materia, de forma prismática o cilíndrica. II Palanca de hierro. II Pieza de pan de forma alargada. II La que suelen tener los bares a lo largo del mostrados; y por ext., el mismo mostrador.

BARRACA f. Caseta construida toscamente y con materiales ligeros. II Vivienda rústica.

BARRAGANA f. Concubina.

BARRAGANERÍA f. Amancebamiento.

BARRANCA f. Barranco.

BARRANCO m. Precipicio. II Quiebra profunda que hacen en la tierra las corrientes de agua.

BARRENA f. *Tecnol.* Barra de acero con la punta en espiral, que se utiliza para taladrar o hacer agujeros.

BARRENAR tr. Abrir agujeros con barrena o barreno. II fig. Desbaratar la pretensión de alguno.

BARRENDERO, RA m. y f. Persona que tiene por oficio barrer.

BARRENO m. Barrena. II Agujero que se hace con la barrena; esp. el practicado en una roca para rellenarlo con un explosivo y hacerlo volar.

BARREÑO m. Vasija de barro tosco.

BARRER tr. Quitar con la escoba el polvo, la basura, etc. II fig. Llevarse todo lo que había en alguna parte.

BARRERA f. Especie de valla usada para cercar un lugar, cerrar un paso, etc. II Parapeto de defensa. II Antepecho de madera que cierra el redondel de las plazas de toros.

BARRIADA f. Barrio, o parte de él.

BARRICA f. Especie de tonel.

BARRICADA f. Parapeto hecho con barricas, tablas, piedras, etc., para estorbar el paso al enemigo.

BARRIGA f. Vientre.

BARRIL m. Vasija de madera que sirve para conservar y transportar diferentes licores y géneros; tonel.

BARRILLO m. Barro, granillo del rostro.

BARRIO m. Cada una de las partes en que se dividen los pueblos grandes o sus distritos. II Afueras de una población.

BARRITO m. Berrido del elefante.

BARRIZAL m. Sitio lleno de barro.

BARRO m. Masa que resulta de la mezcla de tierra y de agua.

BARRO m. Cada uno de los granillos que salen al rostro.

BARROCO, CA adj. Díc. del estilo que afectó a todas las artes, principalmente en los s. XVII y XVIII. Se caracterizó por el abuso de adornos en que predomina la línea curva.

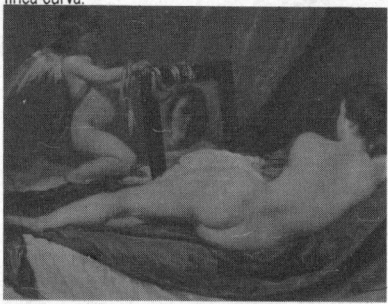

La Venus del Espejo, de Velázquez, Estilo **BARROCO**

BARROTE m. Barra gruesa. // Barra de hierro que sirve para afianzar alguna cosa.

BARRUNTAR tr. Prever, conjeturar.

BÁRTULOS m. pl. fig. Enseres que se manejan.

BARULLO m. fam. Confusión, desorden.

BASA f. Base. // *Arq.* Parte inferior de una columna, en la que se apoya el fuste de la misma.

BASÁLTICO, CA adj. Perten. o rel. al basalto.

BASALTO m. *Geol..* Roca volcánica de color negro verdoso, muy dura, compuesta principalmente de feldespato y piroxeno y augita.

BASAMENTO m. *Arq.* Cuerpo formado por la basa y el pedestal de una columna.

BASAR tr. Asentar algo sobre una base. // tr. y r. fig. Fundar.

BASÁRIDE m. *Zool.* Mamífero carnívoro, parecido a la comadreja.

BASCA f. Ansia, desazón del estómago antes de vomitar.

BÁSCULA f. Aparato para medir grandes pesos, mediante un sistema de palancas móviles.

BASCULAR intr. Oscilar algo alrededor de un punto.

BASE f. Apoyo principal en que descansa alguna cosa. // Basa. // *Quím.* Sustancia amarga, cáustica, que reacciona con los ácidos neutralizándolos y formando sales.

BÁSICO, CA adj. Perten. a la base o bases sobre que se sustenta una cosa; fundamental.

BASÍLICA f. Ant., palacio o casa real. // Cada una de

las trece iglesias de Roma. // Iglesia notable que goza de ciertos privilegios.
BASILISCO m. Animal fabuloso; se creía que mataba con la vista. // fig. Hombre furioso.
BASQUEAR intr. Tener o padecer bascas. // tr. Producir bascas.
BASTA f. Hilván.
BASTANTE adv. c. Ni mucho ni poco. II No poco.
BASTAR intr. y r. Ser suficiente. II Abundar.
BASTARDO, DA adj. Que degenera de su origen o naturaleza. // adj. y s. Díc. del hijo o hermano ilegítimo.
BASTEZA f. Grosería, tosquedad.
BASTIDOR m. Armazón en que se fijan lienzos para pintar o bordar. // Armazón que forma parte de la decoración teatral. // Armazón metálica, que soporta la caja de un vagón, de un automóvil, etc.
BASTIÓN m. Baluarte.
BASTO, TA adj. Grosero, tosco.
BASTÓN m. Vara que sirve para apoyarse al andar. // Insignia de autoridad.
BASURA f. Inmundicia, suciedad. // fig. Lo repugnante o despreciable.
BATA f. Prenda de vestir holgada, que se usa para estar en casa con comodidad, o en ciertos trabajos.
BATACAZO m. Golpe fuerte que da alguna persona cuando cae.
BATALLA f. Combate de un ejército con otro. // Justa o torneo. // fig. Agitación interior de ánimo.
BATALLAR intr. Pelear, reñir con armas. // fig. Disputar.
BATALLÓN m. Unidad militar compuesta de varias compañías.
BATÁN m. *Text.* Máquina usada en la apertura y limpieza del algodón.
BATATA f. *Bot.* Planta vivaz de la fam. convolvuláceas, de tallo rastrero y tuberculos de tamaño considerable. Se conoce también con el nombre de *boniato* y *moniato.*
BATE m. Palo con el que se golpea la pelota en el juego del béisbol.
BATERÍA f. Conjunto de piezas de artillería dispuestas para hacer fuego al enemigo. // Conjunto de instrumentos de percusión en una banda u orquesta. // *Electrotec.* Conjunto de varios elementos eléctricos conectados entre sí. Comúnmente se utiliza como sinónimo de *acumulador.*
BATIDA f. Reconocimiento de algún paraje en busca de alguien o algo. // Acción de batir o acuñar.
BATIDO m. Masa de que se hacen bizcochos. // Bebida que se hace batiendo helado, leche, etc.
BATIENTE m. Parte del cerco de las puertas, ventanas, etc., en que baten cuando se cierran. // Lugar donde el mar bate.
BATIMETRÍA f. *Fis.* Estudio de las profundidades marinas.
BATÍN m. Bata que llega sólo un poco más abajo de la cintura.

BATIR tr. Dar golpes. // Golpear para destruir o derribar. // Mover con fuerza alguna cosa. // Resolver alguna cosa para que se condense o para que se disuelva. // Derrotar al enemigo. // Acuñar moneda. // r. Pelar.
BATISCAFO m. *Mar.* Navío de inmersión, que alcanza grandes profundidades.

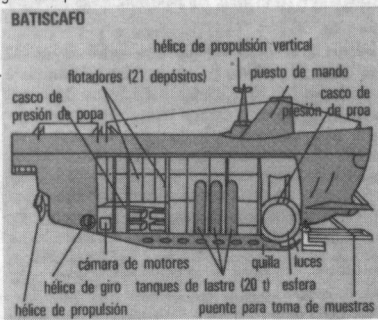

BATISCAFO
hélice de propulsión vertical
flotadores (21 depósitos)
puesto de mando
casco de presión de popa
casco de presión de proa
cámara de motores
quilla
luces
hélice de giro
tanques de lastre (20 t)
esfera
hélice de propulsión
puente para toma de muestras

BATISTA f. Lienzo fino y ligero.
BATRACIOS m. pl. *Zool.* Anfibios.
BATURRO, RRA adj. y s. Rústico aragonés. // adj. Perten. o rel. al baturro.
BATUTA f. Varita con que el director de una orquesta marca el compás.
BAÚL m. Mueble parecido al arca.
BAUPRÉS m. *Mar.* Palo grueso, horizontal o algo inclinado, que sobresale de la proa.
BAUTISMAL adj. Perten. o rel. al bautismo.
BAUTISMO m. Primero de los sacramentos de la Iglesia, con el cual se da el carácter cristiano. // Bautizo.

BAUTISMO de Indios (Chapultepec, México)

BAUTIZAR tr. Administrar el bautismo. // fig. Poner nombre a una cosa. // Mezclar el vino con agua.
BAUTIZO m. Acción de bautizar y fiesta con que ésta se solemniza.
BAUXITA f. *Mineral.* Roca sedimentaria constituida principalmente por hidratos y silicatos de aluminio y óxidos de hierro y titanio.
BÁVARO, RA adj. y s. Natural de Baviera. // adj. Perten. a este país.
BAYA f. *Bot.* Fruto de endocarpio pulposo que engloba las semillas.
BAYETA f. Tela de lana poco tupida. // Paño que sirve

para fregar.
BAYO, YA adj. y s. Díc. de las caballerías de color blanco amarillento.
BAYONETA f. Arma blanca que se adapta al cañón del fusil.
BAZA f. Número de naipes que recoge el que gana la mano.
BAZAR m. Tienda en que se venden productos diversos.
BAZO m. *Anat.* Organo vascular sanguíneo, de forma ovoide, situado en el lado izquierdo, debajo del diafragma y delante del riñón.
BAZOFIA f. Mezcla de heces o desechos de comidas. // fig. Cosa despreciable.
BEATIFICAR tr. Hacer venerable una cosa. // Declarar el Papa digno de culto a un siervo de Dios.
BEATÍFICO, CA adj. Que hace bienaventurado a alguno. // fig. Plácido.
BEATITUD f. Bienaventuranza.
BEATO, TA adj. Feliz o bienaventurado. // adj. y s. Dícese de la persona beatificada por el Papa. // fig. Que afecta virtud.
BEBÉ m. Niño pequeño.
BEBEDIZO, ZA adj. Potable. // m. Bebida que se da por medicina. // Bebida de supuestas virtudes mágicas.
BEBER intr. y tr. Ingerir un líquido. // intr. Brindar. // fig. Tomar frecuentemente bebidas alcohólicas. // Absorber, consumir.
BEBIDA f. Acción y efecto de beber. // Cualquier líquido que se bebe, esp. el alcohólico.
BECA f. Pensión temporal que se concede a uno para que continúe sus estudios.
BECADA f. *Zool.* Chocha.
BECAR tr. Conceder a uno una beca.
BECARIO, RIA m. y f. Persona que disfruta de una beca.
BECERRO, RRA m. y f. Toro de menos de un año.
BECUADRO m. *Mús.* Signo con el cual se anula el efecto de un sostenido o bemol.
BEDEL m. En centros de enseñanza, empleado subalterno que cuida del orden.
BEDUINO, NA adj. y s. Díc. de ciertos árabes nómadas.
BEFA f. Expresión de desprecio.
BEFAR tr. Burlar, mofar.
BEGONIA f. *Bot.* Planta perenne (fam. begoniáceas), de flores sin corola y con el cáliz de color rosado.
BEGONIÁCEAS f. pl. *Bot.* Fam. de plantas que comprende arbustos, matas y hierbas carnosas.
BEIGE adj. y s. Voz francesa con que se designa el color gris amarillento.
BÉISBOL m. Juego entre dos equipos de nueve jugadores cada uno. El lanzador arroja la pelota sobre el bateador, quien la proyecta sobre el campo, y luego, corriendo, intenta conquistar el mayor número de puestos o bases.

BEJUCO m. *Bot.* Planta trepadora de tallos flexibles y resistentes, propia de zonas tropicales.
BEL o **BELIO** m. *Metrol.* Unidad de medida para la intensidad del sonido.
BELDAD f. Belleza, esp. la de la mujer. // Mujer muy bella.
BELÉN m. fig. nacimiento, representación del de Jesucristo.
BELEÑO m. *Bot.* Planta herbácea de la fam. solanáceas. Tiene propiedades narcóticas.
BELFO, FA adj. y s. Díc. del que tiene más grueso el labio inferior. // m. Lagio del caballo.
BELGA adj. y s. Natural de Bélgica. // adj. Perten. a este país.
BELICISMO m. Tendencia a tomar parte en conflictos armados.
BÉLICO, CA adj. Perten. a la guerra.
BELICOSO, SA adj. Guerrero, marcial. // fig. Agresivo, pendenciero.
BELIGERANCIA f. Calidad de beligerante.
BELIGERANTE adj. y s. Apl. a la nación que está en guerra.
BELITRE adj. y s. fam. Pícaro ruin.
BELLACO, CA adj. y s. Malo, pícaro, ruin. // Astuto, sagaz.
BELLADONA f. *Bot.* Planta vivaz de la fam. solanáceas, dotada de acción narcótica y venenosa.
BELLAQUERÍA f. Calidad de bellaco. // Acción propia de bellaco.
BELLEZA f. Propiedad de las cosas cuya contemplación produce deleite espiritual. // Mujer hermosa.
BELLO, LLA adj. Que tiene belleza.
BELLOTA f. *Bot.* Fruto de la encina, el roble, etc.
BEMOL adj. y s. *Mús.* Díc. de la nota cuya entonación es un semitono más baja que la de su sonido natural. // m. Signo (b) que representa esta alteración del sonido.
BENCENO m. *Quím. Org.* Hidrocarburo inflamable, tóxico, de olor característico. También se conoce por el nombre de *benzol*.
BENCINA f. *Quím. Org.* Mezcla de hidrocarburos, procedente de la destilación del petróleo.
BENDECIR tr. Alabar. // Colmar de bienes a uno la Providencia. // Invocar en favor de alguna persona o cosa la bendición divina.
BENDICIÓN f. Acción y efecto de bendecir.
BENDITO, TA adj. y s. Bienaventurado. // Feliz. // m. y f. Persona de pocos alcances.
BENEDICTINO, NA adj. y s. Perten. a la orden de San Benito.
BENEFICENCIA f. Virtud de hacer bien. // Conjunto de fundaciones y demás institutos benéficos.
BENEFICIAR tr. y r. Hacer bien. // tr. Cultivar, mejorar una cosa. // Trabajar un terreno para hacerlo productivo. // *Mineral.* Extraer de una mina los productos útiles.
BENEFICIARIO, RIA adj. y s. Díc. de la persona a

quien feneficia un contrato de seguro. // m. y f. El que goza de un territorio o usufructo.
BENEFICIO m. Bien que se hace o se recibe. // Utilidad, provecho. // Cultivo de los campos, árboles, etc. // Acción de beneficiar minas o minerales.
BENEFICIOSO, SA adj. Provechoso, útil.
BENÉFICO, CA adj. Que hace bien.
BENEMÉRITO, TA adj. y s. Digno de galardón.
BENEPLÁCITO m. Aprobación.
BENEVOLENCIA f. Simpatía y buena voluntad hacia las personas.
BENÉVOLO, LA adj. Que tiene buena voluntad o afecto.
BENGALA f. Fuego artificial que despide la llamada luz de Bengala, claridad muy viva de diversos colores.
BENGALÍ adj. y s. Natural de Bengala. // adj. Perten. a esta provincia del Indostán.
BENIGNO, NA adj. Afable, benévolo. II fig. Templado, suave.
BENJAMÍN m. fig. Hijo menor.
BENJUÍ m. Bálsamo aromático que se obtiene por incisión en la corteza de ciertos árboles.
BENZOL m. *Quím. Org.* Benceno.
BEOCIO, CIA adj. Perten. a Beocia. // fig. Ignorante, tonto.
BEODO, DA adj. y s. Embriagado.
BERBERECHO m. *Zool.* Molusco bivalvo de conchas estriadas. Es comestible.
BERBERISCO, CA adj. y s. Beréber.
BERBIQUÍ m. Instrumento formado por un manubrio en forma de doble codo giratorio, y que dispone de una espiga taladradora intercambiable.
BERÉBER adj. y s. natural de Berbería. // adj. Perten. a esta región de África.
BERENJENA f. *Bot.* Planta anual de la fam. solanáceas. El fruto es una baya grande de color morado.
BERGANTE m. Pícaro, sinvergüenza;
BERGANTÍN m. *Mar.* Buque de vela de dos palos.
BERIBERI m. *Med.* Enfermedad producida por carencia de vitamina B.
BERILIO m. *Quím.* Elemento simple de carácter metálico; símbolo Be. Es ligero y resiste la oxidación.
BERLINA f. Coche cerrado de dos asientos.
BERMEJO, JA adj! Rubio, rojizo.
BERMELLÓN m. *Quím.* Variedad pulverizada del sulfuro de mercurio.
BERREAR intr. Dar berridos los becerros u otros animales. // fig. Gritar o cantar desentonadamente.
BERRIDO m. Voz del becerro y otros animales que berrean. // fig. Grito desaforado de persona.
BERRINCHE m. fam. Enojo grande.
BERRO m. *Bot.* Planta herbácea de la fam. crucíferas. Sus hojas se comen crudas como ensalada.
BERZA f. *Agr.* Col.
BESAMEL o **BESAMELA** f. Salsa blanca que se hace con harina, crema, leche y manteca.
BESAR tr. Aplicar los labios a alguien o algo en señal de amor, amistad, etc. // fig. y fam. Tratándose de cosas inanimadas, tocar unas a otras.
BESO m. Acción de besar.
BESTIA f. Animal cuadrúpedo. // adj. y s. com. fig. Persona ruda.
BESTIAL adj. Brutal. // fig. y fam. De grandeza desmesurada.
BESUGO m. *Zool.* Pez marino de la fam. espáridos, de carne blanca y delicada.
BESUQUEAR tr. fam. Besar repetidamente.
BETA f. Segunda letra del alfabeto griego.
BÉTICO, CA adj. Perten. a la antigua Bética, hoy Andalucía.
BETÓNICA f. *Bot.* Planta labiada, cuyas hojas y raíces son medicinales.
BETULÁCEAS f. pl. *Bot.* Fam. de plantas leñosas, arbustivas o arbóreas, de frutos secos.
BETÚN m. *Quím.* y *Mineral.* Mezcla de hidrocarburos obtenida en la destilación del petróleo. // Mezcla de varios ingredientes que se usa para poner lustroso el calzado.
BEY m. Gobernador de una ciudad o región del imperio turco.
BEZO m. Labio grueso.
BI- Prep. insep. que significa *dos* o *dos veces.*
BIÁXICO, CA adj. Que tiene dos ejes.
BIBERÓN m. Botella con un pezón de goma elástica, para la lactancia artificial.

beréber

BÍBLICO, CA adj. Perten. o rel. a la Biblia.
BIBLIOFILIA f. Afición a los libros raros.
BIBLIOGRAFÍA f. Descripción, conocimiento de li-

bros, de sus ediciones, etc. // Catálogo de libros o escritos referentes a una materia.
BIBLIOGRÁFICO, CA adj. Perten. o rel. a la bibliografía.
BIBLIOTECA f. Local donde se tienen libros ordenados para la lectura. // Conjunto de libros. // Mueble destinado a guardarlos.
BIBLIOTECARIO, RIA m. y f. Persona que tiene a su cargo el cuidado de una biblioteca.
BÍCEPS adj. De dos cabezas. // Anat. Díc. de los músculos que presentan dos prominencias o cabezas.
BICICLETA f. Velocípedo de dos ruedas iguales.

bicicleta: carrera individual en pista

BICOCA f. fig. y fam. Cosa de poca estima y aprecio. // Ganga.
BICHO m. Cualquier animal pequeño.
BIDÉ m. Cubeta de forma ovalada, sobre el cual puede uno colocarse a horcajadas para lavarse.
BIDÓN m. Recipiente de hojalata o de chapa de hierro.
BIELA f. Tecnol. Barra metálica que permite la transformación de un movimiento rotatorio y viceversa.
BIEN m. Aquello que se ofrece a la voluntad como su fin propio. // Cosa buena, favorable o conveniente. // Bienestar. // Utilidad, beneficio. // adv. m. Según es debido. // m. pl. Hacienda, riqueza.
BIENANDANZA f. Dicha, fortuna.
BIENAVENTURADO, DA adj. y s. Que goza de Dios en el cielo. // Afortunado, feliz.
BIENAVENTURANZA f. Vista y posesión de Dios en el cielo. // felicidad
BIENESTAR m. Comodidad. // Estado de salud.
BIENFORTUNADO, DA adj. Afortunado.
BIENHADADO, DA adj. Bienfortunado.
BIENHECHOR, RA adj. y s. Que hace bien a otro.
BIENIO m. Tiempo de dos años.
BIENVENIDA f. Llegada feliz. // Parabién que se da a uno por haber llegado con felicidad.
BIES m. Oblicuidad, sesgo.
BIFÁSICO, CA adj. Que tiene dos fases. // Electrotec. Díc. del sistema de dos corrientes eléctricas alternas defasadas en 90º.
BIFE m. Amer. Bistec.
BÍFIDO, DA adj. Hendido en dos partes.
BIFOCAL adj. Que tiene dos focos.
BIFURCACIÓN f. Acción y efecto de bifurcarse.
BIGA f. Carro de dos caballos.
BIGAMIA f. Der. Estado de un hombre casado con dos mujeres al mismo tiempo, o de la mujer casada con dos hombres.

BÍGAMO, MA adj. y s. Que se casa por segunda vez viviendo el primer cónyuge.
BÍGARO m. Zool. Molusco gasterópodo, pequeño y comestible.
BIGNONIÁCEAS f. pl. Bot. Fam. de plantas leñosas arbustivas.
BIGORNIA f. Yunque con dos puntas opuestas.
BIGOTE m. Pelo que nace sobre el labio superior.
BIJA f. Arbol bixáceo de cuyas semillas se extrae una sustancia que sirve para teñir de rojo.
BILABIAL adj. Díc. del sonido en cuya pronunciación intervienen los dos labios. // adj. y s. f. Díc. de la letra que representa este sonido.
BILATERAL adj. Perten. o rel. a los dos lados, partes o aspectos que se consideran.
BILBILITANO, NA adj. y s. Natural de Calatayud, ant. Bílbilis.
BILINGÜE adj. Que habla dos lenguas. // Escrito en dos idiomas.
BILINGÜISMO m. Uso habitual de dos lenguas en una misma región.
BILIS f. Risio. Líquido procedente de la secreción y excreción del hígado. Es de sabor amargo.
BILLAR m. Juego que se ejecuta impulsando con tacos bolas de marfil en una mesa rectangular.
BILLETE m. Carta breve. // Tarjeta que da derecho para entrar u ocupar asiento en alguna parte, para viajar en un vehículo, para participar en una rifa o lotería, etc. // Cédula impresa o grabada que representa cantidades de numerario.
BILLETERO m. Cartera pequeña de bolsillo para llevar billetes de banco.
BILLÓN m. Un millón de millones.
BINAR tr. Dar segunda reja a las tierras de labor.
BINARIO, RIA adj. Compuesto de dos unidades.
BINOMIO m. Alg. Expresión polinómica que consta de dos términos.
BIO- Prefijo derivado del gr. bios, vida.
BIOFÍSICA f. Estudio de los fenómenos físicos que rigen los procesos biológicos.
BIOGÉNESIS f. Biol. Teoría sobre el origen y desarrollo de los seres vivos.
BIOGRAFÍA f. Historia de la vida de una persona.
BIOGRÁFICO, CA adj. Perten. o rel. a la biografía.
BIÓGRAFO, FA m. y f. Escritor de biografías.
BIOLOGÍA f. Ciencia que estudia las leyes de la vida.
BIOLÓGICO, CA adj. Perten. o rel. a la biología.
BIÓLOGO, GA m. y f. El que profesa la biología.
BIOMBO m. Mampara compuesta de varios bastidores articulados, que se pude cerrar, abrir y desplegar.
BIOPSIA f. Biol. y Med. Examen de un trozo de tejido de un ser vivo para dar un diagnóstico.
BIOQUÍMICA f. Ciencia que estudia los procesos químicos que tienen lugar en los seres vivos.
BIOTITA f. Mineral. Mica negra o verde oscura.
BIPARTICIÓN f. División de una cosa en dos partes.
BIPARTITO, TA adj. Que consta de dos partes.

BÍPEDO, DA adj. y s. De dos pies.
BIPLANO m. *Aeron.* Avión con dos alas paralelas situadas una encima de la otra.
BIPOLAR adj. Que tiene dos polor.
BIRLOCHO m. Carruaje descubierto de cuatro ruedas y cuatro asientos.
BIRREFRINGENCIA f. *Opt.* Doble refracción.
BIRRETA f. Bonete cuadrangular que usan los clérigos.
BIRRETE m. Gorro con borla que usan los magistrados, abogados, etc. // Bonete.
BIRRIA f. Persona o cosa ridícula.
BIS adv. c. Se emplea para dar a entender que una cosa debe repetirse o está repetida. // Prep. insep. que significa dos veces.
BISABUELO, LA m. y f. Respecto de una persona, el padre o la madre de su abuelo o de su abuela.
BISAGRA f. Herraje de dos piezas articuladas que, con un eje común y sujetas una a un sostén fijo y otra a la puerta o tapa, permiten el giro de éstas.
BISEL ñ m. Corte oblicuo en el borde de una lámina o plancha.
BISEXUAL adj. y s. Hermafrodita.
BISIESTO adj. Díc. del año que excede al común en un día.
BISMUTO m. *Quím.* Elemento simple de carácter metálico; símbolo Bi. Es de color gris rojizo y frágil.
BISO m. *Zool.* Secreción glandular de los moluscos bivalvos con la que se adhieren a los objetos.
BISOJO, JA adj. y s. Díc. de la persona que padece estrabismo.
BISONTE m. *Zool.* Mamífero de la fam. bóvidos, de gran tamaño, parecido al toro.
BISOÑÉ m. Peluca que cubre sólo la parte anterior de la cabeza.
BISOÑO, ÑA adj. y s. Apl. al soldado o tropa nuevos. // fig. y fam. Nuevo, inexperto.

BISTURÍ m. *Cir.* Instrumento cortante que se usa en cirugía.
BISULFATO m. *Quím.* Sal formada por el ácido sulfúrico.
BISUTERÍA f. Joyería de imitación.
BITÁCORA f. *Mar.* Armario en el que va colocada la brújula de navegación.
BITER f. Bebida alcohólica de sabor amargo. Se toma como aperitivo.
BIVALVO, VA adj. Que posee dos valvas.
BIYECTIVO, VA adj. *Mat.* Que se corresponde en ambos sentidos.
BIZANTINISMO m. Corrupción por lujo en la vida social, o por exceso de ornamentación en el arte. // Afición a discusiones bizantinas.
BIZANTINO, NA adj. y s. Natural de Bizancio, hoy Constantinopla. //adj. Perten. a esta ciudad. //fig. Díc. de las discusiones baldías o muy sutiles.
BIZARRO, RRA adj. Valiente, esforzado. //Generoso, espléndido.
BIZCO, CA adj. y s. Díc. de la persona que padece estrabismo.
BIZCOCHO m. Pan sin levadura que se cuece dos veces. // Masa cocida compuesta de harina, huevos y azúcar. // Objeto de loza o porcelana cocida sin barniz o esmalte.
BLANCA f. Moneda ant. de vellón o de plata. // *Mús.* Nota que vale la mitad de una redonda.
BLANCO, CA adj. y s. De color de nieve. Es el color de la luz solar no descompuesta. // En la especie humana, díc. del color de la raza europea o caucásica. // m. Objeto situado lejos, para ejercitarse en el tiro. // Hueco entre dos cosas.// fig. Fin a que se dirigen nuestros deseos o acciones.
BLANCURA f. Calidad de blanco.
BLANDIR tr. Mover un arma u otra cosa con movimiento trémulo

blasones (s. XV) del rey de Dinamarca; del rey de Hungría; del rey de Irlanda

BLANDO, DA adj. Tierno suave. // Afeminado. // fig. y fam. Cobarde.
BLANQUEAR tr. Poner blanca una cosa. // Blanquecer. Il intr. Mostrar una cosa su blancura.
BLANQUECER tr. Sacar su color al oro, plata, etc.// Blanquear.
BLANQUECINO, NA adj. Que tira a blanco.
BLASFEMAR intr. Decir blasfemias. // fig. Maldecir, vituperar.
BLASFEMIA f. Palabra injuriosa contra Dios o las cosas sagradas. // fig. Injuria grave contra una persona.
BLASFEMO, MA adj. Que contiene blasfemia. // adj. y s. Que dice blasfemia.
BLASÓN m. Arte de describir los escudos de armas. // Figura de un escudo. // Honor a gloria.
BLASONAR tr. Disponer el escudo de armas según las reglas del arte. // intr. fig. Hacer ostentación de algo.
BLENDA f. *Mineral*. Sulfuro de cinc. Constituye la mena del cinc.
BLINDAJE m. Conjunto de planchas que sirven para blindar.
BLINDAR tr. Proteger con planchas metálicas las cosas o los lugares contra las balas, el fuego, etc.
BLONDA f. Encaje de seda.
BLOQUE m. Trozo grande de piedra sin labrar.// Manzana de casas.
BLOQUEAR tr. Asediar para cortar las comunicaciones d euna plaza, de un ejército, etc.
BLOQUEO m. Acción y efecto de bloquear.
BLUSA f. Prenda exterior de vestir, que cubre la parte superior del cuerpo.
BOA f. *Zool*. Reptil americano, de la fam. boidos, no venenosa y de gran tamaño.
BOATO m. Ostentación en el porte.
BOBADA f. Bobería.
BOBALICÓN, NA adj. y s. fam. Persona muy boba.
BOBERÍA f. Dicho o hecho necio.
BOBINA f. Carrete.
BOBINAR tr. Arrollar o devanar hilos o alambres en una bobina.
BOBO, BA adj. y s. De muy corto entendimiento. // Muy cándido.
BOCA f. Cavidad con abertura en la parte anterior de la cabeza del hombre y de muchos animales, por la cual se toma el alimento. // fig. Lugar o abertura que sirve de entrada osalida. // Orificio, agujero.
BOCACALLE f. Entrada o embocadura de una calle.
BOCADILLO m. Panecillo partido en dos mitades, entre las cuales se coloca jamón, queso, carne, etc.
BOCADO m. Porción de comida que cabe en la boca. // Mordedura.
BOCANADA f. Cantidad de líquido que llena la boca. // Porción de humo que se echa cuando se fuma.
BOCAZA m. fig. y fam. El que habla sin discreción.
BOCERA f. Lo que queda en los labios después de comer o de beber.

BOCERAS m. Hablador, jactancioso.
BOCETO m. Borrón colorido previo a la ejecución del cuadro. // Proyecto de escultura ligeramente modelado.
BOCINA f. Cuerno, instrumento músico. // Especie de trompeta para hablar de lejos. // Instrumento que se hace sonar en los automóviles.
BOCIO m. *Med*. Tumor benigno o maligno en la glándula tiroides.
BOCHORNO m. Aire caliente de estío. // Rubor. // Sofoco, vergüenza.
BOCHORNOSO, SA adj. Que da bochorno.
BODA f. Casamiento y fiesta con que se solemniza.
BODEGA f. Lugar donde se guarda y cría el vino. // Despensa. // *Mar*. Espacio interior de los buques desde la cubierta inferior hasta la quilla.
BODEGÓN m. Tienda donde se sirven comidas baratas. // *Pint*. Cuadro donde se representan cosas comestibles

BODEGÓN

BODOQUE m. Bola de barro endurecida que servía de proyectil. Il Relieve redondo para adorno de bordados. // fig. y fam. Persona necia.
BODRIO m. Caldo que se daba a los pobres en los conventos. // Guiso mal aderezado.
BÓERS m. pl. Descendientes de holandeses que viven en El Cabo (hoy Rep. Sudafricana).
BOFE m. Pulmón. U. más en pl.
BOFETADA f. Golpe que se da en la cara con la mano. // fig. Ofensa.
BOFETÓN m. Bofetada fuerte.
BOGA f. Acción de bogar. // fig. Fortuna creciente.
BOGAR intr. *Mar*. Remar.
BOGAVANTE m. *Zool*. Crustáceo marino parecido a la langosta.
BOHEMIO, MIA adj. y s. De Bohemia. //l Gitano. // Díc. de los artistas y literatos que llevan una vida desordenada.
BOICOT o **BOICOTEO** m. Acción de boicotear.
BOICOTEAR tr. Privar a una persona o entidad de toda relación social o comercial para obligarla a ceder.
BOJ m. *Bot*. Argusto de la fam. Buxáceas, de madera muy dura.
BOL m. Ponchera. // Taza grande y sin asa.
BOLA f. Cuerpo esférico de cualquier materia. // Canica. // Betún. // fig. y fam. Embuste, mentira.

BOLCHEVIQUE adj. y s. Partidario del bolchevismo.
BOLCHEVISMO m. Sistema de gobierno implantado en Rusia que practica el colectivismo mediante la dictadura del proletariado.
BOLEADORAS f. pl. Instrumento de dos o tres bolas trabadas con cuerdas que se arroja a los animales para apresarlos y cazarlos.
BOLERO, RA adj. Que hace novillos. // adj. y s. fig. y fam. Que dice mentiras. // *Mús*. m. Aire popular español, cantable y bailable.
BOLETERÍA f. *Amer*. Taquilla o despacho de billetes.
BOLETÍN m. Libramiento para cobrar dinero. // Cédula de suscripción a una obra o empresa. // Publicación que trata de asuntos especiales. // Periódico que contiene disposiciones oficiales.
BOLETO m. Billete de teatro, tren, etcétera. // Papeleta de rifa o sorteo.
BÓLIDO m. *Astrofís*. Meteorito que atraviesa la atmósfera dejando una estela luminosa y que suele estallar en pedazos.
BOLÍGRAFO m. Instrumento para escribir que consta de un tubo con tinta y una bolita metálica en su extremo.
BOLILLO m. Palito torneado para hacer encajes.

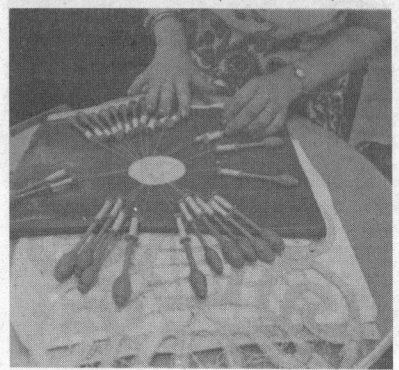

Encaje de **BOLILLOS**

BOLÍVAR (Simón) (Caracas, 1783 — Santa Marta, 1830), Libertador de América. Sus antepasados pertenecían a la aristocracia colonial. Alumno del joven Andrés Bello. Ya subteniente del ejército, estudia en Madrid, donde frecuenta la corte y se casa con María Teresa Rodríguez de Toro (m. en Caracas, 1803).
BOLÍVAR m. Moneda de Venezuela.
BOLSA f. Saco para llevar cosas. // Arruga que hace un vestido. // fig. Caudal de una persona. // Reunión oficial de los que operan con fondos públicos. // Local en que se reúnen. // Formación redondeada de mineral almacenado en una roca.
BOLSILLO m. Bolsa pequeña para dinero. // Saquito cosido en los vestidos para meter cosas.
BOLSO m. Bolsillo. // Bolsa de mano usada por las mujeres.
BOLLERÍA f. Edstablecimiento donde se hacen o venden bollos.
BOLLO m. Panecillo hecho con harina, huevos, leche, etc. // fig. y fam. Abolladura. // Alboroto.
BOMBA f. *Tecnol*. Máquina para elevar e impulsar líquidos o gases. // Proyectil cargado de explosivos que estalla mediante un detonador.
BOMBACHO adj. y s. Díc. del calzón ancho, cuyas perneras tienen forma de campana abierta por el costado.
BOMBARDEAR tr. Bombear. // Hacer fuego sostenido de artillería.
BOMBARDEO m. Acción de bombardear.
BOMBARDERO, RA adj. Díc. del avión o la embarcación que llevan bombas. // m. Avión de bombardeo.
BOMBEAR tr. Disparar bombas de artillería. // Elevar un líquido por medio de una bomba.
BOMBEO m. Convexidad. // Acción y efecto de bombear un líquido.
BOMBERO m. El que tiene por oficio trabajar con la bomba hidráulica. // Operario encargado de extinguir incendios.
BOMBILLA f. Lámpara de incandescencia.
BOMBÍN m. fam. Sombrero hongo.
BOMBO m. Tambor grande que se toca con una maza. // Caja giratoria que contiene las bolas de los sorteos. // fig. Elogio exagerado.
BOMBONA f. Vasija metálica cilíndrica, con cierre hermético, para contener gases y líquidos.
BONACHÓN, NA adj. y s. fam. De genio dócil y amable.
BONANZA f. Tiempo tranquilo en el mar. // fig. Prosperidad.
BONDAD f. Calidad de bueno. // Natural inclinación a hacer el bien.
BONDADOSO, SA adj. Lleno de bondad.
BONETE m. Gorra de cuatro picos, usada por eclesiásticos.
BONIATO m. *Bot*. Batata que produce tubérculos azucarados y comestibles.
BONIFICACIÓN f. Acción y efecto de bonificar.
BONIFICAR tr. Anotar una cantidad en el haber de alguien. // Deducir una cantidad de otra.
BONITO, TA adj. Dim. de bueno. // Lindo, agraciado.
BONITO m. *Zool*. Pez osteictio parecido al atún.
BONO m. Tarjeta canjeable.
BONZO m. Sacerdote del culto de Buda en el Asia Oriental.
BOQUERÓN m. *Zool*. Pez osteíctio, pequeño y comestible.
BOQUETE m. Brecha.
BOQUIABIERTO, TA adj. Que tiene la boca abierta. // fig. Embobado.
BORAGINÁCEAS f. pl. *Bot*. Fam. de plantas angiospermas dicotiledóneas.
BORATO m. *Quím*. Combinación de ácido bórico con

una base.
BÓRAX m. *Mineral.* Tetraborato sódico hidratado.
BORBOLLÓN o **BORBOTÓN** m. Erupción que hace el agua elevándose sobre la superficie.
BORCEGUÍ m. Calzado que llega hasta más arriba del tobillo y se ajusta con cordones.
BORDA f. *Mar.* Vela mayor en las galeras. // Canto superior del costado de un buque.
BORDADA f. *Mar.* Camino que hace entre dos viradas una embarcación.
BORDADO m. Bordadura.
BORDADURA f. Labor de relieve ejecutada en tela o piel.
BORDAR tr. Adornar una tela o piel con bordadura. // fig. Ejecutar alguna cosa con arte y primor.
BORDE m. Extremo u orilla de alguna cosa.
BORDE adj. y s. Díc. del hijo o hija nacidos fuera del matrimonio.
BORDEAR tr. Ir por el borde u orilla de una cosa.
BORDILLO m. Borde de una acera.
BORDO m. *Mar.* Lado exterior de la nave. // Bordada de la nave.
BORDÓN m. Basón más alto que la estatura de un hombre. // Verso quebrado que se repite al fin de cada copla. // En los instrumentos músicos de cuerda, cualquiera d elas más gruesas que hacen el bajo.
BOREAL adj. Perten. al bóreas.
BÓREAS m. Viento del Norte.
BORGOÑA m. fig. Vino dse Borgoña.
BORNE m. *Electrotec.* Terminal de un aparato eléctrico que sirve para conectarlo a un cable o a otro aparato.
BORO m. *Quím.* Metaloide de color pardo oscuro; símbolo B.
BORRA f. Parte más grosera de la lana. //Pelusa sucia que se forma en los bolsillos y rincones.
BORRACHERA f. Efecto de emborracharse.
BORRACHO, CHA adj. y s. Ebrio por la bebida. // Que se embriaga habitualmente.
BORRADOR m. Escrito de primera intención, que puede corregirse.
BORRAJA f. *Bot.* Planta herbácea de la fam. boragináceas. Es sudorífica y diurética.
BORRAR tr. y r. hacer desaparecer por cualquier medio lo representado con tinta, lápiz, etc.
BORRASCA f. Tormenta fuerte que se da en mar o en tierra.
BORRASCOSO, SA adj. Que causa borrasca. // fig. y fam. Díc. de la vida en que predomina el desorden. // fig. Agitado.
BORREGO, GA m. y f. Cordero o cordera de uno a dos años. // adj. y s. fig. y fam. Persona ingnorante.
BORRÓN m. Mancha de tinta en un papel.// Escrito de primera intención // fig. Acción indigna. // *Pint.* Bosquejo de un cuadro.
BORUJO m. Burujo.
BOSCAJE m. Bosque poco extenso y muy espeso. //

Pint. Paisaje con plantas y animales.
BOSQUEJAR tr. Pintar o modelar, sin definir contornos ni acabar la obra.
BOSQUEJO m. Traza primera y no definitiva de una obra de arte.
BOSTEZAR intr. Abrir involuntariamente la boca, a causa del sueño.
BOSTEZO m. Acción de bostezar.
BOTA f. Odre de cuero para el vino. // Cuba.
BOTA f. Calzado que resguarda el pie y parte de la pierna.
BOTÁNICA f. Ciencia que estudia los vegetales.
BOTÁNICO, CA adj. Perten. a la botánica. // m. y f. Persona que la profesa.
BOTAR tr. Arrojar, tirar. // Saltar después de dar con el suelo. // *Mar.* Echar al agua un buque.
BOTARATE m. y adj. Hombre informal.
BOTARGA f. Vestido ridículo, usado en el teatro.
BOTE m. Golpe dado con un arma enastada. // Salto del caballo, de la pelota, de una persona, etc.
BOTE m. Vasija. // Recipiente.
BOTE m. *Mar.* Embarcación pequeña.
BOTELLA f. Vasija de cristal, vidrio o barro cocido, con el cuello angosto, para contener líquidos.
BOTICA f. Establecimiento donde se hacen o se venden medicinas.
BOTICARIO, RIA m. y f. Persona que prepara y expende medicinas.
BOTIJA f. Vasija de barro, redonda y de cuello corto y angosto.
BOTÍN m. Calzado ant. que cubría el pie y parte de la pierna.
BOTÍN m. Despojo que se concedía a los soldados a expensas del enemigo.
BOTÓN m. *Bot.* Yema floral. // Pieza que se fija a los vestidos para abrocharlos. //Pieza de algún objeto que sirve de tirador, tope, etc. // En el timbre eléctrico, pieza que se oprime para que suene.
BOTONADURA f. juego de botones para una prenda de vestir.
BÓVEDA f. *Arq.* Obra de fábrica, que sirve para cubrir el espacio comprendido entre dos muros o pilares.
BÓVIDOS m. pl. *Zool.* Fam. de rumiantes, que comprende el guey, la cabra, el antílope y la oveja.
BOVINO, NA adj. Perten. al buey y a la vaca.
BOX m. *Amer.* Departamento que en los establos sirve para aislar a los animales.
BOXEADOR m. El que se dedica al boxeo; púgil.
BOXEO m. *Dep.* Combate singular a puñetazos.
BOYA f. *Mar.* Cuerpo flotante sujeto al fondo del mar. Sirve de señal.
BOYANTE adj. fig. Que tiene fortuna creciente.
BOZAL adj. y s. fig. Díc. del negro recien sacado de su país. // m. Esportilla que se pone en la boca de las caballerías y de otros animales.
BOZO m. Vello que apunta a los jóvenes antes de nacer el bigote. // Cuerda que se echa a las caballerías

sobre la boca.
BRACEAJE m. *Mar.* Profundidad del mar.
BRACEAR intr. Mover repetidamente los brazos. // Nadar sacando los brazos fuera del agua y volteándolos hacia adelante. // fig. Esforzarse.
BRACERO m. Peón, jornalero.
BRÁCTEA f. *Bot.* Hoja que nace del pedúnculo de la flor.
BRAGA f. Calzón o pantalón. // pl. Prenda interior que usan las mujeres.
BRAGAZAS m. y adj. fig. y fam. Hombre demasiado condescendiente.
BRAGUETA f. Abertura delantera de los calzones o pantalones.
BRAHMÁN m. Individuo de cierta casta de la India en la cual se reclutan los sacerdotes y doctores.
BRAHMANISMO m. Religión de la India, llamada en la actualidad hinduismo.
BRAMANTE m. y adj. Cordel delgado de cáñamo.
BRAMAR intr. Dar bramidos. // Hacer mucho ruido el viento y el mar.
BRAMIDO m. Voz del toro y de otros animales. // fig. Grito del hombre cuando está colérico.
BRANQUIA f. *Zool.* Organo respiratorio de la mayoría de los animales acuáticos.

BRANQUIAS

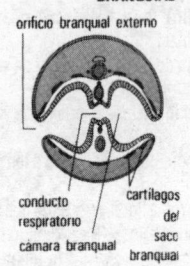

orificio branquial externo

conducto respiratorio
cartílagos del saco branquial
cámara branquial

BRANQUIAL adj. Perten. o rel. a las branquias.
BRANQUIÓPODOS m. pl. *Zool.* Crustáceos entomostráceos con láminas branquiales en las patas.
BRAQUI- Prefijo derivado del griego *brachys*, breve, corto.
BRAQUICÉFALO, LA adj. *Anat.* Díc. del cráneo que es casi redondo.
BRAQUIÓPODOS m. pl. *Zool.* Invertebrados marinos que viven en una concha de dos valvas.
BRAQUIUROS m. pl. *Zool.* Crustáceos con abdomen replegado en la región ventral, como los cangrejos.
BRASA f. Leña o carbón encendidos.
BRAVATA f. Amenaza proferida con jactancia. // Fanfarronada.
BRAVÍO, A adj. Indómito, salvaje.
BRAVO, VA adj. Valiente. // Excelente. // Hablando de animales, fiero. // Apl. al mar alborotado. // Áspero. // Enojado, violento.
BRAVUCÓN, NA adj. y s. fam. Esforzado sólo en apariencia.

BRAVUCONADA f. Dicho o hecho propio del bravucón.
BRAZA f. *Mar.* Medida de longitud (1 braza = 1,672 m).
BRAZADA f. Movimiento que se hace con los brazos, como cuando se nada.
BRAZAL m. Pieza de la armadura que cubría el brazo.
BRAZALETE m. Aro que se usa como adorno de la muñeca.
BRAZO m. Miembro del cuerpo, que comprende desde el hombro a la extremidad de la mano. // Parte de este miembro desde el hombro hasta el codo. // Cada una de las patas delanteras de los cuadrúpedos. // Cada una de las piezas laterales de un sillón.
BREA f. *Quím. Org.* Sustancia viscosa y negra que se obtiene por destilación de la madera.
BREBAJE m. Bebida, esp. la desagradable.
BRÉCOL m. *Bot.* Variedad de col.
BRECHA f. Cualquier abertura hecha en una pared o edificio. // Rotura de un frente de combate.
BREGA f. Acción y efecto de bregar.
BREGAR intr. Luchar, reñir. // Trabajar afanosamente.
BREÑA f. Tierra quebrada y poblada de maleza.
BRESCA f. Panal de miel.
BRETE m. Cepo de hierro que se pone a los reos en los pies. // fig. Aprieto sin evasiva.
BRETÓN, NA adj. y s. Natural de Bretaña. // m. Lengua de los bretones.
BREVA f. Primer fruto anual de algunas higueras. // Bellota temprana. // Cigarro puro aplastado. // fig. Provecho logrado sin sacrificio.
BREVE adj. De corta extensión o duración. // *Gram.* Aplicado a palabras, grave.
BREVIARIO m. Compendio. // Libro que contiene el rezo eclesiástico de todo el año.
BREZAL m. Sitio poblado de brezos.
BREZO m. *Bot.* Arbusto de la fam. ericáceas, de hojas coriáceas.
BRIAL m. Ant. vestido de seda.
BRIBA f. Holgazanería, picaresca.
BRIBÓN, NA adj. y s. Haragán. // Pícaro, bellaco.
BRIBONADA f. Bellaquería.
BRIDA f. Freno del caballo.
BRIGADA f. *Mil.* Unidad de infantería o de caballería formada por dos regimientos. // Grado militar entre los de sargento y alférez. // Conjunto de personas reunidas para ciertos trabajos.
BRIGADIER m. Ant., grado inmediatamente superior al de coronel.
BRILLANTE adj. Que brilla. // fig. Admirable. // m. Diamante.
BRILLANTEZ f. Brillo.
BRILLANTINA f. Cosmético que da brillo al cabello.
BRILLAR intr. Resplandecer. // fig. Sobresalir en algo.
BRILLO m. Lustre o resplandor. // fig. Lucimiento, gloria.
BRINCAR intr. Dar brincos o saltos.

BRINCO m. Salto.
BRINDAR intr. Manifestar, al ir a beber, buenos deseos. // intr. y tr. Convidar a uno con algo. // r. Ofrecerse a hacer algo.
BRINDIS m. Acción de brindar. // Lo que se dice al brindar.
BRIOZOOS m. pl. *Zool.* Animales coloniales, pequeños, que viven fijos en las rocas y en las plantas marinas y de agua dulce.
BRISA f. *Meteor.* Viento ligero y fresco.
BRITÁNICO, CA adj. Perten. a Gran Bretaña.
BRIZNA f. Parte delgada de alguna cosa.
BROCA f. Barrena de boca cónica que se usa para taladrar.
BROCADO m. Tela de seda entretejida con oro o plata.
BROCAL m. Antepecho de la boca de un pozo.
BROCHA f. Escobilla de cerda usada para pintar y para otros usos.
BROCHAZO m. Cada una de las pasadas de la brocha sobre la superficie que se pinta.
BROMA f. Molusco marino que perfora las maderas sumergidas. // Bulla, diversión. // Chanza, burla.
BROMEAR intr. y r. Usar de bromas.
BROMELIÁCEAS f. pl. *Bot.* Plantas monocotiledóneas herbáceas.
BROMISTA adj. y s. Que da bromas.
BROMO m. *Quím.* Metaloide de color rojo pardusco y muy venenoso; símbolo Br.
BROMURO m. *Quím.* Combinación del bromo con un radical.
BRONCA f. Disputa ruidosa. // Manifestación colectiva de desagrado.
BRONCE m. *Metal.* Aleación de cobre y estaño.
BRONCEAR tr. Dar color de bronce. // tr. y r. Tomar la piel color moreno por efecto del sol.
BRONCÍNEO, A adj. De bronce. // Parecido a él.
BRONCO, CA adj. Tosco, áspero. // fig. Díc. del sonido desagradable.
BRONCONEUMONÍA f. *Med.* Inflamadión de bronquios y pulmones.
BRONQUIAL adj. Perten. o rel. a los bronquios.
BRONQUIO m. *Anat.* Conducto doble, formado por bifurcación de la tráquea, que al penetrar en los pulmones se ramifica.

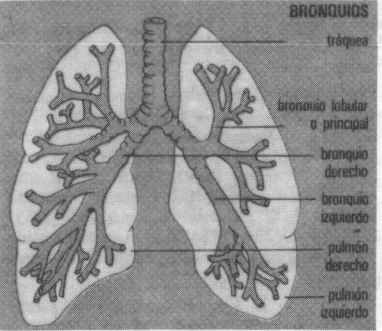

BRONQUITIS f. *Med.* Inflamación de la mucosa de los bronquios.
BROQUEL m. Escudo pequeño. // fig. Defensa o amparo.
BROTAR intr. Nacer las plantas. // Salir las hojas, flores, etc. II Manar agua de un manantial. II Empezar a manifestarse alguna cosa.
BROTE m. Renuevo que empieza a desarrollarse. // Acción de brotar.
BROZA f. Despojos de las plantas. // Desperdicio. // Maleza.
BRUJA f. Lechuza. // Mujer que tiene pacto con el diablo. // fig. y fam. Mujer vieja y fea.
BRUJERÍA f. Cosa atriguida a brujas, o a un poder sobrenatural maligno.
BRUJO m. Hombre que pacta con el diablo, como las brujas.
BRÚJULA f. *Fís.* Instrumento de orientación con una aguja imantada que indica el N magnético.
BRUMA f. Niebla baja.
BRUMOSO, SA adj. Nebuloso.
BRUNO, NA adj. De color negro u oscuro.
BRUÑIDO m. Acción y efecto de bruñir.
BRUÑIR tr. pulimentar, sacar brillo a un metal, piedra, etc.
BRUSCO, CA adj. Aspero. // Rápido, repentino. // Falto de amabilidad.
BRUSQUEDAD f. Calidad de brusco.
BRUTAL adj. Que se asemeja a los brutos. // Cruel. // fig. enorme.
BRUTALIDAD f. Calidad de bruto.
BRUTO, TA adj. y s. Necio, que obra con dureza. // adj. Vicioso, torpe. // Díc. de las cosas toscas. // Animal irracional.
BUBAS f. pl. *Med.* Tumores venéreos.
BUBÓN m. *Med.* Tumor de un ganglio linfático. // pl. Bubas.
BUBÓNICO, CA adj. Perten. o rel. al bubón. // Que padece bubas.
BUCAL adj. Perten. o rel. a la boca.
BUCANERO m. Pirata.
BUCEAR intr. Nadar debajo del agua. // Trabajar como buzo. // fig. Investigar un asunto.
BUCÓLICO, CA adj. Perten. o rel. a la vida campestre.
BUCHE m. *Zool.* Ensanchamiento del esófago de las aves.
BUDISMO Religión fundada por Buda.
BUDISTA adj. Perten. o rel al budismo. // com. Persona que profesa el budismo.
BUEN adj. Apócope de bueno.
BUENAVENTURA f. Buena suerte. // Adivinación que hacen las gitanas.
BUENO, NA adj. Que tiene bondad. // Util para alguna cosa. // Apetecible. // Sano. // Suficiente.
BUEY m. *Zool.* Toro castrado.
BÚFALO m. Mamífero artiodáctilo de la fam. bóvidos.
BUFANDA f. Prenda con que se envuelve y abriga el

cuello y la boca.

Kamakura, estatua de Buda

BUFAR intr. Resoplar con ira.
BUFETE m. Mesa de escribir con cajones. // fig. Despacho de un abogado.
BUFO, FA adj. Apl. a lo cómico que raya en lo grotesco y burdo.
BUFÓN m. y f. Truhán que se ocupa en hacer reír.
BUFONADA f. Chanza satírica.
BUHARDA o **BUHARDILLA** f. Ventana que sobresale en el tejado de una casa. // Desván.
BUHO m. Zool. Ave nocturna (fam. estrígidos) que se alimenta de roedores.
BUHONERÍA f. Baratijas que su dueño vende por las calles.
BUHONERO, RA m. y f. El que lleva o vende cosas de buhonería.
BUITRE m. Zool. Ave falconiforme de costumbres necrófagas.
BUJÍA f. Vela de cera blanca. // Candelero en que se pone. // Tecnol. Organo de los motores de explosión que produce la chispa para que se efectúe la ignición.
BULA f. Documento pontificio rel. a materia de fe o de interés fgeneral, concesión de privilegios, etc.
BULBO m. Bot. Tallo subterráneo de algunas plantas.
BULEVAR m. Calle ancha y con árboles.
BULO m. Noticia falsa propalada con algún fin.
BULTO m. Volumen o tamaño de cualquier cosa. // Cuerpo que no se distingue bien. // Fardo, maleta.
BULLA f. Gritería, alboroto.
BULLICIO m. Ruido que causa mucha gente reunida. // Alboroto.

BULLICIOSO, SA adj. Díc. de lo que causa bullicio y de aquello en que lo hay. // Inquieto.

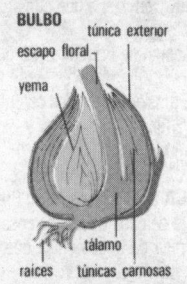

BULLIR intr. Hervir algún líquido. // Agitarse una cosa con movimiento parecido al hervor. // fig. Agitarse una persona; no parar.
BUMERANG m. Arma arrojadiza usada por los indígenas de Australia.
BUÑUELO m. Masa de harina y agua que se fríe en aceite.
BUPRÉSTIDOS m. pl. Zool. Fam. de insectos coleópteros.
BUQUE m. Mar. Barco apto para la navegación y el transporte.
BURBUJA f. Glóbulo que forma el aire u otro gas en la masa de un líquido.
BURBUJEAR intr. Hacer burbujas.
BURDEL m. Casa de mujeres públicas. // fig. y fam. Lugar en que se falta al decoro.
BURDO, DA adj. Tosco, grosero.
BUREO m. fig. Entretenimiento.
BURGALÉS, SA adj. y s. Natural de Burgos. // adj. Perten. a esta ciudad o provincia.
BURGO m. ant. Aldea pequeña dependiente de otra principal.
BURGOMAESTRE m. Alcalde de algunas ciudades de Centroeuropa.
BURGRAVE m. Jefe militar o señor de una ciudad en la Edad Media.
BURGUÉS, SA adj. y s. ant. Habitante de un burgo. // m. y f. Ciudadano de la clase media acomodada. // adj. Perteneciente a dicho ciudadano.
BURGUESÍA f. Conjunto de ciudadanos de las clases acomodadas o ricas.
BURIEL adj. De color rojo pardo.
BURIL m. Instrumento puntiagudo de acero usado para grabar sobre metales dulces.

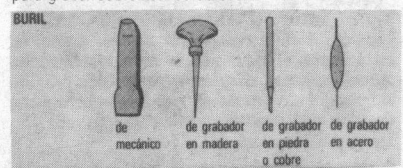

BURLA f. Acción o palabras con que se procura ridiculizar a personas o cosas. // Chanza. // Engaño.

BURLADERO. m. Trozo de valla que se pone delante de las barreras de las plazas de toros.
BURLADOR m. Libertino que presume de deshonrar a las mujeres.
BURLAR tr. y r. Chasquear. //tr. Engañar. // Frustrar. // r. e intr. Hacer burla de personas o cosas.
BURLESCO, CA adj. fam. Jocoso.
BURLÓN, NA adj. y s. Inclinado a decir o hacer burlas.
BURÓ m. Galicismo por escritorio.
BUROCRACIA f. Clase social que forman los empleados públicos. // Influencia excesiva de éstos en el Estado.
BUROCRÁTICO, CA adj. Perten. o rel. a la burocracia.
BURRA f. Hembra del burro. // fig. y fam. Mujer laboriosa. // f. y adj. fig. Mujer ignorante.
BURRADA f. Manada de burros. // fig. y fam. Dicho o hecho necio. // Gran cantidad de alguna cosa.
BURRO m. Asno. // m. y adj. fig. y fam. Persona necia.

BURROS

BURSÁTIL adj. Concerniente a la bolsa.
BURUJO m. Bola que se forma aglomerándose partes que estaban sueltas. // Orujo.
BUSCAPIÉ m. fig. Palabra o frase que se suelta para averiguar algo.
BUSCAR tr. Hacer diligencias para hallar alguna persona o cosa.
BUSCÓN, NA adj. y s. Que busca. // Díc. de la persona que hurta o estafa. // f. Ramera.
BUSILIS m. fam. Punto difícil de un asunto.
BÚSQUEDA f. Acción de buscar.
BUSTO m. Escultura o pintura de la cabezaq y parte superior del tórax. // Parte superior del cuerpo humano.
BUTACA f. Silla de brazos con el respaldo inclinado hacia atrás.
BUTANO m. *Quím.* Hidrocarburo gaseoso que se desprende de los pozos de petróleo.
BUTIFARRA f. Embutido.
BUXÁCEAS f. pl. *Bot.* Fam. de plantas dicotiledóneas sapindales.
BUZAMIENTO m. *Geol.* Inclinación de un terreno.
BUZO m. El que trabaja sumergido en el agua.
BUZÓN m. Abertura por donde se echan las cartas para el correo y receptáculo en que caen.

buzo en inmersión

C

C f. Tercera letra del abecedario español, y segunda de sus consonantes. Su nombre es ce. // En la numeración romana, valor de ciento.
¡CA! inter. fam. ¡Quia!
CABAL adj. Ajustado a peso o medida. // Díc. de lo que cabe a cada uno. // fig. Completo, perfecto.
CÁBALA f. fig. Cálculo supersticioso para adivinar algo. // Conjetura. // fig. y fam. Intriga secreta.

cábala
los cinco Libros,
por Nicolás Valois

CABALGADA f. Tropa de caballería que salía a correr por el campo. // Botín capturado en las cabalgadas.
CABALGADURA f. Bestia que se cabalga.
CABALGAR intr. y tr. Montar a caballo. // intr. Ir una

cosa sobre otra.
CABALGATA f. Reunión de muchas personas que van cabalgando.
CABALÍSTICO, CA adj. Perten. o rel. a la cábala.
CABALLA f. *Zool.* Pez osteíctio (fam. escómbridos), parecido al atún.
CABALLADA f. Manada de caballos. // *Amer.* Animalada.
CABALLERESCO, CA adj. Propio del caballero. // Perten. a la caballería medieval.
CABALLERÍA f. Bestia caballar, mular o asnal. // Cuerpo de soldados montados. // Cualquiera de las órdenes militares españolas. // Privilegios de los caballeros. // Cuerpo de nobleza d eun lugar.
CABALLERIZA f. Lugar destinado para las caballerías.
CABALLERO, RA adj. Que cabalga. // m. Hidalgo noble. // El que pertenece a alguna orden de caballería. // El que se porta con nobleza. // Señor.
CABALLEROSIDAD f. Calidad de caballero. // Proceder caballeroso.
CABALLEROSO, SA adj. Propio de caballeros.
CABALLETE m. Línea horizontal y más elevada de un tejado. // *Pint.* Trípode sobre el que se coloca el cuadro.
CABALLO m. *Zool.* Mamífero cuadrúpedo perisodáctilo de la fam. équidos. Es herbívoro. // Pieza del juego de ajedrez.
CABALLÓN m. Lomo entre dos surcos de tierra arada.
CABAÑA f. Casita tosca. // Número grande de cabezas de ganado.
CABAÑAL adj. Díc. del camino por donde pasan las cabañas. // m. Población de cabañas.
CABECEAR intr. Mover la cabeza. // Dar cabezadas en que se duerme.
CABECEO m. Acción y efecto de cabecear.
CABECERA f. Principio o parte principal de algunas cosas. // Lugar de preferencia. // Almohada o parte de la cama donde ésta se coloca. // Origen de un río.
CABECILLA m. Jefe de regeldes y, por ext., el de cualquier movimiento.
CABELLERA f. El pelo de la cabeza, esp. el largo. // Luminosidad que rodea los cometas. // Peluca.
CABELLO m. Cada uno de los pelos de la cabeza y conjunto de todos ellos.
CABER intr. Poder contenerse una cosa dentro de otra. // Tener lugar o entrada. // Ser posible. // Admitir.
CABESTRILLO m. Aparato pendiente del hombro para sostener la mano o el brazo lastimados.
CABESTRO m. Cordel que se ata al cuello de la caballería para llevarla. // Buey manso.
CABEZA f. *Anat.* Extremo superior del cuerpo humano y superior o antercio de la mayoría de animales. // Principio o extremo de una cosa. // Cumbre de un monte. // fig. Origen, manantial. // Persona. // Res. // Talento. // Población principal. // m. Jefe de una comunidad o familia.

CABEZADA f. Golpe que se da o recibe en la cabeza. // Inclinación que hace con la cabeza el que duerme sentado.
CABEZAL m. Almohada.
CABEZONADA f. fam. Terquedad.
CABEZOTA m. Aum. de cabeza. // adj. y s. fig. y fam. Persona terca.
CABEZUDO, DA adj. De cabeza grande. // fig. y fam. Terco.
CABEZUELA f. *Agr.* Harina gruesa del trigo.
CABILA f. Tribu de beduinos o de beréberes.
CABILDO m. Comunidad de eclesiásticos de una iglesia catedral o colegial. // Ayuntamiento.
CABLE m. Cuerda de alambres trenzados.
CABLEGRAFIAR tr. Transmitir noticias por cable submarino.
CABO m. Extremo de una cosa. // Hilo o hebra. // Lengua de tierra que entra en el mar. // fig. Fin, término. // *Mar.* Cuerda. // *Mil.* Individuo de tropa inmediatamente superior al soldado.
CABOTAJE m. Tráfico que hacen los buques sin dejar de ver la costa.
CABRA f. *Zool.* Mamífero doméstico artiodáctilo de la fam. bóvidos. Tiene cuernos muy vurvados hacia atrás.
CABREAR tr. y r. fam. Enfadar.
CABRERO m. Pastor de cabras.
CABRESTANTE m. *Tecnol.* Torno utilizado para mover grandes pesos.
CABRIA f. *Tecnol.* Aparato utilizado para levantar cargas.
CABRIO, A adj. Perten. a las cabras. // m. Rebaño de cabras.
CABRIOLA f. Brinco. // fig. Voltereta en el aire.
CABRITILLA f. Piel curtida de cabrito, cordero, etc.
CABRÓN m. Macho de la cabra. // s. y adj. fig. y fam. El que consiente el adulterio de su mujer. // El que hace malas pasadas a otro.
CABRONADA f. fam. Acción que permite alguno contra su honra. // fig. y fam. Mala pasada.
CACAHUETE m. *Bot.* Planta leguminosa (fgam. papilionáceas), cuyas semillas son comestibles.
CACAO m. *Bot.* Arbol de la fam. esterculiáceas. Sus semillas se emplean para la fabricación de chocolate.
CACAREAR intr. Dar voces repetidas el gallo o la gallina. // tr. fig. y fam. Ponderar las cosas propias.
CACATÚA f. *Zool.* Ave trepadora (fam. psitácidos), de pico ganchudo y moño de plumas eréctiles.
CACERÍA f. Partida de caza.
CACEROLA f. Basija de metal que sirve para cocer y guisar en ella.
CACIMBA f. Hoyo que se hace en la playa para busca agua potable. // Balde.
CACIQUE m. Señor de vasallos.
CACIQUISMO m. Dominación del cacique de un pueblo o comarca.
CACO m. fig. Ladrón.

CACOFONÍA f. Repetición de sonidos que resulta desagradable.
CACTÁCEAS f. pl. *Bot.* Fam. de plantas suculentas centrospermas, de tallo con espinas y fruto carnoso.
CACTO m. *Bot.* Planta cactácea.
CACUMEN m. fig. y fam. Perspicacia.
CACHA f. Cada una de las dos piezas del mango de las navajas. // Nalga.
CACHALOTE m. *Zool.* Mamífero cetáceo odontoceto (fam. fisetéridos), de gran longitud y corpulencia.
CACHAZA f. fam. Lentitud en el hablar o en el obrar; flema.
CACHEAR tr. Registrar a alguien.
CACHEMIR m. Tela de lana de cabra de Cachemira.
CACHETE m. Golpe que se da en la cabeza o en la cara con la mano.
CACHIPORRA f. Instrumento que sirve para golpear.
CACHIVACHE m. despect. Utensilio; cosa rota.
CACHO m. Pedazo pequeño de alguna cosa.
CACHO, CHA adj. Gachjo. // *Amer.* m. Cuerno de un animal.
CACHORRO, RRA m. y f. Cría de mamíferos.
CACHUPÍN, NA m. y f. Mote que se aplica al español que se establece en América.
CADA adj. Que sirve para expresar distribución.
CADALSO m. Tablado que se levanta para la ejecución de un reo.
CADÁVER m. Cuerpo muerto.
CADAVÉRICO, CA adj. Perten. o rel. al cadáver. // fig. Pálido.
CADENA f. Serie de eslabones enlazados entre sí. // Cuerda de presidiarios. // Sujeción que causa una pasión. // Sucesión de hechos relacionados entre sí. / / *For.* Pena aflictiva de gravedad variable.
CADENCIA f. Repetición regular de sonidos y movimientos. // Proporcionada combinación de los acentos y las pausas, en prosa y en verso. // *Mús.* Manera de terminar una frase musical. // Ritmo.
CADENETA f. Labor en figura de cadena.
CADENTE adj. Que amenaza ruina.;
CADETE m. Alumno de una academia militar.
CADÍ m. Entre turcos y moros, juez civil.
CADMIO m. *Quím.* Metal parecido al estaño; símbolo Cd.
CADUCAR intr. Chochear. // Perder validez una ley, contrato, etc. // Acabarse una cosa por antígua.
CADUCIDAD f. Acción y efecto de caducar. // Calidad de caduco.
CADUCO, CA adj. Decrépito, muy anciano. // Perecedero, poco durable.
CAER intr. y r. Ir un cuerpo hacia el suelo por la acción de su propio peso. // Venir a dar una persona o un animal en un engaño. // Perder la prosperidad. // Comprender algo. // Debilitarse alguna cosa. // Tocar a uno algo. // Estar situado en alguna parte o cerca de ella. // Sentar bien o mal. // fig. y fam. Morir.
CAFÉ m. Semilla del cafeto. Se toma como bebida y es estimulante.
CAFEÍNA f. *Bioquím.* Alcaloide que se encuentra en las hojas del té, del mate, y en las semillas del cafeto y del cacao. Es estimulante.
CAFETAL m. Sitio poblado de cafetos.
CAFETERA f. Vasija que sirve para hacer café.
CAFETERÍA f. Establecimiento público donde se toma café y otras cosas.
CAFETO m. *Bot.* Planta tropical arbustiva (fam. rubiáceas), con frutos en baya, y cuya semilla es el café.
CAGAR intr, tr. y r. Evacuar el vientre.
CAIMÁN m. *Zool.* Reptil crocodiliano de la fam. aligatóridos.
CAJA f. Pieza hueca de una materia que sirve para guardar cosas. Cierra con una tapa. // Ataúd. // Hueco o espacio en que se introduce alguna cosa. // En imprenta, cajón plano dividido en compartimientos que contienen los caracteres de las letras. // *Econ.* Cuenta contable que refleja el patrimonio en dinero. // *Mús.* Parte exterior que cubre algunos instrumentos. // Tambor.
CAJERA f. Mujer que en algunos establecimientos está encargada de la caja.
CAJERO m. Persona que en bancos, comercios, etc,.., se encarga de la entrada y salidad de caudales.
CAJETILLA f. Paquete de tabaco.
CAJISTA com. Oficial de imprenta que compone lo que se ha de imprimir.
CAJÓN m. Caja. // Receptáculo que se puede sacar y meter en ciertos huecos de los muebles.
CAL f. *Quím.* Oxido de calcio.
CALA f. parte más baja en el interior de un buque. // Paraje propio para pescar con anzuelo.
CALA f. Ensenada pequeña.
CALABACERA f. *Bot.* Planta cucurbitácea. Su fruto es la calabaza.
CALABAZA f. *Bot.* Fruto de la calabacera. Es comestible. // fig. y fam. Persona inepta e ignorante.
CALADO m. Labor hecha en tela sacando o juntando hilos. // *Mar.* Profundidad que alcanza en el agua la parte sumergida de un barco. // Altura del agua sobre el fondo.
CALAFATE m. El que calafatea las embarcaciones.
CALAFATEAR tr. Cerrar las junturas de las maderas de las naves con estopa y brea.
CALAGURRITANO, NA adj. y s. Natural de Calahorra (ant. Calagurris). // adj. Perten. a esta ciudad.
CALAMAR m. *Zool.* Molusco cefalópodo de la fam. miópsidos, provisto de ocho tentáculos. Es comestible.
CALAMBRE m. *Fisiol.* Contracción espasmódica y dolorosa de ciertos músculos.
CALAMIDAD f. Desgracia. // Persona inútil, incapaz.
CALAMITOSO, SA adj. Que causa calamidades o las padece. // Infeliz.
CALANDRIA f. Máquina para satinar o prensar ciertas telas o el papel.

CALANDRIA f. *Zool.* Ave paseriforme de la fam. aláudidos.
CALAÑA f. Muestra. // fig. Índole de una persona o cosa.
CALAR tr. Penetrar un líquido en un cuerpo permeable. // Atravesar un instrumento a otro cuerpo. // Agujerear tela, papel, etc., imitando el encaje. // fig. y fam. Comprender el motivo de una cosa.
CALAVERA f. Cabeza humana sin carne ni piel. // m. fig. Hombre de poco juicio.

calavera
máscara mexicana
(M. de América, Madrid)

CALAVERADA f. fam. Acción propia del calavera.
CALCÁNEO m. *Anat.* Hueso del pie.
CALCAÑAL o **CALCAÑAR** m. Parte posterior de la planta del pie.
CALCAR tr. Copiar un dibujo por contacto del original con el papel o la tela. // Apretar con el pie. // fig. Copiar con exactitud.
CALCÁREO, a adj. Que tiene cal.
CALCE m. Llanta. // Cuña.
CALCEDONIA f. *Mineral.* Variedad cristalina del cuarzo.
CALCETA f. Media. // Labor de punto hecha a mano.
CALCETÍN m. Prenda de punto que cubre el pie y parte de la pierna.
CALCIFICAR tr. Producir artificialmente carbonato de cal.
CALCINAR tr. Reducir a cal viva los minerales calcáreos por la acción del fuego.
CALCIO m. *Quím.* Metal blanco que, combinado con el oxígeno, forma la cal.
CALCITA f. *Mineral.* Carbonato de cal puro.
CALCOPIRITA f. *Mineral.* Sulfuro de hierro y cobre.
CALCULADOR, RA adj. Que calcula. // f. Máquina de calcular.
CALCULAR tr. Hacer cálculos.
CÁLCULO m. Cómputo o cuenta que se hace de alguna cosa por medio de operaciones matemáticas. // Conjetura. // *Med.* Concreción anormal que se forma en ciertos conductos.
CALDA f. Acción y efecto de caldear. // pl. Baños de aguas minerales calientes.
CALDEAR tr. y r. Calentar mucho.
CALDERA f. Vasija de metal, grande y redonda, para calentar o cocer algo. // *Geol.* Cráter de un volcán. // *Tecnol.* Recipiente cerrado que, por la acción del calor, transforma el agua en vapor.
CALDERÓN m. *Mús.* Signo de suspensión del movimiento del compás.
CALÉ m. Gitano de raza.
CALEDONIANO, NA adj. Perten. o rel. a Caledonia. // *Geol.* Alteración orogénica durante el ordoviciense y el devónico.
CALENDAS f. pl. En el calendario romano, primer día de cada mes.
CALENDARIO m. Almanaque.
CALENTADOR, RA adj. Que calienta. // m. Recipiente para calentar.
CALENTAR tr. y r. Elevar la temperatura. // Excitar el apetito sexual. // tr. fig. Avivar una cosa para que se haga con celeridad. // fig. y fam. Azotar.
CALENTURA f. Fiebre.
CALERA f. Cantera de piedra para hacer cal. // Horno donde se calcina la piedra caliza.
CALESA f. Carruaje abierto por delante, con capota.

CALESA

CALETRE m. fam. Discernimiento.
CALIBRADOR m. Instrumento para calibrar.
CALIBRAR tr. Medir el calibre de las armas de fuego. // fig. y fam. Medir las cualidades de una persona o cosa.
CALIBRE m. Diámetro interior de las armas de fuego y, por ext., del proyectil. // Diámetro de muchos objetos huecos.
CALIDAD f. Cualidad de una persona. // Carácter, índole. // Condición que se pone en un contrato.
CÁLIDO, DA adj. Que da calor.
CALIDOSCOPIO m. Aparato óptico en el que se observan distintas y variadas imágenes formadas por trozos de cristal.
CALIENTE adj. Que tiene calor. // fig. Acalorado, vivo.
CALIFA m. Título del jefe supremo de los musulmanes.
CALIFATO m. Dignidad de califa. // Tiempo que duraba el gobierno de un califa.
CALIFICACIÓN f. Acción y efecto de calificar. // Nota de un examen.
CALIFICADO, DA adj. Díc. de la persona de autoridad

y mérito. // Díc. de lo que reúne todos los requisitos.
CALIFICAR tr. Apreciar las calidades de una persona o cosa. // Expresar este juicio. // Acreditar una persona o cosa.
CALIFICATIVO, VA adj. Que califica.
CALIGINE o **CALIGINIE** f. Niebla, oscuridad.
CALIGINOSO, SA adj. Denso oscuro.
CALIGRAFÍA f. Arte de escribir con buena letra.
CALIGRAFIAR tr. Escribir con buena letra.
CALINA f. Tuirbidez del aire.
CÁLIZ m. Vaso sagrado que se usa en la misa.
CÁLIZ m. *Bot.* Cubierta externa de la flor.
CALIZA f. *Geol.* Roca formada de carbonato de cal.
CALMA f. Estado de la atmósfera cuando no hay viento. // fig. Paz.
CALMANTE m. Sedante suave.
CALMAR tr. y r. Sosegar, adormecer. // intr. Estar en calma.
CALMOSO, SA adj. Que está en calma. // fam. Apl. a la persona indolente.
CALÓ m. Lenguaje de los gitanos.
CALOR amb. Sensación que se experimenta al recibir la radiación solar, aproximarse al fuego, etc. // Forma de energía que se manifiesta principalmente en la combustión. // fig. Ardimiento, actividad. // Buena acogida. // Lo más vivo de una acción.
CALORÍA f. Unidad de medida térmica.
CALORÍFERO, RA adj. Que conduce el calor y lo propaga.
CALORÍFICO, CA adj. Que produce calor. // Perten. o rel. al calor.
CALORÍFUGO adj. Incombustible.
CALORIMETRÍA f. Parte de la física que estudia la medición del calor.
CALORÍMETRO m. Aparato para medir el calor de un cuerpo.
CALUMNIA f. Acusación falsa.
CALUMNIAR tr. Atribuir maliciosamente a alguno cosas deshonrosas.
CALUROSO, SA adj. Que siente o causa calor. // fig. Vivo, ardiente.
CALVA f. Parte de la cabeza de la que se ha caído el pelo. // Sitio donde falta la vegetación correpondiente.
CALVARIO m. Vía crucis. // fig. y fam. Serie de adversidades.
CALVERO m. Paraje sin árboles en el interior de un bosque. // Gredal.
CALVICIE f. Falta de pelo en la cabeza.
CALVINISMO m. Doctrina cristiana reformada que se basa en las ideas de Calvino.
CALVINISTA adj. y s. Perten. a la secta de Calvino.
CALVO, VA adj. y s. Que ha perdido el pelo de la cabeza. // Díc. del terreno sin vegetación.
CALZA f. Prenda de vestir que cubría el muslo y la pierna. // Cuña con que se calza. // Braga.
CALZADA f. Camino empedrado y ancho. // Parte de la calle comprendida entre dos aceras.

CALZADO m. Todo género de zapato o alpargata que resguarda el pie.
CALZAR TR. y r. Poner el calzado. // Poner una cuña a un carruaje para inmovilizarlo.
CALLAR intr. y r. No hablar. // Cesar de meter ruido. // tr. y r. Omitir.
CALLE f. Vía en poblado. // fig. La gente.
CALLEJEAR intr. Andar con frecuencia y sin necesidad por la calle.
CALLEJERO, RA adj. Perten. o rel a la calle. // Que gusta de callejear.
CALLEJÓN m. Paso estrecho entre paredes o elevaciones de terreno.
CALLICIDA amb. *Med.* Sustancia que reblandece los callos.
CALLISTA com. Podólogo.
CALLO m. *Med.* Queratosis causada por fricción. // pl. Pedazos de estómago de vaca o de carnero que se comen guisados.
CAMA f. Mueble para dormir y descansar. // fig. Sitio donde se echan los animales par descansar.
CAMADA f. Todos los hijuelos que paren de una vez algunos animales.
CAMALEÓN m. *Zool.* Reptil saurio escamoso de la fam. camaleónicos. Su piel puede cambiar de color.
CÁMARA f. Sala principal de una casa. // Ayuntamiento, junta. // En las armas de fuego, espacio que ocupa la carga. // Asamblea legislativa. // Anillo de goma de los neumáticos.
CAMARADA com. El que anda en compañía de otros con amistad.
CAMARERO, RA m. y f. Criado distinguido en las casas principales. // Criado que sirve en fondas u hoteles.
CAMARILLA f. Grupo de personas que influyen subrepticiamente en los asuntos del Estado, o en las decisiones de un gobernante.
CAMARÍN m. Capilla colocada detrás de un altar. // Pieza en que se guardan las alhajas y vestidos de una imagen. // Cuarto del teatro donde los actores visten. // Tocador.
CAMARLENGO m. Título de dignidad entre los cardenales católicos. // Título en la casa real de Aragón.
CAMARÓN m. *Zool.* Pequeño crustáceo de carne muy apreciada.
CAMAROTE m. Dormitorio de barco.
CAMASTRO m. despect. Lecho pobre.
CAMBALACHE m. fam. Trueque de objetos de poco valor.
CAMBIANTE adj. Que cambia.
CAMBIAR tr. e intr. Trocar una cosa por otra. // Mudar, alterar.
CAMBIO m. Acción y efecto de cambiar. // Dinero menudo.
CAMBIUM m. *Bot.* Capa de células entre el liber y el leño del tallo y de la raíz de los vegetales.
CÁMBRICO m. *Geol.* Primer período de la era paleo-

zoica.
CAMELAR tr. fam Galantear. // Seducir. // Amar, desear.

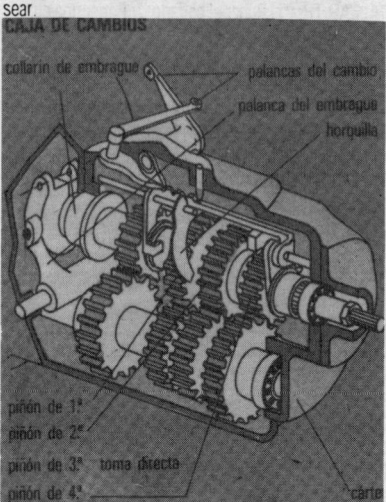

CAJA DE CAMBIOS — collarín de embrague, palancas del cambio, palanca del embrague, horquilla, piñón de 1ª, piñón de 2ª, piñón de 3ª, toma directa, piñón de 4ª, cárter

CAMELIA f. Bot. Planta arbustiva de la fam. teáceas, de flores blancas o rojas.
CAMÉLIDOS m. pl. *Zool.* Fam. de mamíferos artiodáctilos. Algunos son domesticables, como el camello.
CAMELO m. fam. Galanteo. // Burla. // Noticia falsa. // Simulación.
CAMELLO m. *Zool.* Mamífero artiodáctilo (fam. camélidos). Tiene dos jorobas de grasa y es muy útil para el transporte.
CAMERINO m. Camarín de un teatro.
CAMILLA f. Mesa debajo de la cual hay un brasero. / / Cama estrecha y portátil para transportar enfermos.
CAMINAR intr. Ir de viaje. // Ir andando. // fig. Seguir su curso las cosas.
CAMINATA f. fam. Paseo largo. // Viaje corto que se hace por diversión.
CAMINO m. Tierra hollada por donde se transita. // Vía para transitar. // Viaje. // fig. Ruta.
CAMIÓN m. Vehículo grande y fuerte para transportar cargas pesadas.
CAMISA f. Prenda de vestir, para la parte superior del cuerpo. // Telilla que cubre algunos frutos. // Piel que deja un reptil.
CAMITAS m. pl. Descendientes de Cam, habitantes del NO de África.
CAMOMILA f. *Bot.* Manzanilla.
CAMORRA f. fam. Riña o pendencia.
CAMORRISTA adj. y s. fam. Pendenciero.
CAMPA adj. Apl. a la tierra que carece de arbolado.
CAMPAMENTO m. Lugar donde se establecen temporalmente fuerzas del ejército. // Tropa acampada. / / Por ext., instalación en terreno abierto de personas que van de camino.

CAMPANA f. Instrumento de metal, en forma de copa invertida, que suena al ser golpeado por el badajo. // fig. Cosa parecida a la campana.
CAMPANARIO m. Torre o armadura donde se colocan las campanas.
CAMPANERO m. El que funde campanas. // El que tiene por oficio tocarlas.
CAMPANIL m. Campanario.
CAMPANULÁCEAS f. pl. *Bot.* Fam. de plantas dicotiledóneas, de frutos capsulados.
CAMPAÑA f. Campo llano sin montes ni asperezas. // Conjunto de actos encaminados a un fin. // fig. Período en que alguien ejerce un cargo. // *Mil.* Tiempo que está en operaciones un ejército, una armada, etc.
CAMPECHANO, NA adj. y fam. Franco.
CAMPEÓN, NA m. y f. Persona que obtiene la primacía en el campeonato. // Defensor de una causa.
CAMPEONATO m. Certamen deportivo. // Primacía obtenida en las luchas deportivas.
CAMPERO, RA adj. Perten. o rel. al campo. // *Amer.* Díc. del animal muy adiestrado en el paso de ríos, montes, zanjas, etc.
CAMPESINADO m. Clase social de los campesinos.
CAMPESINO, NA adj. Díc. de lo que es propio del campo.
CAMPING m. Forma de turismo consistente en habitar en una tienda de campaña. // Instalaciones dedicadas a esta práctica.
CAMPIÑA f. Espacio grande de tierra llana y labrantía.
CAMPO m. Terreno extenso fuera de poblado. // Tierra laborable. // fig. Extensión en que cabe o por donde corre o se dilata alguna cosa material o inmaterial. // Terreno en que se practican ciertos deportes.
CAMPOSANTO m. Cementerio católico.
CAMUESO m. Variedad de manzano.
CAMUFLAJE m. Acción y efecto de camuflar.
CAMUFLAR tr. Disimular la presencia de armas, tropas, etc. // Por ext., disimular dando a una cosa el aspecto de otra.
CAN m. Perro.
CANA f. Cabello blanco.
CANAL m. Estrecho marítimo. // amb. Cauce artificial de agua. // Vía por donde las aguas y los gases circulan bajo tierra. // *Anat.* Conducto.
CANALADURA f. Moldura hueca.
CANALIZAR tr. Abrir canales. // Regularizar el cauce de un río.
CANALÓN m. Conducto que recoge las aguas de lluvia de los tejados.
CANALLA f. fig. y fam. Gente ruin. // m. fig. y fam. Hombre despreciable.
CANANA f. Cinto para cartuchos.
CANARIO m. *Zool.* Pájaro cantor paseriforme (fam. fringílidos).
CANASTA f. Cesto de mimbres.
CANCELACIÓN f. Acción y efecto de cancelar.

CANCELAR tr. Anular. // Abolir, derogar.
CÁNCER m. *Med.* Tumor maligno que destruye los tejidos orgánicos.
CANCERBERO m. *Mit.* Perro de tres cabezas que guardaba la puerta de los infiernos. // fig. Guarda severo.
CANCEROSO, SA adj. Que padece cáncer. // Perten. o rel. al cáncer.
CANCILLER m. Empleado auxiliar de las embajadas, consulados, etc. // Magistrado supremo en algunos países. // En algunos Estados de Europa, el presidente de gobierno.
CANCIÓN f. Composición en verso que se canta. // Música con que se canta esta composición.
CANCIONERO m. Colección de canciones y poesías.

CANCIONERO de Juan del Encina

CANCRO m. Cáncer.
CANCHA f. Lugar destinado a la práctica de ciertos deportes. // *Amer.* Terreno o local llano y desembarazado. // Hipódromo.
CANDELA f. Vela de encender. // Flor del castaño. // fam. Lumbre.
CANDELABRO m. Candelero de varios brazos.
CANDELERO m. Utensilio hueco que sirve para sostener la vela.
CANDENCIA f. Calidad de candente.
CANDENTE adj. Díc. del cuerpo metálico que enrojece o blanquea por la acción del calor. // fig. Díc. de la cuestión de gran interés.
CANDIDATO, TA m. y f. El que pretende algún honor. // Persona propuesta par una dignidad o cargo.
CANDIDATURA f. Aspiración a un honor o cargo o a la propuesta para él.
CANDIDEZ f. Calidad de cándido.
CÁNDIDO, DA adj. Sin malicia. // Ingenuo.
CANDIL m. Lámpara de aceite.
CANDILEJA f. Vaso interior del candil. // pl. Línea de luces en el proscenio del teatro.
CANDIOTA adj. y s. Natural de Candía. // f. Barril para licor.
CANDOR m. Blancura. // Sinceridad, pureza del ánimo.
CANELA f. Especia aromática rojoamarillenta muy dulce.
CANELO, LA adj. De color canela. // m. *Bot.* Arbol lauráceo. De su corteza se obtiene la canela.
CANGILÓN m. Vaso grande en forma de cántaro. // Recipiente que en una noria recoge el agua.
CANGREJO m. *Zool.* Crustáceo decápodo. Es comestible.
CANGUELO m. vul. Miedo, temor.
CANGURO m. *Zool.* Mamífero marsupial herbívoro (fam. macrópidos), de brazos cortos y patas largas

CANÍBAL adj. y s. Antropófago. // fig. Díc. del hombre feroz.
CANIBALISMO m. Antropofagia. // fig. Ferocidad.
CANICIE f. Color cano del pelo.
CANÍCULA f. *Astron.* Período más caluroso del año.
CÁNIDOS m. pl. *Zool.* Fam. de mamíferos carnívoros, digitígrados, como el perro, el lobo, etc.
CANIJO, JA adj. y s. fam. Débil.
CANINO, NA adj. Rel. al can. // m. Diente cónico y

81

puntiagudo, con una sola raíz.
CANJE m. Cambio, trueque.
CANJEAR tr. Hacer canje.
CANNÁCEAS f. pl. *Bot.* Plantas monocotiledóneas angiospermas, herbáceas, con fruto capsular.
CANO, NA adj. Que tiene blanco el pelo. // fig. Anciano.
CANOA f. Embarcación de remo muy ligera. // *Amer.* Canal para conducir agua.
CANÓDROMO m. Terreno para las carreras de galgos.
CANON m. Regla o precepto. // Catálogo. // Parte central de la misa.
CANÓNICO, CA adj. Arreglado a los sagrados cánones.
CANÓNIGO m. Eclesiástico que tiene una canonjía.
CANONIZACIÓN f. Acción y efecto de canonizar.
CANONIZAR tr. Declarar el papa santo a un siervo de Dios.
CANONJÍA f. Prebenda por la que se pertenece al cabildo de una catedral o de una colegiata.
CANORO, RA adj. Díc. del ave de canto melodioso y, por ext., de la voz humana melodiosa.
CANSANCIO m. Falta de fuerzas a causa de la fatiga.
CANSAR tr. y r. Causar cansancio. // fig. Enfadar, molestar.
CANSINO, NA adj. Apl. al hombre o al animal cansados por sus esfuerzos.
CÁNTABRO, BRA adj. y s. natural de Cantabria.
CANTANTE adj. Que canta. // com. Cantor de profesión.
CANTAR m. Copla puesta en música para cantarse.
CANTAR intr. y tr. Formar con la voz sonidos melodiosos. // fig. Componer o recitar alguna poesía. // intr. Producir algunos insectos sonidos estridentes.
CANTÁRIDA f. *Zool.* Insecto coleóptero, de color vistoso.
CÁNTARO m. Vasija grande, angosta de boca, ancha por la barriga y estrecha por el pie.
CANTATA f. Composición poética con música para cantarla.
CANTE m. Acción y efecto de cantar. // Cualquier género de canto popular.
CANTERA f. Afloramiento rocoso de donde se sacan piedras.
CANTERO m. El que labra las piedras. // *Amer.* Cuadro de un jardín.
CANTIDAD f. Todo lo que es susceptible de ser medido o numerado, de aumentar o disminuir. // Cierto número de unidades. // Porción grande de algo.
CANTIL m. Sitio escalonado en la costa o en el fondo del mar.
CANTILENA o **CANTINELA** f. Cantar, copla. // fam. Repetición molesta.
CANTINA f. Sótano donde se guarda el vino. // Puesto público donde se venden bebidas y comestibles.
CANTO m. Acción y efecto de cantar. // Poema corto heroico. // Composición lírica. // Parte melódica de una pieza musical.
CANTO m. Extremidad. // Punta, esquina. // Lado opuesto al filo del cuchillo. // *Geol.* Roca pequeña redondeada por la erosión.
CANTÓN m. Esquina. // Región. // Acantonamiento.
CANTONALISMO m. Sistema político que aspira a dividir el Estado en cantones casi independientes.
CANTURREAR o **CANTURRIAR** intr. fam. cantar a media voz.
CAÑA f. *Bot.* Planta de la fam. gramíneas, de tallos leñosos y huecos. // Parte de la bota que cubre la pierna. // Vaso alto y estrecho.
CAÑADA f. Espacio de tierra entre dos alturas poco distantes. // Vía para los ganados trashumantes.
CÁÑAMO m. *Bot.* Planta herbácea de la fam. cannabáceas, cuyos tallos contienen una fibra textil.
CAÑAMÓN m. Fruto del cáñamo.
CAÑAVERAL m. Plantío de cañas.
CAÑERÍA f. Conducto por donde se distribuye el agua o el gas.
CAÑO m. Tubo corto. // Galería de mina.
CAÑÓN m. Pieza hueca y larga, a modo de caña. // Parte córnea y hueca de la pluma del ave. // Paso estrecho entre dos altas montañas. // Pieza de artillería de gran longitud respecto a su calibre. // Valle fluvial encajado, de paredes casi verticales.

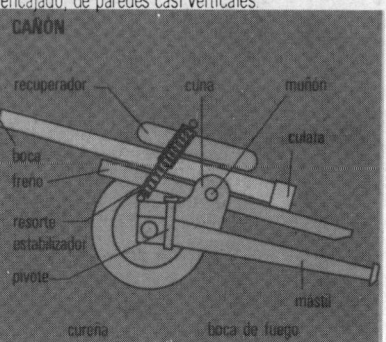

CAÑÓN: recuperador, cuña, muñón, culata, boca, freno, resorte estabilizador, pivote, cureña, boca de fuego, mástil

CAÑONAZO m. Disparo hecho con cañón.
CAÑONERA f. Tronera para disparar los cañones. // *Amer.* Pistolera.
CAOBA f. *Bot.* Arbol de la fam. meliáceas. Su madera es muy apreciada en ebanistería.
CAOLÍN m. Arcilla blanca muy pura.
CAOS m. Estado de confusión entre los elementos antes de la formación del cosmos. // fig. Confusión.
CAPA f. Abrigo sin mangas. // Sustancia que se sobrepone en una cosa para cubrirla. // Cubierta con que se preserva alguna cosa.
CAPACITACIÓN f. Acción y efecto de capacitar o capacitarse.
CAPACITAR tr. y r. hacer a uno apto para alguna cosa.
CAPACHO m. Espuerta de juncos, mimbres o cuero, para varios usos.
CAPAR tr. Inutilizar los órganos genitales. // fig. y

fam. Cercenar.
CAPARAZÓN m. Cubierta que se pone encima de algunas cosas para su defensa. // Exoesqueleto quitinoso y calcáreo de los crustáceos.
CAPARROSA f. *Quím.* Sulfato hidratado de cobre, cinc o hierro.
CAPATAZ m. El que gobierna a cierto número de operarios. // Persona que tiene a su cargo las haciendas del campo.
CAPAZ adj. Que tiene espacio suficiente para contener algo. // fig. Apto. // Instruido.
CAPAZO m. Espuerta de esparto.
CAPCIOSO, SA adj. Engañoso, artificioso.
CAPEAR tr. Hacer suertes con la capa al toro. // fig. y fam. Entretener a uno con engaños o evasivas.
CAPELO m. Cierto derecho de los obispos. // Sombrero de los cardenales.
CAPELLÁN m. El que tiene alguna capellanía. // Cualquier eclesiástico.
CAPELLANÍA f. Fundación para misas y otras cargas pías.
CAPICÚA m. Cifra que se lee igual de izquierda a derecha que de derecha a izquierda.
CAPILAR adj. Perten. o rel. al cabello. // Vaso sanguíneo de muy fino calibre.
CAPILARIDAD f. *Fís.* Fenómeno por el cual al sumergir parcialmente un tubo capilar en un líquido, éste asciende o desciende por él hasta alcanzar cierto nivel.
CAPILLA f. Edificio contiguo a una iglesia o parte integrante de ella, con altar y advocación particular. // Oratorio privado.
CAPITAL adj. Tocante o perten. a la cabeza. // adj. y s. Díc. de la población cabeza de un Estado, provincia o distrito. // fig. Principal. // m. Caudal, patrimonio. // Bienes que producen interés.
CAPITALIDAD f. Calidad de ser una población capital.
CAPITALISMO m. Sistema económico-social fundado en la propiedad privada del capital y la libre iniciativa de los propietarios.
CAPITALISTA adj. Propio del capital. // com. Persona acaudalada.
CAPITALIZACIÓN f. Acción y efecto de capitalizar.
CAPITALIZAR tr. Fijar el capital que corresponde a un interés. // Agregar al capital los intereses.
CAPITÁN m. Oficial del ejército que manda una compañía, escuadrón o batería. // El que manda un buque mercante. // Genéricamente, caudillo.
CAPITANEAR tr. Mandar tropa en calidad de capitán. // fig. Guiar gente.
CAPITULACIÓN f. Pacto hecho entre dos o más personas. // Convenio en que se estipula la rendición de un ejército, plaza, etc.
CAPITULAR adj. Perten. o rel. a un cabildo.
CAPITULAR intr. Pactar. // Disponer, ordenar. // fig. Rendir. // *Mil.* Rendirse un ejército.
CAPÍTULO m. Junta de religiosos. // Cabildo secular.

// División de un escrito.
CAPÓN adj. y s. Díc. del hombre y del animal castrado.
CAPORAL m. El que hace de jefe de alguna gente. // El que tiene a su cargo el ganado de la labranza. // *Amer.* Capataz de una estancia.
CAPOTA f. Cubierta plegadiza que llevan algunos carruajes.
CAPOTE m. Capa de abrigo con mangas.
CAPOTEAR tr. Capear.
CAPRICHO m. Antojo.
CAPRICHOSO, SA adj. Que obra por capricho.
CÁPSULA f. Casquete de metal flexible con que se tapan las botellas. // En las armas de fuego, cilindro metálico, hueco, en cuyo fondo hay un fulminante. // *Bot.* Fruto seco y hueco que contiene las semillas. // *Farm.* Envoltura gelatinosa de un medicamento. // *Zool.* Membrana en forma de saco.
CAPSULAR adj. Perten. o semejante a la cápsula.
CAPTAR tr. Tratándose de aguas, recoger convenientemente su caudal. // Comprender. // tr. y r. Ganar la voluntad o el afecto.
CAPTURA f. Acción y efecto de capturar.
CAPTURAR tr. Apresar a alguien.
CAPUCHINO, NA adj. y s. Díc. del religioso y de la religiosa de la Orden de San Francisco.
CAPULLO m. *Zool.* Envoltura que forman algunos gusanos e insectos para proteger los huevos o las crisálidas. // *Bot.* Yema floral.
CAQUEXIA f. *Med.* Estado de extrema debilidad y desnutrición.
CAQUI m. Tela de color ocre. // Color de esta tela.
CARA f. *Anat.* Parte anterior de la cabeza entre la frente y la punta de la barba. // Semblante. // Fachada o superficie de alguna cosa. // Anverso. // fig. y fam. Descaro. // adv. l. Hacia.

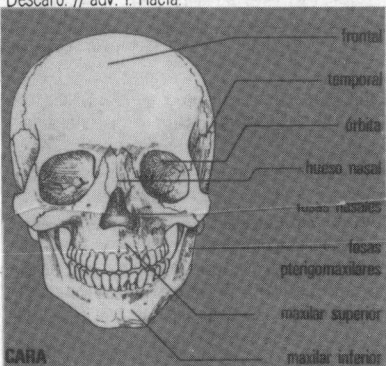

[Ilustración de un cráneo con las siguientes referencias: frontal, temporal, órbita, hueso nasal, fosas nasales, fosas pterigomaxilares, maxilar superior, maxilar inferior. CARA]

CARABELA f. *Mar. Ant.* embarcación ligera, larga y angosta.
CARÁBIDOS m. pl. *Zool.* Fam. de insectos coleópteros depredadores.
CARABINA f. Arma de fuego más corta que el fusil. // fig. y fam. Señora de compañía.
CARABINERO m. Soldado que usaba carabina. //

Soldado destinado a perseguir el contrabando.
CÁRABO m. *Zool.* Pequeña embarcación, usada por los moros. // *Zool.* Insecto coleóptero.
CARACOL m. *Zool.* Molusco gasterópodo de cuerpo alargado y concha en espiral. // *Anat.* Una de las cavidades del oído.
CARÁCTER m. Señal o marca en alguna cosa. // Signo de escritura. // Rastro que deja en el alma algo sentido. // Conjunto de cualidades que distinguen una cosa de las demás. // Firmeza, energía. // Genio.
CARACTERÍSTICO, CA adj. Perten. o rel. al carácter.

CARBONCILLO m. Palillo que, carbonizado, sirve para dibujar.
CARBONÍFERO, RA m. *Geol.* Período del paleozoico, en el que se formaron los yacimientos del carbón. // adj. Dic. del terreno que contiene carbón mineral.
CARBONIZACIÓN f. Acción y efecto de carbonizar o carbonizarse.
CARBONIZAR tr. y r. Reducir a carbón un cuerpo orgánico. // Quemar.
CARBONO m. *Quím.* Metaloide simple cuya cristalización es el diamante

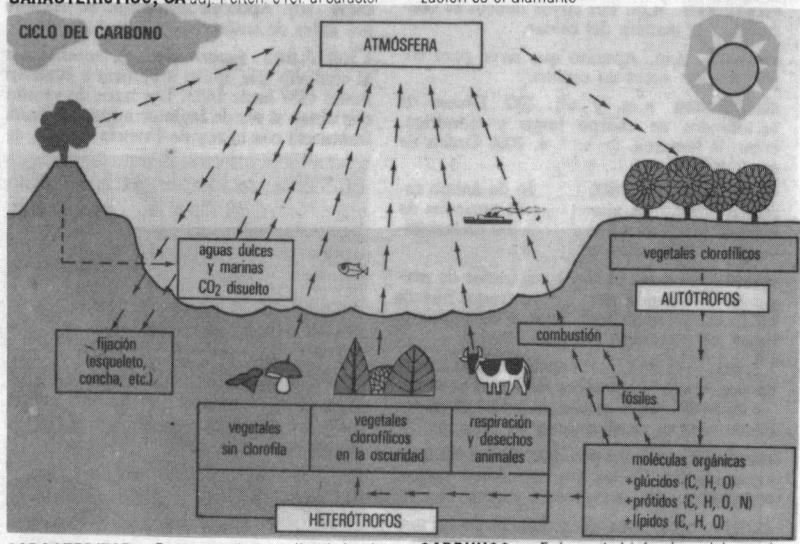

CICLO DEL CARBONO — ATMÓSFERA — aguas dulces y marinas CO₂ disuelto — vegetales clorofílicos — AUTÓTROFOS — fijación (esqueleto, concha, etc.) — combustión — fósiles — vegetales sin clorofila — vegetales clorofílicos en la oscuridad — respiración y desechos animales — moléculas orgánicas + glúcidos (C, H, O) + prótidos (C, H, O, N) + lípidos (C, H, O) — HETERÓTROFOS

CARACTERIZAR tr. Determinar las peculiaridades de una persona o cosa. // r. y tr. Disfrazarse el actor.
¡CARAMBA! interj. Denota extrañeza o enfado.
CARÁMBANO m. Pedazo de hielo largo y puntiagudo.
CARAMBOLA f. Lance del juego de billar. // fig. y fam. Doble resultado que se alcanza mediante una sola acción.
CARAMELO m. Pasta de azúcar derretida que se deja enfriar sin que cristalice.
CARAMILLO m. Flautilla de sonido muy agudo. // Montón mal hecho.
CARANTAMAULA f. fam. Careta de cartón, de aspecto horrible. // fig. y fam. Persona mal encarada.
CARANTOÑA f. fam. Carantamaula. // pl. fam. Halagos que se hacen para conseguir algo.
CARAVANA f. fig. y fam. Grupo de gentes que se juntan para viajar con seguridad. // Aglomeración de vehículos en calles y carreteras.
CARBÓN m. *Quím.* y *Mineral.* Combustible sólido derivado de la descomposición de sustancias orgánicas sin contacto con el aire.
CARBONATOS m. pl. *Quím.* Sal resultante de la combinación del ácido carbónico con un radical.

CARBUNCO m. Enfermedad infecciosa del ganado.
CARBURADOR m. Aparato que sirve para carburar.
CARBURANTE m. Combustible líquido o gaseoso, como la gasolina y el gas-oil, que se utiliza para los motores de combustión interna.
CARBURAR tr. *Quím.* mezclar los gases o el aire con carburantes.
CARBUROS m. pl. *Quím.* Combinación del carbono con un radical simple.
CARCAJ m. Aljaba.
CARCAJADA f. Risa impetuosa.
CARCAMAL S. com. fam. y adj. Persona decrépita.
CÁRCAVA f. Zanja que suelen hacer las aguas. // Foso.
CÁRCEL f. Edificio destinado para la custodia de los presos.
CARCOMA f. *Zool.* Insecto coleóptero. Se alimenta de madera.
CARCOMER tr. Roer la carcoma la madera. // tr. y r. fig. Consumir poco a poco alguna cosa.
CARDA f. Acción y efecto de cardar. // *Text.* Máquina para cardar.
CARDAR tr. Preparar con la carda una materia textil para el hilado. // Sacar el pelo con la carda a los paños.

CARDENAL m. Prelado del Sacro Colegio. Forma cónclave para la elección del Papa.
CARDENALATO m. Dignidad de cardenal.
CARDENALICIO, CIA adj. Perten. al cardenal.
CARDENILLO m. *Quím.* Sustancia venenosa que se forma sobre los objetos de cobre o de bronce.
CÁRDENO, NA adj. De color amoratado.
CARDIACO, CA o **CARDÍACO, CA** adj. Perten. o rel. al corazón.
CARDIA m. *Anat.* Orificio esofágico del estómago.
CARDILLO m. *Bot.* Planta herbácea, de hojas comestibles.
CARDINAL adj. Principal.
CARDIÓGRAFO m. *Med.* Aparato que registra la actividad del corazón.
CARDIOPATÍA f. *Med.* Cualquier enfermedad del corazón.
CARDIOVASCULAR adj. *Anat.* Perten. o rel. al corazón o a los vasos sanguíneos.
CARDO m. *Bot.* Planta espinosa de la fam. compuestas.
CAREAR tr. Poner a una o varias personas en presencia de otra u otras, con objeto de comprobar algo. // fig. Cotejar una cosa con otra. // r. Enfrentarse.
CARECER intr. Tener falta de algo.
CARENAR tr. Reparar el casco de una nave.
CARENCIA f. Falta de algo.
CARESTÍA f. Escasez de algo. // Subido precio de las cosas.
CARETA f. Máscara para cubrir la cara.
CAREY f. *Zool.* Tortuga marina.
CARGA f. Acción y efecto de cargar. // Cosa que pesa sobre otra. // Proyectil o explosivo que se usa para disparar o volar algo. // fig. Tributo. // *Mil.* Embestida al enemigo.
CARGAR tr. Poner peso sobre una persona, una bestia, etc. // Proveer a un aparato de lo que necesita para funcionar. // Acometer a los enemigos. // fig. Imputar.
CARGO m. Carga o peso. // fig. Dignidad, empleo. // Obligación de hacer algo. // Gobierno, dirección. // Falta que se le imputa a uno.
CARIACONTECIDO, DA adj. fam. Que muestra pena.
CARIAR tr. y r. Corroer.
CARIÁTIDE f. *Arq.* Columna con forma de mujer.
CARICÁCEAS f. pl. *Bot.* Plantas angiospermas arbustivas.
CARICATURA f. Figura ridícula en que se deforma el aspecto de alguien.
CARICATURIZAR tr. Hacer caricatura.
CARICIA f. Demostración cariñosa.
CARIDAD f. Virtud teologal consistente en el amor de Dios y del prójimo. // Limosna.
CARIES f. *Med.* Ulcera de los huesos y de otros tejidos duros del organismo.
CARIÑO m. Afecto que se siente hacia una persona o cosa. // fig. Espresión de dicho sentimiento.

CARIOCA adj. y s. Natural de Río de Janeiro.
CARIOCINESIS o **MITOSIS** f. *Biol.* Reproducción celular indirecta.
CARIOFILÁCEAS f. pl. *Bot.* Plantas herbáceas dicotiledóneas, de fruto capsular, como el clavel.
CARIÓPSIDE f. *Bot.* Fruto seco de las gramíneas.
CARISMA m. Don gratuito que concede Dios a una criatura.
CARISMÁTICO, CA adj. Perten. o rel. al carisma.
CARITATIVO, VA adj. Que ejercita la caridad. // Perten. o rel. a la caridad.
CARIZ m. Aspecto de la atmósfera. // fig y fam. Aspecto que presenta algún asunto.
CARLANCA f. Collar con puntas de hierro, que protege a los mastines de los lobos.
CARLISMO m. Ideas profesadas por los carlistas. // Partido o política de éstos.
CARLISTA adj. y s. Partidario de los derechos de don Carlos de Borbón y sus descendientes a la corona de España.
CARMELITA adj. y s. Díc. del religioso de la orden del Carmen.
CARMENAR tr. y r. Desenredar el cabello, la lana o la seda.
CARMESÍ adj. y s. Apl. al color de grana del quermes animal. // m. Polvo de este color. // Seda roja.
CARMÍN m. Material de color rojo, que se saca de la cochinilla. // Este mismo color.
CARNADA f. Cebo para pescar o cazar. // fig. y fam. Engaño.
CARNAL adj. Perten. a la carne. // Lujurioso.
CARNAVAL m. Los tres días que preceden al miércoles de ceniza. // Fiesta con que se celebra.
CARNAVALESCO, CA adj. Perten. o rel. al carnaval.
CARNE f. Parte muscular del cuerpo de los animales. // Por antonomasia, la comestible de las reses. // Parte mollar de la fruta. // Uno de los enemigos del alma.
CARNÉ m. Librito de notas. // Documento de identidad.
CARNEADA f. *Amer.* Acción y efecto de carnear.
CARNEAR tr. *Amer.* Matar y descuartizar las reses, para aprovechar su carne.

caricatura de Richard Nixon, por Tim

CARNERO m. *Zool.* Macho de la oveja.

Río de Janeiro desde el Corcovado

escenas del carnaval de Río

CARNAVAL

CARNICERÍA f. Establecimiento donde se vende carne. // Mortandad de gente.
CÁRNICO, CA adj. Perten. o rel. a las carnes de consumo.
CARNÍVORO, RA adj. y s. m. Díc. del animal que mata a otros para comérselos. // adj. fig. Cruel. // m. y f. Persona que vende carne.
CARNÍVORO, RA adj. y s. m. Díc. del animal que come carne cruda de los cuerpos muertos. // *Zool.* m. pl. órden de mamíferos que se alimentan esp. de carne.
CARNOSIDAD f. Carne superflua que crece en una llaga. // La que sobresale en alguna parte del cuerpo.
CARNOSO, SA adj. De carne. // Díc. de lo que tiene mucho meollo.
CARO, RA adj. Que excede mucho del valor regular. // Querido.
CAROLINGIO, GIA adj. y s. Perten. o rel. a Carlomagno o a su tiempo.
CARÓTIDA adj. *Anat.* Díc. de cada una de las dos arterias que conducen la sangre a la cabeza.
CARPA f. *Zool.* Pez osteíctio (fam. ciprínidos) de agua dulce.
CARPA f. *Amer.* Tienda de campaña. // Toldo de circo.
CARPELO m. *Bot.* Organo sexual femenino de las plantas fanerógamas.
CARPETA f. Carpeta grande. // Cubierta para guardar papeles.
CARPETOVETÓNICO, CA adj. y s. Díc. de las personas, ideas, etc., localistas y cerradas en exceso.
CARPINTERÍA f. Taller en donde trabaja el carpintero. // Oficio de carpintero.
CARPINTERO m. El que por oficio trabaja y labra la madera.
CARPO m. *Anat.* Conjunto de ocho pequeños huesos que forman el esqueleto de la muñeca.

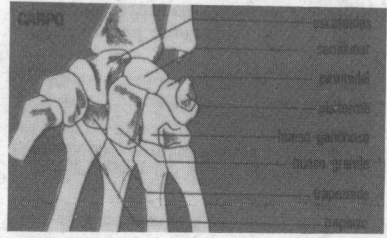

CARRACA f. *Ant.* nave de transporte. // Artefacto deteriorado.
CARRACA f. Instrumento de madera que produce un ruido desapacible.
CARRASCA f. *Bot.* Encina pequeña.
CARRASCAL m. Sitio poblado de carrascas.
CARRASPEAR intr. Tener carraspera.
CARRASPERA f. fam. Cierta aspereza de la garganta que hace toser.
CARRERA f. Acción de correr el hombre o el animal cierto espacio. // Pugna de velocidad. // fig. Línea de puntos que se sueltan en la media. // Estudios necesarios para ejercer ciertas profesiones.
CARRETA f. Carro largo y angosto, de dos ruedas.
CARRETE m. Cilindro que sirve para arrollar hilos, alambres, etc. // Rollo de película para hacer fotografías. // Rueda en que llevan los pescadores el sedal.
CARRETERA f. Camino público, ancho, destinado al paso de vehículos.
CARRETERO m. El que hace carros y carretas. // El que los guía.
CARRETILLA f. Carro de mano, que se compone de un cajón, una rueda en la parte anterior, y en la posterior dos pies y dos varas.
CARRIL m. Surco que dejan en el suelo las ruedas. / Cada una de las dos guías de acero de una vía para ferrocarril.
CARRILLO m. Parte carnosa de la cara.
CARRIZO m. *Bot.* Planta gramínea de rizoma largo y frágil.
CARRO m. Carruaje de dos ruedas, con varas para enganchar el tiro // *Amer.* Automóvil // *Mil.* Tanque de guerra.
CARROCERÍA f. Parte de la estructura del automóvil que descansa sobre el bastidor.
CARROÑA f. Carne corrompida.
CARROZA f. Coche grande, ricamente adornado.
CARRUAJE m. Vehículo formado por una armazón

montada sobre ruedas.
CARTA f. Papel escrito que una persona envía a otra para comunicarse con ella. // Naipe. // Constitución escrita de un Estado. // Mapa.
CARTABÓN m. Instrumento en forma de triángulo rectángulo, que se emplea en el dibujo lineal.
CARTAGINÉS, SA adj. y s. Natural de Cartago. // adj. Perten. a esta ant. ciudad de Africa.
CARTAPACIO m. Cuaderno para tomar apuntes. // Carpeta en que se guardan papeles.
CARTEARSE r. Corresponderse con cartas.
CARTEL m. Papel con inscripciones o figuras que se exhibe con algún fin. // Pasquín.
CARTELERA f. Armazón para fijar anuncios. // Cartel anunciador de espectáculos.
CARTERA f. Utensilio de forma cuadrangular, hecho de materia flexible, que se usa para llevar en su interior documentos, dinero, etc. // fig. Empleo de ministro. / / Com. Valores o efectos comerciales de curso legal.
CARTERO m. Repartidor de las cartas del correo.
CARTESIANISMO m. Sistema filosófico basado en las doctrinas de Descartes.
CARTESIANO, NA adj. y s. Partidario del cartesianismo o perten. a él.
CARTILAGINOSO, SA adj. *Anat.* Rel. al cartílago o semejante a él.
CARTÍLAGO m. *Anat.* Tejido blanco y elástico de apoyo en las superficies articulares de los huesos.
CARTILLA f. Cuaderno que contiene los primeros rudimentos para aprender a leer.
CARTOGRAFÍA f. Arte de trazar mapas o cartas geográficos.
CARTOGRÁFICO, CA adj. Perten. o rel. a la cartografía.
CARTOMANCIA f. Arte de adivinar lo futuro por medio de los naipes.

cartomancia. La adivinadora, grabado del s. XIX

CARTÓN m. Conjunto de varias hojas de pasta de papel, que por compresión forman un solo cuerpo. // *Pint.* Bosquejo para servir de modelo en frescos, tapices, etc.
CARTONAJE m. Obras de cartón.
CARTUCHERA f. Caja para llevar cartuchos. // Canana.
CARTUCHO m. Cilindro de cartón o de metal que contiene el proyectil, la carga de pólvora y el fulminante.
CARTUJA f. Orden religiosa muy austera. // Monasterio de esta orden.
CARTULINA f. Cartón delgado y terso.
CARÚNCULA f. *Anat.* y *Zool.* Excrecencia carnosa o córnea.
CASA f. Edificio para habitar. // Piso de una casa. // Familia. // Descendencia que viene del mismo origen. // Establecimiento industrial.
CASACA f. Vestidura ceñida al cuerpo, con mangas y con faldones.
CASACIÓN f. Acción de casar o anular.
CASAMATA f. Bóveda muy resistente para instalar piezas de artillería.
CASAR intr. y r. Contraer matrimonio. // intr. Corresponder. // tr. Autorizar un sacerdote el sacramento del matrimonio. // fig. Unir o juntar una cosa con otra.
CASAR tr. *For.* Anular, derogar.
CASCABEL m. Bola hueca de metal en cuyo interior hay un trocito de hierro que la hace sonar.
CASCADA f. Caída de agua.
CASCAJO m. Fragmento de piedra y de otras cosas que se quiebran.
CASCANUECES m. Instrumento, a modo de tenazas, para partir nueces.
CASCAR tr. y r. Quebrantar o hender una cosa quebradiza. // tr. fam. Dar a uno golpes. // intr. fig. y fam. Morir.
CÁSCARA f. Cubierta exterior de los huevos, de ciertas frutas, etc. // Corteza de los árboles.
CASCARRABIAS com. fam. Persona que fácilmente se enoja o riñe.
CASCO m. Cráneo. // Pedazo de vasija o vaso que se rompe. // Cobertura que se usa para proteger la cabeza. // Tonel o botella para líquidos. // En las caballerías, uña del pie o de la mano.
CASCOTE m. Fragmento de algún muro derribado. / / Conjunto de escombros.
CASEIFICAR tr. Transformar en caseína.
CASEÍNA f. Albuminoide, principal componente de la leche.
CASERÍO m. Conjunto de casas.
CASERO, RA adj. Que se hace en casa; perten. a ella. // m. y f. Dueño o administrador de alguna casa.
CASI adv. c. Cerca de, poco menos de, aproximadamente, por poco.
CASILLA f. Casita aislada. // Cada una de las divisiones del casillero.
CASILLERO m. Mueble con divisiones para clasificar papeles, etc.

CASIMIR m. Cachemir.
CASINO m. Casa de recreo. // Club. // Asociación de hombres de una misma clase o condición.

Las Vegas

superficie de una esfera queda dividida por un plano secante.
CASQUILLO m. Anillo de metal. // Cartucho metálico vacío.
CASTA f. Generación o linaje.
CASTAÑA f. *Bot.* Fruto del castaño, de pericarpio coriáceo de color rojizo. // fig. y fam. Cachete.
CASTAÑETEAR tr. Tocar las castañuelas. // intr. Sonarle a uno los dientes.
CASTAÑO, ÑA adj. y s. Díc. del color de la cáscara de la castaña. // *Bot.* m. Arbol cupulífero de la fam. fagáceas.
CASTAÑUELA f. Instrumento de percusión, de madera dura, compuesto de dos mitades cóncavas.
CASTELLANO, NA adj. y s. De Castilla // m. Lengua española. // Señor de un castillo.
CASTIDAD f. Virtud que se opone a los afectos carnales.
CASTIGAR tr. Imponer algún castigo. // Mortificar. // Escarmentar.
CASTIGO m. Pena que se impone al que ha cometido un delito o falta.
CASTILLO m. Edificio fortificado.
CASTIZO, ZA adj. De buena casta. // Apl. al lenguaje puro, y, por ext., a lo típico de un país o región.

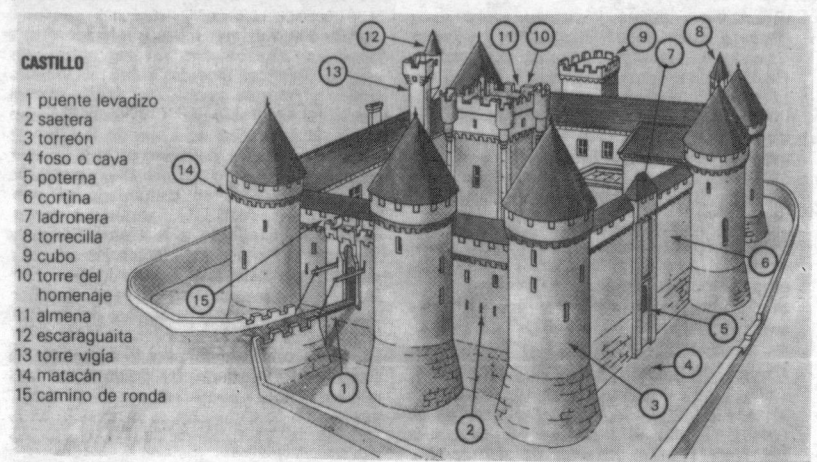

CASTILLO

1 puente levadizo
2 saetera
3 torreón
4 foso o cava
5 poterna
6 cortina
7 ladronera
8 torrecilla
9 cubo
10 torre del homenaje
11 almena
12 escaraguaita
13 torre vigía
14 matacán
15 camino de ronda

CASIERITA f. *Mineral.* Oxido de estaño. Es la mena principal del estaño.
CASO m. Suceso, acontecimiento. // Casualidad. // Ocasión. // *Gram.* Cada una de las formas que toma el nombre o el pronombre al cambiar la terminación para señalar su función sintáctica en la frase.
CASORIO f. fam. Casamiento hecho sin juicio ni consideración.
CASPA f. Escamilla que se forma en la raíz de los cabellos.
CASQUETE m. Cubierta que se ajusta al casco de la cabeza. // *Geom.* Cada una de las dos partes en que la

CASTO, TA adj. Puro, opuesto a la sensualidad.
CASTOR m. *Zool.* Mamífero roedor de cuerpo robusto y recubierto de pelaje castaño oscuro.
CASTRACIÓN f. *Med.* y *Vet.* Destrucción de las glándulas sexuales.
CASTRAR tr. Capar.
CASTRENSE adj. Perten. o rel. al ejército o a la profesión militar.
CASUAL adj. Que sucede por casualidad.
CASUALIDAD f. Acontecimiento imprevisto cuya causa se desconoce.
CASUÍSTICA f. Parte de la teología moral, que trata de

los casos de conciencia.

CASULLA f. Vestidura que se pone el sacerdote para celebrar la misa.

CATA- Forma prefija, derivada del griego *Kata*, debajo, contra.

CATACLISMO m. Trastorno grande del globo terráqueo, producido por el agua. // fig. Gran trastorno en el orden social o político.

CATACUMBAS f. pl. Subterráneos que los primitivos cristianos utilizaban como templos y cementerios.

CATADURA f. Acción y efecto de catar. // Gesto o semblante.

CATAFALCO m. Túmulo adornado que suele ponerse en los templos para las exequias solemnes.

CATALÁN, NA adj. y s. De Cataluña. // m. Lengua de Cataluña.

CATALANISMO m. Movimiento que propugna para Cataluña el reconocimiento de su personalidad política.

CATALEJO m. *Opt.* Instrumento óptico de observación a distancia.

CATALEPSIA f. *Med.* Estado nervioso que se caracteriza por la pérdida de la contracción voluntaria de los músculos y de la sensibilidad.

CATÁLISIS f. *Quím.* Reacción determinada entre dos o más cuerpos por la sola presencia de otro que permanece inalterado.

CATALIZADOR m. *Quím.* Sustancia cuya presencia aumenta la velocidad de una reacción química.

CATALOGAR tr. Apuntar o registrar en un catálogo.

CATÁLOGO m. Lista de personas o cosas puestas en orden.

CATAPLASMA f. Tópico de consistencia blanda; se usa como emoliente.

CATAPULTA f. Máquina militar ant. para arrojar piedras o saetas.

CATAR tr. Probar una cosa para examinar su sabor. // Ver, mirar.

CATARATA f. Salto grande de agua. // *Med.* Enfermedad que consiste en la opacidad del cristalino

CATARATAS

CATARRO m. *Med.* Inflamación de las mucosas de las vías respiratorias, estómago o intestinos.

CATARSIS m. Purificación interior a través de la obra de arte.

CATASTRO m. Censo estadístico de las fincas rústicas y urbanas.

CATÁSTROFE f. fig. Suceso infausto que altera gravemente el orden regular de las cosas.

CATASTRÓFICO, CA adj. Rel. a una catástrofe. // fig. Desastroso.

CATEAR tr. Buscar, descubrir. // tr. fig. y fa. Suspender en los exámenes a un alumno. // *Amer.* Explorar en busca de alguna veta minera.

CATECISMO m. Libro en que se explica la doctrina cristiana.

CATECÚMENO, NA m. y f. Neófito en cualquier doctrina.

CÁTEDRA f. Asiento desde donde el maestro da la lección. // Aula. // dig. Empleo del catedrático.

CATEDRAL f. Iglesia principal de una diócesis.

CATEDRÁTICO, CA m. y f. Titular de una cátedra.

CATEGORÍA f. Cada uno de los grados en una profesión o carrera. // fig. Condición social. // *Fil.* Concepto que designa las propiedades esenciales de los fenómenos de la realidad y su conocimiento.

CATEGÓRICO, CA adj. Apl. al discurso o proposición en que explícitamente se afirma o niega algo.

CATEQUESIS f. Enseñanza oral sucinta de las creencias religiosass.

CATEQUIZAR tr. Instruir en la doctrina de la fe católica.

CATERVA f. Multitud de personas o cosas en grupo y sin orden.

CATÉTER m. Tubo cilíndrico para explorar cavidades del cuerpo.

CATETO, TA adj. y s. Palurdo.

CATETO m. *Geom.* Cada uno de los lados adyacentes al ángulo recto en un triángulo rectángulo.

CATILINARIA f. fig. Escrito o discurso vehemente dirigido contra alguna persona.

CATIÓN m. *Quím.* Ion positivo.

CATIRRINOS m. pl. *Zool.* Suborden de monos.

CÁTODO m. Terminal negativo de un dispositivo eléctrico.

CATOLICISMO m. Doctrina de los miembros de la Iglesia católica.

CATÓLICO, CA adj. Universal. // Perteneciente o rel. a la Iglesia Cristiana Romana. // adj. y s. Que profesa la religión católica.

CATRE m. Cama ligera para una sola persona.

CAUCÁSICO, CA adj. Apl. a la raza blanca, por suponerla oriunda del Cáucaso.

CAUCE m. Lecho de los ríos y de cualquier otro curso de agua.

CAUCIÓN f. Prevención, cautela.

CAUCHO m. *Quím.* Producto de la coagulación del látex de diversas plantas tropicales.

CAUDAL m. Bienes de cualquier especie, y esp. dinero. // Cantidad de agua que mana o corre.

CAUDAL adj. Perten. o rel. a la cola.

CAUDALOSO, SA adj. De mucha agua. // Acaudalado.
CAUDILLO m. El que guía y manda la gente de guerra.
CAUSA f. Lo que produce un efecto o resultado. // Razón para obrar. // Empresa o doctrina en que se toma interés o partido. // Litigio.
CAUSALIDAD f. Relación de causa y efecto.
CAUSAR tr. Producir la causa su efecto. // tr. y r. Ser motivo de que suceda una cosa.
CAUSTICIDAD f. Calidad de cáustico.
CÁUSTICO, CA adj. *Quím.* Díc. de las sustancias que corroen los tejidos animales. // fig. Mordaz.
CAUTELA f. Precaución con que se procede. // Astucia para engañar.
CAUTERIZACIÓN f. Acción y efecto de cauterizar. // *Cir.* Medio empleado en cirugía para convertir los tejidos en una escara.
CAUTERIZAR tr. Curar con el cauterio.
CAUTIVAR tr. Privar de libertad al enemigo. // fig. Atraer, seducir.
CAUTIVERIO m. Estado de la persona cautiva.
CAUTIVIDAD f. Cautiverio.
CAUTIVO, VA adj. Díc. del que está preso. // fig. Atraído por otra persona.
CAUTO, TA adj. Que obra con sagacidad.
CAVA f. Acción de cavar. // Foso. // Subterráneo para guardar vino.
CAVAR tr. Remover la tierra con la azada u otro instrumento semejante. // intr. Ahondar, penetrar.
CAVERNA f. Concavidad profunda, subterránea o entre rocas. // *Med.* Cavidad resultante del drenaje de una lesión tuberculosa.
CAVERNÍCOLA adj. y s. Que vive en las cavernas.
CAVERNOSO, SA adj. Rel. o semejante a las cavernas. // Apl. a cualquier sonido bronco. // Que tiene cavernas.
CAVETO m. *Arq.* Moldura cóncava coyo perfil es un cuarto de círculo.
CAVIA f. Especie de excavación.
CAVIAR m. Manjar de huevas de esturión.
CAVIDAD f. Espacio hueco dentro de un cuerpo cualquiera.
CAVILACIÓN f. Acción y efecto de cavilar. // Cavilosidad.
CAVILAR tr. Reflexionar en una cosa con demasiada sutileza.
CAVILOSIDAD f. Aprensión infundada.
CAVILOSO, SA adj. Propenso a cavilar. // Suspicaz, que se deja dominar por prejuicios y conjeturas.
CAYADO m. Bastón corvo por la parte superior. // Báculo de los obispos.
CAZA f. Acción de cazar. // Animales antes y después de cazados. // *Aeron.* Avión militar.
CAZADOR, RA adj. y s. Que caza. // m. Soldado que hace el servicio de tropas ligeras.
CAZAR tr. Buscar o seguir a los animales para cogerlos o matarlos. // fig. y fam. Adquirir con destreza una cosa difícil. // Sorprender.
CAZO m. Vasija con mango.
CAZÓN m. *Zool.* Pez condroíctio de la fam. gálidos, de piel áspera y gruesa que sirve de lija.
CAZURRO, RRA adj. y s. fam. Malicioso, reservado.
CE f. Nombre de la letra c.
CEBADA f. *Bot.* Planta herbácea (fam. gramíneas), parecida al trigo.
CEBADO, DA *Amer.* adj. Díc. de la fiera que, por haber probado carne humana, es más temible.
CEBAR tr. Dar cebo a los animales. // Poner cebo en las armas. // tr. y r. fig. Fomentar una pasión. // r. fig. Ensañarse.
CEBO m. Comida que se da a los animales par engordarlos o atraerlos. // Explosivo que se coloca en las armas de fuego, para que explote una carga. // Fomento que se da a una pasión.
CEBOLLA f. *Bot.* Planta hortícola de la fam. liliáceas, cuyo bulbo es comestible.
CEBRA f. *Zool.* Mamífero de la fam. équidos, parecido al caballo. Su pelaje es blanco listado en negro.

cebras en un parque nacional de Kenia

CEBÚ m. *Zool.* Mamífero artiodáctilo (fam. bóvidos), parecido al buey.
CECA f. Casa donde se labra moneda.
CECAL adj. Perten. o rel. al intestino ciego.
CECEAR intr. Pronunciar la *s* como *c*.
CECEO m. Acción y efecto de cecear.
CECINA f. Carne salada y desecada.
CEDAZO m. Instrumento compuesto de un aro y una tela de cerdas o metálica, que sirve para cribar. // Cierta red grande para pescar.
CEDER tr. Dar, traspasar a otro una cosa, acción o derecho. // intr. Rendirse. // Hablando de ciertas cosas, mitigarse. // Cesar la resistencia de una cosa.

CAZA muerta

CEDILLA f. Letra usada en algunos idiomas; es una *c* con una virguilla debajo (*ç*).
CEDRO m. *Bot.* Arbol de la fam. pináceas, de madera muy estimada.
CÉDULA f. Pedazo de papel escrito o para escribir en él. // Documento en que se reconoce una obligación.
CEFALALGIA o **CEFALEA** f. *Med.* Dolor de cabeza.
CEFÁLICO, CA adj. Rel. a la cabeza.

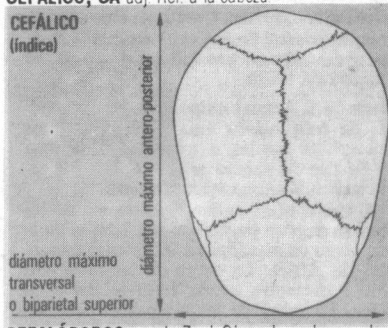

CEFÁLICO (índice)
diámetro máximo antero-posterior
diámetro máximo transversal o biparietal superior

CEFALÓPODOS m. pl. *Zool.* Clase de moluscos de tronco en forma de saco y cabeza rodeada de tentáculos.
CEFALOTÓRAX m. *Zool.* Parte anterior del cuerpo de algunos crustáceos e insectos, formada por la unión de la cabeza con los anillos del tórax.
CÉFIRO m. Poniente, viento. // poét. Viento suave.
CEGADOR, RA adj. Que ciega.
CEGAR intr. perder la vista. // tr. Quitar la vista a alguno. // tr. e intr. fig. Ofuscar el entendimiento. // tr. fig. Cerrar alguna cosa.
CEGATO, TA adj. y s. fam. Corto de vista.
CEGUEDAD O CEGUERA f. *Med.* Ausencia o pérdida de la visión. // Ofuscación del juicio.
CEJA f. Parte prominente y curvilínea cubierta de pelo, sobre la cuenca del ojo. // Pelo que la cubre. // *Mús.* Listón que tienen los instrumentos de cuerda entre el clavijero y el mástil. // Cejuela.
CEJAR intr. Retroceder. // Andar hacia atrás. // fig. Ceder en un empeño.
CEJILLA f. *Mús.* Ceja de los instrumentos de cuerda. // Cejuela.
CEJUELA f. *Mús.* Pieza que se coloca transversalmente sobre el mástil de la guitarra para elevar su entonación.
CELACANTO m. *Zool.* Pez crosopterigio (fa. latiméridos), con coraza interrumpida por escamas.
CELADA f. pieza de la armadura que cubría la cabeza.
CELADA f. Emboscada de gente armada. // Engaño, asechanza.
CELADOR, RA adj. Que vigila.
CELAR tr. Procurar el cumplimiento de las leyes, estatutos, etc. // Observar a una persona por recelo que se tiene de ella.
CELAR tr. y r. Encubrir, ocultar.
CELDA f. Aposento pequeño. // Aposento donde se encierra a los presos en las cárceles. // Celdilla.
CELDILLA f. Cada una de las casillas de los panales de las abejas, etc.
CELEBRACIÓN f. Acción de celebrar. // Aplauso, aclamación.
CELEBRAR tr. Alabar. // Hacer solemnemente una ceremonia, función, junta, etc. // Conmemorar.
CÉLEBRE adj. Famoso.
CELEBRIDAD f. Renombre de una persona o cosa. // Persona famosa.
CELEMÍN m. Medida para áridos, equivalente a 4,625 litros.
CELENTÉREOS m. pl. *Zool.* Grupo de metazoos acuáticos de simetría radial y cuerpo en forma de saco, como los pólipos y las medusas.
CELERIDAD f. Rapidez, velocidad.
CELESTE adj. Perten. al cielo. // adj. y s. Azul celeste.
CELESTIAL adj. Perten. al cielo. // fig. Delicioso.
CELESTINA f. fig. Alcahueta.
CELIBATO m. Soltería.
CÉLIBE adj. y s. Díc. de la persona soltera.
CELO m. Cuidado, esmero, interés. // Recelo de que lo que uno tiene llegue a ser alcanzado por otro. // *Zool.* Excitación sexual periódica de los animales.
CELOFÁN m. *Quím.* Especie de papel transparente y flexible conseguido a base de hidrato de celulosa.
CELOSO, SA adj. Que tiene celo o celos. // Receloso.
CELTA adj. y s. Pueblo centroeuropeo que se estableció en parte de la Galia, de Britania y de España. // Perten. a dicho pueblo. // m. Idioma de los celtas.
CELTÍBEROS m. pl. Ant. pueblo de la Península Ibérica, surgido de la fusión entre celtas e íberos.
CÉLULA f. Celda pequeña. // Concavidad. // *Biol.* Elemento anatómico microscópico de los vegetales y animales.

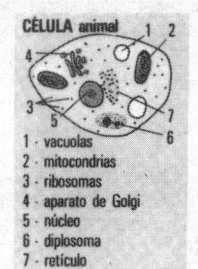

CÉLULA animal
1 - vacuolas
2 - mitocondrias
3 - ribosomas
4 - aparato de Golgi
5 - núcleo
6 - diplosoma
7 - retículo endoplasmático

CELULAR adj. Rel. a las células. // Díc. de la cárcel donde los reclusos están incomunicados.
CELULOIDE m. *Quím.* Sustancia plástica compuesta por alcanfor y nitrocelulosa.
CELULOSA f. *Bioquím.* Materia fundamental de todas las paredes de células vegetales. Sirve para la fabricación del papel, celuloide, etc.
CELLISCA f. Temporal de agua y nieve muy menuda, y viento.
CEMENTERIO m. Terreno destinado a enterrar

cadáveres.
CEMENTO m. Polvo gris desleido con agua y endurecido al aire, compuesto de silicatos anhidros de calcio y aluminio.
CENA f. Comida que se toma por la noche.
CENÁCULO m. Sala en que Jesucristo celebró la última cena. // fig. Reunión poco numerosa de personas que profesan las mismas ideas.
CENAGAL m. Lugar lleno de cieno.
CENAGOSO, SA adj. Lleno de cieno.
CENAR intr. Tomar la cena.
CENCEÑO, ÑA adj. Enjuto.
CENCERRO m. Campanilla de metal que se ata al pescuezo del ganado.
CENDAL m. Tela muy delgada y transparente de seda o lino.
CENEFA f. Lista sobrepuesta en los bordes de cortinas, pañuelos, etc. // Dibujo ornamental que se pone a lo largo de techos, muros, etcétera.
CENICERO m. Sitio o recipiente donde se recoge y echa ceniza.
CENICIENTO, TA adj. De color ceniza.
CENIT m. *Astron.* Punto en que la vertical del lugar corta a la esfera celeste.
CENIZA f. *Quím.* Polvo resultante de una combustión completa.
CENOBIO m. Monasterio.
CENOBITA adj. y s. Persona que hace vida monástica.
CENOTAFIO m. Monumento funerario en el cual no está el cadáver del personaje a quien se dedica.
CENSAR tr. Registrar en el censo.
CENSO m. Padrón o lista de la población o riqueza de un pueblo. // Contribución que se pagaba por censo. // Contrato por el cual se sujeta un inmueble al pago de una pensión anual, como interés de un capital recibido. // Registro de los ciudadanos con derecho a sufragio.
CENSOR m. Magistrado romano encargado de formar el censo de la ciudad y vigilar las costumbres. // Funcionario que censura obras literarias, teatrales, noticias, etc.
CENSUAL adj. Perten. al censo.
CENSURA f. Dictamen y juicio que se hace acerca de una obra o escrito. // Nota, corrección o reprobación de algo. // Murmuración.
CENSURAR tr. Formar juicio de una obra u otra cosa. // Corregir, reprobar alguna cosa. // Murmurar.
CENTAURA f. *Bot.* Planta compuesta perenne, de hojas alternas.
CENTELLA f. Rayo. // Chispa que salta del pedernal.
CENTELLAR o **CENTELLEAR** intr. despedir rayos de luz.
CENTELLEO m. Acción y efecto de centellear.
CENTÉN m. Moneda española de oro, que valía cien reales.
CENTENA f. Conjunto de cien unidades.
CENTENAR m. Centena. // Centenario.

CENTENARIO, RIA adj. Perten. a la centena. // adj. y s. Díc. del que tiene cien años. // m. Tiempo de cien años.
CENTENO m. *Bot.* Planta herbácea (fam. gramíneas), parecida al trigo.
CENTENO, NA adj. Centésimo.
CENTESIMAL adj. Díc. de cada uno de los números del 1 al 99 inclusive.
CENTÉSIMO, MA adj. y s. Díc. de cada una de las cien partes iguales en que se divide un todo.
CENTI- Prefijo; significa cien o centésima parte.
CENTIÁREA f. medida de superficie que tiene la centésima parte de un area.
CENTÍGRADO, DA adj. que tiene la escala dividida en cien grados.
CENTIGRAMO m. Peso que es la centésima parte de un gramo.
CENTILITRO m. Medida de capacidad que tiene la centésima parte de un litro.
CENTÍMETRO m. Medida de longitud que tiene la centésima parte de un metro.
CÉNTIMO, MA adj. Centésimo. // m. Moneda que vale la centésima parte de la unidad monetaria.
CENTINELA amb. Soldado que guarda el puesto que se le encarga. // fig. Persona que vigila algo.
CENTOLLO m. *Zool.* Crustáceo decápodo de la fam. májidos. Es muy apreciado como marisco.
CENTRAL adj. Perten. al centro o que está en él. // f. Establecimiento principal de algunas empresas u organizaciones. // *Tecnol.* Fábrica donde se produce o se transforma la energía eléctrica.
CENTRALISMO m. Doctrina de los centralistas.
CENTRALISTA adj. y s. Partidario de la centralización política o administrativa.
CENTRALITA f. Aparato que conecta una o varias líneas telefónicas con diversos teléfonos.
CENTRALIZAR tr. y r. Reunir varias cosas en un centro común. // Hacer que varias cosas dependan de un poder central.
CENTRAR tr. Determinar el punto céntrico de una superficie o de un volumen. // Colocar una cosa de modo que su centro coincida con el de otra.
CENTRIFUGAR tr. Separar una mezcla determinados componentes por medio de la fuerza centrífuga.
CENTRÍFUGO, GA adj. Que aleja del centro.
CENTRÍPETO, TA adj. Que atrae, dirige o impele hacia el centro.
CENTRO m. *Geom.* Punto interior del círculo, del cual equidistan todos los lados de la circunferencia. // Lo más interior de una cosa. // Punto donde habitualmente se reúnen los miembros de una corporación.
CENTROEUROPEO, A adj. Díc. de los países situados en Europa central. // Perten. a los mismos.
CENTUPLICAR tr. y r. Hacer cien veces mayor una cosa.
CÉNTUPLO, PLA adj. y s. Díc. del producto de la multiplicación por 100 de una cantidad.

CENTURIA f. Siglo. // En la milicia romana, compañía de cien hombres.
CENTURIÓN m. Jefe de una centuria en la milicia romana.
CEÑIDOR m. Faja o correa con que se ciñe el cuerpo por la cintura.
CEÑIR tr. Rodear o paretar el cuerpo u otra cosa. // Rodear una cosa a otra. // fig. Abreviar una cosa. // r. fig. Amoldarse.
CEÑO m. Señal de enojo, dejando caer el sobrecejo.
CEÑUDO, DA adj. Que tiene ceño.
CEPA f. *Bot.* Parte del tronco de las plantas inmediata a las raíces. // Tronco de la vid.
CEPILLAR tr. Alisar con el cepillo la madera o los metales. // Limpiar, quitar el polvo. // fig. y fam. Pulir.
CEPILLO m. Caja con una abertura usada para recolectar donativos. // Instrumento de carpintería para cepillar madera. // Instrumento de cerdas sujetas a una plancha; sirve para la limpieza.
CEPO m. Rama de árbol. // Instrumento para sujetar la garganta o el pie del reo. // Trampa para cazar animales.

caza con **cepos**, del «Libro de Trujillo de Perú»

CERA f. Sustancia sólida y blanda, segregada por las abejas para construir las celdillas de los panales.
CERÁMICA f. Arte de fabricar vasijas y otros objetos de barro, loza o porcelana.
CERAMISTA com. El que fabrica objetos de cerámica.
CERBATANA f. Cañuto para disparar bodoques u otras cosas. // Instrumento que usan algunos indios para disparar flechas.
CERCA f. vallado, tapia o muro con que se rodea algún sitio o casa.
CERCA adv. l. y t. Próxima o inmediatamente. Ante nombre o pronombre lleva la prep. *de*.
CERCADO m. Huerto o prado rodeado con una cerca. // Cerca, vallado.
CERCANÍA f. Calidad de cercano.
CERCANO, NA adj. Próximo, inmediato.
CERCAR tr. Rodear un sitio. // Poner sitio a una plaza. // Rodear mucha gente a una persona o cosa.
CERCENAR tr. Cortar las extremidades de alguna cosa. // Disminuir o acortar.
CERCETA f. *Zool.* Ave palmípeda (fam. anátidos), parecida a la paloma.
CERCIORAR tr. y r. Asegurar a alguno la verdad de una cosa.
CERCO m. Lo que ciñe o rodea. // Vuelta. // Marco. / / *Mil.* Asedio.
CERCOPITECO m. *Zool.* Primate catirriño.
CERDA f. Pelo grueso y duro que tiene las caballerías y otros animales en la cola y en el cuello. // Hembra del cerdo.
CERDO m. *Zool.* Mamífero de la fam. suidos. El doméstico proviene de la forma silvestre del jabalí.
CEREALES m. pl. *Bot.* Plantas gramíneas cultivadas para la obtención de sus semillas: trigo, centeno, cebada, arroz, maíz, etc.
CEREBELO m. *Anat.* Parte del encéfalo, situado en la fosa craneal posterior, debajo del lóbulo occipital del cerebro.
CEREBRO m. *Anat.* Parte anterior y superior del encéfalo; situado en el interior del cráneo, es el órgano principal del sistema nervioso.
CEREMONIA f. Acción o acto ajustado a ciertas reglas con que se da culto a las cosas divinas u honor a las profanas. // Ademán afectado.
CEREMONIAL adj. Perten. o rel. al uso de las ceremonias. // m. Serie de formalidades para un acto solemne.
CÉREO, A adj. De cera.
CEREZA f. Fruto del cerezo. Es una drupa carnosa y esférica.
CEREZO m. *Bot.* Arbol caducifolio (fam. rosáceas), de corteza lisa y grisácea. Su fruto es la cereza.
CERILLA f. Astilla de madera o papel enrollado y encerado, con una cabeza impregnada de una sustancia inflamable por fricción.
CERIO m. *Quím.* Elemento simple de carácter metálico, de color grisáceo; símbolo Ce.
CERNER tr. Separar con el cedazo la harina del salvado, o cualquier otra materia reducida a polvo. // fig. Atalayar, examinar. // r. fig. Amenazar de cerca algún mal.
CERNÍCALO m. *Zool.* Ave rapaz de la fam. falcónidos, muy parecida al halcón. // s. y adj. fig. y fam. Hombre ignorante y rudo.
CERNIR tr. Cerner.
CERO m. En un sistema de numeración, símbolo que designa la ausencia de unidades significativas.
CERRADO, DA adj. fig. Incomprensible, oculto. // Díc. del cielo cuando se presenta muy cargado de nubes. // Díc. del acento que presenta rasgos muy marcados. // fig. y fam. Apl. a la persona muy callada.

CERRADURA f. Mecanismo que se fija en las puertas, cajas, etc., y sirve para cerrar.
CERRAJERO m. El que hace cerraduras, llaves, y otras cosas de hierro.
CERRAR tr. Asegurar con cerradura u otro instrumento una puerta, ventana, etc., o encajarlas en su marco. // Hacer que el interior de un edificio, receptáculo, etc., quede incomunicado. // Juntar los párpados, los labios, etc. // Tratándose de libros, etc., juntar todas sus hojas. // Impedir el tránsito por un paso o camino. // Cercar. // tr. y r. Tapar u obstruir cualquier abertura, hueco, etc. // Plegar lo que estaba extendido.
CERRAZÓN f. fig. Incapacidad de comprender algo.
CERRIL adj. Apl. al terreno áspero. // Díc. del ganado no domado. // fig. y fam. Grosero. // Obstinado.
CERRO m. Cuello del animal. // Elevación de tierra, de menor altura que el monte.
CERROJO m. Barreta de hierro, con manija, que entrando en un agujero ajusta la puerta o ventana con el marco.
CERTAMEN m. fig. Concurso para estimular con premios el cultivo de las ciencias, las letras o las artes.
CERTERO, RA adj. Diestro en tirar. // Acertado. // Bien informado.
CERTEZA f. Conocimiento seguro y claro de alguna cosa.
CERTIDUMBRE f. Certeza.
CERTIFICACIÓN f. Acción y efecto de certificar. // Documento en que se asegura la verdad de un hecho.
CERTIFICADO m. Documento en que se certifica algo.
CERTIFICAR tr. y r. Dar por cierta alguna cosa. // tr. Tratándose de cartas o paquetes, obtener un resguardo que acredita el envío.
CERTITUD f. Certeza.
CERÚLEO, A adj. Apl. al color azul del cielo despejado.
CERVATO m. *Zool.* Ciervo menor de seis meses.
CERVECERÍA f. Fábrica de cerveza. // Tienda donde se vende.
CERVEZA f. Bebida alcohólica, a base de cebada malteada, lúpulo, agua y levadura.
CERVICAL adj. *Anat.* Perten. o rel. al cuello.
CÉRVIDOS m. pl. *Zool.* Fam. de mamíferos rumiantes del orden artiodáctilos. Los machos presentan grandes cuernas ramificadas.
CERVIZ f. Parte dorsal del cuello.
CESANTE adj. Que cesa. // adj. y s. Díc. del empleado a quien se priva de su empleo.
CESAR intr. Acabarse una cosa. // Dejar de desempeñar algún cargo, o de hacer lo que se está haciendo.
CESÁREA f. *Cir.* Extracción del feto a través de una incisión practicada en el útero.
CESARISMO m. Autocracia.
CESIO m. *Quím.* Elemento simple de carácter metálico, alcalino; símbolo Cs.

CESIÓN f. Renuncia de algo que una persona hace algo a favor de otra.
CÉSPED m. Hierba menuda y tupida que cubre el suelo.
CESTA f. Utensilio en forma de recipiente, que se hace tejiendo mimbre, juncos, etc.
CESTO m. Cesta grande y más alta que ancha.
CESTODOS m. pl. *Zool.* Clase de gusanos platelmintos, parásitos de los intestinos, como la tenia.
CESURA f. *Lit.* Pausa que se hace en el verso y que lo divide en dos partes o hemistiquios.
CETÁCEOS m. pl. *Zool.* Orden de mamíferos acuáticos de cuerpo fusiforme, de gran tamaño y con los miembros anteriores transformados en aletas.
CETRERÍA f. Arte de domesticar los halcones y demás aves que servían para la caza de volatería. // Caza que se hacía con estas aves.
CETRINO, NA adj. Apl. al color amarillo verdoso. // fig. Melancólico.
CETRO m. Vara de oro usada por emperadores y reyes por insignia de su dignidad. // fig. reinado de un príncipe. // Dignidad de tal.
CIANOSIS f. *Med.* Coloración azulada de la piel y las mucosas.
CIANUROS m. pl. *Quím.* Sales del ácido cianhídrico. Son los agentes tóxicos más activos que se conocen.
CIAR intr. Retroceder.
CIÁTICA f. Inflamación del nervio ciático que causa intensos dolores lumbares.
CIÁTICO, DA adj. Perten. a la cadera.
CIBERNÉTICA f. Ciencia de la autorregulación y de los mecanismos capaces de gobernarse por sí mismos.
CICATERO, RA adj. y s. Ruin.
CICATRIZ f. Señal que queda después de curada una herida o llaga.
CICATRIZACIÓN f. Acción y efecto de cicatrizar o cicatrizarse.
CICATRIZAR tr., intr. y r. Completar la curación de las llagas o heridas, hasta que queden bien cerradas.
CICERÓN m. fig. Hombre elocuente.
CICERONE m. Persona que enseña y explica las curiosidades de un lugar, edificio, etc.
CICLAMOR m. *Bot.* Arbol caducifolio de la fam. cesalpiniáceas.
CÍCLICO, CA adj. perten. o rel. al ciclo.
CICLO m. Período de tiempo que, acabado, se vuelve a contar de nuevo. // Serie de fases por que pasa un fenómeno físico periódico hasta que se reproduce una fase anterior. // Conjunto de tradiciones épicas. // Serie de actos de carácter cultural, relacionados entre sí por el tema, las personas, etcétera.
CICLOIDE f. *Geom.* Curva plana descrita por un punto fijo de una circunferencia que rueda sobre una línea recta.
CICLÓN m. *Meteor.* Area de bajas presiones que produce fuertes vientos convergentes a nivel del suelo y

divergentes en altura. // Depresión barométrica muy acusada, que produce vientos convergentes de gran intensidad. Se conoce también con los nombres de: *huracán, tifón,* etc.
CÍCLOPE m. *Mit.* Gigante con un solo ojo en medio de la frente.

Ulises ciega al **CÍCLOPE** Polifemo

CICLOSTILO m. Aparato que sirve para copiar muchas veces un escrito.
CICLÓSTOMOS m. pl. *Zool.* Animales acuáticos con aspecto serpentino, notocordio y cráneo cartilaginoso.
CICLOTRÓN m. *Fís. Nucl.* Acelerador de partículas subatómicas cargadas eléctricamente.
CICUTA f. *Bot.* Nombre de varias plantas herbáceas de la fam. umbelíferas, venenosas por sus alcaloides.
CIDRO m. *Bot.* Arbol perennifolio de la fam. rutáceas, grupo de los agrios. Parecido al limonero
CIEGO, GA adj. y s. Privado de la vista. // fig. Poseído de alguna pasión. // Ofuscado. // Díc. de cualquier conducto obstruido. // *Anat.* m. Primera porción del intestino grueso.
CIELO m. Esfera aparente azul y diáfana que rodea la Tierra. // Atmósfera. // Clima o temple. // Mansión en que los ángeles y los santos gozan de la presencia de Dios. // Gloria o bienaventuranza. // fig. Dios o su providencia. // Parte superior que cubre algunas cosas.
CIEMPIÉS m. *Zool.* Insecto miriápodo, de cuerpo dividido en numerosos anillos con sendos pares de patas.
CIEN adj. Apócope de ciento.
CIÉNAGA f. Paraje pantanoso.
CIENCIA f. Conjunto de conocimientos organizados sistemáticamente en un todo lógico y coherente.
CIENO m. Lodo blando que forma depósito en ríos, lagunas, etc.
CIENOSO, SA adj. Cenagoso.
CIENTÍFICO, CA adj. Perten. o rel. a la ciencia. // adj. y s. Que posee una o más ciencias.
CIENTO adj. Diez veces diez.
CIERRE m. Acción y efecto de cerrar. // Lo que sirve para cerrar. // Clausura de ciertos establecimientos.
CIERTO, TA adj. Conocido como vertedero. // Se usa como adj. indeterminado. // Sabedor de la verdad de algún hecho. // adv. Ciertamente.
CIERVO m. *Zool.* Mamífero rumiante (fam. cérvidos), esbelto y ligero. El macho tiene cuernos ramificados que se renuevan todos los años.
CIERZO m. Viento frío del Norte.
CIFOSIS f. *Med.* Convexidad de la columna vertebral; joroba.
CIFRA f. Número.
CIFRAR tr. Escribir en cifra. // tr. y r. fig. Compendiar, resumir.
CIGALA f. *Zool.* Crustáceo decápodo (fam. homáridos), parecido al bogavante. Su carne es muy apreciada.
CIGARRA f. *Zool.* Insecto hemíptero (fam. cicácidos). El macho produce un ruido monótono y estridente.
CIGARRERÍA f. *Amer.* Tienda en que se venden cigarros.
CIGARRILLO m. Cigarro pequeño de picadura envuelta en papel de fumar.
CIGARRO m. Rollo de hojas de tabaco, que se fuma.
CIGÜEÑA f. *Zool.* Ave zancuda, migratoria, con pico y patas muy largos.

nido de **cigüeñas**

CIGÜEÑAL m. *Mec.* Doble codo del eje de ciertas máquinas.
CILIADOS m. pl. *Zool.* Clase de protozoos cilióforos que se caracterizan por poseer cilios.
CILIAR adj. Perten. o rel. a las cejas o a los cilios.
CILICIO m. Faja de cadenillas de hierro con puntas, ceñida al cuerpo para mortificación.
CILÍNDRICO, CA adj. Perten. al cilindro. // De forma de cilindro.
CILINDRO m. *Geom.* Cuerpo limitado por una superficie cilíndrica y dos planos paralelos que la cortan.
CILIO m. *Biol.* Apéndice movible de la membrana celular de la superficie epitelial y de algunos protozoos. Se llama también *pestaña vibrátil*.
CIMA f. Lo más alto de los montes. // La parte más alta de los árboles y, por ext., de otras cosas.
CIMARRÓN, NA adj. y s. *Amer.* Díc. del esclavo o animal doméstico que huye al campo y se hace montaraz.

CÍMBALO m. Campana pequeña. // Instrumento de percusión, parecido a los platillos.
CIMBORRIO m. *Arq.* Cuerpo cilíndrico que sirve de base a la cúpula. // Cúpula.
CIMBRA f. *Arq.* Armazón que sostiene el peso de un arco o de una bóveda durante su construcción. // Curvatura de la superficie interior de un arco o una bóveda.
CIMBRAR O **CIMBREAR** tr. y r. Mover una cosa flexible, asiéndola por un extremo y vibrándola.
CIMBREANTE adj. Flexible.
CIMENTAR tr. Poner los cimientos de un edificio. // Fundar. // fig. Establecer los principios de algunas cosas espirituales.
CIMERA f. Remate del casco que se adornaba con plumas y otras cosas.
CIMIENTO m. Parte del edificio, que está debajo de tierra y sobre el que estriba toda la obra. // fig. Principio de alguna cosa.
CIMITARRA f. Especie de sable usado por turcos y persas.
CINABRIO m. *MIneral.* Sulfuro de mercurio. Constituye la principal mena del mercurio.
CINAMOMO m. *Bot.* Arbol caducifolio (fam. aleagnáceas). Se cultiva para ornamentación.
CINC m. *Quím.* Elemento simple de carácter metálico y color blanco azulado; símbolo Zn. Tiene muchas aplicaciones en la industria.
CINCEL m. Herramienta que sirve para labrar a golpes de martillo piedras y metales.
CINCELAR tr. Labrar, grabar con cincel en piedras y metales.
CINCHA f. Faja con que se asegura la silla o albarda sobre la cabalgadura.
CINCHAR tr. Asegurar la silla o albarda apretando las cinchas. // Asegurar con cinchos o aros de hierro.
CINCHO m. Faja ancha con que se suele ceñir el estómago. // Aro de hierro con que se aseguran ruedas, edificios, etc.
CINE m. Apócope de cinematógrafo.
CINEASTA com. Persona que interviene en una película cinematográfica, como actor, director, etc.
CINEMÁTICA f. Parte de la mecánica que estudia el movimiento de los cuerpos prescindiendo de su masa y de las causas que lo determinan.
CINEMÁTICO, CA adj. Rel. al movimiento.
CINEMATROGRAFÍA f. Arte de representar imágenes por medio del cinematógrafo.
CINEMATOGRÁFICO, CA adj. Perten. o rel. al cinematógrafo o a la cinematografía.
CINEMATÓGRAFO m. Aparato óptico de proyección que permite dar impresión de movimiento mediante el paso rápido de una serie de fotogramas en los que el movimiento se descompone.
CINERACIÓN f. Incineración.
CINERARIO, RIA adj. Destinado a contener cenizas de cadáveres.

CINÉTICA f. Parte de la física que estudia el movimiento.
CINÉTICO, CA adj. Perten. o rel. al movimiento.
CÍNGARO, RA adj. y s. Gitano.
CÍNICO, CA adj. Perten. al cinismo.
CÍNIFE m. Mosquito.
CÍNIPE m. *Zool.* Insecto himenóptero. Introduce sus larvas en el interior de los vegetales.
CINISMO m. Doctrina filosófica griega, caracterizada por su oposición a todo convencionalismo social. // Desvergüenza en lo que uno hace o dice. // Afectación de grosería. // Obscenidad descarada.
CINTA f. Tejido largo y angosto que sirve para atar o adornar.
CINTARAZO m. Golpe que se da de plano con la espada.
CINTO m. Faja usada para ceñir la cintura y que se

Marilyn **Monroe**

«Lo que el viento se llevó» de Victor Fleming

aprieta con hebillas, broches, etc. // Cintura.
CINTRA f. *Arq.* Curvatura de una bóveda o de un arco.
CINTURA f. Parte más estrecha del cuerpo humano, por encima de las caderas.
CINTURÓN m. Cinto de que se lleva pendiente la espada. // Correa o cordón que se pone sobre el vestido para ajustarlo al cuerpo. // fig. Serie de cosas que circuyen a otras.
CIPAYO m. Soldado indio al servicio de una potencia europea.
CIPERÁCEAS f. pl. *Bot.* Fam. de plantas monocotiledóneas, herbáceas, como el junco, el papiro, etc.
CIPO m. Pilastra en memoria de un difunto. // Hito, mojón.
CIPRÉS m. *Bot.* Arbol conífero de hoja perenne y escamosa. Proporciona madera de gran duración.
CIPRÍNIDOS m. pl. *Zool.* Fam. de peces teleósteos, de mandíbulas desdentadas provistas de barbas, como el barbo, la carpa, etc.
CIRCE f. Mujer astuta y engañosa.
CIRCENSE adj. Apl. a los espectáculos que se hacen en el circo.
CIRCO m. Lugar destinado entre los romanos para algunos espectáculos. // Edificio u otro local con gradería para los espectadores, que tiene en medio un espacio circular, donde se ejecutan ejercicios diversos. // *Geol.* Depresión semicircular de paredes abruptas.
CIRCÓN m. *Mineral* Silicato de circonio.
CIRCUIR tr. Rodear, cercar.
CIRCUITO m. Terreno comprendido dentro de un perímetro cualquiera. // Contorno.
CIRCULACIÓN f. Acción de circular. // Tránsito por las vías urbanas. // Movimiento de los productos, monedas y, en general, de la riqueza.
CIRCULAR adj. De figura de círculo. // f. Orden que una autoridad dirige a los subalternos.
CIRCULAR intr. Andar o moverse en derredor. // Ir y venir. // Pasar una cosa de unas personas a otras.
CIRCULATORIO, RIA adj. Perten. o rel. a la circulación.
CÍRCULO m. Superficie plana limitada por una circunferencia. // Circuito, distrito, corro. // Cerco. // Casino. // Sector o ambiente social.

CÍRCULO

CIRCUN- prep. insep. Significa alrededor.
CIRCUNCIDAR tr. Cortar circularmente una porción del prepucio.

CIRCUNCISIÓN f. Acción y efecto de circuncidar.
CIRCUNDAR tr. Cercar, rodear.
CIRCUNFERENCIA f. *Geom.* Curva cerrada y plana cuyos puntos equidistan de uno interior llamado centro.
CIRCUNLOCUCIÓN f. *Ret.* Figura que consiste en expresar por medio de un rodeo algo que hubiera podido expresarse con menos palabras.
CIRCUNLOQUIO m. Circunlocución.
CIRCUNNAVEGAR tr. Navegar alrededor. // Dar un buque la vuelta al mundo.
CIRCUNSCRIBIR tr. Reducir a ciertos límites alguna cosa. // tr. Ceñirse.
CIRCUNSCRIPCIÓN f. Acción y efecto de circunscribir. // División de un territorio.
CIRCUNSCRIPTO, TA o **CIRCUNSCRITO, TA** adj. *Geom.* Díc. de la figura que encierra en su interior a otra.
CIRCUNSPECCIÓN f. Atención, prudencia. // Seriedad

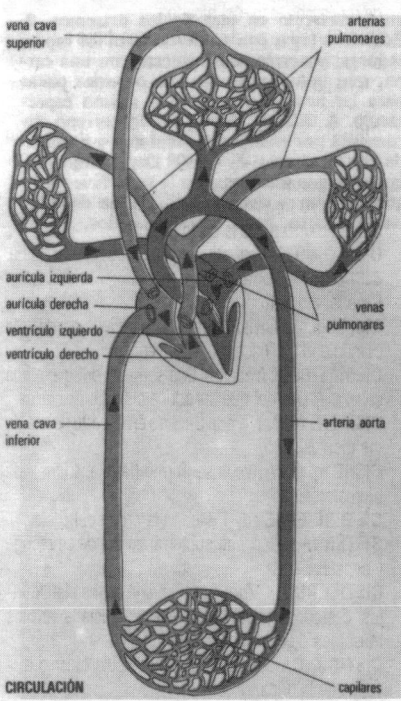

CIRCULACIÓN

CIRCUNSPECTO, TA adj. Cuerdo, prudente. // Serio, grave, respetable.
CIRCUNSTANCIA f. Accidente de tiempo, lugar, modo, etc., que acompaña sustancialmente a alguna cosa. // Calidad o requisito. // Conjunto de lo que está en torno a uno.
CIRCUNSTANCIADO, DA adj. Que se explica sin omitir ninguna circunstancia.

CIRCUNSTANCIAL adj. Que implica alguna circunstancia o depende de ella.
CIRCUNSTANTE adj. Que está alrededor. // adj. y s. Díc. de los que están presentes.
CIRCUNVALACIÓN f. Acción de circunvalar.
CIRCUNVALAR tr. Cercar, ceñir, rodear una ciudad, fortaleza, etc.
CIRCUNVOLUCIÓN f. Rodeo, vuelta.
CIRCUNYACENTE adj. Circunstante.
CIRÍLICO, CA adj. Perten. o rel. al alfabeto ruso y de otras lenguas eslavas.
CIRINEO m. fig. y fam. Persona que ayuda a otra en algún trabajo.
CIRIO m. Vela de cera de un pabilo, larga y gruesa.
CIRRÍPEDOS m. pl. *Zool.* Crustáceos marinos que viven fijos en las rocas, como el percebe.
CIRRO m. *Meteor.* Nube de gran altura, de aspecto fibroso.
CIRRÓPODOS m. pl. *Zool.* Cirrípedos.
CIRROSIS f. *Med.* Inflamación del tejido conjuntivo de un órgano, esp. del hígado.
CIRUELA f. Fruto del ciruelo. Es una drupa esférica u ovalada, de carne jugosa y azucarada.
CIRUELO m. *Bot.* Planta arbustiva drupácea de la fam. rosáceas.
CIRUGÍA f. Rama de la medicina que tiene por objeto curar las enfermedades o corregir deformidades por medio de operaciones.
CIRUJANO m. El que profesa la cirugía.
CIS prep. insep. De la parte de acá.
CISALPINO, NA adj. Situado entre los Alpes y Roma.
CISCO m. Carbón vegetal menudo. // fig. y fam. Reyerta, alboroto.
CISMA amb. División entre los individuos de una comunidad. // Discordia, desavenencia.
CISMÁTICO, CA adj. y s. Que se aparta de su legítima cabeza. // Díc. del que introduce cisma o discordia.
CISMONTANO, NA adj. Situado en la parte de acá de los montes.
CISNE m. *Zool.* Ave anseriforme (fam. anátidos), de plumaje blanco.
CISTERCIENSE adj. Perten. a la orden del Císter.
CISTERNA f. Depósito subterráneo donde se recoge y conserva agua.
CISTICERCO m. *Zool.* Fase larvaria de los platelmintos cestodos (tenia), que vive enquistada en los músculos de ciertos mamíferos.
CÍSTICO, CA adj. Perten. a la vesícula biliar o a la vejiga de la orina.
CISTITIS f. *Med.* Inflamación de la vejiga urinaria.
CISURA f. Rotura o hendedura sutil. // *Anat.* Nombre de ciertos canales o surcos del cerebro.
CITA f. Señalamiento de día, hora y lugar para verse dos o más personas. // Nota, doctrina, etc., que se alega para prueba de lo que se dice.
CITACIÓN f. Acción de citar.
CITAR tr. Avisar a uno, señalándole día, hora y lugar. // Anotar o mencionar los autores, textos o lugares que se alegan. // *For.* Hacer saber a una persona el llamamiento del juez.
CÍTARA f. Instrumento músico antiguo semejante a la lira, pero con caja de resonancia de madera.
CITERIOR adj. Situado de la parte de acá.
CITOLOGÍA f. Parte de la biología que estudia la célula y sus funciones.
CITOPLASMA m. *Biol.* Parte del protoplasma celular que rodea al núcleo.
CITRATO m. *Quím.* Sal derivada del ácido cítrico.
CÍTRICO, CA adj. Perten. o rel. al limón.
CITRÓN m. Limón.
CIUDAD f. Población más importante que las villas. // Conjunto de calles y edificios que componen la ciudad.
CIUDADANO, NA adj. y s. Natural de vecino de una ciudad. // adj. Perten. a la ciudad o a los ciudadanos.
CIUDADELA f. Recinto de fortificación en el interior de una plaza.
CÍVICO, CA adj. Civil. // Patriótico. // Perten. o rel. al civismo.
CIVIL adj. Ciudadano. // Sociable, atento. // Apl. a la persona que no es militar. // *Der.* Perten. a las relaciones e intereses privados. // Díc. de las disposiciones laicas, en oposición a las eclesiásticas.
CIVILIZACIÓN f. Acción y efecto de civilizar. // Conjunto de conocimientos y costumbres que caracterizan el estado social de un pueblo.
CIVILIZAR tr. y r. Sacar del estado salvaje. // Educar, ilustrar.
CIVISMO m. Celo por las instituciones e intereses de la patria.
CIZALLA f. Instrumento para cortar en frío las planchas de metal. // Fragmento de cualquier metal.
CIZAÑA f. *Bot.* Planta herbácea anual de la fam. gramíneas. De sus granos sale una harina tóxica. // fig. Vicio que se mezcla entre las buenas acciones o costumbres.
CLAMAR intr. y tr. Quejarse pidiendo favor o ayuda. // intr. Hablar de manera grave y solemne.
CLÁMIDE f. Capa corta que usaron los griegos y los romanos.
CLAMOR m. Grito fuerte. // Voz lastimera que indica aflicción.
CLAN m. Nombre que en Escocia designaba tribu o familia. Apl. por ext. a otras formas de agrupación humana.
CLANDESTINIDAD f. Calidad de clandestino.
CLANDESTINO, NA adj. Secreto, oculto.
CLAQUE f. fig. y fam. Conjunto de personas que aplauden a sueldo en los teatros.
CLARA f. Materia blanquecina que rodea la yema del huevo de las aves.
CLARABOYA f. Ventana en el techo o en la parte alta de las paredes.
CLAREAR tr. Dar claridad. // intr. Empezar a amane-

cer. // r. e intr. Transparentarse.
CLARETE adj. y s. Especie de vino tinto algo claro.
CLARIDAD f. Calidad de claro. // Efecto que causa la luz iluminando un espacio. // Distinción con que por medio de los sentidos percibimos las sensaciones, y por medio de la inteligencia, las ideas.
CLARIFICAR tr. Iluminar, alumbrar. // Aclarar. // Poner claro lo que estaba turbio o espeso.
CLARÍN m. Instrumento músico de viento, más pequeño que la trompeta y de sonidos más agudos.
CLARINETE m. Instrumento músico de viento, en madera y metal y boquilla de lengüeta.
CLARIVIDENCIA f. Facultad de comprender y discernir claramente las cosas. // Penetración, perspicacia.
CLARIVIDENTE adj. y s. Díc. del que posee clarividencia.
CLARO, RA adj. Bañado de luz. // Que se distingue bien. // Limpio, puro. // Transparente y terso. // Apl. a las cosas líquidas no muy espesas. // Evidente. // fig. Perspicaz. // Ilustre. // m. Abertura por donde entra luz. // adv. m. Claramente.
CLAROSCURO m. Conveniente distribución de luz y sombras en un cuadro.
CLASE f. Orden de personas del mismo grado. // Grupo o categoría en que se consideran comprendidas diferentes cosas. // Aula. // Lección que da el maestro a los discípulos cada día. // Bot. y Zool. Categoría sistemática comprendida entre la división o tipo y el orden.
CLASICISMO m. Tendencia literaria o artística fundada en la imitación de los modelos de la antigüedad.
CLASICISTA adj. y s. Díc. del partidario del clasicismo.
CLÁSICO, CA adj. y s. Díc. del autor o de la obra que se tiene por modelo digno de imitación. // Perten. a la literatura o al arte de la antigüedad griega y romana. / / Clasicista.
CLASIFICACIÓN f. Acción y efecto de clasificar.
CLASIFICAR tr. Ordenar, disponer por clases.
CLAUDICAR intr. Cojear. // Ceder.
CLAUSTRO m. Galería que cerca el patio principal de una iglesia o convento. // En los centros docentes, junta del profesorado.
CLAUSTROFOBIA f. Sensación morbosa de angustia producida por la permanencia en lugares cerrados.
CLÁUSULA f. For. Cada una de las disposiciones de un contrato u otro documento análogo.
CLAUSURA f. En los conventos, recinto interior en el que está prohibida la entrada a seglares. // Acto solemne con que se terminan ciertos actos.
CLAUSURAR tr. Poner fin a la actividad de ciertos organismos.
CLAVAR tr. Introducir un clavo u otra cosa aguda, a fuerza de golpes, en un cuerpo. // Asegurar con clavos una cosa en otra. // fig. Fijar.
CLAVE f. Lo que explica, determina o fundamenta alguna cosa. // Lo que desempeña un papel primordial. // Arq. Piedra con que se cierra el arco o bóveda. // Mús. Signo que se coloca al principio del pentagrama para determinar el nombre de las notas. // Clavicémbalo.
CLAVEL m. Bot. Planta herbácea de la fam. cariofiláceas, con flores de abundantes pétalos.
CLAVELLINA f. Bot. Clavel, esp. el de flores sencillas.
CLAVERO m. Bot. Arbol de la fam. mirtáceas, de hojas persistentes y flores reunidas en corimbos.
CLAVICÉMBALO m. Clavicordio.
CLAVICORDIO m. Ant. Instrumento de teclado, parecido al piano; sus cuerdas se herían con lengüetas.
CLAVÍCULA f. Anat. Cada uno de los dos huesos situados transversalmente en la parte superior del pecho.

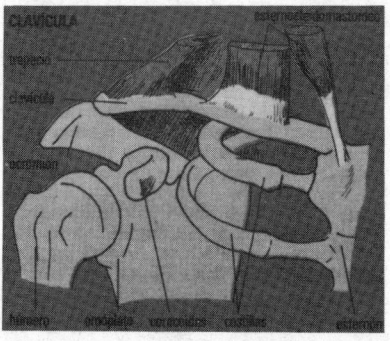

CLAVIJA f. Pieza cilíndrica que se encaja en un taladro hecho al efecto en una pieza sólida.
CLAVO m. Pieza metálica, larga y delgada, con cabeza y punta, que sirve para asegurar una cosa a otra. // Bot. Capullo de la flor del clavero, aromático; se usa como condimento.
CLEMENCIA f. Virtud que modera el rigor de la justicia.
CLEMENTE adj. Que tiene clemencia.
CLEPSIDRA f. Reloj de agua.
CLEPTOMANÍA f. Propensión morbosa al hurto.
CLEPTÓMANO, NA adj. y s. Díc. de la persona que padece cleptomanía.
CLERECÍA f. Conjunto de personas que componen el clero.
CLERICAL adj. Perten. al clérigo.
CLÉRIGO m. El que ha recibido las órdenes sagradas. // En la Edad Media, hombre letrado.
CLERO m. Conjunto de clérigos.
CLIENTE, TA com. Persona que está bajo la protección de otra. // La que utiliza los servicios profesionales de otras; parroquiano.
CLIMA m. Conjunto de condiciones atmosféricas de una región. // Ambiente que rodea a una persona.
CLIMATERIO m. Epoca de la vida en que declina la función genital.
CLIMATOLOGÍA f. Ciencia que estudia los climas.

CLIMATOLÓGICO, CA adj. Perten. o rel. a la climatología, o a las condiciones propias de cada clima.
CLÍMAX. m. Gradación retórica ascendente. // Término más alto de esta gradación. // Culminación de un proceso.
CLÍNICA f. Parte práctica de la enseñanza de la medicina. // Hospital privado.
CLÍNICO, CA adj. y s. Perten. a la clínica.
CLISAR tr. Reproducir con planchas de metal la composición de imprenta, mediante un molde.
CLISÉ m. Plancha clisada, y esp. la que representa algún grabado.
CLÍTORIS m. *Anat.* Pequeño órgano eréctil, situado en la parte anterior de la vulva.
CLOACA f. Conducto de desagüe para aguas sucias e inmundicias. // *Zool.* Porción final del tubo digestivo de las aves.
CLORATOS m. pl. *Quím.* Sales del ácido clórico y un metal.
CLORHIDRATOS m. pl. *Quím.* Sales hidratadas resultantes de la reacción del ácido clorhídrico con una base.
CLORHÍDRICO, CA adj. *Quím.* Perten. o rel. a las combinaciones del cloro y del hidrógeno.
CLORO m. *Quím.* Metaloide gaseoso (símbolo Cl), de olor picante, amarillento, venenoso y asfixiante.
CLOROFÍCEAS f. pl. *Bot.* Fam. de algas verdes, que vive en aguas dulces y forma parte del plancton.
CLOROFILA f. *Bot.* Pigmento verde que se halla presente en las algas y plantas superiores, mediante el cual se realiza la fotosíntesis.
CLOROFORMO m. *Quím.* y *Med.* Líquido incoloro y volátil. Es un potente anestésico.
CLORURO m. *Quím.* Sal del ácido clorhídrico.
CLOWN (voz inglesa) m. Payaso.
CLUB m. Junta de individuos de una sociedad. // Sociedad de recreo.
CLUECO, CA adj. y s. Apl. a las aves cuando se echan sobre los huevos para empollarlos.
CLUNIACENSE adj. y s. Perten. al monasterio o congregación de Cluny.
CLUPEIDOS m. pl. *Zool.* Fam. de peces teleósteos, de cuerpo alargado y plano. Especies importantes son el arenque y la sardina.
CO- prep. insep. Equivale a *con,* e indica unión o compañía.
COACCIÓN f. Violencia que se hace a una persona para obligarla a que diga o ejecute alguna cosa.
COACCIONAR tr. Ejercer coacción.
COADJUTOR, RA m. y f. Persona que ayuda a otra en ciertas cosas.
COADYUVAR tr. Contribuir, ayudar a la consecución de otra cosa.
COAGULACIÓN f. Acción y efecto de coagular o coagularse.
COAGULAR tr. y r. Cuajar, solidificar lo líquido.
COÁGULO m. Coagulación de la sangre. // Grumo extraído de un líquido coagulado.
COALICIÓN f. Confederación, unión.
COARTADA f. Prueba de que el presunto reo no se hallaba presente en el lugar del delito.
COARTAR tr. Limitar, restringir, no conceder enteramente una cosa.
COBA f. fam. Embuste gracioso. // Halago fingido.
COBALTO m. *Quím.* Metal parecido al hierro, dúctil y maleable, con brillo blanco azulado; símbolo Co.
COBARDE adj. y s. Pusilánime sin valor. // adj. Hecho con cobardía.
COBARDÍA f. Falta de ánimo y valor.
COBAYA f. *Zool.* Mamífero roedor de la fam. Cávidos, llamado también *conejillo de indias.*
COBAYO m. *Zool.* Cobaya.
COBERTIZO m. Tejado que sale fuera de la pared, para guarecer de la lluvia. // Sitio cubierto rústicamente.
COBERTOR m. Colcha. // Manta o cobertura de abrigo para la cama.
COBIJAR tr. y r. Cubrir o tapar. // fig. Dar albergue.
COBRA f. *Zool.* Serpiente venenosa propia de países tropicales

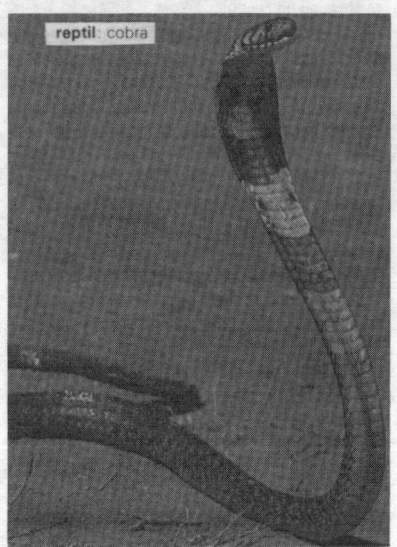

reptil: cobra

COBRAR tr. Percibir el acreedor una cantidad adeudada. // Recuperar. // Tratándose de afectos, tomar o sentir. // Adquirir. // fam. Recibir un castigo. // r. Recuperarse.
COBRE m. *Quím.* Elemento simple de carácter metálico; símbolo Cu. Es dúctil y pesado, y buen conductor de la electricidad.
COBRIZO, ZA adj. Apl. al mineral que contiene cobre. // De color de cobre.
COCA f. *Bot.* Arbol del Perú de la fam eritroxiláceasa. Sus hojas contienen cocaína.
COCAÍNA f. *Bioquim.* Alcaloide de las hojas de la

coca, utilizado como anestésico y narcótico.
COCCIDIOS m. pl. *Zool.* Orden de esporozoos parásitos del intestino de los animales y del hombre.
COCCIÓN f. Acción y efecto de cocer.
CÓCCIX m. *Anat.* Hueso del extremo inferior de la columna vertebral.
COCEAR intr. Dar cosas.
COCER tr. Poner un manjar dentro de un líquido en ebullición para que se pueda comer. // Tratándose de pan, cerámica, etc., someterlos a la acción del calor en el horno,.
COCIDO m. Guiso de carne, tocino, hortalizas, legumbres, etc.
COCIENTE m. *Arit.* Resultado que se obtiene dividiendo una cantidad por otra.
COCINA f. Sitio en que se guisa la comida. // Caldo. // fig. Manera especial de guisar de cada país.
COCINAR tr. e intr. Guisar.
COCINERO, RA m. y f. Persona que tiene por oficio cocinar.
COCO m. *Bot.* Fruto del cocotero. Es una drupa cubierta por una cáscara leñosa. // Fantasma imaginario para meter miedo a los niños.
COCO m. *Biol.* Bacteria de forma esférica.
COCODRILO m. *Zool.* Reptil de cuerpo protegido por placas córneas., Es muy voraz, y habita en ríos y lagos.
COCOTERO m. *Bot.* Arbol de la fam. palmáceas, coronado por un grupo de hojas de grandes dimensiones.
CÓCTEL O COCTEL m. Bebida compuesta de varios licores.
COCUY O COCUYO m. *Zool.* Insecto coleóptero luminoso americano., // *Bot.* Arbol silvestre de las Antillas.
COCHAMBRE amb. fam. Suciedad, cosa grasienta y de mal olor.
COCHE m. Vehículo de cuatro ruedas provisto de varios asientos. // *Ferr.* Vagón de pasajeros.
COCHERA f. Paraje donde se encierran los coches.
COCHINILLA f. *Zool.* Insecto hemíptero (fam . cóccidos) ; reducido a polvo, se emplea como colorante.
COCHINO, NA m.y f. Cerdo. // fig. y fam. Persona miserable. // adj. y s. fig. y fam. Persona muy sucia.
COCHITRIL m. fam. Pocilga. // fig. y fam,. Habitación desaseada.
COCHURA f. Cocción.
CODA f. *Mús.* Adición brillante al final de una pieza de música.
CODAZO m. Golpe dado con el codo.
CODEAR intr. Mover los codos. // r. y fig. Tratarse de igual a igual una persona con otra.
CODEÍNA f. *Bioquím.* Alcaloide presente en el opio, utilizado como hipnótico y antitusígeno.
CÓDICE m. Libro manuscrito ant. de importancia histórica o literaria.
CODICIA f. Apetito desordenado de riquezas y otras cosas.
CODICIAR tr. Desear con ansia las riquezas u otras cosas.
CODICILIO m. Apéndice que se añade a un testamento.
CODICIOSO, SA adj. y s. Que tiene codicia. // fig. y fam. Laborioso.
CODIFICACIÓN f. Acción y efecto de codificar.
CODIFICAR tr. Hacer o formar un cuerpo de leyes metódico y sistemático.
CÓDIGO m. *Der.* Cuerpo de leyes dispuestas según un sistema metódico. // fig. Conjunto de reglas sobre cualquier materia.
CODILLO m. En los cuadrúpedos, coyuntura del brazo próxima al pecho. // Trozo de tubo doblado en ángulo.
CODO m. *Anat.* Parte posterior de la articulación del brazo con el antebrazo. // Codillo. // Ant. medida de longitud, de unos 42 cm.
CODORNIZ f. *Zool.* Ave galliforme de la fam. faisánidos, menor que la perdiz , de carne muy apreciada.
COEFICIENTE adj. y s. m. Que juntamente con otra cosa produce un efecto. // Factor constante de una magnitud. // *Mat.* Número que, escrito inmediatamente a la izquierda de un monomio, indica las veces que éste ha de tomarse como sumando.
COERCER tr. Contener, refrenar.
COERCIÓN f. *For*,. Acción de coercer.
COETÁNEO, A adj. y s. Apl. a las personas y cosas que coinciden en una misma edad o tiempo.
COEXISTIR intr. Existir una persona o cosa a la vez que otra.
COFA f. *Mar.* Plataforma para el vigía, que se instala en lo alto de un palo de buque.
COFIA f. Red usada para recoger el pelo.
COFRADE com. Persona que pertenece a una cofradía.
COFRADÍA f. Congregación religiosa, debidamente aprobada . // Gremio formado para un fin determinado.
COFRE m. Caja con tapa y cerradura, para guardar objetos. // Baúl.
COGER tr. y r. Asir, agarrar o tomar. // tr. Recibir en sí alguna cosa. // Ocupar cierto espacio. // Encontrar. // Descubrir un engaño o un descuido. / Sobrevenir, sorprender. // Alcanzar. // Herir el toro a una persona con los cuernos. // *Amer.* Cubrir el macho a la hembra; copular. Las demás acepciones de coger se sutituyen por *agarrar*.
COGITAR tr. Reflexionar o meditar.
COGNACIÓN f. Parentesco de consanguinidad por línea femenina.
CONGNOSCIBLE adj. Conocible.
COGNOSCITIVO, VA adj. Díc. de lo que es capaz de conocer.
COGOLLO m. Lo interior y más apretado de algunas hortalizas. // fig. Lo escogido, lo mejor.
COGORZA f. vulg. Borrachera.

COGOTE m. Parte superior y posterior del cuello.
COGOTUDO, DA adj. fig. y fam. Díc. de la persona muy orgullosa. // Amer. Plebeyo enriquecido.
COHABITAR tr. Habitar juntamente con otro u otros. // Hacer vida marital el hombre y la mujer.
COHECHAR tr. Sobornar al juez . // Agr. Alzar el barbecho, o dar la tierra la última vuelta antes de sembrarla.
COHECHO m. Acción y efecto de cohechar.
COHERENCIA f. Conexión, relación o unión de unas cosas con otras.
COHERENTE adj. Que tiene coherencia.
COHESIÓN f. Acción y efecto de reunirse o adherirse las cosas entre sí.
COHETE f. *Tecnol*. Tubo relleno de pólvora y otros explosivos, que sujeto al extremo de una vara, se eleva al empezar a arder por la parte inferior y estalla a cierta altura; de él proceden los cohetes de señales, los empreados para impulsar proyectiles aviones, etc.
COHIBIR tr. Refrenar, reprimir.
COHORTE f. Unidad táctica del ant. ejército romano, compuesta de varias centurias. // fig. Conjunto, serie.
COINCIDENCIA f. Acción y efecto de coincidir.
COINCIDENTE Que coincide.
COINCIDIR intr. Convenir, ajustarse una cosa con otra. // Ocurrir dos o más cosas a un mismo tiempo. // Concurrir simultáneamente dos o más personas en un mismo lugar.
COITO m. Ayuntamiento carnal del hombre con la mujer.
COJEAR. intr. Andar inclinado el cuerpo más a un lado que a otro. // Moverse algún mueble, por falta de estabilidad.
COJERA f. Accidente que impide andar con regularidad.
COJÍN m. Almohadón para apoyar sobre él alguna parte del cuerpo.
COJINETE m. Conjunto de piezas en las que se apoya un eje de giro a fin de disminuir el roce.
COJO, JA adj. y s. Apl. a la persona o animal que cojea, o a quien le falta una pierna o un pie. // Díc. también de algunas cosas inestables o que carecen de fundamento.
COJÓN m. Testículo . // pl. fig. y fam. Hombría. // Desfachatez.
COL. f. *Bot*. Planta bienal de la fam. crucíferas, de hojas grandes y carnosas usadas como alimento.
COLA f. Extremidad posterior del cuerpo de algunos animales. // Extremidad posterior de alguna cosa. // Apéndice prolongado que se une a alguna cosa. // Hilera de personas que esperan vez. // Bot. Planta esterculiácea africana. Su semilla, la nuez de cola, es estimulante.
COLA f. Sustancia aglutinante que adhiere a los objetos y los mantiene unidos.
COLABORACIÓN f. Acción y efecto de colaborar.
COLABORACIONISTA com. El que colabora con un régimen político considerado mayoritariamente antipatriótico.
COLABORAR intr. Trabajar con otro u otros en una misma obra.
COLACIÓN f. Cotejo. // Comida ligera.
COLADA f. Acción y efecto de colar, esp. la ropa. // Lejía en que se cuela la ropa. // Ropa colada.
COLADERO O COLADOR m. Manga, cedazo, paño, etc. en que se filtra o cuela un líquido.
COLAPSO m. Postración repentina de las fuerzas vitales.
COLAR tr. Pasar un líquido por un coladero. // Blanquear la ropa. // intr. Pasar una cosa en virtud de engaño o artificio. // r. fam. Introducirse a escondidas en alguna parte. // fig. y fa,. Cometer equivocaciones.
COLATERAL adj. Díc. de las cosas que están a uno y otro lado.
COLCHA f. Cobertura de cama que sirve de adorno y abrigo.
COLCHÓN m. Especie de saco cuadrilongo, relleno de alguna cosa elástica y cosido por todos los lados, que sirve para dormir en él.
COLEAR intr., Mover la cola.
COLECCIÓN f. Conjunto de cosas de una misma clase.
COLECCIONAR tr. Formar colección,
COLECTA f. Repartimiento de una contribución. // Recaudación de donativos.
COLECTAR tr. Recaudar.
COLECTIVIDAD f. Conjunto de personas que tienen un fin común.
COLECTIVISMO m. Conjunto de doctrinas político-ecomómicas que propugnan la propiedad en común de los medios de producción.
COLECTIVIZAR tr. Transformar lo individual en colectivo.
COLECTOR m. Recaudador. // Conducto subterráneo que recoge las aguas de las alcantarillas.
COLEGA m. Compañero en un colegio, corporación, profesión, etc.
COLEGIAL adj. Perten. al colegio. // m. El que asiste a un colegio,.
COLEGIARSE f. Reunirse en colegio los individuos de una profesión o clase.
COLEGIATA f. Iglesia con capítulo de canónigos, sin sede episcopal.
COLEGIO m. Establecimiento de enseñanza . // Corporación de personas de la misma dignidad o profesión.
COLEGIR tr. Juntar, unir. // Inferir, deducir una cosa de otra,.
COLEÓPTEROS m. pl. Zool. Insectos masticadores, con alas delanteras transformadas en élitros protectores bajo los que se pliegan las alas membranosas posteriores.
CÓLERA f. Bilis. // fig. Ira. // Med. m. Enfermedad infeccionsa intestinal de carácter epidémico. Con fre-

cuencia es mortal; se caracteriza por vómitos, diarrea, etc.
COLESTERINA f. Colesterol.
COLESTEROL m. Sustancia grasa existente en la mayoría de tejidos animales. Su presencia en exceso en la sangre provoca arterioesclerosis.
COLETA f. Mechón largo de cabello recogido en la parte posterior de la cabeza.
COLETILLA f. Coleta. // fig. y fam. Adición breve a lo escrito o hablado.
COLGAR tr. Suspender, poner una cosa pendiente de otra. // fig. y fam. Ahorcar. // fig. imputar, achacar. // intr. Estar una cosa en el aire pendiente de otra.
COLIBRÍ m. *Zool.* Pájaro troquílido, muy diminuto y de largo pico.

CÓLICO m. *Med.* Dolor abdominal agudo, caracterizado por frecuentes contracciones espasmódicas.
COLIFLOR f. *Bot.* Planta bienal (fam. crucíferas), variedad de la col.
COLIGARSE f. y tr. Unirse confederarse para algún fin.
COLILLA f. Resto del cigarro después de fumarlo.
COLINA f. Elevación natural del terreno, menor que una montaña.
COLINDAR intr. Lindar entre sí dos o más fincas.
COLIRIO m. Medicamento tópico usado en las afecciones oculares.
COLISEO m. Teatro destinado a la representación de tragedias y comedias.
COLISIÓN f. Choque de dos cuerpos. // fig. Pugna de ideas e intereses.
COLITIS f. *Med.* Inflamación del colon.
COLMADO m. Tienda de comestibles.
COLMAR tr. Llenar una cavidad cualquiera hasta que el contenido rebase los bordes.
COLMENA f. Recipiente donde se aloja a las abejas para obtener de ellas miel y cera.
COLMILLO m. Diente agudo colocado entre el último incisivo y el primer molar. // Cada uno de los dos dientes prolongados en forma de cuerno, que salen de la boca del elefante.
COLMO m. Porción de materia que sobresale por encima de los bordes del vaso que la contiene.

COLOCACIÓN f. Acción y efecto de colocar o colocarse. // Situación de personas o cosas. // Empleo.
COLOCAR tr. y r. Poner a una persona o cosa en su lugar. // fig. Poner a uno en algún estado o empleo.
COLODIÓN m. *Quim.* Disolución de nitrocelulosa en una mezcla de éter y alcohol etílico. Usado en fotografía.
COLOFÓN m. Anotación al final de un libro con el nombre del impresor y el lugar y fecha de impresión.
COLOFONIA f. Resina sólida, residuo de la destilación de la trementina.
COLOIDAL adj. *Quim-Fis.* De la naturaleza de la cola, de la gelatina.
COLOIDE m. *Quim-Fis.* Cualquier sustancia con capacidad para formar soluciones coloidales.
COLOMBINO, NA adj. Perten. a Cristobal Colón o a su familia.
COLON m. *Anat.* Porción del intestino grueso comprendida entre el ciego y el recto.
COLONIA f. Conjunto de personas que se establece en un país distinto del propio. // Territorio fuera de la nación que lo hizo suyo. // Agua de colonia.
COLONIALISMO m. Proceder de las naciones que explotan en beneficio propio los recursos de otros países.
COLONIZAR tr. Establecer colonia.
COLONO m. El que habita en una colonia. // Labrador que cultiva una heredad arrendada.
COLOQUIAL adj. Perten. o rel. al coloquio.
COLOQUIO m. Conferencia entre dos o más personas. // Composición literaria en forma de diálogo.
COLOR m. Cualidad de los objetos, que les permite reflejar o dejar pasar ciertos rayos de luz y absorber otros, produciendo así en la retina una sensación específica. // Sustancia para pintar o teñir.
COLORADO, DA adj. Que tiene color. // De color rojo.
COLORANTE m. *Quim.* Sustancia soluble capaz de fijarse sobre otra para teñirla o colocarla.
COLOREAR tr. Dar color. // Intr. y r. tirar a colorado.
COLORIDO m. Disposición y grado de intensidad de los colores de una pintura.
COLORÍN m. Jilguero.
COLOSAL adj. Perten. o rel. al coloso. // fig. Excelente, extraordinario. // Muy grande, o alto.
COLOSO m. Estatua de gran magnitud. // fig. Persona o cosa que sobresale mucho.
COLÚMBIDOS m. pl. *Zool.* Fam. de aves con músculos pectorales muy desarrollados y pico corto, como la paloma y la tótola.
COLUMNA f. *Arq.* Apoyo sensiblemente cilíndrico, de mucho mayor altura que diametro, compuesto, por lo común, de basa, fuste y capitel, y que sirve para sostener techumbres u otras partes de la fábrica. // Série de cosas colocadas ordenadamente unas sobre otras. // *Mil.* Masa de tropas dispuesta en formación.
COLUMANATA f. Serie de columnas que sostienen o adornan un edificio.

COLUMPIAR tr. y r. Impeler al que está en un columpio // r. fig. y fam. Mover el cuerpo de un lado a otro al andar.
COLUMPIO m. Cuerda atada en alto por sus dos extremos, para que pueda mecerse alguna persona.
COLZA f. *Bot.* Planta crucífera, variedad del nabo.
COLLADO m. Cerro o colina. // Depresión suave en una sierra.
COLLAR m. Adorno que ciñe o rodea el cuello. // Insignia de algunas magistraturas y dignidades.
COMA f. Signo ortográfico (,) que sirve para indicar la división de las frases o miembros de la oración, y que también se emplea en aritmética para separar los enteros de las fracciones decimales.
COMA m. *Med.* Estado de sopor profundo, con pérdida de la conciencia y la sensibilidad.
COMADRE f. fam. Partera. // Alcahueta. // Vecina y amiga.
COMADREAR intr. fam. Chismear.
COMADREJA. f. *Zool.* Mamífero carnívoro de la fam. mustélidos. Se alimenta de huevos y crías de aves.
COMADRONA f. Partera.
COMANCHES m. pl. Tribu amerindia que vivía en la región del Yellowstone.
COMANDANCIA f. Empleo de comandante. // Provincia sujeta a un comandante. // Edificio donde se hallan las oficinas de aquel cargo.
COMANDANTE m. Jefe militar de categoría inmediata a la de capitán.
COMANDAR tr. Mandar un ejército, una plaza, una flota, etc.
COMANDITA f. Sociedad comanditaria.
COMANDITAR tr. Aprontar los fondos necesarios para una empresa, sin contraer obligación mercantil alguna.
COMANDO m. Mando militar. // Pequeño grupo de tropas de choque.
COMARCA f. Unidad territorial, determinada por factores naturales, históricos, humanos, etc.
COMARCAL adj. Perten. o rel. a la comarca.
COMATOSO, SA adj. *Med.* Perten. o rel. al coma.
COMBA f. Inflexión de algunos cuerpos sólidos cuando se encorvan. // Juego que consiste en saltar por encima de una cuerda.
COMBAR tr. y r. Torcer una cosa.
COMBATE m. Pelea entre personas o animales. // Acción bélica. // fig. Lucha interior del ánimo.
COMBATIENTE adj. Que combate. // m. Soldado de un ejército.
COMBATIR intr. y r. Pelear. // tr. Acometer. // fig. Tratándose de algunas cosas inanimadas, sacudir. // Contradecir. // fig. Dicho de pasiones del ánimo, agitarlo.
COMBINACIÓN f. Acción y efecto de combinar o combinarse. // Prenda de vestir que usan las mujeres por debajo del vestido. // *Mat.* Cada uno de los grupos que se pueden formar con elementos diferentes, pero en número igual, tomados de una serie dada. // *Quim.* Unión de dos o más elementos para dar un compuesto de nuevas propiedades.
COMBINAR tr. Unir cosas diversas. // fig. Concertar.
COMBINATORIO, RIA adj. Apl. al arte de combinar.
COMBURENTE adj. y s. m. *Quim.* Díc. de las sustancias que provocan el fenómeno de la combustión.
COMBUSTIBILIDAD f. Calidad de combustible.
COMBUSTIBLE adj. y s. m. *Quim.* Díc. de toda sustancia que al arder libera energía calorífica.
COMBUSTIÓN f. Acción y efecto de arder o quemar.
COMEDIA f. *Lit.* Término que engloba las distintas variedades de teatro festivo o de enredo.
COMEDIANTE, TA m. y f. Actor y actriz. // fig. y fam. Persona que aparenta lo que no siente.
COMEDIDO, DA adj. Cortés, prudente.
COMEDIMIENTO m. Cortesía.
COMEDIÓGRAFO, FA m. y f. Persona que escribe comedias.
COMEDIRSE r. Contenerse. // Ofrecerse para alguna cosa.
COMEDOR, RA adj. Que come mucho. // m. Aposento destinado para comer y mobiliario de éste.
COMENDADOR m. Caballero que tiene encomienda en alguna orden militar o de caballería.
COMENSAL com. Cada una de las personas que comen en la misma mesa.
COMENTAR tr. Declarar el contenido de un escrito, para que se entienda con más facilidad. // fam. Hacer comentarios.
COMENTARIO m. Escrito que sirvió de explicación de una obra. // pl. fam. Conversación sobre personas o sucesos de la vida ordinaria.
COMENTARISTA com. Persona que escribe comentarios.
COMENZAR tr. Empezar, dar principio a una cosa. // intr. Tener una cosa principio.
COMER m. Comida, alimento
COMER intr. y tr. Masticar el alimento y pasarlo al estómago. // intr. Tomar alimento. // Tomar la comida principal. // Gastar. // Corroer.
COMERCIABLE adj. Apl. a los géneros con que se puede comerciar.
COMERCIAL adj. Perten. al comercio.
COMERCIANTE adj. y s. Que comercia. // com. Persona a quien son aplicables las leyes mercantiles.
COMERCIAR intr. Negociar comprando y vendiendo géneros. // fig. Tener trato unas personas con otras.
COMERCIO m. Establecimiento comercial. // fig. Conjunto de comerciantes. // Trato secreto entre dos personas de distinto sexo.
COMESTIBLE adj. Que se puede comer. // m. Todo género de mantenimiento.
COMETA m. *Astron.* Cuerpo celeste compuesto de un núcleo estelar y una prolongación luminosa o cola. // f. Armazón plana y muy ligera sobre la que se pega papel o tela. Sujeta con un hilo muy largo, se arroja al aire, que la va elevando.

COMETER tr. Confiar al cuidado de uno algún negocio. // Caer, incurrir en alguna culpa.

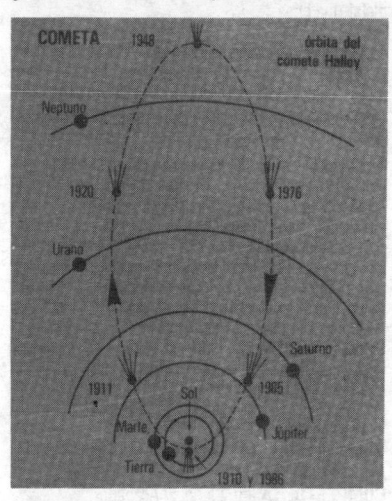

COMETA 1948 órbita del cometa Halley — Neptuno, 1920, 1976, Urano, Saturno, 1911, 1985, Sol, Marte, Júpiter, Tierra, 1910 y 1986

COMETIDO m. Comisión, encargo// Por ext., incumbencia.
COMEZÓN f. Picazón que se padece en alguna parte del cuerpo.
COMICIDAD f. Calidad de cómico..
COMICIOS m. pl. Junta que tenían los romanos para tratar de los negocios públicos. // Reuniones y actos electorales.
CÓMICO, CA adj. Perten. o rel. a la comedia. // Que divierte o excita la risa. // m. y f. Comediante.
COMIDA f. Alimento. // Acción de comer.
COMIDILLA f. fig. y fam. Tema preferido en alguna murmuración.
COMIENZO m. Principio de una cosa.
COMILÓN, NA adj. y s. fam. Que come mucho o desordenadamente.
COMILONA f. fam. Comida con abundancia y diversidad de manjares.
COMILLAS f. pl. Signo ortográfico (" ") que se pone al principio y al fin de las citas o ejemplos.
COMINO m. *Bot.* Planta herbécea umbelífera de semillas aromáticas.
COMISARÍA f. Empleo del comisario. // Oficina del comisario.
COMISARIO m. El que tiene poder de otro para ejecutar alguna orden. // Jefe de policía.
COMISIÓN f. Acción de cometer. // En cargo. // Conjunto de personas encargadas de atender algún negocio. // *Com.* Remuneración que percibe el que realiza determinadas transacciones por cuenta de otro.
COMISIONAR tr. Dar comisión a alguien para algún negocio.
COMISIONISTA com. El que vende por cuenta de otro, percibiendo comisión.

COMISO m. Decomiso.
COMISORIO, RIA adj. *For.* Obligatorio o válido por determinado tiempo.
COMISURA f. *Anat.* Lugar de unión de ciertas partes del cuerpo, como párpados, labios, etc.
COMITÉ m. Comisión de personas encargadas para un asunto.
COMITIVA f. Gente que va acompañando a alguno.
COMO adv. m. De qué modo o manera; del modo o manera que. Se acentúa an la primera sílaba (*cómo*) cuando es adv. interrogativo o exclamativo. // En sentido comparativo, denota equivalencia o igualdad. // Según, conforme. // En calidad de. // Hace también oficio de conj. condicional, equivalente a si, y de conj. causal.
CÓMODA f. Mueble con tablero y cajones que ocupan todo el frente.
COMODIDAD f. Calidad de cómodo // Conveniencia. // Ventaja.
COMODÍN m. Naipe que se puede aplicar a cualquier suerte favorable. // fig. Lo que se hace servir según conviene al que lo usa.
CÓMODO, DA adj. Conveniente, oportuna, fácil, proporcionado.
COMODORO m. En Inglaterra y otras naciones, jefe de división naval.
COMPACTO, TA adj. Díc. del cuerpo de textura apretada y poco porosa.
COMPADECER tr. y r. Compartir la desgracia ajena dolerse de ella.
COMPADRE m. Llámanse así recíprocamente el padrino de una criatura y el padre de ella. // Amigo.
COMPAGINAR tr. y r. Poner en buen orden cosas que tienen alguna relación. // En imprenta, ajustar las galeradas para formar páginas.
COMPAÑERISMO m. Vínculo y armonía que existe entre compañeros.
COMPAÑERO, RA m. y f. Persona que acompaña a otra. // Persona que corre una misma suerte con otra.
COMPAÑÍA f. Efecto de acompañar. // Persona que acompaña. // Sociedad de varias personas unidas para un mismo fin. // Cuerpo de actores formado para representar en un teatro. // *Mil.* Unidad orgánica de soldados, a las órdenes de un capitán.
COMPARACIÓN f. Acción y efecto de comparar. // Símil retórico.
COMPARAR tr. Examinar dos o más cosas para descubrir sus relaciones o sus diferencias. // Cotejar.
COMPARATIVO, VA adj. Díc. de lo que compara o sirve para comparar.
COMPARECENCIA f. Acto de comparecer.
COMPARECER intr. Presentarse uno en lugar, convocado por alguien.
COMPARSA f. Acompañamiento. // com. En el teatro, persona que sale a escena y no habla.
COMPARTIMIENTO m. Acción y efecto de compartir. // Cada parte en que se divide un edificio, caja, etc.

COMPARTIR tr. Distribuir las cosas en partes. // Participar en alguna cosa.
COMPÁS m. Instrumento formado por dos brazos articulados, que sirve para trazar curvas y tomar distancias. // *Mús.* Cada uno de los períodos de tiempo iguales en que se marca el ritmo de una frase musical.
COMPASAR tr. Medir con el compás. // fig. Proporcionar las cosas de modo que ni sobren ni falten.
COMPASIÓN f. Sentimiento por el mal que padece uno.
COMPASIVO, VA adj. Que tiene compasión, o fácilmente se mueve a ella.
COMPATIBILIDAD f. Calidad de compatible.
COMPATIBLE adj. Que puede concurrir en un mismo lugar o sujeto.
COMPATRIOTA com. Persona de la misma patria que otra.
COMPELER tr. Obligar a uno a que haga lo que no quiere.
COMPENDIAR tr Reducir a compendio.
COMPENDIO m. Breve exposición de lo más sustancial de una materia.
COMPENETRACIÓN f. Acción y efecto de compenetrarse.
COMPENETRARSE r. Penetrar las partículas de una sustancia entre las de otra. // fig. Identificarse las personas en ideas y sentimientos.
COMPENSACIÓN f. Acción y efecto de compensar. // Indemnización.
COMPENSAR tr. y r. Neutralizar el efecto de una cosa con el de otra. // Dar alguna cosa en resarcimiento de un daño o perjuicio.
COMPETENCIA f. Contienda entre dos o más sujetos. // Rivalidad. // Incumbencia. // Aptitud.
COMPETENTE adj. Adecuado. // Díc. de la persona a quien compete alguna cosa. // Apto, idóneo.
COMPETER intr. Pertenecer, tocar o incumbir a uno alguna cosa.
COMPETICIÓN f. Competencia. // Acción y efecto de competir.
COMPETIR intr. Contender dos o más personas entre sí, aspirando a una misma cosa. // Igualar una cosa o una persona a otra.
COMPILACIÓN f. Colección de varias noticias, leyes o materias.
COMPILAR tr. Reunir, en un solo cuerpo de obra, extractos de otros varios libros o documentos.
COMPINCHE com. fam. Camarada.
COMPLACENCIA f. Satisfacción que resulta de alguna cosa.
COMPLACER tr. Acceder uno a lo que otro desea. // r. Tener satisfacción en alguna cosa.
COMPLEJIDAD f. Calidad de complejo.
COMPLEJO, JA adj. Dic. de lo que se compone de elementos diversos. // Por. ext. complicado. // m. Conjunto de dos o más cosas. // *Psicol.* Conjunto de representaciones reprimidas en el subconsciente.

COMPLEMENTAR tr. Dar complemento a una cosa.
COMPLEMENTARIO, RA adj. Que sirve para completar una cosa.

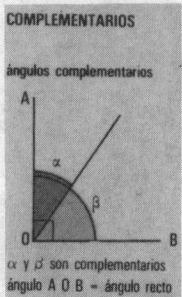

COMPLEMENTARIOS
ángulos complementarios
α y β son complementarios
ángulo A O B = ángulo recto

COMPLEMENTO m. Lo que se añade a una cosa para hacerla íntegra o perfecta. // Perfección. // *Gram.* Palabra o grupo de palabras que completa el significado de algún elemento de la frase.
COMPLETAR tr. y r. Integrar, hacer cabal una cosa. // Perfeccionarla.
COMPLETO, TA adj. Lleno. // Acabado.
COMPLEXIÓN f. Constitución física de un indi viduo.
complicación f. Concurrencia de cosas diversas. // Acción y efecto de complicar o complicarse algo.
COMPLICADO, DA adj. De difícil comprensión o resolución. // Compuesto de gran número de piezas.
COMPLICAR tr. Mezclar, unir cosas diversas. // tr. y r. fig. Enredar, dificultar. // r. Confundirse.
CÓMPLICE com. *Der.* Persona que, sin ser autora de un delito coopera a su perpetración.
COMPLICIDAD f. Calidad de cómplice.
COMPLOT m. fam. Confabulación contra algo o alguien. // Intriga.
COMPLUVIO m. Abertura rectangular de la techumbre de la casa romana.
COMPONENDA f. Arreglo o transacción censurable.
COMPONENTE adj. y s. Que entra en la composición de un todo.
COMPONER tr. Formar de varias cosas una, colocándolas con cierto orden. // Reparar lo descompuesto o roto. // tr. y r., Constituir, formar. // Adornar. // Ajustar y concordar. // tr. Moderar. // Tratándose de obras literarias, musicales, etc., hacerlas. // En imprenta, formar las palabras, líneas y planas, juntando las letras.
COMPORTAMIENTO m. Conducta, manera de portarse.
COMPORTAR tr. fig. Sufrir, tolerar. // Implicar. // r. Portarse.
COMPOSICIÓN f. Acción y efecto de componer.
COMPOSITOR, RA adj. y s. Que compone, esp. obras musicales.
COMPOSTURA f. Reparación de una cosa descompuesta o rota. // Aliño de una persona o cosa. // Ajuste, convenio. // Mesura y circuspección.

COMPOTA f. Dulce de fruta cocida con agua y azúcar.
COMPRA f. Acción y efecto de comprar. // Cualquier objeto comprado.

COMPOSICIÓN autógrafa de Beethoven "Claro de Luna"

COMPRAR tr. Adquirir algo por dinero. // Sobornar.
COMPRAVENTA f. Comercio de cosas usadas o antiguas.
COMPRENDER tr. Rodear por todas partes una cosa. // Entender, alcanzar. // tr. y r. Contener.
COMPRENSIBLE adj. Que se puede comprender.
COMPRENSIÓN f. Acción de comprender. // Facultad de entender.
COMPRENSIVO, VA adj. Que comprende o tiene la capacidad de entender una cosa. // Díc. de la persona o actitud tolerante.
COMPRESA f. Pedazo de gasa o tela usado para empapar líquidos y curar alguna parte del organismo.
COMPRENSIÓN f. Acción y efecto de comprimir.
COMPRESOR m. *Tecnol.* Máquina para reducir el volumen de un gas, aumentando su presión.
COMPRIMIR tr. y r. Apretar, reducir a menor volumen. // Reprimir.
COMPROBAR tr. Verificar, confirmar una cosa repitiendo las demostraciones que la prueban.
COMPROMETER tr. y r. Poner en manos de un tercero la determinación de algún pleito, desacuerdo, etc. // Exponer a alguno. // r. Obligarse mediante promesa.
COMPROMISARIO adj. y s. Apl. a la persona en quien otras delegan para que resuelva alguna cosa.
COMPROMISO m. Convenio entre litiganetes. // Obligación contraída. // Dificultad, embarazo.
COMPUERTA f. Puerta movible colocada en los conductos de agua.
COMPUESTAS f. pl. *Bot.* Fam de angiospermas dicotiledóneas con inflrescencia en cabezuela rodeada de un involucro de brácteas.
COMPUESTO, TA adj. Que consta de varias partes o elementos. // fig. Mesurado, circuspecto. / m. Agregado de varias cosas que componen un todo.
COMPULSAR tr. Examinar dos o más documentos, cotejándolos.
COMPUNCIÓN f. Dolor de haber cometido un pecado. // Sentimiento que causa el dolor ajeno.
COMPUNGIDO, DA adj. Atribulado.
COMPUNGIR tr. Mover a compunción. // r. Contristarse, dolerse.
COMPUTAR tr. Cortar o calcular una cosa. // Tomar en cuenta.
CÓMPUTO m. Cuneta o cálculo.
COMULGAR tr. Dar la comunióin. // intr. Recibirla. // fig. Concidir en ideas, etc., con otra persona.
COMÚN adj. Díc. de lo que no siendo privativamente de ninguno, pertenece o se extiende a varios. // Corriente. // Vulgar, frecuente. // m. Comunidad. // Retrete.
COMUNA f. Amer. Municipio, conjunto de habitantes de un mismo término.
COMUNERO adj. Popular, agradable para todos. // Perten. a las Comunidades de Castilla.
COMUNICACIÓN f. Acción y efecto de comunicar o comunicarse. // Trato. // Unión que se establece entre ciertas cosas, mediante pasos, escaleras, cables y otros recursos.
COMUNICAR tr. Hacer a otro participe de lo que uno tiene. // Manifestar a uno alguna cosa. // tr. y r. Tratar con alguno de palabra o por escrito. // r. Tener correspondencia o paso unas cosas con otras.
COMUNICATIVO, VA adj. Que tiene inclinación a comunicar a otro lo que posee. // Accesible al trato.
COMUNIDAD f. Calidad de común. // Congregación de personas que viven unidas bajo ciertas reglas.
COMUNIÓN f. Participación en lo común. // Comunicación de unas personas con otras. // Acto de recibir la Eucaristía.
COMUNISMO m. Sistema político y social que pretende abolir la propiedad privada y aspira a la socialización de los medios de producción.
COMUNISTA adj. Perten. o rel. al comunismo. // adj. y s. Partidario de este sistema.

Lenin

CON prep. Significa el medio, modo o instrumento que sirve para hacer alguna cosa. // Antepuesta al infinito, equivale a gerundio. // Juntamente y en compañía. // Prep. insep. Expresa reunión, cooperación.

CONATO m. Esfuerzo para la ejecución de una cosa. // Propensión, propósito. // For. Aconto que se empezó y no llegó a consumarse.

CONCADENAR O CONCATENAR tr. fig. Unir unas especies con otras.

CONCATENACIÓN f. Ret. Figura de lenguaje que consiste en la repetición de la palabra final de una frase al comenzo de la siguiente.

CONCAVIDAD f. Calidad de cóncavo.

CÓNCAVO, VA adj. Que presenta una depresión esférica.

CONCEBIBLE adj. Que pueda concebirse o imaginarse.

CONCEBIR intr. y tr. Quedar preñada la hembra. // fig. Formar idea de una cosa. // tr. fig. Comenzar a sentir alguna pasión o afecto.

CONCEDER tr. Otorgar una cosa. // Convenir en lo que uno dice.

CONCEJAL m. Individuo de un concejo o ayuntamiento.

CONCEJO m. Ayuntamiento. // Nombre que se da al municipio.

CONCENTRACIÓN f. Acción y efecto de concentrar o concentrarse.

CONCENTRAR tr. y r. fig. Reunir en un punto lo que estaba separado. // r. Fijar la atención en algo.

CONCÉNTRICO, CA adj. Geom. Díc. de las figuras con un mismo centro.

CONCEPCIÓN f. Acción y efecto de concebir.

CONCEPTO m. Idea que concibe el entendimiento. // Pensamiento expresado con palabras. // Opinión, juicio.

CONCEPTUAL adj. Perten. o rel. al concepto.

CONCEPTUALISMO m. Sistema filosófico que defiende la realidad de las nociones universales y abstractas.

CONCEPTUAR tr. Formar concepto de una persona o cosa.

CONCERNIENTE adj. Que concierne.

CONCERNIR intr. Atañer.

CONCERTAR tr. Componer, arreglar las partes de una o varias cosas. // Tratar del precio de una cosa. // Acordar entre sí voces o instrumentos músicos. // tr y r. Pactar, acordar un negocio. // *Gram.* intr. y tr. Concordar en los accidentes gramaticales dos o más palabras.

CONCERTISTA com. Músico solista en la ejecución de un concierto.

CONCESIÓN f. Acción y efecto de conceder. // Der. Otorgamiento gubernativo a favor de particulares o de empresas, para una explotación.

CONCESIONARIO, RIA m. y f. Der. Persona a quien se hace una concesión.

CONCIENCIA f. Propiedad del espritu humano de reconocerse en sus atributos esenciales y en sus modificaciones. // Conocimiento interior del bien y del mal. // Conociminto exacto y reflexivo de las cosas.

CONCIENZUDO, DA adj. De recta conciencia. // Apl. a lo que se hace según ella. // Díc. del que hace las cosas con mucha a tención,

CONCIERTO m. Buen orden y disposición de las cosas. // Convenio sobre algo. // Función de música, en que se ejecutan composiciones sueltas. // *Mús.* Composición que opone a la orquesta un instrumento solista.

CONCILIÁBULO m. Concilio no convocado por autoridad legítima. // fig, Reunión para tratar de alto que se quiere manterner oculto.

CONCILIACION f. Acción y efecto de conciliar.

CONCILIAR adj. Perten. o rel. a los concilios.

CONCILIAR tr. Ajustar los ánimos de los que estaban opuestos entre sí. // Conformar dos o más proposiciones al parecer contrarias. // tr. y r. Ganar la benevolência.

CONCILIATORIO, RA adj. Lo que puede conciliar o se dirige a este fin.

CONCILIO m. Junta o congreso para tratar alguna cosa. // Rel. Asamblea de dignatarios de la Iglesia católica para deliberar y decidir sobre asuntos eclesiásticos.

CONCISIÓN f. Brevedad y precisión en el modo de expresar los conceptos.

CONCISO, SA adj. Que tiene concisión.

CONCITAR tr. Instigar a uno contra otro, o excitar inquietudes.

CONCIUDADANO, NA m. y f. Cada uno de los ciudadanos de una misma ciudad, respecto a los demás.

CONCLAVE O CÓNCLAVE m. Junta de cardenales para elegir Sumo Pontífice, y lugar donde se encierran.

CONCLUIR tr. Determinar y resolver sobre lo tratado. // Deducir una verdad de otras. // tr. e intr. Convencer a uno con la razón. // tr. y r. Finalizar una cosa.

CONCLUSIÓN f. Acción y efecto de concluir o concluirse. // Fin de una cosa. // Resolución que se ha tomado sobre una materia.

CONCLUYENTE adj. Que concluye o convence.

CONCOMITANCIA f. Acción y efecto de concomitar.

CONCOMITAR tr. Acompañar una cosa a otra, u obrar juntamente con ella.

CONCORDANCIA f. Conformidad de una cosa con otra. // *Gram.* Igualdad de accidentes gramaticales entre dos palabras para expresar que una de ellas se refiere a la otra.

CONCORDAR tr. Poner de acuerdo lo que no lo está. // intr. Convenir una cosa con otra. // tr. e intr. *Gram.* Formar concordancia.

CONCORDATO m. Tratado entre el gobierno de un Estado y la Santa Sede.

CONCORDE adj. Conforme.

CONCORDIA f. Conformidad, unión. // Convenio entre personas que contienden o litigan.

CONCRECIÓN f. Acumulación de partículas que se unen para formar masas // Acción y efecto de concretar

CONCRETAR tr. Combinar, concordar algunas cosas. // Reducir a lo más esencial. // r. Reducirse a tratar de una sola cosa.
CONCRETO, TA adj. Díc. de cualquier objeto, con exclusión de cuanto pueda serle extraño o accesorio.
CONCUBINA f. Mujer que vive con un hombre como si fuera su marido.
CONCULAR tr. Hollar. // Quebrantar una ley u obligación.
CONCUPISCENCIA f. Deseo de bienes terrenos o de placeres carnales.
CONCURRENCIA f. Junta de varias personas en un lugar. // Concurso de varios sucesos o cosas en un mismo tiempo. // Ayuda.
CONCURRIR intr. Juntarse en un mismo lugar o tiempo diferentes personas, cosas, etc. // Contribuir con una cantidad para determinado fin. // Tomar parte en un concurso.
CONCURSAR tr. Tomar parte en un concurso, oposición, competencia.
CONCURSO m. Abundancia de gente en un mismo lugar. // Reunión simultánea de circunstancias o cosas diferentes.// Asistencia para una cosa. // Oposición que se hace a cátedras, premios, etc.
CONCUSIÓN f. Conmoción violenta.
CONCHA f. *Zool.* Esqueleto calcáreo de los moluscos y los braquiópodos. // Caparazón que recubre el cuerpo de algunos animales.
CONCHABAR tr. Unir, asociar. // r. fam. Unirse dos o más personas para algún fin.
CONDADO m. Dignidad de conde. // Territorio a que se refiere el título de conde.
CONDAL adj. Perten. o rel. al conde o a su dignidad.
CONDE m. Título nobiliario, inferior al de marqués
CONDECIR intr. Convenir, concertar.
CONDECORACIÓN f. Acción y efecto de condecorar. // Cruz o insignia.
CONDECORAR tr. Conceder a uno honores o condecoraciones.
CONDENA f. Parte de la sentencia que dicta un tribunal, en la que se impone la pena al acusado. // Extensión o grado de la pena.
CONDENADO, DA adj. y s. Réprobo. // fig. Endemoniado, perverso.
CONDENAR tr. Pronunciar el juez sentencia, imponiendo la pena correspondiente. // Reprobar una doctrina u opinión. // Desaprobar una cosa. // Incurrir en la pena eterna.
CONDENATORIO, RIA adj. Que contiene condena o puede motivarla
CONDENSACIÓN f. Acción y efecto de condensar o condensarse.
CONDENSADOR m. Aparato para reducir los gases a menor volumen. // En las máquinas de vapor, aparato para condensar el vapor después que ha actuado sobre los émbolos. // Sistema de conductores aislados que poseen elevada capacidad eléctrica.

CONDENSAR tr. y r. Convertir un vapor en líquido o en sólido. // Reducir una cosa a menor volumen. // Concentrar lo disperso. // fig. Resumir.
CONDESA f. Mujer del conde o la que por si heredó u obtuvo un condado.
CONDESCENDENCIA f. Acción y efecto de condescender.
CONDESCENDER intr. Acomodarse al gusto y voluntad de otro.
CONDESTABLE m. El que ant. ejerció la primera dignidad de la milicia. // *Mar.* El que hace veces de sargento en la artillería de marina.
CONDICIÓN f. Naturaleza de las cosas. // Carácter, genio, estado social de los hombres. // Circunstacia con que se hace o promete una cosa. // Acontecimiento del que depende la realización, suspensión, etc., de una cosa.
CONDICIONAL adj. Que lleva consigo una condición o requisito.
CONDICIONAR intr. Convenir una cosa con otra. // tr. Hacer depender algo de una condición.
CÓNDITO m. *Anat.* Protuberancia redondeada situada en el extremo articular de un hueso.
CONDIMENTACIÓN f. Acción y efecto de condimentar.
CONDIMENTAR tr. Sazonar los manjares.
CONDIMENTO m. Lo que sirve par sazonar la comida.
CONDISCÍPULO, LA m. y f. Persona que estudia con otras bajo la dirección de un mismo maestro.
CONDOLENCIA f. Participación en el pesar ajeno. // Pésame
CONDOLERSE r. Compadecerse.
CONDONAR tr. Perdonar una pena de muerte o una deuda.
CÓNDOR m. *Zool.* Ave falconiforme de la fam. vultúridos, parecida al buitre. Vive en los Andes.
CONDUCCIÓN f. Acción y efecto de conducir alguna cosa. // Conjunto de conductos para el peso de algún fluido.
CONDUCIR tr. Llevar, transportar de una parte a otra. // Guiar un vehículo. // Dirigir un negocio. // r. Comportarse, portarse.
CONDUCTA f. Conducción. // Gobierno, mando, guía. // Manera de comportarse moral y socialmente.
CONDUCTIBILIDAD o **CONDUCTIVIDAD** f. Propiedad de una sustancia que deja pasar el sonido, el calor, la luz y la electricicad
CONDUCTIVO, VA adj. Díc. de lo que tiene virtud de conducir.
CONDUCTO m. Canal por donde pasan diversas cosas. // fig. Medio que se sigue en algún negocio. // *Anat.* Canal de un organismo, con determinada función fisiológica.
CONDUCTOR, RA adj. Que conduce. // *Electr.* m. Sustancia que permite el paso de la electricidad.
CONDUMIO m fam. Manjar que se come con pan.
CONECTADOR m. Aparato para conectar.

CONECTAR tr. Poner en contacto, unir.
CONEJERA f. Madriguera donde se crían conejos. // fig. y fam. Casa donde concurre gente de mal vivir.
CONEJO m. *Zool.* Mamífero roedor, de orejas alargadas, cola corta y patas posteriores más largas que las anteriores.
CONEXIÓN f. Concatenación de una cosa con otra. // pl. Amistades.
CONEXO, XA adj. Apl. a lo que está enlazado o relacionado por algo.
CONFABULACIÓN f. Acción y efecto de confabular o confabularse.
CONFABULAR intr. Tratar una cosa entre dos o más personas. //r. Ponerse de acuerdo dos o más personas a espaldas de un tercero.
CONFECCIÓN f. Acción y efecto de confeccionar.
CONFECCIONAR tr. Hacer, acabar.
CONFEDERACIÓN f. Alianza o pacto entre algunas personas, y esp. entre naciones o Estados.
CONFEDERADO, DA adj. y s. Que entra o está en una confederación.
CONFEDERAR tr. y r. Hacer alianza, liga o pacto entre varios.
CONFERENCIA f. Plática entre dos o más personas para tratar de un asunto. // Disertación en público sobre algún asunto de interés general. Comunicación telefónica interurbana.
CONFERENCIANTE com. Persona que diserta en público.
CONFERIR tr. Asignar a uno dignidad, empleo o facultades. // Examinar entre varias personas algún asunto. / Cotejar, comparar.
CONFESAR tr. y r. Manifestar uno sus hechos, ideas o sentimientos. //Declarar el penitente sus pecados al confesor. //tr. Declarar uno por la fuerza alguna cosa.
CONFESIÓN f. Declaración que uno hace de lo que sabe. // *Der.* Declaración de alguna de las partes en el juicio. // *Rel.* Creencia religiosa que se profesa. // Declaración que el penitente hace de sus pecados al confesor.
CONFESIONAL adj. y s. Perten. a una confesión religiosa
CONFESO, SA adj. Díc. del que ha confesado su delito. // adj. y s. Apl. al judío convertido.
CONFESONARIO O CENFESIONARIO m. Mueble dentro del cual se coloca el sacerdote poara oír las confesiones.
CONFESOR m. Sacerdote que confiesa.
CONFIANZA f. Esperanza firme que se tiene de una persona o cosa. // Ánimo para obrar. // Vanidad. // Familiaridad en el trato.
CONFIAR intr. Esperar con firmeza y seguridad. // tr. Encargar a alguien un asunto. // Dar esperanza a uno de que conseguirá lo que desea.
CONFIDENCIA f. Confianza. // Revelación secreta.
CONFIDENTE, TA adj. Fiel, de confianza. // m. y f. Persona a quien otro fía sus secretos. // Espía.

CONFIGURACIÓN f. Disposición de las partes que componen un cuerpo y le dan su peculiar figura.
CONFIGURAR tr. y r. Dar determinada figura a una cosa.
CONFÍN adj. Que confina. //m. Término que limita los territorios. // Último término a que alcanza la vista.
CONFINADO, DA adj. Desterrado.
CONFINAMIENTO m. Acción y efecto de confinar // *Der.* Pena consistente en relegar al condenado a que viva en cierto lugar bajo vigilancia.
CONFINAR intr. Lindar. // tr. Desterrar a uno por cierto tiempo.
CONFIRMACIÓN f. Acción y efecto de confirmar. // Uno de los sacramentos de la Iglesia católica.
CONFIRMAR tr. Corroborar la certeza de una cosa. // Revalidar lo ya aprobado// tr. y r. Asegurar.
CONFISCACIÓN f. Acción y efecto de confiscar.
CONFISCAR tr. Privar a uno de sus bienes y aplicarlos al fisco
CONFITAR tr. Bañar de azúcar las frutas o semillas. // Cocer las frutas en almíbar. // fig. Endulzar.
CONFITE m. Pasta hecha de azúcar y algún otro ingrediente.
CONFITERÍA f. Casa donde se hacen o se venden dulces.
CONFITURA f. Fruta u otra cosa confitada.
CONFLAGRACIÓN f. Incendio. // fig. Perturbación del orden social. // Guerra.
CONFLICTO m. Lo más recio de un combate. // fig. Apuro, dificultad.
CONFLUENCIA f. Acción de confluir. // Paraje donde confluyen caminos, rios, etc.
CONFLUENTE adj. Que confluye. // m. Confluencia.
CONFLUIR intr. Juntarse dos o más ríos, caminos, etc. // fig. Concurrir en un sitio mucha gente.
CONFORMACIÓN f. Distribución de las partes que forman un conjunto.
CONFORMAR tr., intr. y r. Ajustar concordar una cosa con otra. // intr. y r. Convenir una persona con otra. // r. Resignarse a alguna cosa.
CONFORME adj. Igual, proporcionado. // Acorde con otro. // Resignado en las adversidades, // adv. m. Denota relaciones de conformidad, correspondencia o modo.
CONFORMIDAD f. Semejanza. // Correspondencia de una cosa con otra. // Concordia. // Paciencia en las adversidades.
CONFORMISMO m. Práctica del que fácilmente se adapta a cualesquiera circunstancias.
CONFORMISTA adj. y s. Que practica el conformismo.
CONFORT m. Comodidad.
CONFORTABLE adj. Que conforta. // Apl. a lo que produce comodidad.
CONFORTAR tr. y r. Dar vigor, fuerza. // Consolar al afligido.
CONFRATERNIDAD f. Hermandad.

110

CONFRATERNIZAR o CONFRATERNAR intr. Hermanarse las personas.
CONFRONTACIÓN f. Careo entre dos o más personas. // Cotejo. // Conformidad entre personas o cosas. // Acción de confrontar.
CONFRONTAR tr. Carear. // intr. Alindar// tr. y r. fig. Congeniar las personas.
CONFUCIANISMO m. *Fil.* Doctrina filosófico-religiosa basada en las enseñanzas de Confucio.
CONFUNDIR tr. y r. Mezclar cosas diversas. // Equivocar, desordenar. //Humillar. // Turbar a uno.
CONFUSIÓN f. Acción y efecto de confundir. // Falta de orden y claridad. // fig. Perplejidad. // Abatimiento, humillación. // Afrenta.
CONFUSIONISMO m. Confusión en las ideas o en el lenguaje.
CONFUSO, SA adj. Mezclado, desconcertado. // Dudoso. // Difícil de distinguir. // Turbado.
CONGELACIÓN f. Acción y efecto de congelar o congelarse.
CONGELADOR m. Aparato o vasija para congelar.
CONGELAR tr. y r. Helar un líquido. //Dañar el frío los tejidos orgánicos. // tr. Enfriar a muy baja temperatura una sustancia para que se conserve.
CONGÉNERE adj. y s. Del mismo género.
CONGENIAR intr. Tener dos o más personas carácter que concuerda.
CONGÉNITO, TA adj. Que se engendra juntamente con otra cosa. // Connatural y como nacido con uno.
CONGESTIÓN f. *Med.* Acumulación anormal de sangre en un órgano o tejido. // fig. Aglomeración de personas, vehículos, etc., que entorpece el tráfico.
CONGESTIONAR tr. Producir congestión en una parte del cuerpo.
CONGLOMERACIÓN f. Acción y efecto de conglomerar o conglomerarse.
CONGLOMERADO m. *Geol.* Agregado formado por cantos.
CONGLOMERAR tr. Aglomerar. // tr. y r. Unir o agrupar fragmentos de modo que resulte una masa compacta.
CONGLUTINACIÓN f. Acción y efecto de conglutinar o clonglutinarse
CONGLUTINAR tr. Unir una cosa con otra. // r. Pegarse entre sí fragmentos mediante una sustancia que les dé cohesión.
CONGOJA f. Desmayo, angustia.
CONGOLEÑO, ÑA o CONGOLÉS, SA adj. y s. Natural del Congo. // adj. Perten. a esta región de África.
CONGOSTO m. Desfiladero entre montañas.
CONGRACIAR tr. y r. Captar el afecto de uno.
CONGRATULACIÓN f. Acción y efecto de congratular o congratularse.
CONGRATULAR tr. y r. Manifestar alegría a la persona a quien ha acaecido un suceso feliz.
CONGREGACIÓN f. Junta. // Asociación religiosa. // Cofradía.

CONGREGANTE, TA m. y f. Individuo de una congregación.
CONGREGAR tr. y r. Juntar, reunir.
CONGRESO m. Asamblea en que se tratan asuntos de interés general, científicos, internacionales, etc. // Cuerpo legislativo compuesto de personas nombradas por elección.
CONGRIO m. *Zool.* Pez osteíctio anguiliforme (fam. cóngridos), de carne blanca y comestible.
CONGRUENCIA f. Conveniencia, oportuno. // *Mat.* Relación de equivalencia.
CONGRUENTE adj. Conveniente, oportuno. // *Mat.* Díc. de la cantidad que dividida por otra a un resto determinado, que se denomina módulo.
CÓNICO, CA adj. Perten. al cono. // De forma de cono.

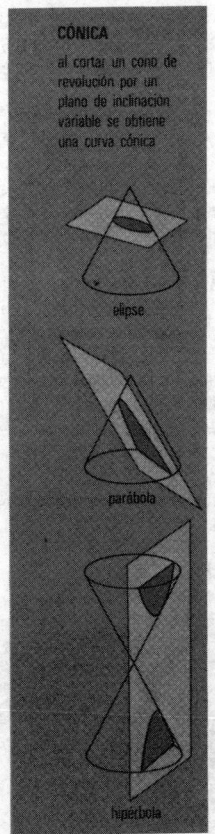

CÓNICA
al cortar un cono de revolución por un plano de inclinación variable se obtiene una curva cónica

elipse

parábola

hipérbola

CONÍFERAS f. pl. *Bot.* Plantas fanerógamas gimnospermas, de fruto en cono y perfil de las ramas cónico.
CONJETURA f. Juicio probable que se forma por indicios o señales.
CONJETURAR tr. Formar conjeturas.

CONJUGACIÓN f. *Gram.* Acción y efecto de conjugar. // Conjunto de formas a que da origen la flexión de un verbo.
CONJUGAR tr. Combinar varias cosas entre sí.// *Gram.* Exponer ordenadamente las formas de la conjugación de un verbo.
CONJUNCIÓN f. Junta, unión.// *Ling.* Parte de la oración que enlaza y relaciona palabras u oraciones.
CONJUNTIVO, VA adj. Que une una cosa con otra.
CONJUNTO, TA adj. Unido o contiguo a otra cosa. // Mezclado. // fig. Allado. // m. Agregado de varias cosas.
CONJURA O CONJURACIÓN f. Acuerdo hecho contra el Estado o contra alguna autoridad.
CONJURADO, DA adj. y s. Que entra en una conjuración.
CONJURAR intr. y r. Ligarse con otros, mediante juramento, para algún fin. // fig. Conspirar. / tr. Tomar juramento a uno. // Exorcizar. // fig. Impedir un peligro.
CONJURO m. Acción y efecto de conjurar, exorcizar. // Imprecación hecha con invocaciones supersticiosas.
CONMEMORACIÓN f. Memoria que se hace de una persona o cosa. // Celebración en recuerdo de algo.
CONMENSURAR tr. Medir con igualdad o debida proporción.
CONMINACIÓN f. Acción y efecto de conminar.
CONMINAR tr. Amenazar. // *Der.* Intimar la autoridad un mandato, bajo apercibimiento de corrección.
CONMINATORIO, RIA adj. y s. Apl. al mandato o al juramento con que se conmina a una persona.
CONMISERACIÓN f. Compasión del mal de otro.
CONMOCIÓN f. Perturbación espiritual o física. // Tumulto, alteración en un país. // *Med.* Traumatismo en el cráneo o médula.
CONMOVEDOR, RA adj. Que conmueve.
CONMOVER tr. y r. Perturbar, mover fuertemente. // Enternecer.
CONMUTACIÓN f. Cambio de una cosa por otra. // Permuta

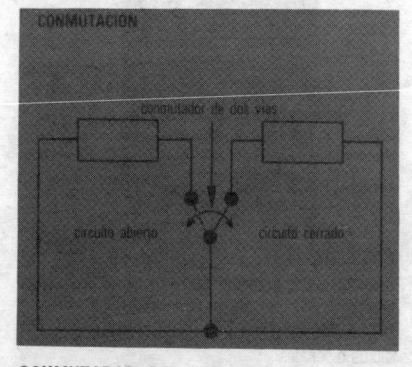

CONMUTADOR, RA adj. Que conmuta.

CONMUTAR tr. Cambiar una cosa por otra.
CONMUTATIVO, VA adj. Perten. o rel. a la conmutación.
CONNATURAL adj. Propio o conforme a la naturaleza del ser viviente.
CONNIVENCIA f. Disimulo o tolerancia en el superior para con sus subordinados. // Confabulación.
CONNOTACIÓN f. Acción y efecto de connotar.
CONNOTAR tr. Hacer relación. // *Ling.* Significar la palabra dos ideas.
CONNOTATIVO, VA adj. Díc. de lo que connota.
CONO m. *Geom.* Figura geométrica engendrada por un triángulo rectángulo al girar sobre uno de sus catetos como eje.

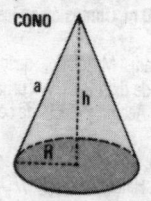

CONOCEDOR, RA adj. y s. Avezado en penetrar, discernir la naturaleza y propiedades de una cosa.
CONOCER tr. Averiguar por medio de la inteligencia la naturaleza, cualidades y relaciones de las cosas. // **COMPRENDER**. // Percibir el objeto como distinto de todo lo que no es él. // tr. y r. Tener trato con alguno. // tr. Reconocer.
CONOCIBLE adj. Que se puede conocer.
CONOCIDO, DA adj. Distinguido. // m. y f. Persona con quien se tiene trato, pero no amistad.
CONOCIMIENTO m. Acción y efecto de conocer. // Entendimiento. // Cada una de las facultades sensoriales del hombre. // Sabiduría.
CONOIDEO, A adj. De forma cónica.
CONQUE Conj. ilat. con la que se enuncia una consecuencia de lo que acaba de decirse.
CONQUENSE adj. y s. Natural de Cuenca. // adj. Rel. a esta ciudad o a su provincia.
CONQUISTA f. Acción y efecto de conquistar. // Cosa conquistada.
CONQUISTAR tr. Adquirir o ganar con las armas un Estado, una plaza, etc. // fig. Ganar la voluntad de una persona.
CONSABIDO, DA adj. Apl. a la persona o cosa de que ya se ha tratado anteriormente.
CONSAGRACIÓN f. Acción y efecto de consagrar o consagrarse. // *Rel.* Momento de la misa en que el pan y el vino se transforman en el cuerpo y en la sangre de Cristo.
CONSAGRAR tr. Hacer sagrada a una persona o cosa. // Hacer el sacerdote la consagración. // tr. y r. Ofrecer a Dios una persona o cosa. // Dedicar suma eficacia a un fin.
CONSANGUÍNEO, A adj. y s. Díc. de la persona que

tiene parentesco de consanguinidad con otra.
CONSANGUINIDAD f. Parentesco de las personas que descienden de un mismo tronco.
CONSCIENCIA f. Conciencia.
CONSCIENTE adj. Que siente y obra con conocimiento de lo que hace.
CONSECUCIÓN f. Acción y efecto de conseguir.
CONSECUENCIA f. Acontecimiento que resulta de otro. // Correspondencia lógica entre la conducta de un individuo y lo que profesa. // *Lóg.* Proposición que se deduce necesariamente de ciertas premisas.
CONSECUENTE adj. Que sigue en orden respecto de una cosas. // Díc. de la persona cuya conducta se corresponde con los principios que profesa. // m. Proposición que se deduce de otra llamada antecedente.
CONSECUTIVO, VA adj. Que sigue a otra cosa inmediatamente.
CONSEGUIR tr. Lograr lo que se desea.
CONSEJA f. Cuento. // Conciliábulo.
CONSEJERO, RA m. y f. Persona que aconseja. // Persona que tiene plaza en algún Consejo.
CONSEJO m. Parecer que se da o toma para hacer o no hacer algo. // Tribunal supremo para cuestiones de gobierno y administración de justicia. // Corporación consultativa del Gobierno. // Cuerpo administrativo y consultativo en las sociedades particulares.
CONSENSO m. Consentimiento.
CONSENTIDO, DA adj. Díc. del marido que sufre la infidelidad de su mujer. // Apl. a la persona mimada con exceso.
CONSENTIMIENTO m. Acción y efecto de consentir.
CONSENTIR tr. e intr. Permitir una cosa. // tr. Creer en algo. // Admitir. // Mimar a los hijos.
CONSERJE m. El que cuida algún establecimiento público.
CONSERVACIÓN f. Acción y efecto de conservar o conservarse.
CONSERVADOR, RA adj. y s. Que conserva. // Que propugna en política la continuidad de ciertas instituciones tradicionales.
CONSERVAR tr. y r. Mantener una cosa. // tr. Continuar la práctica de ciertas costumbres. // Hacer conservas.
CONSIDERABLE adj. Digno de consideración. // Grande, cuantioso.
CONSIDERADO, DA adj. Que obra con reflexión. // Que trata a otros con respeto.
CONSIDERAR tr. Pensar, reflexionar. // Tratar a otro con respeto.
CONSIGNA f. Orden reservada. // En las estaciones de ferrocarril, depósito de equipajes. // *Mil.* Ordenes que se dan al que manda un puesto.
CONSIGNACIÓN. f. Acción y efecto de consignar. // Cantidad consignada para determinados gastos.
CONSIGNAR tr. Destinar el rédito de un efecto para el pago de una deuda. // Destinar un sitio para colocar en él algo. // Poner en depósito una cosa. // Asentar por escrito opiniones, hechos, etc. // *Der.* Depositar judicialmente alguna cantidad.
CONSIGNATARIO m. El que recibe en depósito, por auto judicial, el dinero que otro consigna. // Com. Aquel para quien va destinado un cargamento.
CONSIGUIENTE adj. Que depende y se deduce de otra cosa.
CONSISTENCIA f. Firmeza, solidez. // Coherencia entre las partículas de una masa.
CONSISTENTE adj. Que consiste. // Que tiene consistencia.
CONSISTIR intr. Estar fundada una cosa en otra. // Ser efecto de una causa.
CONSISTORIAL adj. y s. Perten. al consistorio.
CONSISTORIO m. Junta que celebra el Papa con los cardenales. // Ayuntamiento.
CONSOLACIÓN f. Acción y efecto de consolar o consolarse.
CONSOLAR tr. y r. Aliviar la aflicción de uno.
CONSOLIDACIÓN f. Acción y efecto de consolidar o consolidarse.
CONSOLIDAR tr. Dar solidez a una cosa. // Convertir una deuda flotante en fija. // fig. Fortalecer.
CONSONANCIA f. Relación de algunas cosas entre sí. // *Ret.* Igualdad de todos los sonidos, desde la última vocal acentuada, de la palabra final de dos o más versos.
CONSONANTE adj. y s. m. Díc. de cualquier voz con respecto a otra de la misma consonancia. // adj. fig. Que tiene relación de igualdad o conformidad con otra cosa.
CONSONANTISMO m. Sistema consonántico de una lengua.
CONSORCIO m. Participación de varios en una misma suerte. // Asociación de empresas. // Unión de los que viven juntos.
CONSORTE com. Persona compañera con otra u otras en la misma suerte. // Cónyuge.
CONSPICUO, CUA adj. Ilustre.
CONSPIRACIÓN f. Acción de conspirar.
CONSPIRADOR, RA m. y f. Persona que conspira.
CONSPIRAR intr. Unirse algunos contra su superior o soberano. // Unirse contra alguien.
CONSTANCIA f. Firmeza del ánimo. // Certeza de algún hecho o dicho.
CONSTANTE adj. Que tiene constancia. // Dicho de las cosas, persistente.
CONSTANTINOPOLITANO, NA adj. y s. Natural de Constantinopla.
CONSTAR intr. Ser cierta y manifiesta una cosa. // Quedar registrada una cosa.
CONSTATACIÓN f. Comprobación.
CONSTATAR tr. Comprobar.
CONSTELACIÓN f. Conjunto de estrellas agrupadas bajo el nombre de la figura que aparentan.
CONSTERNACIÓN f. Acción y efecto de consternar o consternarse.

CONSTERNAR tr. y r. Conturbar mucho y abatir el ánimo.
CONSTIPADO m. Catarro.
CONSTIPAR tr. Cerrar y apretar los poros, impidiendo la transpiración. // r. fam. Resfriarse.
CONSTITUCIÓN f. Acción y efecto de constituir. // Naturaleza y esencia de una cosa que la diferencia de las demás. // Estatudo de una corporación. // Sistema de gobierno de cada Estado. // Conjunto de leyes fundamentales de un Estado.
CONSTITUCIONAL adj. Perten. a la Constitución de un Estado. // adj. y s. Adicto a ella. // adj. Propio de la constitución de un individuo o perten. a ella.
CONSTITUIR tr. Formar, componer. // tr. y r. Establecer, ordenar.
CONSTITUTIVO, VA adj. y s. Díc. de lo que constiutye una cosa y la distingue de otras.
CONSTITUYENTE adj. Que constituye. // adj y s. pl. Díc. de las Cortes convocadas para reformar la Constitución del Estado.
CONSTREÑIMIENTO m. Apremio que hace uno a otro para que ejecute alguna cosa.
CONSTRICCIÓN f. Acción y efecto de encoger o encogerse.
CONSTRICTIVO, VA adj. Que tiene virtud de constreñir.
CONSTRICTOR, RA adj. Que produce constricción.
CONSTRUCCIÓN f. Acción y efecto de construir. // Tratándose de edificios, obra construida.
CONSTRUCTIVO, VA adj. Díc. de lo que construye o sirve para construir.
CONSTRUCTOR, RA adj. y s. Que construye.
CONSTRUIR tr. Fabricar y edificar una cosa.
CONSUELO m. Alivio de la pena o fatiga. // Gozo, alegría.
CONSUETUDINARIO, RIA adj. Díc. de lo que es de costumbre.
CÓNSUL m. Magistrado supremo en la ant. Roma. // Representante de un Estado en una ciudad extranjera.
CONSULADO m. Dignidad de cónsul romano. // Tiempo que duraba esta dignidad. // Cargo de cónsul de una potencia. // Oficina del cónsul.
CONSULAR adj. Perten. a la dignidad de cónsul.
CONSULTA f. Acción y efecto de consultar. // Parecer que se pide o se da acerca de algo.
CONSULTAR tr. Tratar con una o varias personas sobre lo que se debe hacer en un negocio. // Pedir parecer o consejo.
CONSULTORIO m. Establecimiento donde se despachan informes o consultas obre materias técnicas. // Establecimiento para el reconocimiento de los enfermos.
CONSUMACIÓN f. Acción y efecto de consumar. // Extinción.
CONSUMADO, DA adj. Perfecto. // Realizado.
CONSUMAR tr. Ejecutar hasta su conclusión una cosa. // Dar cumplimiento a un contrato o a un acto jurídico.
CONSUMICIÓN f. Acción y efecto de consumir o consumirse.
CONSUMIDO, DA adj. fig. y fam. Muy flaco. // Que se aflige.
CONSUMIDOR, RA adj y s. Que consume.
CONSUMIR tr. y r. Destruir, extinguir. // fig y fam. Apurar, afligir. // tr. Gastar.
CONSUMO m. gasto.
CONSUNCIÓN f. Acción y efecto de consumir o consumirse. // Extenuación.
CONSUSTANCIAL adj. Que es de una misma sustancia e individua naturaleza.
CONTABILIDAD f. Calidad de contable. // Sistema adoptado para llevar las cuentas en las oficinas.
CONTABILIZAR tr. Apuntar una partida en los libros de cuentas.
CONTABLE adj. Que puede ser contado. // Perten. o rel a la contabilidad. // m. Tenedor de libros.
CONTACTO m. Acción y efecto de tocarse dos o más cosas. // Trato.
CONTADO, DA adj. Raro, escaso. // Determinado, señalado.
CONTADOR, RA adj. y s. Que cuenta. // m. El que por profesión lleva las cuentas. /// Tecnol. Aparato que mide el caudal de fluido.
CONTAGIAR tr. y r. Transmitir una enfermedad.
CONTAGIO m. Transmisión de una enfermedad infecciosa.
CONTAGIOSO, SA adj. Apl. a las enfermedades que se contagian. // Que tiene mal que se contagia. // fig. Díc. de los vicios que se comunican con el trato.
CONTAMINACIÓN f. Acción y efecto de contaminar o contaminarse.
CONTAMINAR tr. Alterar la pureza de algo. // tr. y r. Penetrar la inmundicia en un cuerpo. // Contagiar.
CONTAR tr. Numerar o computar las cosas. // Referir un suceso. /// Considerar. // intr. Hacer cuentas según las reglas de aritmética.
CONTEMPLACIÓN f. Acción de contemplar.
CONTEMPLAR tr. Poner la atención en algo material o espiritual. // Considerar. // Complacer a uno.
CONTEMPORANEIDAD f. Calidad de contemporáneo.
CONTEMPORÁNEO, A adj. y s. Existente al mismo tiempo que otra persona o cosa.
CONTEMPORIZAR intr. Acomodarse uno al gusto o dictamen ajeno.
CONTENCIÓN f. Acción y efecto de contener.
CONTENCIOSO, SA adj. Dado a contradecir a los demás. // For. Apl. a las materias sobre que se contiende en un juicio.
CONTENDER intr. Lidiar, batallar. // fig. Disputar, debatir.
CONTENDIENTE adj. y s. Que contiende.
CONTENEDOR, RA adj. Que contiene.
CONTENER tr. y r. Incluir dentro de sí una cosa a otra.

// Reprimir el movimiento de un cuerpo. // fig. Moderar una pasión.
CONTENTADIZO, ZA adj. Díc. del que fácilmente se contenta.
CONTENTAR tr Satisfacer a uno. // r. Darse por contento.
CONTENTO, TA adj. Alegre. // m. Alegría, satisfacción.
CONTERTULIO, LIA m. y f. fam. Persona que concurre con otras a una tertulia.
CONTESTACIÓN f. Acción y efecto de contestar. // Disputa.
CONTESTAR tr. Responder a lo que se pregunta. // Atestiguar lo mismo que otros han dicho. // intr. Convenir una cosa con otra.
CONTESTATARIO, RIA adj. y s. Que contesta, impugna, discute.
CONTEXTO m. Orden de composición de una obra literaria. // fig. Hilo de un discurso.
CONTEXTURA f. Disposición de las partes que componen un todo. // Contexto. // fig. Forma corporal del hombre.
CONTIENDA f. Pelea, debate.
CONTIGO Ablat. de sing. del pron. pers. de 2a. pers. en gén. m. y f.
CONTIGUO, GUA adj. Que está inmediato a otra cosa.
CONTINENCIA f. Virtud que refrena las pasiones. // Acción de contener.
CONTINENTAL adj. Perten. a los países de un continente.
CONTINENTE adj. Que contiene. // Díc. del que tiene continencia. // m. Cada una de las masas de tierra emergida, separadas entre sí por océanos.
CONTINGENCIA f. Posibilidad de que suceda algo o no. // Riesgo.
CONTINGENTE adj. Que puede suceder o no. // m. Contingencia. // Fuerzas militares de que dispone el mando.
CONTINUACIÓN f. Acción y efecto de continuar.
CONTINUAR tr. Proseguir lo empezado. // intr. Durar. // r. Seguir.
CONTINUIDAD f. Calidad de continuo. // Continuación.
CONTINUO, NUA adj. Que dura sin interrupción. // Apl. a las cosas que tienen unión entre sí.
CONTONEARSE r. Mover al andar los hombros y caderas afectadamente.
CONTONEO m. Acción de contonearse.
CONTORNEAR tr. Dar vueltas alrededor de algo. // Perfilar.
CONTORNEO m. Acción y efecto de contornear.
CONTORNO m. Territorio que rodea un lugar. // Conjunto de líneas que limitan un cuerpo, espacio, etc.
CONTORSIÓN f. Actitud forzada.
CONTORSIONISTA com. Persona que ejecuta contorsiones en el circo.

CONTRA prep. Denota oposición y contrariedad. // Enfrente. // Hacia. // A cambio de. // m. Concepto opuesto a otro. // f. fam. Dificultad.
CONTRAATACAR tr. Reaccionar ofensivamente contra el enemigo.
CONTRABAJO *Mús.* Instrumento de cuerda parecido al violín, pero mucho mayor. // Persona que lo toca.
CONTRABANDISTA adj. y s. Que practica el contrabando..
CONTRABANDO m. Comercio o producción de géneros ilegales. // Mercaderías prohibidas.
CONTRACCIÓN f. Acción y efecto de contraer o contraerse. // *Gram.* Figura de dicción consistente en hacer una sola palabra de dos.
CONTRÁCTIL adj. Capaz de contraerse con facilidad.
CONTRADECIR tr. y r. Decir uno lo contrario de lo que otro afirma.
CONTRADICCIÓN f. Acción y efecto de contradecir o contradecirse. // Oposición, contrariedad.
CONTRADICTORIO, RIA adj. Que se contradice con otra cosa.
CONTRAER tr. Estrechar, encoger. // Aplicar a un caso concreto proposiciones generales. // Tratándose de vicios, costumbres, etc,. adquirirlos. // r. Encogerse algo.
CONTRAFUERTE m. Pilar saliente adosado a un muro, para reforzarlo.

CONTRAHECHO, CHA adj. y s. Que tiene torcido el cuerpo.
CONTRAINDICAR tr. Disuadir de la aplicación de un remedio.
CONTRALUZ f. Vista de las cosas desde el lado opuesto a la luz.
CONTRAMAESTRE m. Jefe del personal de los talleres. // Oficial de mar que dirige la marinería.
CONTRAOFENSIVA f. Ofensiva que se emprende para contrarrestar la del enemigo.
CONTRAPESAR tr. Servir de contrapeso. // fig. Igualar, compensar.

CONTRAPESO m. Peso con que se equilibra otro peso. // Añadidura para completar el peso.
CONTRAPONER tr. Comparar .// tr. y r. Oponer.
CONTRAPOSICIÓN f. Acción y efecto de contraponer o contraponerse.
CONTRAPRODUCENTE adj. Díc. del dicho o acto de efectos opuestos a la intención de su autor.
CONTRAPUESTO, TA adj. Opuesto.
CONTRAPUNTO m. Mús. Concordancia armoniosa de voces contrapuestas.
CONTRARIAR tr. Contradecir, oponerse a una intención.
CONTRARIEDAD f. Oposición. // Accidente que impide o retarda el logro de un deseo.
CONTRARIO, RIA adj. y s. f. Opuesto a una cosa. // adj. fig. Que daña. // m. y f. Persona enemiga de otra. // m. Impedimento.
CONTRARREFORMA f. Movimiento religioso, político e intelectual del siglo XVI, destinado a combatir la reforma luterana.
CONTRARRESTAR tr. Hacer frente.
CONTRASENTIDO m. Imteligencia contraria al sentido natural de las palabras.
CONTRASEÑA f. Señal convenida entre ciertas personas para entenderse entre sí.
CONTRASTAR tr. Resistir. // Fijar la ley, peso y valor de las monedas u objetos de oro y plata, y sellarlos. // intr. Mostrar diferencia dos cosas.
CONTRASTE m. Acción y efecto de contrastar. // Contienda.
CONTRATA f. Escritura conque las partes aseguran los contratos que han hecho. // Contrato para prestar un servicio.
CONTRATACIÓN f. Acción y efecto de contratar. // Comercio.
CONTRATANTE adj. Que contrata.
CONTRATAR tr. Pactar, hacer contratos. // Ajustar a una persona para algún servicio.
CONTRATIEMPO m. Accidente perjudicial e inesperado.
CONTRATISTA com. Persona que por contrata ejecuta una obra.
CONTRATO m. *Der*. Pacto entre partes que se obligan sobre materia o cosa determinada.
CONTRAVENCIÓN f. Acción y efecto de contravenir.
CONTRAVENIR tr. Obrar en contra de lo que está mandado.
CONTRIBUCIÓN f. Acción y efecto de contribuir.
CONTRIBUIR tr. e intr. Pagar los impuestos. // tr. Concurrir con una cantidad para determinado fin. // fig. Colaborar con otros.
CONTRIBUYENTE adj. y s. Que contribuye.
CONTRICIÓN f. Dolor y pesar de haber ofendido a Dios.
CONTRINCANTE m. Competidor, rival.
CONTRITO, TA adj. Que siente contrición.
CONTROL m. Inspección. // Mando.

CONTROLAR tr. Ejercer el control
CONTROVERSIA f. Discusión reiterada entre dos o más personas
CONTROVERTIR intr. y tr. Discutir extensamente sobre una materia
CONTUBERNIO m. Cohabitación ilícita.// fig. Confabulación.
CONTUMACIA f. Tenacidad en el error. // *Der*. Rebeldía..
CONTUMAZ adj. Tenaz en el error.
CONTUMELIA f. Oprobio, injuria.
CONTUNDENTE adj. Apl. a lo que produce contusión. // fig. Que persuade y convence.
CONTUNDIR tr. y r. Magullar.
CONTURBAR tr. y r. Alterar, turbar. // fig. Intranquilizar.
CONTUSIÓN f. *Med*. Lesión profunda producida por un golpe.
CONTUSIONAR tr. Causar contusión.
CONTUSO, SA adj y s. Que ha recibido contusión.
CONVALECENCIA f. Acción y efecto de convalecer.
CONVALECER ntr. Recobrar la salud perdida por enfermedad.
CONVALECIENTE adj. y s. Que convalece.
CONVALIDACIÓN f. Acción y efecto de convalidar.
CONVALIDAR tr. Revalidar.
CONVECCIÓN. f. *Fis*. Propagación del calor en un fluido mediante el movimiento de sus partículas.
CONVENCER tr. y r. Persuadir a uno con razones a que mude su parecer. // Probarle una cosa de manera que no la pueda negar.
CONVENCIMIENTO m. Acción y efecto de convencer o convencerse.
CONVENCIÓN f. Convenio entre personas. // Conformidad. // Asamblea que asume todos los poderes de un Estado.
CONVENCIONAL adj. Perten. al convenio. // Que se establece por costumbre.
CONVENCIONALISMO m. Conjunto de perjuicios o ideas falsas que se tienen por conveniencia social.
conveniencia f. Conformidad entre dos cosas distintas. // Utilidad. // Convenio. // Comodidad.
CONVENIENTE adj. Util, oportuno. // Conforme. // Decente.
CONVENIO m. Ajuste, convención.
CONVENIR intr. Ser de un mismo parecer. // Acudir varias personas a un mismo lugar. // Corresponder. // Ser conveniente.
CONVENTO m. Comunidad de religiosos y casa en que habitan.
CONVENTUAL adj. Perten. al convento.
CONVERGENCIA f. Acción y efecto de converger.
CONVERGENTE adj. Que converge.
CONVERGIR intr. Dirigirse dos o más líneas a unirse en un punto. //fig. Concurrir al mismo fin las ideas de dos o más personas.
CONVERSACIÓN f. Acción y efecto de hablar.

CONVERSADOR, RA adj. Díc. de la persona de conversación amena.
CONVERSAR intr. Hablar. // Tratar unas personas con otras.
CONVERSIÓN f. Acción y efecto de convertir o convertirse.
CONVERSO, SA adj. y s. m. Díc. de los moros y judíos convertidos al cristianismo.
CONVERTIR tr. yr. Mudar o volver una cosa en otra. // Hacer que uno abrace una religión.
CONVEXIDAD f. Calidad de convexo. // Parte convexa.
CONVEXO, XA adj. Que tiene la superficie más prominente en el medio.
CONVICCIÓN f. Convencimiento.
CONVICTO, TA adj. Der. Díc. del reo cuyo delito ha sido probado.
CONVIDAR tr. Rogar una persona a otra que la acompañe a comer, etc. // Incitar. // r. Ofrecerse para algo.
CONVINCENTE adj. Que convence.
CONVITE m. Acción y efecto de convidar.
CONVIVENCIA f. Acción de convivir.
CONVIVIR intr. Vivir en compañía de otro u otros, cohabitar.
CONVOCACIÓN f. Acción de convocar.
CONVOCAR tr. Citar a varias personas para que concurran a lugar o acto determinado. // Aclamar.
CONVOCATORIA f. Anuncio o escrito con que se convoca.
CONVOLVULÁCEAS f. pl. *Bot.* Fam. de plantas simpétalas, leñosas o herbáceas.
CONVOY m. Escolta. // Conjunto de efectos escoltados. // fig. y fam. Séquito.
CONVULSIÓN f. Contracción y agitación de los músculos. // fig. Agitación de la vida social.
CONVULSIVO, VA adj. Perten. a la convulsión.
CONVULSO, SA adj. Atacado de convulsiones. // fig. Inquieto.
CONYUGAL adj. Perten. a los cónyuges.
CÓNYUGE com. Marido y mujer respectivamente.
COÑAC m. Licor de graduación alcohólica muy elevada.
COOPERACIÓN f. Acción y efecto de cooperar.
COOPERAR intr. Obrar juntamente con otro u otros para un mismo fin.
COOPERATIVISMO m. Doctrina económico-social cuyo fin es el desarrollo de cooperativas.
COOPERATIVO, VA adj. Díc. de lo que coopera o puede cooperar a alguna cosa. // f. Sociedad que opera en mutuo beneficio de sus afiliados.
COORDENADAS f. pl. *Geom.* Líneas que sirven para determinar la posición de un punto, y ejes o planos a que éstas se refieren.
COORDINACIÓN f. Acción y efecto de cooordinar.
COORDINAR tr. Disponer cosas metódicamente.
COPA f. Vaso con pie para beber. // Líquido que cabe en una copa. // Parte hueca del sombrero. // *Bot.* Parte superior de un árbol.
COPAR tr. Conseguir en una elección todos los puestos. // *Mil.* Cortar la retirada a una fuerza militar, haciéndola prisionera.
COPETE m. Pelo levantado sobre la frente. // Moño de plumas que tienen algunas aves en lo alto de la cabeza. // fig. Presuntuosidad.
COPIA f. Abundancia de una cosa. // Reproducción de un escrito, de una obra de arte, etc. // Imitación servil de las obras ajenas.
COPIAR tr. Escribir en una parte lo que está escrito en otra. // Escribir lo que dice otro. // Sacar copia de un dibujo, pintura o escultura. // Imitar a alguien.
COPIOSIDAD f. Abundancia.
COPISTA com. Que se dedica a copiar escritos.
COPLA f. Composición poética breve, que sirve de letras en canciones populares. // pl. fam. Versos.
COPO m. Porción de nieve.
COPÓN m. Copa en que se guarda el Santísimo Sacramento.
COPRA f. *Agr.* Medula de coco.
COPTO, TA adj. y s. Cristiano de Egipto. // adj. Perten. o rel. a los coptos. // m. Idioma ant. de los egipcios.
CÓPULA f. Ligamento de una cosa con otra. // Acción de copularse.
COPULARSE r. Juntarse carnalmente.
COPULATIVO, VA adj. Que liga y junta una cosa con otra.
COQUE m. Sustancia carbonosa sólida y porosa, que resulta de la calcinación de la hulla.
COQUETA adj. y s. Díc. de la mujer que coquetea con los hombres.
COQUETEAR intr. Tratar de agradar por vanidad estudiadamente. // Procurar agradar a muchos a un tiempo.
COQUETERÍA f. Acción y efecto de coquetear. // Estudiada afectación.
COQUETÓN, NA adj. fam. Gracioso, atractivo. // adj. y s. Díc. del hombre que coquetea con las mujeres.
coraje m. Valor. // Ira.
CORAL m. *Zool.* Colonia de pólipos marinos con o sin esqueleto calizo.
CORAL adj. Perten.. al coro. // *Mús.* m. Composición vocal a varias voces. // f. Orfeón.
CORALÍFERO, RA adj. Que tiene corales, como el fondo del mar, islas, etcétera.
CORAZA f. Armadura de cuero, hierro, acero, compuesta de peto y espaldar. // *Mar.* Blindaje.
CORAZÓN m. *Anat.* Organo central de la circulación de la sangre, que en el hombre está situado en la cavidad del pecho algo a la izquierda. // fig. Valor. // Amor. // Centro o parte interior de una cosa.
CORAZONADA f. Impulso espontáneo.
CORBATA f. Trozo de tela en forma de tira, que se pone alrededor del cuello.
CORBETA f. Embarcación de guerra, semejante a la

CORAZÓN

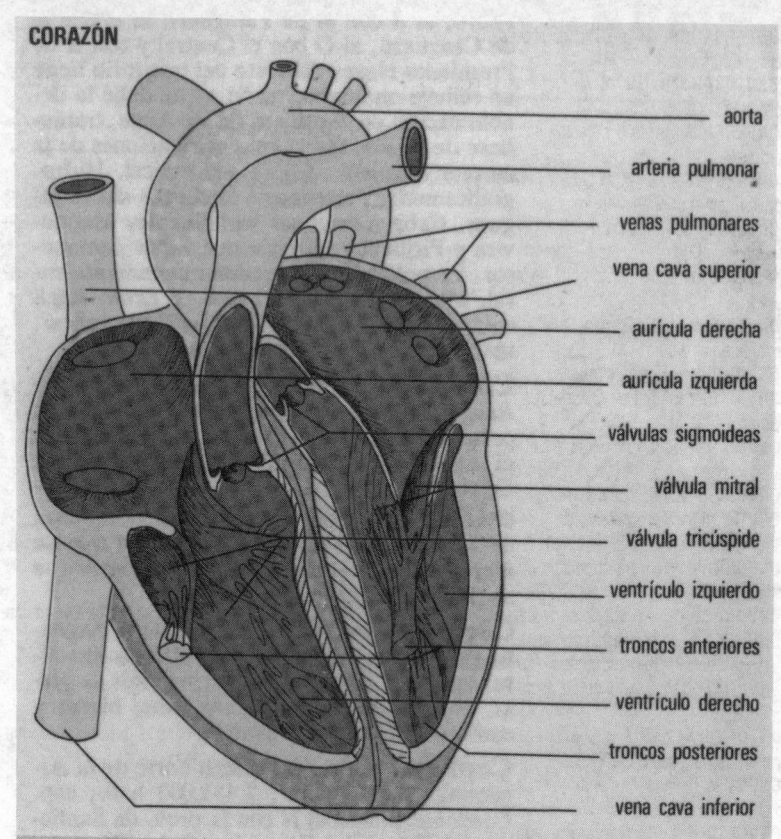

- aorta
- arteria pulmonar
- venas pulmonares
- vena cava superior
- aurícula derecha
- aurícula izquierda
- válvulas sigmoideas
- válvula mitral
- válvula tricúspide
- ventrículo izquierdo
- troncos anteriores
- ventrículo derecho
- troncos posteriores
- vena cava inferior

fragata.
CORCEL m. Caballo ligero, de mucha alzada.
CORCOVA f. Corvadura anómala de la columna vertebral o del pecho.
CORCOVAR. tr. Encorvar.
CORCHEA f. *Mús.* Nota musical cuyo valor es la mitad de una negra.
CORCHETE m. Broche metálico, compuesto de macho y hembra. // Signo ( ) de valor análogo al paréntesis.
CORCHO m. Capa exterior y porosa del alcornoque.
CORDADOS m. pl. *Zool.* Metazoos con notocordio o cuerda dorsal.
CORDEL m. Cuerda delgada. // Medida agraria y lineal.
CORDERO, RA m. y f. Cría de la oveja de menos de un año. // f. fig. Mujer mansa.
CORDIAL adj. Que tiene virtud para fortalecer el corazón. // Afectuoso.
CORDIALIDAD f. Calidad de cordial. // Franqueza, sinceridad.
CORDILLERA f. Serie de montañas enlazadas entre sí.
CORDÓN m. Cuerda, por lo común redonda. // Conjunto de puestos de tropa colocados de distancia en distancia.
CORDURA f. Prudencia, juicio.
COREAR tr. Acompañar con coros una composición musical. // fig. Asentir varias personas al parecer ajeno.
COREOGRAFÍA f. Arte de componer bailes. // Arte de la danza.
COREÓGRAFO, FA m. y f. Compositor de baile.
CORIÁCEO, A adj. Perten. al cuero. // Parecido a él.
CORIFEO m. El que guiaba el coro en las tragedias griegas y romanas. // fig. El que es seguido de otros en una opinión.
CORINDÓN m. *Mineral.* Oxido alumínico, usado en joyería como piedra preciosa.
CORINTIO, TIA adj. y s. Natural de Corinto. // adj. Perten. a esta ciudad de Grecia.
CORION m. *Anat.* Membrana exterior que envuelve el feto.
CORISTA com. Persona que canta en un coro.
CORIZA f. *Med.* Catarro nasal.
CORNADA f. Golpe dado por un animal con la punta del cuerno.

CORNALINA f. *Mineral.* Calcedonia roja.
CORNAMENTA f. Cuernos de algunos cuadrúpedos como el toro y otros.
CÓRNEA f. *Anat.* Membrana gruesa y transparente, primera de las que componen el ojo.
CORNEAR tr. Dar cornadas.
CORNEJA f. *Zool.* Especie de cuervo, de color oscuro.
CÓRNEO, A adj. De cuerno o parecido a él.
CORNETA f. Instrumento músico de viento, semejante al clarín. // m. El que la toca.
CORNETE m. *Anat.* Cada una de las láminas óseas del interior de las fosas nasales.
CORNETÍN m. Instrumento músico, parecido a la corneta. // El que lo toca.
CORNICABRA f. *Bot.* Variedad de aceituna larga y puntiaguda.
CORNISA f. Parte saliente compuesta de varias molduras que remata una estructura arquitectónica.
CORNUCOPIA f. Cierto vaso de figura de cuerno que se usaba como símbolo de la abundancia.
CORNUDO, DA adj. Que tiene cuernos. // adj. y s. fig. Díc. del marido cuya mujer comete adulterio.
CORO m. Conjunto de personas reunidas para cantar o celebrar algo.
COROGRAFÍA f. Descripción de un país, región o provincia.
COROIDES f. *Anat.* Segunda de las membranas que forman el globo del ojo.
COROJO m. *Bot.* Arbol de la fam. palmáceas.
COROLA f. *Bot.* Segunda envoltura de las flores completas.
COROLARIO m. *Anat.* Proposición que se deduce de modo inmediato, de un teorema general.
CORONA f. Cerco de ramas, flores o metal con que se ciñe la cabeza, como adorno o símbolo de dignidad. /// Aureola. // Coronilla. // Reino o monarquía.
CORONACIÓN f. Acto de coronar o coronarse un soberano. // Coronamiento.

La **CORONACIÓN** de Moctezuma

CORONAMIENTO m. fig. Conclusión de una obra. // *Arq.* Adorno que remata un edificio.
CORONAR tr. y r. Poner la corona en la cabeza. // fig. Completar una obra.
CORONARIO, RA adj. Perten. o rel. a la corona. // *Anat.* Díc. de las arterias y venas que rodean el corazón.

CORONEL m. Jefe militar de un regimiento.
CORONILLA f. Parte más eminente de la cabeza.
CORPIÑO m. Jubón sin mangas.
CORPORACIÓN f. Asociación o comunidad de personas, regida por alguna ley o estatuto.
CORPORAL adj. Perten. al cuerpo.
CORPORALIDAD f. Calidad de corporal. // Cosa corporal.
CORPORATIVO, VA adj. Perten. o rel a una corporación.
CORPOREIDAD f. Calidad de corpóreo.
CORPÓREO, A adj. Que tiene cuerpo.
CORPS m. Voz que se usaba para nombrar algunos empleados al servicio de la persona del rey.
CORPULENCIA f. Grandeza y magnitud de un cuerpo.
CORPULENTO, TA adj. Que tiene mucho cuerpo.
CORPUS m. Festividad con que la Iglesia celebra la institución de la Eucaristía.
CORPUSCULAR adj. Que tiene corpúsculos.
CORPÚSCULO m. Cuerpo muy pequeño, partícula.
CORRAL m. Sitio cerrado y descubierto junto a las casas o en el campo.
CORRALIZA f. Corral.
CORREA f. Tira de cuero.
CORRECCIÓN f. Acción y efecto de corregir. // Calidad de correcto.
CORRECCIONAL m. Prisión destinada al cumplimiento de ciertas penas.
CORRECTIVO, VA adj. Que corrige. // m. Castigo leve.
CORRECTO, TA adj. Libre de errores. // Díc. de la persona de conducta intachable.
CORRECTOR, RA adj. y s. Que corrige.
CORREDERA f. Ranura por donde resbala una pieza en ciertas máquinas.
CORREDOR, RA adj. y s. Que corre mucho. // m. el que por oficio interviene enn operaciones comerciales. // Pasillo. // Galería.
CORREDORAS f. pl. *Zool.* Aves adaptadas a la carrera y de alas atrofiadas.
CORREGIDOR, RA adj. Que corrige // m. Magistrado que en sus territorio ejercía la jurisdicción real.
CORREGIR tr. Enmendar lo errado. // Advertir, reprender. /// fig. Moderar la actividad de una cosa.
CORRELACIÓN f. Analogía o relación recíproca entre dos o más cosas.
CORRELATIVO, VA adj. Apl. a las cosas que tienen entre sí sucesión inmediata.
CORRELIGIONARIO, RIA adj. y s. Que profesa la misma religión que otro, o es del mismo partido.
CORREO m. Servicio público para el transporte de la correspondencia. // Conjunto de cartas que se despachan o reciben.
CORREOSO, SA adj. Que fácilmente se dobla sin romperse.
CORRER intr. Andar velozmente. // Moverse de una parte a otra los fluidos. // Soplar los vientos. //

Extenderse de una parte a otra. // Transcurrir el tiempo. // tr. Perseguir. // Lidiar. // tr. y r. Pasar una cosa de un lado a otro. // Estar expuesto a contingencias. // Recorrer.
CORRERÍA f. Incursión que hace la gente de guerra saqueando el país. // Viaje corto.
CORRESPONDENCIA f. Acción y efecto de corresponder o corresponderse. // Conjunto de cartas.
CORRESPONDER intr. y tr. Compensar afectos, favores, etc. // intr. Tocar o pertenecer. // intr. y r. Tener proporción de una cosa con otra. // r. Comunicarse por carta. // Amarse recíprocamente.
CORRESPONDIENTE adj. Proporcionado, oportuno. // adj. y s. Que tiene correspondencia con alguien.
CORRESPONSAL adj. y s. Correspondiente. // Periodista que envía noticias desde una localidad.
CORRESPONSALÍA f. Cargo de corresponsal en un periódico.
CORRETAJE m. Estipendio que logra el corredor por sus servicios.
CORRETEAR intr. fam. Correr de un lado a otro por diversión.
CORRIDA f. Acción de correr el hombre o el animal cierto tiempo. // Lidia de toros.
CORRIDO, DA adj. fig. Avergonzado. // fam. Apl. a la persona astuta. // Continuo, seguido.
CORRIENTE adj. Que corre. // Díc. de la semana, del mes, del año o del siglo que transcurre. // Sabido. // fig. Curso de algunas cosas.
CORRILLO m. Corro de personas que se apartan de las demás para hablar.
CORRIMIENTO m. Acción y efecto de correr.
CORRO m. Cerco que forma la gente. // Espacio que incluye.
CORROBORACIÓN f. Acción y efecto de corroborar o corroborarse.
CORROBORAR tr. y r. Vivificar, fortalecer. // fig. Dar mayor fuerza a la razón con nuevos datos.
CORROER tr. y r. Desgastar lentamente una cosa. // tr. fig. Sentir una gran pena.
CORROMPER tr. y r. Trastocar la forma de alguna cosa. // Podrir. // tr. Sobornar. // fig. Pervertir. // intr. Oler mal.
CORROSIÓN f. Acción y efecto de corroer o corroerse.
CORROSIVO, VA adj. Díc. de lo que corroe o tien virtud de corroer.
CORRUPCIÓN f. Acción y efecto de corromper o corromperse. // fig. Abuso en las cosas no materiales.
CORRUPTELA f. Corrupción. // Abuso ilegal.
CORRUPTIBLE adj. Que puede corromperse.
CORRUPTOR, RA adj. y s. Que corrompe.
CORSO, SA adj. y s. Natural de Córcega. // adj. Perten. a esta isla del Mediterráneo.
CORTA f. Acción de cortar árboles y plantas de los bosques.
CORTACIRCUITOS m. Aparato que automáticamente interrumpe la corriente eléctrica.

CORTADURA f. Acción y efecto de cortar. // pl. Recortes.
CORTAFRÍO m. Cincel para cortar hierro muy frío.
CORTAFUEGO m. Vereda ancha que se deja en los sembrados para que no se propaguen los incendios.
CORTANTE adj. Que corta. // m. Cortador.
CORTAPISA f. fig. Condición o restricción.
CORTAR tr. Dividir una cosa o separar sus partes con algún instrumento. // Dar forma a las piezas de una prenda de vestir. // Hender un fluido. // tr. y r. Ser el frío muy penetrante. // tr. Atajar, impedir. // Omitir algo en un discurso, etc. // fig. Interrumpir. // Tratándose de la leche, salsas, etc., separarse sus partes.
CORTE m. Filo del instrumento con que se corta. // Acción y efecto de cortar. // Tela o cuero que se necesita para un vestido, calzado, etc. // Corta.
CORTE f. Población donde reside el soberano. // Conjunto de las personas que componen la familia y comitiva del rey. // Establo. // Amer. Tribunal de justicia.
CORTEDAD f. Calidad de corto.
CORTEJAR tr. Acompañar a uno para agradarle. // Galantear.
CORTEJO m. Acción de cortejar. // Comitiva. // Fineza, regalo.
CORTÉS adj. Atento, urbano.
CORTESANO, NA adj. Perten. a la corte. // Cortés. // m. Palaciego que servía al rey en la corte.
CORTESÍA f. Demostración de respeto o afecto hacia alguien. // Regalo. // Merced. // Tratamiento.
CORTEZA f. Bot. Tegumento exterior del árbol, que lo cubre desde sus raíces hasta la extremidad de sus ramas. // Parte exterior y dura de algunas cosas.
CORTICAL adj. Rel. a la corteza.
CORTIJO m. Posesión de tierra y casa de labor.
CORTINA f. Paño con que se cubren y adornan las puertas, ventanas y otras cosas. // fig. Lo que cubre y oculta algo.
CORTINAJE m. Juego de cortinas.
CORTISONA f. Hormona segregada por la corteza de las glándulas suprarrenales.
CORTO, TA adj. Díc. de las cosas de menos longitud que de ordinario o que otras con que se comparan. // De poca duración. // Escaso. // fig. Tímido. // De escaso talento.
CORTOCIRCUITO m. *Electrotec.* Circuito que se produce por contacto entre los conductores, sin que la corriente pase por la resistencia.
CORVA f. Parte de la pierna, puesta a a rodilla, por donde se dobla.
CORVADURA f. Parte por donde se tuerce o dobla una cosa.
CÓRVIDOS m. pl. *Zool.* Fam. de aves paseriformes de pico fuerte, como el cuervo, la urraca, etc.
CORVINA f. *Zool.* Pez marino acantopterigio. Es comestible.
CORVO, VA adj. Arqueado. // m. Garfio.

CORZO m. *Zool.* Cuadrúpedo rumiante de la fam. cérvidos.
COSA f. Todo lo que tiene entidad, ya sea corporal, natural o artificial, real o abstracta.
COSACO, CA adj. y s. Díc. del habitante de varios distritos de Rusia. // m. Soldado ruso de tropa ligera.
COSCOJA f. *Bot.* Planta arbustiva de la fam. fagáceas de hojas duras y espinosas.
COSCORRÓN m. Golpe en la cabeza.
COSECANTE f. *Mat.* Secante del complemento de un ángulo o de un arco.
COSECHA f. Conjunto de frutos de la tierra y temporada en que se recogen. // Ocupación de recoger los frutos de la tierra.
COSECHADORA f. Máquina agrícola que trilla, limpia el grano y embala la paja.
COSECHAR intr. y tr. Hacer la cosecha. // tr. fig. Ganar, obtener.
COSELETE m. Ant. coraza ligera.
COSENO m. *Mat.* Seno del complemento de un ángulo o de un arco.

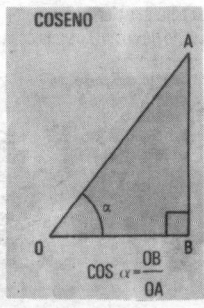

COSER tr. Unir con hilo dos o más pedazos de tierra u otra materia. // fig. y fam. Unir una cosa con otra.
COSMÉTICO, CA adj. y s. m. Díc. de los productos que sirven para dar belleza a la tez o al pelo.
CÓSMICO, CA adj. Perten. o rel. al cosmos.
COSMOGONÍA f. Ciencia que estudia el origen y la evolución del universo.
COSMOLOGÍA f. Ciencia que estudia la estructura física del universo.
COSMOLÓGICO, CA adj. Perten. o rel a la cosmología.
COSMONAUTA com. Astronauta.
COSMOPOLITA adj. y s. Díc. del que considera a todo el mundo como patria suya. // adj. Díc. de lo que es común a todos los países o a los más de ellos.
COSMOPOLITISMO m. Doctrina y género de vida comopolita.
COSMOS m. Mundo, universo.
COSO m. Lugar cercado para lidia de toros y otras fiestas.
COSQUILLAS f. pl . Sensación táctil que se experimenta en algunas partes del cuerpo y que provoca risa.
COSQUILLEO m. Sensación que producen las cosquillas.
COSQUILLOSO, SA adj. fig. Puntilloso, irritable.
COSTA f. Cantidad que se da por una cosa. // pl. Gastos judiciales.
COSTA f. Orilla del mar y tierra que está cerca de ella.
COSTADO m. Cada una de las dos partes laterales del cuerpo humano.
COSTAL adj. Perten. a las costillas. // m.Saco grande de tela basta.
COSTAR intr. Ser comprada una cosa por determinado precio. // fig. Causar una cosa perjuicio.
COSTARRICENSE o **COSTARRIQUEÑO, ÑA** adj. y s. Natural de Costa Rica. // adj. Perten. a este país.
COSTE m. Gasto, precio, costa.
COSTEAR tr. y r. Pagar los gastos de alguna cosa.
COSTEAR tr. Navegar sin perder de vista la costa.
COSTERO, RA adj. Perten. o rel. a la costa. // Lateral.
COSTILLA f. *Anat.*, Cada uno de los huesos largos y encorvados que nacen de la columna vertebral y acaban en el centro del pecho.
COSTILLAR o **COSTILLAJE** m. Conjunto de costillas. // Parte de cuerpo en la cual están.
COSTO m. Costa, coste.
COSTOSO, SA adj. De gran precio. // fig. Que acarrea daño.
COSTRA f. Corteza exterior que se endurece y se seca sobre una cosa. // Postilla.
COSTUMBRE f. Modo habitual de proceder. // Práctica muy usada que ha adquirido fuerza de precepto. // pl. Conjunto de usos o cualidades peculiares de una nación o persona.
COSTUMBRISMO m. *Lit.* Tendencia a retratar en las obras literarias las costumbres de una sociedad.
COSTUMBRISTA adj. Perten. o rel al costumbrismo.
COSTURA f. Acción y efecto de coser. // Oficio de coser. // Serie de puntadas que une dos piezas cosidas.
COSTURERA f. Mujer que tiene por oficio coser ropa.
COTA f. Arma defensiva del cuerpo, que se usaba ant.
COTA f. Cuota. // Número que en un plano indica la altura de nivel.
COTARRO m. Albergue nocturno para pobres y vagabundos. // fig. y fam. Tertulia, alboroto.
COTEJAR tr. Confrontar o comparar una cosa con otra.
COTEJO m. Acción y efecto de cotejar.
COTIDIANIDAD f. Calidad de cotidiano.
COTIDIANO, NA adj. Diario.
COTILA f. Cavidad de un hueso en que entra la cabeza de otro.
COTILEDÓN m. *Bot.* Parte de la semilla que rodea el embrión.
COTILLEAR intr. fam. Chismorrear
COTILLEO m. fam. Acción y efecto de cotillear.
COTILLÓN m. Danza con figuras.
COTIZACIÓN f. Acción y efecto de cotizar.
COTIZAR tr. Com . Publicar en la Bolsa el precio de

los títulos u otros valores que tienen curso público. // intr. Pagar una cuota.
COTO m. Terreno acotado. // Mojón. // Límite.
COTO m. Pastura, tas.
COTO m. *Amer.* Bocio o papera.
COTORRA f. *Zool.* Ave de la fam. psitácedas. Imita la voz humana. // fig. y fam. Persona habladora.
COTORREAR intr. Hablar con exceso.
COTORREO m. fig. y fam. Conversación bulliciosa de mujeres.
COXAL adj. *Anat.* Perten. a la cadera.

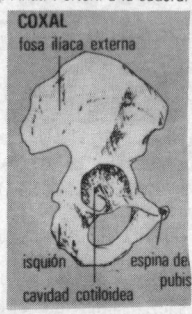

COXALGIA f. *Med.* Artritis en la cadera.
COXIS m. *Anat.* Cóccix.
COYOTE m. *Zool.* Carnívoro fisípedo de la fam. Canídos, del mataño de un mastín.
COYUNDA f. Correa con que se uncen los bueyes al yugo.
COYUNTURA f. Articulación movible de un hueso con otro. // fig. Ocasión favorable para alguna cosa.
COZ f. Golpe que dan las bestias con las patas traseras. // Golpe que da una persona con el pie hacia atrás. // fam. Acción injuriosa.
CRAC m. Quiebra, bancarrota.
CRÁNEO m. *Anat.* Caja ósea en que está contenido encéfalo.

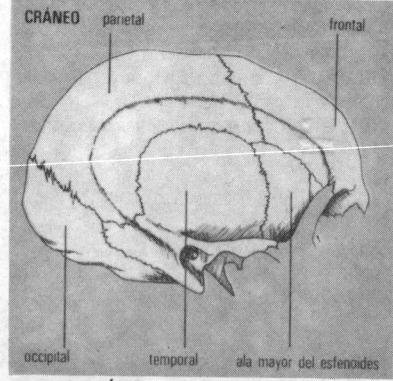

CRANEOLOGÍA f. Estudio del cráneo.
CRÁPULA f. Borrachera.
CRASCITAR intr. Graznar el cuervo.

CRASO, SA adj. Grueso, espeso.
CRÁTER m. *Geol.* Boca de los volcanes.

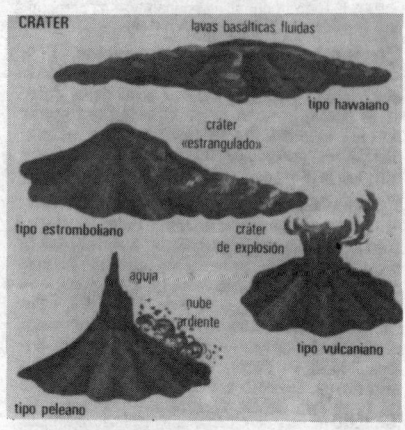

CRÁTERA f. *Arqueol.* Copa muy abierta usada en Grecia y Roma para mezclar agua y vino.
CREACIÓN f. Acto de crear Dios una cosa de la nada. // Mundo. // Acción de crear.

La CREACIÓN

CREADOR, RA adj. Que crea. // Díc. por antonomasia de Dios.
CREAR tr. Criar. // fig., Instituir. // Establecer, fundar.
CRECER intr. Aumentar de tamaño los seres orgánicos. // Recibir aumento una cosa. // r. Tomar uno importancia.
CRECES f. pl. Señales que indican disposición de crecer. // fig. Aumento, exceso en algunas cosas.
CRECIDA f. Aumento de aguas en los ríos por las muchas lluvias.
CRECIDO, DA adj. fig. Grande o numeroso.
CRECIENTE adj. Que crece.
CRECIMIENTO m. Acción y efecto de crecer una cosa.
CREDENCIAL adj. Que acredita. // f. Documento que acredita la posesión de un empleo.
CREDIBILIDAD f. Calidad de creíble.
CRÉDITO m. Asenso. // Derecho que tiene alguno a recibir algo, esp. dinero. // Fama. // Com. Opinión que se tiene de una persona de que cumplirá sus compromisos.
CREDO m. Símbolo de la fe cristiana. // fig. Conjunto

de doctrinas comunes a una colectividd.
CREDULIDAD f. Calidad de crédulo.
CRÉDULO, LA adj. Que cree fácilmente.
CREENCIA f. Acción y efecto de creer. // Religión, secta.
CREER tr. Dar por cierta una cosa que no está comprobada o demostrada. // Tener fe en los dogmas de una religión. // Pensar, juzgar, conjeturar. // tr. y r. Tener una cosa por probable..
CREMA f. Nata de la leche. // Cosmético para el cutis. // Pasta para limpiar y dar brillo.
CREMACIÓN f. Acción de quemar.
CREMALLERA f. Barra con dientes de un engranaje. // Cierre para vestidos.
CREMATORIO, RA adj. Rel. a la cremación de cadáveres.
CREMOSO, SA adj. De aspecto de la crema. // Que tiene mucha crema.
CREOSOTA f. *Quím.* Sustancia oleaginosa que se extrae del alquitrán.
CREPITACIÓN f. Acción y efecto de crepitar.
CREPITAR intr. Dar chasquidos.
CREPUSCULAR m. Claridad incompleta antes de la salida del Sol o después de su puesta.
CRESPO, PA adj. Ensortijado, rizado.
CRESPÓN m. Gasa en que la urdimbre está más retorcida que la trama.
CRESTA f. Carnosidad en la cabeza de alguna aves. / // Copete. // fig. cumbre de una montaña. // Cima de una ola.
CRESTOMATÍA f. Colección de escritos selectos para la enseñanza.
CRETA f. *Mineral.* Carbonato de cal terroso.
CRETÁCEO o **CRETÁCICO** m. *Geol.* Ultimo período de la Era Secundaria.
CRETENSE adj. s. Natural de Creta. //adj. Perten. a esta isla.
CRETINISMO m. *Med.* Enfermedad congénita del tiroides que causa deficiencias psíquicas y físicas.
CRETINO, NA adj. y s. Que padece cretinismo. // fig. Estúpido.
CREYENTE adj. y s. Que cree.
CRÍA f. Acción y efecto de criar a los hombres o animales. // Niño o animal que se está criando.
CRIADERO m. Lugar destinado para la cría de animales.
CRIADILLA f. En los animales de matadero, testículo.
CRIADO, DA m. y f. Persona que sirve por un salario en el servicio doméstico.
CRIADOR, RA adj. Que nutre y alimenta. // adj. y s. Atributo que se da solo a Dios.
CRIANZA f. Acción y efecto de criar. // Epoca de lactancia. // Urbanidad, cortesía.
CRIAR tr. Crear, producir algo de nada. // Alimentar al niño. // Alimentar animales. // Instruir, educar. // Fundar una cosa.
CRIATURA f. Toda cosa criada. // Niño de poco tiempo. // Feto.
CRIBA f. Utensilio agujereado que sirve para cribar. // Fig. Selección.
CRIBAR tr Pasar una materia por la criba para limpiarla de impurezas.
CRIC m. Máquina portátil que levanta grandes pesos a poca altura.
CRICOIDES m. anat. Cartílago de la parte interior de la laringe.
CRIMEN m. Delito grave.
CRIMINAL adj. Perten. al crimen. // Díc. de lo destinado a perseguir y castigar los crímenes o delitos. // adj.y s. Que ha cometido o procurado cometer un crimen.
CRIMINALIDAD f.Carácter criminal de una acción.
CRIN f. Conjunto de cerdas que tienen algunos animales en la parte superior del cuello.

CRIN de caballo

CRÍO, A m. y f. Niño o niña.
CRIOLLO, LLA adj. y s. Díc. del hijo de padres europeos, nacido fuera de Europa. // Díc. de los americanos descendientes de europeos.
CRIPTA f. Recinto subterráneo existente en las iglesias para el culto o entierro de los mártires.
CRIPTÓGAMAS f. pl. *Bot.* Plantas que carecen de flores aparentes.
CRIPTOGRAFÍA f. Arte de escribir con clave secreta.
CRIPTÓN m. *Quim.* Gas noble contenido en el aire.
CRISÁLIDA f. *Zool.* Estado intermedio entre la larva y la forma adulta de los insectos endopterigotos.
CRISANTEMO m. *Bot.* Planta perenne de las compuestas, que da hermosas flores.
CRISIS f. Cambio notable en el curso de una enfermedad. // Momento decisivo en un asunto grave.
CRISMA amb. Aceite y bálsamo para ungir a los que se bautizan, confirman , se consagran o se ordenan.
CRISOL m. *Metal.* Recipiente de material refractario, que se utiliza para fundir algunas sustancias.
CRISOLITA f. *Mineral.* Piedra preciosa , variedad del olivino.
CRISOMÉLIDOS m. pl. *Zool.* Fam de insectos coleópteros, que viven sobre los vegetales.

CRISPAMIENTO m Crispatura

crisomélido
(Chrysomela fastuosa)

CRISPAR tr. y r. Causar contracción repentina en los músculos. // Enojar, irritar.
CRISPATURA f. Efecto de crispar o crisparse.
CRISTAL m. Mineral. Cuerpo sólido que naturalmente tiene forma poliédrica.. // fig. Espejo.
CRISTALERA f. Armario con cristales.// Puerta de cristales.
CRISTALERÍA f. Establecimiento donde se fabrican o venden objetos de cristal. // Vajilla de cristal.
CRISTALINO, NA adj. Semejante al cristal. // *Anat.* m. Cuerpo de forma lenticular, situado detrás de la pupila del ojo.
CRISTALIZACIÓN f.Acción y efecto de cristalizar o cristlizarse.
CRISTALIZAR intr. i r.Tomar ciertas sustancias la forma cristalina.
CRISTALOGRAFÍA f. Descripción y estudio de los cristales.
CRISTALOIDE m. *Quím.* Sustancia que en disolución puede atravesar las membranas semipermeables.
CRISTIANAR tr. fam. Bautizar.
CRISTIANDAD f. Gremio de los fieles cristianos.
CRISTIANISMO m. Religión cristiana. // Conjunto de fieles cristianos.
CRISTIANIZAR tr. y r. Convertir al cristianismo.
CRISTIANO, NA adj. Perten. a la religión de Cristo. // adj. y s. Que profesa la fe de Cristo. // m. Prójimo. // fam. Persona viviente.
CRITERIO m. Norma para conocer la verdad. // Discernimiento.
CRÍTICA f. Arte de juzgar la bondad, virtud y belleza de las cosas. // Censura de las acciones ajenas. // Conjunto de opiniones sobre un asunto. // Murmuración.
CRITICAR tr. Juzgar las cosas con arreglo a ciertas normas. // Censurar las acciones ajenas.
CRÍTICO, CA adj. Perten. a la crisis. // m. El que juzga según las reglas de la crítica.
CRITICÓN, NA adj. y s. fam. Que todo lo censura.

CROAR intr. Cantar la rana.
CROATA adj. y s. Natural de Croacia. // adj. Perten. a esta región europea.
CROCODÍLIDOS m. pl. *Zool.* Fam de reptiles diapsodos. Tienen la piel cubierta de escamas córneas y son muy voraces.
CROMAR tr. Dar un baño de cromo a los objetos metálicos.
CROMÁTICO, CA adj. *Mús.* Apl. al sistema músico que procede por semitonos. // *Opt.* Díc. del instrumento óptico que deja ver os objetos contorneados con los colores del arco iris.
CROMATISMO m Calidad de cromático.
CROMO m.*Quím.* Metal muy duro, semejante a la plata : símbolo Cr.
CROMOSFERA f. *Astron.* Parte de la fotosfera del Sol.
CROMOSOMA m. *Biol.* Cada uno de los orgánulos que contienen el material portador de la herencia biológica, el ácido desoxirribonucleico.
CRÓNICA f. Historia en que se observa el orden de los tiempos. // Artículo periodístico sobre temas de actualidad.
CRÓNICO, CA adj. Apl. a las enfermedades largas o habituales.// Que viene de tiempo atrás.
CRÓNLECH o **CROMLECH** m. *Arqueol.* Monumento megalítico constituido por una serie de menhires dispuestos en círculo.
CRONOLOGÍA f. Ciencia que determina el orden y fechas de los sucesos históricos.
CRONOMETRAJE f. Acción y efecto de cronometrar.
CRONOMETRAR tr Medir el tiempo con el cronometro.
CRONÓMETRO m. Reloj de precisión.
CROQUETA f. Fritura de carne o pescado que se pica y se reboza con pan rallado.
CROQUIS m.Diseño de un terreno que se hace a ojo. // Dibujo ligero, tanteo.
CRÓTALO m. *Zool.* Reptil oficio venenoso de la fam. vipéridos, como la serpiente de cascabel.
CRUCE m Acción de cruzar o cruzarse. // Punto donde se cortan dos líneas mutuamente.
CRUCERÍA f. Molduras que se cruzan en las bóvedas de estilo gótico.
CRUCERO m. Encrucijada. // *Arq.* Espacio en que se cruzan la nave mayor de una iglesia y la que la atraviesa. // *Mar.* Buque rápido de la armada, de gran radio de acción. // Buque destinado a cruzar.
CRUCIAL adj. fig. Díc. del momento en que se decide una cosa que podría tener resultados opuestos.,
CRUCÍFERAS f. pl. *Bot.* Fam. de plantas herbáceas dicotiledóneas, como el nabo y la col.
CRUCIFICAR tr. Clavar en una cruz a una persona. / / fig. y fam. Sacrificar.
CRUCIFIJO m. Efigie o imagen de Cristo crucificado.
CRUCIFIXIÓN f. Acción y efecto de crucificar.
CRUCIGRAMA m. Pasatimepo en que se rellena una cuadrícula, de modo que las palabras puestas se lean

horizontal y verticalmente.

CRUDEZA f. Calidad de crudo. // fig. Rigor o aspereza.

CRUDO, DA adj. Díc. de los comestibles que no están preparados o lo están poco por la acción del fuego. // Díc. del petróleo sin refinar. // fig. Cruel, despiadado. // Díc. del tiempo muy frío.

CRUEL adj. Que disfruta haciendo mal a un ser viviente. // fig. Insufrible. // Sangriento, duro.

CRUELDAD f. Calidad de cruel. // Acción cruel e inhumana.

CRUENTO, TA adj. Sangriento.

CRUJÍA f. Tránsito o corredor largo de algunos edificios. // Mar. Espacio de popa a proa en medio de la cubierta de un buque.

CRUJIDO m. Acción y efecto de crujir.

CRUJIR intr. Hacer cierto ruido algunos cuerpos cuando luden unos con otros o se rompen.

CRUSTÁCEOS m. pl. Zool. Antrópodos de respiración branquial y dos pares de antenas. Su cuerpo está dividio en dos partes: cefalotórax y abdomen, recubiertas por un caparazón quitinoso.

CRUZ f. Figura formada de dos líneas que se cortan perpendicularmente. // Señal de cristiano. // Reverso de las monedas. // La parte más alta del lomo en algunos animales. // fig. Sufrimiento, carga.

CRUZ

1 egipcia
2 griega
3 latina
4 de Lorena o de Anjou
5 tau
6 papal
7 gamada o esvástica
8 de Malta
9 trebolada
10 potenzada
11 ancorada
12 de San Andrés

CRUZADA f. Expedición guerrera de carácter religioso-militar contra los infieles.

CRUZADO, DA adj. y s. Díc. del que se alistaba para alguna cruzada. // adj. Díc. del animal nacido de padres de distintas castas.

CRUZAMIENTO m. Acción y efecto de cruzar. // Cruce.

CRUZAR tr. Atravesar una cosa sobre otra en forma de cruz. // Atravesar un camino, etc., pasando de una parte a otra. // Dar machos de distinta procedencia a las hembras para mejorar las castas. // r. Pasar por un lugar dos personas o cosas en dirección opuesta.

CUADERNO m. Conjunto de pliegos de papel, doblados y cosidos en forma de libro. // Libro pequeño para anotaciones.

CUADRA f. Sala o pieza espaciosa. // Caballeriza. // Conjunto de caballos de carreras. // Cuarta parte de una milla. // Amer. Manzana de casas.

CUADRADO, DA adj. y s. m. Geom. Cuadrilátero de lados iguales y ángulos rectos. // Mat. Producto que resulta de multiplicar una cantidad por sí misma.

CUADRAGENARIO, RIA adj. y s. De cuarenta años.

CUADRANGULAR adj. Que tiene o forma cuatro ángulos.

CUADRANTE adj. Que cuadra. // Astron. Instrumento para medir ángulos. // Geom. Cuarta parte del círculo limitada por dos radios perpendiculares entre sí. // Mar. Cada una de las cuatro partes en que se consideran dividido el horizonte y la rosa náutica.

CUADRAR tr. Dar a una cosa figura de cuadro. // Tratándose de balances, etc., hacer que coincidan los totales del debe y del haber. // intr. Ajustarse una cosa con otra. // r. Ponerse una persona erguida y con los pies en escuadra.

CUADRATURA f. Acción y efecto de cuadrar una figura. // Astron. Situación relativa de dos cuerpos celestes.

CUADRÍCULA f. Conjunto de los cuadrados que resultan de cortarse perpendicularmente dos series de rectas paralelas.

CUADRICULAR tr. Trazar líneas que formen una cuadrícula.

CUADRIGA f. Carro tirado por cuatro caballos de frente.

CUADRILÁTERO m. Geom. Polígono de cuatro lados. Es una figura plana limitada por cuatro líneas rectas.

CUADRO, DRA adj. y s. m. Cuadrado. // m. Rectángulo. // Lienzo, lámina de pintura. // Marco. // Cada una de las partes en que se dividen los actos de ciertas obras de teatro. // Descripción de un espectáculo o suceso.

CUADRÚMANO, NA adj. y s. Zool. Díc. de los mamíferos provistos de manos en las cuatro extremidades.

CUADRÚPEDO, DA adj. y s. Zool. Díc. del animal de cuatro pies.

CUÁDRUPLE adj. Que contiene un número cuatro veces exactamente.

CUADRUPLICACIÓN f. Multiplicación por cuatro.

CUADRUPLICAR tr. Hacer cuadruple una cosa.

CUÁDRUPLO, PLA adj. y s. m. Cuádruple.

CUAJADA f. Parte caseosa y crasa de la leche.

CUAJADO, DA adj. fig. y fam. Paralizado por el asombro.

CUAJAR m. Zool. La última cavidad de las que forman el estómago de los rumiantes.

CUAJAR tr. y r. Trabar las partes de un líquido para convertirlo en sólido. // fig. Recargar de adornos una

cosa. // r. fig. y fam. Llenarse, poblarse.
CUAJARÓN m. Porción de sangre o de otro líquido que se ha cuajado.
CUAJO m. *Bioquim.* Fermento del estómago de los rumiantes, que sirve para coagular la leche.
CUAL pron. relat. Forma con el artículo el pron. relat. compuesto ; pl. *cuales*. // Se emplea con acento en frases de sentido interrogativo o exclamativo. // Equivale a veces a *como*.
CUALIDAD f. Cada una de las circunstancias o caracteres que distinguen a las personas o cosas.
CUALIFICAR tr. Atribuir o apreciar cualidades.
CUALITATIVO, VA adj. Que denota cualidad.
CUALQUIER pron. indet. Cualquiera. U. sólo antepuesto al nombre.
CUALQUIERA pron. indet. Una persona o cosa indeterminada, alguno.
CUAN o **CUÁN** Apócope de *cuanto*. U. sólo ante un adj. o un adv. // adjv. correlat. de *tan*. Empleado en comparaciones de equivalencia o igualdad.
CUANDO adv. t. En el tiempo , en la ocasión en que. // En sentido interrogat. y exclam., equivale a en qué tiempo, y se emplea con acento. // En caso de que, o sí. // Se usa como conj. advers. con la significación de aunque.
CUANTÍA f. Cantidad.
CUANTIOSO, SA adj. Grande en cantidad o número.
CUANTITATIVO, VA adj. Perten. o rel. a la cantidad.
CUANTO, TA pron y adj. c. correlativo de tanto. Incluye cantidad indeterminada. // Todo lo que. // pron. interrog. y exclam. U. para inquirir o ponderar el número, la cantidad, etc., de algo. Tiene acento prosódico y ortográfico.
CUAQUERISMO m. Movimiento protestante fundado en el s. XVII. No acata ninguna jerarquía y se opone al servicio militar.
CUÁQUERO, RA m. y f. Miembro del cuaquerismo.
CUARCITA f. Roca silíacea, de textura granujienta.
CUARENTENA f. Conjunto de cuarenta unidades. // *Med.* Medida que consiste en aislar determinadas personas, animales o cosas que pueden contagiar una enfermedad.
CUARESMA f. Tiempo de 46 días que , desde el miércoles de ceniza, precede a la festividad de la Resurrección de Jesucristo.
CUARTA f. Cada una de las cuatro partes iguales en que se divide un todo. // Palmo.
CUARTEAR tr. Dividir una cosa, esp. en cuartas partes. // Descuartizar. // r. Agrietarse una cosa.
CUARTEL m. Cuarta. // *Mil.* Sitio en que se reparte y acuartela el ejército. // Edificio para alojar a la tropa.
CUARTELERO, RA adj. y s. perten. o rel. al cuartel.
CUARTEO m. Acción de cuartear o cuartearse.
CUARTERÓN, NA adj. y s. Nacido en América de mestizo y española o de español y mestiza. // m. Cuarta.
CUARTETA f. Estrofa de cuatro versos, gralte. compuestos de ocho sílabas.
CUARTETO m. Combinación métrica de cuatro versos de arte mayor. // *Mús.* Conjunto de cuatro voces o instrumentos.
CUARTILLA f. Nombre dado a diversas medidas de capacidad. // Cuarta parte de un pliego de papel.
CUARTO, TA adj. Que sigue inmediatamente en orden al o a lo tercero. // adj. y s. m. Díc. de cada una de las cuatro partes en que se divide un todo. // m. Habitación. // Cada una de las cuatro partes en que se divide la hora. // fig. y fam. Dinero.
CUARZO m. *Mineral.* Anhídrido silíceo, de brillo vítreo y color blanco que varía según las sustancias con que está mezclado.
CUATERNARIO, RIA adj. y s. m. Que consta de cuatro unidades, números o elementos. // *Geol.* La más reciente de las eras geológicas.
CUATRERO adj. y s. Ladrón de bestias.
CUBA f. Recipiente de madera para líquidos. // Líquido que cabe en una cuba. // fig. y fam. Persona que bebe mucho vino.
CUBETA f. Cuba pequeña. // Recipiente de vidrio para realizar operaciones químicas y físicas.
CUBICACIÓN f. Acción y efecto de cubicar.
CUBICAR tr. *Geom.* Calcular el volumen o la capacidad de un cuerpo.
CÚBICO, CA adj. De figura de cubo geométrico o parecido a él.
CUBÍCULO m. Aposento, alcoba.
CUBIERTA f. Lo que se pone encima de una cosa para taparla o resguardarla. // *Mar.* Cada uno de los suelos que dividen las estancias de una embarcación.
CUBIERTO m. Servicio de mesa compuesto de cuchara, tenedor y cuchillo. // Comida que se da por precio determinado. // Techumbre.
CUBIL m. Sitio donde los animales se recogen para dormir.
CUBILETE m. Vaso del cual se valen los que hacen juegos de manos.
CUBILOTE m. *Metal.* Horno utilizado en las fundiciones, esp. en las de hierro.
CUBITAL adj. *Anat.* Perten. o rel. al codo.
CÚBITO m. *Anat.* Hueso el más grueso y más largo de los dos que forman el antebrazo.
CUBO m. Vaso de figura de cono truncado, con asa en la circunferencia mayor. // *Geom.* Hexaedro regular. // *Mat.* Tercera potencia de un número.
CUBRIMIENTO m. Acción y efecto de cubrir. // Lo que sirve para cubrir.
CUBRIR tr. y r. Ocultar y tapar completa o incompletamente una cosa. // tr. fig. Juntarse el macho con la hembra para fecundarla. // *Mil.* Defender un puesto. // r. fig. Cautelarse de cualquier riesgo.
CUCAÑA f. Palo largo, untado de grasa, por el que se ha de trepar para coger como premio un objeto atado a su extremidad.
CUCARACHA f. *Zool.* Insecto ortóptero, de cos-

tumbres nocturnas.
CUCLILLO o CUCO m. *Zool.* Ave trepadora, con penachos de plumas. Pone los huevos en nidos ajenos.
CUCO, CA adj. fig. y fam. Pulido. // adj. y s. fig. y fam. Astuto.
CUCURBITÁCEAS f. pl. *Bot.* Fam. de plantas fanerógamas gamopétalas, como el melón.
CUCURUCHO m. Papel arrollado en forma cónica.
CUCHARA f. Utensilio de mesa para tomar líquidos.
CUCHARADA f. Porción que cabe en una cuchara.

CUERDA f. Conjunto de hilos que torcidos forman un solo cuerpo flexible. // Hilo de tripa o de metal que se emplea en algunos instrumentos músicos. // Mecha. // Cordel. // Resorte del mecanismo de un juguete o reloj que da movimiento a toda la máquina.
CUERDO, DA adj. y s. Que está en su juicio. // Prudente.
CUERNO m. *Zool.* Formación córnea que tienen algunos mamíferos en la región frontal. // Antena. // Instrumento músico de viento, que suena como la trompa.

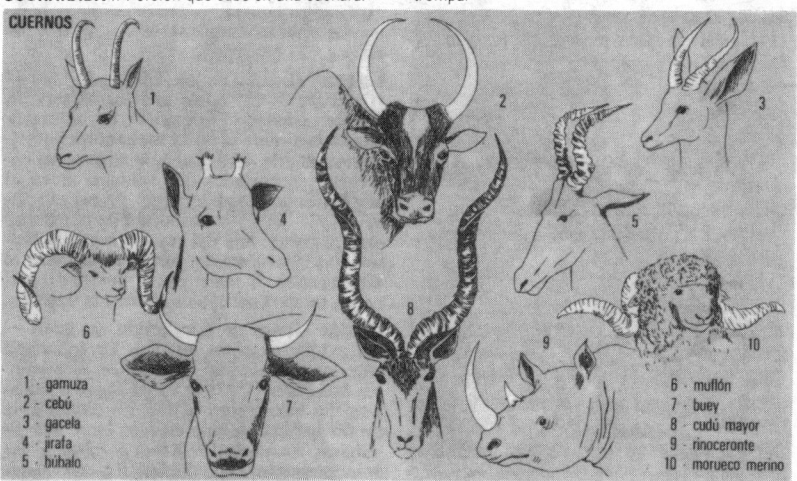

CUERNOS

1 gamuza
2 cebú
3 gacela
4 jirafa
5 búfalo
6 muflón
7 buey
8 cudú mayor
9 rinoceronte
10 morueco merino

CUCHARÓN m. Cacillo con mango.
CUCHICHEAR intr. hablar en voz baja o al oído a uno.
CUCHILLA f. Instrumento de hierro acerado, usado para cortar. // Hoja de cualquier arma blanca de corte. // Hoja de afeitar.
CUCHILLO m. Instrumento formado por una hoja de hierro acerado y de un corte solo, con mango.
CUCHITRIL m. Cochitril.
CUCHUFLETA f. fam. Chanza.
CUELLO m. *Anat.* Región del cuerpo que une la cabeza con el tronco. // La parte más estrecha de un cuerpo, esp. si es redondo.
CUENCA f. Escudilla de madera. // Cavidad en que está cada uno de los ojos. // Valle o terreno rodeado de alturas. // Territorio cuyas aguas afluyen todas a un mismo lugar, río, mar, etc.
CUENCO m. Vaso de barro, hondo y sin borde.
CUENTA f. Acción y efecto de contar. // Cálculo u operación aritmética. // Papel en que están escritas varias partidas. // Razón de alguna cosa. // Cuidado, obligación.
CUENTISTA adj. y s. fam. Chismoso. // com. Persona que narra o escribe cuentos.
CUENTO m. Narración breve, sencilla y popular, de asunto ficticio. // Cómputo. // fam. Chisme. // Quimera. // Fábula.

CUERO m. Pellejo que cubre la carne de los animales. // Este pellejo después de curtido. // Odre.
CUERPO m. Lo que tiene existencia material. // En el hombre y animales, materia orgánica que constituye sus diferentes partes. // Tronco del cuerpo. // Grueso de los tejidos y otras cosas semejantes. // Cadáver.
CUERVO m. *Zool.* Ave rapaz (fam. córvidos), de plumaje, pico y patas negros. Se alimenta de carroña.
CUESCO m. Hueso de la fruta.
CUESTA f. Terreno en pendiente.
CUESTACIÓN f. Petición de limosnas para un objeto benéfico.
CUESTIÓN f. Pregunta que se hace para averiguar algo. // Gresca. // Materia discutible.
CUESTIONARIO m. Libro que trata de cuestiones. // Lista de cuestiones.
CUESTOR m. Magistrado romano que tenía funciones de carácter fiscal.
CUEVA f. Cavidad subterránea.
CUIDADO m. Solicitud. // Recelo.
CUIDADOSO, SA adj. Solícito y diligente. // Atento, vigilante.
CUIDAR tr. Poner atención y solicitud en una cosa. // Asistir, guardar. r. Darse buena vida.
CUITA f. Trabajo, desventura.
CULANTRILLO m. *Bot.* Nombre común de algunos

helechos.

CULATA f. Anca. // Parte posterior de la caja de la escopeta, pistola o fusil. // fig. Parte posterior de algunas cosas.

CULATAZO m. Golpe dado con la culata de un arma.

CULEBRA f. *Zool.* Reptil colúbrido. Ataca a los roedores y periódicamente cambia de piel.

CULEBRINA f. Ant. pieza de artillería de poco calibre.

CULINARIO, RIA adj. Perten. o rel. a la cocina.

CULMINACIÓN f. Acción y efecto de culminar.

CULMINANTE adj. Apl. a lo más elevado de un monte, edificio, etc. // fig. Superior, principal.

CULMINAR intr. Llegar una cosa a la posición más elevada que puede tener.

CULO Parte posterior o asentaderas de los racionales. // Ancas del animal. // Ano. // fig. Extremidad inferior de una cosa.

CULPA f. Falta más o menos grave, cometida voluntariamente.

CULPABILIDAD f. Calidad de culpable.

CULPABLE adj. y s. Apl. a aquel a quien se echa la culpa de algo.

CULPAR tr. y r. Atribuir culpa.

CULTERANISMO m. *Lit.* Tendencia literaria surgida en España en el s. XVII, que antepone el aspecto formal al conceptual.

CULTERANO, NA adj. y s. Rel. al culteranismo, y persona que se adscribe a dicha tendencia literaria.

CULTISMO m. Culteranismo. // Palabra culta.

CULTIVAR tr. Dar a la tierra las labores necesarias para que fructifique. // fig. Estrechar la amistad. // Ejercitar el talento, la memoria, etc.

CULTIVO m. Acción y efecto de cultivar. // *Biol.* Propagación artificial de microorganismos, y medio en que se reproducen.

CULTO, TA adj. Díc. de las tierras y plantas cultivadas. // fig. Dotado de cultura. // Culterano. // Homenaje de amor y respeto que el hombre tributa a Dios. // Por ext., admiración de qe son objeto algunas cosas.

CULTURA f. Conjunto de elementos materiales e inmateriales de que cada sociedad dispone para relacionarse con el medio.

CULTURAL adj. Perten. o rel. a la cultura.

CUMBRE f. Cima de un monte. // fig. La mayor elevación de una cosa o último grado a que puede llegar.

CUMPLIDO, DA adj. Completo. // Acción obsequiosa o muestra de urbanidad.

CUMPLIDOR, RA adj. y s. Que cumple o da cumplimiento.

CUMPLIR tr. Ejecutar, llevar a efecto. // Proveer a uno de lo que le falta. // intr. Hacer uno aquello que debe. // intr. y r. Ser el día en que termina un plazo.

CÚMULO m. Montón. // *Meteor.* Nube en forma de montaña nevada.

CUNA f. Camita para niños. // fig. Lugar de nacimiento de alguno. // Estirpe, linaje. // Origen de una cosa.

CUNDIR intr. Extenderse hacia todas partes, multiplicarse una cosa. // Propagarse, multiplicarse.

CUNEIFORME adj. *Arqueol.* Díc. de la escritura con signos en forma de cuña.

CUNETA f. Zanja en los lados de un camino.

CUÑA f. Pieza terminada en ángulo diedro muy agudo. Sirve para hender cuerpos, calzarlos, etc.

CUÑO m. Troquel con que se sellan la moneda y otras cosas análogas. // Señal que deja este sello.

CUOTA f. Parte fija o proporcional.

CUPIDO m. fig. Hombre enamoradizo y galanteador. // Amorcillo.

CUPO m. Cuota.

CUPÓN m. Cada una de las partes de ciertos valores, que periódicamente se van cortando para presentarlas al cobro de los intereses vencidos.

CUPRÍFERO, RA adj. Que contiene cobre.

CUPRONÍQUEL m. *Metal.* Aleación de cobre con níquel.

CÚPULA f. *Arq.* Bóveda semiesférica con que se cubre un edificio o parte de él.

CURA . Sacerdote encargado de una feligresía. // Curación.

CURACIÓN f. Acción y efecto de curar o curarse.

CURADO, DA adj. fig. Fortalecido o curtido.

CURADOR, RA adj. y s. Que tiene cuidado de algo. // Que cura.

CURANDERO, RA m. y f. Persona que cura sin título oficial de médico.

CURAR intr. y r. Sanar. // tr. y r. Aplicar remedios a los enfermos. // tr. Curtir las pieles. // Secar o preparar convenientemente una cosa para su conservación.

CURARE m. Veneno muy activo que los indios extraen del maracure.

CURATIVO, VA asdj. Díc. de lo que sirve para curar.

CURBARIL m. *Bot.* Arbol de la fam. ceaslpináceas. De su resina se extrae el copal.

CÚRCUMA f. *Bot.* Col.orante amarillo que se extrae de la raíz de la planta cúrcuma.

CURDA f. fam. Borrachera.

CURDO, DA adj. Natural de Curdistán.

CURIA f. Conjunto de abogados y funcionarios en la administración de justicia. // Conjunto de congregaciones, tribunales y oficinas de la Santa Sede.

CURIAL adj. Perten. a la curia. // m. El que tiene empleo en la curia romana.

CURIOSEAR ntr. Ocuparse en averiguar lo que otros dicen o hacen.

CURIOSIDAD f. Deseo de averiguar algo. // Vicio que nos lleva a inquirir lo que no debiera importarnos. // Aseo. // Cosa curiosa.

CURIOSO, SA adj. y s. Que tiene curiosidad. // adj. Que excita curiosidad. // Aseado. // Que trata una cosa con cuidado.

CURSAR tr. Estudiar una materia. // Dar curso a una solicitud, expediente, etc.

CURSI adj. y s. fam. Díc. de la persona que presume

de elegante sin serlo. // adj. fam. Apl. a lo que con apariencia de elegancia o riqueza es ridículo.
CURSILLISTA com. Persona que interviene en un cursillo.
CURSILLO m. Curso de poca duración.
CURSIVA f. Letra de imprenta inclinada hacia la derecha, con curvas pronunciadas.
CURSO m. Dirección o carrera. // Tiempo señalado en cada año para asistir a las clases. // Serie de informes, consultas, etc., que precede a la resolución de un expediente. // Serie o continuación. // Circulación, publicidad.
CURTIDO m. Proceso industrial cuyo fin es transformar la piel animal en cuero.
CURTIDOR m. El que por oficio curte pieles.
CURTIENTE adj. y s. m. Apl. a la sustancia que sirve para curtir.
CURTIR tr. Adobar las pieles. // tr. y r. fig. Endurecer al sol o al aire el cutis de las personas. // Acostumbrar a uno a la vida dura.
CURVA f. *Geom.* Línea que no es recta en ninguna de sus posiciones.
CURVAR tr. y r. Doblar una cosa poniéndola corva.
CURVATURA f. Desvío de la dirección recta.
CURVILÍNEO, A adj. Que se compone de líneas curvas. // Que forma línea curva.
CURVO, VA adj. y s. Que constantemente va apartándose de la dirección recta sin formar ángulos.
CÚSPIDE f. Cumbre puntiaguda de los montes. // Remate superior puntiagudo de alguna cosa.
CUSTODIA f. Acción y efecto de custodiar. // Utensilio en que se expone el Santísimo Sacramento a la pública veneración.
CUSTODIAR tr. Guardar con cuidado.
CUSTODIO m. El que custodia.
CUTÁNEO, A adj. Perten. al cutis.
CUTÍCULA f. *Anat.* Capa exterior de la piel o epidermis.
CUTIS f. Piel del hombre, esp. la del rostro.
CUYO, YA Pron. relat. Tiene carácter posesivo y concierta con el nombre de la persona o cosa poseída.

CH

CH f. Cuarta letra del abecedario español, y tercera de sus consonantes. Su nombre es *che*.
CHABACANERÍA f. Falta de arte, gusto. // Dicho bajo.
CHABACANO, NA adj. Sin arte o grosero y de mal gusto.
CHABOLA f. Choza o caseta.
CHABOLISMO m. Forma de vida en chabolas.
CHACAL m. *Zool.* Mamífero carnicero, parecido al lobo.
CHACINA f. Cecina.
CHACOTA f. Bulla y alegría.
CHÁCHARA f. fam. Conversación frívola. // pl. Baratijas.
CHAFAR tr. y r. Aplastar. // tr. Arrugar la ropa. // fig. y fam. Vencer a uno en una conversación dejándole sin respuesta.
CHAFLÁN m. Cara que resulta de cortar un plano, una esquina o ángulo diedro.
CHAL m. Paño de seda o lana para adorno y abrigo de las mujeres.
CHALADO, DA adj. fam. Alelado. // Muy enamorado.
CHALÁN, NA adj. y s. Que trata en compras y ventas, esp. de bestias.
CHALANA f. Embarcación menor, para transporte en aguas de escaso fondo.
CHALAR tr. y r. Chiflar. // Enamorar.
CHALÉ o **CHALET** m. Casa de recreo.
CHALECO m. Prenda de vestir sin mangas, que llega hasta la cintura, cubriendo el pecho y la espalda.
CHALUPA f. Lancha. // Canoa muy pequeña.

CHALUPAS

CHAMBELÁN m. Gentilhombre de cámara.
CHAMIZO m. Arbol medio quemado. // fig. y fam. Tugurio sórdido.
CHAMPÁN o **CHAMPAÑA** m. Vino blanco espumoso, originario de Francia.
CHAMPIÑÓN m. *Bot.* Hongo de la fam. agaricáceas. Es comestible.
CHAMPÚ m. Producto especial para la limpieza del cabello.
CHAMUSCAR tr. y r. Quemar una cosa por la parte exterior.
CHAMUSQUINA f. Acción y efecto de chamuscar o chamuscarse. // fig. y fam. Riña.
CHANCEAR intr. y r. Usar de chanzas.
CHANCLETA f. Chinela sin talón.
CHANCLO m. Especie de sandalia de madera o suela gruesa que se pone debajo del calzado. // Zapato de goma en que entra el pie calzado.
CHANCRO m. *Med.* Ulcera de pequeño tamaño, gralte. de origen venéreo.
CHANCHULLERO, RA adj. y s. Que gusta de andar en chanchullos.
CHANCHULLO m. fam. Manejo para conseguir un fin, esp. lucrativo.

CHANTAJE m. Amenaza de desacreditar o difamar a alguno, para obtener de él dinero o provecho.
CHANTAJISTA com. Persona que ejercita el chantaje.
CHANZA f. Dicho gracioso. // Broma.
CHAPA f. Lámina de madera, metal y otra materia. // fam. Seso.
CHAPADO, DA adj. Chapeado. //fig. Hermoso, gentil.
CHAPARRAL m. *Bot.* Formación xerofítica caracterizada por el predominio de arbustos.
CHAPAR o **CHAPEAR** tr. Cubrir o guarnecer con chapas.
CHAPARRO m. *Bot.* Mata de encina o roble.
CHAPARRÓN m. Lluvia recia de corta duración.
CHAPÍN m. Chanclo de corcho, forrado de cordobán, usado ant. por las mujeres.
CHAPITEL m. Remate de las torres en figura piramidal. // Capitel.
CHAPOTEAR intr. Sonar el agua batida por los pies o las manos.
CHAPUCERÍA f. Tosquedad. // Obra defectuosa. // Embuste.
CHAPUCERO, RA adj. y s. Díc. de la persona que trabaja tosca y groseramente.
CHAPURRAR o **CHAPURREAR** tr. e intr. Hablar con dificultad un idioma.
CHAPUZ m. Acción de chapuzar.
CHAPUZA f. Obra mal hecha.
CHAPUZAR tr., intr. y r. Meter a uno de cabeza en el agua.
CHAQUÉ m. Especie de levita, con los faldones separados por delante.
CHAQUETA f. Prenda con mangas y sin faldones, que pasa poco de la cintura. // Americana.
CHAQUETILLA f. Chaqueta corta.
CHARANGA f. Música militar que consta sólo de instrumentos de viento.
CHARCA f. Depósito de agua, detenida en el terreno.
CHARCO m. Agua u otro líquido, detenida en un hoyo de la tierra o del piso.
CHARLA f. fam. Acción de charlar. // Plática, conferencia.
CHARLATÁN, NA adj. y s. Que habla mucho y sin sustancia. // Hablador indiscreto.
CHARLATANERÍA f. Locuacidad. // Calidad de charlatán.
CHARNELA f. Bisagra. // Gozne.
CHAROL m. *Quím. Org.* Barniz lustroso y permanente con que se recubre el cuero.
CHARRETERA f. Divisa militar que se sujeta al hombro. // Jarretera.
CHARRO, RRA adj. y s. Aldeano de Salamanca. // adj. Perten. o rel. a estos aldeanos. // m. *Mexico.* Jinete o caballista que viste traje especial y sombrero de ala ancha y alta capa cónica.
CHASCAR intr. Separar súbitamente del paladar la lengua produciendo una especie de chasquido.

CHASCO m. Burla o engaño. // fig. Decepción.
CHASIS m. Estuche para las placas fotográficas. // Armazón inferior del carruaje, sobre la cual se apoya la caja.
CHASQUEAR tr. Dar chasco. // intr. Frustrar un hecho adverso las esperanzas de alguno.
CHASQUIDO m. Estallido que se hace con el látigo. // Ruido seco que hace la madera cuando se abre.
CHATARRA f. Escoria que deja el hierro. // Hierro viejo.
CHATO, TA adj. y s. Que tiene la nariz poco prominente. // adj. Díc. de la nariz que tiene esa figura.
CHAUVINISMO m. Patriotismo ciego y fanático.
CHAVAL, LA adj. y s. Joven.
CHAVEA m. fam. Muchacho.
CHAVETA f. Clavo hendido que se remacha separando las dos mitades de su punta. // Clavija.
CHECA f. Comité de policía secreta en la Rusia soviética.
CHELÍN m. Moneda inglesa de plata. // Unidad monetaria de Austria.
CHEPA f. fam. Corva, joroba.
CHEQUE m. Documento en forma de mandato de pago.
CHICLE m. Gomo resina que fluye del tronco del chicozapote. Es masticatorio.
CHICO, CA adj. Pequeño. // adj. y s. Niño. // Muchacho.
CHICHA f. fam. Carne comestible.
CHICHARRA f. *Zool.* Cigarra.
CHICHÓN m. Bulto que se hace en la cabeza a causa de un golpe.
CHIFLA f. Acción y efecto de chiflar. // Silbato.
CHIFLADO, DA adj. y s. fam. Díc. de la persona que tiene algo perturbada la razón.
CHIFLADURA f. Acción y efecto de chiflar o chiflarse.
CHIFLAR intr. Silbar. // tr. y r. Mofar. // fam. Volverse loco.
CHILABA f. Pieza de vestir, con capucha, que usan los moros.
CHILLA f. Instrumento que usan los cazadores para imitar el chillido de algunos animales.
CHILLAR intr. Dar chillidos. // Chirriar. // fig. Hablando de colores, estar mal combinados.
CHILLÓN, NA adj. y s. fam. Que chilla mucho. // adj. Díc. del sonido agudo y desagradable. // fig. Apl. a los colores demasiado vivos.
CHIMENEA f. Conducto para dar salida al humo.
CHIMPANCÉ. m. *Zool.* Primate antropoide de la fam. póngidos, algo más bajo que el hombre.
CHINA f. Piedra pequeña. // fig. y fam. Dinero.
CHINCHE f. *Zool.* Insecto hemíptero de la fam. cimícidos. No tiene alas y chupa la sangre del hombre.
CHINCHETA f. Clavito metálico de cabeza chata.
CHINCHILLA f. *Zool.* Mamífero roedor, muy apreciado en peletería.
CHINELA f. Calzado sin talón, que se usa dentro de

casa.
CHINESCO, CA adj. Chino, propio de China. // Parecido a las cosas de china.

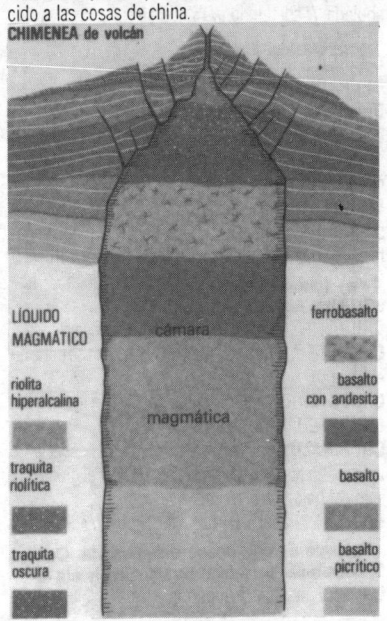

CHIMENEA de volcán

LÍQUIDO MAGMÁTICO
cámara magmática
riolita hiperalcalina
traquita riolítica
traquita oscura
ferrobasalto
basalto con andesita
basalto
basalto picrítico

CHINGAR tr. fam. Beber con frecuencia vino o licores. // Importunar. // *Amer.* Fracasar.
CHIPIRÓN m. Calamar.

chimpancé
(Pan troglodytes)

CHIPRIOTA adj. y s. Natural de Chipre. // adj. Perten. a esta isla del Mediterráneo.
CHIQUILLADA f. Acción propia de chiquillos.
CHIQUILLO, LLA adj. y s. Chico, niño, muchacho.
CHIQUITO, TA adj. y s. Chico.
CHIRIMBOLO m. fam. Utensilio, vasija o cosa análoga.
CHIRIMÍA f. Instrumento músico de viento, parecido al clarinete.
CHIRIMOYO m. *Bot.* Arbol de la fam. anonáceas. Su fruto, la *chirimoya*, es comestible.
CHIRIPA f. fig. y fam. Casualidad favorable.
CHIRIVÍA f. *Bot.* Planta de la fam. unbelíferas, de raíz comestible.
CHIRLO m. Herida prolongada en la cara y señal que deja.
CHIRONA f. fam. Cárcel.
CHIRRIAR intr. Dar sonido agudo ciertas cosas. // Rechinar. // fig. y fam. Cantar desentonadamente.
CHIRRIDO m. Voz o sonido agudo y desagradable.
CHISME m. Noticia verdadera o falsa, con el fin de disponer a una persona contra otra o murmurar contra alguien. // fam. Baratija.
CHISMEAR intr. Traer y llevar chismes.
CHISMORREAR intr. Contarse chismes mutuamente varias personas.
CHISMORREO m. fam. Acción efecto de chismorrear.
CHISMOSO, SA adj. y s. Que es dado a chismear.
CHISPA f. Partícula encendida que salta de alguna cosa. // Diamante pequeño. // Partícula de cualquier cosa. // fig. Viveza de genio.
CHISPAZO m. Acción de saltar la chispa del fuego. / / fig. Suceso aislado. // fig. y fam. Chisme.
CHISPEAR intr. Echar chispas. // Relucir. // Llover poco.
CHISPORROTEAR intr. fam. Despedir chispas reiteradamente.
CHISPORROTEO m. fam. Acción de chisporrotear.
CHISTAR intr. Prorrumpir en alguna voz o hacer algún ademán de hablar.
CHISTE m. Dicho agudo y gracioso. // Suceso gracioso. // Burla.
CHISTERA f. Cestilla que llevan los pescadores para los peces. // fig. y fam. Sombrero de copa alta.
CHISTOSO, SA adj. Que usa de chistes. // Díc. de un suceso que tiene chiste.
CHISTU m. Flauta recta de madera, usada en el País Vasco.
CHITA f. Hueso del pie.
CHITAR intr. Chistar.
CHIVAR tr. y r. Fastidiar, engañar.
CHIVARSE r. y tr. vulg. Irse de la lengua.
CHIVATADA f. vulg. Acción propia del chivato.

chirimoya
(Anona cherimolia)

CHIVATAZO m. vulg. Chivatada.
CHIVATO, TA m. y f. vulg. Soplón.
CHIVO, VA m. y f. Cría de la cabra.
CHOCANTE adj. Que choca. // Que causa extrañeza. / / Gracioso.
CHOCAR intr. Encontrarse violentamente una cosa con otra. // fig. Combatir. // Indisponerse con alguno. // Causar extrañeza.
CHOCARRERÍA f. Chiste grosero.
CHOCOLATE m. Pasta hecha con cacao y azúcar molidos. // Bebida que se hace de esta pasta.
CHOCOLATERÍA f. Casa donde se fabrica y se vende chocolate.
CHOCHEAR intr. Tener debilitadas las facultades mentales por la vejez. // fig. y fam. Extremar el cariño a personas o cosas.
CHOCHO, CHA adj. Que chochea. // fig. y fam. Lelo de puro cariño.
CHÓFER o **CHOFER** m. Persona que conduce un carruaje automóvil.
CHOPO m. *Bot.* Alamo.
CHOQUE m. Encuentro violento de una cosa con otra. // fig. Contienda.
CHORIZO m. Pedazo corto de tripa lleno de carne picada, adobada y curada al humo. // vulg. Ratero.
CHORLITO m. *Zool.* Ave caradriforme de la fam. carádridos.
CHORRADA f. fig. y fam. Tontería.
CHORREADURA f. Chorreo.
CHORREAR intr. Caer un líquido formando chorro. / / Salir el líquido lentamente y goteando.
CHORRO m. Porción de líquido o de gas que sale por una parte estrecha. // Por ext., caída sucesiva de cosas iguales.
CHOTEO m. vulg. Burla, pitorreo.
CHOTIS m. Baile por parejas, parecido a la mazurca.
CHOTO, TA m. y f. Cría de la cabra. // Ternero.
CHOZA f. Cabaña formada de estacas y cubierta de ramas o paja.
CHUBASCO m. Chaparrón abundante pero de escasa duración.
CHUBASQUERO m. Impermeable.
CHUCHERÍA f. Cosa de poca importancia, pero delicada. // Golosina.
CHUCHO m. fam. Perro.
CHUECA f. Tocón. // Hueso redondeado que encaja en una coyuntura. // fam. Burla.
CHUETA com. Nombre que se da en las islas Baleares a los descendientes de judíos conversos.
CHUFA f. *Bot.* Planta vivaz de la fam. ciperáceas. De sus tubérculos se elabora la horchata.
CHULADA f. Acción indecorosa.
CHULEAR tr. y r. Burlar a uno con gracia y chiste.
CHULERÍA f. Cierta gracia en las palabras o ademanes. // Dicho o hecho jactancioso.
CHULETA f. Costilla con carne. // fig. y fam. Bofetada. // Entre estudiantes, papelito que se lleva oculto para copiar en los exámenes.
CHULO, LA adj. y s. Que hace y dice las cosas con chulería. // adj. Lindo. // m. Rufián.
CHUMBERA f. *Bot.* Nopal.
CHUNGA f. fam. Burla festiva.
CHUPADA f. Acción de chupar.
CHUPADO, DA adj. y fam. Muy flaco.
CHUPADOR, RA adj. y s. Que chupa. // m. Objeto que se da a los niños en la primera dentición para que chupen.
CHUPAR tr. e intr. Sacar o atraer con los labios la sustancia de una cosa. // tr. Embeber en sí los vegetales el agua o la humedad. // fig. y fam. Absorber. // Ir consumiendo una hacienda con engaños. // Irse enflaqueciendo.
CHUPATINTAS m. vulg. Oficinista de poca categoría.
CHUPETE m. Pieza en forma de pezón que se pone en el biberón. // Chupador.
CHUPETEAR tr. e intr. Chupar poco y con frecuencia.
CHUPETEO m. Acción de chupetear.
CHUPINAZO m. Disparo hecho con una especie de mortero en los fuegos artificiales. // Díc. del golpe que se da al balón en el fútbol.
CHUPÓN, NA adj. y fam. Que chupa. // adj. y s. fig. y fam. Que saca dinero con astucia.
CHURRASCO m. En América, carne asada a la brasa.
CHURRE m. fam. Pringue que corre de una cosa grasa.
CHURRERÍA f. Lugar en donde se hacen y venden churros.
CHURRETE m. Mancha que ensucia cualquier parte visible del cuerpo.
CHURRIGUERESCO m. *Arq.* Estilo arquitectónico creado por Churriguera en el s. XVIII, predominantemente ornamental.
CHURRO m. Fritura de harina y agua. // fam. Chapuza.
CHURRUSCAR tr. y r. Tostar demasiado una cosa.
CHURRUSCO m. Pedazo de pan demasiado tostado.
CHURUMBEL m. Niño.
CHUSCO, DA adj. y s. Que tiene gracia. // m. Mendrugo, panecillo.
CHUSMA f. Conjunto de gente soez. // *Amer.* Tratándose de indios salvajes, todos los que no son de guerra.
CHUTAR tr. e intr. Tirar la pelota en el juego del fútbol.

D

D f. Quinta letra del abecedario español, y cuarta de sus consonantes. Su nombre es *de*.
DABLE adj. Hacedero, posible.
DACIÓN f. *Der.* Acción y efecto de dar.
DACTILAR adj. Digital.
DACTILOGRAFÍA f. Mecanografía.
DACTOLOGRAFIAR tr. Mecanografiar.
DACTILÓGRAFO, FA m. y f. Mecanógrafo.

DACTILOLOGÍA f. Arte de hablar con los dedos o con el abecedario manual.
DACTILOSCOPIA f. Estudio de las impresiones digitales, para identificación de las personas.
DÁDIVA f. Cosa que se da graciosamente.
DADIVAR tr. Regalar.
DADIVOSO, SA adj. y s. Generoso.
DADO m. Pieza cúbica que sirve para juegos de azar.
DADO m. Donación.
DADOR, RA adj. y s. Que da.
DAGA f. Arma blanca ant., de hoja corta con guarnición en el puño.
DAGUERROTIPIA f. Procedimiento usado para fijar imágenes fotográficas en la cámara oscura.
DAGUERROTIPO m. Aparato utilizado en daguerrotipia. // Imagen obtenida por daguerrotipia.
DALIA f. *Bot.* Planta de la fam. compuestas, usada en jardinería.
DÁLMATA adj. y s. m. *Zool.* Raza de perros, de pelaje blanco, con manchas de color negro o castaño.
DALMÁTICA f. Túnica blanca usada por los ant. romanos. // Vestidura litúrgica que se pone encima del alba.
DALTONISMO m. *Med.* Defecto de la vista que consiste en no percibir determinados colores o en confundirlos con otros.
DAMA f. Mujer noble o distinguida. // Mujer pretendida de un hombre. // Señora que acompañaba a la reina. // Reina, en el juego del ajedrez.
DAMASCENO, NA adj. y s. Natural de Damasco. // adj. Perten. a esta ciudad de Asia.
DAMASCO m. Tela fuerte de seda o lana y con dibujos formados con el tejido.
DAMISELA f. Moza bonita. // Dama cortesana.
DAMNIFICADO, DA adj. Díc. de la persona o cosas que han sufrido grave daño de carácter colectivo.
DAMNIFICAR tr. Causar daño.
DANÉS, SA adj. y s. Dinamarqués. // m. Lengua que se habla en Dinamarca.
DANTESCO, CA adj. Propio y característico de Dante, o parecido a las calidades de este poeta. // fig. Que inspira terror.
DANZA f. Baile.

DANZA mexicana "Jarabe tapatío"

DANZADOR, RA adj. y s. Que danza.
DANZANTE, TA m. y f. Persona que danza. // fig. y fam. Persona que obra con agilidad. // Persona entremetida.
DANZAR tr. Bailar. // intr. Moverse una cosa con aceleración.
DANZARÍN, NA m. y f. Persona que danza con destreza. // adj. fig. y fam. Danzante.
DAÑADO, DA adj. Malo, perverso.
DAÑAR tr. y r. Causar perjuicio o dolor. // Maltratar algo.
DAÑINO, NA adj. Que daña.
DAÑO m. Efecto de dañar o dañarse. // Dolor material o moral.
DAR tr. Donar. // Entregar. // Suponer. // Producir. // Untar alguna cosa. // intr. Acertar.
DARDO m. Arma arrojadiza, semejante a una lanza pequeña. // Albur. // fig. Dicho satírico.
DÁRSENA f. Parte resguardada artificialmente en aguas navegables.
DARVINIANO, NA adj. perten. o rel. al darvinismo.
DARVINISMO m. *Biol.* Teoría de la evolución basada en la selección natural, formulada por Darwin.
DARVINISTA adj. Darviniano. // com. Partidario del darvinismo.
DATA f. Tiempo en que ocurre una cosa.
DATACIÓN f. Acción y efecto de datar.
DATAR tr. Poner la data. // intr. Haber tenido principio una cosa en el tiempo que se determina.
DÁTIL m. *Bot.* Fruto en baya de la palmera datilera. Es comestible.
DATIVO, VA m. *Gram.* Uno de los casos de la declinación, que suele ir regido en castellano por las preposiciones *a* o *para*.
DATO m. Antecedente necesario para llegar al conocimiento de una cosa. // Documento, testimonio, fundamento.
DATURA f. *Bot.* Planta herbácea de la fam. solanáceas.
DE prep. Denota posesión o pertenencia. // Explica el modo de hacer varias cosas, de suceder otras, etc. // Manifiesta de dónde son, vienen o salen las cosas o personas. // Denota la materia de que está hecha una cosa. // Indica el asunto de que se trata. // Desde.
DEAMBULAR intr. Andar; pasear.
DEÁN m. El cabeza del cabildo después del prelado.
DEBAJO adv. l. En lugar o puesto inferior, respecto de otro superior. Pide la prep. *de* cuando antecede a un nombre y tiene conexión con él. // fig. Con sumisión o sujeción a personas o cosas.
DEBATE m. Controversia. // Contienda, lucha, combate.
DEBATIR tr. y r. Contender, discutir. // tr. Combatir.
DEBE m. *Com.* Parte de las cuentas que se anotan las deudas del individuo a quien se abre la cuenta.
DEBER m. Aquello a que está obligado el hombre por dictado de su conciencia o por las leyes naturales. // Deuda.
DEBER tr. y r. Estar obligado a algo. // Tener por causa, ser consecuencia de. // tr. Tener obligación de

pagar; estar en deuda. // Con la partícula *de* denota posibilidad.

DÉBIL adj. y s. De poco vigor. // fig. Que cede por flaqueza.

DEBILIDAD f. Falta de vigor. // fig. Carencia de energía.

DEBILITAR tr. y r. Disminuir la fuerza o el poder de una persona o cosa.

DÉBITO m. Deuda.

DEBUT m. Primera aparición de una persona en público.

DECA- Prefijo que significa diez.

DÉCADA f. Serie de diez. // Período de diez días o de diez años.

DECADENCIA f. Declinación, menoscabo, principio de ruina.

DECAEDRO m. *Geom.* Poliedro de diez caras.

DECAER intr. Ir a menos; perder una persona o cosa poco a poco su fuerza, bondad o importancia.

DECÁGONO m. *Geom.* Polígono de diez años.

DECAIMIENTO m. Abatimiento, desaliento.

DECALITRO m. Medida de capacidad equivalente a diez litros.

DECÁLOGO m. Los diez mandamientos de la ley de Dios.

DECÁMETRO m. Medida de longitud equivalente a diez metros.

DECANATO m. Dignidad de decano. // Despacho oficial del decano.

DECANO, NA m. y f. El más antiguo de una comunidad o junta. // El que preside una corporación o facultad.

DECANTACIÓN f. Acción y efecto de decantar.

DECANTAR tr. Inclinar una vasija. // r. Inclinarse hacia un partido, un debate, etc.

DECAPITACIÓN f. Acción y efecto de decapitar.

DECAPITAR tr. Cortar la cabeza.

DECÁPODOS m. pl. *Zool.* Crustáceos malacostráceos que poseen tres pares de maxilípedos y cinco pares de patas.

DECASÍLABO, BA adj. y s. De diez sílabas.

DECENA f. Conjunto de diez unidades.

DECENCIA f. Aseo y compostura de cada persona o cosa. // Honestidad. // fig. Dignidad en los actos.

DECENIO m. Período de diez años.

DECENTE adj. Honesto, justo. // Aseado. // Digno.

DECENVIRO m. Cada uno de los diez magistrados de la ant. Roma encargados de componer las leyes de las doce tablas.

DECEPCIÓN f. Engaño. // Pesar causado por un desengaño.

DECEPCIONAR tr. Desengañar.

DECI- Prefijo que significa la décima parte.

DECIDIDO, DA adj. Resuelto, audaz.

DECIDIR tr. Dar solución definitiva a algún asunto. // Persuadir a uno a que tome cierta determinación. // tr. y r. Resolver.

DECIGRAMO m. Peso que es la décima parte de un gramo.

DÉCIMA f. Cada una de las diez partes iguales en que se divide un todo. // Combinación métrica de diez versos octosílabos.

DECIMAL m. *Mat.* Cada una de las diez partes iguales en que se divide una unidad.

DECÍMETRO m. Medida de longitud equivalente a la décima parte de un metro.

DÉCIMO, MA adj. Que sigue inmediatamente en orden al o a lo noveno. // m. Décima parte del billete de lotería.

DECIR m. Dicho.

DECIR tr. y r. Manifestar con palabras el pensamiento. // tr. Asegurar, opinar. // Nombrar, llamar.

DECISIÓN f. Determinación que se da o se toma en una cosa dudosa. // Firmeza de carácter.

DECISIVO, VA adj. Díc. de lo que decide o resuelve.

DECISORIO, RIA adj. Díc. de lo que tiene virtud para decidir.

DECLAMACIÓN f. Acción de declamar.

DECLAMAR intr. Hablar en público. // intr. y tr. Recitar con arte.

DECLAMATORIO, RIA adj. Apl. al estilo o tono enfático.

DECLARACIÓN f. Acción y efecto de declarar o declararse.

DECLARANTE m. y f. Persona que declara ante el juez.

DECLARAR tr. Manifestar o explicar. // r. Manifestar uno sus intenciones o sus sentimientos. // Manifestarse una cosa. // *Der.* intr. Manifestar los testigos ante el juez.

DECLINABLE adj. Apl. a cada una de las partes de la oración que se declinan.

DECLINACIÓN f. Caída, descenso o declive. // fig. Decadencia. // *Gram.* Acción y efecto de declinar. // Serie ordenada de los casos gramaticales. // *Astron.* Distancia de un astro al ecuador

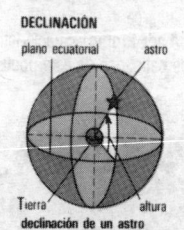

DECLINACIÓN

declinación de un astro

DECLINAR intr. Inclinarse hacia abajo. // fig. Decaer, menguar. // Aproximarse una cosa a su fin. // tr. Rehusar. // *Gram.* tr. y r. poner las palabras declinables en los casos gramaticales.

DECLIVE m. Pendiente, cuesta o inclinación.

DECOCCIÓN f. Acción y efecto de cocer.

DECOLORAR tr. Quitar o mitigar el color.

DECOMISO m. Pena de perdimiento de la cosa, en que incurre el que comercia ilegalmente.

DECORACIÓN f. Acción y efecto de decorar. // Cosa que decora.
DECORADO m. Decoración, conjunto de elementos escenográficos.
DECORADOR, RA m. y f. El que adorna o hermosea.
DECORAR tr. Adornar algo.
DECORATIVO, VA adj. Perten. o rel. a la decoración.
DECORO m. Honor que se debe a una persona. // Circunspección. // Honestidad. // Honra, estima.
DECOROSO, SA adj. Díc. de la persona que tiene decoro. // Apl. también a las cosas en que hay decoro.
DECRECER intr. Menguar.
DECRECIENTE adj. Que decrece.
DECRÉPITO, TA adj. y s. Apl. a la persona que por su vejez tiene muy menguadas las potencias.
DECREPITUD f. Suma vejez. // Chochez. // fig. Decadencia.
DECRETAR tr. *Der.* Determinar el juez acerca de las peticiones de las partes.
DECRETO m. Resolución del jefe del Estado, de su Gobierno o de un juez sobre cualquier materia.
DECÚBITO m. Posición del cuerpo tendido horizontalmente sobre su plano.
DECUPLICAR o DECUPLAR tr. Multiplicar por diez una cantidad.
DECHADO m. fig. Ejemplo y modelo de virtudes y perfecciones.
DEDAL m. Utensilio pequeño y cónico, que sirve para empujar la aguja de coser.
DÉDALO m. fig. Laberinto.
DEDICAR tr. Destinar una cosa a algún fin o uso. // Dirigir a una persona un objeto cualquiera, o una obra de entendimiento. // tr. y r. Emplear, destinar.
DEDICATORIA f. Nota dirigida a la persona a quien se dedica una obra.
DEDO m. Cada uno de los apéndices extremos de los miembros superiores e inferiores del hombre y, en general, de los vertebrados tetrápodos. // Porción de una cosa del ancho de un dedo.
DEDUCCIÓN f. Acción y efecto de deducir. // *Lóg.* Método por el cual se procede de lo universal a lo particular.
DEDUCIR tr. Sacar consecuencias de un principio, proposición o supuesto. // Inferir. // Descontar alguna partida de una cantidad.
DEFECAR intr. y tr. Expeler los excrementos.
DEFECCIÓN f. Acción de separarse con deslealtad de una causa o partido.
DEFECTIVO, VA adj. Defectuoso.
DEFECTO m. Carencia de las cualidades propias de una cosa. // Imperfección.
DEFECTUOSO, SA adj. Imperfecto.
DEFENDER tr. y r. Amparar, proteger. // tr. Sostener una cosa contra el dictamen ajeno. // Prohibir.
DEFENESTRAR tr. Arrojar a alguien o algo por la ventana.
DEFENSA f. Acción y efecto de defender o defenderse. // Cosa con que uno se defiende. // *Der.* Razón que se alega en juicio para contrarrestar la acción del demandante.
DEFENSIVO, VA adj. Que sirve para defender. // m. Defensa, resguardo.
DEFENSOR, RA adj. y s. Que defiende o protege. // *Der.* Persona encargada de una defensa.
DEFERENCIA f. fig. Muestra de respeto o de cortesía.
DEFICIENCIA f. Defecto o imperfección. // Carencia de algo.
DÉFICIT m. *Econ.* Descubierto comparando el haber existente con el capital puesto en una empresa.
DEFINICIÓN f. Acción y efecto de definir.
DEFINIR tr. Fijar la significación de una palabra o la naturaleza de una cosa. // Decidir una cosa dudosa.
DEFINITIVO, VA adj. Díc. de lo que decide, resuelve o concluye.
DEFLACIÓN f. Reducción de la circulación fiduciaria cuando ha adquirido excesivo volumen por efecto de una inflación.
DEFORMACIÓN f. Acción y efecto de deformar o deformarse.
DEFORMAR tr. y r. Hacer deforme una cosa.
DEFORME adj. Desproporcionado o irregular en la forma.
DEFORMIDAD f. Calidad de deforme.
DEFRAUDAR tr. Privar a uno de lo que le toca de derecho. // fig. Hacer inútil o dejar sin efecto una cosa en que se confiaba.
DEFUNCIÓN f. Muerte.
DEGENERACIÓN f. Acción y efecto de degenerar.
DEGENERAR intr. Decaer, declinar.
DEGLUCIÓN f. Acción y efecto de deglutir.
DEGLUTIR tr. Tragar los alimentos.
DEGOLLAR tr. Cortar la garganta o el cuello a una persona o a un animal.
DEGRADACIÓN f. Acción y efecto de degradar o degradarse. // Humillación.
DEGRADAR tr. Privar a una persona de sus dignidades, privilegios, etc. // tr. y r. Himillar, rebajar.
DEGUSTACIÓN f. Acción de degustar.
DEGUSTAR tr. Probar o catar alimentos o bebidas.
DEHESA f. Tierra generalmente acotada y destinada a pastos.
DEHISCENCIA f. *Bot.* Acción de abrirse naturalmente el pericarpio de ciertos frutos o las anteras de una flor para dar salida a la semilla o al polen.
DEICIDA adj. y s. Díc. de los que dieron muerte a Jesucristo.
DEICIDIO m. Crimen del deicida.
DEIDAD f. Ser divino o esencia divina. // Cada uno de los dioses de los gentiles o idólatras.
DEIFICAR tr. Divinizar.
DEJADEZ f. Pereza, negligencia.
DEJAR tr. Soltar una cosa apartarse de ella. // Omitir. // Consentir. // Desamparar. // Dar una cosa a otro el que se ausenta o hace testamento. // tr. y r. No

proseguir lo empezado. // r. Descuidarse de sí mismo.
DEJE o DEJO m. Acción y efecto de dejar. // Acento peculiar, y gusto o sabor.
DEL Contracc. de la pre. *de* y el art. *el.*
DELACIÓN f. Acusación, denuncia.
DELANTAL m. Prenda de vestir que se ata a la cintura y se usa como protección. // Mandil.
DELANTE adv. l. Con prioridad de lugar, en la parte anterior. // Enfrente. // adv. m. A la vista, en presencia.
DELANTERA f. Parte anterior de una cosa.
DELATAR tr. Revelar. a la autoridad un delito designando al autor.
DELEGACIÓN f. Acción y efecto de delegar. // Cargo u oficina del delegado.
DELEGADO, DA adj. y s. Díc. de la persona en quien se delega una facultad o jurisdicción.
DELEGAR tr. Dar una persona a otra la jurisdicción que tiene, o conferirle su representación.
DELEITAR tr. y r. Producir deleite.
DELEITE m. Placer del ánimo. // Placer sensual.
DELETÉREO, A adj. fig. Venenoso.
DELETREAR intr. Pronunciar separadamente las letras de cada sílaba o las sílabas de cada palabra.
DELEZNABLE adj. Que se rompe o deshace fácilmente. // fig. Poco durable.
DELFÍN m. *Zool.* Mamífero cetáceo de cuerpo esbelto y fusiforme. Presenta un largo hocico y boca provista de fuertes dientes.
DELFÍN m. Título que se daba al primogénito del rey de Francia.
DELGADEZ f. Calidad de delgado.
DELGADO, DA adj. Flaco. // Delicado, suave. // fig. Agudo, sutil.
DELIBERAR intr. Considerar detenidamente el pro y el contra de una decisión, antes de adoptarla. // tr. Resolver una cosa con premeditación.
DELICADEZA f. Finura. // Ternura, suavidad.
DELICADO, DA adj. Fino, atento. // Débil, enfermizo. // Quebradizo. // Sabroso. // Difícil. // Bien parecido. // Suspicaz.
DELICIA f. Placer muy intenso. // Aquello que causa delicia.
DELICTIVO, VA adj. Perten. o rel. al delito. // Que implica delito.
DELICUESCENCIA f. Propiedad que tienen ciertas sustancias de absorber la humedad del aire hasta disolverse en él.
DELIMITAR tr. Determinar con precisión los límites de una cosa.
DELINCUENCIA f. Calidad de delincuente. // Comisión de un delito.
DELINCUENTE adj. y s. Que delinque.
DELINEANTE m. El que tiene por oficio trazar planos.
DELINEAR tr. Trazar las líneas de una figura. // fig. Determinar.
DELINQUIR intr. Cometer delito.
DELIQUIO m. Desfallecimiento.

DELIRAR intr. Desvariar, tener perturbada la razón.
DELIRIO m. Alteración de la razón.
DELITO m. Culpa, crimen, infracción de la ley.
DELTA f. Cuarta letra del alfabeto griego. // *Geogr.* Isla triangular que forman algunos ríos en su desembocadura.
DELTOIDES m. *Anat.* Díc. de un músculo triangular que va desde la clavícula al omóplato.
DEMACRACIÓN f. Pérdida de carnes por falta de nutrición y otras causas.
DEMAGOGIA f. Dominación tiránica de la plebe. // fig. Forma de comportarse dirigida a convencer a otros de que algo poco claro es necesario.
DEMAGOGO, GA m. y f. Cabeza de una fracción popular. // Orador revolucionario.
DEMANDA f. Súplica, solicitud. // Limosna. // Pregunta. // Empeño o defensa. // *Der.* Petición que formula en juicio de una de las partes. // Pedido de mercancías que hace el comprador al vendedor.
DEMANDAR f. Pedir, rogar. // Desear. // Preguntar. // / Hacer cargo de una cosa.
DEMARCACIÓN f. Acción y efecto de demarcar. // Terreno demarcado.
DEMÁS adj. Precedido de los artículos lo, la, los, las, lo otro, la otra, los otros, los restantes, las otras.
DEMASÍA f. Exceso. // Atrevimiento. // Insolencia. // Maldad.
DEMASIADO, DA adj. Que es en demasía, o tiene demasía.
DEMENCIA f. *Med.* Enfermedad que causa te terioro de la razón.
DEMENTE adj. y s. Loco, falto de juicio.
DEMÉRITO m. Falta de mérito. // Acción por la cual se desmerece.
DEMIURGO m. *Fil.* En la filosofía griega, ordenador del mundo.
DEMOCRACIA f. Doctrina política favorable a la intervención del pueblo en el gobierno. // Predominio del pueblo en el gobierno político del estado.
DEMÓCRATA adj. y s. Partidario de la democracia.
DEMOCRATIZAR tr. y r. Hacer demócratas a las personas, o democráticas las cosas.
DEMOGRAFÍA f. Estudio estadístico de una colectividad humana.
DEMOLER tr. Derribar, arruinar.
DEMOLICIÓN f. Acción y efecto de demoler.
DEMONIO m. Diablo.
DEMORA f. Tardanza, dilación.
DEMORAR tr. Retardar. // intr. Detenerse en una parte.
DEMOSTRACIÓN f. Acción y efecto de demostrar. // Prueba de una cosa, partiendo de verdades universales y evidentes. // Manifestación pública de fuerza, habilidad, etc.
DEMOSTRAR tr. Manifestar, declarar. // Probar sirviéndose de una demostración. // Enseñar.
DEMOSTRATIVO, VA adj. Que demuestra. // *Gram.* Díc. de las formas gramaticales que designan una

situación en el espacio o en el tiempo. Pueden funcionar como adj. o como pron.
DEMÓTICO, CA adj. Apl. a un tipo de escritura cursiva empleada por los ant. egipcios.
DEMUDAR tr. Mudar, variar. // Desfigurar. // r. Cambiarse repentinamente el color o la expresión del semblante. // Alterarse.
DENARIO m. Ant. moneda romana.
DENDRITA f. *Biol.* Prolongaciones protoplasmáticas ramificadas de la célula nerviosa. // Arbol fósil.
DENDROGRAFÍA f. Tratado de los árboles.
DENEGAR tr. No conceder lo que se pide.
DENIGRANTE adj. Que denigra.
DENIGRAR tr. Desacreditar. // Injuriar. // Ultrajar.
DENODADO, DA adj. Intrépido.
DENOMINACIÓN f. Nombre o título con que se designan las personas y las cosas.
DENOMINADOR, RA adj. Que denomina. // *Mat.* m. Número que en los quebrados o fracciones indica las partes iguales en que está dividida la unidad.
DENOMINAR tr. y r. Nombrar.
DENOSTAR tr. Injuriar, infamar.
DENOTAR tr. Indicar, significar.
DENSIDAD f. Cualidad de denso. // *Fís.* Relación entre la masa y el volumen de un cuerpo.
DENSO, SA adj. Compacto, apretado, espeso. // Craso. // fig. Apiñado.
DENTADO, DA adj. Que tiene dientes, o puntas parecidas a ellos.
DENTADURA f. Conjunto de dientes que tiene una persona o un animal.

la parte donde muerden.
DENTERA f. Sensación desagradable que se experimenta en los dientes y encías al comer ciertas cosas u oír ciertos ruidos.
DENTICIÓN f. *Anat.* Conjunto de fenómenos que intervienen en el crecimiento de los dientes.
DENTÍFRICO, CA adj. y s. m. Díc. de los preparados que se usan para limpiar los dientes.
DENTINA f. Marfil de los dientes.
DENTISTA amb. Médico especialista en las enfermedades dentales.
DENTRO adv. l. y t. A o en la parte interior de un espacio término real o imaginario. Constrúyese con las preps. *de, por* y *hacia,* y suele anteponerse a *en* significando dentro de.
DENUDAR tr. y r. Desnudar, despojar.
DENUEDO m. Esfuerzo, valor.
DENUESTO m. Injuria.
DENUNCIA f. Acción y efecto de denunciar. // *Der.* Noticia que se da a la autoridad de haberse cometido un delito.
DENUNCIAR tr. Noticiar, avisar. // Pronosticar. // Publicar solemnemente. // Declarar oficialmente el estado ilegal o irregular de algo. // fig. Delatar.
DEPARAR tr. Suministrar, conceder. // Poner delante, presentar.
DEPARTAMENTO m. Cada una de las partes en que se divide un territorio, un edificio, etc.
DEPARTIR intr. Hablar, conversar.
DEPAUPERAR tr. Empobrecer. // *Med.* tr. y r. Debilitar, extenuar.

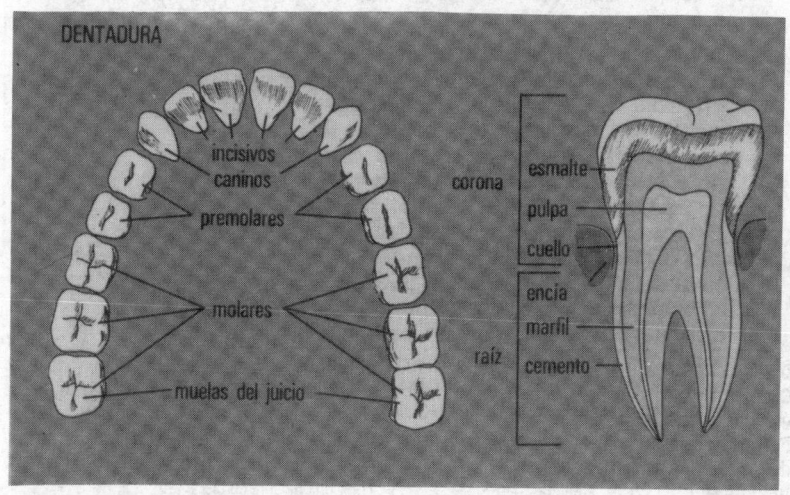

DENTADURA

incisivos
caninos
premolares
molares
muelas del juicio

corona — esmalte, pulpa, cuello
raíz — encía, marfil, cemento

DENTAL adj. Perten. o rel. a los dientes. // *Fon.* Díc. de la consonante cuya articulación requiere que la lengua toque los dientes.
DENTELLADA f. Acción de juntar los dientes con fuerza sin mascar. // Herida que dejan los dientes en

DEPENDENCIA f. Subordinación. // Oficina dependiente de otra superior. // Relación de parentesco o amistad. // Negocio, agencia. // pl. Cosas accesorias a la principal.
DEPENDER intr. Estar subordinado a una persona o

cosa. // Necesitar una persona el auxilio de otra.
DEPENDIENTE adj. Que depende. // m. El que sirve o es subalterno.
DEPILAR tr. Arrancar el pelo; producir su caída por medio de depilatorios.
DEPILATORIO, RIA adj. y s. m. Díc. de la untura que se emplea para hacer caer el pelo o el vello.
DEPLORABLE adj. Lamentable.
DEPLORAR tr. Lamentar viva y profundamente un suceso.
DEPONER tr. Dejar, apartar de sí. // Privar a una persona de su empleo o degradarla de los honores que tenía. // intr. Evacuar el vientre.
DEPORTACIÓN f. Acción y efecto de deportar. // *Der.* Confinamiento.
DEPORTAR tr. Desterrar.
DEPORTE m. Juego, recreación, ejercicio físico sometido a ciertas reglas.
DEPORTISTA com. y adj. Persona aficionada a los deportes o entendida en ellos.
DEPOSICIÓN f. Exposición o declaración de una cosa. // Privación o degradación de un empleo o dignidad. // Evacuación del vientre.
DEPOSITAR tr. Poner cosas bajo custodia. // Entregar. // Encerrar, contener. // Sedimentar. // Poner algo en sitio determinado por algún tiempo.

// Tristeza profunda. // *Econ.* Descenso de la actividad económica.
DEPRIMIR tr. Disminuir el volumen de un cuerpo. // Hundir alguna parte de un cuerpo. // tr. y r. fig. Humillar. // r. Aparecer baja una superficie con referencia a las inmediatas. // Sufrir un decaimiento del ánimo.
DEPRISA adv. Con celeridad.
DEPURACIÓN f. Acción y efecto de depurar o depurarse.
DEPURAR tr. y r. Limpiar, purificar. // Someter a un funcionario a expediente para determinar su conducta política.
DERECHA f. mano derecha. // Hablando de colectividades políticas, la parte más moderada.
DERECHO, CHA adj. Recto, seguido. // Justo, legítimo. // m. Facultad natural del hombre para hacer legítimamente lo que conduce a los fines de su vida. // Facultad de hacer o exigir lo que la ley establece a nuestro favor. // Acción que se tiene sobre una persona o cosa. // Justicia. // Sendero. // pl. Tanto que se paga, por la introducción de una mercancía.
DERECHURA f. Calidad de derecho.
DERIVA f. Diferencia entre el rumbo prefijado y la trayectoria real de un buque o un avión.
DERIVACIÓN f. Descendencia, deducción.

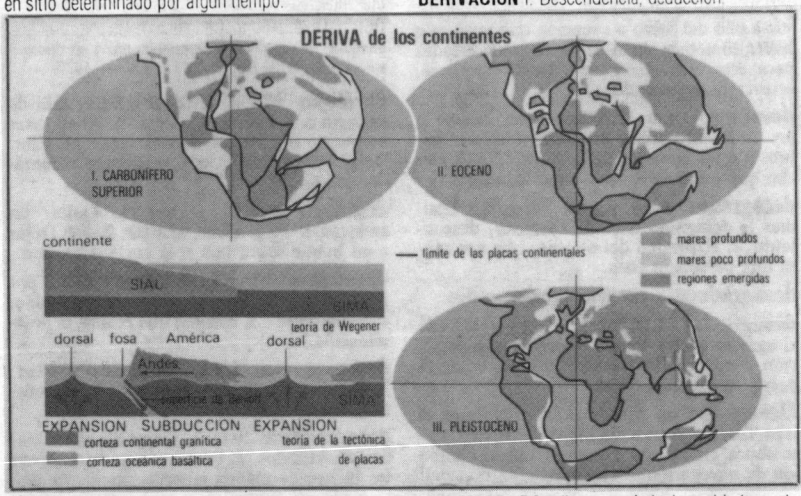

DERIVA de los continentes
I. CARBONÍFERO SUPERIOR
II. EOCENO
III. PLEISTOCENO
continente
SIAL
SIMA
dorsal   fosa   América   dorsal
Andes
SIMA
EXPANSIÓN   SUBDUCCIÓN   EXPANSIÓN
corteza continental granítica
corteza oceánica basáltica
teoría de Wegener
teoría de la tectónica de placas
límite de las placas continentales
mares profundos
mares poco profundos
regiones emergidas

DEPOSITARIO, RIA adj. Perten. al depósito. // fig. Que contiene o encierra algo. // m. y f. Persona en quien se deposita una cosa.
DEPÓSITO m. Acción y efecto de depositar. // Cosa depositada. // Lugar donde se deposita.
DEPRAVAR tr. y r. Viciar, adulterar, corromper.
DEPRECIACIÓN f. Disminución del valor o precio de una cosa.
DEPREDACIÓN f. Pillaje, devastación.
DEPRESIÓN f. Acción y efecto de deprimir o deprimirse. // Concavidad en un terreno u otra superficie.

DERIVADO, DA adj. y s. m. Apl. al vocablo formado por derivación. // *Quím.* Díc. del producto que se obtiene de otro.
DERIVAR intr. y r. Traer su origen de alguna cosa. // Abatir. // tr. Conducir una cosa de una parte a otra. // Traer una palabra de cierta raíz.
DERMATITIS f. *Med.* Inflamación de la piel.
DERMATOLOGÍA f. *Med.* Ciencia médica que estudia y trata las enfermedades de la piel.
DERMATÓLOGO, GA m. y f. Médico especialista en las enfermedades de la piel.

DÉRMICO, CA adj. Perten. o rel. a la dermis y a la piel.
DERMIS f. *Anat*. La más interna y más gruesa de las capas de la piel.
DEROGACIÓN f. Abolición. // Deterioración.
DEROGAR tr. Anular una ley o costumbre. // Destruir, reformar.
DERRAMAR tr. y r. Verter, esparcir cosas líquidas o menudas. // Repartir. // fig. Publicar, divulgar una noticia.
DERREDOR m. Circuito o contorno de una cosa.
DERRENGAR tr. y r. Descaderar, lastimar el espinazo o los lomos. // Torcer, inclinar a un lado.
DERRETIR tr. y r. Disolver por medio del calor una cosa sólida. // fig. Gastar, disipar. // r. Enardecerse con el amor. // fig. y fam. Deshacerse, estar lleno de impaciencia.
DERRIBAR tr. Arruinar, demoler edificios. // Hacer caer al suelo. // Postrar. // fig. Malquistar a una pesona.
DERROCAR tr. Despeñar. // Echar por tierra un edificio. // fig. Derribar, arrojar a uno del estado o fortuna que tiene.
DERROCHAR tr. Malgastar.
DERROTA f. Camino, vereda. // *Mar*. Rumbo que sigue una embarcación.
DERROTAR tr. Disipar, derrochar. // Arruinar a uno. // Vencer al ejército contrario.
DERROTERO m. *Mar*. Línea trazada sobre la carta de navegación. // fig. Camino, rumbo.
DERROTISMO m. Tendencia a propagar el desaliento.
DERRUIR tr. Derribar
DERRUMBAR tr. y r. Precipitar, despeñar.
DES- Prep. insep. que denota negación o inversión del significado del simple, privación, exceso o demasía. A veces implica afirmación.
DESABORIDO, DA adj. Sin sabor. // Sin sustancia.
DESABRIDO, DA adj. Díc. del manjar que apenas tiene gusto. // Díc. del tiempo destemplado. // Áspero en el trato.
DESABRIGAR tr. y r. Descubrir, desarropar.
DESABROCHAR tr. y r. Desasir los broches u otra cosa con que se ajusta la ropa. // tr. fig. Abrir.
DESACATAR tr. y r. Faltar al respeto.
DESACATO m. Irreverencia. // Falta de respeto.
DESACERTADO, DA adj. Que yerra u obra sin acierto.
DESACOMODAR tr. Privar de la comodidad. // tr. y r. Quitar la conveniencia, empleo u ocupación.
DESACOSTUMBRADO, DA adj. Fuera del uso y orden común.
DESACOSTUMBRAR tr. y r. Hacer perder o dejar la costumbre que uno tiene.
DESACREDITAR tr. Disminuir o quitar la reputación de una persona o la estimación de una cosa.
DESACUERDO m. Discordia o disconformidad. // Error. // Olvido de una cosa.

DESAFECTO, TA adj. Que muestra desvío o indiferencia. // Opuesto, contrario. // m. Malquerencia.
DESAFIAR tr. Retar, provocar a singular combate. // fig. Combatir.
DESAFINAR intr. y r. *Mús*. Destemplar un instrumento.
DESAFÍO. m. Acción y efecto de desafiar. // Rivalidad, competencia.
DESAFORADO, DA adj. Que obra sin ley ni fuero. // Que es contra fuero. // fig. Grande con exceso.
DESAFORAR tr. Quebrantar los fueros. // Privar a uno del fuero que goza. // Descomponerse.
DESAFORTUNADO, DA adj. Sin fortuna.
DESAFUERO m. Acto violento contra la ley. // Por ext., acción contraria a la sana razón.
DESAGRADAR intr. y r. Disgustar, causar desagrado.
DESAGRADECER tr. Mostrar ingratitud.
DESAGRADO m. Disgusto, descontento.
DESAGRAVIAR tr. y r. Reparar el agravio.
DESAGREGAR tr. y r. Separar, apartar una cosa de otra.
DESAGUADERO m. Conducto por donde se da salida a las aguas.
DESAGUAR tr. Extraer el agua de un lugar. // fig. Disipar. // intr. Entrar los ríos en el mar.
DESAGÜE m. Acción y efecto de desaguar. // Desaguadero.
DESAGUISADO, DA adj. Hecho contra la ley o la razón. // m. Agravio.
DESAHOGAR tr. Consolar o aliviar a uno en sus necesidades. // Dar rienda suelta a una pasión. // r. Librarse de deudas. // Hacer confidencias.
DESAHOGO m. Alivio de la pena o trabajo. // Ensanche. // Desembarazo, libertad.
DESAHUCIAR tr. Quitar toda esperanza. // Desesperar los médicos de la salud de un enfermo. // Despedir al inquilino o arrendatario.
DESAIRAR tr. Desatender a una persona. // Desestimar una cosa.
DESALAR tr. Quitar la sal a algo.
DESALENTAR tr. Dificultar el aliento. // tr. y r. fig. Quitar el ánimo, acobardar.
DESALIENTO m. Decaimiento del ánimo.
DESALIÑO m. Deaseo. // fig. Negligencia, descuido.
DESALMADO, DA adj. Cruel.
DESALMAR tr. y r. fig. Quitar la fuerza y virtud a una cosa.
DESALOJAR tr. Sacar de un lugar a una persona o cosa. // Abandonar un lugar. // Desplazar.
DESAMORTIZAR tr. Liberar los bienes amortizados. // Poner en venta los bienes vinculados.
DESAMPARAR tr. Dejar sin amparo. // Abandonar un lugar.
DESANGRAR tr. Sacar mucha sangre a una persona o animal. // fig. Desaguar un lago, estanque, etc. // Empobrecer a uno. // r. Perder mucha sangre.
DESANIMAR tr. y r. Desalentar.

DESÁNIMO m. Desaliento.
DESAPACIBLE adj. Desagradable.
DESAPARECER tr. y r. Ocultar. // intr. Quitarse de la vista.
DESAPAREJAR tr. y r. Quitar el aparejo a una caballería. // *Mar.* tr. Quitar el aparejo de una embarcación.
DESAPEGO m. fig. Falta de afición o interés, alejamiento, desvío.
DESAPRENSIÓN f. Falta de aprensión o miramiento.
DESAPROBAR tr. Reprobar.
DESAPROVECHAR tr. Emplear mal una cosa, desperdiciar.
DESARMAR tr. Quitar las armas. // Descomponer una cosa. // fig. Templar, aplacar. // intr. Reducir las naciones su armamento y fuerzas militares.
DESARRAIGAR tr. y r. Arrancar la raíz de una planta. // fig. Extirpar una pasión. // Desterrar.
DESARROLLAR tr. y r. Deshacer lo que está arrollado. // fig. Dar incremento a alguna cosa del orden físico, intelectual o moral. // tr. fig Explicar una teoría.
DESARRUGAR tr. y r. Estirar.
DESASIR tr. y r. Soltar. // r. fig. Desprenderse de una cosa.
DESASOSIEGO m. Falta de sosiego.
DESASTRADO, DA adj. Infausto. // Adj. y s. Díc. de la persona desaseada.
DESASTRE m. Desgracia grande.
DESATAR tr. y r. Desenlazar una cosa de otra; soltar lo atado. // r. fig. Proceder con desorden.
DESATASCAR tr. y r. Sacar del atascadero.
DESATENCIÓN f. Falta de atención, descortesía.
DESATINADO, DA adj. Sin tino. // adj. y s. Díc. del que procede sin juicio.
DESAUTORIZAR tr. y r. Quitar autoridad, poder, crédito o aprecio.
DESAVENENCIA f. Oposición, discordia.
DESAYUNAR tr. y r. Tomar el desayuno.
DESAYUNO m. Alimento ligero que se toma por la mañana.
DESAZÓN f. Insipidez. // fig. Disgusto, pesadumbre.
DESBANCAR tr. fig. Hacer perder a uno la amistad o cariño de otra persona, ganándola para sí.
DESBANDADA f. Acción y efecto de desbandarse
DESBANDARSE r. Huir en desorden. // Desertar.
DESBARAJUSTE m. Desorden.
DESBARATAR tr. Deshacer o arruinar una cosa. // Disipar, malgastar. // r. fig. Descomedirse.
DESBARRAR intr. Deslizarse. //fig. Discurrir fuera de razón.
DESBASTAR tr. Quitar las partes más bastas a una cosa. // tr. y r. fig. Educar, enseñar.
DESBOCAR tr. Romper la boca a algo. // r. Hacerse una caballería insensible a la acción del freno. // fig. Desvergonzarse.
DESBORDAR intr. y r. Salir de los bordes. // r. Exaltarse.
DESBRAVAR tr. Amansar el ganado. // intr. y r. fig. Romperse el ímpetu de la cólera o la corriente. // Perder parte de la fuerza.
DESBROZAR tr. Quitar la broza.
DESCABALGAR intr. Desmontar.
DESCABELLADO, DA adj. fig. Disparatado.
DESCABELLAR tr. y r. Despeinar. // Matar instantáneamente al toro.
DESCABEZAR tr. Quitar o cortar la cabeza.
DESCALABRAR tr. y r. Herir a uno en la cabeza. // Por ext., herir o maltratar.
DESCALABRO m. Infortunio, daño.
DESCALCIFICAR tr. y r. Eliminar o disminuir la sustancia calcárea de los tejidos orgánicos.
DESCALIFICAR tr. Desacreditar, desautorizar a alguno.
DESCALZAR tr. y r. Quitar el calzado. // Socavar.
DESCALZO, ZA adj. Que trae desnudos los pies.
DESCAMISADO, DA adj. Fam. Sin camisa. // fig. y despect. Muy pobre.
DESCAMPADO, DA adj. y s. Díc. del terreno limpio de malezas y espesuras.
DESCANSAR intr. Cesar en el trabajo. // fig. Desahogarse. // Reposar, dormir. // Estar una cosa apoyada sobre la otra.
DESCANSO m. Reposo. // Alivio.
DESCARADO, DA adj. y s. Que obra con desvergüenza.
DESCARGA f. Acción y efecto de descargar.
DESCARGAR tr. Quitar o aliviar la carga. // Disparar armas de fuego. // Extraer un barreno. // tr. y r. Anular la tensión eléctrica de un cuerpo. // tr. e intr. Dicho de golpes, darlos con violencia. // intr. Dejar caer las nubes lluvia o granizo.
DESCARNADO, DA adj. fig. Díc. de los asuntos crudos o desagradables.
DESCARNAR tr. y r. Quitar al hueso la carne. // fig. Quitar parte de una cosa.
DESCARO m. Desvergüenza.
DESCARRIAR tr. y r. Apartar del rebaño cierto número de reses. // tr. fig. Apartarse de lo justo.
DESCARRILAR intr. Salir fuera del carril los trenes, tranvías, etc.
DESCARTAR tr. fig. Desechar una cosa o apartarla de sí.
DESCASTADO, DA adj. y s. Que manifiesta despego a los parientes. // Ingrato.
DESCENDENCIA f. Conjunto de personas que por generación descienden de una misma persona. // Casta, linaje.
DESCENDIENTE adj. Que desciende.
DESCENDER intr. Bajar de un lugar alto a otro bajo. // Caer, fluir, correr una cosa líquida. // Proceder por generaciones sucesivas de una persona o linaje.
DESCENDIMIENTO m. Acción de descender uno, o de bajarlo.
DESCENSO m. Acción y efecto de descender. // Bajada. // fig. Caída de una dignidad o estado a otro inferior.
DESCENTRAR tr. Sacar una cosa de su centro.

DESCENTRALIZAR tr. Transferir a organismos locales funciones que antes ejercía el gobierno central.
DESCERRAJAR tr. Arrancar o violentar una cerradura. // fig. y fam. Disparar tiros.
DESCIFRAR tr. Declarar lo escrito en cifra o caracteres desconocidos. // fig. Penetrar y declarar lo de difícil inteligencia.
DESCOLGAR tr. Bajar lo que está colgado. // r. fig. y fam. Decir o hacer algo inesperado.
DESCOLLAR intr. y r. Sobresalir.
DESCOMPONER tr. y r. Desordenar. // tr. Separar las diversas partes que forman un compuesto. // fig. Indisponer los ánimos. // r. Corromperse. // Perder la salud.
DESCOMPOSTURA f. Desaseo. // fig. Descaro.
DESCOMUNAL adj. Extraordinario, enorme.
DESCONCERTAR tr. y r. Turbar, descomponer el orden y composición de algo. // Tratándose de huesos del cuerpo, dislocar. // tr. fig. Sorprender.
DESCONCIERTO m. Descomposición de las partes de un cuerpo o de una máquina. // fig. Desorden.
DESCONCHADO m. Parte en que una pared ha perdido su enlucido.
DESCONECTAR tr. Interrumpir la conexión de dos o más piezas de una máquina, separarlas.
DESCONFIAR intr. No confiar.
DESCONOCER tr. No recordar una cosa. // No conocer. // tr. y r. fig. Notar el cambio de una persona o cosa.
DESCONSIDERADO, DA adj. y s. Falto de consideración o de consejo.
DESCONSUELO m. Angustia por falta de consuelo.
DESCONTAR tr. Rebajar una cantidad de una cuenta, una factura, etc. // fig. Dar por cierto.
DESCONTENTO m. Disgusto o desagrado.
DESCORAZONAR tr. Arrancar el corazón. // fig. y r. Desanimar, acobardar.
DESCORRER tr. Volver a correr el espacio ya recorrido. // Plegar lo que antes estaba estirado.
DESCORTESÍA f. Falta de cortesía.
DESCOSER tr. y r. Soltar, cortar las puntadas de lo que estaba cosido.
DESCOSIDO, DA adj. fig. Díc. del que habla indiscretamente. // m. Parte descosida.
DESCRÉDITO m. Disminución o pérdida de reputación o de valor.
DESCRIBIR tr. Delinear, dibujar. // Representar por medio del lenguaje.
DESCRIPCIÓN f. Acción y efecto de describir.
DESCUARTIZAR tr. Dividir un cuerpo en cuartos. // fam. Despedazar.
DESCUBIERTO, TA adj. Apl. al que lleva la cabeza destocada. // Díc. de lugares despejados. // m. Déficit.
DESCUBRIMIENTO m. Hallazgo. // Territorio o cosa que se ha descubierto.
DESCUBRIR tr. Manifestar, hacer patente. // Destapar lo tapado o cubierto. // Hallar lo ignorado o escondido. // Conocer algo que se ignoraba. // Inventar.

DESCUELLO m. Exceso en la estatura, elevación o altura con que se sobresale. // fig. Altanería.
DESCUENTO m. Acción y efecto de descontar. // Rebaja.
DESCUIDAR tr. y r. No cuidar de las personas o cosas.
DESCUIDO m. Omisión, negligencia. // Olvido. // Desliz vergonzoso.
DESDE Prep. que denota el punto, el tiempo de que procede, se origina o ha de empezar a contarse una cosa, un hecho o una distancia.
DESDECIR intr. Venir a menos. // Desmentir. // r. Retractarse de lo dicho.
DESDÉN m. Despego, menosprecio.
DESDENTADO, AD adj. Que carece de dientes.
DESDEÑAR tr. Tratar con desdén a una persona o cosa. // r. Tener a menos el hacer o decir una cosa.
DESDIBUJADO, DA adj. Díc. del dibujo defectuoso o de la cosa mal conformada.
DESDICHA f. Desgracia. // Miseria.
DESDORO m. Mancilla en la virtud o en la fama.
DESEAR tr. Querer con vehemencia una cosa. // Anhelar que acontezca o deje de acontecer algo.
DESECAR tr. y r. Secar, extraer la humedad.
DESECHAR tr. Excluir, reprobar. // Menospreciar, desestimar. // Expeler, arrojar. // Apartar de sí un pesar o un mal pensamiento.
DESECHO m. Lo que queda después de haber escogido lo mejor de una cosa. // fig. Desprecio.
DESEMBARAZAR tr. y r. Quitar el impedimento que se opone a algo. // Evacuar, desocupar. // r. fig. Apartar de sí lo que estorba.
DESEMBARCAR tr. Sacar de la nave y poner en tierra lo embarcado. // intr. y r. Salir de una embarcación.
DESEMBARQUE m. Acción y efecto de desembarcar.
DESEMBOCADURA f. Paraje por donde un río, un canal, etc., desemboca en otro, en el mar o en un lago.
DESEMBOCAR intr. Salir como por una boca o estrecho.
DESEMBOLSAR tr. Sacar lo que está en la bolsa. // fig. Pagar dinero.
DESEMBOLSO m. fig. Dispendio, gasto, coste.
DESEMBRAGAR tr. Desconectar del eje motor un mecanismo.
DESEMBUCHAR tr. Echar las aves lo que tienen en el buche. // fig. y fam. Decir uno cuanto sabe.
DESEMPAÑAR tr. Limpiar una cosa que estaba empañada.
DESEMPATAR tr. Deshacer el empate que había entre ciertas cosas.
DESEMPEÑAR tr. Sacar lo que estaba empeñado. // Hacer aquello a que uno está obligado.
DESEMPLEO m. Paro forzoso.
DESEMPOLVAR tr. y r. Quitar el polvo. // tr. Recordar algo olvidado.
DESENCADENAR tr. Quitar la cadena al que está con ella amarrado. // fig. Desunir las cosas inmateriales. // tr. fig. Manifestarse repentinamente y con violencia

alguna fuerza natural.

DESENCAJAR tr. y r. Sacar una cosa del encaje que tenía con otra. // r. Desfigurarse.

DESENCHUFAR tr. Separar lo que está enchufado.

DESENFADO m. Desahogo, desembarazo. // Diversión.

DESENFRENAR tr. Quitar el freno. // f. fig. Entregarse desordenadamente a los vicios.

DESENGANCHAR tr. y r. Soltar lo que está enganchado.

DESENGAÑAR tr. y r. Hacer reconocer el engaño o el error. // Quitar esperanzas o ilusiones.

DESENGRASAR tr. Quitar la grasa. // intr. fam. Enflaquecer.

DESENLAZAR tr. y r. Desatar los lazos. // fig. Dar solución a un asunto.

DESENMARAÑAR tr. Desenredar.

DESENMASCARAR tr. y r. Quitar la máscara. // fig. Dar a conocer a una persona tal como es moralmente.

DESENREDAR tr. Deshacer el enredo. // fig. Ordenar lo que estaba desordenado.

DESENROLLAR tr. y r. Desarrollar.

DESENTENDERSE r. Fingir que no se entiende una cosa. // Prescindir de un asunto o negocio.

DESENTERRAR tr. Exhumar, sacar lo que está debajo de tierra. // fig. Recordar lo olvidado.

DESENTONAR tr. Salir de tono. // r. fig. Levantar la voz.

DESENTRAÑAR tr. Sacar las entrañas. // fig. Averiguar lo más dificultoso de una materia.

DESENTUMECER tr. y r. Quitar el entumecimiento.

DESENVAINAR tr. Sacar de la vaina un arma blanca. // fig. y fam. Sacar lo que está oculto.

DESENVOLTURA f. fig. Despejo, desenfado. // Facilidad en el decir.

DESENVOLVER tr. y r. Desenrollar. // fig. Desarrollar. // Salir de una dificultad. // Obrar con maña.

DESEO m. Movimiento de la voluntad hacia el conocimiento, posesión o disfrute de una cosa. // Acción y efecto de desear.

DESEQUILIBRIO m. Falta de equilibrio.

DESERTAR tr. y r. Abandonar el soldado a sus banderas.

DESÉRTICO, CA adj. Desierto. // Perteneciente o rel. al desierto.

DESESPERACIÓN f. Pérdida total de la esperanza. // fig. Alteración extrema del ánimo.

DESESPERAR tr., intr. y r. Quedarse sin esperanza. // tr. y r. fam. Impacientar, exasperar.

DESESTIMAR tr. Tener en poco. // Denegar, desechar.

DESFACHATEZ f. fam. Descaro.

DESFALCAR tr. Quitar parte de una cosa. // Tomar para sí un caudal que se tenía bajo custodia.

DESFALLECIMIENTO m. Disminución de ánimo y fuerza.

DESFIGURAR tr. y r. Deformar, afear, ajar. // tr. fig. Referir una cosa alterándola. // r. Inmutarse.

DESFILADERO m. Paso estrecho entre montañas.

DESFILAR intr. Marchar en fila.

DESFLORAR tr. Ajar. // Desvirgar.

DESFOGAR tr. Dar salida al fuego. // tr. y r. fig. Manifestar con vehemencia una pasión.

DESGAJAR tr. y r. Desgarrar. // Despedazar, deshacer una cosa trabada.

DESGANA f. Inapetencia. // fig. Desinterés.

DESGANAR tr. Quitar el deseo de hacer algo. // r. Perder el apetito. // fig. Disgustarse, cansarse.

DESGAÑITARSE r. fam. Gritar con violencia.

DESGARBADO, DA adj. Falto de garbo.

DESGARRAR tr. y r. Rasgar.

DESGARRO m. Rotura.

DESGARRÓN m. Rotura grande en la ropa. // Jirón del vestido.

DESGASTAR tr. y r. Consumir poco a poco una cosa. // r. fig. Perder vigor o poder.

DESGRACIA f. Suerte adversa. // Suceso funesto. // Pérdida de gracia o favor.

DESGRACIAR tr. Disgustar. // tr. y r. Echar a perder una persona o cosa. // r. Malograrse.

DESGRANAR tr. y r. Sacar el grano de una cosa. // Soltarse las piezas ensartadas.

DESGRAVAR tr. Rebajar los impuestos o eximir de ellos.

DESGUARNECER tr. Quitar la guarnición. // Quitar la fuerza a una plaza, a un castillo, etc. // Quitar lo necesario para el uso de algo.

DESGUAZAR tr. Desbastar con el hacha un madero. // Deshacer un buque.

DESHABITAR tr. Abandonar la habitación. // Despoblar.

DESHACER tr. y r. Quitar la forma a una cosa, descomponiéndola. // Desgastar. // Derretir. // tr. Dividir, despedazar. // fig. Alterar un negocio. // r. Consumirse. // Desaparecer de la vista.

DESHARRAPADO, DA adj. y s. Andrajoso.

DESHEREDAR Excluir a uno de la herencia.

DESHIDRATAR tr. *Quím.* Privar a un cuerpo hidratado del agua que contiene.

DESHILVANAR tr. y r. Quitar los hilvanes.

DESHINCHAR tr. Quitar la hinchazón. // fig. Desahogar la cólera.

DESHONESTO, TA adj. Impúdico. // Inmoral, reprobable.

DESHONOR m. Pérdida del honor. // Deshonra, afrenta.

DESHONRA f. Pérdida de la honra. // Cosa deshonrosa.

DESHORA f. Tiempo inoportuno.

DESHUMANIZAR tr. Privar de caracteres humanos alguna cosa.

DESIDERÁTUM m. Objeto y fin de un vivo deseo.

DESIDIA f. Negligencia, inercia.

DESIERTO, TA adj. Despoblado, inhabitado. // m. Gran extensión de tierra despoblada por carecer de condiciones habitables.

DESIGNAR tr. Formar designio. // Destinar una persona o cosa para determinado fin. // Denominar.
DESIGNIO m. Idea o intención que se pretende realizar.
DESIGUAL adj. No igual. // fig. Arduo, dificultoso. // Vario.
DESIGUALDAD f. Calidad de desigual.
DESILUSIÓN f. Carencia o pérdida de las ilusiones. // Desengaño.
DESILUSIONAR tr. Hacer perder a uno las ilusiones. // r. Perder las ilusiones.
DESINENCIA f. *Gram.* Terminación variable que sigue al radical de las palabras.
DESINFECTANTE adj. y s. Que desinfecta o sirve para desinfectar.
DESINFECTAR tr. y r. Quitar a una cosa la infección o la propiedad de causarla.
DESINTEGRAR tr. Separar los elementos que integran una cosa.
DESINTERÉS m. Desapego y desprendimiento de todo provecho personal.
DESISTIR int. Abandonar una empresa ya empezada.
DESLEALTAD f. Falta de lealtad.
DESLEÍR tr. y r. Disolver las partes de un cuerpo por medio de un líquido.
DESLIAR tr. y r. Desatar lo liado.
DESLIGAR tr. y r. Soltar las ligaduras. // fig. Desenredar una cosa no material.
DESLINDAR tr. Señalar los límites de un lugar. // fig. Aclarar una cosa.
DESLIZ m. Acción y efecto de deslizar o deslizarse. // fig. Falta, flaqueza en que uno ha caído.
DESLIZAR intr. y r. Resbalar un cuerpo sobre otro liso o mojado. // r. fig. Escaparse, evadirse. // Incurrir en una culpa.
DESLUMBRAR tr. y r. Ofuscar la vista con demasiada luz. // fig. Producir a uno una impresión grande.
DESMADEJAR tr. y r. fig. Causar flojedad en el cuerpo.
DESMÁN m. Exceso, desorden.
DESMANDAR tr. Revocar la orden o mandato. // r. Propasarse. // Desordenarse.
DESMANTELAR tr. Derribar las fortificaciones. // fig. Desamparar. // Desaparejar una embarcación.
DESMAYAR tr. Causar desmayo. // Intr. fig. Perder el valor. // r. Perder el sentido y el conocimiento.
DESMAYO m. *Med.* Desfallecimiento, síncope.
DESMEDIDO, DA adj. Desproporcionado.
DESMEDRAR tr. y r. Deteriorar. // intr. Ir a menos.
DESMEJORAR tr. y r. Ajar, deslucir. // intr. y r. Ir perdiendo la salud.
DESMEMBRAR tr. Dividir los miembros del cuerpo. // tr. y r. fig. Separar una cosa de otra.
DESMEMORIADO, DA adj. y s. Que es torpe de memoria.
DESMENTIR tr. Decir a uno que miente. // Demostrar la falsedad de un dicho o hecho.

DESMENUZAR tr. y r. Deshacer una cosa en partes menudas. // tr. fig. Examinar menudamente una cosa.
DESMERECER tr. Hacerse indigno de premio o alabanza. // Ser una cosa inferior a otra.
DESMESURAR tr. Desordenar. // r. Excederse.
DESMONTAR tr. Cortar en un monte los árboles o matas. // Rebajar un terreno.
DESMONTAR tr. Desarmar. // tr., intr. y r. Bajar a uno de una caballería.
DESMORALIZAR tr. y r. Corromper la moral de uno con malos ejemplos. // Hacer perder el valor.
DESMORONAR tr. y r. Arruinar poco a poco los edificios. // r. Venir a menos.
DESMOVILIZAR tr. Licenciar a las personas o tropas movilizadas.
DESNATURALIZADO, DA adj. y s. Que falta a los deberes que la naturaleza impone a los padres, hijos, etc.
DESNATURALIZAR tr. y r. Privar a uno del derecho de la naturaleza y patria. // tr. Variar la forma o propiedades de una cosa.
DESNIVEL m. Falta de nivel. // Diferencia de altura entre dos o más puntos.
DESNIVELAR tr. y r. Sacar de nivel.
DESNUCAR tr. y r. Sacar de su lugar los huesos de la nuca.
DESNUDAR tr. y r. Quitar la ropa. // fig. Despojar una cosa de lo que la cubre o adorna.
DESNUDO, DA adj. Sin vestido. // fig. Despojado de lo que cubre. // Falto de recursos.
DESNUTRICIÓN f. *Med.* Depauperación del organismo.
DESOBEDECER tr. No hacer uno lo que le ordenan.
DESOCUPAR tr. Desembarazar un lugar. // Sacar lo que hay dentro de una cosa.
DESODORANTE adj. Que destruye los olores.
DESOLAR tr. Asolar. // r. fig. Afligirse.
DESOLLAR tr. y r. Quitar la piel del cuerpo.
DESORBITAR tr. Sacar un cuerpo de órbita. // Exagerar una cosa.
DESORDEN m. Falta de orden. // Confusión. // Demasía, exceso.
DESORGANIZAR tr. y r. Desordenar en grado sumo.
DESORIENTAR tr. y r. Hacer perder la orientación. // fig. Confundir.
DESOVAR intr. Soltar las hembras de los peces y anfibios sus huevos.
DESOXIDAR tr. *Quím.* Quitar el oxígeno. // Limpiar un metal del óxido.
DESPABILAR tr. fig. Despachar brevemente. // Robar. // Avivar el ingenio. // r. fig. Sacudir el sueño.
DESPACIO adv. m. Poco a poco.
DESPACHAR tr. Abreviar, concluir. // Resolver los negocios. // Enviar. // Vender mercaderías. // Despedir. // fig. y fam. Matar.
DESPACHO m. Acción y efecto de despachar. // Aposento para despachar negocios o para estudio. //

Comunicación.
DESPARPAJO m. fam. Desenfado en el hablar o en las acciones.

Iturrino: Desnudos, detalle (M. Bellas Artes, Bilbao)

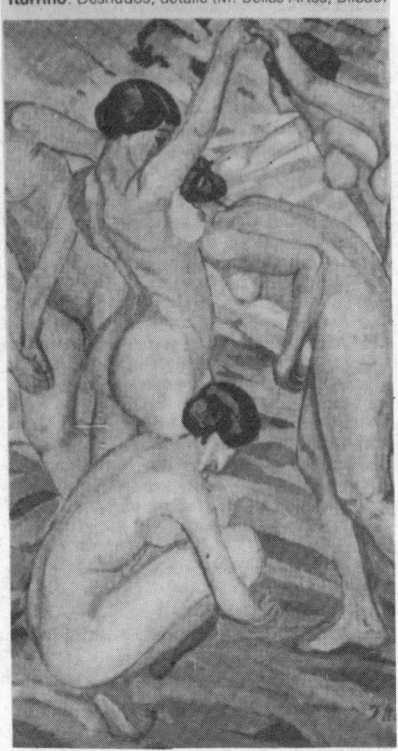

DESPARRAMAR tr. Esparcir lo que estaba junto. // fig. Derrochar.
DESPAVORIDO, DA adj. Lleno de pavor.
DESPECTIVO, VA adj. Despreciativo.
DESPECHO m. Malquerencia o desengaños sufridos o por fracaso de nuestra vanidad.
DESPEDAZAR tr. y r. Hacer pedazos un cuerpo.
DESPEDIDA f. Acción y efecto de despedir a uno o despedirse.
DESPEDIR tr. Soltar, arrojar una cosa. // Quitar al empleo. // Acompañar al que sale o se va. // Exhalar. // fig. Difundir. // r. Decir alguna cosa al separarse una persona de otra.
DESPEGAR tr. Desprender lo ques estaba pegado. // intr. Separarse del suelo o del agua el avión al iniciar el vuelo.
DESPEJAR tr. Desembarazar un sitio. // fig. Aclarar. // r. Hablando de la atmósfera, aclararse.
DESPELUZAR tr. Desordenar el pelo. // r. Erizar el cabello gralte. por el horror o miedo.
DESPELLEJAR tr. Desollar. // fig. Murmurar.

DESPEÑAR tr. y r. Arrojar a una persona o cosa desde un lugar alto. // r. fig. Entregarse a vicios.
DESPERDICIAR tr. Emplear mal una cosa. // Desaprovechar algo.
DESPERDICIO m. Residuo de lo que no se puede aprovechar.
DESPERDIGAR tr. y r. Separar, esparcir.
DESPEREZARSE r. Estirar los miembros, para sacudir la pereza o desentumecerse.
DESPERFECTO m. Leve deterioro.
DESPERTAR tr. y r. Cortar el sueño al dormido. // fig. Recordar algo ya olvidado. // Mover, excitar. // r. Hacerse más entendido.
DESPIADADO, DA adj. Inhumano.
DESPIERTO, TA adj. fig. Avisado, vivo.
DESPILFARRO m. Destrozo de ciertas cosas. // Derroche.
DESPISTAR tr. Hacer perder la pista.
DESPLANTE m. Postura irregular. // fig. Dicho o hecho lleno de arrogancia o descaro.
DESPLAZAR tr. y r. Mover a una persona o cosa del lugar en que está.
DESPLEGAR tr. y r. Desdoblar, extender. // tr. fig. Ejercitar una actividad o una cualidad.
DESPLOMAR tr. Hacer perder la posición vertical. // r. fig. Caerse sin vida o sin conocimiento. // Arruinarse.
DESPOBLACIÓN f. Falta total o parcial de la gente que poblaba un lugar.
DESPOBLAR tr. y r. Reducir a yermo y desierto lo que estaba habitado. // tr. fig. Despojar un sitio de lo que hay en él.
DESPOJAR tr. Privar a uno de lo que goza y tiene. // r. Desnudarse. // Desposeerse de algo voluntariamente.
DESPOJO m. Acción y efecto de despojar o despojarse. // Botín. // Vientre, asaduras, etc., de las aves y reses muertas. // pl. Sobras. // Restos mortales.
DESPOSADO, DA adj. y s. Recién casado. // adj. Esposado.
DESPOSAR tr. Autorizar el párroco el matrimonio. // r. Contraer matrimonio.
DESPOSEER tr. Privar a uno de lo que posee. // r. Renunciar alguno lo que posee.
DESPOSORIO m. Promesa mútua que el hombre y la mujer se hacen de contraer matrimonio.
DÉSPOTA m. El que ejercía el mando supremo. //

DESPEGUE del avión de combate F-100

Soberano que gobierna sin sujeción a ley alguna. // fig. persona que abusa de su poder.
DESPOTISMO m. Autoridad absoluta. // Abuso en el trato con los demás.
DESPOTRICAR intr. fam. Hablar sin consideración ni reparo.
DESPRECIAR tr. Desestimar. // Desairar. // r. Desdeñarse.
DESPRECIATIVO, VA adj. Que indica desprecio.
DESPRENDER tr. Desunir, desatar lo que estaba unido. // tr. y r. Echar de sí alguna cosa. // r. fig. Deducirse, inferirse.
DESPREOCUPACIÓN f. Estado del ánimo tranquilo. // Falta de prejuicios para obrar con justicia.
DESPRESTIGIAR tr. y r. Quitar el prestigio.
DESPREVENIDO, DA adj. Desapercibido, falto de lo necesario.
DESPROPORCIÓN f. Falta de la proporción debida.
DESPROPÓSITO m. Dicho o hecho fuera de sazón, o de sentido.
DESPROVISTO, TA adj. Falto de lo necesario.
DESPUÉS adv. t. y l. Denota posterioridad de tiempo, lugar o situación.
DESPUNTAR tr. y r. Quitar o gastar la punta. // intr. Empezar a brotar las plantas. // fig. Manifestar agudeza, descollar. // Empezar a amanecer.
DESQUICIAR tr. y r. Sacar de quicio una cosa. // fig. Desocmponer una cosa. // Quitar el aplomo a una persona.
DESQUITAR tr. y r. Restaurar la pérdida. // fig. Tomar venganza.
DESTACAMENTO m. Mil. Tropa destacada.
DESTACAR tr., intr., y r. fig. Poner de relieve los méritos o cualidades de una persona o cosa. // Mil. tr. y r. Separar una porción de tropa para un fin.
DESTAJO m. Ocupación que se ajusta por un tanto alzado.
DESTARTALADO, DA adj. y s. Descompuesto, desproporcionado.
DESTELLAR tr. Despedir destellos.
DESTELLO m. Resplandor vivo y efímero; ráfaga de luz.
DESTEMPLANZA f. Intemperie. // Sensación de malestar. // fig. Descomedimiento.
DESTEMPLAR tr. Alterar el buen orden de una cosa. // r. Perder el temple el acero u otros metales. // fig. Alterarse.
DESTEÑIR tr. y r. Quitar el tinte; apagar los colores.
DESTERRAR tr. Echar a uno de un territorio. // Quitar la tierra a las raíces de las plantas o a otras cosas. // fig. Apartar de sí.
DESTETAR tr. y r. Hacer que deje de mamar el niño o las crías de los animales.
DESTIERRO m. Acción y efecto de desterrar o desterrarse.
DESTILACIÓN f. Acción y efecto de destilar.
DESTILAR tr. Separar una sustancia volátil de otras más fijas y reducirla nuevamente a líquido. // tr. y r. Filtrar.
DESTINATARIO, RIA m. y f. Persona a quien va destinada una cosa.
DESTINO m. Hado. // Encadenamiento de sucesos considerado como necesario y fatal. // Empleo, ocupación. // Lugar en que un individuo sirve a su empleo.
DESTITUIR tr. Privar a uno de algo. // Separar a uno de su cargo.
DESTORNILLAR tr. Sacar un tornillo dándole vueltas. // r. fig. Obrar sin juicio.
DESTREZA f. Habilidad, arte y primor con que se hace una cosa.
DESTRONAR tr. Deponer y privar del reino a uno. // fig. Quitar a uno su preponderancia.
DESTROZAR tr. y r. Despedazar. // tr. fig. Estropear, maltratar.
DESTRUCCIÓN f. Acción y efecto de destruir. // Ruina, pérdida grande.
DESTRUIR tr. y r. Deshacer, asolar una cosa. // tr. fig. Malgastar
DESUNIR tr. y r. Separar una cosa de otra. // fig. Introducir discordia.
DESUSO m. Falta de uso.
DESVAÍDO, DA adj. Apl. a la persona alta y desairada. // Díc. del color pálido.
DESVALIDO, DA adj. y s. Desamparado.
DESVALIJAR tr. Robar el contenido de una valija o maleta. // fig. Robar a uno sus bienes.
DESVALORIZAR tr. Hacer perder parte de su valor a una cosa.
DESVÁN m. Parte más alta de la casa, inmediata al tejado.
DESVANECER tr. y r. Disgregar un cuerpo de modo que desaparezca de la vista. // fig. Deshacer o anular. // Quitar de la mente una idea. // Evaporarse, exhalarse. // r. y tr. Desmayarse.
DESVARÍO m. Dicho o hecho absurdo. // Locura pasajera. // fig. Monstruosidad. // Inconstancia, capricho.
DESVELAR tr. y r. Quitar, impedir el sueño. // r. fig. Poner atención en lo que uno tiene que hacer.
DESVENCIJAR tr. y r. Aflojar, desunir las partes de una cosa que estaban unidas.
DESVENTAJA f. Mengua o perjuicio que se nota por comparación de dos cosas.
DESVENTURA f. Desgracia.
DESVERGÜENZA f. Falta de vergüenza. // Dicho o hecho insolente.
DESVIACIÓN f. Acción y efecto de desviar o desviarse.
DESVIAR tr. y r. Apartar, separar de su lugar o camino una cosa. // tr. fig. Disuadir a uno de la intención en que estaba.
DESVINCULAR tr. Anular un vínculo, liberando lo que estaba sujeto a él.
DESVIRGAR tr. Quitar la virginidad a una doncella.

DESVIRTUAR tr. y r. Quitar la virtud o vigor.
DETALLAR tr. Tratar, referir una cosa por menos, por partes. // Vender al por menor.
DETALLE m. Cuenta o lista circunstanciada.
DETALLISTA com. Persona que se cuida mucho de los detalles. // Comerciante que vende al por menor.
DETECTAR tr. Poner de manifiesto, por métodos físicos o químicos, lo que no puede ser observado directamente.
DETECTIVE m. Agente particular de policía secreta.
DETENCIÓN f. Acción y efecto de detener o detenerse. // Dilación. // Privación de la libertad.
DETENER tr. y r. Suspender una cosa, impedir que pase adelante. // Arrestar, poner en prisión. // r. Retardarse. // Pararse a considerar algo.
DETENIMIENTO m. Detención.
DETENTAR tr. Retener uno sin derecho lo que no le pertenece.
DETERGENTE m. *Quím*. Sustancia que limpia y purifica.
DETERIORAR tr. y r. Estropear, poner en inferior condición algo.
DETERMINANTE adj. Que determina.
DETERMINAR tr. Fijar los términos de una cosa. // Distinguir, discernir. // Señalar, fijar una cosa para algún efecto. // tr. y r. Tomar resolución.
DETERMINATIVO, VA adj. Díc. de lo que determina o resuelve.
DETERMINISMO m. *Fil*. Teoría filosófica que afirma que todos los fenómenos están sometidos a leyes causales.
DETESTAR tr. Condenar y maldecir. // Aborrecer.
DETONAR intr. Dar estampido o trueno.
DETRACTOR, RA adj. y s. Maldiciente o infamador.
DETRAER tr. y r. Sustraer, apartar o desviar. // tr. fig. Infamar.
DETRÁS adv. l. En la parte posterior o con posterioridad de lugar. // fig. En ausencia.
DETRIMENTO m. Destrucción leve o parcial. // Quebranto de la salud o de los intereses. // fig. Daño moral.
DETRITO m. Residuo de la descomposición de una masa sólida en partículas.
DEUDA f. Obligación que uno tiene de pagar o reintegrar a otro algo. // Obligación moral contraída con otro. // Pecado, culpa.
DEUDO, DA m. y f. Pariente. // m. Parentesco.
DEVALUAR tr. Rebajar el valor de una moneda o de otra cosa, despreciarla.
DEVANAR tr. Arrollar hilos, lanas, etc., en una bobina, haciendo un ovillo.
DEVANEO m. Delirio, desatino. // Distracción vana o reprensible. // Amorío pasajero.
DEVASTAR tr. Destruir un territorio, arrasar, asolar.
DEVENGAR tr. Adquirir derecho a alguna percepción o retribución.
DEVENIR intr. Sobrevenir, suceder, acaecer. // *Fil*. Llegar a ser.
DEVOCIÓN f. Amor y fervor religiosos. // fig. Afición especial. // Costumbre devota. // Prontitud en someterse a la voluntad de Dios.
DEVOCIONARIO m. Libro de oraciones para uso de los fieles.
DEVOLVER tr. Volver una cosa al estado que tenía. // Restituir una cosa al que la poseía. // Corresponder a algo. // fam. Vomitar.
DEVÓNICO m. *Geol*. Período de la Era Primaria, predecesor del carbonífero.
DEVORAR tr. Tragar con ansia y apresuradamente. // fig. Consumir, destruir. // Poner atención ávida a una cosa.
DEVOTO, TA adj. y s. Que siente devoción. // m. Objeto de la devoción de uno.
DI- Pref. que significa *dos*.
DI- Pref. que denota oposición o contrariedad, origen o procedencia, extensión o dilatación.
DÍA- Pref. que significa separación; a través de; entre.
DÍA m. Tiempo que el Sol emplea en dar aparentemente una vuelta alrededor de la Tierra. // Tiempo que dura la claridad del Sol sobre el horizonte. // Cumpleaños. // Momento, ocasión.
DIABETES f. *Med*. Enfermedad de la nutrición caracterizada por excesiva secreción de orina, de composición anormal.
DIABLO m. Nombre de los ángeles arrojados al abismo. // fig. Persona de mal genio o atrevida. // Persona que tiene sutileza y maña.

El **DIABLO**, de Signorelli

DIABLURA f. Travesura extraordinaria.
DIABÓLICO, CA adj. Perten. o rel. al diablo. // fig. y

fam. Excesivamente malo. // fig. Enrevesado.
DIACLASA f. *Geol.* Fractura de una roca.
DIÁCONO m. Clérigo de grado segundo en dignidad, inmediato al sacerdocio.
DIACRÍTICO, CA adj. *Gram.* Apl. a los signos ortográficos que sirven para dar a una letra un valor esp., como la diéresis.
DIADEMA f. Cinta blanca que ant. ceñía la cabeza de los reyes. // Corona. // Adorno femenino.
DIÁFANO, NA adj. Díc. del cuerpo a través del cual pasa la luz casi totalmente. // fig. Claro, limpio.
DIAFRAGMA m. *Anat.* Tabique muscular que separa el tórax y el abdomen. // *Fotograf.* Disco con un orificio central que se pone delante del objetivo para regular la luz.

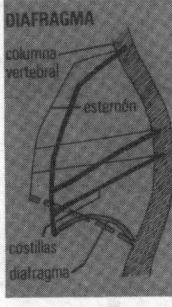

DIAGNOSIS f. *Med.* Conocimiento de los signos de las enfermedades.
DIAGNOSTICAR tr. *Med.* Determinar una enfermedad mediante el examen de sus signos.
DIAGONAL adj. y s. *Geom.* Segmento que une dos vértices no consecutivos de un polígono.
DIAGRAMA m. Esquema geométrico que sirve para probar una proposición, resolver un problema, etc.
DIALECTAL adj. Perten. a un dialecto.
DIALÉCTICA f. *Fil.* Método de análisis para comprender la estructura de la realidad.
DIALECTO m. *Ling.* Modalidad de un idioma característica de una región particular.
DIALIPÉTALO, LA adj. Díc. de la flor con pétalos libres.
DIÁLISIS f. *Quím-Fís.* Separación de los coloides y cristaloides de una disolución.
DIALOGAR intr. Hablar en diálogo.
DIÁLOGO m. Plática entre dos o más personas. // Obra literaria en que se finge una plática.
DIAMANTE m. *Mineral.* Piedra de joyería formada de carbono cristalizado, de gran brillo y tan dura que raya todos los demás cuerpos.
DIAMANTINO, NA adj. Perten. o rel. al diamante. // fig. y poét. Duro, persistente.
DIÁMETRO m. *Geom.* Línea recta que pasa por el centro del círculo y termina por ambos extremos en la circunferencia.
DIANA f. *Mil.* Toque militar al amanecer para que la tropa se levante. // Punto central de un blanco de tiro.
DIAPASÓN m. Varilla metálica en forma de U que, al vibrar, produce un tono determinado.
DIAPOSITIVA f. Fotografía positiva sacada en cristal, celuloide, etc.
DIARIO, RIA adj. Correspondiente a todos los días. // m. Periódico que se publica todos los días.
DIARQUÍA f. Gobierno simultáneo de dos reyes.
DIARREA f. *Med.* Fenómeno que consiste en evacuaciones de vientre líquidas y frecuentes.
DIÁSPORA f. Diseminación de los judíos por el mundo. // Por ext., dispersión de individuos que vivían juntos.
DIÁSTOLE f. *Fisiol.* Movimiento de dilatación del corazón y de las arterias.
DIÁTESIS f. *Med.* Predisposición a contraer determinada enfermedad.
DIATOMEAS f. pl. *Bot.* Algas unicelulares.
DIATÓNICO, CA adj. Díc. de la escala natural en la que se suceden cinco tonos y dos semitonos.
DIATRIBA f. Discurso o escrito violento e injurioso.
DIBUJANTE adj. y s. Que dibuja.
DIBUJAR tr. y r. Delinear en una superficie, y sombrear imitando la figura de un cuerpo. // fig. Describir.
DIBUJO m. Acción y efecto de dibujar. // Arte que enseña a dibujar.
DICCIÓN f. Palabra. // Manera de hablar o escribir. // Manera de pronunciar.
DICCIONARIO m. Libro en que por orden comúnmente alfabético se contienen y explican las palabras de uno o más idiomas o las de una ciencia o materia determinada.
DICOTILEDÓNEAS f. pl. *Bot.* Clase de plantas angiospermas cuya semilla posee dos cotiledones.
DICOTOMÍA f. *Biol.* Bifurcación o división en dos partes.
DICTADO m. Título de dignidad, calificativo aplicado a personas. // Acción de dictar. // pl. fig. Inspiraciones o preceptos de la razón o de la conciencia.
DICTADOR m. Persona que asume todos o los principales poderes del Estado.
DICTADURA f. Cargo de dictador. // Tiempo que dura. // Gobierno que se ejerce fuera de las leyes constitutivas de un país.
DICTÁFONO m. Aparato grabador y reproductor de sonido.
DICTAMEN m. Opinión y juicio que se forma o emite sobre algo.
DICTAMINAR intr. Dar dictamen.
DICTAR tr. Decir uno algo para que otro lo vaya escribiendo. // Dar, pronunciar leyes, preceptos, etc. // fig. Inspirar, sugerir.
DICTERIO m. Dicho denigrativo que insulta y provoca.
DICHA f. Felicidad. // Suerte feliz.
DICHO, CHA m. y f. Palabra o conjunto de palabras con que se expresa un concepto. // Ocurrencia chis-

tosa y oportuna.
DICHOSO, SA adj. Feliz. // Que trae consigo dicha. // fam. Enfadoso, molesto.

dibujos
la Gioconda, por Leonardo da Vinci;
La madre del artista, por Alberto Durero

DIDÁCTICA f. Arte de enseñar.
DIDÁCTICO, CA adj. Rel. a la enseñanza. // Perten. o rel. a la didáctica.
DIEDRO m. *Geom*. Conjunto formado por dos semiplanos que se cortan en una recta común.
DIELÉCTRICO, CA adj. y s. m. Díc. del cuerpo mal conductor de la electricidad.
DIENTE m. *Anat*. Cada uno de los huesos duros, blancos, lisos, engastados en los alvéolos de los maxilares. Sirven para la masticación. // Cada punta o resalto que presentan algunas cosas.
DIÉRESIS f. Licencia poética que en el verso pemite deshacer un diptongo. // Signo ortográfico (¨) que se pone sobre la *u* de las sílabas *gue, gui*, para indicar que esta letra debe pronunciarse.

DIIONARIO de la Real Academia, Ed. de 1.726

DIESTRA f. Mano derecha.
DIESTRO, TRA adj. Derecho. // Experto. // m. Matador de toros.
DIETA f. Régimen en el comer y beber.
DIETA f. Junta o asamblea en que ciertos Estados deliberan sobre negocios que les son comunes. // Remuneración y honorario.
DIETARIO m. Libro en que se anotan los ingresos y gastos diarios.
DIETÉTICA f. *Med*. Parte de la medicina que estudia los regímenes alimentarios.
DIEZ adj. Nueve y uno. // adj. y s. Décimo.
DIEZMAR tr. Sacar de diez uno. // fig. Causar gran mortandad en un país cualquier calamidad.
DIEZMO m. Derecho de diez por ciento del valor de las mercaderías que se pagaba al rey o a la Iglesia.
DIFAMAR tr. Desacreditar.
DIFERENCIA f. Cualidad por la cual una cosa se distingue de otra. // Oposición de dos o más personas. // *Arit*. Resultado de efectuar una resta.
DIFERENCIAL adj. Perten. o rel. a la diferencia entre las cosas. // *Mat*. Díc. de una cantidad infinitamente pequeña. // *Tecnol*. Mecanismo que enlaza tres engranajes cuyas velocidades guardan entre sí determinada relación.
DIFERENCIAR tr. Hacer distinción. // Mudar el uso que se hace de las cosas. // r. Distinguirse una cosa de

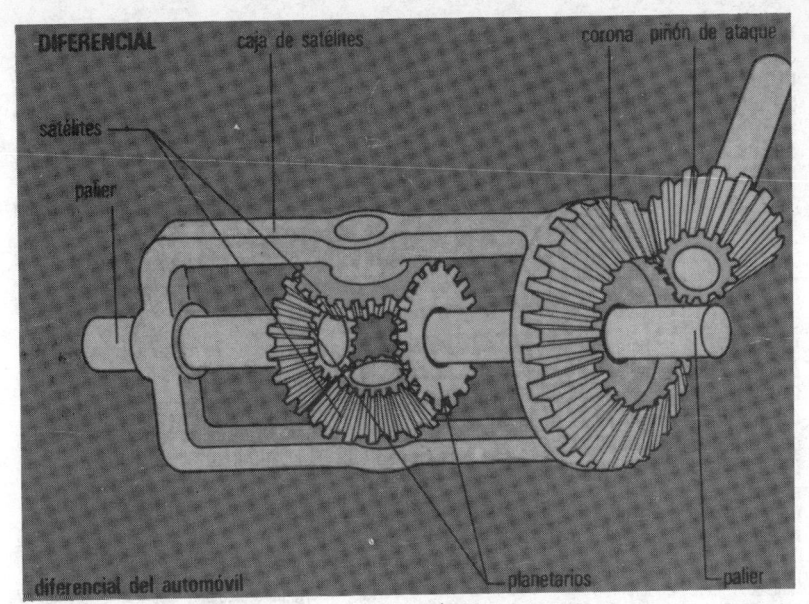

DIFERENCIAL: satélites, palier, caja de satélites, corona, piñón de ataque, planetarios, palier. *diferencial del automóvil*

otra.
DIFERENTE adj. Diverso, distinto.
DIFERIR tr. Retardar la ejecución de una cosa. // intr. Distinguirse una cosa de otra.
DIFÍCIL adj. Que no se logra, ejecuta o entiende sin mucho trabajo.
DIFICULTAR tr. Poner dificultades a algo. // Hacer difícil algo.
DIFRACCIÓN f. *Fís.* División e inflexión de los rayos luminosos y de otros movimientos ondulatorios cuando se encuentran con un cuerpo opaco.
DIFTERIA f. *Med.* Enfermedad infecto-contagiosa que forma falsas membranas en la garganta y piel.
DIFUMINAR tr. Esfumar.
DIFUNDIR tr. y r. Extender, propagar.
DIFUNTO, TA adj. y s. Díc. de la persona muerta.
DIFUSIÓN f. Acción y efecto de difundir o difundirse.
DIFUSO, SA adj. Ancho, dilatado.
DIFUSOR, RA adj. y s. Que difunde.
DIGERIR tr. Convertir en el aparato digestivo los alimentos en sustancia propia para la nutrición. // fig. Sufrir con paciencia una desgracia o una ofensa. // Meditar una cosa.
DIGESTIÓN f. Acción y efecto de digerir.
DIGESTIVO, VA adj. Apl. a los procesos y a las partes del organismo que intervienen en la digestión. // adj. y s. m. Díc. de lo que facilita la digestión.
DIGITAL adj. Perten. o rel. a los dedos.
DIGITÍGRADO, DA adj. *Zool.* Díc. del animal esp. adaptado a la carrera, que al marchar apoya únicamente los dedos.
DÍGITO m. *Arit.* Cada uno de los signos que se utilizan en un sistema de numeración, para la formación de los números.
DIGNARSE r. Servirse hacer algo.
DIGNATARIO m. Persona investida de una dignidad.
DIGNIDAD f. Calidad de digno. // Excelencia, realce. // Cargo honorífico y de autoridad.
DIGNIFICAR tr. y r. Hacer digna a una persona o cosa.
DIGNO, NA adj. Que merece algo, en sentido favorable o adverso.
DÍGRAFO m. Conjunto de dos letras que hace un solo sonido.

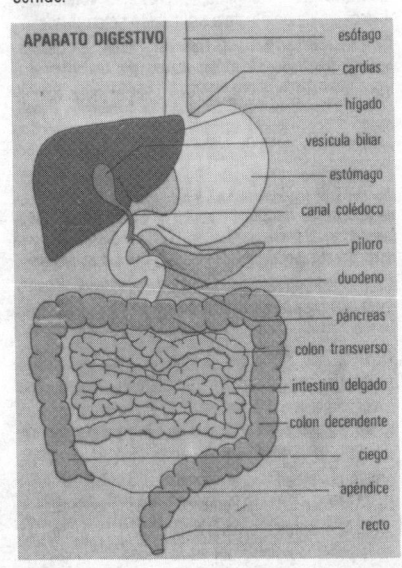

APARATO DIGESTIVO: esófago, cardias, hígado, vesícula biliar, estómago, canal colédoco, píloro, duodeno, páncreas, colon transverso, intestino delgado, colon descendente, ciego, apéndice, recto.

DIGRESIÓN f. Parte de un discurso que no tiene conexión con aquello que se está tratando.
DIJE m. Joya o alhaja que se lleva por adorno.
DILACIÓN f. Retardación o detención de una cosa por algún tiempo.
DILAPIDAR tr. Malgastar.
DILATACIÓN f. Acción y efecto de dilatar o dilatarse. // fig. Desahogo en una pena o sentimiento. // *Fís.* Aumento de volumen de un cuerpo.
DILATADO, DA adj. Extenso, numeroso.
DILATAR tr. y r. Extender, alargar y hacer mayor una cosa. // Diferir, retardar. // r. Extenderse mucho en un discurso o escrito.
DILECCIÓN f. Amor honesto.
DILECTO, TA adj. Amado con dilección.
DILEMA m. Argumento formado de dos proposiciones contrarias disyuntivamente, las cuales conducen a la misma conclusión.
DILETANTE adj. Apl. al que, por diversión, es aficionado al arte.
DILIGENCIA f. Cuidado en ejecutar una cosa. // Prontitud, agilidad. // Coche dividido en departamentos, arrastrado por caballerías, para transporte de viajeros. // fam. Negocio.
DILIGENTE adj. Cuidadoso y activo. // Ligero en el obrar.
DILUCIDAR tr. Declarar, explicar.
DILUIR tr. y r. Desleír.
DILUVIO m. Inundación por la lluvia. // Por antonom., el universal en tiempos de Noé. // fig. y fam. Lluvia muy copiosa.
DIMANAR intr. Proceder el agua de sus manantiales. // fig. Provenir.
DIMENSIÓN f. Longitud, extensión o volumen. // Extensión de un objeto en dirección determinada.
DIMINUTIVO, VA adj. Que tiene cualidad de disminuir una cosa. // *Gram.* Apl. a los vocablos que disminuyen la significación de los positivos de que proceden.
DIMINUTO, TA adj. Defectuoso. // Excesivamente pequeño.
DIMISIÓN f. Renuncia de algo.
DIMITIR tr. Renunciar a una cosa, como empleo, comisión, etc.
DIFORMISMO m. *Biol.* Diferencia de forma entre los individuos de una especie.
DIMORFO, FA adj. Díc. del mineral que puede presentarse en dos formas cristalinas diferentes.
DINA f. Unidad de medida que representa la fuerza necesaria para comunicar a un gramo la velocidad de un centímetro por segundo.
DINÁMICA f. *Fís.* Parte de la mecánica que estudia el movimiento de los cuerpos en relación con las causas que lo producen.
DINÁMICO, CA adj. Perten. o rel. a la fuerza cuando produce movimiento, o a la dinámica. // fig. y fam. Díc. de la persona notable por su actividad.

DINAMISMO m. Energía activa y propulsora.
DINAMITA f. Mezcla explosiva de nitroglicerina con una base absorbente.
DINAMO o DÍNAMO f. Máquina que transforma la energía mecánica en energía eléctrica o viceversa.
DINAMÓMETRO m. Aparato utilizado para medir fuerzas.
DINASTÍA f. Serie de príncipes soberanos de una familia.
DINERO m. Moneda corriente. // Moneda de plata de Perú. // fig. y fam. Caudal, fortuna.
DINOSAURIO m. *Paleont.* Nombre común de los reptiles fósiles de gran tamaño, exclusivos del mesozoico.
DINTEL m. *Arq.* Parte superior de puertas, ventanas y otros huecos, que carga sobre las jambas.
DIÓCESIS f. Territorio en que tiene jurisdicción un obispo.
DIONISIACO, CA o **DIONISÍACO, CA** adj. Perten. o rel. a Baco, llamado también Dionisio.
DIÓPSIDO m. *Mineral.* Silicato de calcio y magnesio.
DIOPTRÍA f. *Opt.* Unidad empleada para medir la refracción del ojo y de los aparatos ópticos.
DIOS m. Nombre sagrado del Ser Supremo. // Cualquiera de las deidades veneradas por los gentiles.
DIPLODOCO m. *Paleont.* Reptil fósil de gran tamaño.
DIPLOMA m. Despacho, bula u otro documento autorizado, cuyo original queda archivado. // Título para acreditar un grado académico, un premio, etc.
DIPLOMACIA f. Ciencia de los intereses y relaciones de unas naciones con otras. // Servicio de los estados en sus relaciones internacionales. // fig. y fam. Habilidad, disimulo.
DIPLOMÁTICO, CA adj. Perten. al diploma, o a la diplomacia. // adj. y s. Apl. a los negocios de Estado entre naciones, y a las personas que intervienen en ellos. // adj. fig. y fam. Sagaz, disimulado.
DIPLOPÍA f. *Med.* Fenómeno que consiste en ver dobles los objetos.
DIPSACÁCEAS f. pl. *Bot.* Fam. de plantas herbáceas angiospermas.
DÍPTERO adj. *Arq.* Díc. del edificio que tiene dos costados salientes. // *Zool.* m. pl. Insectos chupadores, de dos alas membranosas.

insecto díptero del género **Tachina**

DÍPTICO m. Cuadro o bajorrelieve formado por dos

tablillas que se cierran como un libro.
DIPTONGO m. *Gram.* Conjunto de dos vocales que se pronuncian en una sola sílaba.
DIPUTACIÓN f. Conjunto de los diputados. // Ejercicio y duración del cargo de diputado.
DIPUTADO, DA m. y f. Persona nombrada o elegida para representar a otras.
DIQUE m. Muro hecho para contener las aguas.
DIRECCIÓN f. Acción y efecto de dirigir o dirigirse. // Camino, rumbo. // Conjunto de personas que rigen una sociedad, establecimiento, etc. // Cargo de director. // Señas escritas en una carta o cualquier otro objeto.
DIRECTIVO, VA adj. y s. Que tiene facultad o virtud de dirigir.
DIRECTO, TA adj. Derecho, en línea recta. // Díc. de lo que se encamina derechamente a una meta.
DIRECTOR, RA m. y f. Persona que dirige un negocio o establecimiento.
DIRECTORIO, RIA adj. Que es a propósito para dirigir. // m. Junta directiva de ciertas asociaciones.
DIRECTRIZ f. *Geom.* Línea en que se apoya la generatriz para engendrar una superficie.
DIRIGIBLE adj. y s. m. *Aeron.* Vehículo aéreo provisto de motores de avance y de timones.
DIRIGIR tr. y r. Enderezar, llevar rectamente una cosa hacia un término. // tr. Guiar. // Gobernar, regir. // Aconsejar.
DIRIMIR tr. Deshacer, disolver. // Componer una controversia.
DIS- Prefijo que denota negación.
DISCERNIMIENTO m. Juicio por cuyo medio percibimos la diferencia entre varias cosas.
DISCERNIR tr. Distinguir una cosa de otra. // *Der.* Encargar el juez a uno la tutela de un menor, u otro cargo.
DISCIPLINA f. Doctrina, instrucción de una persona. // Arte, facultad o ciencia. // Observancia de las leyes y reglas de una profesión o instituto. // Instrumento con varios ramales, que sirve para azotar.
DISCIPLINAR tr. Instruir, enseñar. // Hacer guardar la disciplina. // tr. y r. Azotar con disciplinas.
DISCÍPULO, LA m. y f. Persona que aprende bajo la dirección de un maestro. // Persona que sigue la opinión de una escuela.
DISCO m. Cuerpo cilíndrico tal que el diámetro de la base es muy superior a la altura. // Señal de tráfico de forma circular.
DISCÓBOLO m. Atleta que arroja un disco.
DÍSCOLO, LA adj. y s. Rebelde.
DISCONFORMIDAD f. Diferencia de unas cosas con otras. // Oposición, desacuerdo.
DISCONTÍNUO, NUA adj. No continuo.
DISCORDANCIA f. Disconformidad. // Falta de acorde entre sonidos.
DISCORDIA f. Desavenencia de voluntades o diversidad de opiniones.

DISCRECIÓN f. Sensatez para juzgar u obrar. // Don de expresarse con ingenio y oportunidad.
DISCRECIONAL adj. Que se hace libre y prudencialmente.
DISCREPAR intr. Desdecir una cosa con otra, diferenciarse. // Disentir.
DISCRETO, TA adj. y s. Dotado de discreción. // adj. Que incluye o denota discreción.
DISCRIMINAR tr. Separar, diferenciar una cosa de otra. // Dar trato de inferioridad a una persona o colectividad.
DISCULPAR tr. y r. Dar razones o pruebas que descarguen de culpa. // tr. fam. Perdonar las faltas.
DISCURRIR intr. Andar, correr por diversos lugares. // Transcurrir el tiempo; fluir un líquido. // fig. Reflexionar, platicar acerca de algo. // Inventar.
DISCURSIVO, VA adj. Dado a discurrir, reflexivo.
DISCURSO m. Facultad de razonar o discurrir. // Serie de palabras y frases empleadas para manifestar lo que se piensa o siente. // Oración. // Escrito o tratado en que se discurre sobre una materia. // Duración de tiempo.
DISCUSIÓN f. Acción y efecto de discutir.
DISCUTIR tr. Investigar minuciosamente una materia. // tr. e intr. Alegar razones contra el parecer de otro.
DISECAR tr. *Biol.* Dividir o separar en partes un cuerpo para su examen científico. // *Bot* Preparar una planta para que se pueda estudiar después de seca.
DISECCIÓN f. *Biol.* Acción y efecto de disecar.
DISEMINAR tr. y r. Sembrar, esparcir.
DISENTERÍA f. *Med.* Enfermedad infecciosa caracterizada por diarrea persistente con mezcla de sangre.
DISENTIR intr. No ajustarse al sentir o parecer de otro.
DISEÑAR tr. Hacer un diseño.
DISEÑO m. Delineación de un edificio o una figura.
DISÉPALO, LA adj. *Bot.* Díc. del cáliz o de la flor que tiene dos sépalos.
DISERTAR intr. Razonar, discurrir sobre alguna materia.
DISFORME adj. Deforme. // Feo. // Extraordinariamente grande.
DISFRAZ m. Artificio para desfigurar una cosa. // Por antonom., vestido de máscara. // fig. Simulación.
DISFRUTAR tr. Gozar los productos y utilidades de una cosa. // Gozar de salud, comodidad, etc. // Gozar del favor o amistad de uno.
DISGREGAR tr. y r. Separar, desunir lo que estaba unido.
DISGUSTAR tr. Causar disgusto al paladar. // tr. y r. fig. Causar enfado o pesadumbre.
DISGUSTO m. Desazón. // fig. Encuentro enfadoso con uno. // Pesadumbre, inquietud.
DISIDIR intr. Separarse de la común doctrina, creencia o conducta.
DISIMULAR tr. Encubrir con astucia la intención. // Desentenderse del conocimiento de algo. // Ocultar los sentimientos. // Tolerar un desorden. // Disfrazar.

DISIPAR tr. y r. Esparcir y desvanecer las partes de un cuerpo. // tr. Desperdiciar, malgastar. // r. Evaporarse. // fig. Desvanecerse.

disfraz ritual, códice postcolombino (M. América, Madrid)

DISJUNTO, TA adj. Que no está junto.
DISLATE m. Disparate.
DISLOCAR tr. y r. Sacar una cosa de su lugar. // tr. fig. Provocar entusiasmo.
DISLOQUE m. fam. El colmo, cosa excelente.
DISMINUCIÓN f. Merma de algo.
DISMINUIR tr., intr., y r. Hacer menor la extensión, intensidad o número de alguna cosa.
DISNEA f. *Med.* Dificultad de respirar.
DISOCIACIÓN f. Acción y efecto de disociar o disociarse. // *Psicol.* Enfermedad mental consistente en la ruptura de la unidad psíquica de la personalidad.
DISOCIAR tr. y r. Separar.
DISOLUCIÓN f. Acción y efecto de disolver o disolverse. // Compuesto que resulta de disolver cualquier sustancia en un líquido.
DISOLUTO, TA adj. y s. Licencioso.
DISOLVENTE adj. y s. m. Que disuelve.
DISOLVER tr. y r. Separar aquello que estaba unido. // Deshacer.
DISONANCIA f. Sonido desagradable. // fig. Desconformidad.
DISONAR intr. Sonar desapaciblemente; faltar a la consonancia y armonía. // fig. Discrepar.
DISPAR adj. Desigual, diferente.
DISPARADA f. *Amer.* Acción de echar a correr de repente.
DISPARAR tr. y r. Hacer que una máquina despida un cuerpo arrojadizo. // tr. Arrojar con violencia una cosa. // r. fig. Dirigirse precipitadamente hacia un objeto.
DISPARATADO, DA adj. Contrario a la razón.
DISPARATE m. Hecho o dicho disparatado. // fam. Atrocidad.
DISPARIDAD f. Desigualdad.
DISPARO m. Acción y efecto de disparar o dispararse. // fig. Disparate.
DISPENDIO m. Gasto excesivo.
DISPENSAR tr. Otorgar, distribuir. // Absolver. // tr. y r. Eximir de una obligación.
DISPENSARIO m. Establecimiento destinado a prestar asistencia médica.
DISPEPSIA f. *Med.* Perturbación crónica de la digestión.
DISPERSAR tr. y r. Separa, diseminar.
DISPLICENCIA f. Desagrado o indiferencia en el trato. // Desaliento.
DISPLICENTE adj. y s. Descontentadizo.
DISPONER tr. y r. Colocar. // Preparar, prevenir. // tr. Mandar lo que ha ce hacerse. // intr. Valerse de una persona o cosa.
DISPONIBLE adj. Dic. de aquello de lo que se puede disponer libremente. // Aptitud. // Estado de salud. // Desembarazo, soltura. // Precepto legal o reglamento.
DISPOSITIVO m. Mecanismo para obtener un resultado automático.
DISPUESTO, TA adj. Apuesto, bien proporcionado. // Hábil.
DISPUTA f. Acción y efecto de disputar.
DISPUTAR tr. Debatir. // Contender.
DISQUISICIÓN f. Examen riguroso que se hace de alguna cosa.
DISTANCIA f. Intervalo de lugar o tiempo que media entre dos cosas o sucesos. // fig. Alejamiento.
DISTANCIAR tr. y r. Poner a distancia. // Separar moralmente.
DISTANTE adj. Apartado, remoto.
DISTAR intr. Estar apartada una cosa de otra. // fig. Diferenciarse.
DISTENDER tr. Aflojar, relajar.
DISTENSIÓN f. Acción y efecto de distender o distenderse.
DÍSTICO m. Composición poética que sólo consta de dos versos.
DISTINCIÓN f. Acción y efecto de distinguir o distinguirse.
DISTINGUIDO, DA adj. Ilustre.
DISTINGUIR tr. Conocer la diferencia que hay de unas cosas a otras. // Diferenciar un objeto de los demás. // Otorgar a uno alguna dignidad, prerrogativa, etc.
DISTINTIVO, VA adj. Que tiene facultad de distinguir. // m. Insignia, marca.
DISTINTO, TA adj. Que no es lo mismo. // Inteligible, sin confusión.

DISTORSIÓN f. Torcedura. // *Electrón.* Deformación que sufre una onda durante su propagación.
DISTRACCIÓN f. Acción y efecto de distraer o distraerse.
DISTRAER tr. y r. Divertir. // Apartar la atención.
DISTRIBUCIÓN f. Acción y efecto de distribuir o distribuirse.
DISTRIBUIR tr. Dividir una cosa entre varios. // tr. y r. Dar a cada cosa su oportuna colocación.
DISTRIBUTIVO, VA adj. Que toca o atañe a la distribución.
DISTRITO m. Cada una de las demarcaciones en que se divide una población.
DISTURBIO m. Alteración o turbación de la paz y concordia.
DISUADIR tr. Mover con razones a mudar de dictamen o de propósito.
DISYUNCIÓN f. Acción y efecto de separar y desunir.
DISYUNTIVA f. Alternativa entre dos cosas por una de las cuales hay que optar.
DISYUNTIVO, VA adj. Díc. de lo que tiene la cualidad de desunir o separar.
DITIRAMBO m. Composición poética en honor de Baco. // fig. Alabanza exagerada.
DIURESIS f. *Fisiol.* Volumen total de orina secretada por el riñón.
DIURÉTICO, CA adj. y s. m. *Farm.* Sustancia que favorece la emisión de orina.
DIURNO, NA adj. Perten. al día.
DIVAGAR intr. Vagar. // Separarse del asunto de que se trata.
DIVÁN m. Especie de sofá sin respaldo.
DIVERGIR intr. Irse apartando unas de otras, dos o más líneas o superficies. // fig. Discrepar.
DIVERSIDAD f. Variedad. // Abundancia.
DIVERSIÓN f. Acción y efecto de divertir o divertirse. // Recreo, solaz.
DIVERSO, SA adj. De distinta naturaleza, figura, etc. // pl. Varios
DIVERTIR tr. y r. Apartar, desviar, alejar. // Entretener, recrear.
DIVIDENDO m. *Arit.* Cantidad que ha de dividirse por otra. // *Econ.* Parte de los beneficios económicos de una empresa.
DIVIDIR tr. Partir, separar en partes. // Distribuir. // fig. Desunir, introduciendo discordia.
DIVINIDAD f. Naturaleza divina y esencia del ser de Dios en cuanto Dios. // fig. Persona o cosa dotada de gran belleza.
DIVINIZAR tr. Hacer o suponer divina a una persona o cosa. // fig. Santificar. // Ensalzar desmedidamente.
DIVINO, NA adj. Perten. a Dios. // fig. Excelente.
DIVISA f. Señal exterior para distinguir personas, grados, etc. // pl. Moneda extranjera.
DIVISAR tr. Ver, percibir.
DIVISIBLE adj. Que puede dividirse.
DIVISIÓN f. Acción y efecto de dividir. // fig. Discordia, desunión. // *Arit.* Operación para averiguar cuántas veces una cantidad *(Divisor)* está contenida en otra *(Dividendo).* // *Mil.* Parte de un cuerpo de ejército, formado por dos o más brigadas.
DIVISOR m. *Arit.* Número que está contenido en otro un número exacto de veces.
DIVISORIO, RIA adj. Díc. de lo que sirve para dividir o separar.
DIVO, VA m. y f. Cantante famoso de ópera o zarzuela.
DIVORCIAR tr. y r. Disolver el matrimonio la autoridad pública.
DIVORCIO m. Acción y efecto de divorciar o divorciarse.
DIVULGAR tr. y r. Publicar, poner al alcance del público una cosa.
DO adv. l. Donde. U. en poesía.
DO m. *Mús.* Primera nota de la escala musical.
DOBLADILLO m. Pliegue que se hace a la ropa en los bordes.
DOBLAR tr. Hacer una cosa el doble de lo que era. // tr., intr. y r. Volver una cosa sobre otra. // tr. y r. Torcer una cosa. // tr. En el cine, sustituir las palabras del actor por las de otra persona. // intr. Tocar a muerto.
DOBLE adj. y s. m. Duplo. // adj. Díc. de la cosa que va acompañada de otra semejante. // m. Doblez. // Sosía.
DOBLEGAR tr. y r. Torcer encorvando.
DOBLEZ m. Parte que se dobla o pliega en una cosa, y señal que queda. // amb. fig. Astucia con que uno obra.
DOBLÓN m. Ant. moneda de oro española. // Moneda de oro de Chile.
DOCENA f. Conjunto de doce cosas.
DOCENCIA f. Práctica y ejercicio del docente.
DOCENTE adj. y s. Que enseña. // adj. Perten. o rel. a la enseñanza.
DÓCIL adj. Apacible, fácil de enseñar. // Obediente.
DOCTO, TA adj. y s. Que tiene más conocimientos que los ordinarios.
DOCTOR, RA m. y f. Persona que ha recibido el máximo grado académico. // Persona que enseña una ciencia o un arte. // Médico.
DOCTORADO m. Grado de doctor.
DOCTRINA f. Enseñanza que se da sobre cualquier materia. // Opinión de uno o varios autores en cualquier materia.
DOCTRINARIO, RIA adj. y s. Díc. del que hace radicar en la inteligencia humana el principio de la sabiduría.
DOCUMENTAL adj. Que se funda en documentos, o se refiere a ellos. // adj. y s. Película de carácter informativo o instructivo, tomada de la realidad.
DOCUMENTO m. Escrito que ilustra acerca de algún hecho. // fig. Cualquier cosa que sirve de prueba.
DODECAEDRO m. *Geom.* Poliedro de doce caras.
DODECÁGONO m. *Geom.* Polígono de doce lados.
DODECASÍLABO, BA adj. De doce sílabas.
DOGAL m. Soga para atar las caballerías. // Cuerda

para ahorcar.

DOGMA m. Proposición que se asienta por firme y cierta y como principio innegable de una ciencia. // Fundamento de todo sistema, ciencia o doctrina. // *Teol.* Verdad revelada por Dios, declarada por la Iglesia católica.

DOGMATIZAR tr. e intr. Enseñar los dogmas. // Afirmar como innegables principios sujetos a contradicción.

DÓLAR m. Unidad monetaria de Estados Unidos.

DOLENCIA f. Achaque, enfermedad.

DOLER intr. Padecer dolor. // Causar disgusto el hacer una cosa o pasar por ella. // r. Arrepentirse de haber hecho algo. // Compadecerse del mal ajeno.

DOLICOCÉFALO, LA adj. Díc. del individuo cuyo cráneo es de figura muy oval.

DOLIENTE adj. y s. Enfermo. // adj. Dolorido.

DOLMEN m. Monumento megalítico en forma de mesa.

dolmen de Tinarloo (Holanda)

DOLOMITA f. *Mineral*. Carbonato doble de calcio y magnesio.

DOLOR m. Sensación molesta y aflictiva en cualquier parte del cuerpo. // Pesar que se padece en el ánimo.

DOLORIDO, DA adj. Que padece o siente dolor. // Apenado.

DOMAR tr. Hacer dócil al animal. // fig. Sujetar, reprimir.

DOMEÑAR tr. Someter, rendir.

DOMESTICAR tr. Acostumbrar a la compañía del hombre al animal salvaje. // tr. y r. fig. Hacer tratable a una persona que no lo es.

DOMÉSTICO, CA adj. Perten. o rel. a la casa u hogar. // Apl. al animal que se cría en compañía del hombre. // adj. y s. Díc. del criado que sirve en una casa.

DOMICILIO m. Morada fija y permanente. // Lugar en que legalmente se establece una persona.

DOMINANTE adj. Que domina. // adj. y s. Apl. a la persona que quiere avasallar a otras. // adj. Que prevalece entre otras cosas de su clase. I *Mús*. Quinta nota de la escala de cualquier tono.

DOMINAR tr. Tener dominio sobre cosas o personas. // Sujetar, reprimir. // fig. Divisar una extensión grande de terreno. // r. Reprimirse.

DOMINGO m. Primer día de la semana.

DOMINICANO, NA adj. Perten. a la Rep. Dominicana. // adj. y s. Natural de Santo Domingo.

DOMINICO, CA adj. y s. Díc. del religioso de la Orden de Santo Domingo de Guzmán.

DOMINIO m. Poder que uno tiene sobre lo suyo. // Superioridad legítima sobre las personas. // Territorio que está bajo la dominación de un soberano o una república.

DON m. Dádiva. // Habilidad para hacer algo.

DON, DOÑA m. y f. Tratamiento de respeto que se antepone al nombre.

DONACIÓN f. Acción y efecto de donar.

DONAIRE m. Discreción y gracia en lo que se dice. // Dicho gracioso y agudo. // Gallardía, soltura del cuerpo.

DONANTE adj. y s. Que dona.

DONAR tr. Ceder uno graciosamente a otro alguna cosa.

DONATIVO m. Dádiva, cesión.

DONCEL m. Joven noble que aún no está armado caballero. // Hombre que no ha conocido mujer.

DONCELLA f. Mujer virgen. // Criada que sirve cerca de la señora.

DONDE adv. l. En qué lugar, o en el lugar en que. // Toma a veces carácter de pron. rel., equivalente a *en que* o *en el*, *la*, *lo que* o *cual*. // Adonde.

DONDEQUIERA adv. En cualquier parte.

DONDIEGO m. *Bot*. Planta herbácea de la fam. nictagináceas, cuyas flores se abren al ocaso y se cierran al alba.

DONOSIDAD f. Gracia, chiste.

DONOSTIARRA adj. y s. Natural de San Sebastián. // adj. Perten. a esta ciudad.

DOQUIER o **DOQUIERA** adv. Dondequiera

DORADA f. *Zool*. Pez marino acantopterigio, de carne comestible.

DORAR tr. Cubrir con oro la superficie de una cosa. // fig. Encubrir las acciones malas o las noticias desagradables. // Tostar ligeramente una cosa.

DORIO, RIA adj. y s. Natural de Dóride. // adj. Perten. o rel. a este pueblo.

DORMILÓN, NA adj. y s. fam. Muy inclinado a dormir.

DORMIR intr., r. y tr. Estar en estado de reposo, con suspensión de las funciones de la vida voluntaria. // intr. Pernoctar. // intr. y r. Descuidarse. // intr. Sosegarse lo inquieto. // r. fig. Adormecerse un miembro.

DORMITAR intr. Estar medio dormido.

DORSAL adj. Perten. al dorso, espalda o lomo.

DORSO m. Revés, parte posterior o espalda de una cosa.

DOSEL m. Mueble que a cierta altura cubre el sitial o el altar. // Antepuerta o tapiz.

154

DOSIFICAR tr. Graduar las dosis de un medicamento o de otras cosas.
DOSIS f. Toma de medicamento que se da al enfermo cada vez. // fig. Cantidad o porción de una cosa material o inmaterial.
DOTAR tr. Constituir dote. // Señalar bienes para una fundación, etc. // Proveer de empleados. // Dar a una cosa alguna cualidad ventajosa.
DOTE amb. Caudal que lleva la mujer cuando se casa.
DOVELA f. Sillar de figura de cuña, para formar arcos, bóvedas, etc.
DRACMA f. Unidad monetaria de Grecia. // Moneda ant. griega.
DRACONIANO, NA adj. Perten. o rel. al legislador Dracón. // fig. Apl. a las leyes muy severas.
DRAGA f. Máquina para excavar y limpiar los puertos de mar, los ríos, etc.

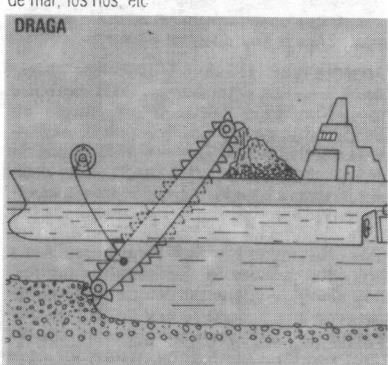

DRAGA

DRAGAR tr. Limpiar y excavar el fondo de las aguas.
DRAGÓN m. Animal fabuloso al que se atribuye figura de serpiente. // Soldado que combatía alternativamente a pie o a caballo. // *Zool.* Reptil saurio (fam. agámidos)
DRAMA m. Obra literaria que armoniza elementos de la tragedia y de la comedia. // m. fig. Suceso capaz de conmover vivamente.
DRAMATIZAR tr. Dar formas y condiciones dramáticas.
DRAMATURGO m. Autor de obras dramáticas.
DRÁSTICO, CA adj. y s. Que actúa con gran eficacia y energía. // adj. fig. Riguroso, radical, draconiano.
DRENAJE m. Acción y efecto de drenar.
DRENAR tr. Desaguar un terreno.
DROGA f. Nombre genérico de ciertas sustancias usadas en la medicina, en la industria o en las artes. // fig. Embuste. // Trampa. // *Farm.* Sustancia capaz de originar toxicomanía. // Medicamento.
DROGUERÍA f. Trato y comercio de drogas. // Tienda en que se venden drogas.
DROMEDARIO m. *Zool.* Mamífero artiodáctilo, de la fam. camélidos, con una sola joroba.
DROSERA f. *Bot.* Planta herbácea dicotiledónea, cuyas flores aprisionan a los insectos y los digieren.
DRUIDA m. Sacerdote de los ant. galos y otros pueblos celtas.
DRUPA f. *Bot.* Fruto carnoso con hueso, de un solo carpelo.
DRUSA f. *Geol.* Agrupación de cristales que tapizan una roca.
DUAL adj. Doble, que consta de dos.
DUALIDAD f. Reunión de dos caracteres distintos en una misma persona o cosa.
DUALISMO m. *Fil.* Doctrina que explica el universo por la acción de dos principios diversos o contrarios.
DUBITATIVO, VA adj. Que implica o denota duda.
DUCADO m. Título o dignidad de duque y territorio sometido a su autoridad.
DUCADO m. Moneda de oro veneciana que fue adoptada por muchos estados medievales europeos.
DÚCTIL adj. Apl. a los metales que mecánicamente se pueden extender. // Por ext., maleable. // fig. Acomodaticio, dócil.
DUCHA f. Agua que, en forma de lluvia, se hace caer en el cuerpo.
DUCHO, CHA adj. Experimentado.
DUDA f. Vacilación del ánimo respecto a cualquier creencia, hecho o noticia. // Cuestión que se propone para resolverla. // Suspensión del juicio ante dos proposiciones opuestas.
DUDAR intr. Estar en duda. // tr. Dar poco crédito.
DUELA f. Cada una de las tablas que forman las paredes curvas de las pipas, cubas, etc.
DUELO m. Combate entre dos, a consecuencia de un reto o desafío.
DUELO m. Dolor, aflicción. // Sentimiento ante la muerte de alguno. // Reunión de personas que asisten a un entierro o funeral.
DUENDE m. Espíritu que el vulgo cree que habita ciertas casas.
DUEÑA f. Mujer que tiene el dominio sobre una cosa. // Señora o mujer principal casada.
DUEÑO m. El que tiene dominio o señorío sobre una cosa. // El amo de la casa, respecto a sus criados.
DULCAMARA f. *Bot.* Planta sarmentosa (fam.

dromedarios en Sudán (Camelus dromedarius)

solanáceas). Es medicinal.
DULCE adj. Que causa sensación suave y agradable al paladar. // Díc. del manjar falto de sal. // fig. Afable, dócil. // m. Manjar compuesto con azúcar.
DULZAINA f. Instrumento músico de viento, parecido a la chirimía.
DULZURA f. Calidad de duce. // fig. Suavidad. // Afabilidad.
DUNA f. *Geol.* Montículo de arena movediza que en los desiertos y playas forma y empuja el viento.
DÚO m. *Mús.* Composición que se canta o toca entre dos.
DUODENO m. *Anat.* Primero de los intestinos delgados que va desde el estómago hasta el yeyuno.
DUPLICAR tr. y r. Hacer doble una cosa. // Multiplicar por dos una cantidad.
DUPLICIDAD f. Doblez, falsedad. // Calidad de doble.
DUPLO, PLA adj. y s. m. Que contiene un número dos veces exactamente.
DUQUE m. Título de honor que corresponde a la nobleza más alta.
DUQUESA f. Mujer del duque. // La que por sí posee un ducado.
DURACIÓN f. Acción y efecto de durar.
DURADERO, RA adj. Díc. de lo que dura o puede durar mucho.
DURALUMINIO m. *Metal.* Aleación de aluminio, magnesio, cobre y manganeso.
DURAMADRE f. *Anat.* Membrana fibrosa que envuelve el encéfalo y la médula espinal.
DURAMEN m. *Bot.* Parte más compacta del tronco y ramas gruesas de un árbol.
DURANTE adj. Que dura. // U. con significación semejante a la del adv. *mientras.*
DURAR intr. Continuar siendo, obrando, etc. // Subsistir, permanecer.
DURAZNO m. *Bot.* Melocotón.
DUREZA f. Calidad de duro. // Callosidad. // *Fís.* Resistencia que opone un cuerpo a ser rayado.
DURO, RA adj. Díc. del cuerpo que resiste a ser labrado, rayado o comprimido. // Poco blando. // fig. Fuerte, que resiste. // Violento, insensible. // Terco. // m. Moneda española que vale cinco pesetas.
DUUNVIRATO m. Dignidad y cargo de duunviro.
DUUNVIRO m. Magistrado de la ant. Roma.

E

E f. Sexta letra del abecedario español, y segunda de sus vocales. // conj. copul. Sustituye a la *i* ante palabras que empiezan por *i* o *hi.*
EBANISTA m. El que por oficio trabaja maderas finas.
EBANISTERÍA f. Arte de diseñar y construir muebles.
ÉBANO m. *Bot.* Arbol de la fam. ebenáceas. // Madera del mismo.
EBONITA f. Caucho endurecido, utilizado en la industria.
EBRIEDAD f. Embriaguez.
EBRIO, BRIA adj. y s. Embriagado, borracho. // fig. Ofuscado por una pasión.
EBULLICIÓN f. Acción de hervir.

Temperaturas normales de ebullición de ciertos cuerpos	
helio	− 268,9 °C
aire	− 190 °C
alcohol etílico	78,5 °C
agua	100 °C
mercurio	357 °C
platino	3.830 °C

EBÚRNEO, A adj. De marfil, o parecido a él.
ECCEMA m. *Med.* Lesión cutánea caracterizada por rubefacción de la piel con formación de vesículas llenas de líquido seroso.
ECLECTICISMO m. Escuela filosófica que procura conciliar doctrinas de diversos sistemas. // fig. Modo de procder que adopta un temperamento intermedio.
ECLÉCTICO, CA adj. Perten. o rel. al eclecticismo. // adj. y s. Díc. de la persona que lo profesa.
ECLESIÁSTICO, CA adj. Perten. o rel. a la Iglesia. // m. Clérigo. // Libro canónico del Antiguo Testamento.
ECLIPSAR tr. *Astron.* Causar un astro el eclipse de otro. // tr. y r. fig. Oscurecer, deslucir. // r. fig. Desaparecer una persona o cosa.
ECLIPSE m. *Astrofís.* Ocultación transitoria, parcial o total, de un astro, debida a la interposición de otro astro.
ECLÍPTICA tr. *Astrofís.* Círculo máximo de la esfera celeste, que corresponde al curso del Sol en torno a la Tierra durante el año.
ECLOSIÓN f. Acción de abrirse un capullo.
ECO m. Repetición de un sonido a consecuencia de su reflexión en ciertas condiciones. // Sonido que se repite débil y confusamente. // fig. El que repite o imita lo que otro dice.
ECOLOGÍA f. Estudio de las relaciones de los organismos entre sí y con el medio en que viven.
ECONOMÍA f. Administración recta y prudente de los bienes. // Riqueza pública. // Ahorro de trabajo, tiempo y dinero. // Buena distribución del tiempo y de otras cosas inmateriales. // pl. Ahorros.
ECONÓMICO, CA adj. Perten. o rel. a la economía. // Parco en el gasto. // Poco costoso.
ECONOMIZAR tr. Ahorrar.
ECUACIÓN f. *Mat.* Igualdad que contiene una o más incógnitas.
ECUADOR m. *Astron.* Círculo máximo de la esfera celeste, perpendicular al eje de la Tierra. // *Geogr.*

ECLIPSE DE SOL

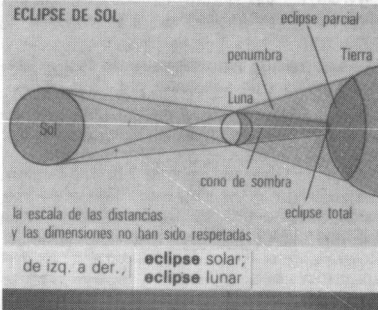

de izq. a der., **eclipse** solar; **eclipse** lunar

Círculo máximo que equidista de los polos de la Tierra.

ECUÁNIME adj. Que tiene ecuanimidad.
ECUANIMIDAD f. Igualdad y constancia del ánimo. // Imparcialidad del juicio.
ECUATORIAL adj. Perten. o rel. al ecuador.
ECUESTRE adj. perten. o rel. al caballo.
ECUMÉNICO, CA adj. Universal.
ECZEMA m. Eccema.
ECHAR tr. Hacer que una cosa vaya a parar a alguna parte. // Hacer salir a uno de algún lugar. // Deponer a uno de su empleo o dignidad. // tr. e intr. Brotar en las plantas sus raíces, hojas, flores y frutos. // r. Arrojarse, tirarse. // Ternderse a lo largo.

ECUADOR

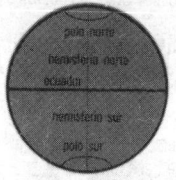

EDAD f. Tiempo que una persona ha vivido, a contar desde que nació. // Duración de las cosas materiales. // Gran período de tiempo en que se considera dividida la historia.
EDEMA m. *Med.* Hinchazón de un tejido del cuerpo, a causa de una infiltración serosa.
EDÉN m. Nombre del Paraíso en la Biblia. // fig. Lugar delicioso.
EDICIÓN f. Impresión y publicación de una obra o escrito. // Conjunto de ejemplares de una obra impresos de una sola vez.
EDICTO m. Mandato, decreto publicado por una autoridad.
EDIFICANTE adj. Que incita a la virtud.
EDIFICAR tr. Fabricar, hacer un edificio. // fig. Infundir en otros sentimientos de piedad o virtud.
EDIFICIO m. Obra construida para habitación o usos análogos.
EDIL m. Concejal. // En la ant. Roma, magistrado encargado de las obras públicas.
EDITAR tr. Publicar una obra, periódico, folleto, etc.
EDITOR, RA adj. y s. Que edita.
EDITORIAL adj. Perten. o rel. a editores o ediciones. // m. Artículo de fondo no firmado. // f. Casa editora.
EDREDÓN m. Almohadón que se emplea como cobertor.
EDUCACIÓN f. Acción y efecto de educar. // Enseñanza que se da a los niños y a los jóvenes. // Urbanidad.
EDUCANDO, DA adj. y s. Que está recibiendo educación o urbanidad.
EDUCAR tr. Desarrollar o perfeccionar las facultades intelectuales, morales y físicas de uno. // Enseñar urbanidad y cortesía.
EDUCATIVO, VA adj. Díc. de lo que educa o sirve para educar.
EDUCIR tr. Deducir.
EDULCORANTES m. pl. *Quím.* Sustancias usadas para comunicar sabor dulce a los alimentos y bebidas.
EDULCORAR tr. Endulzar.
EFEBO m. Mancebo, adolescente.
EFECTISTA adj. Díc. del que busca ante todo producir fuerte impresión.
EFECTIVO, VA adj. Real, verdadero.
EFECTO m. Lo que se sigue por virtud de una causa.

// Impresión en el ánimo. // Fin para que se hace una cosa. // Artículo de comercio. // Valor mercantil.
EFECTUAR tr. poner por obra, ejecutar. // r. Cumplirse una cosa.
EFEMÉRIDES f. pl. Libro o comentario sobre los hechos de cada día. // Sucesos notables ocurridos en distintas épocas.
EFERVESCENCIA f. Desprendimiento de burbujas gaseosas. // Hervor de la sangre. // fig. Agitación.
EFERVESCENTE adj. Que está o puede estar en efervescencia.
EFICACIA f. Fuerza y poder para obrar.
EFICAZ adj. Que tiene eficacia.
EFICIENCIA f. Virtud y facultad para lograr un efecto determinado.
EFICIENTE adj. Que tiene eficiencia.
EFIGIE f. Imagen de una persona real y verdadera. // fig. Representación viva de cosa ideal.
EFÍMERO, RA adj. De corta duración.
EFLORESCENCIA f. *Med.* Erupción cutánea de color rojizo.
EFLUVIO m. Emisión de partículas muy finas. // Irradiación de lo inmaterial.
EFUGIO m. Evasión, salida.
EFUSIÓN f. Derramamiento de los avectos generosos del ánimo.
EGIPCIO, CIA adj. y s. Natural de Egipto. // adj. Perten. a este país de África. // m. Idioma egipcio.
ÉGLOGA f. Composición poética del género bucólico.
EGOCENTRISMO m. Exagerada exaltación de la propia personalidad.
EGOÍSMO m. Inmoderado y excesivo amor que uno tiene a sí mismo.
EGOÍSTA adj. y s. Que tiene egoísmo.
EGÓLATRA adj. Que profesa egolatría.
EGOLATRÍA f. Culto, adoración, amor excesivo de sí mismo.
EGREGIO, GIA adj. Insigne, ilustre.
EJE m. Varilla que atraviesa un cuerpo giratorio y le sirve de sostén en el movimiento. // Línea que divide por mitad el ancho de una calle o cosa semejante. // fig. Idea o tema fundamental.
EJECUCIÓN f. Acción y efecto de ejecutar. // Manera de hacer algo.
EJECUTAR tr. Poner por obra una cosa. // Ajusticiar.
EJECUTIVO, VA adj. Que no da espera. // adj. y s. Díc. de la persona que tiene nivel de decisión en una empresa.
EJEMPLAR adj. Que da buen ejemplo. // m. Original, norma representativa. // Cada uno de los escritos, grabados, etc., sacados de un mismo original. // Cada uno de los individuos de una especie.
EJEMPLIFICAR tr. Demostrar, ilustrar con ejemplos lo que se dice.
EJEMPLO m. Hecho sucedido en otro tiempo. // Acción o conducta de uno. // Hecho, texto o cláusula que se cita.

EJERCER tr. e intr. Practicar los actos propios de un oficio, facultad, etc. // tr. Hacer uso de sus atribuciones.
EJERCICIO m. Acción de ejercitarse u ocuparse en una cosa. // Acción y efecto de ejercer. // Paseo u otro esfuerzo corporal para conservar la salud o recobrarla. // Cada una de las pruebas en una oposición, examen o competición deportiva.
EJERCITAR tr. Dedicarse al ejercicio de un arte, oficio o profesión. // Hacer que uno aprenda una cosa mediante práctica de ella.
EJÉRCITO m. Conjunto numeroso y organizado de agentes, reunido con fines militares, al mando de un general.

comunismo miembros del Ejército Popular de China

EJIDO m. Campo común de todos los vecinos de un pueblo.
EL Art. determinado, en gén. m. y núm. singular.
ÉL Nominat. del pron. personal de 3.a persona en gén. m. y núm. sing. Con preposición, empléase también en los casos oblicuos.
ELABORAR tr. Preparar un producto por medio de un trabajo adecuado.
ELASTICIDAD f. Calidad de elástico.
ELÁSTICO, CA adj. Díc. del cuerpo que puede recuperar su figura y extensión después de haber sido deformado o comprimido. // fig. Acomodadizo. // m. Tejido que tiene elasticidad. // Cordón elástico.
ELECCIÓN f. Acción y efecto de elegir. // Nombramiento para un cargo.
ELECTOR, RA adj. y s. Que elige o tiene derecho a elegir. // m. Cada uno de los dignatarios de Alemania a quienes correspondía la elección de emperador.
ELECTORADO m. Estado soberano de Alemania cuyo príncipe tenía voto para elegir emperador. // Conjunto de electores de un país o circunscripción.
ELECTRICIDAD f. *Fís.* Forma de energía, producida por frotamiento, calor, acción química, etc., que se manifiesta por atracciones y repulsiones, por chispas

y otros fenómenos luminosos y por las descomposiciones químicas que producen.
ELECTRICISTA adj. y s. Perito en aplicaciones científicas y mecánicas de la electricidad.
ELECTRIFICAR tr. Aplicar la electricidad como sistema de tracción.
ELECTRIZAR tr. y r. Comunicar o producir la electricidad en un cuerpo. // fig. Exaltar el ánimo.
ELECTROCUTAR tr. y r. Matar por medio de una corriente o descarga eléctrica.
ELECTRODINÁMICA f. *Fís*. Parte de la física que estudia los fenómenos y leyes de la electricidad en movimiento.
ELECTRODO m. *Electrotec*. Barra o lámina que forma cada uno de los polos en un electrólito y, por ext., el elemento terminal de un circuito.
ELECTROENCEFALOGRAFÍA f. *Med*. Conjunto de técnicas de observación y registro de la actividad eléctrica cerebra.
ELECTRÓGENO, NA adj. Que genera una corriente eléctrica.
ELECTROIMÁN m. *Fís*. Barra de hierro dulce que se imanta por la acción de una corriente eléctrica.
ELECTRÓLISIS f. *Quím*. Descomposición de un cuerpo producido por la electricidad.
ELECTRÓLITO m. *Quím*. Cuerpo que se somete a la descomposición por la electricidad.
ELECTROMAGNETISMO m. Parte de la física que estudia los fenómenos en los que se relaciona la electricidad y el magnetismo.
ELECTROMOTOR, RA adj. Díc. de la máquina capaz de transformar la energía eléctrica en energía mecánica.
ELECTRÓN m. *Fís*. Elemento hipotético del átomo, cargado de electricidad negativa.
ELECTRONEGATIVIDAD f. *Quím*.-*Fís*. Capacidad de un átomo o de una molécula de atraer electrones.
ELECTRÓNICA f. parte de la física que estudia los electrones en libertad, así como sus efectos, sus movimientos, etc.
ELECTRÓNICO, CA adj. Perten. o rel. a los electrones o a la electrónica.
ELECTROQUÍMICA f. Ciencia que estudia las relaciones existentes entre los fenómenos químicos y los eléctricos.
ELECTROSCOPIO m. Aparato para conocer si un cuerpo está electrizado.
ELECTROSTÁTICA f. arte de la física que estudia las cargas eléctricas en reposo.
ELECTROTECNIA f. Aplicación práctica de la electricidad.
ELECTROTERAPIA f. Empleo terapéutico de la electricidad.
ELEFANCIA o **ELEFANTIASIS** f. *Med*. Especie de lepra que pone la piel parecida a la del elefante.
ELEFANTE m. *Zool*. Mamífero proboscidio de gran tamaño. Tiene las orejas grandes y colgantes, la nariz muy prolongada en forma de trompa, y dos incisivos muy largos.
ELEGANCIA f. Calidad de elegante.
ELEGANTE adj. Dotado de gracia y sencillez; airoso, bien proporcionado. // adj. y s. Díc. de la persona que se ajusta a la moda.
ELEGÍA f. Poesía lírica, en que se lamenta la muerte de una persona, u otro caso desgraciado.
ELEGIACO, CA o **ELEGÍACO, CA** adj. Perten. o rel. a la elegía. // Por ext., lastimero, triste.
ELEGIBLE adj. Que se puede elegir.
ELEGIR tr. Escoger, preferir a una persona o cosa para un fin. // Nombrar por elección para un cargo o dignidad.
ELEMENTAL adj. Perten. o rel. al elemento. // fig. Fundamental, primordial. // Referente a los principios de una ciencia o arte. // Obvio, evidente.
ELEMENTO m. Principio físico o químico que entra en la composición de los cuerpos.// fig. Medios, recursos.
ELENCO m. Catálogo, índice. // Nómina de una compañía teatral.
ELEVADO, DA adj. fig. Sublime. // Alto, levantado sobre un nivel.
ELEVAR tr. y r. Alzar o levantar una cosa. // tr. fig. Levantar, vigorizar. // Colocar a uno en un puesto honorífico. // Dirigir un escrito o petición a una autoridad. // r. fig. Enajenarse.
ELFO m. *Mit*. Duende de la mitología escandinava.
ELIDIR tr. Frustrar, desvanecer una cosa. // *Gram*. Suprimir la vocal con que acaba una palabra cuando la que sigue empieza por otra vocal.
ELIMINAR tr. Quitar, separar una cosa; prescindir de ella. // tr. y r. Excluir a una o a muchas personas de una agrupación o de un asunto. // *Med*. Expeler del orga-

elefante africano (Loxodonta africanus)

nismo una sustancia.
ELIPSE f. *Geom.* Curva cerrada y plana, simétrica respecto de dos ejes perpendiculares entre sí.

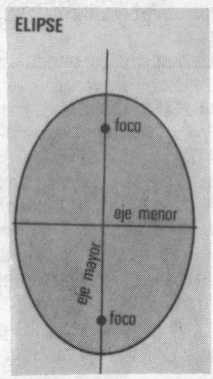

ELIPSE

foco
eje menor
eje mayor
foco

ELIPSIS f. *Gram.* Figura de construcción, que consiste en omitir en la oración una o más palabras, cuyo sentido puede sobreentenderse.
ELÍPTICO, CA adj. Perten. a la elipse. // De figura de elipse o parecida a ella.
ELISIÓN f. *Gram.* Acción y efecto de elidir.
ÉLITRO m. *Biol.* Cada una de las dos alas córneas de los insectos coleópteros y ortópteros.
ELIXIR m. Licor compuesto de diferentes sustancias medicinales. // fig. Medicamento o remedio maravilloso.
ELOCUCIÓN f. Manera de hacer uso de las palabras para expresar conceptos. // Modo de elegir y distribuir las palabras y los pensamientos en el discurso.
ELOCUENCIA f. Arte de hablar o escribir de modo eficaz para deleitar o conmover. // Fuerza de expresión que tienen las palabras, los gestos y ademanes.
ELOCUENTE adj. Díc. del que habla o escribe con elocuencia. o de aquello que la tiene.
ELOGIAR tr. Hacer elogios de una persona o cosa.
ELOGIO m. Alabanza de una persona o cosa.
ELOGIOSO, SA adj. Laudatorio, encomiástico.
ELUCIDAR tr. Poner en claro, dilucidar.
ELUDIR tr. Esquivar la dificultad. // Hacer que no tenga efecto algo.
ELLA Nominat. del pron. pers. de 3.a pers. en gén. f. y núm. sing. Con preposición empléase también en los casos oblicuos.
EMANAR intr. Proceder, derivar, traer origen y principio de una cosa de cuya sustancia se participa. // Desprenderse de los cuerpos las sustancia volátiles.
EMANCIPAR tr. y r. Libertar de la patria potestad, de la tutela o de la servidumbre. // r. fig. Salir de la sujeción en que se estaba.
EMBADURNAR tr. y r. Untar, manchar, pintarrajear.
EMBAJADA f. Mensaje para tratar algún asunto de importancia. // Cargo de embajador. // Casa en que reside el embajador.

EMBAJADOR m. Agente diplomático que tiene la categoría superior admitida en el derecho internacional. // fig. Emisario.
EMBALAR tr. Colocar convenientemente dentro de cubiertas los objetos que han de transportarse.
EMBALAR intr. y r. En las carreras y otros deportes, aumentar la velocidad. // r. Dejarse llevar por un sentimiento.
EMBALSAMAMIENTO m. *Med.* Acción y efecto de embalsamar.
EMBALSAMAR tr. Preparar un cadáver para preservarlo de la putrefacción.

embalsamamiento de una momia, fresco s. XVIII a.C.

EMBALSAR tr. y r. Meter una cosa en balsa. // Rebalsar.
EMBALSE m. Balsa artificial donde se acopian las aguas de un río o arroyo. // Cantidad de aguas así acopiadas.
EMBARAZAR tr. Impedir, retardar una cosa. // tr. y r. Poner encinta a una mujer. // Hallarse impedido con cualquier embarazo.
EMBARAZO m. Impedimento, dificultad. // Preñez de la mujer. // Timidez en los modales.
EMBARCACIÓN f. Barco. // Acción de embarcar personas o embarcarse. // Tiempo que dura la navegación de una parte a otra.
EMBARCAR tr. y r. Dar ingreso a personas, mercancías, etc., en una embarcación. // fig. Incluir a uno en un negocio.

160

EMBARGAR tr. Embarazar, impedir, detener. // fig. Suspender, paralizar. // *Der.* Retener una cosa en virtud de mandamiento judicial.
EMBARGO m. Indigestión. // *Der.* Retención de bienes por mandamiento judicial.
EMBARRANCAR intr. y tr. *Mar.* Encallar el buque en el fondo. // r. e intr. Atascarse en un barranco o atolladero. // fig. Pararse ante una dificultad.
EMBARRAR tr. Untar o manchar con el barro.
EMBARULLAR tr. fam. Mezclar desordenadamente las cosas. // Hacer las cosas atropelladamente.
EMBATE m. Golpe impetuoso de mar. // Acometida impetuosa.
EMBAUCAR tr. Engañar a uno valiéndose de su inexperiencia.
EMBEBER tr. Absorber un cuerpo sólido un líquido. // Empapar una cosa. // r. fig. Instruirse bien en una materia.
EMBELESAR tr. y r. Arrebatar, cautivar los sentidos.
EMBELLECER tr. y r. Hacer o poner bella a una persona o cosa.
EMBESTIDA f. Acción y efecto de embestir.
EMBESTIR tr. Venir con ímpetu sobre una persona o cosa. // fig. y fam. Acometer a uno para pedirle algo. // intr. fig. y fam. Arremeter.
EMBLEMA m. y f. Jeroglífico o símbolo en que se representa una figura. // Representación simbólica.
EMBOBAR tr. Tener a uno suspenso y enajenado. // r. Quedarse uno absorto y admirado.
EMBOCAR tr. Meter por la boca una cosa. // tr. y r. Entrar por una parte estrecha. // tr. fam. Comer mucho y de prisa. // Comenzar un negocio.
EMBOLIA f. *Med.* Obstrucción de un vaso sanguíneo por un émbolo.
ÉMBOLO m. *Tecnol.* Cilindro que se ajusta y desplaza en el interior de un cuerpo de bomba o del cilindro de una máquina. // *Med.* Coágulo.
EMBOLSAR tr. Guardar en la bolsa. // Cobrar.
EMBORRACHAR tr. Causar embriaguez. // tr. y r. Atontar, adormecer. // r. Beber bebidas alcohólicas.
EMBORRASCAR tr. y r. Irritar, alterar. // r. Hacerse el tiempo borrascoso.
EMBORRONAR tr. Llenar de borrones un papel. // fig. Escribir de prisa.
EMBOSCADA f. ocultación de una o varias personas para atacar por sorpresa a otra u otras. // fig. Asechanza.
EMBOSCAR tr. y r. Ocultar tropas para una emboscada. // r. Entrarse u ocultarse entre ramaje.
EMBOTAR tr. y r. Engrosar los filos y puntas de las armas. // tr. fig. Enervar, debilitar.
EMBOTELLAR tr. Echar líquido en botellas. // fig. Acorralar a una persona; inmobilizar un negocio.
EMBOZAR tr. y r. Cubrir el rostro por la parte inferior.
EMBRAGAR tr. Abrazar un fardo, piedra, etc., con bragas o briagas. // Acoplar un eje al árbol motor para que participe de su movimiento.
EMBRAGUE m. Acción de embragar. // Mecanismo para embragar.

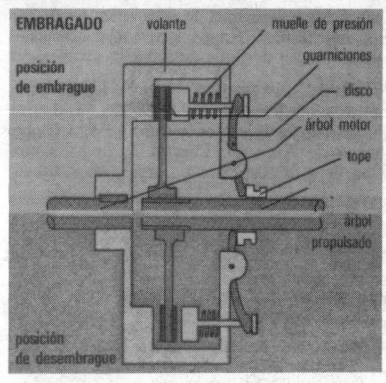

EMBRAVECER tr. y r. Irritar, enfurecer. // intr. fig. Robustecerse las plantas.
EMBRIAGAR tr. y r. Emborrachar. // fig. Enajenar, extasiar.
EMBRIAGUEZ f. Turbación pasajera de la razón, por exceso de beber vino o licor. // fig. Enajenamiento del ánimo.
EMBRIOLOGÍA f. Rama de la biología que estudia los embriones.
EMBRIÓN m. *Bio.* Germen o rudimento de un cuerpo organizado. // En la especie humana, producto de la concepción hasta fines del tercer mes del embarazo. // Principio, informe todavía, de una cosa.
EMBROCAR tr. Vaciar una vasija en otra, volviéndola boca abajo.
EMBROLLAR tr. y r. Enredar, confundir las cosas.
EMBROLLO m. Enredo. // Embuste. // fig. Situación embarazosa.
EMBRUJO m. Acción y efecto de embrujar. // Hechizo.
EMBRUJAR tr. Hechizar.
EMBRUTECER tr. y r. Entorpecer a uno del uso de la razón.
EMBUDO m. Instrumento hueco de forma cónica, rematado con un canuto, que sirve para transvasar líquidos. // fig. Trampa, enredo.
EMBUSTE m. Mentira.
EMBUTIDO m. Tripa rellena de carne de puerco picada.
EMBUTIR tr. Hacer embutidos. // Llenar una cosa dentro de otra y apretarla. // fig. Imbuir, instruir. // tr. y r. fig. fam. Embocar, engullir.
EMERGENCIA f. Acción y efecto de emerger. // Accidente que sobreviene.
EMERGER intr. Brotar, salir del agua u otro líquido.
EMERSIÓN f. Reaparición de un astro después de su ocultación. // Aparición de un cuerpo en la superficie de un líquido en el cual estaba sumergido.
EMÉTICO m. *Farm.* Agente capaz de provocar el vómito.
EMIGRAR intr. Dejar una persona, familia o pueblo su

propio país con ánimo de establecerse en otro extranjero. // Ausentarse temporalmente del propio país.
EMIGRATORIO, RIA adj. Perten. o rel. a la emigración.
EMINENCIA f. Altura o elevación de terreno. // fig. Excelencia, sublimidad. // Título de honor.
EMINENTE adj. Alto, elevado. // fig. Que sobresale en algún sentido
EMIR m. Príncipe o caudillo árabe.
EMISARIO, RIA m. y f. Mensajero.
EMISIÓN f. Acción y efecto de emitir. // Conjunto de títulos o valores que de una vez se crean para ponerlos en circulación.
EMISOR, RA adj. y s. Que emite.
EMITIR tr. Echar hacia fuera una cosa. // Dar juicios, dictámenes, etc. // Lanzar ondas hertzianas para hacer oír señales, noticias, música, etc.
EMOCIÓN f. Agitación del ánimo que promueve en él afectos o pasiones.
EMOCIONAR tr. y r. Conmover el ánimo, causar emoción.
EMOLIENTE adj. *Med.* Díc. del medicamento capaz de relajar y ablandar los tejidos inflamados.
EMOLUMENTO m. Gaje, utilidad o propina que corresponde a un cargo o empleo.
EMOTIVO, VA adj. Rel. a la emoción. // Que produce emoción. // Sensible a las emociones.
EMPACHAR tr. Estorbar. // tr. y r. Causar indigestión. // r. Avergonzarse, turbarse.
EMPADRONAR tr. y r. Apuntar a uno en el padrón.
EMPALAGAR tr. y r. Causar hastío un manjar, esp. si es dulce. // fig. Cansar, fastidiar.
EMPALAGOSO, SA adj. Díc. del manjar que empalaga. // adj. y s. fig. Díc. de la persona que fastidia por su zalamería y afectación.
EMPALAR tr. Espetar a uno en un palo.
EMPALIZADA f. Estacada.
EMPALMAR tr. Juntar dos cosas de modo que queden en comunicación. // fig. ligar planes, acciones, etc. // intr. Unirse o combinarse con otro un tren, un camino, etc.
EMPANTANAR tr. y r. Llenar de agua un terreno. // meter a uno en un pantano. // fig. Detener o impedir el curso de un negocio.
EMPAÑAR tr. Envolver en pañales. // tr. y r. Quitar la tersura o el brillo. // fig. Manchar el honor.
EMPAPAR tr. y r. Humedecer una cosa tanto que quede penetrada de un líquido. // Absorber una cosa un líquido. // r. fig. Imbuirse de una idea o doctrina. // fam. Empacharse.
EMPAPELAR tr. Envolver en papel. // Recubrir de papel. // fig. y fam. Formar causa criminal a uno.
EMPAQUE m. fam. Catadura de una persona. // Seriedad con algo de afectación.
EMPAQUETAR tr. Formar paquetes. // fig. Acomodar en un recinto un número excesivo de gente. // tr. y r. Acicalar.

EMPAREDAR tr. y r. Encerrar una persona entre paredes. // Ocultar algo entre paredes.
EMPAREJAR tr. y r. Formar una pareja. // tr. Poner una cosa a nivel con otra. // intr. Ponerse uno al lado de otro.
EMPARRILLAR tr. Asar en parrillas.
EMPASTADOR, RA adj. Que empasta. // *Amer.* Encuadernador de libros.
EMPASTAR tr. Cubrir de pasta. // Encuadernar en pasta los libros. // Rellenar con pasta.
EMPATAR tr., intr. y r. Igualar los votos de una votación.
EMPATE m. Acción y efecto de empatar o empatarse.
EMPAVESAR tr. *Mar.* Engalanar una embarcación con banderas.
EMPECATADO, DA adj. Travieso.
EMPECER intr. Impedir, obstar.
EMPECINADO, DA adj. Obstinado, terco.
EMPEDERNIDO, DA adj. fig. Insensible, duro de corazón.
EMPEDRAR tr. Cubrir el suelo con piedras ajustadas unas con otras.
EMPEINE m. Parte inferior del vientre entre las ingles //. Parte superior del pie.
EMPELLÓN m. Empujón.
EMPEÑAR tr. Dar o dejar una cosa en prenda como garantía de un préstamo. // tr. y r. Precisar, obligar. // r. Llenarse de deudas. // Insistir con tesón en una cosa.
EMPEÑO m. Acción y efecto de empeñar o empeñarse. // Deseo vehemente de hacer o conseguir algo. // Tesón y constancia. // Recomendación.
EMPEORAR tr. Hacer que lo que estaba malo se ponga peor.
EMPEQUEÑECER tr. Minorar una cosa, hacerla más pequeña, depreciarla.
EMPERADOR m. Título de mayor dignidad dado a ciertos soberanos.
EMPERATRIZ f. Mujer del emperador. // Soberana de un imperio.
EMPEREJILAR tr. y r. fam. Adornar a una persona con profusión.
EMPERIFOLLAR tr. y r. Emperejilar.
EMPERO conj. advers. Pero. // Sin embargo.
EMPERRARSE r. fam. Obstinarse.
EMPEZAR tr. Comenzar, dar principio a una cosa. // Iniciar el uso o consumo de ella. // intr. Tener principio una cosa.
EMPINAR tr. Enderezar y levantar en alto. // Inclinar el vaso, la bota, etc., para beber. // fig. y fam. Beber mucho. // r. Ponerse sobre las puntas de los pies. // fig. Alcanzar gran altura las plantas, montañas, etc.
EMPÍREO, A adj. y s. Díc. del cielo de los bienaventurados. // adj. Perten. al cielo empíreo. // Celestial, supremo, divino.
EMPÍRICO, CA adj. Rel. a la experiencia o fundado en ella. // adj. y s. Que procede empíricamente. // Parti-

dario del empirismo.
EMPIRISMO m. *Fil.* Sistema filosófico que toma a la experiencia como principio de conocimiento.
EMPLASTO m. Preparado farmacéutico, plástico y adhesivo. // fig. y fam. Componenda o pacto poco satisfactorio.
EMPLAZAMIENTO m. Situación, ubicación.
EMPLAZAMIENTO m. Acción y efecto de emplazar.
EMPLAZAR tr. Citar a una persona.
EMPLAZAR tr. Poner una cosa en determinado lugar.
EMPLEAR tr. y r. Ocupar a uno, encargándole un negocio, comisión o puesto. // tr. Destinar a uno al servicio público. // Gastar, consumir. // Usar.
EMPLEO m. Acción y efecto de emplear. // Destino, ocupación, oficio.
EMPLOMAR tr. Cubrir o soldar una cosa con plomo. // Poner sellos de plomo.
EMPOBRECER tr. hacer que uno quede en la pobreza. // intr. y r. Venir a estado de pobreza una persona. // Decaer, degenerar.
EMPOLVAR tr. Echar polvo. // tr. y r. Echar polvos a los cabellos o al rostro.
EMPOLLAR tr. y r. Calentar el ave los huevos para sacar pollos. // tr. fig. y fam. Estudiar un asunto con mucha detención.
EMPONZOÑAR tr. y r. Dar ponzoña a uno, envenenar algo con ponzoña. // fig. Echar a perder, dañar.
EMPORIO m. Lugar donde concurren para el comercio gentes de diversas naciones. // fig. Lugar notable por el florecimiento del comercio, las artes, las ciencias, etc.
EMPOTRAR tr. Meter una cosa en la pared o en el suelo, asegurándola con fábrica.
EMPRENDER tr. Comenzar una obra o una empresa. // fam. Con nombres de personas seguidos de las preps. *a* o *con*, acometer a uno para importunarle o reñir con él.
EMPRESA f. Acción ardua que se comienza. // Obra o designio llevado a efecto. // Sociedad mercantil o industrial que realiza negocios de cierta importancia.
EMPRÉSTITO m. Préstamos que toma el Estado o una corporación o empresa. // Cantidad así prestada.
EMPUJAR tr. Hacer fuerza contra una cosa. // fig. Intrigar para conseguir alguna cosa.
EMPUJE m. Acción y efecto de empujar. // *Fís.* Fuerza aplicada desde el exterior sobre la superficie de un cuerpo.
EMPUÑADURA f. Guarnición o puño de la espada.
EMPUÑAR tr. Asir por el puño una cosa. // Asir una cosa abarcándola con la mano.
EMULACIÓN f. Pasión del alma, que excita a imitar y emular las acciones ajenas.
EMULAR tr. y r. Imitar.
EMULGENTE adj. *Anat.* Díc. de la arteria y venas renales.
ÉMULO, LA adj. y s. Competidor, rival.
EMULSIÓN f. *Quím.-Fís.* Dispersión coloidal de un líquido o un sólido en un líquido.
EN Prep. que indica en qué lugar, tiempo o modo se determinan las acciones de los verbos a que se refiere. // Algunas veces, *sobre*. // Seguida de un infinitivo, *por*. //Junto con un gerundio, *luego que, después que*.
ENAJENAR tr. Transmitir a otro el dominio de una cosa. // tr. y r. fig. Sacar a uno fuera de sí.
ENALTECER tr. y r. Ensalzar.
ENAMORAR tr. Excitar en uno la pasión del amor. // Decir amores o requiebros. // r. Prendarse de amor de una persona. // Aficionarse a algo.
ENANISMO m. *Med.* Enfermedad que retrasa el crecimiento normal y produce individuos enanos.
ENANO, NA adj. fig. Díc. de lo que es diminuto en su especie. // m. y f. Persona de extraordinaria pequeñez.
ENARBOLAR tr. Levantar en alto una bandera u otra cosa. // r. Empinarse el caballo. // Enfadarse.
ENARCAR tr. y r. Arquear. // r. Encogerse.
ENARDECER tr. y r. fig. Excitar una pasión, una disputa, etc.
ENCABALLAR tr. Colocar una pieza de modo que se sostenga sobre la extremidad de otra.
ENCABESTRAR tr. Poner el cabestro a los animales. // Hacer que las reses bravas sigan a los cabestros.
ENCABEZAR tr. Registrar, poner en matrícula a uno. // Iniciar una suscripción o una lista. // Poner la fórmula con que comienza un libro o escrito. // Acaudillar.
ENCABRITARSE r. Empinarse el caballo.
ENCADENAR tr. Ligar y atar con cadena. // fig. Trabar y unir unas cosas con otras. // Dejar a uno sin movimiento.
ENCAJAR tr. Meter una cosa dentro de otra ajustadamente. // Unir ajustadamente una cosa con otra. // fig. y fam. Hacer oír a uno algo causándole molestia.
ENCAJE m. Acción de encajar una cosa en otra. // Ajuste de dos piezas que se adaptan entre sí. // Tejido de hilo o seda realizado con bolillos, ganchillo o agujas.
ENCAJONAR tr. Meter y guardar una cosa dentro de cajones. // tr. y r. Meter en un sitio angosto.
ENCALABRINAR tr. y r. Llenar la cabeza de un vapor que la turbe. // Excitar, irritar. // r. fam. Enamorarse perdidamente.
ENCALAR tr. Dar de cal o una cosa. // Meter en cal alguna cosa.
ENCALLAR intr. Dar la embarcación en arena o piedra, quedándose sin movimiento. // fig. No poder salir adelante en un negocio.
ENCALLECER intr. y r. Criar callos o endurecerse la carne. // r. fig. Endurecerse con la costumbre.
ENCAMINAR tr. y r. Enseñar el camino. // Dirigir una cosa hacia un punto determinado. // fig. enderezar la intención a un fin determinado.
ENCANDILAR tr. y r. Deslumbrar. // fig. Alucinar con falsas razones. // fam. Avivar la lumbre. // Despertar el sentimiento amoroso.

ENCANECER tr. Ponerse cano. // Intr. fig. Envejecer una persona.
ENCANTAR tr. Obrar maravillas por medio de fórmulas mágicas. // fig. Cautivar, por medio de la hermosura, la gracia o el talento.
ENCAÑONAR tr. Apuntar con un arma de fuego. // Dirigir una cosa para que entre por un cañón.
ENCAPOTAR tr. y r. Cubrir con el capote. // r. fig. Poner el rostro ceñudo. // Cubrirse el cielo de nubes.
ENCAPRICHARSE r. Empeñarse en un capricho.
ENCARAMAR tr. y r. Levantar o subir a una persona o cosa. // Alabar. // fig. y fam. Elevar a puestos altos y honoríficos.
ENCARAR intr. y r. Ponerse uno cara a cara, enfrente y cerca de otro. // tr. y r. fig. Hacer frente a un problema.
ENCARCELAR tr. Poner a uno preso en la cárcel.
ENCARECER tr., intr. y r. Aumentar el precio de algo. // Recomendar con empeño. // dig. Ponderar, exagerar.
ENCARGAR tr. y r. Poner una cosa al cuidado de uno. // tr. Recomendar, aconsejar. // Pedir que se traiga o envíe de otro lugar algo.
ENCARIÑAR tr. y r. Aficionar, despertar cariño.
ENCARNACIÓN f. Acción de encarnar. // fig. Personificación.
ENCARNADURA f. Disposición de los tejidos del cuerpo vivo para cicatrizar o reparar sus lesiones.
ENCARNAR intr. Tomar forma corporal una sustancia

ENCARNIZAR tr. Cebar un perro en la carne de otro animal para que se haga fiero. // tr. y r. fig. Irritar, enfurecer. // r. fig. Mostrarse cruel.
ENCARRILAR tr. Encaminar, dirigir. // Colocar sobre los carriles un vehículo descarrilado.
ENCARRUJADO, DA adj. Rizado, ensortijado.
ENCARTAR tr. Proscribir a un reo constituído en rebeldía. // Incluir a uno en una compañía o negociado.
ENCASILLAR tr. Poner en casillas. // Clasificar personas o cosas.
ENCASQUETAR tr. y r. Encajar bien en la cabeza el sombrero, gorra, etc. // tr. fig. Meter a uno algo en la cabeza. // r. Encajarse.
ENCASQUILLAR tr. Poner casquillos. // r. Atascarse un arma de fuego con el casquillo de la bala.
ENCASTILLAR tr. Fortificar con castillos. // Apilar. // r. Encerrarse en un castillo y hacerse allí fuerte. // Perseverar uno con tesón en su parecer.
ENCAUSAR tr. Formar causa a uno; proceder judicialmente contra él.
ENCAUZAR tr. Abrir cauce. // fig. Encaminar, dirigir por buen camino un asunto.
ENCEFALITIS f. *Med.* inflamación del encéfalo.
ENCÉFALO m. *Anat.* Sistema nervioso central contenido en el cráneo que comprende: el cerebro, el cerebelo, los pedúnculos, la protuberancia y el bulbo raquídeo.
ENCELLA f. Molde para hacer quesos.

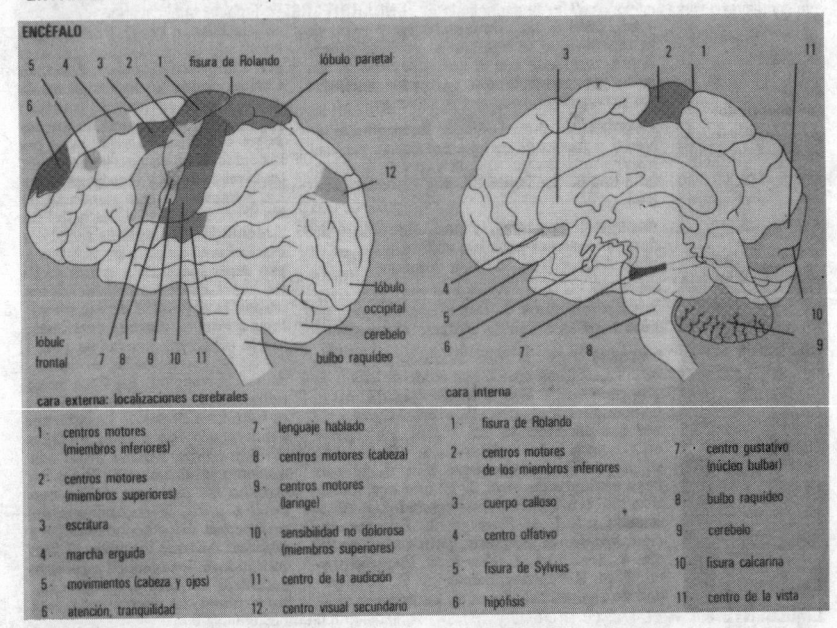

ENCÉFALO

cara externa: localizaciones cerebrales
1. centros motores (miembros inferiores)
2. centros motores (miembros superiores)
3. escritura
4. marcha erguida
5. movimientos (cabeza y ojos)
6. atención, tranquilidad
7. lenguaje hablado
8. centros motores (cabeza)
9. centros motores (laringe)
10. sensibilidad no dolorosa (miembros superiores)
11. centro de la audición
12. centro visual secundario

cara interna
1. fisura de Rolando
2. centros motores de los miembros inferiores
3. cuerpo calloso
4. centro olfativo
5. fisura de Sylvius
6. hipófisis
7. centro gustativo (núcleo bulbar)
8. bulbo raquídeo
9. cerebelo
10. fisura calcarina
11. centro de la vista

espiritual; díc. esp. del acto de hacerse hombre el Verbo divino. // Criar carne una herida. // tr. fig. Personificar, representar algunas ideas.

ENCENAGARSE tr. Meterse en el cieno. // Ensuciarse. // fig. Entregarse a los vicios.
ENCENDEDOR, RA adj. Que enciende. // m. Aparato

para encender.

ENCENDER tr. Hacer que una cosa arda. // tr. y r. Causar ardor y encendimiento. // fig. Suscitar guerras. // Incitar, inflamar. // r. fig. Ruborizarse.

ENCENDIDO, DA adj. y s. De color rojo muy subido. // *Automov.* Dispositivo eléctrico que enciende la mezcla combustible.

ENCERADO, DA adj. De color de cera. // m. Lienzo impermeabilizado con materia bituminosa. // Cuadro que se usa en las escuelas para escribir. // Capa de cera con que se cubren los muebles.

ENCERAR tr. Aderezar con cera alguna cosa. // Manchar con cera.

ENCERRAR trr. Meter a una persona o cosa en parte de que no pueda salir. // fig. Incluir, contener. // r. fig. Recogerse en clausura.

ENCÍA f. *Anat.* Carne que cubre la raíz de los dientes.

ENCÍCLICA f. Carta que dirige el Papa a todos los obispos.

ENCICLOPEDIA f. Conjunto de todas las ciencias. // Obra o conjunto de tratados en que se trata de muchas ciencias. // Enciclopedismo. // Diccionario enciclopédico.

ENCICLOPEDISMO m. *Fil.* Ideología de los filósofos ilustrados del siglo XVIII, colaboradores de La Enciclopedia.

ENCIMA adv. I. En lugar superior. // Sobre sí, sobre la propia persona. U. También en sentido figurado. // adv. c. Además, sobre otra cosa.

ENCINA f. *Bot.* Arbol de las cupulíferas, cuyo fruto es la bellota. // Madera de éste árbol.

ENCINTA adj. Embarazada.

ENCINTADO m. Acción y efecto de encintar. // Borde de una acera, andén, etc.

ENCINTAR tr. Adornar con cintas.

ENCLAUSTRAR tr. y r. Encerrar en un claustro. // fig. Meter en un paraje oculto.

ENCLAVADO, DA adj. y s. Díc. del sitio encerrado dentro del área de otro. // adj. Díc. del objeto encajado en otro.

ENCLAVE m. Territorio incluido en otro de mayor extensión y de características diferentes.

ENCLAVIJAR tr. Trabar una cosa con otra. // Poner las clavijas a un instrumento.

ENCLENQUE adj. y s. Falto de salud.

ENCLÍTICO, CA adj. y s. *Gram.* Díc. de la partícula que se liga con el vocablo precedente, formando con él una sola palabra.

ENCOFRADO m. Revestimiento de madera para sostener las tierras en las galerías de las minas.

ENCOGER tr. y r. Retirar contrayendo. // fig. Apocar el ánimo. // intr. Disminuir lo largo y ancho de algunas telas. // Disminuir de tamaño algunas cosas al secarse.

ENCOLAR tr. Pegar con cola algo. // Clarificar vinos. Aplicar cola a las superficies que han de pintarse al temple.

ENCOLERIZAR tr. y r. hacer que uno se ponga colérico.

ENCOMENDAR tr. Encargar a uno algo. // r. entregarse en manos de uno y fiarse de su amparo.

ENCOMIABLE adj. Digno de encomio.

ENCOMIAR tr. Alabar encarecidamente a una persona o cosa.

ENCOMIÁSTICO, CA adj. Que alaba o contiene alabanza.

ENCOMIENDA f. Acción y efecto de encomendar. // Cosa encomendada. // Dignidad de comendador en las órdenes civiles. // Recomendación, elogio. // pl. Recados.

ENCOMIO m. Alabanza encarecida.

ENCONAR tr. y rr. Inflamar, poner peor la llaga o parte lastimada del cuerpo. // fig. Irritar, exasperar el ánimo contra uno.

ENCONO m. Rencor.

ENCONTRAR tr. Dar con una persona o cosa. // intr. Tropezar uno con otro. // r. Enemistarse uno con otro. // Concurrir a un mismo lugar dos o más personas. / / Opinar diferentemente.

ENCOPETADO, DA adj. fig. Que presume demasiado de sí.

ENCORCHAR tre. Coger los enjambres de las abejas y hacer que entren en las colmenas. // Poner tapones de corcho a las botellas.

ENCORVAR tr. y r. Doblar y torcer una cosa poniéndola corva.

ENCOSTRAR tr. Cubrir con una costra. // intr. y r. Formar costra una cosa.

ENCRESPAR tr. y r. Ensortijar, rizar el cabello. // Erizar el pelo, plumaje, etc., por alguna impresión fuerte. // Enfurecer, irritar. // Levantar y alborotar las olas.

ENCRUCIJADA f. Paraje en donde se cruzan dos o más calles o caminos. // fig. Ocasión que se aprovecha para alguna asechaza.

ENCRUDECER tr. y r. fig. Exasperar, irritar.

ENCUADERNAR tr. Juntar y coser varios pliegos o cuadernos y ponerles cubiertas.

ENCUADRAR tr. Encerrar en un marco o cuadro. // fig. Encajar una cosa dentro de otra.

ENCUBRIR tr. y r. Ocultar una cosa. // Impedir que llegue a saberse una cosa.

ENCUENTRO m. Acto de encontrar. // Oposición, contradicción. // Competición deportiva.

ENCUESTA f. Averiguación o pesquisa.

ENCUMBRAR tr. y r. Levantar en alto. // fig. Ensalzar a uno. // r. Envanecerse.

ENCURTIR tr. Macerar y conservar en vinagre ciertos frutos y legumbres.

ENCHARCAR tr. y r. Convertir un terreno en un charco.

ENCHUFAR tr. e intr. Ajustar la boca de un caño en la de otro. // tr. fig. Enlazar un negocio con otro. // r. fam. despect. Colocarse en un cargo por influencia.

ENCHUFE m. Acción y efecto de enchufar. // Disposi-

tivo para establecer una conexión eléctrica.
ENDEBLE adj. Débil, de poca resistencia.
ENDECASÍLABO adj. y s. De once sílabas.
ENDECHA f. Canción triste. // Combinación métrica de cuatro versos de seis o siete sílabas, gralte. asonantados.
ENDEMIA f. *Med.* Cualquier enfermedad que reina habitualmente en un país o comarca.
ENDEMONIAR tr. Introducir los demonios en el cuerpo de una persona. // tr. y r. fig. y fam. Irritar.
ENDEREZAR tr. y r. Poner derecho lo que está torcido. // fig. Gobernar bien. // tr. Dirigir. // Enmendar, corregir. // Encaminarse a lograr un intento.
ENDIABLAR tr. Endemoniar.
ENDIOSAR tr. Elevar a uno a la divinidad. // r. fig. Envanecerse.
ENDOCARDIO m. *Anat.* Membrana que tapiza las cavidades del corazón.
ENDOCARPO o **ENDOCARPIO** m. *Bot.* Interior del pericarpio de los frutos.
ENDOCRINO, NA adj. *Fisiol.* Perten. o rel. a las glándulas de secreción interna.
ENDOCRINOLOGÍA f. Estudio de las hormonas, su producción, naturaleza y efectos.
ENDOGAMIA f. *Etnol.* Costumbre de contraer matrimonio con un individuo de la misma tribu.
ENDOLINFA f. *Fisio.* Fluido contenido en el oído interno.
ENDOPARÁSITOS m. pl. *Zool.* Parásitos que viven en el interior de los órganos de otro animal.
ENDOSAR tr. Ceder a favor de otro una letra de cambio u otro documento de crédito. // Trasladar a uno un trabajo o cosa no apetecible.
ENDOSCOPIO m. *Med.* Aparato destinado al examen visual de la uretra y de la vejiga urinaria.
ENDOTELIO m. *Anat.* Epitelio que reviste las cavidades internas del cuerpo.
ENDRINO m. *Bot.* Ciruelo silvestre.
ENDULZAR tr. y r. Poner dulce una cosa. // fig. Robustecer los cuerpos. // Hacer a uno áspero, severo.
ENEBRO m. *Bot.* Arbusto de la fam. cupresáceas, cuyo fruto se usa en medicina.
ENELDO m. *Bot.* Planta herbácea medicinal de la fam. umbelíferas.
ENEMA f. *Med.* Lavativa.
ENEMIGO, GA adj. Contrario. // m. y f. El que aborrece a otro. // m. El contrario en la guerra.
ENEMISTAD f. Aversión u odio entre dos o más personas.
ENEMISTAR tr. y r. Hacer a uno enemigo de otro.
ENEOLÍTICO m. Período prehistórico de transición entre la Edad de Piedra pulimentada y la del Bronce.
ENERGÉTICO, CA adj. Perten. o rel. a la energía.
ENERGÍA f. Eficacia, poder. // Fuerza de voluntad, tesón. // *Fís.* Causa capaz de transformarse en trabajo mecánico.
ENÉRGICO, CA adj. Que tiene energía o rel. a ella.

ENERGÚMENO, NA m. y f. Persona poseída del demonio. // fig. Persona furiosa.
ENERO m. Mes primero del año.
ENERVAR tr. y r. Debilitar, quitar las fuerzas. // fig. Debilitar la fuerza de las razones o argumentos.
ENÉSIMO, MA adj. Díc. del número indeterminado de veces que se repite una cosa. // *Mat.* Díc. de un lugar indeterminado en una serie.
ENFADAR tr. y r. Causar enfado.
ENFADO m. Impresión desagradable y molesta que hacen en el ánimo algunas cosas. // Afán, trabajo. // Enojo.
ENFANGAR tr. y r. Cubrir de fango una cosa o meterla en él. // r. fig. y fam. Mezclarse en negocios vergonzosos.
ÉNFASIS amb. Fuerza de expresión con que se quiere realzar lo que se dice. // Afectación en el tono de voz o en el gesto.
ENFERMAR intr. y r. Contraer enfermedad. // Causar enfermedad. // fig. Debilitar.
ENFERMEDAD f. *Med.* Alteración más o menos grave de la salud del cuerpo animal o del organismo vegetal.
ENFERMERÍA f. Local destinado para los enfermos.
ENFERMO, MA adj. y s. Que padece enfermedad.
ENFERVORIZAR tr. y r. Infundir buen ánimo, fervor.
ENFILAR tr. Poner en fila varias cosas. // Dirigir una visual. // Venir dirigida una cosa en la misma dirección de otra. // Ensartar.
ENFISEMA f. *Med.* Dilatación producida por el aire o el gas en el tejido celular.
ENFITEUSIS f. y m. Cesión del dominio útil de un inmueble, mediante el pago anual de un canon.
ENFITEUTA com. Persona que tiene el dominio útil a censo enfitéutico.
ENFLAQUECER tr. Poner flaco a uno. // fig. Debilitar, enervar. // intr. y r. Ponerse flaco. // intr. fig. Perder ánimo.
ENFOCAR tr. Hacer que la imagen de un objeto contenida por un aparato óptico quede nítida. // Analizar y concretar los puntos esenciales de un problema.
ENFRASCARSE r. Meterse en una espesura. // fig. Aplicarse con intensidad a una cosa.
ENFRENTAR tr., r. e intr. Poner frente a frente. // tr. y r. Hacer frente, oponer.
ENFRENTE adv. l. A la parte opuesta, en punto que mira a otro, o que está delante de otro. // adv. m. En contra, en pugna.
ENFRIAR tr., intr. y r. Poner fría una cosa. // tr. y r. fig. Entibiar los afectos. // r. Quedarse fría una persona.
ENFURECER tr. y r. Irritar a uno. // tr. Ensoberbecer. // r. fig. Alborotarse.
ENFURRUÑARSE r. fam. Ponerse enfadado.
ENGALANAR tr. y r. Poner galana una cosa, adornar.
ENGALLAR tr. Levantar el cuello. // r. Erguirse. // fig. Comportarse con arrogancia.
ENGANCHAR tr., r. e intr. Asir una cosa con gancho. // tr. e intr. Poner las caballerías a tirar del carruaje.

//tr. fig. y fam. Atraer a uno con arte. // *Mil.* Atraer a uno a que siente plaza de soldado.
ENGAÑAR tr. Dar a la mentira apariencia de verdad. // Inducir a otro a creer cierto lo que no lo es. // Entretener, distraer. // Engatusar. // r. Cerrrar los ojos a la verdad. // Equivocarse.
ENGAÑO m. Falta de verdad en lo que se dice o hace.
ENGARCE m. Acción y efecto de engarzar. // Metal con que se engarza algo.
ENGARGANTAR tr. Meter una cosa por la garganta. // intr. Engranar.
ENGARZAR tr. Trabar una cosa con otra u otras, formando cadena. // Rizar. // Engastar. // r. Enzarzarse.
ENGASTAR tr. Encajar y embutir una cosa en otra.
ENGATUSAR tr. fam. Ganar la voluntad de uno con halagos.
ENGENDRAR tr. Procrear, propagar la propia especie. // fig. Causar, ocasionar, formar.
ENGENDRO m. Feto. // Criatura informe. // fig. Plan u obra mal concebidos.
ENGOLFAR tr. Meter una embarcación muy adentro del mar.
ENGOLOSINAR tr. Excitar el deseo de uno con algún atractivo. // r. Tomar gusto a algo.
ENGOMAR tr. Untar de goma los papeles y otros objetos para pegarlos.
ENGORDAR tr. Cebar, dar mucho de comer. // intr. Ponerse gordo. // fig. y fam. Hacerse rico.
ENGORRO m. Embarazo, molestia.
ENGORROSO, SA adj. Dificultoso.
ENGRANAJE m. Tecnol. Efecto de engranar. // Conjunto de piezas que engranan. // Conjunto de los dientes de una máquina. // fig. Enlace.

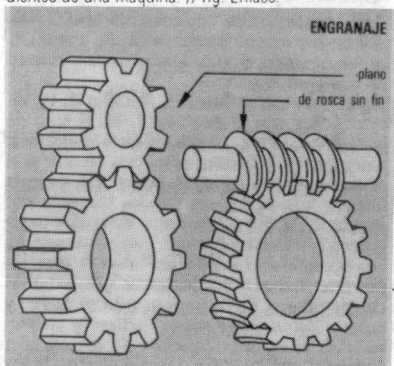

ENGRANAJE
plano
de rosca sin fin

ENGRANAR intr. fig. Enlazar, trabar.
ENGRANDECER tr. Hacer grande una cosa. // Alabar, exagerar. // tr. y r. fig. Exaltar, enaltecer.
ENGRASAR tr. Dar sustancia y crasitud a una cosa. // tr. y r. Untar con grasa.
ENGREÍR tr. y r. Envanecer. // Encariñar, aficionar.
ENGROSAR tr. y r. Hacer gruesa una cosa. // tr. fig. Aumentar. // intr. Ponerse uno más grueso.
ENGRUDO m. Masa hecha con harina y almidón que se cuece en agua y sirve para pegar.
ENGULLIR tr. e intr. Tragar la comida atropelladamente.
ENHEBRAR tr. Pasar la hebra por el ojo de la aguja, etc.
ENHIESTO, TA adj. Levantado, derecho.
ENHORABUENA f. Felicitación. // adv. m. En hora buena.
ENHORAMALA adv. m. En hora mala.
ENIGMA m. Dicho o cosa de sentido artificiosamente encubierto. // Cosa incomprensible.
ENIGMÁTICO, CA adj. Que incluye enigma.
ENJABONAR tr. Jabonar. // fig. y fam. Adular.
ENJAEZAR tr. Poner los jaeces a las caballerías.
ENJALBEGAR tr. Blanquear las paredes. // tr. y r. fig. Afeitar el rostro.
ENJAMBRAR tr. Encerrar las abejas en las colmenas. // Sacar un enjambre de una colmena.
ENJAMBRE m. Grupo de abejas que viven con su reina en una colmena. // fig. Muchedumbre de personas.
ENJARETAR tr. Hacer pasar por una jareta un cordón o cinta. // fig. y fam. Hacer o decir algo atropelladamente.
ENJAULAR tr. Poner dentro de la jaula. // fig. y fam. Meter en la cárcel a uno.
ENJEBE m. Alumbre.
ENJOYAR tr. y r. Adornar con joyas. // tr. fig. Adornar, hermosear.
ENJUAGAR tr. y r. Limpiar la dentadura con agua. // tr. Aclarar con agua lo que se ha jabonado.
ENJUAGUE m. Acción de enjuagar. // Líquido para enjuagar.
ENJUICIAR tr. fig. Someter una cuestión a examen o juicio.
ENJUNDIA f. Gordura de cualquier animal. // fig. Lo más sustancioso de alguna cosa no material. // Fuerza, vigor.
ENJUTO, TA adj. Delgado, seco.
ENLACE m. Acción de enlazar. // Conexión de una cosa con otra. // fig. Parentesco, casamiento.
ENLAZAR tr. Coger o juntar con lazos. // tr. y r. Dar enlace a unas cosas con otras. // r. fig. Casar.
ENLODAR tr. y r. Ensuciar con lodo. // fig. Infamar, envilecer.
ENLOQUECER tr. Hacer perder el juicio a uno. // intr. Volverse loco.
ENLUCIR tr. Poner una capa de yeso mezcla a los edificios. // Dar brillo a los objetos metálicos.
ENLUTAR tr. y r. Cubrir de luto. // fig. Oscurecer. // tr. fig. Entristecer.
ENMARAÑAR tr. y r. Enredar una cosa. // fig. Enredar un asunto.
ENMASCARAR tr. y r. Cubrir el rostro con máscara. // tr. fig. Encubrir, disfrazar.
ENMENDAR tr. y r. Corregir, quitar defectos. // Subsanar los daños.

ENMIENDA f. Expurgo o eliminación de un error o vicio. // Reparación del daño hecho. // Propuesta de variante en los escritos.
ENMOHECER tr. y r. Cubrir de moho algo. // r. fig. Caer en desuso.
ENMUDECER tr. Hacer callar. // intr. Perder el habla. // fig. Guardar silencio.
ENNEGRECER tr. y r. Teñir de negro. // tr. fig. Enturbiar. // Ponerse muy oscuro, nublarse.
ENNOBLECER tr. y r. Hacer noble a uno. // tr. fig. Dignificar.
ENOJAR tr. y r. Causar enojo.
ENOJO m. Movimiento de ira contra una persona. // Molestia, pesar.
ENOLOGÍA f. Conjunto de conocimientos rel. a los vinos.
ENORGULLECER tr. y r. Llenar de orgullo.
ENORME adj. Desmedido, excesivo.
ENORMIDAD f. Exceso, tamaño desmedido.
ENQUISTARSE r. Formarse un quiste o tumor.
ENRAIZAR intr. y r. Arraigar, echar raíces.
ENRAMADA f. Conjunto de ramas de árboles espesas y entrelazadas.
ENRARECER tr. y r. Dilatar un cuerpo gaseoso haciéndolo menos denso. // tr., intr. y r. Hacer que escasee alguna cosa.
ENRASAR tr. e intr. Hacer que dos obras tengan la misma altura. // Dejar plana y lisa la superficie de una obra.
ENREDADERA f. *Bot.* Planta convolvulácea, de tallo trepador.
ENREDAR tr. Prender con red. // Tender las redes para cazar. // tr. y r. Enmarañar. // fig. Meter discordia. // intr. Inquietar, revolver. // r. Sobrevenir dificultades.
ENREDO m. Maraña de cosas inflexibles. // fig. travesura. // Engaño, mentira. // fam. Amancebamiento.
ENREJAR tr. Cercar con rejas. // Colocar en pila piezas iguales cruzándolas ordenadamente.
ENREVESADO, DA adj. Revesado.
ENRIQUECER tr. y r. Hacer rico. // tr. fig. Adornar, engrandecer. // intr. Hacerse uno rico. // Prosperar notablemente.
ENRISTRAR tr. Poner la lanza en el ristre.
ENRISTRAR tr. Hacer ristras con ajos o cebollas.
ENROCAR tr. Revolver en la rueca el copo que ha de hilarse.
ENROJECER tr. y r. Poner rojo algo por el calor. // tr. Dar color rojo. // intr. Ruborizarse.
ENROLAR tr. y r. Inscribir en el rol. // Alistarse.
ENROLLAR tr. Arrollar.
ENRONQUECER tr. y r. Poner ronco.
ENROSCAR tr. y r. Dar forma de rosca. // tr. Introducir algo a vuelta de rosca.
ENSALADA f. Hortalizas aderezadas con sal, aceite, etc. // fig. Mezcla confusa de cosas sin conexión.
ENSALMO m. Modo supersticioso de curar con oraciones y remedios empíricos.
ENSALZAR tr. Engrandecer, exaltar. // tr. y r. Alabar, elogiar.
ENSAMBLAR tr. Unir, juntar, ajustar piezas de madera.
ENSANCHAR tr. y r. Extender, dilatar.
ENSANCHE m. Dilatación, extensión.
ENSANGRENTAR tr. y r. Manchar con sangre.
ENSAÑAR tr. Irritar, enfurecer. // r. Encarnizarse con el vencido.
ENSARTAR tr. Pasar por un hilo, alambre, etc., varias cosas. // Espetar.
ENSAYAR tr. Probar una cosa antes de usar de ella. // Amaestrar, adiestrar. // Hacer la prueba de un espectáculo antes de ensayarlo en público. // Probar la calidad de los minerales o la ley de los metales preciosos.
ENSAYO m. Acción y efecto de ensayar. // Prueba. // Escrito no muy extenso, que aborda una materia en forma sugestiva.
ENSEGUIDA m. En seguida, acto continuo.
ENSENADA f. Parte de mar que entra en la tierra.
ENSEÑA f. Insignia o estandarte.
ENSEÑANZA f. Acción y efecto de enseñar. // Sistema y método de dar instrucción. // Ejemplo o suceso que nos sirve de experiencia.
ENSEÑAR tr. Instruir, impartir conocimientos. // Mostrar o exponer una cosa. // Dejar ver algo involuntariamente.
ENSEÑOREARSE r. y tr. Hacerse señor y dueño de una cosa.
ENSERES m. pl. Utensilios, muebles.
ENSIFORME adj. En forma de espada.
ENSILAR tr. Guardar en el silo los granos y las semillas.
ENSIMISMARSE r. Abstraerse.
ENSOBERBECER tr. y r. Causar o excitar soberbia en alguno.
ENSOMBRECER tr. y r. Oscurecer, cubrir de sombras. // r. fig. Entristecerse.
ENSORDECER tr. Causar sordera. // intr. Quedarse sordo.
ENSORTIJAR tr. y r. Rizar.
ENSUCIAR tr. y r. Manchar una cosa. // tr. fig. Envilecer, manchar con acciones indignas.
ENSUEÑO m. Sueño o representación fantástica del que duerme. // Ilusión, fantasía.
ENTABLAMENTO m. *Arq.* Parte superior de un orden arquitectónico.
ENTABLAR tr. Cubrir o cercar con tablas una cosa. // Entablillar. // Emprender un asunto. // Comenzar una conversación, batalla, etc.
ENTABLILLAR tr. Asegurar con tablillas y vendaje el hueso roto.
ENTALLAR tr. Grabar, hacer figuras de relieve en madera, mármol, etc. // Cortar la corteza de algunos árboles para extraer resina.

ENTE m. Lo que es, existe o puede existir.
ENTECO, CA adj. Enfermizo, débil.
ENTELEQUIA f. *Fil.* En sentido aristotélico es el acto, la forma o perfección del ser, en oposición a la potencia, imperfección.
ENTENDEDERAS f. pl. fam. Entendimiento.
ENTENDER tr. Comprender claramente las cosas. // Saber con perfección algo. // Conocer el ánimo o la intención de uno. // Discurrir, deducir. // Creer, juzgar.
ENTENDIDO, DA adj. y s. Sabio, docto, perito, diestro.
ENTENDIMIENTO m. Razón humana. // Buen acuerdo, relación amistosa.
ENTENEBRECER tr. y r. Oscurecer.
ENTERAR tr. y r. Informar a uno de algo que no sabe. // *Amer.* Pagar dinero.
ENTEREZA f. Perfección. // fig. Integridad. // Fortaleza.
ENTERNECER tr. y r. Ablandar, poner tierna una cosa. // fig. Mover a ternura.
ENTERO, RA adj. Cabal, cumplido, sin falta alguna. // Apl. al animal no castrado. // fig. Sano. // Recto, justo. // Constante, firme.
ENTEROCOLITIS f. *Med.* Inflamación de los intestinos.
ENTERRAR tr. Poner debajo de tierra. // Dar sepultura a un cadáver. // fig. Olvidar algo.
ENTIBAR intr. Estribar. // tr. Apuntalar con maderas.
ENTIDAD f. Ente o ser. // Importancia de una cosa. // Colectividad considerada como unidad. // *Fil.* Lo que constituye la esencia o forma de una cosa.
ENTIERRO m. Acción y efecto de enterrar los cadáveres.
ENTOLDAR tr. Cubrir con toldos. // Cubrir con tapices o paños. // Cubrir las nubes el cielo.
ENTOMÓFILO, LA adj. *Bot.* Planta que se poliniza por medio de insectos.
ENTOMOLOGÍA f. Rama de la zoología que estudia los insectos.
ENTONACIÓN f. Acción y efecto de entonar. // Inflexión de la voz. // Arrogancia.
ENTONAR tr. e intr. Cantar ajustado al tono. // tr. Dar determinado tono a la voz.
ENTONCES adv. t. En aquel tiempo y ocasión. // adv. m. En tal caso, siendo así.
ENTORNAR tr. Volver la puerta o la ventana hacia donde se cierra. // tr. y r. Inclinar, ladear.
ENTORNO m. Contorno.
ENTORPECER tr. y r. Poner torpe. // fig. Turbar el entendimiento. // Retardar, dificultar.
ENTRADA f. Espacio por donde se entra a alguna parte. // Acción de entrar. // Concurso o personas que asisten a los espectáculos. // Billete para entrar en un espectáculo.
ENTRAMADO m. Armazón de madera.
ENTRAMBOS, BAS adj. pl. Ambos.
ENTRAMPAR tr. y r. Hacer que un animal caiga en la trampa. // tr. fig. Engañar atrificiosamente. // fig. y fam. Enredar un negocio. // r. fig. y fam. Endeudarse.

ENTRAÑA f. Cada uno de los órganos contenidos en las principales cavidades del cuerpo humano y de los animales. // Lo más esencial de un asunto. // pl. fig. Lo más oculto y escondido.
ENTRAÑABLE adj. Intimo, muy afectuoso.
ENTRAÑAR tr. y r. Introducir en lo más hondo. // tr. Contener, llevar dentro de sí. // r. Unirse con amistad íntima.
ENTRAR intr. Ir a parar de fuera adentro. // Encajar una cosa en otra. // Penetrar, introducirse. // fig. Ser admitido en alguna parte. // Hallarse en la composición de ciertas cosas. // r. Meterse en alguna parte.
ENTRE Prep. Denota la situación o estado en medio de dos o más cosas o acciones. // Dentro de, en lo interior. // En el número de. // Denota cooperación. En composición con otro vocablo, limita o atenúa su significación. // Expresa también situación intermedia.
ENTREABRIR tr. y r. Abrir un poco una puerta, ventana, etc.
ENTREACTO m. Intermedio en una representación dramática.
ENTRECEJO m. Espacio que hay entre las cejas. // fig. Ceño.
ENTRECOGER tr. Coger a una persona o cosa de forma que no pueda escaparse con facilidad. // fig. Apremiar con argumentos o amenazas.
ENTRECORTAR tr. Cortar una cosa sin acabar de dividirla.
ENTRECRUZAR tr. y r. Entrelazar.
ENTREDICHO m. Prohibición para no hacer o decir algo.
ENTREGA f. Acción y efecto de entregar. // Cada uno de los cuadernos en que se divide un libro que se publica por partes.
ENTREGAR tr. Poner en poder de otro algo. // r. Ponerse en manos de uno. // Dedicarse enteramente a algo. // Darse a una pasión. // Declararse vencido.
ENTRELAZAR tr. Enlazar, entretejer una cosa con otra.
ENTREMÉS m. Manjar que se pone en las mesas, gralte. antes de las comidas. // Pieza de teatro jocosa y de un solo acto.
ENTREMETER tr. Meter una cosa entre otras. // r. Meterse uno donde no le llaman. // Ponerse en medio o entre otros.
ENTRENAR tr. y r. Preparar, adiestrar.
ENTREOÍR tr. Oír una cosa sin percibirla bien.
ENTREPAÑO m. *Arq.* Parte de pared entre dos pilastras, dos columnas o dos huecos.
ENTRESACAR tr. Sacar unas cosas de entre otras. // Elegir.
ENTRESIJO m. Mesenterio. // fig. Cosa oculta, interior.
ENTRESUELO m. Piso entre el bajo y el principal de una casa.
ENTRETALLAR tr. Trabajar algo a media talla o bajo

relieve. // Grabar, esculpir.
ENTRETANTO adv. t. Entre tanto. U también como s. Precedido del artículo *el.*
ENTRETEJER tr. Meter en la tela que se teje hilos diferentes. // Trabar y entrelazar una cosa con otra.
ENTRETELA f. Tejido que se pone entre la tela y el forro de una prenda de vestir. // pl. fig. y fam. Lo íntimo del corazón.
ENTRETENER tr. y r. Tener a uno detenido y en espera. // Hacer menos molesta una cosa. // Recrear el ánimo de uno. // Dar largas al despacho de un negocio.
ENTRETENIMIENTO m. Acción y efecto de entretener o entretenerse. // Cosa que sirve para divertir.

juegos y **entretenimientos** de los indios mexicanos

ENTREVER tr. Ver confusamente una cosa. // Conjeturarla.
ENTREVERAR tr. Mezclar una cosa entre otras.
ENTREVISTA f. Conferencia de dos o más personas para tratar un negocio.
ENTREVISTAR tr. Interrogar a una persona para informar al público. // r. Tener una entrevista con una persona.
ENTRISTECER tr. Causar tristeza. // r. Ponerse triste.
ENTROMETER tr. y r. Entremeter.
ENTRONCAR tr. Contraer parentesco con un linaje.
ENTRONIZAR tr. Colocar en el trono. // fig. Ensalzar a uno. // r. fig. Envanecerse.
ENTRONQUE m. Relación de parentesco entre personas de un tronco común.
ENTUERTO m. Tuerto, agravio.
ENTUMECER tr. y r. Entorpecer el movimiento de un miembro.
ENTURBIAR tr. y r. Hacer o poner turbia una cosa. / / fig. Turbar.
ENTUSIASMAR tr. y r. Infundir entusiasmo.
ENTUSIASMO m. Exaltación del ánimo. // Adhesión fervorosa.
ENTUSIASTA adj. y s. Que siente entusiasmo. // Propenso a entusiasmarse.
ENUMERACIÓN f. Acción y efecto de enumerar. // Cómputo o cuenta numeral de las cosas.
ENUMERAR tr. Enunciar sucesiva y ordenadamente una serie de cosas, las partes de un todo, etc.
ENUNCIACIÓN f. Acción y efecto de enunciar.
ENUNCIADO m. Enunciación.
ENUNCIAR tr. Expresar breve y sencillamente una idea.
ENVAINAR tr. Meter en la vaina. // Envolver una cosa a otra ciñéndola a manera de vaina.
ENVALENTONAR tr. Infundir valentía, o arrogancia. // r. Cobrar valentía, hacerse el valiente.
ENVANECER tr. y r. Infundir soberbia o vanidad a uno.
ENVARAR tr. y r. Entumecer.
ENVASAR tr. Echar en vasijas un líquido. // Colocar un género en su envase.
ENVASE m. Acción y efecto de envasar. // Recipiente en que se envasan cosas.
ENVEJECER tr., intr. y r. Hacer vieja o antigua una persona o cosa. // intr. Durar mucho tiempo.
ENVEJECIMIENTO m. Acción y efecto de envejecer.
ENVENENAR tr. y r. Emponzoñar, inficionar con veneno. // tr. fig. Tergiversar.
ENVERGADURA f. fig. Importancia, amplitud, alcance. // *Mar.* f. Ancho de una vela.
ENVÉS m. Parte opuesta del frente de una cosa. // fam. Espalda. // *Bot.* m. Superficie inferior de la hoja.
ENVIADO, DA m. y f. Mensajero.
ENVIAR tr. Hacer que una persona vaya a alguna parte. // Hacer que una cosa se dirija o sea llevada a alguna parte.
ENVIDIA f. Pesar del bien ajeno. // Emulación.
ENVIDIAR tr. Tener envidia.
ENVILECER tr. Hacerse vil y despreciable una cosa.
ENVISCAR tr. Untar con liga las ramas de las plantas para cazar pájaros. // r. Pegarse los pájaros y los insectos con la liga.
ENVIUDAR intr. Quedar viudo o viuda.
ENVOLTORIO m. Lío hecho de paños, lienzos u otras cosas.
ENVOLVENTE adj. Que envuelve.
ENVOLVER tr. Cubrir un objeto parcial o totalmente. // Vestir al niño con los pañales. // tr. y r. fig. Complicar a uno en un asunto. // *Mil.* tr. fig. Rodear al enemigo.
ENYESAR tr. Tapar o acomodar con yeso una cosa. // Agregar yeso a algo. // Escayolar.
ENZARZAR tr. Poner zarzas o cubrir de ellas. // tr. y r. fig. Sembrar discordias. // r. Enredarse en zarzas. // fig. Meterse en negocios arduos. // Reñir, pelear.
EOCENO m. *Geol.* Primer período de la era terciaria.
EÓLICO, CA adj. Perten. o rel. al viento.
EOLIO, LIA adj. y s. Natural de Eólide. // adj. Perten. a este país de Asia ant. // Rel. a Eolo.
EPACTA f. Número de días que el año solar excede al lunar común.

EPI- Prep. insep. que significa *sobre*.
EPICARPIO m. *Bot.* Película que cubre el fruto de las plantas.
EPICENTRO m. *Geol.* Punto de la tierra en que tiene su origen un fenómeno sísmico.
ÉPICO, CA adj. Perten. o rel. a la epopeya. // Propio de la poesía épica. // adj. y s. Díc. del cultivador de éste género de poesía.
EPICUREÍSMO m. Sistema filosófico de Epicuro. // fig. Búsqueda del placer exento de dolor.
EPICÚREO, A adj. y s. Que sigue la secta de Epicuro. // adj. Perten. a este filósofo. // fig. Sensual.
EPIDEMIA f. *Med.* Expansión de una enfermedad contagiosa a un gran número de personas.
EPIDERMIS f. Capa exterior de la piel animal. Película delgada que cubre la superficie de las plantas.
EPIFANÍA f. Festividad que celebra la Iglesia católica el día 6 de enero.
EPÍFISIS f. *Anat.* Parte terminal de los huesos largos.
EPIGASTRIO m. *Anat.* Región superior y media del abdomen.
EPIGLOTIS f. *Anat.* Organo fibrocartilaginoso colocado a la entrada de la laringe.
EPÍGONO m. El que sigue las huellas de otro.
EPÍGRAFE m. Resumen que suele preceder a una obra o capítulo. // Inscripción. // Título, rótulo.
EPIGRAFÍA f. Ciencia que estudia las inscripciones.
EPIGRAMA m. Inscripción. // Composición breve, en verso, de tipo satírico.
EPILEPSIA f. *Med.* Enfermedad caracterizada por accesos repentinos con desmayos y convulsiones.
EPÍLOGO m. Recapitulación de todo lo dicho en un discurso u obra. // fig. Conjunto o compendio. // Ultima parte de algunas obras dramáticas y novelas.
EPIPIÓN m. *Anat.* Repliegue conjuntivo vascular que une las vísceras abdominales.
EPISCOPADO m. Dignidad de obispo. // Duración del gobierno de un obispo. // Conjunto de obispos.
EPISODIO m. Suceso relacionado con otros con los que forma un todo. // Acción secundaria de un poema épico, dramático, etc.
EPISTEMOLOGÍA f. *Fil.* Doctrina de los fundamentos y métodos del conocimiento científico.
EPÍSTOLA f. Carta que se escribe a los ausentes.
EPISTOLAR adj. Perten. a la epístola.
EPISTOLARIO m. Colección de epístolas.
EPITAFIO m. Inscripción que se pone sobre un sepulcro.
EPITALAMIO m. Composición poética en celebridad de una boda.
EPITELIO m. *Anat.* Tejido tenue que cubre exteriormente las membranas mucosas.
EPÍTETO m. Adjetivo cuyo fin es caracterizar el sustantivo.
EPÍTOME m. Resumen de una obra extensa.
ÉPOCA f. Fecha de un suceso. // Período de tiempo que se señala por los hechos durante él acaecidos.

EPOPEYA f. Poema épico de tipo popular y heroico. // fig. Conjunto de hechos gloriosos dignos de ser cantados.
EQUI- Part. insep. que denota igualdad.
EQUIDAD f. Igualdad de ánimo. // Justicia natural por oposición a la legal. // Moderación en el precio o en los contratos.
EQUIDISTAR intr. Hallarse uno o más puntos o cosas a igual distancia de otro determinado o entre sí.
ÉQUIDOS m. pl. *Zool.* Fam. de mamíferos perisodáctilos, como el caballo y el asno.
EQUILÁTERO, RA adj. *Geom.* Díc. de la figura geométrica de lados iguales.
EQUILIBRAR tr. y r. Poner una cosa en equilibrio. // tr. fig. Mantener dos o más cosas en proporciones iguales.
EQUILIBRIO m. Estabilidad de un cuerpo cuando encontradas fuerzas que obran en él se compensan destruyéndose mútuamente. // fig. Armonía entre cosas diversas. // Ecuanimidad.
EQUILIBRISTA adj. y s. Diestro en ejercicios de equilibrio.
EQUINO, NA adj. Rel. al caballo.
EQUINOCCIO m. *Astron.* Epoca en que, por hallarse el Sol sobre el ecuador, los días son iguales a las noches en la Tierra.
EQUIPAJE m. Conjunto de cosas que se llevan en los viajes.
EQUIPAR tr. y r. Proveer de las cosas necesarias.
EQUIPARAR tr. Comparar una cosa con otra considerándolas iguales.
EQUIPO m. Grupo de personas, organizado para un servicio. // Cada uno de los grupos que se disputan el triunfo en ciertos deportes. // Conjunto de cosas para uso particular de una persona.
EQUISETO m. *Bot.* Criptógama vascular de brotes verticales y hojas pequeñas y escamosas.
EQUITACIÓN f. Arte de montar el caballo.
ÉQUITE m. Ciudadano romano perten. a la clase intermedia entre los patricios y los plebeyos.
EQUIVALENCIA f. Igualdad en el valor, potencia o eficacia de dos o más cosas. // *Geom.* Igualdad de áreas en figuras planas de formas distintas, o de áreas o volúmenes en sólidos diferentes.
EQUIVALENTE adj. y s. Que equivale a otra cosa.
EQUIVALER intr. Ser igual una cosa a otra en valor, potencia o eficacia.
EQUIVOCACIÓN f. Acción y efecto de equivocar o equivocarse. // Cosa equivocada.
EQUIVOCAR tr. y r. Tener o tomar una cosa por otra.
EQUÍVOCO, CA adj. Que puede entenderse en varios sentidos. // m. Palabra cuya significación conviene a diferentes cosas.
ERA f. Fecha desde la cual se empiezan a contar los años. // Temporada larga. // *Geol.* Cada uno de los grandes períodos de la historia de la Tierra.
ERA f. Espacio de tierra donde se trillan las mieses.

// Cuadro pequeño de tierra destinado al cultivo.
ERARIO m. Tesoro público de una nación. // Lugar donde se guarda.
ERASMISMO m. Doctrina filosófica de Erasmo de Rotterdam.
ERECCIÓN f. Acción y efecto de levantar, levantarse o ponerse rígida una cosa. // Fundación.
ERÉCTIL adj. Que tiene la facultad de levantarse o ponerse rígido.
ERECTO, TA adj. Enderezado.
EREMITA m. Ermitaño.
ERGOTISMO m. *Med.* Intoxicación por los alcaloides del cornezuelo del centeno.
ERGUIR tr. Levantar y poner derecha una cosa. // r. Levantarse o ponerse derecho. // fig. Engreírse.
ERIAL adj. y s. m. pl. Apl. a la tierra o campo sin cultivar.
ERIGIR tr. Fundar. // tr. y r. Constituir a una persona o cosa con un carácter que antes no tenía.
ERISIPELA f. *Med.* Enfermedad infecciosa, caracterizada por una inflamación aguda y febril de la piel y el tejido subcutáneo.
ERIZAR tr. y r. Levantar, poner tiesa una cosa; díc. esp. del pelo. // tr. fig. Llenar una cosa de obstáculos, asperezas, etc. // r. fig. Inquietarse.
ERIZO m. *Zool.* Mamífero insectívoro, con un escudo dorsal espinoso, que le sirve de defensa al replegar su cuerpo.
ERMITA f. Santuario o capilla situado por lo común en despoblado.
ERMITAÑO, ÑA m. y f. Persona que vive en la ermita y cuida de ella. // m. El que vive en soledad.
EROGAR tr. Distribuir bienes.
EROSIÓN f. Depresión o desgaste producido en la superficie de un cuerpo por el roce de otro.

erosión eólica (Valle de la Muerte, California)

ERÓTICO, CA adj. Amatorio. // Perten. al amor sensual.
EROTISMO m. Pasión de amor. // Amor sexual exacerbado.

Psique y Eros, por Zucchi (Gal. Borghese, Roma)

ERRABUNDO, DA adj. Que vaga de una parte a otra.
ERRADICAR tr. Arrancar de raíz.
ERRANTE adj. Que yerra. // Que vaga de una parte a otra.
ERRAR tr. e intr. No acertar. // intr. Andar vagando de una parte a otra. // Divagar. // r. Equivocarse.
ERRATA f. Equivocación material cometida en lo impreso o manuscrito.
ERRÁTICO, CA adj. Vagabundo.
ERRÓNEO, A adj. Que contiene error.
ERROR m. Concepto equivocado o juicio falso. // Acción desacertada. // Cosa hecha erradamente.
ERUCTAR intr. Expeler con ruido por la boca los gases del estómago.
ERUDICIÓN f Instrucción en varias ciencias, artes y otras materias.
ERUDITO, TA adj. y s. Instruido en varias ciencias, artes y otras materias.
ERUPCIÓN f. *Med.* Lesión cutánea en forma de máculas, vesículas o pápulas. // *Geol.* Expulsión de materiales por la boca de un volcán.
ESBELTEZ f. Estatura descollada y figura airosa.
ESBELTO, TA adj. Gallardo, airoso.
ESBIRRO m. El que a sueldo usa de la violencia.
ESBOZAR tr. Bosquejar.
ESBOZO m. Bosquejo.
ESCABECHAR tr. Echar en escabeche. // fig. y fam.

Matar a mano airada.
ESCABECHE m. Adobo de aceite, vinagre y otros ingredientes para conservar ciertos manjares.
ESCABROSO, SA adj. Desigual, lleno de tropiezos. // fig. Aspero, duro. // Peligroso.
ESCABULLIRSE r. Escaparse de entre las manos una cosa. // fig. Ausentarse disimuladamente.
ESCAFANDRA f. *Mar.* Aparato que permite al hombre respirar debajo del agua.
ESCALA f. Escalera de mano. // Serie ordenada de cosas distintas, pero de la misma especie. // Línea recta dividida en partes iguales que representan metros, kilómetros, etc. // *Mús.* Sucesión diatónica o cromática de las notas musicales.
ESCALADA f. Acción y efecto de escalar o trepar.
ESCALAFÓN m. Lista de los individuos de una corporación o empleo clasificados según su grado, antigüedad, etc.
ESCALAR tr. Entrar en un lugar valiéndose de escalas. // Subir, trepar. // *Fís.* Díc. de la magnitud que queda definida mediante la asignación de un valor numérico.
ESCALDADO, DA adj. fig. y fam. Escarmentado, receloso.
ESCALDAR tr. Bañar con agua hirviendo una cosa. / / Abrasar con fuego. // r. Escocerse la piel.
ESCALENO adj. *Geom.* Díc. del triángulo que tiene sus lados desiguales. // Díc. del cono cuyo eje no es perpendicular a la base.
ESCALERA f. Conjunto de peldaños que sirve para subir y bajar.
ESCALFAR tr. Cocer en agua hirviendo o en caldo los huevos sin la cáscara.
ESCALINATA f. Escalera exterior de un solo tramo y hecha de fábrica.
ESCALOFRIANTE adj. Pavoroso, terrible. // Asombroso.
ESCALOFRÍO m. Sensación de frío acompañada de estremecimiento.
ESCALÓN m. Peldaño. // fig. Grado a que se asciende en dignidad.
ESCALONAR tr. y r. Situar ordenadamente personas o cosas de trecho en trecho. // Distribuir en tiempos sucesivos las diversas partes de una serie.
ESCALPELO m. Instrumento en forma de cuchillo usado en cirugía.
ESCAMA f. *Zool.* Cada una de las placas rígidas, imbricadas o yuxtapuestas, que cubren la piel de ciertos animales. // fig. Lo que tiene figura de escama.
ESCAMAR tr. Quitar las escamas a los peces. // tr. y r. fig. y fam. Hacer que uno entre en recelo.
ESCAMOTEAR tr. Hacer que desaparezcan las cosas ante la vista. // fig. Robar con agilidad y astucia. // Quitar de en medio algún asunto.
ESCAMPAR tr. Despejar, desembarazar un sitio. // intr. Dejar de llover. // fig. Cesar en un empeño.
ESCANCIAR tr. Echar el vino; servirlo. // intr. Beber vino.

ESCANDALIZAR tr. Causar escándalo. // r. Mostrar indignación por algo. // Enojarse.
ESCÁNDALO m. Acción o palabra que es causa de que uno obre mal o piense mal de otro. // Alboroto. // Desenfreno. // fig. Asombroso.
ESCANDALLO Sonda o plomada para medir la profundidad del agua. // Acción de tomar muestras de un conjunto.
ESCAÑO m. Banco con respaldo capaz para varias personas. // fig. Puesto en las Cortes, Palamento, etcétera.
ESCAPADA f. Acción de escapar deprisa y ocultamente.
ESCAPAR tr. Hacer correr al caballo con violencia. // Librar. // intr. y r. Salir de un encierro o peligro. // Salir de prisa y ocultamente.
ESCAPARATE m. Hueco que hay en la fachada de las tiendas para colocar en él muestras de los géneros.
ESCAPE m. Acción de escapar. // Fuga de un gas o líquido.
ESCAQUE m. Cada una de las casillas de los tableros de ajedrez y de damas. // pl. Ajedrez.
ESCARABAJO m. *Zool.* Insecto coleóptero, de cuerpo rechoncho, patas cortas y dos élitros.
ESCARAMUZA f. Refriega de poca importancia.
ESCARAPELA f. Divisa compuesta de cintas de varios colores.
ESCARBAR tr. Arañar o remover la tierra. // Limpiar los dientes o los oídos. // Avivar la lumbre. // fig. Inquirir curiosamente.
ESCARCEO m. Oleaje menudo. // fig. Rodeo, divagación. // pl. Vueltas que dan los caballos.
ESCARCHA f. Rocío de la noche congelado.
ESCARCHAR tr. Preparar confituras de modo que el azucar cristalice. // Congelarse el rocío.
ESCARDAR tr. Arrancar las hierbas nocivas de los sembrados. // fig. Apartar lo malo de lo bueno.
ESCARLATA f. Color carmesí menos subido que el de la grana. // Escarlatina.
ESCARLATINA f. *Med.* Enfermedad contagiosa caracterizada por exantema bucal y faríngeo y una descamación cutánea.
ESCARMENTAR tr. Corregir con rigor. // intr. Aprovechar la experiencia propia y ajena para evitar nuevos errores o daños.
ESCARMIENTO m. Desengaño adquirido con la experiencia del daño o error. // Castigo, pena.
ESCARNECER tr. Hacer mofa de otro.
ESCARNIO m. Befa que se hace para afrentar.
ESCAROLA f. *Agr.* Planta herbácea anual de la fam. compuestas. Sirve como alimento.
ESCARPA f. Declive áspero de un terreno. // Plano inclinado de las murallas.
ESCARPAR tr. Limpiar y raspar esculturas con el escarpelo.
ESCARPELO m. Escalpelo. // Instrumento que usan los carpinteros y escultores para escarpar.

ESCARPIA f. Clavo de cabeza acodillada.
ESCASEAR tr. Dar poco y de mala gana. // intr. Faltar.
ESCASEZ f. Cortedad, mezquindad. // Poquedad. // Pobreza.
ESCASO, SA adj. Corto, poco. // Falto, no cabal ni entero.
ESCATIMAR tr. Escasear lo que se ha de hacer o dar.
ESCATOLOGÍA f. Conjunto de creencias y doctrinas referentes a la vida de ultratumba.
ESCATOLÓGICO, CA adj. Rel. a las postrimerías de ultratumba.
ESCAVAR tr. Cavar ligeramente la tierra para ahuecarla.
ESCAYOLA f. Yeso espejuelo calcinado.
ESCAYOLAR tr. Tender o enlucir con escayola. // Recubrir de escayola un vendaje para inmovilizar algún miembro.
ESCENA f. Parte del teatro en que se representa una obra teatral. // Cada una de las partes en que se divide el acto de la obra dramática.
ESCENARIO m. Parte del teatro en que se representa cualquier espectáculo.
ESCÉNICO, CA adj. rel. a la escena.
ESCENIFICAR tr. Dar forma dramática a una obra literaria para representarla.
ESCENOGRAFÍA f. Arte de pintar decoraciones de teatro.
ESCEPTICISMO m. Incredulidad o duda acerca de la verdad o eficacia de alguna cosa.
ESCÉPTICO, CA adj. y s. Que profesa el escepticismo.
ESCINDIR tr. Cortar, dividir.
ESCISIÓN f. Rompimiento, desavenencia.
ESCLARECER tr. Iluminar, poner clara una cosa. // fig. Ilustrar el entendimiento. // Poner en claro. // intr. Empezar a amanecer.
ESCLAVISTA adj. y s. Partidario de la esclavitud.
ESCLAVITUD f. Estado de esclavo.
ESCLAVIZAR tr. Hacer esclavo a uno. // fig. Tener a uno muy sujeto.
ESCLAVO, VA adj. y s. Díc. de la persona que por estar bajo el dominio de otra carece de libertad. // fig. Sometido a deber, vicio, etc. // Rendido, enamorado.
ESCLERENQUIMA m. *Bot.* Tejido de sostén que constituye el esqueleto de los vegetales.
ESCLEROSIS f. Endurecimiento de los tejidos.
ESCLERÓTICA f. *Anat.* Membrana exterior del ojo, blanca y fibrosa.
ESCLUSA f. Recinto con compuertas en los canales de navegación para que los barcos puedan pasar de un tramo a otro de distinto nivel.
ESCOBA f. Manojo de ramas flexibles, atadas al extremo de un palo, que sirve apra barrer y limpiar.
ESCOBILLA f. Cepillo o escobita para limpiar. // *Electrotec.* Pieza conductora para establecer contacto con una superficie en movimiento.
ESCOCER intr. Producirse una sensación parecida a la quemadura. // r. Sentirse o dolerse.

ESCOCIA f. Moldura cóncava.
ESCODA f. Especie de martillo de hierro para labrar piedra.
ESCOGER tr. Tomar o elegir una o más cosas o personas entre otras.
ESCOLAPIO, PIA adj. Perten. a la Orden de las Escuelas Pías. // m. y f. Clérigo o religiosa de esta Orden.
ESCOLAR adj. Perten. al estudiante o a la escuela. // m. Estudiante.
ESCOLARIDAD f. Conjunto de cursos que sigue un estudiante.
ESCOLÁSTICA f. *Fil.* Sistema filosófico medieval cuyo objetivo fue la justificación racional del dogma cristiano.
ESCOLASTICISMO m. Escolástica.
ESCOLÁSTICO, CA adj. Perten. a las escuelas o a los que estudian en ellas. // Perten. al escolasticismo o al que lo profesa.
ESCÓLEX m. Cabeza de la solitaria.
ESCOLOPENDRA f. *Zool.* Miriápodo quilópodo. Vive debajo de las piedras y es venenoso.
ESCOLTA f. Tropa o embarcación destinada a escoltar. // Acompañamiento en señal de honra.
ESCOLTAR tr. Proteger o conducir a una persona o cosa para que camine sin riesgo o en señal de honra.
ESCOLLERA f. Obra hecha con piedras echadas al fondo del agua para fomentar un dique o para servir de cimentación a un muelle.
ESCOLLO m. Peñasco que está a flor de agua o que no se descubre bien. // fig. Peligro. // Obstáculo.
ESCOMBRO m. Desecho y cascote de un edificio derribado. // Desechos de una mina.
ESCONDER tr. y r. Encubrir, ocultar.
ESCONDITE m. Escondrijo.
ESCONDRIJO m. Lugar oculto y retirado.
ESCOPETA f. Arma de fuego destinada exclusivamente para cazar.
ESCOPLO m. Herramienta de hierro acerado, con mango de madera y boca formada por un bisel.
ESCORA f. *Mar.* Cada uno de los puntales que sostienen un buque en un varadero. // Inclinación que toma un buque.
ESCORBUTO m. *Med.* Enfermedad debida a la falta de vitamina C.
ESCORIA f. *Metal.* Sustancia vítrea que sobresale en el crisol de los hornos de fundición. // Lava esponjosa de los volcanes. // fig. Cosa vil.
ESCORPIÓN m. *Zool.* Arácnido segmentado. Posee un aguijón cuya picadura es muy dolorosa.
ESCORZAR tr. *Pint.* Representar según las reglas de la perspectiva.
ESCORZO m. Acción y efecto de escorzar. // Figura escorzada.
ESCOTADURA f. Corte hecho en un vestido, por el cuello. // En los teatros, abertura grande para las tramoyas.

ESCOTAR tr. Cortar una cosa.
ESCOTE m. Escotadura.
ESCOTILLA f. *Mar.* Cada una de las aberturas en las diferentes cubiertas para el servicio de un buque.
ESCOZOR m. Sensación como la de una quemadura. // fig. Sentimiento doloroso.
ESCRIBA m. Doctor e intérprete de la ley entre los hebreos. // Ant., copista.
ESCRIBANÍA f. Oficio de escribano. Oficio u oficina del secretario judicial.
ESCRIBANO m. El que por oficio estaba autorizado para dar fe de las escrituras. // Secretario.
ESCRIBIR tr. Representar palabras o ideas con letras u otros signos. // Componer libros, discursos, etc. // Comunicar por escrito algo.
ESCRITO m. Carta o cualquier papel manuscrito. // Obra científica o literaria.
ESCRITOR, RA m. y f. Persona que escribe. // Autor de obras escritas o impresas.
ESCRITURA f. Acción y efecto de escribir. // Arte de escribir. // Carta, documento o cualquier papel manuscrito. // Instrumento público otorgado ante notario y testigos. // Por antonom., la Biblia.
ESCROFULARIA f. *Bot.* Planta vivaz de la fam. escrofulariáceas.
ESCROFULARIÁCEAS f. pl. *Bot.* Fam. de plantas dicotiledóneas, de fruto en baya o capsular.
ESCROFULOSIS f. *Med.* Alteraciones de la piel, de los ganglios y de los huesos, de origen tuberculoso.
ESCROTO m. *Anat.* Bolsa formada por la piel que recubre los testículos.
ESCRÚPULO m. Duda o recelo que punza la conciencia. // Exactitud en el cumplimiento de un cargo.
ESCRUTAR tr. Indagar, explorar. // Reconocer y computar los votos.
ESCRUTINIO m. Examen y averiguación exacta de una cosa.
ESCUADRA f. Instrumento de figura de triángulo rectángulo. // Cierto número de soldados con su cabo. // Conjunto de buques de guerra.
ESCUADRILLA f. Escuadra de buques de pequeño porte. // Conjunto de aviones que realizan un mismo vuelo.
ESCUADRÓN m. *Mil.* Unidad de caballería mandada por un capitán.
ESCUÁLIDO, DA adj. Sucio, asqueroso. // Flaco, macilento.
ESCUALOS m. pl. *Zool.* Peces concroíctios seláceos, como el tiburón.
ESCUCHAR intr. Aplicar el oído para oír. // tr. Prestar atención a lo que se oye. // Hablar afectadamente.
ESCUCHIMIZADO, DA adj. Muy flaco.
ESCUDAR tr. y r. Amparar y resguardar con el escudo. // tr. fig. Defender a una persona del peligro. // f. fig. Valerse de algún medio para evitar el peligro.
ESCUDERO m. Paje o sirviente que acompañaba al caballero.

ESCUDILLA f. Vasija para la sopa.
ESCUDO m. Arma defensiva que se llevaba en un brazo. // Moneda ant. de oro. // Unidad monetaria portuguesa. // Moneda chilena de oro. // fig. Amparo, defensa.
ESCUDRIÑAR tr. Examinar con cuidado una cosa y sus circunstancias.
ESCUELA f. Establecimiento público de enseñanza. // Conjunto de profesores y alumnos de una misma enseñanza. // Doctrina, principio y sistema de un autor.
ESCUETO, TA adj. Descubierto, libre. // Sin adornos, estricto.
ESCULPIR tr. Labrar una escultura. // Grabar.
ESCULTOR, RA m. y f. Persona que profesa el arte de la escultura.
ESCULTURA f. Arte de modelar, tallar y esculpir figuras y objetos. // Obra hecha por el escultor. // Fundición o vaciado que se forma en los moldes de las esculturas hechas a mano.
ESCUPIR intr. Arrojar saliva por la boca. // tr. Arrojar con la boca algo como escupiendo. // fig. Echar de sí con desprecio una cosa. // Despedir un cuerpo a la superficie una sustancia que estaba en él

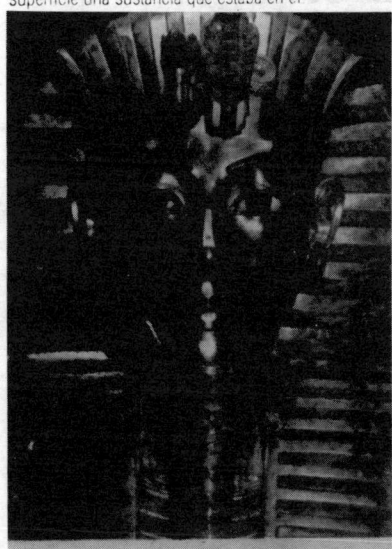

Tutankamón, escultura funeraria

ESCURRIDIZO, ZA adj. Que se escurre fácilmente.
ESCURRIR tr. Apurar las últimas gotas del contenido de una vasija. // tr. y r. Hacer que una cosa despida el líquido que contiene. // intr. y r. Deslizar una cosa por encima de otra. // r. Salir huyendo.
ESDRÚJULO, LA adj. y s. m. Apl. al vocablo cuya acentuación prosódica carga en la antepenúltima sílaba.
ESE, ESA, ESO, ESOS, ESAS formas de pron. dem. en los tres géneros m., f. y n., y en ambos núm. sing.

y pl. Las formas m. y f. se usan como adj. y s., y en este último caso se escriben normalmente con acento, aunque sólo es preceptivo si existe anfibología.

ESENCIA f. Naturaleza de las cosas. // Lo permanente e invariable de ellas. // *Quím.* Sustancia volátil, de olor intenso, producida por ciertos vegetales y otros cuerpos orgánicos.

ESENCIAL adj. Perten. a la esencia. // Sustancial, principal.

ESFERA f. *Geom.* Cuerpo sólido limitado por una superficie cuyos puntos equidistan de uno interior llamado *centro.* // Círculo en que giran las manecillas del reloj. // fig. Ámbito a que se extienden el poder y el cometido de una persona.

ESFERICIDAD f. Cualidad de esférico.

ESFÉRICO, CA adj. Perten. a la esfera o que tiene su figura.

ESFEROIDE m. Cuerpo de forma parecida a la esfera.

ESFINGE amb. Monstruo fabuloso, con cabeza, cuello y pecho de mujer, y cuerpo y pies de león.

ESFÍNTER m. *Anat.* Músculo en forma de anillo que abre y cierra algún orificio del cuerpo, como el de la vejiga, píloro o uretra.

ESFORZADO, DA adj. Valiente.

ESFORZAR tr. Dar fuerza o vigor. // Infundir valor. // r. Hacer esfuerzos física y moralmente.

ESFUERZO m. Empleo enérgico de la fuerza física o de la actividad del ánimo. // Brío, valor.

ESFUMAR tr. *Pint.* Extender los trazos de lápiz con el esfumino. // r. fig. Disiparse, difundirse.

ESFUMINO m. Rollito de papel que sirve para esfumar.

ESGRIMA f. Arte de manejar la espada, el florete y el sable.

luchador de esgrima con **careta** de protección

ESGRIMIR tr. Jugar armas blancas, deteniendo los golpes del contrario, o acometiéndole. // fig. Ampararse en algo para lograr un fin.

ESGUINCE m. *Med.* Torcedura o distensión de una articulación.

ESLABÓN m. Pieza curva que enlazada con otras forma cadena.

ESLAVO, VA adj. Apl. al grupo étnico indoeuropeo que habita en Europa central y oriental. // Perten. o rel. a este pueblo. // adj. y s. Díc. de los que de él proceden.

ESLORA f. *Mar.* Longitud de la nave desde la *roda* hasta el *codaste.*

ESMALTAR tr. Cubrir con esmaltes los metales. // fig. Adornar.

ESMALTE m. Barniz vítreo que por medio de la fusión se adhiere a la porcelana, los metales, etc.

ESMERALDA f. *Mineral.* Piedra preciosa de color verde, variedad del berilo.

ESMERAR tr. Pulir, limpiar, ilustrar. // r. Extremarse en ser perfecto.

ESMERIL m. *Mineral.* Roca formada por corindón granoso. Es de gran dureza.

ESMERILAR tr. Pulir con esmeril.

ESMERO m. Sumo cuidado en hacer las cosas con perfección.

ESNOBISMO m. Exagerada admiración por todo lo que es moda.

ESÓFAGO m. *Anat.* y *Zool.* Parte anterior del tubo digestivo.

ESOTÉRICO, CA adj. Oculto, reservado.

ESPABILAR tr. Despabilar.

ESPACIAR tr. Poner espacio entre las cosas. // Esparcir , difundir. // r. fig. Esparcirse.

ESPACIO m. Medio homogéneo, continuo e ilimitado en el que situamos los fenómenos, cuerpos y movimientos. // Capacidad de terreno, sitio o lugar. // Transcurso de tiempo. // Tardanza, lentitud.

espacio: J. Lousma en el exterior del Skylab (1973)

ESPACIOSO, SA adj. Ancho, vasto. // Lento, flemático.

ESPADA f. Arma blanca, larga, recta y cortante, con guarnición y empuñadura. // m. y f. Persona diestra en su manejo. // Persona que lidia y mata toros. // pl. Uno de los cuatro palos de la baraja española.

ESPADAÑA f. Campanario de una sola pared.

ESPADILLA f. Insignia de los caballeros de la Orden de Santiago.
ESPALDA f. Parte posterior del cuerpo, desde los hombros hasta la cintura. // pl. Envés o parte posterior de una cosa.
ESPALDAR m. Parte de la coraza que resguardaba la espalda. // Respaldo de un asiento. // Espalda.
ESPALDARAZO m. Golpe dado en la espalda con la espada o con la mano.
ESPANTADA f. Huida repentina de un animal. // Desistimiento súbito, ocasionado por el miedo.
ESPANTAJO m. Lo que se pone en un paraje para espantar. // fig. Cosa que infunde vano temor.
ESPANTAR tr. e intr. Cusar espanto, asustar, infundir miedo. // tr. Ahuyentar. // r. Admirarse, maravillarse. // Asustarse.
ESPANTO m. Terror, consternación. // Amenaza con que se infunde miedo. // Enfermedad causada por el espanto.
ESPAÑOL, LA adj. y s. Natural de España. // adj. Perten. a esta nación. // m. Lengua española.
ESPARCIR tr. y r. Separar, extender lo que está junto o amontonado. // fig. Divulgar una noticia. // Divertir, desahogar, recrear.
ESPÁRRAGO m. *Bot.* Planta vivaz de la fam liliáceas. Es comestible.
ESPARTANO, NA adj. y s. Natural de Esparta. // adj. Perten. a esta ciudad de Grecia ant.
ESPARTO m. *Bot.* Planta herbácea de la fam. gramíneas. Sus hojas se utilizan para hacer sogas, esteras y pasta de papel.
ESPASMO m. *Med.* Contracción involuntaria de los músculos.
ESPATO m. *Mineral.* Cualquier mineral de estructura laminar.
ESPÁTULA f. Paleta que se usa para hacer ciertas mezclas.
ESPECIA f. Cualquiera de las drogas que se usa como condimento.
ESPECIAL adj. Singular o particular. // Propio para algún efecto.
ESPECIALIDAD f. Particularidad, singularidad. // Ramo de la ciencia o del arte a que se consagra una persona.
ESPECIALIZAR intr. y r. Cultivar con especialidad una ciencia o un arte. // intr. Limitar una cosa a uso o fin determinado.
ESPECIE f. Conjunto de cosas semejantes entre sí por tener uno o varios caracteres comunes. // Imagen o idea que se representa en el alma. // Caso, suceso, negocio. // Tema, noticia. // Pretexto, apariencia.
ESPECIFICAR tr. Explicar, determinar, declarar con individualidad una cosa.
ESPECÍFICO, CA adj. Que caracteriza y distingue una especie de otra. // *Farm.* m. Medicamento especial para una determinada enfermedad.
ESPÉCIMEN m. Muestra, modelo.

ESPECTÁCULO m. Función o diversión pública. // Lo que es capaz de atraer la atención y mover el ánimo.
ESPECTADOR, RA adj. Que mira algo con atención. // adj. y s. Que asiste a un espectáculo.
ESPECTRAL adj. Rel. al espectro.
ESPECTRO m. Imagen, fantasma, que se representa a los ojos o en la fantasía. // *Fís.* Resultado de la dispersión de un haz de luz de un conjunto de radiaciones.
ESPECTROSCOPIO m. *Fís.* Instrumento óptico que permite una observación visual del espectro de una radiación electromagnética.
ESPECULACIÓN f. Acción y efecto de especular. // Operación comercial que se practica con ánimo de lucro.
ESPECULAR tr. Registrar, mirar con atención una cosa. // fig. Meditar, contemplar. // intr. Comerciar, traficar.
ESPÉCULO m. *Med.* Instrumento para dilatar la entrada de ciertas cavidades del cuerpo.
ESPEJISMO m. Fenómeno óptico debido a la reflexión total de la luz, en virtud del cual los objetos lejanos nos dan una imagen invertida.
ESPEJO m. Tabla de cristal azogada por la parte posterior para que se reflejen y se representen en él los objetos que tenga delante. // fig. Aquello en que se ve una cosa como retratada. // Modelo digno de imitación. // *Opt.* Superficie pulimentada, plana o curva, capaz de reflejar los rayos luminosos.
ESPELEOLOGÍA f. Ciencia que estudia la naturaleza, el origen y la formación de las cavernas.
ESPELUZNAR tr. Desordenar el pelo. // tr. y r. erizar el pelo o las plumas. // Espantar, causar horror.
ESPERANTO m. Idioma creado por Ludwig Zamenhof con el fin de servir como lengua internacional.
ESPERANZA f. Estado del ánimo en el cual se nos representa como posible lo que deseamos. // Virtud teologal que espera en Dios los bienes que ha prometido.
ESPERANZAR tr. Dar esperanza.
ESPERAR tr. Tener esperanza de conseguir algo. // Creer que ha de suceder alguna cosa. // Permanecer en un sitio hasta que venga una persona o hasta que ocurra algo. // Detenerse en el obrar hasta que suceda algo.
ESPERMA amb. *Biol.* Sustancia eyaculada durante el orgasmo sexual por los animales machos.
ESPERMATOZOIDE m. *Biol.* Célula sexual masculina.
ESPERPENTO m. fam. Notable por su fealdad o desaliño. // Desatino, absurdo.
ESPESAR tr. Condensar lo líquido. // Hacer una cosa más tupida. // r. Juntarse.
ESPESO, SA adj. Denso, condensado. // Díc. de las cosas que están muy juntas y apretadas. // Grueso, corpulento. // fig. Sucio.
ESPESURA f. Calidad de espeso.

ESPETAR tr. Meter por un cuerpo un instrumento puntiagudo. // fig. y fam. Decir a uno algo causándole sorpresa.

ESPERMATOZOIDE (acrosoma, núcleo, placa basal, filamentos axiales, cabeza, cuello, mitocondrio, segmento intermedio, vaina fibrosa, flagelo)

ESPIAR tr. Acechar; observar con disimulo lo que se hace o dice.
ESPIGA f. *Bot.* Inflorescencia simple de flores sésiles.
ESPIGAR tr. Coger espigar. // tr. e intr. Recoger de los libros ciertos datos. // intr. Empezar los cereales a echar espigas. // r. Crecer notablemente una persona.
ESPIGÓN m. Punta de un instrumento puntiagudo. // Espiga áspera y espinosa. // Cerro alto y puntiagudo. // Macizo saliente a la orilla de un río o en la costa del mar.
ESPIGUILLA f. *Bot.* Inflorescencia elemental que forma las panículas.
ESPINA f. Púa de algunas plantas // Astilla pequeña y puntiaguda. // Espinazo de los vertebrados. // fig. Recelo, sospecha. // Pesar íntimo y duradero. // *Zool.* Formación ósea larga y puntiaguda, propia de los peces.
ESPINACA f. *Bot.* Planta herbácea, de la fam. quenopodiáceas. Se consume como verdura.
ESPINELA f. *Mineral.* Piedra preciosa parecida al rubí.
ESPINILLA f. Parte anterior de la canilla de la pierna. // Especie de barrillo que sale en la piel.
ESPINO m. *Bot.* Arbusto de la fam. rosáceas, de ramas espinosas.
ESPINOSO, SA adj. Que tiene espinas. // fig. Arduo, difícil.
ESPIONAJE m. Acción de espiar.
ESPIRA f. *Geom.* Cada una de las vueltas de una hélice o de una espiral.
ESPIRACIÓN f. Acción y efecto de espirar.
ESPIRAL adj. Perten. o rel. a la espira. // *Geom.* f. Curva plana que da vueltas alrededor de un punto, alejándose de él gradualmente.
ESPIRAR tr. Eshalar un cuerpo olor. // intr. Tomar aliento. // intr. y tr. Expeler el aire aspirado.

ESPIRITAR tr. y r. Endemoniar. // fig. y fam. Agitar, irritar. // r. Adelgazar.
ESPIRITISMO m. Creencia en la posibilidad de comunicarse, mediante ciertas prácticas, con el espíritu de los muertos.
ESPIRITROMPA f. *Zool.* Aparato bucal chupador de las mariposas.
ESPÍRITU m. Ser inmaterial y dotado de razón. // Alma racional. // Ciencia mística. // Animo, valor. // Vivacidad, ingenio. // fig. Principio generador, esencia o sustancia de una cosa.
ESPIRITUAL adj. Perten. o rel. al espíritu. // Manso, suave.
ESPIRITUALIDAD f. Naturaleza y condición de espiritual.
ESPIRITUALISMO m. *Fil.* Corriente filosófica que considera que el espíritu tiene primacía sobre la materia.
ESPIRITUALIZAR tr. Hacer espiritual a una persona. // Creer como espiritual lo que es corpóreo.
ESPITA f. Grifo.
ESPLENDIDEZ f. Abundancia, magnificencia, largueza.
ESPLÉNDIDO, DA adj. magnífico, liberal, ostentoso. // Resplandeciente.
ESPLENDOR m. Resplandor. // fig. Lustre, nobleza. // Auge, apogeo.
ESPLENIO m. *Anat.* Músculo de la nuca, que une las vértebras cervicales con la cabeza.
ESPLIEGO m. *Bot.* Planta leñosa subarbustiva de la fam. labiadas. Es muy aromática.
ESPOLEAR tr. Picar con la espuela a la cabalgadura. // fig. Estimular a uno para que haga algo.
ESPOLETA f. Dispositivo que se coloca en la boquilla de las bombas o de las granadas para dar fuego a su carga.
ESPOLIO m. Bienes que quedan a la Iglesia católica al morir un clérigo sin haber hecho testamento.
ESPOLÓN m. Apófisis ósea que tienen en el tarso varias aves gallináceas. // Malecón.
ESPOLVOREAR tr. y r. Quitar el polvo. // tr. Esparcir sobre una cosa otra hecha polvo.
ESPONJA f. *Zool.* Animal marino de los espongiarios, cuyo cuerpo es una masa flexible y porosa.
ESPONJAR tr. Ahuecar o hacer más poroso un cuerpo. // r. fig. Engreírse, hincharse, envanecerse.
ESPONJOSO, SA adj. Apl. al cuerpo muy poroso y hueco.
ESPONSALES m. pl. Mutua promesa de casarse que se hacen el varón y la mujer.
ESPONTÁNEO, A adj. Voluntario y de propio movimiento. // Que se produce sin cultivo o sin cuidados del hombre.
ESPORA f. *Bot.* Célula reproductora capaz de transformarse directamente en un individuo adulto.
ESPORÁDICO, CA adj. fig. Díc. de lo que es ocasional.
ESPOSAR tr. Sujetar a uno con esposas.
ESPOSAS f. pl. Manillas con que se sujeta a los

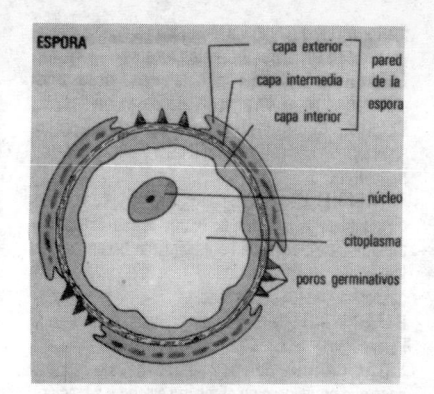

presos por las muñecas.
ESPOSO, SA m. y f. Persona que ha contraído esponsales. // Persona casada.
ESPUELA f. Espiga de metal terminada en una estrella con puntas, que se ajusta al talón del calzado para picar a la cabalgadura. // fig. Estímulo, iniciativa.
ESPUERTA f. Receptáculo de esparto u otra materia, para transportar escombros, tierra, etc.
ESPUMA f. Conjunto de burbujas que se forman en la superficie de los líquidos.
ESPUMOSO, SA adj. Que tiene o hace mucha espuma.
ESPURIO, RIA adj. Bastardo.
ESPUTAR tr. Arrancar y arrojar por la boca flemas.
ESPUTO m. Lo que se arroja en cada expectoración.
ESQUEJE m. *Bot.* Fragmento de un tallo o cogollo que puesto en un medio adecuado multiplica la planta.

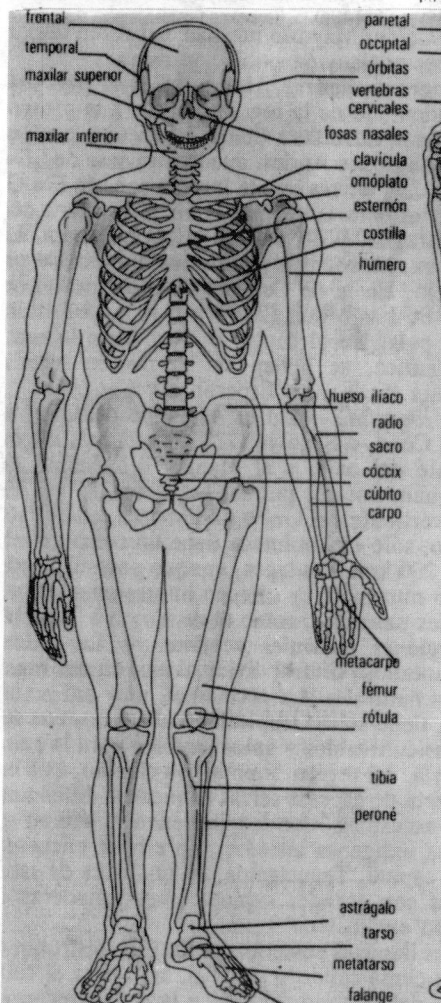

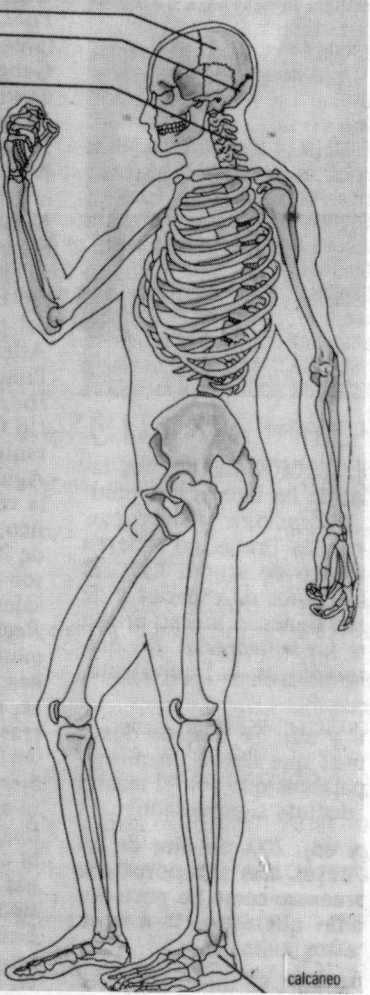

ESQUELA f. Papel en ue se dan citas, se hacen invitaciones o se comunican ciertas noticias.
ESQUELÉTICO, CA adj. Muy flaco. // Perten. o rel. al esqueleto.
ESQUELETO m. *Zool.* Armazón óseo de los vertebrados. // fig. y fam. Sujeto muy flaco. // fig. Armadura sobre la cual se arma algo.
ESQUEMA m. Representación gráfica y simbólica de cosas inmateriales. // Cada uno de los temas que se ponen a la deliberación en una reunión.
ESQUEMÁTICO, CA adj. Perten. al esquema.
ESQUEMATIZAR tr. Representar una cosa en forma esquemática.
ESQUÍ m. Plancha estrecha y larga, que permite deslizarse sobre nieve o agua.
ESQUIAR intr. patinar con esquís.
ESQUIFE m. Barco pequeño que se lleva en el navío para saltar a tierra.
ESQUILAR tr. Cortar con la tijera el pelo, vellón o lana de de ciertos animales.
ESQUILEO m. Acción y efecto de esquilar. // Tiempo en que se esquila.
ESQUILMAR tr. Coger el fruto de las haciendas, heredades y ganados. // Chupar con exceso las plantas el jugo de la tierra. // fig. Empobrecer.
ESQUIMALES m. pl. *Etnol.* Pueblo que habita el extremo N del continente americano, de Alaska a Groenlandia.
ESQUINA f. Arista, principalmente la que resulta del encuentro de las paredes de un edificio.
ESQUINAR tr. e intr. Hacer o formar esquina.
ESQUIRLA f. Astilla desprendida del hueso.
ESQUIROL m. Obrero que se presta a sustituir a un huelguista.
ESQUISTO m. *Geol.* Pizarra, roca homogénea de grano muy fino.
ESQUIVAR tr. Evitar, rehusar. // r. Retraerse, retirarse.
ESQUIVO, VA adj. Aspero, huraño.
ESTABILIDAD f. Permanencia en un estado determinado. // Equilibrio, firmeza. // Duración.
ESTABILIZAR tr. Dar a una cosa estabilidad.
ESTABLE adj. Constante, durable, firme.
ESTABLECER tr. Fundar, instituir. // Ordenar, decretar. // r. Fijar uno su residencia en alguna parte. // Abrir uno por su cuenta un establecimiento mercantil o industrial.
ESTABLECIMIENTO m. Ley, estatuto. // Fundación, institución. // Cosa fundada o establecida. // Lugar donde habitualmente se ejerce una industria o profesión.
ESTABLO m. Lugar cubierto en que se encierra al ganado.
ESTABULACIÓN f. Cría y mantenimiento de los ganados en establo.
ESTABULAR tr. Criar y mantener los ganados en establos.
ESTACA f. Palo con punta en un extremo para poder fijarlo. // Rama o palo verde sin raíces que se planta para que se haga árbol. // Palo grueso.
ESTACADA f. Cualquiera obra hecha de estacas clavadas en tierra. // Lugar señalado para un desafío.
ESTACAR tr. Atar una bestia a una estaca. // Señalar en el terreno con estacas una línea. // r. fig. Quedarse inmóvil, tieso.
ESTACIÓN f. Cada una de las cuatro partes en que se divide el año. // Tiempo, temporada. // Estancia, morada. // Sitio donde habitualmente hacen parada los trenes. // Oficina donde se expiden y reciben despachos de telecomunicación.
ESTACIONAR tr. y r. Situar en un lugar, colocar. // r. Estancarse.
ESTACIONARIO, RIA adj. fig. Díc. de la persona o cosa que permanece en el mismo estado o situación.
ESTADIO m. Recinto con graderías para el espectador, destinado a competiciones deportivas. // Fase, período relativamente corto.
ESTADISTA m. Especialista en estadística. // Persona versada en los negocios de la dirección del Estado.
ESTADÍSTICA f. Ciencia que establece los métodos necesarios para la recolección, organización, presentación y análisis de datos numéricos relativos a un conjunto de individuos.
ESTADO m. Situación en que está una persona o cosa. // Orden, clase y jerarquía de las personas que componen un pueblo. // Clase o condición a la cual está sujeta la vida de cada uno. // Cuerpo político de una nación.
ESTAFAR tr. Pedir o sacar dinero o cosas de valor con engaños y con ánimo de no pagar.
ESTAFETA f. Oficina del correo. // Correo especial para el servicio diplomático.
ESTALACTITA f. *Geol.* Formación de carbonato cálcico cristalino, que cuelga del techo y paredes de algunas cavernas.
ESTALAGMITA f. *Geol.* Estalactita invertida que se forma en el suelo con la punta hacia arriba.
ESTALLAR intr. Reventar de golpe una cosa, con chasquido o estruendo. // Restallar. // fig. Ocurrir violentamente algo, sobrevenir.
ESTALLIDO m. Acción y efecto de estallar.
ESTAMBRE m. *Bot.* Organo sexual masculino de las plantas fanerógamas.
ESTAMENTO m. En la corona de Aragón, cada uno de los estados que concurrían a las Cortes. // Cada uno de los cuerpos colegisladores establecidos por el Estatuto Real.
ESTAMPA f. Efigie o figura trasladada al papel u otra materia. // fig. Figura de una persona o animal. // Huella.
ESTAMPACIÓN f. Acción y efecto de estampar.
ESTAMPADO adj. y s. Apl. a los tejidos en que se forman y estampan diferentes labores o dibujos. // Díc. del objeto que se fabrica con matriz o molde apropiados. // m. Estampación.

ESTAMPAR tr. Imprimir, sacar en estampas una cosa. // Prensar una plancha metálica sobre un molde, de modo que forme relieve. // Imprimir una cosa en otra.

ESTAMPIDO m. Ruido fuerte y seco, como el producido por el disparo de un cañón.

ESTANCACIÓN o **ESTANCAMIENTO** f. Acción y efecto de estancar o estancarse.

ESTANCAR tr. y r. Detener el curso y corriente de una cosa.

ESTANCIA m. Mansión, habitación y asiento de un lugar, casa o paraje. // Permanencia durante cierto tiempo en un lugar determinado.

ESTANCO m. Sitio donde se venden géneros estancados, y esp. sellos, tabacos y cerillas.

ESTANDARTE m. Insignia que usan los cuerpos montados y las corporaciones civiles y religiosas.

ESTANQUE m. Receptáculo de agua para riego, cría de peces, etc.

ESTANTE adj. Fijo o permanente en un lugar. // m. Mueble para colocar libros y otras cosas.

ESTANTERÍA f. Juego de estantes.

ESTAÑAR tr. Bañar con estaño piezas o vasijas de otro metal.

ESTAÑO m. *Quím.* Metal blando, dúctil, maleable e inalterable al aire. Símbolo Sn.

ESTAR intr. y r. Existir, hallarse una persona o cosa en un lugar, situación, condición, etc. // intr. Con ciertos adj., sentir o tener actualmente la calidad que ellos significan. // con la prep. *a*, ser el día del mes cuyo número se indica. // Con las preps. *por* o *para*, hallarse dispuesto o próximo a hacer lo que se indica.

ESTÁTICA f. *Fís.* Parte de la mecánica que estudia las leyes del equilibrio.

ESTÁTICO, CA adj. Perten. o rel. a la estática. // Que permanece en un mismo estado, inmóvil.

ESTATISMO m. Inmovilidad de lo estático.

ESTATUA f. Figura de bulto.

ESTATUIR tr. Establecer, ordenar, determinar. // Asentar como verdad una doctrina o un hecho.

ESTATURA f. Altura de una persona desde los pies a la cabeza.

ESTATUTARIO, RIA adj. Estipulado en los estatutos, referente a ellos.

ESTATUTO m. Regla que tiene fuerza de ley para el gobierno de un cuerpo. // Por ext., cualquier ordenamiento eficaz para obligar.

ESTE m. Levante, oriente. // Viento que viene de oriente.

ESTE, ESTA, ESTO, ESTOS, ESTAS Formas de pron. dem. en los tres géneros m., f. y n., y en ambos núms. sing. y pl. Designan lo que está cerca de la persona que habla. Las formas m. y f. se usan como adj. y como s., y en este último caso se escriben con acento.

ESTELA f. Rastro que deja tras sí en la superficie del agua un cuerpo en movimiento. // Rastro que deja en el aire un cuerpo luminoso en movimiento.

ESTELA f. Monumento conmemorativo en forma de lápida con bajorrelieves o inscripciones.

ESTELAR adj. Perten. o rel. a las estrellas.

ESTENOGRAFÍA f. Taquigrafía.

ESTENTÓREO, A adj. Muy fuerte o retumbante, aplicado a la voz.

ESTEPA f. Erial llano y muy extenso.

ESTEPARIO, RIA adj. Propio de las estepas, o rel. a ellas.

ÉSTER m. *Quím.* Producto químico obtenido por reacción de un ácido con un alcohol, con separación de agua.

ESTERA f. Tejido grueso de esparto, juncos, etc.

ESTEREOTIPADO, DA adj. fig. Díc. de los gestos, expresiones, etc., que se repiten sin variación.

ESTÉRIL adj. Que no da fruto, o no produce nada, en sentido recto o figurado. // adj. Incapaz de reproducirse sexualmente.

ESTERILIDAD f. Calidad de estéril. // Falta de cosecha.

ESTERILIZAR tr. Hacer infecundo y estéril lo que antes no lo era. // *Med.* Destruir los gérmenes patógenos de cualquier objeto o producto.

ESTERNÓN m. *Anat.* Hueso cartilaginoso situado en la parte media del tórax de los vertebrados terrestres.

ESTERO m. Terreno inmediato a la orilla de una ría.

ESTERTOR m. Respiración anhelante propia de la agonía.

ESTETA m. y f. Persona entendida en estética.

ESTÉTICA f. *Fil.* Disciplina filosófica que se ocupa del estudio de la belleza.

ESTÉTICO, CA adj. Perten. o rel. a la estética. // Artístico.

ESTETOSCOPIO m. *Med.* Instrumento usado para auscultar.

ESTIAJE m. Caudal mínimo de un río, laguna, etc., por causa de la sequía. // Tiempo que dura.

ESTIBAR tr. Apretar cosas sueltas para que ocupen el menos espacio posible. // *Mar.* Distribuir convenientemente todos los pesos del buque.

ESTIÉRCOL m. Excremento de cualquier animal. // Materias orgánicas podridas, con que se abonan las tierras.

ESTIGMA m. Marca o señal en el cuerpo. // Huella impresa sobrenaturalmente en el cuerpo. // fig. Desdoro, mala fama. // *Bot.* Porción del pistilo de una flor.

ESTIGMATIZAR tr. Marcar a uno con hierro candente. // Imprimir milagrosamente a una persona las llagas de Cristo. // fig. Afrentar.

ESTILAR intr. y tr. Usar, acostumbrar, practicar.

ESTILETE m. Estilo pequeño, punzón para escribir. // Púa o punzón. // Puñal de hoja estrecha y aguda.

ESTILISTA com. Escritor de esmerado y elegante estilo.

ESTILÍSTICO, CA adj. Perten. o rel. al estilo.

ESTILIZAR tr. Interpretar convencionalmente la forma de un objeto haciendo resaltar tan sólo sus rasgos más característicos.

ESTILO m. Modo, manera, forma. // Uso, costumbre, moda. // Manera de escribir o hablar. // Carácter propio que da a sus obras el artista. // Elementos formales que caracterizan a una clase de obras.

ESTIMACIÓN f. Aprecio y valor que se da a una cosa. // Consideración, afecto.

ESTIMAR tr. Apreciar, evaluar las cosas. // Juzgar, creer. // tr. y r. hacer a precio y estimación de una persona o cosa.

ESTIMULAR tr. Aguijonear, picar. // fig. Incitar, apremiar.

ESTÍMULO m. fig. Incitamiento para obrar o funcionar. // Amor propio.

ESTÍO m. Verano.

ESTIPENDIO m. Paga o remuneración que se da a una persona por su trabajo y servicio.

ESTIPULACIÓN f. Convenio verbal.

ESTIPULAR tr. Hacer contrato verbal. // Convenir, acordar.

ESTIRAR tr. y r. Alargar, dilatar una cosa para que dé de sí. // intr. y r. Crecer una persona. // r. Desperezarse.

ESTIRPE f. Raíz y tronco de una familia o linaje.

ESTIVAL adj. Perten. al estío.

ESTOCADA f. Golpe que se tira de punta con la espada o el estoque. // Herida que resulta de él.

ESTOFA f. Tejido de labores. // fig. Calidad, clase.

ESTOFAR tr. Labrar o bordar una tela. // Dar de blanco a las esculturas que se han de dorar.

ESTOICISMO m. *Fil.* Escuela filosófica fundada por Zenón, basada en la aceptación de la adversidad y en el dominio de los sentidos.

ESTOICO, CA adj. y s. Díc. del que sigue la doctrina del estoicismo. // adj. Perten. a esta doctrina. // fig. Fuerte ante la desgracia.

ESTOLA f. Vestidura que los griegos y romanos llevaban sobre la camisa. // Ornamento sagrado.

ESTOLIDEZ f. Falta total de razón y discurso.

ESTÓLIDO, DA adj. y s. Falto de razón y discurso.

ESTÓMAGO m. *Anat.* Víscera hueca, la mayor del aparato digestivo, situada en la cavidad abdominal, entre el esófago y el duodeno.

ESTOMATOLOGÍA f. *Med.* Rama de la medicina que se ocupa de las enfermedades de la boca.

ESTOPA f. Parte basta o gruesa del lino o del cáñamo.

ESTOQUE. Espada angosta con la cual sólo se puede herir de punta.

ESTORBAR tr. Poner obstáculos a una cosa. // fig. Molestar.

ESTORBO m. Persona o cosa que estorba.

ESTORNINO m. *Zool.* Pájaro canoro, de plumaje negro.

ESTORNUDAR intr. Despedir con estrépito y violencia el aire de los pulmones, por la espiración involuntaria y repentina.

ESTORNUDO m. Acción y efecto de estornudar.

ESTRABISMO m. *Med.* Incapacidad de uno o de ambos ojos para lograr la visión binocular.

ESTRADO m. Tarima sobre la que se pone el trono real o la mesa presidencial en actos solemnes. // pl. Salas de tribunales, donde los jueces sentencian los pleitos.

ESTRAFALARIO, RIA adj. y s. fam. Desaliñado en el porte. // fig. y fam. Extravagante.

ESTRAGAMIENTO m. Desarreglo y corrupción.

ESTRAGAR tr. y r. Viciar, corromper. // Causar estrago.

ESTRAGO m. Ruina, daño, asolamiento.

ESTRAMBOTE m. Conjunto de versos que suelen añadirse al fin de una combinación métrica.

ESTRAMBÓTICO, CA adj. fam. Extravagante.

ESTRAMONIO m. *Bot.* Planta herbácea (fam. solanáceas). Contiene alcaloides alucinógenos e hipnóticos.

ESTRANGULAR tr. y r. Ahogar a una persona o a un animal oprimiéndole el cuello hasta impedir la respiración.

ESTRAPERLO m. fam. Comercio ilegal de los artículos sujetos a tasa.

ESTRATAGEMA f. Ardid de guerra. // fig. Astucia, fingimiento.

ESTRATEGA m. Persona versada en estrategia.

ESTRATEGIA f. Arte de dirigir las operaciones militares. // fig. Arte para dirigir un asunto.

ESTRATIFICACIÓN f. *Geol.* Disposición de las capas o estratos de un terreno.

ESTRATIFICAR tr. y r. *Geol.* Formar estratos.

ESTRATO m. *Geol.* Masa de rocas sedimentarias en forma de capa. // *Meteor.* Nube en forma de faja.

ESTRATOSFERA f. *Astron.* Capa atmosférica que se halla por encima de la troposfera.

ESTRECHAR tr. Disminuir el ancho de una cosa. // fig. Apretar. // Acosar. // Importunar, apremiar. // r. ceñirse, recogerse. // fig. Unirse en amistad o parentesco.

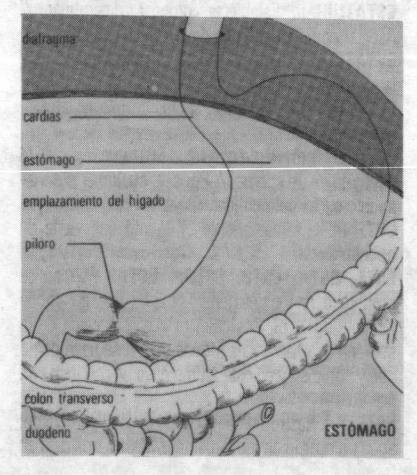

ESTRECHEZ f. Escasez de anchura de algo. // Enlace estrecho de una cosa con otra. // fig. Amistad íntima. // Aprieto, lance apretado. // Escasez notable.
ESTRECHO, CHA adj. De poca anchura. // Ajustado, apretado. // fig. Díc. de la amistad íntima. // Apocado, tacaño. // Estrechez, aprieto.
ESTREGAR tr. y r. Frotar con fuerza una cosa sobre otra.
ESTRELLA f. *Astron.* Cada uno de los cuerpos del firmamento que brillan con luz propia. // Especie de lienzo. // Cualquier objeto de figura de estrella. // fig. Signo, hado o destino. // Persona que sobresale en su profesión.

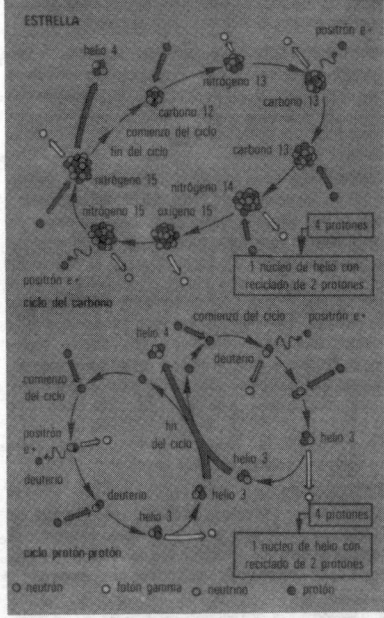

ESTRELLAR tr. y r. Sembrar o llenar de estrellas. // fam. Arrojar con violencia una cosa contra otra, rompiéndola. // Quedar malparado o matarse por efecto de un choque. // fig. Fracasar en una pretensión ante obstáculos insuperables.
ESTREMECEDOR, RA adj. Que estremece.
ESTREMECER tr. Conmover, hacer temblar. // fig. Ocasionar alteración en el ánimo una causa extraordinaria. // Temblar.
ESTRENAR tr. Hacer uso por primera vez de una cosa. // Representar por primera vez ciertos espectáculos públicos.
ESTRENO m. Acción y efecto de estrenar.
ESTREÑIMIENTO m. Trastorno de la defecación, que endurece el excremento y dificulta su evacuación.
ESTREÑIR tr. y r. Producir estreñimiento. // r. Padecerlo.
ESTRÉPITO m. Estruendo. // fig. ostentación.

ESTREPTOMICINA f. *Bioquím.* Antibiótico que actúa contra la tuberculosis y la meningitis.
ESTRÍA f. *Arq.* Media caña labrada en algunas columnas o pilastras de arriba abajo. // Por ext., cada una de las rayas en hueco de algunos cuerpos.
ESTRIAR tr. Formar estrías. // r. Formar una cosa en sí estrías.
ESTRIBACIÓN f. Ramal de montañas que se desprende de una cordillera.
ESTRIBAR intr. Descansar el peso de una cosa en otra sólida y firme. // fig. Fundarse, apoyarse.
ESTRIBILLO m. Cláusula en verso que se repite después de cada estrofa.
ESTRIBO m. Pieza en que el jinete apoya el pie. // Escalón para subir a los carruajes. // fig. Apoyo, fundamento.
ESTRIBOR m. *Mar.* Banda derecha del navío mirando de popa a proa.
ESTRICNINA f. *Quím.* Alcaloide cristalino en extremo tóxico.
ESTRICTO, TA adj. Estrecho, riguroso, exacto.
ESTRIDENTE adj. Apl. al sonido agudo y chirriante. // poét. Que causa ruido y estruendo.
ESTROFA f. Agrupación de versos con una estructura determinada que se repite para formar el poema.
ESTRONCIO m. *Quím.* Metal amarillo, dúctil y maleable, capaz de descomponer el agua a la temperatura ordinaria. Símbolo Sr.
ESTROPAJO m. Porción de esparto machacado, que sirve para fregar. // fig. Desecho, persona o cosa inútil.
ESTROPEAR tr. y r. Maltratar a uno, dejándole lisiado. // Deteriorar algo. // tr. Malograr un asunto.
ESTROPICIO m. fam. Destrozo, rotura estrepitosa de cosas.
ESTRUCTURA f. Distribución y orden de las partes de un cuerpo, de un edificio, etc. // fig. Distribución y orden con que está compuesta una obra de ingenio.
ESTRUCTURAR tr. Distribuir, ordenar las partes de una obra o de un cuerpo.
ESTRUENDO m. Ruido grande. // fig. Confusión, bullicio. // Aparato, pompa.
ESTRUJAR tr. Apretar una cosa para sacarle el zumo. // Apretar a uno tan fuerte que se llegue a lastimar. // fig. y fam. Agotar una cosa.
ESTUARIO m. Estero de las orillas de una ría.
ESTUCADO m. Acción y efecto de estucar.
ESTUCAR tr. Dar a una cosa con estuco o blanquearla con él.
ESTUCO m. Masa de yeso, cal, mármol pulverizado u otras materias.
ESTUCHE m. Caja o envoltura para guardar un objeto o varios. // Por ext., cualquier envoltura que protege y resiste una cosa.
ESTUDIADO, DA adj. Fingido, amanerado.
ESTUDIANTE adj. y s. Que estudia. // m. y f. Persona que actualmente está cursando estudios.
ESTUDIANTIL adj. fam. Perten. a los estudiantes.

ESTUDIAR tr. Ejercitar el entendimiento para alcanzar o comprender una cosa. // Cursar en las universidades u otros estudios. // Aprender de memoria.
ESTUDIO m. Acción de estudiar. // Obra en que un autor estudia y dilucida una cuestión. // Pieza donde ciertas personas como abogados, escultores, etc., estudian o trabajan. // fig. Maña, habilidad con que se hace una cosa.
ESTUFA f. Utensilio para calentar las habitaciones. // Invernáculo.
ESTULTICIA f. Necedad, tontería.
ESTULTO, TA adj. Necio, tonto.
ESTUPEFACCIÓN f. Pasmo, estupor.
ESTUPEFACIENTE adj. Que produce estupefacción. // *Farm*. m. Sustancia narcótica y analgésica que produce un estado artificial de euforia o de alejamiento de la realidad.
ESTUPEFACTO, TA adj. Atónito, pasmado.
ESTUPENDO, DA adj. Admirable, asombroso, pasmoso.
ESTUPIDEZ f. Torpeza en comprender las cosas. // Dicho o hecho propio de un estúpido.
ESTÚPIDO, DA adj. y s. Necio, falto de inteligencia. // adj. Díc. de los hechos o dichos propios de un estúpido.
ESTUPOR m. Disminución de la actividad intelectual, acompañada de cierto aire de asombro. // fig. Asombro.
ESTURIÓN m. *Zool*. Pez teleóstomo. Con sus huevas se prepara el caviar.
ESVÁSTICA f. Cruz gamada.
ETAPA f. *Mil*. Cada uno de los lugares en que hace noche la tropa cuando marcha. // fig. Epoca o avance en el desarrollo de una acción u obra.
ETCÉTERA m. Voz empleada para interrumpir el discurso indicando que en él se omite lo que quedaba por decir. Se representa con la abreviatura: etc.
ÉTER m. *Fís*. Sustancia hipotética imponderable que se supone llena todos los espacios. // *Quím*. Líquido volátil, inflamable e insoluble en agua, de olor característico, obtenido por destilación del alcohol en presencia del ácido sulfúrico.
ETÉREO, A adj. Perten. o rel. al éter. // poét. Perten. al cielo.
ETERNIDAD f. Perpetuidad que no tiene principio ni tendrá fin; es propio atributo de Dios. // *Fil*. Duración absoluta, permanente e inmutable.
ETERNIZAR tr. y r. Hacer durar una cosa demasiadamente. // tr. Perpetuar la duración de algo.
ETERNO, NA adj. Díc. de lo que no tuvo principio ni tendrá fin. // Que no tiene fin.
ÉTICA f. *Fil*. Parte de la filosofía que trata de la moral y las obligaciones del hombre.
ÉTICO, CA adj. Perten. a la ética. // m. El que estudia o enseña moral.
ÉTIMO m. Raíz o vocablo de que procede otro u otros.
ETIMOLOGÍA f. *Ling*. Ciencia que investiga el origen de las palabras y su evolución hasta el término actual.
ETIOLOGÍA f. *Med*. Parte de la patología que estudia el origen de las enfermedades.
ETÍOPE o **ETIOPE** adj. y s. Natural de Etiopía, región de África.
ETIQUETA f. Ceremonial que se debe observar en las casas reales y en actos públicos solemnes. // Por ext., ceremonia en el trato.
ÉTNICO, CA adj. Gentil, idólatra. // Perten. a una nación o raza.
ETNOGRAFÍA f. Ciencia que estudia y describe las razas o pueblos.
ETNOLOGÍA f. Parte de la antropología que estudia las razas y los pueblos en todos sus aspectos y relaciones.
ETRUSCO, CA adj. y s. Natural de Etruria. // adj. Perten. a este país de la Italia ant. // m. Lengua que hablaron los etruscos.
EUCALIPTO m. *Bot*. Arbol de la fam. mirtáceas. Es apreciado por su madera y de su corteza se extrae una resina balsámica.
EUCARISTÍA f. Sacramento de la liturgia católica, en el que el pan y el vino se convierten en el cuerpo y la sangre de Cristo.
EUCLIDIANO, NA adj. Perten. o rel. al matemático griego Euclides.
EUDEMONISMO m. *Fil*. Tendencia filosófica que considera la felicidad como el supremo bien y el fin natural del hombre.
EUFEMISMO m. Modo de decir con decoro ideas cuya franca expresión sería dura o malsonante.
EUFONÍA f. *Ling*. Sonoridad agradable de los elementos fónicos del lenguaje.
EUFORIA f. Capacidad para soportar el dolor. //

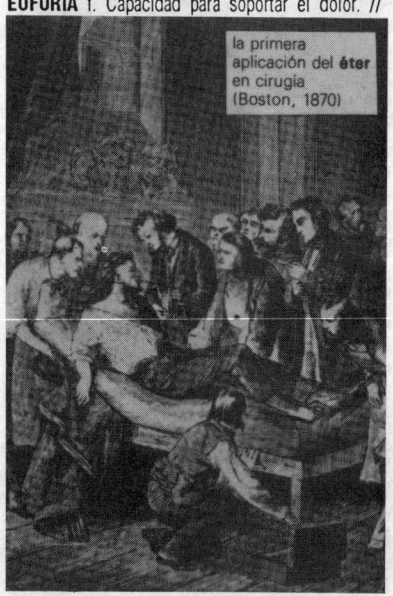

la primera aplicación del **éter** en cirugía (Boston, 1870)

Sensación de bienestar. // Estado de ánimo optimista.
EUGENESIA f. *Biol.* Ciencia que estudia las leyes de la herencia y su aplicación para el mejoramiento de la raza humana.
EUNUCO m. Hombre castrado, guardián de los harenes orientales.
EURITMIA f. Buena armonía entre las diversas partes de una obra.
EUROPEIZAR tr. Dar carácter europeo. // r. Tomar este carácter.
EUROPEO, A adj. y s. Natural de Europa. // adj. Perten. a esta parte del mundo.
EUSCALDUNA adj. y s. m. Apl. a la lengua vasca.
ÉUSCARO, RA adj. perten. al lenguaje vasco. // Lengua vasca.
EUTANASIA f. Acción encaminada a provocar la muerte de un sujeto sin sufrimiento físico.
EVACUAR tr. Desocupar algo. Expeler un ser orgánico humores o excrementos.
EVADIR tr. y r. Evitar un daño o peligro inminente. // r. Fugarse.
EVALUAR tr. Valorar. // Estimar el valor de una cosa.
EVANESCENTE adj. Que se desvanece o esfuma.
EVANGELIO m. Cada uno de los cuatro libros del Nuevo Testamento que contienen la historia de la vida, doctrina y milagros de Cristo.
EVANGELIZAR tr. Predicar la fe de Cristo o las virtudes cristianas.
EVAPORAR tr. y r. Convertir en vapor un líquido. // fig. Disipar, desvanecer. // r. fig. Fugarse.
EVASIÓN f. Acción y efecto de evadirse.
EVASIVA f. Efugio para evadir una dificultad.
EVENTO m. Suceso, acontecimiento.
EVENTUAL adj. Sujeto a cualquier evento o contingencia. // Apl. a los emolumentos anejos a un empleo fuera de dotación fija.
EVIDENCIA f. Certeza tan manifiesta que no se puede dudar racionalmente de ella.
EVIDENCIAR tr. Hacer patente y manifiesta la certeza de una cosa.
EVIDENTE adj. Cierto, claro, patente.
EVITAR tr. Apartar algún peligro; impedir que suceda. // Huir de tratar a uno.
EVOCAR tr. Llamar a los espíritus y a los muertos. // fig. Traer algo a la memoria o imaginación.
EVOLUCIÓN f. Acción y efecto de evolucionar. // Desarrollo de las cosas o de los organismos. //Mudanza de conducta o de propósito. // Cambio de forma.
EVOLUCIONAR intr. Desarrollarse los organismos o las cosas, pasando de un estado a otro. // Hacer evoluciones la tropa o los buques. // Mudar de conducta, de propósito o de actitud.
EX- Prep. insep. por regla general, que denota gralte. fuera o más allá. // Antepuesta a nombres de dignidades, cargos, etc., denota que los tuvo y ya no los tiene la persona de quien se hable.
EXABRUPTO m. Salida de tono.

EXACCIÓN f. Acción y efecto de exigir el pago de alguna cosa. // Cobro injusto y violento.
EXACERBAR tr. y r. Irritar, causar grave enojo. // Agravar una enfermedad, una pasión.
EXACTITUD f. Puntualidad y fidelidad en la ejecución de una cosa.
EXACTO, TA adj. Puntual, fiel, cabal.
EXAGERAR tr. Decir o hacer una cosa de modo que exceda de lo verdadero o conveniente.
EXALTAR tr. Elevar a una persona o cosa a mayor dignidad. // fig. Realzar el mérito de uno. // r. Dejarse arrebatar de una pasión.
EXAMEN m. Estudio que se hace acerca de una cosa o de un hecho. // Prueba que se hace de la idoneidad de un sujeto.
EXAMINAR tr. Escudriñar con diligencia una cosa. // tr. y r. Probar la idoneidad de los que quieren ejercer una facultad u oficio, o ganar cursos en los estudios.
EXANGÜE adj. Desangrado. // fig. Sin fuerzas, aniquilado.
EXÁNIME adj. Sin señal de vida o sin vida. // fig. Desmayado.
EXANTEMA m. *Med.* Erupción cutánea rojiza, como la de la escarlatina.
EXASPERAR tr. y r. Irritar una parte dolorida. // fig. Irritar, enfurecer.
EXCARCELAR tr. y r. Poner en libertad al preso.
EX CÁTHEDRA m. adv. lat. Díc. cuando el papa define verdades pertenecientes a la fe. // fig. y fam. En tono magistral y decisivo.
EXCAVAR tr. Hacer en el terreno hoyos, zanjas, pozos, etc.
EXCEDENTE adj. Que excede. // Excesivo. // Díc. del empleado que, sin perder este carácter, está temporalmente apartado de su empleo. // adj. y s. Sobrante.
EXCEDER tr. Ser una persona o cosa más grande o aventajada que otra. // intr. y r. Ir más allá de lo lícito o razonable.
EXCELENTE adj. Que sobresale en bondad, mérito o estimación.
EXCELSO, SA adj. Muy elevado, eminente.
EXCENTRICIDAD f. Rareza de carácter. // Dicho o hecho raro.
EXCÉNTRICO, CA adj. De carácter extravagante. // *Mat.* Díc. de los círculos que no comparten el mismo centro.
EXCEPCIÓN f. Acción y efecto de exceptuar. // Cosa que se aparta de la regla.
EXCEPTO adj. m. A excepción de, fuera de, menos.
EXCEPTUACIÓN f. Acción y efecto de exceptuar.
EXCEPTUAR tr. y r. Excluir a una persona o cosa de la regla común.
EXCESIVO, VA adj. Que excede y sale de la regla.
EXCESO m. Parte que supera la medida o regla. // Abuso, delito.
EXCIPIENTE m. *Farm.* Sustancia que se mezcla con los medicamentos para facilitar la absorción de éstos.

EXCITAR tr. Estimular, inspirar algún sentimiento, pasión o movimiento. // r. Animarse por el enojo, la alegría, etc.
EXCLAMACIÓN f. Voz, grito o frase en que se refleja una emoción del ánimo.
EXCLAMAR intr. y tr. Emitir palabras con fuerza para expresar un vivo afecto o para dar eficacia a lo que se dice.
EXCLAUSTRAR tr. Permitir u ordenar a un religioso que abandone el claustro.
EXCLUIR tr. Echar a una persona o cosa fuera del lugar que ocupaba. // Descartar, rechazar.
EXCLUSIVA f. Privilegio de hacer algo prohibido a los demás.
EXCLUSIVISMO m. Obstinada adhesión a una persona o a una idea.
EXCLUSIVO, VA adj. Que excluye. // Unico, solo.
EXCOMULGAR tr. Apartar de la comunión y del uso de los sacramentos al contumaz y rebelde.
EXCOMUNIÓN f. Acción y efecto de excomulgar.
EXCORIAR tr. y r. Gastar o corroer el cutis o el epitelio.
EXCRECENCIA f. *Med.* Cualquier tumor o callosidad que sobresale de la piel o de las mucosas.
EXCRECIÓN f. Acción y efecto de excretar.
EXCREMENTO m. Residuos del alimento que despide el cuerpo por el ano. // Cualquier otra secreción que despidan de si la boca, nariz u otras vías del cuerpo.
EXCRETAR intr. Expeler el excremento. // Expeler las sustancias elaboradas por als glándulas.
EXCULPAR tr. y r. Descargar a uno de culpa.
EXCURSIÓN f. Correría de guerra. // Ida a algún museo o paraje para estudio, recreo o ejercicio.
EXCURSIONISMO m. Ejercicio y práctica de las excursiones.
EXCUSA f. Acción y efecto de excusar o excusarse.
ESCUSAR tr. y r. Alegar razones para sacar libre a uno de culpa. // Rehusar hacer una cosa.
EXECRAR tr. Condenar y maldecir con autoridad sacerdotal o en nombre de cosas sagradas. // Vituperar. // Aborrecer.
EXÉGESIS f. Explicación, interpretación. Apl. en particular a la Biblia.
EXENTO, TA adj. Libre de una cosa. // *Arq.* Díc. de las construcciones totalmente descubiertas.
EXEQUIAS f. pl. Honras funerales.
EXFOLIAR tr. Dividir una cosa en láminas o escamas.
EXHALACIÓN f. Estrella fugaz. // Rayo, centella. // Vaho que exhala un cuerpo.
EXHALAR tr. Despedir gases, vapores u olores. // fig. lanzar suspiros, quejas, etc. // r. fig. Afanarse por conseguir algo.
EXHAUSTO, TA adj. Apurado y agotado.
EXHIBIR tr. y r. Manifestar, mostrar en público.
EXHORTACIÓN f. Acción de exhortar. // Advertencia para persuadir.
EXHORTAR tr. Inducir a uno con razones y ruegos a que haga o deje de hacer algo.

EXHUMACIÓN f. Acción de exhumar.
EXHUMAR tr. Desenterrar. // fig. Sacar a la luz lo olvidado.
EXIGENCIA f. Acción y efecto de exigir.
EXIGIR tr. Demandar, reclamar imperiosamente.
EXIGUO, GUA adj. Insuficiente, escaso.
EXILIADO, DA adj. Expatriado.
EXILIO m. Destierro.
EXILIAR tr. Desterrar. // r. Expatriarse.
EXIMIO, MIA adj. Muy excelente.
EXIMIR tr. y r. Libertar de cargas, obligaciones, etc.
EXISTENCIA f. Acto de existir. // Vida del hombre.
EXISTENCIALISMO m. Corriente filosófica que pone el análisis de la existencia como tema central de sus especulaciones.
EXISTIMAR tr. Formar juicio de una cosa; tenerla por cierta.
EXISTIR intr. Tener una cosa existencia real y verdadera. // Haber, estar, hallarse.
ÉXITO m. Resultado feliz de un negocio, actuación.
EXO- Forma prefijada del gr. *éxo,* fuera de.
ÉXODO m. Segundo libro en la Biblia, en el cual se refiere la salida de los israelitas de Egipto. // fig. Emigración de un pueblo.
EXÓGENO adj. Que se origina en el exterior del cuerpo.
EXONERAR tr. y r. Aliviar, libertar de peso, carga u obligación. // Separar a uno de un empleo.
EXORBITANTE adj. Excesivo, enorme.
EXORBITAR tr. Exagerar.
EXORCISMO m. Conjuro ordenado por la Iglesia católica contra el demonio.
EXORCIZAR tr. usar de los exorcismos contra el demonio.
EXORNAR tr. y r. Adornar.
EXOTÉRICO, CA adj. Común, accesible al vulgo.
EXÓTICO, CA adj. Extranjero, peregrino. // Extraño, extravagante.
EXPANDIR tr. y r. Extender, dilatar, difundir.
EXPANSIÓN f. Acción y efecto de extender o dilatarse. // fig. Acción de desahogar el ánimo. // Recreo, solaz.
EXPANSIONARSE r. Desahogarse. // Divertirse.
EXPATRIARSE r. Abandonar uno su patria.
EXPECTACIÓN f. Espera curiosa o tensa de un acontecimiento. // Contemplación de lo que se expone al público.
EXPECTANTE adj. Que espera observando.
EXPECTATIVA f. Cualquier esperanza de conseguir en adelante una cosa.
EXPECTORAR tr. Arrancar y arrojar por la boca las flemas y secreciones.
EXPEDICIÓN f. Acción y efecto de expedir. // Prontitud en decir o hacer. // Excursión a un punto distante. // Conjunto de personas que la realizan.
EXPEDIENTE m. Conjunto de papeles correspondientes a un asunto o negocio. // Procedimiento administrativo en que se enjuicia la actuación de una per-

sona.
EXPEDIR tr. Dar curso a las causas y negocios. // Enviar mercancías, pliegos, etc.
EXPEDITO, TA adj. Libre de todo estorbo; pronto a obrar.

diligencia una cosa o un lugar.
EXPLOSIÓN f. Acción de reventar con estruendo un cuerpo continente. // Dilatación repentina de un gas expelido el cuerpo que lo contiene.

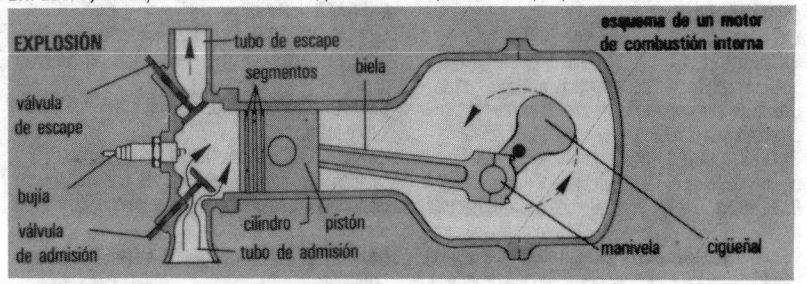

esquema de un motor de combustión interna — tubo de escape, segmentos, biela, válvula de escape, bujía, válvula de admisión, cilindro, pistón, tubo de admisión, manivela, cigüeñal

EXPELER tr. Arrojar, echar de alguna parte a una persona o cosa.
EXPENDER tr. Gastar, hacer expensas. // Vender al menudo.
EXPENSAS f. pl. Gastos, costas.
EXPERIENCIA f. Enseñanza que se adquiere con la práctica o sólo con el vivir. // Acción y efecto de experimentar.
EXPERIMENTACIÓN f. Acción y efecto de experimentar. // Método científico de indagación, fundado en la determinación voluntaria de los fenómenos.
EXPERIMENTAR tr. Probar y examinar prácticamente una cosa. // Tener sensaciones o sentimientos. // Recibir las cosas una modificación.
EXPERIMENTO m. Acción y efecto de experimentar.
EXPERTO, TA adj. Práctico, hábil, experimentado. // m. El que tiene especial conocimiento de una materia.
EXPIACIÓN f. Acción y efecto de expiar.
EXPIAR tr. Borrar las culpas. // Sufrir el delincuente la pena impuesta por los tribunales.
EXPIRACIÓN f. Acción y efecto de expirar.
EXPIRAR intr. Morir. // fig. Acabarse, fenecer una cosa.
EXPLANADA f. Espacio de terreno allanado.
EXPLANAR tr. Poner llano un terreno, suelo, etc. // fig. Explicar.
EXPLAYAR tr. y r. Ensanchar, extender. // r. fig. Esparcirse. // Confiarse de una persona para desahogar el ánimo.
EXPLETIVO, VA adj. Apl. a las voces que se emplean para hacer más llena o armoniosa la locución.
EXPLICACIÓN f. Acción y efecto de explicar.
EXPLICAR tr. Exponer cualquier materia o doctrina por palabras muy claras. // Dar a conocer la causa o motivo de algo. // r. Llegar a comprender la razón de algo.
EXPLÍCITO, TA adj. Que expresa clara y determinadamente una cosa.
EXPLORAR tr. Reconocer, registrar o averiguar con

EXPLOSIONAR intr. Hacer explosión. // tr. Provocar una explosión.
EXPLOSIVO, VA adj. Que hace o puede hacer explosión. // *Quím.* Que se incencia con explosión.
EXPLOTACIÓN f. Acción y efecto de explotar.
EXPLOTAR tr. Extraer de las minas la riqueza que contienen. // fig. Sacar utilidad de un negocio o industria en provecho propio.
EXPOLIAR tr. Despojar con violencia o con iniquidad.
EXPOLIO m. Acción y efecto de expoliar. // Botín del vencedor.
EXPONENTE m. *Mat.* Número o expresión algebraica que denota la potencia a que ha de elevarse un número u otra expresión.
EXPONER tr. Presentar una cosa para que sea vista. // Colocar una cosa para que reciba la acción de un agente. // Explicar el sentido de lo que es difícil de entender. // tr. y r. Arriesgar, aventurar.
EXPORTAR tr. Enviar géneros del propio país a otro.
EXPOSICIÓN f. Acción y efecto de exponer o exponerse. // Manifestación pública de artículos.
EXPRESAR tr. Manifestar con palabras lo que uno quiere dar a entender. // Dar uno indicio del estado de ánimo por medio de cualquier signo exterior.
EXPRESIÓN f. Declaración de una cosa para darla a entender. // Palabra o locución. // Efecto de expresar algo sin palabras.
EXPRESO, SA adj. Claro, especificado. // adj. y s. Tren expreso. // m. Correo extraordinario.
EXPRIMIR tr. extraer el zumo o líquido de una cosa, apretándola. // fig. Agotar una cosa.
EX PROFESO m. adv. lat. De propósito, con particular intención.
EXPROPIAR tr. Desposeer legalmente de una cosa a su propietario.
EXPUESTO, TA adj. Peligroso.
EXPUGNAR tr. Tomar por fuerza de armas una ciudad, castillo, etc.
EXPULSAR tr. Expeler. Díc. comúnmente de las personas.
EXPULSIÓN f. Acción y efecto de expeler. // Acción y

efecto de expulsar.

EXPURGAR tr. Limpiar o purificar una cosa. // Mandar la autoridad tachar algo de determinados libros.

EXQUISITO, TA adj. De extraordinaria calidad o gusto en su especie.

EXTASIARSE r. Arrobarse.

ÉXTASIS m. Estado del alma enteramente embargada por un sentimiento de admiración, alegría, etc. // Estado del alma caracterizado interiormente por cierta unión mística con Dios.

EXTEMPORÁNEO, A adj. Impropio del tiempo en que sucede o se hace. // Inoportuno, inconveniente.

EXTENDER tr. y r. Hacer que una cosa ocupe más lugar o espacio. // Desenvolver lo que estaba arrollado. // tr. Desparramar. Poner por escrito despachos, escrituras, etc. // r. Ocupar cierta porción de terreno. // fig. propagarse.

EXTENSIÓN f. Acción y efecto de extender o extenderse.

EXTENSO, SA adj. Que tiene extensión. Vasto.

EXTENUAR tr. y r. Enflaquecer, debilitar.

EXTERIOR adj. Que está por la parte de afuera. // Rel. a otros países. // m. Superficie externa de los cuerpos. // Aspecto de una persona.

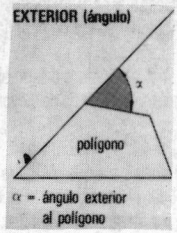

EXTERIOR (ángulo)

polígono

α = ángulo exterior al polígono

EXTERIORIZAR tr. y r. Hacer patente, mostrar algo al exterior.

EXTERMINAR tr. fig. Acabar del todo con algo. // Desolar, devastar.

EXTERMINIO m. Acción y efecto de exterminar.

EXTERNO, NA adj. Díc. de lo que obra o se manifiesta al exterior.

EXTINCIÓN f. Acción y efecto de extinguir o extinguirse.

EXTINGUIR tr. y r. fig. Hacer que cesen o se acaben del todo ciertas cosas que desaparecen gradualmente.

EXTINTO, TA adj. Muerto, fallecido.

EXTIRPAR tr. Arrancar de cuajo o de raíz. // fig. Acabar del todo con una cosa.

EXTORSIÓN f. Acción y efecto de extorsionar.

EXTORSIONAR tr. Usurpar, arrebatar. // Causar daño o perjuicio.

EXTRA prep. insep. Significa fuera de. // Además. // adj. Extraordinario. // m. fam. Plus.

EXTRACCIÓN f. Acción y efecto de extraer.

EXTRACTAR tr. Reducir a extracto una cosa.

EXTRACTO m. Resumen que se hace de un escrito. // *Quím.* Sustancia concentrada obtenida por destilación, evaporación, presión, etc.

EXTRADICIÓN f. Entrega por parte de un país de un reo que se halle en su territorio, al estado en el que cometió el delito.

EXTRAER tr. Sacar.

EXTRALIMITARSE r. y tr. fig. Excederse en el uso de facultades o atribuciones; abusar de la benevolencia ajena.

EXTRAMUROS adv. l. Fuera del recinto de una ciudad, villa o lugar.

EXTRANJERO, RA adj. Que es o viene de país de otra soberanía. // adj. y s. Natural de una nación con respecto a los naturales de cualquier otra. // m. Toda nación que no es la propia.

EXTRAÑAMIENTO m. Acción y efecto de extrañar o extrañarse.

EXTRAÑAR tr. y r. Desterrar a país extranjero. // Ver u oír con extrañeza. // tr. Sentir la falta de una persona o cosa.

EXTRAÑEZA f. Calidad de raro, extraño. // Admiración, novedad.

EXTRAÑO, ÑA adj. y s. De nación, familia o profesión distinta de la que se nombra. // adj. Raro, singular. // Díc. de lo que es ajeno a la naturaleza o condición de una cosa de la cual forma parte.

EXTRAOFICIAL adj. Oficioso.

EXTRAORDINARIO, RIA adj. Fuera del orden o regla natural o común.

EXTRARRADIO m. Parte o zona que rodea el casco y radio de la población.

EXTRATERRITORIAL adj. Díc. de lo que está fuera del territorio de la propia jurisdicción.

EXTRAVAGANTE adj. Que se hace o dice fuera del común modo de obrar. // adj. y s. Que procede así.

EXTRAVERSIÓN f. Movimiento del ánimo que, cesando en su propia contemplación, sale fuera de sí por medio de los sentidos.

EXTRAVIAR tr. y r. Hacer perder el camino. // tr. No fijar la vista en objeto determinado. // r. No encontrarse una cosa en su sitio e ignorarse su paradero. // fig. Cambiar la vida normal por otra mala.

EXTRAVÍO m. Acción y efecto de extraviar o extraviarse. // fig. Desorden en las costumbres.

EXTREMAR tr. Llevar una cosa al extremo. // r. Emplear uno todo el esmero en la ejecución de algo.

EXTREMAUNCIÓN f. Sacramento que consiste en la unión con óleo sagrado a los moribundos.

EXTREMEÑO, ÑA adj. y s. natural de Extremadura. // adj. perten. a esta región de españa.

EXTREMIDAD f. Parte extrema o última de una cosa. // *Anat.* y *Zool.* Brazo o pierna en el hombre, y patas en los animales.

EXTREMISMO m. Tendencia a adoptar ideas extremas.

EXTREMO, MA adj. y s. m. Ultimo. // Apl. a lo más intenso, elevado o activo de cualquier cosa. // Excesivo, sumo. // m. Principio o fin de algo. // Esmero

sumo en una operación.
EXTRÍNSECO, CA adj. Externo, no esencial.
EXUBERANCIA f. Abundancia suma.
EXUBERANTE adj. Abundante y copioso en exceso.
EXUDAR intr. y tr. Salir un líquido fuera de sus continentes propios.
EXULTAR intr. Saltar de alegría.
EXVOTO m. Ofrenda de agradecimiento que se hace a Dios, a la Virgen y a los santos.
EYACULAR tr. Lanzar con rapidez y fuerza el contenido de un órgano o depósito.

F

F f. Séptima letra del abecedario español, y quinta de sus consonantes. Su nombre es *efe*.
FA m. *Mús*. Cuarta voz de la escala.
FÁBRICA f. Acción y efecto de fabricar. // Lugar donde se fabrica algo. // Edificio.
FABRICAR tr. Producir objetos en serie. // Elaborar. // fig. Hacer o disponer una cosa no material.
FABRIL adj. Perten. a las fábricas o a sus operarios.
FÁBULA f. Rumor. // Relación falsa. // Ficción artificiosa con que se disimula la verdad. // Mitología. // Género literario breve, gralte, en verso y con animales como protagonistas, que finaliza con una moraleja.

Esopo: fábula del lobo y la grulla (grabado, s. XVI)

FABULOSO, SA adj. Falso. // fig. Extraordinario, increíble.
FACCIÓN f. Parcialidad de gente amotinada o rebelada. // Cualquiera de las partes del rostro humano. // Acto del servicio militar.
FACCIOSO, SA adj. y s. Perten. a una facción.
FACETA f. fig. Cada uno de los aspectos que en un asunto se pueden considerar.
FACIAL adj. Perten. al rostro.
FACIES f. *Med*. Aspecto que presenta la cara en presencia de determinados cuadros patológicos.
FÁCIL adj. Que se puede hacer sin mucho trabajo. // Que puede suceder con mucha probabilidad.
FACILIDAD f. Disposición para hacer algo sin gran trabajo. // Ligereza. // Oportunidad.
FACILITAR tr. Hacer fácil la ejecución de algo. // Proporcionar o entregar.
FACINEROSO, SA adj. y s. Delincuente habitual. // m. Hombre malvado.
FACSÍMIL m. Perfecta imitación o reproducción de una firma, dibujo, impreso, etc.
FACTIBLE adj. Que se puede hacer.
FÁCTICO, CA adj. Perten. o rel. a hechos. // Basado en hechos o limitado a ellos.
FACTOR m. El que hace una cosa. // fig. Elemento, con causa. // *Mat*. Cada uno de los números, cantidades o símbolos que, al multiplicarlos entre sí, forman un producto.
FACTORÍA f. Establecimiento de comercio, esp. el situado en país colonial. // Fábrica o complejo industrial.
FACTÓTUM m. fam. Sujeto que desempeña en una casa todos los menesteres. // Persona entrometida. // m. Persona de confianza de otra y que despacha sus principales negocios.
FACTURA f. Acción y efecto de hacer. // Relación de artículos comprendidos en una operación de comercio. // Cuenta de cada una de estas operaciones.
FACTURAR tr. Extender las facturas. // Anotar en las estaciones de ferrocarriles bultos o equipajes para que sean remitidos a su destino.
FACULTAD f. Aptitud, potencia física o moral. // Poder, derecho para hacer algo. // Ciencia o arte. // En las universidades, cuerpo de doctores o maestros de una ciencia. // Licencia o permiso.
FACULTAR tr. Conceder poder o facultades a uno para algo.
FACULTATIVO, VA adj. Perten. a una facultad. // Dic. del que profesa una facultad. // Potestativo. // m. Médico o cirujano.
FACUNDIA f. Facilidad en el hablar.
FACHA f. fam. Traza, aspecto. // Mamarracho, adefesio.
FACHADA f. Aspecto externo y de conjunto de cada uno de los lados de un edificio. // fig. y fam. Presencia, aspecto del cuerpo humano.
FAENA f. Trabajo corporal. // Quehacer. // fig. Trabajo mental. // Mala pasada.
FAGÁCEAS f. pl. *Bot*. Fam. de plantas monoclamídeas, cuyo fruto en aquenio se halla rodeado de una especie de cúpula.
FAGOCITO m. *Biol*. Célula que engloba en su citoplasma partículas del medio circundante.
FAGOT m. Instrumento de viento, formado por un tubo de madera largo con agujeros y llaves que se toca con una boquilla fijada al tubo.
FAISÁN m. *Zool*. Ave gallinácea, del tamaño de un gallo.
FAJA f. Tira de tela o de tejido de punto con que se

rodea el cuerpo por la cintura. // Cualquier lista mucho más larga que ancha.
FAJO m. Haz o atado.
FAKIR m. Faquir.
FALACIA f. Fraude o mentira para dañar a otro.
FALANGE f. Cuerpo de infantería que formaba los ejércitos de Grecia. // fig. Conjunto numeroso de personas unidas para un mismo fin. // *Anat.* Cada uno de los huesos de los dedos de la mano o del pie.
FALAZ adj. Díc. del que tiene el vicio de la falacia. // Ilusorio, engañoso.
FALCA f. Cuña.
FALCÓNIDOS m. pl. *Zool.* Fam. de aves rapaces diurnas, carnívoras, cuyo tipo es el halcón.
FALDA f. Parte de toda ropa talar desde la cintura abajo. // Vestidura de mujer, desde la cintura abajo. // Carne de la res, que cuelga de las agujas. // Regazo. // fig. Parte inferior de los montes.
FALDERO, RA adj. Perten. a la falda. // fig. Aficionado a estar entre mujeres.
FALDÓN m. Falda suelta al aire, que pende de alguna ropa.
FALIBLE adj. Que puede engañarse o engañar. // Que puede faltar o fallar.
FÁLICO, CA adj. Rel. o perten. al falo.
FALO m. Miembro viril.
FALSARIO, RIA adj. y s. Que falsea o falsifica. // Que acostumbra a decir o hacer falsedades.
FALSEAR tr. Adulterar, corromper una cosa material o inmaterial.
FALSEDAD f. Falta de verdad o autenticidad.
FALSETE m. *Mús.* Voz más aguda que la natural.
FALSIFICAR tr. Falsear, adulterar.
FALSO, SA adj. Engañoso, falto de ley, de realidad. // Incierto y contrario a la verdad. // Díc. del que falsea o miente.
FALTA f. Defecto o privación de una cosa necesaria o útil. // Ausencia de una persona del sitio en que debiera estar. // Transgresión de las normas de un juego o deporte.
FALTAR intr. No existir una persona, cosa o circunstancia en donde debiera estar. // No acudir a una cita u obligación. // Estar ausente. // No cumplir uno con lo que debe. // No tratar a otro con la consideración debida.
FALTO, TA adj. Defectuoso o necesitado de algo. // Escaso, mezquino.
FALTRIQUERA f. Bolsillo de las prendas de vestir.
FALLA f. Defecto material de una cosa que merma su resistencia. // *Geol.* Fractura de la corteza terrestre, producida por fuerzas tectónicas.
FALLAR tr. Decidir, determinar un litigio o proceso.
FALLAR intr. Frustrarse, faltar o salir fallida una cosa. // Perder algo su resistencia.
FALLECER intr. Morir. // Acabarse una cosa.
FALLECIMIENTO m. Acción y efecto de fallecer.
FALLIDO, DA adj. Frustrado, sin efecto. // adj. y s. Sin crédito. // Díc. de la cantidad, crédito, etc., considerada incobrable.
FALLIR intr. Faltar o acabarse una cosa. // Errar. // Faltar uno a su palabra.
FALLO m. Sentencia de un juez o tribunal sobre un pleito o causa.
FALLO, LLA m. Falta, deficiencia o error. // Acción y efecto de salir fallida una cosa.
FAMA f. Noticia o voz común de una cosa. // Opinión que las gentes tienen de una persona.
FAMÉLICO, CA adj. Hambriento.
FAMILIA f. Grupo de personas emparentadas entre sí. // Conjunto de ascendientes, descendientes, colaterales y afines de un linaje. // Parentela inmediata. // Prole. // fam. Grupo numeroso de personas. // *Bot.* y *Zool.* Conjunto de géneros que tienen en común diversos caracteres importantes.
FAMILIAR adj. Perrten. a la familia. // Díc. de aquello que uno tiene muy sabido. // Aplicado al trato, llano y sin ceremonia. // m. Deudo o pariente de una persona.
FAMILIARIDAD f. Llaneza y confianza en el trato.
FAMILIARIZAR tr. Hacer familiar una cosa. // r. Acomodarse al trato familiar de uno. // Adaptarse a algunas circunstancias o cosas.
FÁMULA f. fam. Criada, doméstica.
FANAL m. Farol que se coloca en los faros.
FANÁTICO, CA adj. y s. Que defiende, con apasionamiento, creencias u opiniones.
FANATISMO m. Apasionamiento del fanático.
FANDANGO m. Ant. baile español, de movimiento vivo y apasionado. // fig. y fam. Bullicio.
FANEGA f. Medida de capacidad para áridos, que en Castilla equivale a 55 litros y medio.
FANERÓGAMAS f. pl. *Bot.* Plantas rizofitas que se reproducen mediante semillas. Comprende dos grupos: *gimnospermas* y *angiospermas*.
FANFARRÓN, NA adj. y s. fam. Que hace alarde de lo que no es.
FANFARRONEAR intr. Hablar con arrogancia echando fanfarronadas.
FANGAL O FANGAR m. Sitio lleno de fango.
FANGO m. Lodo glutinoso.
FANTASEAR intr. Dejar correr la fantasía. // tr. Imaginar algo fantástico.
FANTASÍA f. Facultad humana de tener representaciones de objetos sin que éstos se hallen presentes. // Imagen formada por la fantasía. // Ficción, cuento o pensamiento elevado e ingenioso.
FANTASMA m. Visión quimérica. // Imagen de un objeto impresa en la fantasía.
FANTASMAGORÍA f. fig. Ilusión de los sentidos o figuración vana de la inteligencia.
FANTÁSTICO, CA adj. Quimérico, fingido. // fig. Presuntuoso.
FANTOCHE m. Títere. // Mamarracho.
FAQUIR m. Santón mahometano que vive de limosna

y practica acto de singular austeridad.
FARALLÓN m. Roca alta y tajada.
FARÁNDULA f. Profesión de los farsantes. // Ant. compañia de cómicos. // fig. y fam. Charla engañosa.
FARAÓN m. Cualquiera de los ant. reyes de Egipto.
FARFOLLA f. Envoltura de las panojas del maíz, mijo y panizo.
FARINGE f. *Anat.* Parte del tubo digestivo comprendida entre la cavidad bucal y el esófago.
FARINGITIS f.*Med.* Inflamación de la mucosa faríngea.
FARISEÍSMO m. fig. Hipocresía.
FARISEO m. Integrante de una secta judía que afectaba rigor y austeridad. // fig. Hombre hipócrita.
FARMACÉUTICO, CA adj. Perten. a la farmacia. // m. El que profesa la farmacia y la ejerce.
FARMACIA f. Ciencia que trata de la preparación y empleo de los medicamentos.
FÁRMACO m. Medicamento.
FARMACOLOGÍA f. Ciencia que trata de los medicamentos.
FARMACOPEA f. Libro oficial que da las normas legales para la preparación de los medicamentos.
FARO m. Torre alta en las costas con luz para guía de los navegantes. // fig. Lo que sirve de guía o da luz.
FAROL m. Caja transparente, dentro de la cual se pone luz. // fig. y fam. Persona jactanciosa.
FAROLERO, RA adj. y s. fig. y fam. Amigo de llamar la atención. // m. El que se cuida de los faroles del alumbrado.
FARRA f. Juerga.
FÁRRAGO m. Conjunto de cosas superfluas y mal ordenadas.
FARRUCO, CA adj. fam. Valiente, impávido.
FARSA f. Pieza cómica para hacer reír. // Obra dramática chabacana y grotesca. // fig. Patraña.
FARSANTE m. Comediante. // adj. y s. fig. y fam. Díc. del que finge o miente.
FASCÍCULO m. Entrega, cuaderno, libro impreso que se publica por partes.
FASCINACIÓN f. Atracción irresistible. // fig. Engaño o alucinación.
FASCINAR tr. fig. Atraer a una persona irresistiblemente.
FASCISMO m. Movimiento político fundado en Italia por Benito Mussolini en 1919, de carácter dictatorial destinado a salvaguardar el capitalismo.
FASCISTA adj. Perten. o rel. al fascismo. // adj. y s. Partidario de esta doctrina.
FASE f. Grado de desarrollo. // Forma bajo la cual aparecen la Luna y los planetas según los ilumine el Sol. // fig. Cada uno de los diversos aspectos que presenta un fenómeno natural o una cosa, doctrina, etc.
FASTIDIAR tr. y r. Causar asco o hastío algo. // tr. fig. Enfadar, molestar. // fam. Ocasionar daño.
FASTIDIO m. fig. Enfado; cansancio, hastío, repugnancia.
FATAL adj. Perten. al hado, inevitable. // Desgraciado, infeliz.
FATALIDAD f. Calidad de fatal. // Desgracia, desdicha.
FATALISMO m. Doctrina según la cual todo sucede de modo ineludible por obra del destino.
FATÍDICO, CA adj. Apl. a las personas o cosas que pronostican el porvenir. Díc. esp. de las que anuncian desgracias.
FATIGA f. Agitación, cansancio. // Ansia de vomitar. // fig. Penalidad, sufrimiento.
FATIGAR tr. y r. Causar fatiga. // tr. Molestar.
FATUO, TUA adj. y s. Necio, tonto. // Vanidoso, engreído.
FAUCES f. pl. *Zool.* Parte posterior de la boca de los mamíferos.
FAUNA f. *Zool.* Conjunto de animales que pueblan un área geográfica determinada.
FAUNO m. Divinidad selvática romana concebida como ser dotado de cuernos y patas de macho cabrío.
FAUSTO m. Grande ornato y pompa.
FAVOR m. Ayuda, socorro. // Honra, beneficio, gracia. // Privanza.
FAVORECER tr. Ayudar, socorrer. // Apoyar una empresa u opinión. // Dar o hacer un favor.
FAVORITISMO m. Preferencia dada al favor sobre el mérito.
FAVORITO, TA adj. Que es con preferencia estimado y apreciado. // m. y f. Persona que priva con un rey o personaje.
FAZ f. Rostro o cara. // Vista o lado de una cosa. // Anverso.
FE f. La primera de las tres virtudes teologales cristianas. // Confianza que se tiene de una persona o cosa. // Creencia que se da a las cosas. // Documento que certifica la verdad de algo.
FEALDAD f. Calidad de feo. // fig. Torpeza, acción indigna.
FEBRIL adj. Rel. a la fiebre. // fig. Ardoroso, violento.
FECAL adj. Perten. o rel. al excremento intestinal.
FÉCULA f. Almidón de reserva que acumulan los tubérculos y los cereales.
FECUNDACIÓN f. Acción de fecundar. // Proceso esencial de la reproducción consistente en la fusión del gameto masculino con el femenino.
FECUNDAR tr. Fertilizar, hacer productiva una cosa.
FECUNDACIÓN f. Acción y efecto de fecundizar.
FECUNDIZAR tr. Hacer a una cosa susceptible de producir o admitir fecundación.
FECUNDO, DA adj. Fértil.
FECHA f. Data. // Cada uno de los días que transcurren desde uno determinado.
FECHAR tr. Determinar la fecha de un documento, suceso, etc.
FECHORÍA f. Mala acción.
FEDERACIÓN f. Acción de federar. // Organismo,

entidad o estado resultante de dicha acción. // Estado federal.
FEDERAL adj. Federativo. // adj. y s. Federalista.
FEDERALISMO m. Doctrina política que propugna la organización federativa de los Estados.
FEDERAR tr. yr. Hacer alianza, liga o pacto entre varios.
FEDERATIVO, VA adj. Perten. a la confederación.
FEHACIENTE adj. Que hace fe en juicio.
FELDESPATOS m. pl. *Mineral.* Grupo de minerales constituidos por silicatos de aluminio y potasio, sodio, calcio o bario.
FELICIDAD f. Complacencia en la posesión de un bien. // Satisfacción, contento. // Suerte feliz.
FELICITAR tr. y r. Congratular a quien ocurre algún suceso feliz.
FÉLIDOS m. pl. *Zool.* Fam. de carnívoros, como el gato y el león.
FELIGRÉS, SA m. y f. Persona que pertenece a determinada parroquia.
FELINO, NA adj. *Zool.* Perten. o rel. al gato.
FELIZ adj. Que tiene felicidad. // Que ocasiona felicidad.
FELONÍA f. Deslealtad, traición.
FELPA t. Tejido que tiene pelo en la cara posterior. // fig. y fam. Zurra. // Rapapolvo.
FEMENINO, NA adj. Propio de mujeres. // Díc. del ser dotado de órganos para ser fecundado. // Perteneciente o rel. a este ser.
FÉMINA f. Persona de sexo femenino.
FEMINEIDAD f. Calidad de femenino.
FEMÍNEO, A adj. Femenino.
FEMINIDAD f. Calidad de femenino.
FEMINISMO m. Movimiento social que lucha por la igualdad de derechos de la mujer con el hombre.
FÉMUR m. *Anat.* Hueso del muslo.

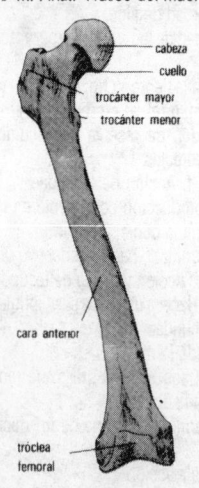

- cabeza
- cuello
- trocánter mayor
- trocánter menor
- cara anterior
- tróclea femoral

FENECER tr. Poner fin a una cosa. // intr. Morir. // Acabarse algo.
FÉNIX m. Ave fabulosa, que según los antiguos renacía de sus cenizas. // fig. Lo que es exquisito y único en su especie.
FENOMENAL adj. Perten. o rel. al fenómeno. // fam. Tremendo, muy grande.
FENÓMENO m. Apariencia o manifestación tanto material como espiritual. // Cosa extraordinaria y sorprendente. // fam. Persona sobresaliente.
FEO, A adj. Que carece de belleza. // fig. Que causa horror. // De aspecto malo o desfavorable. // m. fam. Desaire.
FERACIDAD f. Fertilidad de los campos.
FERAZ adj. Fértil, copioso de frutos.
FÉRETRO m. Caja o andas en que se llevan a enterrar los difuntos.
FERIA f. Descanso y suspensión del trabajo. // Mercado extraordinario, en paraje público y días señalados.
FERIAR tr. y r. Comprar en la feria. // tr. Vender, comprar o permutar una cosa.
FERMENTACIÓN f. *Biol.* Transformación química de ciertos compuestos por la acción de otras sustancias denominadas fermentos.
FERMENTAR intr. Transformarse o descomponerse un cuerpo orgánico por la acción de ciertos microorganismos.
FERMENTO m. Cuerpo orgánico que, puesto en contacto con otro, lo hace fermentar.
FEROCIDAD f. Fiereza, crueldad.
FEROZ adj. Que obra con ferocidad.
FERRETERÍA f. Comercio de hierro.
FERRÍFERO, RA adj. Rico en hierro.
FERROCARRIL m. Vía de comunicación con dos raíles paralelos sobre los que se desplazan los trenes. // Tren que circula por este camino.
FERROVIARIO, RIA adj. Perten. o rel. a las vías férreas. // m. Empleado de ferrocarriles.
FERRUGINOSO, SA adj. Díc. del mineral que contiene hierro visiblemente.
FÉRTIL adj. Apl. a la tierra que produce mucho.
FERTILIDAD f. Calidad de fértil.
FERTILIZAR tr. Fecundizar la tierra para que dé frutos.
FÉRVIDO, DA adj. Ardiente.
FERVIENTE adj. Que hierve. // fig. Fervoroso.
FERVOR m. Calor intenso. // fig. Devoción y piedad ardientes. // Eficacia suma con que se hace algo.
FESTEJAR tr. Hacer festejos en obsequio de uno. // Galantear. // r. Divertirse, recrearse.
FESTEJO m. Acción y efecto de festejar. // pl. Regocijos públicos.
FESTÍN m. Festejo particular. // Banquete espléndido.
FESTIVAL m. Fiesta. // Cada uno de los certámenes artístico, deportivo, musical, etc.
FESTIVIDAD f. Fiesta o solemnidad. // Día festivo.
FESTIVO, VA adj. Chistoso, agudo. // Alegre, gozoso. // Solemne.

FESTÓN m. Bordado o dibujo que adorna el borde de una cosa.
FETICHE m. Ídolo u objeto de culto supersticioso en algunos pueblos primitivos.
FETICHISMO m. Culto a los fetiches.
FETIDEZ f. Hediondez, hedor.
FETO m. *Biol.* Embrión de mamífero en el que son perceptibles los principales rasgos del animal plenamente desarrollado.

FETO humano a las nueve semanas de gestación.

FEUDAL adj. Perten. al feudo.
FEUDALISMO m. Sistema feudal de gobierno y de régimen de propiedad.
FEUDO m. Propiedad territorial que, durante la Edad Media, recibía el vasallo de su señor a cambio de jurarle fidelidad, obediencia y prestación de servicio militar.
FIADOR, RA m. y f. Persona que fía a otra para la seguridad de aquello a que está obligada.
FIAMBRE adj. y s. m. Que después de asado y cocido se ha dejado enfriar para no comerlo caliente. // fig. y fam. Cadáver.
FIANZA f. Obligación subsidiaria que se constituye para el cumplimiento de una obligación principal.
FIAR tr. Asegurar uno que cumplirá lo que otro promete, obligándose, en caso de que no lo haga, a satisfacer por él. // Vender sin tomar el precio de contado. // Confiar en una persona. // intr. Tener esperanza.
FIASCO m. Mal éxito.
FIAT m. Consentimiento o mandato para que una cosa tenga efecto.
FIBRA f. Filamento natural o sintético, empleado para los hilados, tejidos, cuerdas, etc. // *Anat.* Filamento de los tejidos orgánicos.
FÍBULA f. Hebilla, a manera de imperdible.
FICCIÓN f. Acción y efecto de fingir. // Invención poética.
FICTICIO, CIA adj. Fingido o fabuloso. // Aparente, convencional.
FICHA f. Pieza que sirve para señalar los tantos en el juego. // Cédula de cartulina o papel fuerte.
FIDEDIGNO, NA adj. Digno de fe y crédito.
FIDEICOMISO m. *Der.* Disposición testamentaria por la cual el testador deja su herencia o parte de ella a la fe de uno para que la invierta del modo que se le señala.
FIDELIDAD f. Lealtad que uno debe a otro. // Exactitud en la ejecución de algo.
FIDEO m. Pasta, en forma de cuerda delgada, para sopa.
FIDUCIARIO, RIA adj. y s. *Der.* Heredero o legatario a quien el testador manda transmitir los bienes a otra u otras personas.
FIEBRE f. *Med.* Elevación de la temperatura del cuerpo a consecuencia de una enfermedad.
FIEL adj. Que guarda fe. // Exacto, conforme a la verdad. // adj. y s. Creyente de cualquier religión.
FIELTRO m. Tela formada por fibras animales convenientemente trabadas y prensadas.
FIERA f. Bruto indómito, cruel y carnicero. // fig. Persona cruel.
FIEREZA f. Crueldad de ánimo; y en los brutos, saña y braveza.
FIERO, RA adj. Perten. o rel. a las fieras. // Duro, agreste. // fig. Horroroso, terrible.
FIESTA f. Alegría, diversión. // Chanza, broma. // Día en que se celebra alguna solemnidad. // pl. Vacaciones.
FIGURA f. Forma exterior de un cuerpo. // Cara. // Estatua, pintura o dibujo que representa un hombre o animal. // Cosa que representa o significa otra. // Gesto, mueca. // Ilustración.
FIGURADO, DA adj. Dic. del sentido metafórico de las palabras.
FIGURAR tr. Delinear y formar la figura de una cosa. // Aparentar, fingir. // intr. Pertenecer al número de determinadas personas o cosas. // r. Suponer.
FIGURATIVO, VA adj. Que es o sirve de representación o figura de otra cosa.
FIGURÍN m. Dibujo o modelo pequeño para los trajes y adornos de moda. // fig. Lechugino.
FIGURÓN m. fig. y fam. Hombre que aparenta más de los que es.
FIJAR tr. Hincar, clavar. // Pegar con cola. // Precisar, determinar. // Observar atentamente. // tr. y r. Hacer fija o estable alguna cosa. // r. Reparar, notar.
FIJEZA f. Firmeza. // Persistencia, continuidad.
FIJO, JA adj. Firme, asegurado. // Permanentemente establecido sobre reglas determinadas.
FILA f. Orden que guardan varias pers. o cosas colocadas en línea.
FILAMENTO m. Cuerpo filiforme, flexible o rígido.
FILANTROPÍA f. Amor al género humano.
FILARMONÍA f. Pasión por la música.
FILARMÓNICO, CA adj. Aficionado a la música.
FILATELIA f. Arte de coleccionar sellos de correos u otros valores postales.
FILATÉLICO, CA adj. Rel. a la filatelia. // m. y f. Co-

leccionista de sellos.
FILETE m. Miembro de moldura, como una lista larga y angosta. // Línea fina de adorno. // Lonja delgada de carne magra o de pescado limpio de raspas.
FILFA f. fam. Mentira, noticia falsa.
FILIACIÓN f. Procedencia de los hijos respecto a los padres. // Señas personales de cualquier individuo.
FILIAR adj. Perten. al hijo. // Apl. al establecimiento que depende de otro.
FILIAR tr. Tomar la filiación a uno. // Inscribirse en el asiento militar. // Afiliarse.
FILIBUSTERO m. Nombre de ciertos piratas de las Antillas.
FILIGRANA f. Obra formada de hilos de oro y plata. / / fig. Cosa delicada y pulida.
FILÍPICA f. Invectiva, censura acre.
FILM o **FILME** m. Película cinematográfica.
FILMAR tr. Impresionar en una película con cámaras fotográficas.
FILMOTECA f. Lugar donde se guardan los filmes. // Conjunto o colección de filmes.
FILO m. Arista o borde agudo de un instrumento cortante. // Punto o línea que divide una cosa en dos partes iguales.
FILOLOGÍA f. Ciencia que se ocupa del estudio de una lengua en todas sus manifestaciones.
FILÓLOGO m. El versado en filología.
FILÓN m. *Geol.* Masa mineral que se encuentra rellenando las grietas de la corteza terrestre. // fig. Negocio o recurso del que se espera sacar gran provecho.
FILOSOFÍA f. Ciencia que se ocupa del estudio de la esencia, propiedades, causas y efectos de las cosas naturales. // fig. Fortaleza o serenidad de ánimo.
FILOSÓFICO, CA adj. Perten. o rel. a la filosofía.
FILÓSOFO, FA adj. Filosófico. // m. y f. Persona que estudia, profesa o sabe filosofía.
FILOXERA f. *Zool.* Insecto hemíptero de la fam. áfidos, que ataca las raíces de la planta de la vid.
FILTRAR tr. Hacer pasar un líquido por un filtro. // intr. Penetrar un líquido a través de un cuerpo sólido.
FILTRO m. Cuerpo poroso o dispositivo a través del cual se hace pasar un fluido, para depurarlo.
FIMOSIS f. *Med.* Retracción manifiesta del prepucio.
FIN m. Término, remate o consumación de una cosa. // Objeto o motivo con que se ejecuta una cosa.
FINADO, DA m. y f. Persona muerta.
FINAL adj. Que remata, cierra o perfecciona algo. // Fin y remate de una cosa.
FINALIDAD f. fig. Fin con que o por que se hace una cosa.
FINALIZAR tr. Concluir una obra. // intr. Acabarse una cosa.
FINANCIAR tr. Aportar el dinero necesario para una empresa. // Sufragar los gastos de una actividad, obra, etc.
FINANCIERO, RA adj. Perten. o rel. a la hacienda, a las cuestiones bancarias y bursátiles, o a las mercan-

tiles. // m. y f. Persona versada en estas materias.
FINANZAS f. pl. Caudales, bienes. // Hacienda pública.
FINAR intr. Fallecer, morir. // Consumirse por una cosa.
FINCA f. Propiedad inmueble, rústica o urbana.
FINÉS, SA adj. y s. Díc. del individuo de un pueblo ant. que dio nombre a Finlandia. // adj. Perten. a los fineses. // Finlandés.
FINEZA f. Pureza y bondad de una cosa en su línea. // Delicadeza y primor.
FINGIMIENTO m. Situación o engaño para que una cosa parezca diversa de lo que es.
FINGIR tr. yr. Dar a entender lo que no es cierto. // Dar existencia ideal a lo que realmente no la tiene. // Simular, aparentar.
FINIQUITAR tr. Terminar, saldar una cuenta. // fig. y fam. Acabar, concluir.
FINIQUITO m. Remate de cuentas.
FINITO, TA adj. Que tiene fin o límite.
FINLANDÉS, SA adj. y s. Natural de Finlandia. // adj. Perten. a este país de Europa. // m. Idioma finlandés.
FINO, NA adj. Delicado y de buena calidad. // Delgado, sutil. // Esbelto. // Cortés. // Amoroso. // Astuto, sagaz.
FINURA f. Primor, delicadeza. // Urbanidad, cortesía.
FIORDO m. Golfo en las costas de Noruega, estrecho y profundo, entre montañas de laderas abruptas.
FIRMA f. Nombre y apellido de una persona, con o sin rúbrica, que ésta pone al pie de un documento.
FIRMAMENTO m. La bóveda celeste.
FIRMAR tr. Poner uno su firma. // r. Usar de tal o cual nombre o título en la firma.
FIRME adj. Estable, fuerte. // fig. Entero, imperturbable. // adv. m. Con firmeza, con valor.
FIRMEZA f. Estabilidad, fortaleza. // fig. Entereza, constancia.
FISCAL adj. Perten. al fisco o al oficial fiscal. // m. El que representa y ejerce el ministerio público en los tribunales. // fig. El que averigua o delata las operaciones de uno.
FISCALÍA f. Oficio y empleo de fiscal. // Oficina del fiscal.
FISCO m. Tesoro público.
FISGA f. Arpón de tres dientes.
FISGAR tr. Pescar con fisga o arpón. // Husmear indagando. // intr. y r. Burlarse de uno diestramente.
FISGONEAR tr. Fisgar, husmear de continuo o por hábito.
FÍSICA f. Ciencia que tiene por objeto el estudio de la materia, la energía, sus propiedades e interrelaciones.
FÍSICO, CA adj. Perten. a la física. // Perten. a la constitución y naturaleza corpórea. // m. y f. Persona que profesa la física. // m. Exterior de una persona.
FISIOCRACIA f. Doctrina económica surgida en Francia en la segunda mitad del s. XVIII, que atribuía

a la naturaleza el origen de la riqueza.
FISIOLOGÍA f. Parte de la biología que estudia las funciones de los seres vivos.
FISIÓN f. *Fis.* Escisión de un átomo acompañada de liberación de energía.
FISIOTERAPIA f. *Med.* Tratamiento curativo mediante agentes naturales.
FISONOMÍA f. Aspecto particular del rostro de una persona. // fig. Aspecto exterior de las cosas.
FÍSTULA f. *Med.* Cisura o hendidura en un tejido orgánico o en una masa mineral.
FISURA f. Cisura o hendidura en un tejido orgánico o en una masa mineral.
FITÓFAGO, GA adj. y s. Que se alimenta de materias vegetales.
FITOGRAFÍA f. Parte de la botánica que describe las plantas.
FITOLOGÍA f. Botánica.
FLACCIDEZ f. Calidad de fláccido. // Laxitud, debilidad muscular.
FLÁCCIDO, DA adj. Flojo, sin consistencia.
FLACO, CA adj. Díc. de la persona o animal de pocas carnes. // fig. Flojo, sin fuerzas. // Apl. al espíritu que flaquea. // Endeble.
FLAGELACIÓN f. Acción de flagelar o flagelarse.
FLAGELADOS m. pl. *Zool.* Clase de protozoos caracterizada por la posesión de uno o más flagelos.
FLAGELAR tr. y r. Maltratar con azotes. // tr. fig. Censurar con dureza.
FLAGELO m. Instrumento para azotar. // Aflicción, calamidad. // Filamento locomotor que poseen ciertos animales unicelulares y algunas células flageladas.

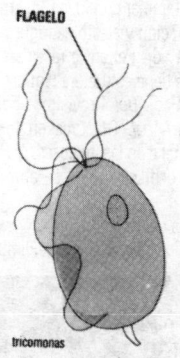

FLAGELO

tricomonas

FLAGRANTE adj. Que flagra. // Que se está ejecutando actualmente.
FLAGRAR intr. Arder o resplandecer como fuego o llama.
FLAMA f. Llama. // Reflejo o reverberación de la llama.
FLAMANTE adj. Lúcido, resplandeciente. // Nuevo, reciente.
FLAMEAR intr. Despedir llamas. // fig. Ondear las velas o las banderas.

FLAMENCO, CA adj. y s. Natural de Flandes. // adj. Perten. a esta región. // Díc. de lo andaluz. // adj. y s. Que tiene aires de chulo. // Idioma flamenco.
FLAMENCO m. *Zool.* Ave acuática palmípeda de patas y cuello largos.
FLAMÍGERO, RA adj. Que arroja o despide llamas, o imita su figura.
FLAN m. Dulce que se hace con yemas de huevo, leche y azúcar.
FLANCO m. Cada una de las dos partes laterales de un cuerpo.
FLANQUEAR tr. Estar colocado al flanco de una cosa. // *Mil.* Proteger los propios flancos o amenazar los del adversario.
FLANQUEO m. Acción y efecto de flanquear.
FLAQUEAR intr. Debilitarse, ir perdiendo fuerza. // Amenazar ruina o caída de algo. // fig. Decaer de ánimo.
FLAQUEZA f. Extenuación, delgadez. // fig. Debilidad. // Acción defectuosa cometida por debilidad.
FLATO m. Acumulación molesta de gases en el tubo digestivo. // *Amer.* Melancolía.
FLAUTA f. Instrumento músico de viento en forma de tubo con agujeros circulares. // com. Flautista.
FLAUTISTA com. Persona que toca la flauta.
FLEBITIS f. *Med.* Inflamación de las venas.
FLECHA f. Saeta. // *Geom.* Porción de recta comprendida entre el punto medio de un arco de círculo y el de su cuerda.
FLECHAR tr. Estirar la cuerda del arco para arrojar la flecha. // Herir o matar con flechas. // fig. y fam. Inspirar amor.
FLEJE m. Tira de chapa de hierro.
FLEMA f. Mucosidad que se arroja por la boca. // fig. Lentitud, tranquilidad de temperamento.
FLEMÁTICO, CA adj. Perten. a la flema o que participa de ella. // Lento, calmoso.
FLEMÓN m. *Med.* Inflamación purulenta del tejido conjuntivo, esp. de las encías.
FLETAR tr. y r. Embarcar mercaderías o personas en una nave para su transporte. // tr. Alquilar la nave para el mismo fin.
FLETE m. Precio del alquiler de la nave o parte de ella. // Carga de un buque.
FLEXIBLE adj. Que puede doblarse fácilmente. // fig. Que cede o se acomoda al dictamen de otro.
FLEXIÓN f. Acción y efecto de doblar o doblarse. // *Gram.* Variación morfológica de las palabras para indicar su función o sus accidentes gramaticales.
FLIRTEAR intr. Practicar el flirteo.
FLIRTEO m. Galanteo, coqueteo.
FLOJEAR intr. Obrar con pereza y descuido. // Flaquear.
FLOJO, JA adj. Mal atado, poco apretado o poco tirante. // Que tiene poca actividad o vigor. // adj. y s. fig. Perezoso, calmoso.
FLOR f. *Bot.* Conjunto de los órganos de la reproduc-

ción de las plantas fanerógamas.

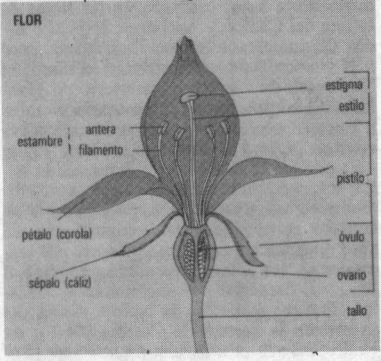

FLOR

(estigma, estilo, estambre, antera, filamento, pistilo, pétalo (corola), óvulo, sépalo (cáliz), ovario, tallo)

FLORA f. Conjunto de especies vegetales que pueblan un espacio determinado.
FLORACIÓN f. *Bot.* Conjunto de procesos que conducen a la aparición y desarrollo de los esbozos florales.
FLORAL adj. Perten. o rel. a la flor.
FLOREAR tr. Adornar con flores. // intr. Vibrar, mover la punta de la espada. // Tocar dos o tres cuerdas de la guitarra, formando un sonido continuado.
FLORECER intr. y tr. Echar o arrojar la flor. // intr. fig. Prosperar, crecer en riqueza o reputación. // Existir una persona o cosa insigne en un tiempo determinado. // r. Ponerse mohosas algunas cosas.
FLORECIMIENTO m. Acción y efecto de florecer o florecerse.
FLORETE m. Espadín para el ejercicio de la esgrima.
FLORICULTURA f. *Bot.* Cultivo de las plantas con flores.
FLORIDO, DA adj. Que tiene flores. // fig. Díc. del lenguaje retórico.
FLORILEGIO m. fig. Colección de trozos selectos de materias literarias.
FLORÍN m. Moneda medieval. // Unidad monetaria actual holandesa. // Moneda inglesa de plata equivalente a dos chelines.
FLOTA f. Conjunto de barcos mercantes. // Armada, escuadra de guerra.
FLOTACIÓN f. Acción y efecto de flotar.
FLOTADOR, RA adj. Que flota. // m. Cuerpo destinado a flotar en un líquido. // Aparato que sirve para determinar el nivel de un líquido o para regular su salida.
FLOTAR intr. Sostenerse un cuerpo en equilibrio en la superficie de un líquido o en suspensión en un fluido aeriforme. // Ondear en el aire.
FLUCTUAR intr. Vacilar un cuerpo sobre las aguas por el movimiento de ellas. // fig. Estar en peligro de arruinarse algo. // Vacilar o dudar en la resolución de algo.
FLUIDO, DA adj. *Fís.* Díc. del cuerpo cuyas moléculas tienen entre sí poca o ninguna cohesión, y que se adapta a la forma del recipiente que los contiene. // fig. Díc. del lenguaje fácil y corriente.
FLUIR intr. Correr un líquido o un gas.
FLUJO m. Acción y efecto de fluir. // Movimiento de ascenso de la marea.
FLÚOR m. *Quím.* Metaloide gaseoso, de color amarillo. Ataca al vidrio y a numerosos metales.
FLUORESCENCIA f. *Fís.* Propiedad que tienen algunos cuerpos de emitir luz instantáneamente, al recibir una radiación invisible.
FLUVIAL adj. Perten. a los ríos.
FLUXIÓN f. Acumulación morbosa de humores en cualquier órgano. // Resfriado.
-FOBIA Elemento que entra en algunas voces compuestas, para indicar repulsión.
FOCA f. *Zool.* Mamífero acuático carnívoro, de cabeza globosa, cuello corto, cuerpo pisciforme cubierto de pelo y extremidades en forma de aletas.
FOCAL adj. *Fís. y Geom.* Perten. o rel. al foco.
FOCO m. *Opt.* Punto donde se juntan los rayos de luz o de calor reflejados por un espejo o refractados por una lente. // Punto de donde parte un haz de rayos luminosos. // fig. Lugar real o imaginario en que está como reconcentrada una cosa.
FOFO, FA adj. Esponjoso, blando y de poca consistencia.
FOGATA f. Fuego hecho con leña u otro combustible que levanta llama.
FOGÓN m. Sitio adecuado en las cocinas para hacer fuego y guisar. // Hogar de las calderas de vapor.
FOGONAZO m. Llamarada.
FOGOSO, SA adj. fig. Ardiente, vehemente.
FOGUEAR tr. Limpiar con fuego un arma.
FOGUEO m. Acción y efecto de foguear.
FOLIÁCEO, A adj. Perten. o rel. a las hojas de las plantas. // Que tiene estructura laminar.
FOLIADO, DA adj. *Bot.* Provisto de hojas.
FOLÍCULO m. *Anat.* Glándula en forma de saco, situada en la piel o en las mucosas. // *Bot.* Fruto seco monocarpelar dehiscente que se abre por la sutura ventral.
FOLIO m. Hoja de impreso.
FOLIOLO m. *Bot.* Cada división del limbo de una hoja

Los Jardines **FLOTANTES** de Xochimilco

compuesta.
FOLKLORE m. Conjunto de tradiciones, creencias y costumbres populares.

Conjunto FOLK

FOLLAJE m. Conjunto de hojas de árboles y otras plantas. // Adorno superfluo y de mal gusto.
FOLLETÍN m. Escrito que se inserta en la parte inferior de las planas de los periódicos. // Novela por entregas.
FOLLETO m. Obra impresa que no consta de bastantes hojas para formar un libro.
FOLLÓN, NA adj. y s. Perezoso y negligente. // Vano, cobarde. // m. Alboroto, enredo.
FOMENTAR tr. Dar calor que vivifique. // fig. Excitar, promover o proteger una cosa.
FOMENTO m. Calor, abrigo que se da a una cosa. // Pábulo o materia con que se ceba una cosa. // fig. Auxilio, protección.
FON m. Unidad de potencia acústica.
FONACIÓN f. Emisión de la voz o de la palabra.
FONDA f. Establecimiento público donde se da hospedaje y se sirven comidas.
FONDEAR tr. Reconocer el fondo del agua. // fig. Examinar a fondo algo. // intr. Asegurar cualquier cuerpo flotante, por medio de anclas o pesos.
FONDO m. Parte inferior de una cosa hueca. // Superficie sólida sobre la cual están el mar, los ríos, etc. / / Color o dibujo de una superficie y sobre el cual resaltan los adornos. // Indole, carácter. // Caudal o conjunto de bienes. // fig. Lo esencial de una cosa. // m. Dinero. // Parte sumergida de un buque.
FONEMA m. *Gram.* Cada uno de los sonidos simples del lenguaje hablado.
FONÉTICA f. Parte de la lingüistica que estudia los sonidos de un lenguaje.
FONÉTICO, CA adj. Perten. al sonido.
FONÓGRAFO m. *Acúst.* Instrumento que registra las vibraciones de los sonidos sobre un cilindro y las reproduce.
FONTANA f. Fuente. // Manantial.
FONTANERÍA f. Arte de encañar y conducir las aguas. // Conjunto de conductos para este fin.

FONTANERO m. El que trabaja en fontanería.
FORAJIDO, DA adj. y s. Facineroso que anda fuera de poblado.
FORAL adj. Perten. al fuero.
FORAMEN m. Agujero o taladro.
FORAMINÍFEROS m. pl. *Zool.* Protozoos rizópodos, gralte. marinos, recubiertos por un caparazón calcáreo, con numerosos orificios a través de los cuales emiten los pseudópodos.
FORÁNEO, A adj. Forastero, extraño.
FORASTERO, RA adj. y s. Que es o viene de fuera del lugar.
FORCEJAR o **FORCEJEAR** intr. Hacer fuerza para vencer una resistencia. // Hacer oposición.
FÓRCEPS m. *Cir.* Especie de tenaza, que se usa para la extracción de las criaturas en los partos difíciles.
FORENSE adj. Perten. al foro. // adj. y s. Médico forense.
FORESTAL adj. Rel. a los bosques y al aprovechamiento de sus productos.
FORJA f. Fragua. // Acción y efecto de forjar.
FORJAR tr. Dar forma con el martillo a un metal. // Fabricar y formar. // fig. Inventar, fingir, fabricar.
FORMA f. Figura exterior de la materia. // Fórmula y modo de proceder. // Molde. // Calidades de estilo o modo de expresar las ideas.
FORMACIÓN f. Acción o efecto de formar o formarse. // Figura o forma. // *Mil.* Disposición ordenada de las unidades de un ejército para rendir honores.
FORMAL adj. Perten. a la forma. // Que tiene formalidad. // Apl. a la persona seria, amiga de la verdad.
FORMALIDAD f. Exactitud, puntualidad y consecuencia en las acciones. // Requisito que se ha de observar para ejecutar algo. // Seriedad, compostura.
FORMALISMO m. Rigurosa aplicación y observancia, en la enseñanza o en la indagación científica de un método determinado.
FORMALIZAR tr. Dar la última forma a algo. // Revestir una cosa de los requisitos legales. // Concretar, precisar. // r. Ponerse serio.
FORMAR tr. Dar forma a algo. // Juntar y congregar diferentes personas o cosas. // intr. Criar, educar, adiestrar. // r. Adquirir una persona desarrollo en lo físico o en lo moral. // *Mil.* tr. Poner en orden.
FORMATO m. Tamaño de un impreso.
FORMIDABLE adj. Muy temible. // Enorme.
FORMOL m. *Quim.* Org. Solución acuosa, usada como desinfectante.
FORMÓN m. Herramienta de carpintería semejante al escoplo, pero más ancha de boca y menos gruesa.
FÓRMULA f. Medio práctico para resolver un asunto o ejecutar algo difícil. // Receta. // *Mat.* Resultado de un cálculo cuya expresión sirve de regla para casos análogos. // *Quim.* Expresión simbólica de la composición de un cuerpo.
FORMULAR tr. Reducir a términos claros y precisos una proposición o un cargo. // Recetar. // Expresar,

manifestar.
FORMULARIO, RIA adj. Rel. a las fórmulas o al formulismo.
FORMULISMO m. Exceso apego a las fórmulas.
FORNICAR intr. y tr. Tener cópula carnal fuera del matrimonio.
FORNIDO, DA adj. Robusto, de constitución grande y fuerte.
FORO m. Plaza donde se trataban en Roma los negocios públicos. // Por ext., sitio en que los tribunales oyen y determinan las causas.

FÓSFORO m. *Quim.* Elemento no metálico, símbolo P, de aspecto céreo, olor peculiar, muy combustible y que luce en la oscuridad.
FÓSIL m. Cualquier resto de ser vivo o de su actividad que denote la existencia de organismos que no son de la época geológica actual. // fig. y fam. Anticuado.
FOSILIZACION f. Proceso de sustitución de la materia orgánica de un animal o planta muertos, por material mineral.
FOSILIZARSE r. Convertirse en fósil un cuerpo orgánico.

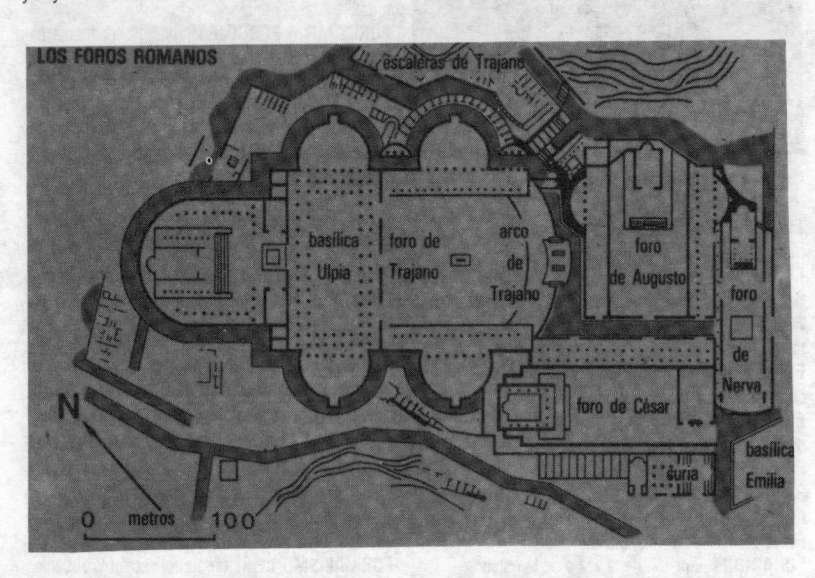

LOS FOROS ROMANOS

FORRAJE m. Pasto que se da al ganado.
FORRAJERO, RA adj. Apl. a las plantas que sirven para el forraje.
FORRAR tr. Poner forro a algo. // Cubrir algo con funda o forro. // r. fam. Enriquecerse.
FORRO m. Cubierta con que se reviste algo por la parte interior o exterior. // Cubierta del libro.
FORTALECER tr. y r. Hacer más fuerte y vigoroso.
FORTALEZA f. Fuerza y vigor. // Virtud cardinal que consiste en vencer el temor y huir de la temeridad. // Natural defensa que tiene un lugar. // Recinto fortificado.
FORTIFICACIÓN f. Acción de fortificar. // Obra o conjunto de obras con que se fortifica un lugar.
FORTIFICAR tr. Dar fuerza material o moralmente. // tr. y r. Hacer fuerte con obras de defensa un lugar.
FORTÍN m. Una de las obras que se levantan en los atrincheramientos de un ejército para su mayor defensa. // Fuerte pequeño.
FORTUITO, TA adj. Que sucede casualmente.
FORTUNA f. Azar. // Suerte favorable. // Hacienda, capital, caudal.

FOSO m. Hoyo. // Piso inferior del escenario.
FOTO f. Apócope fam. de fotografía.
FOTOCOPIA f. Reproducción fotográfica sobre papel de lo manuscrito o impreso.
FOTOFOBIA f. *Med.* Intolerancia a la luz.
FOTOGÉNICO, CA adj. Que promueve o favorece la acción química de la luz. // Díc. de lo que tiene buenas condiciones para ser reproducido por la fotografía.
FOTOGRABADO m. Arte de grabar planchas preparadas por métodos fotográficos.
FOTOGRAFÍA f. Arte de reproducir las imágenes obtenidas en la cámara osc. sobre papel y otros soportes.
FOTOGRAFIAR intr. Ejercer el arte de la fotografía.
FOTOGRAMA m. Cualquiera de las imágenes que se suceden en una película cinematográfica considerada aisladamente.
FOTOSFERA f. *Astron.* Capa de la superficie solar que emite casi todas las radiaciones que llegan a la Tierra.
FOTOSÍNTESIS f. *Biol.* Reacción orgánica de las plantas, por la cual, mediante clorofila, asimilan el carbono por la acción de la luz, que actúa como fuente

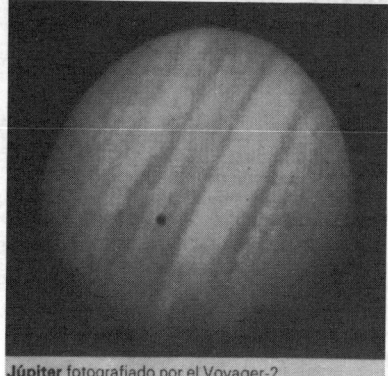

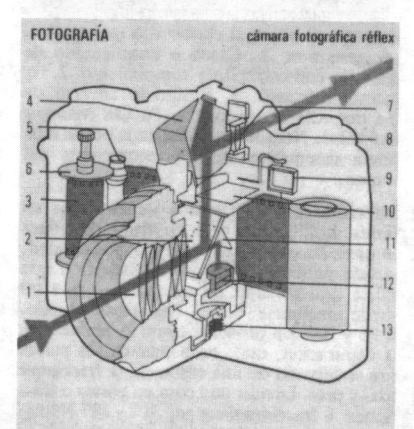

de energía.
FOTOTROPISMO m. *Biol.* Respuesta al estímulo de la luz.
FRAC m. Vestidura de hombre, que por delante llega hasta la cintura y por detrás tiene dos faldones.
FRACASAR intr. fig. Fustrarse una pretensión o un proyecto. //Tener resultado adverso en un negocio.
FRACASO m. fig. Suceso funesto. // Malogro de un asunto.
FRACCIÓN f. División de una cosa en partes. // Cada una de las partes o porciones de un todo con relación a él.
FRACCIONAR tr. y r. Dividir una cosa en partes o fracciones.
FRACCIONARIO, RIA adj. y s. *Arit.* Número quebrado.
FRACTURA f. Acción y efecto de fracturar o fracturarse.
FRACTURAR tr. y r. Romper o quebrantar con esfuerzo una cosa.
FRAGANCIA f. Olor suave y delicioso.
FRAGANTE adj. Que tiene o despide fragancia.
FRAGATA f. *Mar.* Buque de tres o cuatro palos con cofas, vergas y velas cuadradas en todos ellos.
FRÁGIL adj. Quebradizo, y que con facilidad se rompe. //fig. Que cae fácilmente en pecado. // Caduco, perecedero.
FRAGILIDAD f. Calidad de frágil.
FRAGMENTAR tr. y r. Fraccionar, reducir a fragmentos.
FRAGMENTO m. Parte o porción pequeña de algunas cosas quebradas o partidas. // Trozo de una obra literaria o musical.
FRAGOR m. Ruido, estruendo.
FRAGOSO, SA adj. Áspero, intrincado, lleno de malezas y breñas. // Ruidoso, estrepitoso.
FRAGUA f. Fogón en que se caldean los metales para forjarlos.
FRAGUAR tr. Forjar metales. // fig. Idear, discurrir y trazar la disposición de alguna cosa. // intr. Endurecerse un cemento.
FRAILE m. Nombre que se da a los religiosos de ciertas órdenes.
FRAMBUESO m. *Bot.* Planta de las rosáceas, con tallos espinosos. Su fruto es de sabor agridulce.
FRANCÉS, SA adj. y s. Natural de Francia. // adj. Perten. a esta nación de Europa. //m. Lengua francesa.
FRANCISCANO, NA adj. ys. Díc. del religioso de la orden de san Francisco de Asís.
FRANCMASÓN, NA m. y f. Masón.
FRANCMASONERÍA f. Masonería.
FRANCO, CA adj. Liberal, dadivoso. // Apl. a lo que está libre de derechos y contribuciones. // Sencillo y leal en su trato. // adj. y s. Díc. de los pueblos antiguos de la Germania inferior. // Libre de trabajo y obligaciones. // m. Unidad del sistema monetario francés y de otros países.

FRANJA f. Guarnición para adornar los vestidos u otras cosas. // Faja, lista o tira en general.
FRANQUEAR tr. Libertar, exceptuar a uno de una contribución u otra cosa. // Abrir camino. // Pagar en sellos el porte del correo. // Dar libertad al esclavo. // r. Descubrir uno su interior a otro.
FRANQUEO m. Acción y efecto de franquear.
FRANQUEZA f. Libertad, exención. // fig. Sinceridad.
FRANQUICIA f. Libertad y exención para no pagar derechos.
FRASE f. Conjunto de palabras que basta para formar sentido. // Locución con la que se significa más de lo que se expresa.
FRASEOLOGÍA f. Modo de ordenar las frases peculiar de cada escritor. // Verbosidad redundante.
FRATERNAL adj. Propio de hermanos.
FRATERNIDAD f. Unión entre hermanos o entre los que se tratan como tales.
FRATERNIZAR intr. Unirse y tratarse como hermanos.
FRATICIDIO m. Muerte de una persona, ejecutada por su hermano.
FRAUDE m. Engaño, acción de mala fe que perjudica a uno.
FRAUDULENTO, TA adj. Engañoso.
FRAY m. Apócope de fraile.
FRECUENCIA f. Repetición a menudo de un acto o suceso.
FRECUENTAR tr. Repetir un acto a menudo. // Concurrir con frecuencia a un lugar.
FRECUENTE adj. Repetido a menudo. // Usual, común.
FREGADO m. fig. y fam. Embrollo, enredo.
FREGAR tr. Restregar con fuerza una cosa con otra. // Limpiar y lavar los platos, el suelo, etc. // *Amer.* tr. y r. fig. y fam. Fastidiar.
FREIDURA f. Acción y efecto de freír.
FREÍR tr. y r. Preparar un manjar en aceite o grasa hirviendo. // tr. fig. Mortificar insistenetemente.
FRENAR tr. Moderar o parar con el freno el movimiento de algo. // fig. Moderar los ímpetus.
FRENESÍ m. Delirio furioso. // fig. Violenta exaltación de ánimo.
FRENÉTICO, CA adj. Poseído de frenesí. // Furioso, rabioso.
FRENILLO m. *Anat.* Membrana que sujeta ciertas partes del cuerpo, como la lengua por su línea media inferior, o el prepucio.
FRENO m. Instrumento de hierro, que se coloca en la boca de las caballerías para gobernarlas. // Dispositivo de las máquinas y vehículos que sirve para reducir su velocidad o pararla.
FRENOLOGÍA f. *Psicol.* Teoría según la cual cada área del encéfalo corresponde a una determinada función psíquica.
FRENOPATÍA f. *Med.* Parte de la medicina que estudia los transtornos mentales.

FRENTE f. Parte superior de la cara. // Parte delantera de una cosa. // fig. Semblante, cara. // adv. l. En lugar opuesto. // adv. m. En contra, en pugna. // *Mil.* m. Primera fila de la tropa formada o acampada. // Línea de territorio en que combaten los ejércitos.
FRESA f. *Bot.* Planta de la fam. rosáceas, apreciada por su fruto.
FRESADORA f. Herramienta mecánica para labrar metales.
FRESCO, CA adj. Moderadamente frío. // Reciente, acabado de hacer, de coger, etc. // adj. y s. fig. y fam. Desvergonzado. // m. Frío moderado. // *Amer.* Refresco.
FRESCOR m. Frescura o fresco.
FRESCURA f. Calidad de fresco. // fig. Chanza. // Negligencia. // Tranquilidad de ánimo.
FRESNO m. *Bot.* Arbol de las oleáceas, de madera blanca y muy apreciada para la construcción.
FREZA f. *Zool.* Desove y tiempo que se verifica.
FRIALDAD f. Sensación de frío. // Indiferencia, despego.
FRICATIVO, VA adj. *Gram.* Díc. de los sonidos producidos por la fricción o roce del aire al pasar por los órganos bucales.
FRICCIÓN f. Acción y efecto de friccionar. // pl. fig. Desavenencia entre personas o colectividades.
FRICCIONAR tr. Restregar, dar friegas.
FRIEGA f. Acción y efecto de frotar alguna parte del cuerpo.
FRIGIDEZ f. Frialdad.
FRÍGIDO, DA adj. poét. Frío.
FRÍO, A adj. Apl. a los cuerpos cuya temperatura es muy inferior a la ordinaria del ambiente. // fig. Impotente. // Que demuestra indiferencia, desafecto. // Sin gracia. // m. Disminución notable del calor de los cuerpos.
FRIOLERO, RA adj. Muy sensible al frío.
FRISO m. *Arq.* Parte del cornisamento comprendida entre el arquitrabe y la cornisa.
FRISÓN, NA adj. y s. Natural de Frisia. // Perten. a esta provincia de Holanda. // m. Lengua frisona.
FRITADA f. Conjunto de cosas fritas.
FRITURA f. Fritada.
FRIVOLIDAD f. Calidad de frívolo.

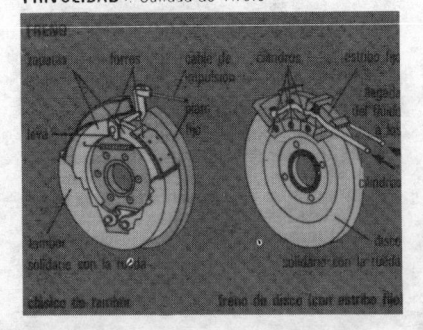

FRÍVOLO, LA adj. Ligero, veleidoso, insustancial. // Fútil.
FRONDOSIDAD f. Abundancia de hojas y ramas.
FRONTAL adj. Rel. a la frente.
FRONTERA f. Confín de un Estado. // Frontis.
FRONTERIZO, ZA adj. Que está o sirve de frontera. // Que está enfrente de una cosa.
FRONTIS m. Fachada o frontispicio.
FRONTISPICIO m. Fachada delantera de un edificio, u otra cosa. // fig. y fam. Cara.
FRONTÓN m. *Arq.* Remate triangular de una fachada o de un pórtico.
FROTACIÓN f. Acción de frotar o frotarse.
FROTAR tr. y r. Pasar una cosa sobre otra con fuerza muchas veces.
FRUCTÍFERO, RA adj. Que produce fruto.
FRUCTIFICACIÓN f. Acción y efecto de fructificar.
FRUCTIFICAR intr. Dar fruto los árboles y otras plantas. // fig. Producir utilidad una cosa.
FRUGAL adj. Parco en comer y beber. // Apl. a las cosas en que esa parquedad no se manifiesta.
FRUGALIDAD f. Moderación en la comida y la bebida.
FRUICIÓN f. Complacencia, goce en general.
FRUNCE m. Arruga o pliege.
FRUNCIR tr. Arrugar la frente y las cejas en señal de desabrimiento o ira. // Recoger el paño u otras telas en arrugas pequeñas.
FRUSLERÍA f. Cosa de poco valor o entidad.
FRUSTRACIÓN f. Acción y efedto de fustrar o frustarse.
FRUSTRAR tr. Privar a uno de lo que esperaba. // tr. y r. Malograr un intento.
FRUTA f. Fruto comestible de ciertas plantas cultivadas. // fig. y fam. Producto de una cosa o consecuencia de ella.
FRUTAL m. *Agr.* Arbol de frutos comestibles, calificados como fruta.
FRUTO m. *Bot.* Organo procedente de la fecundación de la flor, que contiene las semillas. // Cualquier producto de la tierra que rinde alguna utilidad. // Por est., feto. // Producción del ingenio o del trabajo humano. // fig. Utilidad y provecho.
FUEGO m. Calor y luz producidos por la combustión. // Materia encendida en brasa o llama. // Incendio. // Efecto de disparar armas de fuego. // fig. Hogar. // Ardor que excitan algunas pasiones. // Lo muy vivo de una acción o disputa.
FUELLE m. Instrumento para recoger aire y lanzarlo con dirección determinada.
FUENTE f. Manantial de agua que brota de la tierra. // Aparato o artificio con que se hace salir el agua. // Pila bautismal. // Plato grande para servir viandas. // fig. Principio, origen de una cosa. // Aquello de que fluye con abundancia un líquido.
FUERA adv. l. y t. A o en la parte exterior de cualquier espacio o término real o imaginario.
FUERO m. Ley o código municipal durante la Edad Media. // Jurisdicción, poder. // Nombre de algunas compilaciones de leyes. // fig. y fam. Arrogancia, presunción. // *Der.* Derecho local propio de las ciudades y municipios.
FUERTE adj. Que tiene fuerzas. // Robusto. // Varonil. // Duro. // Versado en una ciencia o arte. // m. Recinto fortificado.
FUERZA f. Vigor, capacidad para mover algo que pese o que haga resistencia. // Virtud y eficacia natural que las cosas tienen en sí. // Acto de coacciòn. // Violencia que se hace a una mujer para gozarla. // Eficacia. // *Mec.* f. Causa capaz de modificar el estado de reposo o de movimiento de un cuerpo.
FUGA f. Huida apresurada. // *Mús.* Composición musical que utiliza un tema que recorre las diversas partes de la obra.
FUGARSE r. Escaparse, huir.
FUGAZ adj. Que con velocidad huye y desaparece. // fig. De corta duración.
FUGITIVO, VA adj. y s. Que huye y se esconde. // adj. Que pasa muy aprisa. // fig. Caduco, perecedero.
FULANO, NA m. y f. Voz con que se suple el nombre de una persona. // Persona indeterminada o imaginaria.
FULGENTE adj. Brillante, resplandeciente.
FÚLGIDO, DA adj. Fulgente.
FULGOR m. Resplandor y brillo con luz propia.
FULGURACIÓN f. Acción y efecto de fulgurar.
FULGURAR intr. Brillar, despedir rayos de luz.
FULMINANTE adj. Que fulmina. // Apl. a las enfermedades graves, repentinas y gralte. mortales. // Adj. y s. m. Díc. de las materias explosivas.
FULMINAR tr. Arrojar rayos. // fig. Arrojar bombas y balas. // Dictar sentencias, excomuniones, etc.
FULMINATOS m. pl. *Quím.*. Sales del ácido fulmínico. Muchas de ellas son explosivas.
FULMÍNEO, A adj. Que participa de las propiedades del rayo.
FULLERÍA f. Trampa en el juego. // fig. Astucia para engañar.
FUMAR intr. Echar o despedir humo. // intr. y tr. Aspirar y despedir el humo del tabaco, opio, etc.
FUMARADA f. Porción de humo que sale de una vez.
FUMARLA f. *Bot.* Planta herbácea de la fam. papaveráceas.
FUMAROLAS f. pl. *Geol.* Grientas de una región volcánica por las que salen gases y vapores a elevadas temperaturas.
FUMIGAR tr. Desinfectar por medio de humo o vapores adecuados.
FUNÁMBULO, LA m. y f. Volatinero que hace ejercicios en la cuerda o el alambre.
FUNCIÓN f. Ejercicio de un órgano o aparato de los seres vivos, máquinas o instrumentos. // Acción y ejercicio de un empleo, facultad y oficio. // Acto público, espectáculo a que concurre mucha gente.
FUNCIONAL adj. Rel. a las funciones, esp. a las

vitales.
FUNCIONAMIENTO m. Acción de funcionar.
FUNCIONAR intr. Ejecutar una persona o cosa las funciones que le son propias.
FUNDA f. Cubierta o bolsa con que se envuelve alguna cosa para conservarla y resguardarla.
FUNDACIÓN f. Acción y efecto de fundar. // Principio y origen de una cosa. // Documento en que constan las cláusulas de una institución.
FUNDACIONAL adj. Perten. o rel. a la fundación.
FUNDAMENTAL adj. Que sirve de fundamento o es lo principal en una cosa.
FUNDAMENTAR tr. Echar los fundamentos o cimiento a un edificio. // fig. Establecer, asegurar y hacer firme una cosa.
FUNDAMENTO m. Cimiento en que se apoya un edificio u otra cosa. // Seriedad, formalidad. // Razón o motivo con que se quiere asegurar y dar solidez a una cosa no material.
FUNDAR tr. Edificar materialmente una ciudad, colegio, etc. // Erigir, instituir un mayorazgo, universidad, etc. // Establecer, crear. // tr. y r. fig. Apoyar con razones algo.
FUNDENTE adj. *Metal.* y *Quím.* Que facilita la fusión.
FUNDICIÓN r. Acción y efecto de fundir o fundirse. // Fábrica en que se funden los metales.
FUNDIR tr. Derretir los cuerpos sólidos. // tr. y r. Reducir a una sola, dos o más cosas diferentes. // r. fig. Unirse lo que antes estaba en pugna. // *Amer.* fig, y fam. Arruinarse.
FÚNEBRE adj. Rel. a los difuntos. // fig. Muy triste, funesto.
FUNERAL adj. Perten. al entierro o exequias. // m. Solemnidad con que se hace un entierro o exequias. // Exequias.
FUNESTO, TA adj. Aciago, adverso. // Triste y desgraciado.
FUNGIBLE adj. Que se consume con el uso.
FUNGOSO, SA adj. Esponjoso, fofo.
FUNICULAR m. Ferrocarril para salvar pendientes muy acusadas.
FUNÍCULO m. *Bot.* Conjunto de vasos nutritivos que unen el grano al pericarpio.
FURGÓN m. Carro largo de cuatro ruedas, cubierto, para transporte de mercancías. // *Ferr.* Vagón cerrado para transportar equipajes.
FURIA f. Ira. // Acceso de demencia. // fig. Persona muy colérica. // Violenta agitación de las cosas insensibles. // Prisa y vehemencia con que se ejecuta algo.
FURIBUNDO, DA adj. Airado. // Que denota furor.
FURIOSO, SA adj. Poseido de furia. // Loco. // fig. Violento.
FUROR m. Cólera, ira. // En la demencia, agitación violenta. // fig. Arrebatamiento. // Actividad y violencia de las cosas.
FURTIVO, VA adj. Que se hace a escondidas y como a hurto.

FURÚNCULO m. *Med.* Infección purulenta de un folículo piloso.
FUSA f. Nota musical, equivalente a media corchea.
FUSIBLE adj. Que puede fundirse.
FUSIFORME adj. De figura de huso.
FUSIL m. Arma de fuego larga y portátil.
FUSILAR tr. Ejecutar a una persona con una desgarga de fusilería. // fig. y fam. Plagiar o copiar obras ajenas sin citar a su autor.
FUSIÓN f. Efecto de fundir o fundirse. // fig. Unión de intereses, ideas, partidos, etc.
FUSIONAR tr. y r. fig. Producir una fusión, unión de ideas y partidos.
FUSTA f. Varas, ramas y leña delgada. // Látigo largo y delgado.
FUSTE m. Madera. // Vara. // Armazón de la silla de montar. // *Arq.* m. Parte de la columna comprendida entre el capitel y la base.
FUSTIGAR tr. Azotar. // fig. Censurar con dureza.
FÚTBOL m. Juego deportivo entre dos equipos de once jugadores cada uno, con la finalidad de introducir un balón en la portería del adversario, respetando ciertas reglas.
FÚTIL adj. De poco aprecio o importancia.
FUTILIDAD f. Poca o ninguna importancia de una cosa.
FUTURO, RA adj. Que está por venir. // m. y f. fam. Novio o novia que tiene compromiso formal.

G

G f. Octava letra del abecedario español, y sexta de sus consonantes. Su nombre es *ge*.
GABACHO, CHA adj. y s. fam. despect. Francés.
GABÁN m. Capote con mangas. // Abrigo.
GABARDINA f. Sobretodo de tela impermeable.
GABARRA f. Barco pequeño destinado a la carga y descarga en los puertos.
GABELA f. Tributo, impuesto. // fig. Carga, gravamen.
GABINETE m. Habitación menor que la sala para recibir. // Ministerio, gobierno del Estado y cuerpo de ministros que lo componen.
GACELA f. *Zool.* Antílope rumiante de la fam. bóvidos, de patas altas y delgadas.
GACETA f. Papel periódico en que se dan noticias políticas, literarias, etc.
GACHAS f. pl. Comida compuesta de harina cocida con agua y sal.
GACHO, CHA adj. Encorvado, inclinado hacia la tierra.
GADITANO, NA adj. y s. Natural de Cádiz. // adj. Perten. a esta ciudad o a su provincia.
GAFA f. Grapa. // Anteojos con enganches que se afianzan detrás de las orejas.
GAFE m. fam. Cenizo, persona de mala sombra.
GAITA f. Flauta de cerca de media vara. // fig. y fam.

Cosa difícil. //Cosa molesta.
GAJE m. Emolumento que corresponde a un destino o empleo.
GAJO m. Rama de árbol, esp. la desprendida del tronco. // Racimo apiñado de cualquier fruta.
GALA f. Vestido lujoso y lucido. // Gracia, garbo. // Lo más selecto de una cosa. // pl. Artículos de lujo que se poseen y ostentan.
GALAICO, CA adj. Perten. o rel. a Galicia.
GALÁN adj. Apócope de galano. // m. Hobre guapo y bien proporcionado. // El que galantea a una mujer. // El que en el teatro hace algún papel principal.
GALANO, NA adj. Bien adornado. // Elegante, agradable.
GALANTE adj. Atento, cortés, esp. con las damas. // Apl. a la mujer que gusta de galanteos.
GALANTEAR tr. Requebrajar a una mujer. // Procurar captarse el amor de una mujer, esp. para seducirla. // fig. Solicitar asiduamente la voluntad de una persona.
GALANTEO m. Acción de galantear.
GALÁPAGO m. *Zool.* Reptil quelonio, parecido a la tortuga.
GALARDONAR tr. Premiar o remunerar los servicios o méritos de uno.
GALAXIA f. *Astron.* Sistema constituido por millones de estrellas y materia interestelar.

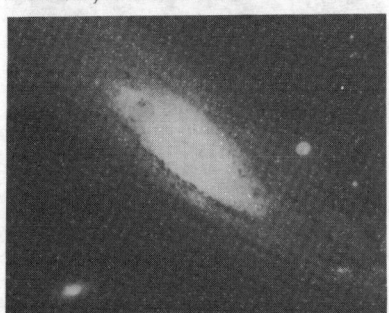

GALAXIA de Andrómeda

GALENA f. *Mineral.* Sulfuro de plomo. Es la principal mena del plomo.
GALENO, NA m. y f. fam. Médico.
GALEÓN m. Bajel grande de vela, parecido a la galera.
GALEOTE m. El que remaba forzado en las galeras.
GALERA f. Carro grande y con cuatro ruedas. // Cárcel de mujeres. // *Mar.* Nave ant. de velas latinas y remo.
GALERÍA f. Pieza larga con ventanas. // Corredor descubierto con vidrieras. // Corredor subterráneo.
GALERNA f. Viento súbito y borrascoso en la costa norte de España.
GALGO adj. y s. *Zool.* Lebrel.
GALICISMO m. Empleo de vocablos o giros franceses en distinto idioma.
GÁLICO, CA adj. Perten. a las Galias.

GALIMATÍAS m. fam. Lenguaje incomprensible y oscuro.
GALO, LA adj. y s. Natural de la Galia. // adj. Perten. a dicho país. // m. Ant. lengua céltica de las Galias.
GALOCHA f. Calzado de madera o de hierro para andar por la nieve.
GALÓN m. Tejido a manera de cinta. // *Mil.* Distintivo que llevan los miembros de una fuerza militar en el brazo o en la bocamanga.
GALOPAR intr. Ir el caballo a galope. // Cabalgar una persona en caballo que va a galope.
GALOPE m. Andadura veloz de la caballería.
GALOPÍN m. Muchacho sucio y desharrapado. // Pícaro, bribón.
GALVANIZAR tr. *Tecnol.* Aplicar una capa de cinc a la superficie de un metal para preservarlo de la oxidación. // fig. Animar lo que está en decadencia.
GALLARDEAR intr. y r. Ostentar gallardía.
GALLARDÍA f. Bizarría, desenfado.
GALLARDO, DA adj. Airoso y galán. // Bizarro, valiente.
GALLEAR intr. fig. y fam. Alzar la voz con amenazas y gritería. // Sobresalir entre otros.
GALLEGO, GA adj. y s. Natural de Galicia. // adj. Perten. a Galicia. // m. Lengua de los gallegos.
GALLETA f. Pasta de harina, azúcar y, a veces, con otros ingredientes, que se cuece al horno.
GALLIFORMES m. pl. *Zool.* Aves de cabeza pequeña, pico corto y fuerte, alas cortas y patas con membranas interdigitales, como la gallina, el faisán, etc.
GALLINA f. *Zool.* Hembra del gallo. // com. fig. y fam. Persona cobarde, pusilánime y tímida.
GALLINÁCEAS f. pl. *Zool.* Galliformes.
GALLO m. *Zool.* Macho de las aves galliformes, de cresta desarrollada y plumas largas en la cola. // m. fig. y fam. Nota falsa que emite el que canta o habla. // El que manda o quiere mandar.

gallo (Gallus gallus)

GAMA f. *Mús.* Escala musical. // fig. Escala, gradación.
GAMBA f. *Zool.* Crustáceo decápodo parecido al langostino.
GAMBERRISMO m. Conducta propia de un gamberro.

GAMBERRO, RRA adj. y s. Libertino, disoluto. // Díc. de la persona grosera o incivil.

GAMETO m. *Biol.* Cada una de las células masculina y femenina que se fusionan para formar el zigoto o huevo.

GAMO m. *Zool.* Mamífero artiodáctilo rumiante de la fam. cérvidos.

GAMUZA f. *Zool.* Mamífero rumiante artidáctilo de la fam. bóvidos. Tiene astas negras y es del tamaño de una cabra grande.

GANA f. Deseo, apetito o voluntad de una cosa.

GANADERÍA f. Conjunto de actividades relacionadas con la crianza del ganado.

GANADERO, RA m. y f. Dueño de ganados. // El que cuida del ganado.

GANADO m. Conjunto de bestias mansas que se apacientan juntas.

GANANCIA f. Acción y efecto de ganar. // Utilidad o provecho que resulta del trato, del comercio o de otra actividad.

GANAPÁN m. Hombre que gana la vida haciendo recados. // fig. y fam. Hombre rudo y tosco.

GANAR tr. Adquirir caudal o aumentarlo. // Conseguir lo que se disputa. // Llegar al sitio o lugar que se pretende. // Captarse la voluntad de una persona. // fig. Aventajar a uno en algo.

GANCHO m. Instrumento corvo y gralte. puntiagudo que sirve para prender o colgar una cosa.

GANDUL, LA adj. y s. fam. Tunante, holgazán.

GANDULEAR intr. Hacer vida de gandul.

GANGA f. *Mineral.* Materia desechable que acompaña a los minerales. // fig. Cosa apreciable que se adquiere a poca costa o con poco trabajo.

GANGLIO m. *Anat.* Tumor quístico incoloro.

GANGOSO, SA adj. y s. Que habla gangueando. // adj. Díc. de este modo de hablar.

GANGRENA f. *Med.* Necrosis isquémica de un tejido producida por causas físicas, químicas, circulatorias, nerviosas o infecciosas.

GANGUEAR intr. Hablar con resonancia nasal.

GANSO m. *Zool.* Ave palmípeda doméstica, de plumaje gris rayado de pardo y pies rojizos.

GANZÚA f. Garfio para abrir las cerraduras.

GAÑÁN m. Mozo de labranza. // fig. Hombre fuerte y rudo.

GAÑIDO m. Aullido del perro cuando lo maltratan. // Quejido de otros animales.

GAÑIR intr. Aullar el perrro y algunos animales cuando los maltratan. // Graznar las aves.

GARABATEAR intr. Maniobrar con garabatos para agarrar o asir una cosa. // intr. y tr. Hacer garabatos con la pluma.

GARABATO m. Gancho de hierro para colgar o agarrar cosas. // pl. Escritura mal trazada.

GARAJE m. Local destinado a guardar automóviles.

GARANTÍA f. Acción y efecto de afianzar lo estipulado. //Fianza, prenda. // Cosa que se asegura y protege contra algún riesgo o necesidad.

GARANTIR O GARANTIZAR tr. Dar garantía.

GARBANZO m. *Bot.* Planta dicotiledónea de la fam. leguminosas, cuya semilla es comestible.

GARBO m. Gallardía, gentileza. // fig. Gracia y perfección. // Bizarría, generosidad.

GARBOSO, SA adj. Airoso, gallardo. // fig. Magnánimo.

GARFIO m. Gancho de hierro, que sirve para aferrar algún objeto.

GARGANTA f. Parte anterior del cuello. // fig. Estrechura de cualquier paraje. // Cuello. // *Anat.* Espacio compendido entre el velo del paladar y la entrada del esófago.

GÁRGARA f. Acción de mantener un líquido en la garganta, con la boca hacia arriba, sin tragarlo y arrojando el aliento.

GARGARIZAR intr. Hacer gárgaras.

GÁRGOLA f. Conducto gralte. adornado, por donde se vierte el agua de los tejados o de las fuentes.

GARGUERO m. Parte superior de la traquea.

GARITA f. Casilla para abrigo y defensa de los centinelas. // Cuarto de los porteros en el portal.

GARLOPA f. Cepillo largo y con empuñadura.

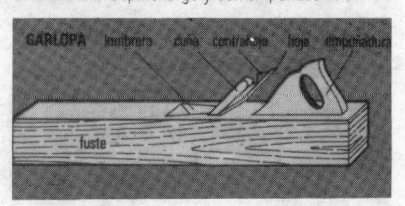

GARNACHA f. Uva morada con la que se elabora un vino especial.

GARRA f. Mano o pie del animal armados de uñas corvas y agudas. // fig. Mano del hombre.

GARRAFA f. Vasija esférica de cuello largo y angosto.

GARRAFAL adj. Díc. de ciertas guindas o cerezas. // fig. Díc. de algunas faltas graves de la expresión y de algunas acciones.

GARRAPATA f. *Zool.* Arácnido de la fam. ixósidos y argásidos. Viven parásitos sobre algunos animales, chupándoles la sangre.

GARRAPATEAR intr. y tr. Hacer garrapatos.

GARRAPATO m. Rasgo de escritura caprichoso e irregular. // pl. Letras o rasgos mal formados.

GARRIDO, DA adj. Galano, elegante.

GARROCHA f. Vara rematada en un hierro pequeño con un arponcillo. // Vara larga para picar toros.

GARROTE m. Palo grueso y fuerte que puede manejarse a modo de bastón. // Plantón, esp. del del olivo. // Instrumento para ejecutar a los condenados a muerte, oprimiéndoles la garganta con un aro de hierro.

GÁRRULO, LA adj. Apl. al ave que canta o gorjea mucho. // fig. Díc. de la persona muy habladora y

charlatana. // Díc. de las cosas que hacen ruido continuado.
GARZA f. *Zool.* Ave zancuda de la fam. ardeidos, de cuello y patas largos, y pico cónico puntiagudo.
GARZO, ZA adj. De color azulado.
GAS m. *Fís.* y *Quím.* Todo fluido aeriforme que no tiene forma ni volumen determinados, y sus moléculas tienden a separarse indefiniblemente, adquiriendo la forma del recipiente que ocupan.
GASA f. Tela de seda o hilo muy clara y sutil.
GASCÓN, NA adj. y s. Natural de Gascuña. // adj. Perten. a esta antigua provincia de Francia.
GASEOSO, SA adj. Que se halla en estado de gas. // Apl. al líquido de que se desprenden gases.
GASIFICAR tr. Hacer que un cuerpo pase al estado de gas.
GASÓGENO m. Aparato usado para obtener gas, en especial el dióxido de carbono.
GAS-OIL m. *Quím. Org.* Aceite combustible para motores Diesel. Se obtiene del petróleo o de la brea del lignito por destilación.
GASÓLEO m. Gas-oil.
GASOLINA f. *Quím. Org.* Hidrocarburo líquido incoloro, volátil e inflamable, que se obtienen de la destilación del petróleo.
GASTAR tr. Emplear el dinero en algo. // Digerir los alimentos. // Deteriorar algo. // Usar, poseer, llevar, tener. // tr. y r. Consumir, acabar.
GASTERÓPODOS m. pl. *Zool.* Moluscos gralte. provistos de concha externa, cabeza con uno o dos pares de tentáculos y pie ventral musculoso.
GASTO m. Acción de gastar. // Lo que se ha gastado o se gasta.
GÁSTRICO, CA adj. *Med.* Perten. al estómago.
GASTRITIS f. *Med.* Inflamación de la mucosa gástrica.
GASTRONOMÍA f. Arte de preparar una buena comida. // Afición a comer regaladamente.
GATA f. Hembra del gato.
GATEAR intr. Trepar como los gatos. // fam. Andar a gatas. // tr. fam. Arañar el gato. // Hurtar.
GATILLO m. Instrumento de hierro con que se sacan muelas y dientes. // En las armas de fuego portátiles, percusor.
GATO m. *Zool.* Mamífero carnívoro de la fam. félidos, de cabeza redonda y cinco dedos en las patas, provistos de uñas fuertes y retráctiles.
GAUCHO, CHA adj. Díc. del hombre natural de las pampas de la Argentina, Uruguay, etc. // Rel. o perten. a esos gauchos. // *Amer.* Buen jinete. // Grosero. // Taimado

José **Hernández** portada de «Martín Fierro», edición de 1894

GAVETA f. Cajón corredizo que hay en los escritorios.
GAVILÁN m. *Zool.* Ave falconiforme de la fam. falcónidos.
GAVILLA f. Haz pequeño de sarmientos, mieses, etc.
GAVIOTA f. *Zool.* Ave marina palmípeda. Se alimenta de peces.
GAZAPERA f. Madriguera de conejos. // fig. y fam. Riña, pendencia.

GAZAPO m. fig. y fam. Mentira, embuste. // Error del que habla o escribe.
GAZMOÑERÍA f. Afección de modestia, devoción o escrúpulos.
GAZNÁPIRO, RA adj. y s. Torpe.
GAZNATE m. Garguero.
GÉISER m. *Geol.* Fuente rermal de agua y vapor de agua.

géiser del Yellowstone National Park (EE.UU.)

GELATINA f. *Quím.* Org. Sustancia glutinosa obtenida por ebullición prolongada de tejidos animales.
GÉLIDO, DA adj. Helado.
GEMA f. *Mineral.* Piedra preciosa. // *Bot.* Yema en los vegetales.
GEMACIÓN f. *Biol.* Tipo de reproducción asexual por yemas o tubercúlos.
GEMELO, LA adj. Díc. de cada uno de dos o más hermanos nacidos de un parto. // Apl. a las cosas iguales que, apareadas, cooperan a un mismo fin. // m. pl. Anteojos. // Juego de dos botones iguales.
GEMINADO, DA adj. *Bot.* Partido, dividido o dispuesto simétricamente en número par.
GÉMINIS m. *Astron.* Tercer signo del Zodíaco.
GEMIR intr. Quejarse con voz lastimera.
GENDARME m. Militar destinado en el orden y la seguridad pública.
GENEALOGÍA f. Serie de ascendientes de cada persona. // Escrito que la contiene.

GENEALÓGICO, CA adj. Perten. a la genealogía.
GENERACIÓN f. Acción y efecto de engendrar. // Casta, género y especie. // Sucesión de descendientes en línea recta. // Conjunto de todos los vivientes coetáneos.
GENERADOR, RA adj. y s. Que engendra. // *Electrotec.* m. Máquina que transforma la energía mecánica en electricidad.
GENERAL adj. Común y esencial a todos los individuos o cosas que constituyen un todo. // Común, frecuente, usual. // m. *Mil.* Militar de alto rango en las jerarquías superiores del ejército.
GENERALA f. Mayoría. // Vaguedad, impresición.
GENERALIZAR tr. y r. Hacer pública o común una cosa. // tr. Abstraer lo que es común y esencial a muchas cosas para formar un concepto general.
GENERAR tr. Procrear. // Producir, causar algunas cosas.
GENERATRIZ f. *Geom.* Punto, línea o superficie cuyo giro alrededor de un eje engendra una línea, una supeficie o un sólido.
GENÉRICO, CA adj. Común a muchas espécies.
GÉNERO m. Conjunto de seres o cosas que tienen caracteres en común. // Clase a que pertenecen personas o cosas. // Mercancía. // *Biol.* Conjunto de especies que tienen cierto número de caracteres en común. // *Gram.* Accidente gramatical que sirve para indicar el sexo de las personas o animales.
GENEROSIDAD f. Nobleza de sangre. // Inclinación a anteponer el decoro a la utilidad y al interés. // Largueza, liberalidad.
GENEROSO, SA adj. Noble. // Liberal, dadivoso. // adj. y s. Que obra con magnanimidad.
GÉNESIS f. Origen o principio de una cosa. // Primer libro del Pentauco en la Biblia, que trata de la creación del mundo.
GENÉTICA f. *Biol.* Ciencia que estudia la variabilidad, la herencia y sus causas.
GENIAL adj. Propio del genio. // Placentero. // Que revela genio creador.
GENIO m. Indole o inclinación natural de uno. // Grande ingenio, fuerza intelectual para crear o inventar. // Carácter difícil, energía. // Deidad engendradora de cuanto hay en la naturaleza.
GENITAL adj. Que sirve para la generación. // m. Testículo.
GENITIVO m. *Gram.* Uno de los casos de la declinación, que denota propiedad o pertenencia.
GENOCIDIO m. Destrucción de grupos humanos por cualquier motivo.
GENTE f. Pluralidad de personas. // Nación. // Nombre colectivo que se da a cada una de las clases que pueden distinguirse en la sociedad. // fam. Familia o parentela.
GENTIL adj. y s. Idólatra o pagano. // adj. Galán. // Notable.
GENTILEZA f. Gallardía, garbo.

GENTILHOMBRE m. Buen mozo. // Caballero que servía en las casas de los reyes.
GENTILICIO, CIA adj. Perten. a las gentes o naciones. // Perten. al linaje o familia.

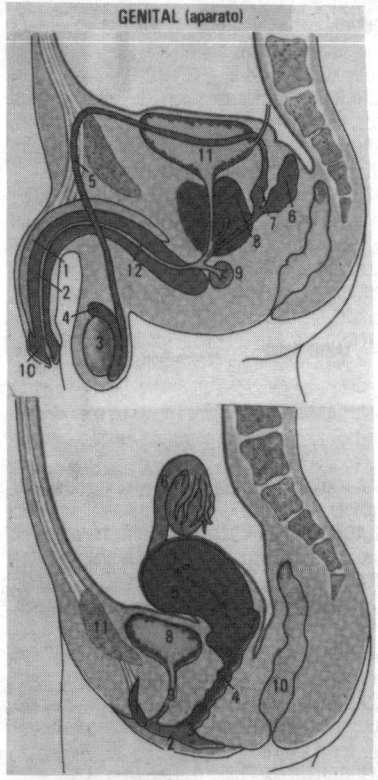

GENITAL (aparato)

hombre
1 – cuerpo cavernoso
2 – cuerpo esponjoso
3 – testículo
4 – epidídimo
5 – conducto deferente
6 – vesícula seminal
7 – ampolla deferencial
8 – próstata
9 – glándula de Cowper
10 – glande
11 – vejiga
12 – uretra

mujer
1 – clítoris
2 – labio mayor
3 – labio menor
4 – vagina
5 – útero
6 – trompa
7 – ovario
8 – vejiga
9 – uretra
10 – colon
11 – hueso púbico

GENTÍO m. Concurrencia considerable de personas en un lugar.
GENUFLEXIÓN f. Acción de doblar la rodilla, bajándola hacia el suelo, en señal de reverencia.
GENUINO, NA adj. Puro, propio, natural legítimo.
GEODESIA f. Parte de la matemática cuyo objeto es determinar la forma y dimensiones del globo terrestre.
GEODINÁMICA f. Parte de la geología que estudia los fenómenos que alteran la corteza terrestre.
GEÓFAGO, GA adj. y s. Que come tierra.
GEOFÍSICA f. Parte de la geología que estudia la física terrestre.
GEOGRAFÍA f. Ciencia que tiene por objeto la explicación y descripción de la Tierra.
GEOLOGÍA f. Ciencia que trata de la forma y naturaleza del globo terrestre, de su formación y alteraciones, y de las causas que las motivan.
GEOMETRÍA f. Parte de la matemática que trata de las propiedades del espacio.
GEOMÉTRICO, CA adj. Perten. a la geometría. // fig. Muy exacto.
GEOTROPISMO m. *Bot.* Tendencia de las plantas a orientarse según la gravedad.
GERANIÁCEAS f. pl. *Bot.* Díc. de las plantas dicotiledóneas, cuyo tipo es el geranio.
GERANIO m. *Bot.* Cada una de las plantas de la fam. geraniáceas.
GERENCIA f. Cargo y oficina del gerente. // Gestión que le incumbe.
GERENTE m. El que dirige los negocios y lleva la firma de una sociedad o empresa mercantil.
GERIATRÍA f. *Med.* Parte de la medicina que estudia las enfermedades e higiene de la vejez.
GERMANÍA f. Jerga de delincuentes.
GERMÁNICO, CA adj. Perten. o rel. a la Germania o a los germanos, a Alemania o a los alemanes. // m. Díc. de la lengua indoeuropea que hablaron los pueblos germanos.
GERMANISMO m. Empleo de vocablos o giros alemanes en distinto idioma.
GERMANO, NA adj. y s. Natural u oriundo de Germania.
GERMEN m. *Biol.* Primer rudimento de un ser organizado, sea animal o vegetal.
GERMINACIÓN f. Acción de germinar.
GERUNDIO m. Forma verbal invariable, cuya terminación es *-ando* en los verbos de la primera conjugación y *-iendo* en los de la segunda y tercera.
GESTA f. Conjunto de hechos memorables de algún personaje.
GESTACIÓN f. Acción de germinar las ideas, plantas, etc. // Embarazo, preñez.
GESTATORIO, RIA adj. Que ha de llevarse en brazos.
GESTICULAR adj. Perten. al gesto.
GESTICULAR intr. Hacer gestos.
GESTIÓN f. Acción y efecto de gestionar. // Acción y efecto de administrar.
GESTIONAR tr. Hacer diligencias para lograr un propósito.
GESTO m. Expresión del rostro o de las manos según los diversos afectos del ánimo. // Acto.
GIBA f. Joroba.
GIBAR tr. Corcovar. // fig. y fam. Fastidiar, vejar, molestar.
GIGANTE adj. Gigantesco. Hombre de estatura ex-

traordinaria. // fig. El que sobresale en virtud o vicio. // m. Personaje mitológico, enemigo de los dioses.

GIGANTISMO m. *Med*. Enfermedad del desarrollo caracterizada por un exceso de crecimiento.

GIMNASIA f. Conjunto de ejercicios físicos para desarrollar y fortalecer el cuerpo.

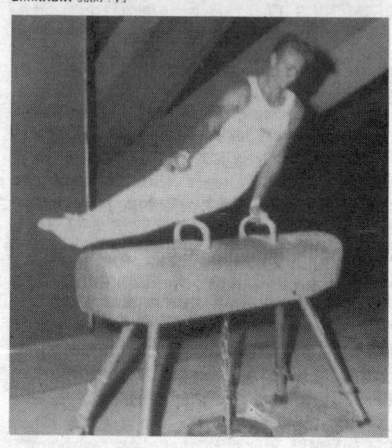

GIMNASIA

GIMNASIO m. Lugar destinado a ejercicios gimnásticos.

GIMNOSPERMAS f. pl. *Bot*. Plantas cuyas semillas no están protegidas por carpelos cerrados ni soldados entre sí y que no se hallan envueltas por un pericarpio.

GIMNOTO m. *Zool*. Especie de anguila que puede producir descargas eléctricas.

GIMOTEAR intr. fam. Gemir.

GINEBRA f. Alcohol de semillas aromatizado con bayas de enebro.

GINECEO m. En la ant. casa griega, departamento destinado a las mujeres. // *Bot*. Verticilo floral femenino, constituido por uno o más carpelos.

GINECOLOGÍA f. Parte de la medicina que trata de las enfermedades propias de la mujer.

GINECÓLOGO, GA m. y f. Persona que profesa la ginecología.

GIRA f. Excursión o viaje. // Serie de actuaciones sucesivas de una compañía teatral o de un artista en diferentes localidades.

GIRAR intr. Moverse alrededor. // tr. Expedir órdenes de pago.

GIRASOL m. *Bot*. Planta herbácea anual de la fam. compuestas. Sus semillas son comestibles.

GIRO m. Movimiento circular. // Acción y efecto de girar. // Dirección que se da a una conversación, un negocio, etc. // Tratándose del lenguaje o estilo, estructura especial de la frase.

GIROLA f. *Arq*. Nave que rodea el ábside, en la arquitectura románica y gótica.

GITANO, NA adj. y s. Individuo de un pueblo nómada, probablemente originario de la India. // adj. Propio de los gitanos o parecido a ellos. // Natural de Egipto.

GLACIACIONES f. pl. *Geol*. Epocas en que la extensión de hielos sobre la superficie terrestre fue muy superior a la actual.

GLACIAL adj. Helado. // Que hace helar o helarse. // fig. Frío, desafecto.

GLACIAR m. *Geol*. Masa grande de hielo que se desliza lentamente por la acción de la gravedad.

GLADIADOR m. El que en los juegos públicos de los romanos batallaba a muerte con otro o con una bestia feroz.

GLANDE m. *Anat*. Extremidad anterior del pene. // *Bot*. Bellota.

GLÁNDULA f. *Anat*. Organo que elabora y segrega sustancias disueltas a partir de materiales suministrados por la sangre.

GLANDULAR adj. Propio de las glándulas.

GLAUCOMA m. *Med*. Enfermedad del ojo consistente en un endurecimiento del globo ocular.

GLEBA f. Terrón que se levanta con el arado. // Tierra, esp. la cultivada.

GLICERINA f. *Quím. Org*. Líquido espeso y dulce, que se encuentra en los cuerpos grasos y se usa en farmacia y en perfumería.

GLÍPTICA f. Arte de tallar gemas y otras piedras duras.

GLOBAL adj. Tomado en conjunto.

GLOBO m. Esfera. // Tierra, planeta. // Receptáculo de materia flexible que, lleno de un gas menos pesado que el aire ambiente, se eleva en la atmósfera.

GLOBULAR adj. De figura de glóbulo. // Compuesto de glóbulos.

GLÓBULO m. Pequeño cuerpo esférico. // *Anat*. Corpúsculo redondeado unicelular que se encuentra en muchos líquidos de los animales, esp. en la sangre.

GLORIA f. Bienaventuranza. // Cielo. // Reputación, fama, honor. // Placer vehemente. // Lo que ennoblece o ilustra en gran manera una cosa. // Majestad, esplen-

dor.
GLORIAR tr. Glorificar. // r. Preciarse de algo. // Alegrarse mucho.

ascensión, J. P. **Blanchard**, 1784 (M. del Louvre)

GLORIETA f. Plazoleta en un jardín. // Plaza donde desembocan varias calles o alamedas.
GLORIFICAR tr. Hacer gloriosos al que no lo era. // Ensalzar al que es glorioso dándole alabanzas. // r. Gloriarse.
GLORIOSO, SA adj. Digno de honor y alabanza. // Perten. a la gloria o bienaventuranza. // Que goza de Dios en la gloria.
GLOSA f. Explicación o comentario de un texto. // Composición poética en que al final de cada estrofa se repiten uno o más versos anteriores.
GLOSAR tr. Hacer, poner o escribir glosas.
GLOSARIO m. Diccionario de palabras oscuras o desusadas.
GLOSOPEDA f. *Vet.* Enfermedad infecciosa que ataca al ganado.
GLOTIS f. *Anat.* Abertura superior de la laringe.

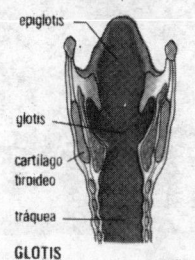

GLOTIS

GLOTÓN, NA adj. y s. Que come con exceso y con ansia.
GLUCEMIA f. *Med.* Cantidad de glucosa que circula en la sangre.
GLUCOSA f. *Bioquim.* Azúcar apliamente difundido en los vegetales y animales.
GLUTEN m. *Quim.* Sustancia proteica contenida en las semillas de los cereales.
GLÚTEO, A adj. Perten. a la nalga.
GLUTINOSO, SA adj. Pegajoso.
GNEIS m. *Mineral.* Roca metamórfica laminada o foliada, de la misma composición que la del granito.
GNÓMICO, CA adj. y s. Que contiene o compone sentencias morales.
GNOMO m. Ser fantástico, enano, reputado como espíritu o genio de la Tierra.
GNOSIS f. Ciencia por excelencia, sabiduría suprema.
GOBERNACIÓN f. Acción y efecto de gobernar o gobernarse. // Ejercicio del gobierno.
GOBERNADOR, RA adj. y s. Que gobierna. // m. Jefe superior por provincia, ciudad o territorio.
GOBERNANTE adj. y s. Que gobierna.
GOBERNAR tr. e intr. Mandar con autoridad o regir una cosa. // tr. y r. Guiar y dirigir. // intr. Obedecer el buque al timón.
GOBIERNO m. Acción y efecto de gobernar o gobernarse. // Modo de regir una nación, provincia, etc. // Conjunto de los ministros superiores de un Estado.// Distrito o edificio del gobernador.
GOCE m. Acción y efecto de gozar o disfrutar de algo.
GOFIO m. *Amer.* Harina gruesa de maíz, trigo o cebada tostada.
GOLA f. Garganta. // Gorguera.
GOLETA f. *Mar.* Buque ligero de dos o tres palos y bordas poco elevadas.
GOLF m. Juego de origen escocés, que consiste en introducir una pelota, mediante palos, en determinados hoyos.
GOLFO m. Gran porción de mar que se inserta en la tiera entre dos cabos.
GOLFO, FA m. y f. Pilluelo.
GOLONDRINA f. *Zool.* Ave paseriforme migratoria, de plumaje negro azulado por encima, región abdominal blanquecina y cola ahorquillada.
GOLOSINA f. Manjar delicado. // Deseo de una cosa. // fig. Cosa más agradable que útil.
GOLOSO, SA adj. y s. Aficionado a comer golosinas. // adj. fig. Dominado por el apetito de algo.
GOLPE m. Encuentro repentino y violento de dos cuerpos. // Efecto del mismo encuentro. // Infortunio que acomete de pronto.
GOLPEAR tr. e intr. Dar repetidos golpes.
GOLPETEAR tr. e intr. Golpear viva y continuamente.
GOMA f. *Quim.* Sustancia viscosa que fluye de diversos vegetales y que, disuelta en agua, sirve para pegar. // Tira o banda de goma elástica a modo de cinta.
GOMORRESINA f. *Bot.* Sustancia exudada por ciertas plantas, compuesta por goma y resina.

GOMOSO, SA adj. Que tiene goma o se parece a ella. // m. Pisaverde, lechugino.
GÓNDOLA f. Embarcación de recreo, usada esp. en Venecia.
GONG m. Disco de metal que se toca con un palo.
GORDO, DA adj. Muy abultado y corpulento. // Graso y mantecoso.
GORDURA f. Grasa, tejido adiposo.
GORGOJO m. *Zool.* Insecto coleóptero, que vive en las semillas de los cereales.
GORGORITO m. fam. Quiebro que se hace con la voz al cantar.
GORGOTEO m. Ruido producido por el movimiento de un líquido o un gas en el interior de una cavidad.
GORGUERA f. Adorno del cuello, de lienzo plegado y alechugado.
GORILA m. *Zool.* Mono antropomorfo de grandes proporciones.

gorila de Lowland

GORJEAR intr. Hacer gorjeos. // Empezar a hablar el niño.
GORJEO m. Quiebro de la voz en la garganta. // Articulaciones imperfectas en la voz de los niños.
GORRA f. Prenda para cubrir la cabeza. // Gorro de los niños. // m. fig. Que vive a costa ajena.
GORREAR intr. fam. Vivir de gorra.
GORRINERÍA f. Porquería.
GORRINO, NA m. y f. Cerdo pequeño que aún no llega a cuatro meses. // fig. Persona desaseada o despreciable.
GORRIÓN f. *Zool.* Pájaro conirrostro, de la fam. ploceidos, de plumaje pardo.
GORRO m. Pieza redonda para cubrir y abrigar la cabeza.
GORRONEAR intr. Vivir a costa ajena.
GOTA f. Partecilla de agua y otro líquido. // *Med.* Enfermedad causada por la acumulación de ácido úrico en los tejidos.
GOTEAR intr. Caer un líquido gota a gota. // Comenzar a llover a gotas espaciadas. // fig. Dar o recibir una cosa a pausas.

GOTEO m. Acción y efecto de gotear.
GOTERA f. Continuación de gotas de agua que caen en lo interior de un espacio techado. // Hendidura del techo por donde caen.
GÓTICO, CA adj. Perten., a los godos. // Apl. a lo escrito o impreso en letra gótica. // fig. Noble , ilustre. // m. Lengua germánica que hablaron los godos. // *Arte.* Estilo artístico que se extendió por Europa occidental del s. XII al Renacimiento.
GOZAR tr. Poseer algo. // tr. y r. Tener gusto y alegría de una cosa. // intr. Sentir placer.
GOZNE m. Herraje articulado con que se fijan las hojas de las puertas y ventanas al quicial para que giren. // Bisagra o pernio.
GOZO m. Movimiento del ánimo que se complace en la posesión o esperanza de bienes o cosas apetecibles. // Alegría.
GRABADO m. Arte de grabar. // Procedimiento para grabar. // Estampa que se produce por medio de la impresión de láminas grabadas. // Lámina o plancha grabada.
GRABAR tr. Señalar con incisión o abrir y labrar en hueco o en relieve sobre una superfície un dibujo, letrero, etc. // Registrar los sonidos, de manera que se puedan reproducir.
GRACEJO m. Gracia y donaire para hablar o escribir.
GRACIA f. Don natural que hace agradable a la persona que lo tiene. //Concesión gratuita. // Afabilidad. // Garbo, donaire. // Benevolencia. // Dicho discreto y de donaire. // Don de Dios en orden al logro de la bienaventuranza.
GRÁCIL adj. Sutil, delgado.
GRACIOSO, SA adj. Apl. a la persona o cosa cuyo aspecto tiene cierto atractivo que deleita. // Chistoso, agudo.
GRADA f. Peldaño. // Asiento a manera de escalón corrido. // *Mar.* Plano inclinado sobre el cual se construyen o carenan los buques.
GRADACIÓN f. Serie de cosas ordenadas gradual-

gorrión
(Passer domesticus)

mente.
GRADERÍA f. Conjunto o serie de gradas.

*las tres **Gracias**, detalle de una obra de F. del Cossa*

GRADIENTE m. Relación de la diferencia de presión barométrica entre dos puntos.
GRADO m. Peldaño. // Cada una de las generaciones que marcan el parentesco entre las personas. // fig. Cada uno de los estados, valores o calidades que puede tener una cosa. // *Fís.* En cualquier escala de medida, cada uno de los intervalos correspondientes. // *Mat.* Unidad de medida de la amplitud de un arco o ángulo.
GRADO m. Voluntad, gusto.
GRADUACIÓN f. Acción y efecto de graduar. // Cantidad proporcional de alcohol que contiene una bebida. // *Mil.* Categoría de un militar en su carrera.
GRADUAL adj. Que está por grados o va de grado en grado.
GRADUAR tr. Dar a una cosa el grado o calidad que le corresponde o tiene. // Señalar en una cosa los grados en que se divide. // En las universidades, dar el grado y título de bachiller, licenciado o doctor en una facultad. // En las carreras militares, conceder grado o grados.
GRAFÍA f. Signo o conjunto de signos para representar un sonido determinado.
GRÁFICO, CA adj. Perten. o rel. a la escritura y a la imprenta. // adj. y s. Apl. a las descripciones, demostraciones, etc., que se representan por medio de figuras o signos.
GRAFITO m. *Mineral.* Mineral de carbono de color negro agrisado, que se usa para hacer lapiceros y otras aplicaciones industriales.
GRAFOLOGÍA f. Arte de averiguar el carácter de una persona a través de su escritura.

GRAGEA f. Píldora o pastilla, recubierta por una capa azucarada.
GRAJEAR intr. Cantar o chillar los grajos o los cuervos.
GRAMÁTICA f. Ciencia que estudia el sistema de una lengua.
GRAMATICAL adj. Perten. a la gramática.
GRAMÁTICO, CA adj. Gramatical. // El entendido en gramática o que escribe de ella.
GRAMÍNEAS f. pl. *Bot.* Fam. de plantas monocotiledóneas, gralte. herbáceas, de tallos nudosos, cilíndricos y comúnmente huecos, como los cereales y las cañas.
GRAMO m. Peso, en el vacío, de un centímetro cúbico de agua destilada, a la temperatura de cuatro grados centígrados.
GRAMÓFONO m. Aparato que reproduce las vibraciones sonoras registradas sobre un disco giratorio.
GRAN adj. Apócope de grande. Sólo se usa en singular, antepuesto al sustantivo.
GRANA f. Semilla menuda de varios vegetales.
GRANA f. Cochinilla. // Quermes, insecto. // Cierto color rojo.
GRANADA f. Fruto del granado. // *Mil.* Proyectil de artillería que estalla en el momento del impacto por medio de una espoleta.
GRANADO m. *Bot.* Planta arbórea de la fam. puniáceas. Su fruto es la granada.
GRANADO, DA adj. fig. Notable, principal, ilustre. // Maduro, experto.
GRANAR intr. Formarse y crecer el grano de los frutos.
GRANATE m. *Mineral.* Silicato soluble de alúmina y hierro y otros elementos. Es piedra de joyería. // Color rojo oscuro.
GRANAZÓN f. Acción y efecto de granar.
GRANDE adj. Que excede a lo común y regular. // m. Persona de muy elevada jerarquía y nobleza.
GRANDEZA f. Tamaño excesivo de una cosa respecto de otra del mismo género. // Majestad y poder. // Dignidad de grande de España.
GRANDILOCUENCIA f. Elocuencia muy abundante y elevada. // Estilo sublime.
GRANDILOCUENTE adj. Que habla o escribe con grandilocuencia.
GRANDIOSIDAD f. Admirable grandeza, magnificencia.
GRANDIOSO, SA adj. Sobresaliente, magnífico.
GRANITO m. *Geol.* Roca intrusiva de color gris moteado constituida esp. por cuarzo, feldespato potásico, plagioclasa y mica.
GRANIZADA f. Precipitación de granizo.
GRANIZAR intr. Caer granizo.
GRANIZO m. Agua congelada que, en forma de granos, cae con violencia de las nubes.
GRANJA f. Hacienda rústica con caserío, huerta y establo.
GRANJEAR tr. Adquirir, conseguir, obtener. // tr. y r.

Captar, atraer, conseguir voluntades, etc.
GRANJEO m. Acción y efecto de granjear.
GRANO m. Semilla y fruto de los cereales. // Especie de tumorcillo que nace en alguna parte del cuerpo. // En las piedras preciosas, cuarta parte del quilate.
GRANUJA f. Uva desgranada. // Granillo interior de algunas frutas. // Granujería. // m. fam. Pilluelo. // fig. Bribón, pícaro.
GRANUJERÍA f. Conjunto de pilluelos, pícaros. // Acción propia de un granuja.
GRANULAR adj. Apl. a la erupción de granos y a las cosas en cuyo cuerpo o superficie se forman granos. // Díc. de las sustancias cuya masa forma granos o porciones menudas. // r. Cubrirse de granos alguna parte del cuerpo.
GRÁNULO m. Grano.
GRAO m. Playa que sirve de desembarcadero.
GRAPA f. Pieza de metal, cuyos dos extremos, doblados y aguzados, se clavan para unir.
GRAPAR tr. Unir con una grapa.
GRASA f. Sebo de un animal. // Goma de enebro. // Suciedad de la ropa. // Lubricante graso. // *Quim.* Compuesto de la glicerina con ácidos grasos. Puede ser de origen animal o vegetal.
GRASIENTO, TA adj. Untado, lleno de grasa.
GRASO, SA adj. Pingüe, mantecoso, que tiene gordura.
GRATIFICACIÓN f. Recompensa. // Remuneración distinta del sueldo.
GRATIFICAR tr. Recompensar con una gratificación. // Dar gusto, complacer.
GRATIS adv. m. De balde.
GRATITUD f. Sentimiento que nos obliga a estimar el favor recibido y a coresponder a él.
GRATO, TA adj. Gustoso, agradable. // Gratuito, gracioso.
GRATUIDAD f. Calidad de gratuito.
GRATUITO, TA adj. De balde o de gracia. // Arbitrario, sin fundamento.
GRAVA f. Conjunto de guijas. // Piedra machacada.
GRAVAMEN m. Carga, obligación o impuesto que pesa sobre una persona o cosa.
GRAVAR tr. Cargar, pesar sobre una persona o cosa. // Imponer un gravamen.
GRAVE adj. y s. m. Que pesa. // adj. De mucha importancia. // Apl. al que está enfermo de cuidado. // Serio. // Díc. del estilo circunspecto. // Arduo, difícil. // adj. y s. Díc. del sonido bajo.
GRAVEDAD f. *Fis.* Manifestación de la atracción universal, que impulsa los cuerpos hacia el centro de la Tierra. Circunspección. // Enormidad. // fig. Grandeza.
GRAVIDEZ f. Embarazo.
GRÁVIDO, DA adj. Cargado, lleno. // Díc. esp. de la mujer encinta.
GRAVITACIÓN f. *Fis.* Atracción universal entre los cuerpos celestes.

GRAVITAR intr. Moverse un cuerpo por la atracción gravitatoria de otro cuerpo. // Descansar un cuerpo sobre otro. // Fig. Cargar.
GRAZNAR intr. Dar graznidos.
GRAZNIDO m. Voz de algunas aves, como el cuervo, el grajo, etc. // fig. Canto desentonado.
GREGAL adj. Que anda junto y acompañado con otros de su especie.
GREGARIO, RIA adj. Que está en compañia de otros sin distinción.
GREGARISMO m. Calidad de gregario. // Tendencia de ciertos animales a vivir asociados.
GREGUERÍA f. Vocerío, gritería.
GREMIAL adj. Perten. a gremio, oficio o profesión. // m. Individuo de un gremio.
GREMIO m. Corporación profesional de artesanos de un mismo oficio.
GREÑA f. Cabellera revuelta. // Lo que está enredado.
GRES m Pasta de arcilla y arena cuarzosa, con que se fabrican objetos de cerámica.
GRESCA f. Bulla, algazara. // Riña, pendencia.
GREY f. Rebaño.
GRIEGO, GA adj. y s. Natural de Grecia. // adj. Perten. a esta nación. // m. Lengua griega.
GRIETA f. Quiebra o hendedura. // *Med.* Hendidura de la piel o de las mucosas.
GRIFO m. Llave para permitir la salida de un fluido. // Animal fabuloso, mitad águila, mitad león.
GRILLETE m. Eslabón que se abre y sirve para asegurar una cadena al pie de un preso.
GRILLO m. *Bot.* Tallo que echan las semillas.
GRILLO m. *Zool.* Insecto ortóptero, que produce un ruido estridente por rozamiento de sus élitros.
GRIMA f. Desazón, horror que causa una cosa.
GRINGO, GA adj. y s. fam. despect. En Sudamérica, nombre aplicado a los extranjeros, esp. a los norteamericanos.
GRIPE f. *Med.* Enfermedad epidémica e infecciosa, causada por un virus.
GRIS adj. y s. Díc. del color que resulta de la mezcla de blanco y negro. // adj. fig. Triste, apagado. // m. fam. Viento frío.
GRISÁCEO, A adj. De color que tira a gris.
GRISÚ m. Gas inflamable formado por dióxido de carbono, nitrógeno y metano, que se desprende en las minas de hulla.
GRITAR intr. Levantar la voz más de lo acostumbrado.
GRITERÍA f. Griterío.
GRITERÍO m. Confusión de voces altas.
GRITO m. Voz emitida con mucha fuerza.
GROSELLERO m. *Bot.* Arbusto de las saxifrafáceas, cuyo fruto es la grosella.
GROSERÍA f. Descortesía. // Tosquedad. // Rusticidad.
GROSERO, RA adj. Basto, ordinario. // adj. y s. Descortés.
GROSOR m. Grueso de un cuerpo.

GRÚA f. Máquina usada para izar y manejar grandes pesos por medio de cables y poleas.
GRULLA f. *Zool.* Ave zancuda de gran tamaño.
GRUMETE m. Marinero de clase inferior.
GRUMO m. Parte coagulada de un líquido. // Conjunto de cosas apiñadas. // Yema de los árboles.
GRUÑIDO m. Voz de cerdo. // Voz ronca amenazadora de algunos animales. // fig. Sonidos inarticulados, roncos, de una persona.
GRUÑIR intr. Dar gruñidos. // fig. Mostrar disgusto, murmurando entre dientes. // Chirriar algo.
GRUÑÓN, NA adj. fam. Que gruñe con frecuencia.
GRUPA f. Ancas de una caballería.
GRUPO m. Pluralidad de seres o cosas que forman un conjunto, material o mentalmente considerado. // Número cualquiera de personas reunidas.
GRUTA f. Cavidad natural abierta en riscos o peñas.
GUACA f. *Amer.* Sepulcro de los antiguos indios.
GUACAMAYO m. *Zool.* Especie de papagayo, de plumaje rojo, azul y amarillo.
GUADAMECÍ m. Cuero adobado y adornado con dibujos de pintura o relieve.
GUADAÑA f. Instrumento para segar a ras de tierra.
GUADARNÉS m. Lugar donde se guardan los arneses.
GUAJIRA f. Canto popular cubano.
GUAJIRO, RA m. y f. Campesino de Cuba.
GUALDO, DA adj. De color amarillo.
GUANCHES m. pl. Antiguos habitantes de las Canarias.
GUANERO, RA adj. Perteneciente o relativo al guano.
GUANO m. Abono formado por los excrementos de las aves marinas.
GUANTE m. Prenda para cubrir la mano, de la misma forma que ésta.
GUAPO, PA adj. y s. fam. Animoso, bizarro, resuelto. // adj. fam. Galán, ostentoso en el vestir. // Bien parecido. // m. Perdonavidas.
GUARDA com. Persona que guarda algo. // f. Acción de guardar o defender. // Tutela. // Observancia y cumplimiento de un mandato. // Hoja en blanco que se pone al principio y al fin de los libros.
GUARDACOSTAS m. Barco destinado a perseguir el contrabando. // Buque para la defensa del litoral.
GUARDAMANO m. Guarnición de la espada.
GUARDAR tr. Cuidar y custodiar algo. // Observar y cumplir lo que a cada uno le corresponde. // Conservar o retener algo. // No gastar. // r. fig. Precaverse.
GUARDIA f. Conjunto de soldados o gente armada que defiende una persona o puesto. // Defensa, custodia, asistencia, protección. // m.. Individuo de un cuerpo armado.
GUARDIÁN, NA m. y f. Persona que guarda algo.
GUARDILLA f. Buhardilla.
GUARECER tr. Acoger a uno. // Guardar, conservar. // Curar. // r. Refugiarse.
GUARIDA f. Cueva o espesura donde se guarecen los animales. // Amparo o refugio.
GUARISMO m. Cada uno de los signos arábigos que expresan una cantidad. // Cualquiera expresión de cantidad compuesta de dos o más cifras.
GUARNECER tr. Poner guarnición a algo. // Colgar, vestir, adornar. // Dotar, proveer.
GUARNICIÓN f. Adorno que se pone en las ropas, colgaduras, etc. // Engaste en que se sientan las piedras preciosas. // Defensa en las armas blancas para preservar la mano. // Tropa que guarnece un lugar. // pl. Correajes de las caballerías.
GUARRO, RRA m. y f. Puerco.
GUASA f. fam. Falta de gracia. // Chanza, burla.
GUASEARSE f. Chancearse.
GUBERNAMENTAL adj. Perten. al gobierno del Estado. // Favorecedor del principio de autoridad.
GUBERNATIVO, VA adj. Perten. al gobierno.
GUBIA f. Formón de mediacaña.
GUEDEJA f. Cabellera larga. // Melena de león.
GUEPARDO m. *Zool.* Mamífero carnívoro de la fam. félidos.
GUERRA f. Lucha armada. // Pugna entre dos o más personas. // Toda especie de lucha, aunque sea en sentido moral. // fig. Oposición de una cosa con otra.
GUERREAR intr. y tr. Hacer guerra.
GUERRERA f. Chaqueta de uniforme del ejército.
GUERRERO, RA adj. Rel. a la guerra. // Aficionado a la guerra. // m. Soldado que sirve en la milicia.
GUERRILLA f. Partida de guerrilleros que acosa al enemigo.
GUERRILLERO m. Paisano que sirve en una guerrilla, o es jefe de ella.
GUÍA com. Persona que conduce y enseña a otra el camino. // m. Persona que enseña y dirige a otra para algún fin. // Manillar de la bicicleta. // f. Lo que en sentido figurado dirige o encamina.
GUIAR tr. Ir delante mostrando el camino. // Conducir un carruaje. // fig. Dirigir a uno en algún negocio // r. Dejarse uno dirigir por indicios, señales, etc.
GUIJA f. Piedra pelada y chica que se encuentra en los ríos.
GUIJARRO m. Pequeño canto rodado.
GUIJO m. Conjunto de guijas.
GUILLARSE r. fam. Irse o huirse. // Perder la cabeza.
GUILLOTINA f. Máquina usada en Francia para decapitar a los reos de muerte. // Máquina de cortar papel.
GUINDILLA f. Pimiento pequeño que pica mucho.
GUINEA f. Ant. moneda inglesa.
GUIÑAPO m. Andrajo o trapo roto. // fig. Persona andrajosa. // Persona envilecida.
GUIÑAR tr. Cerrar un ojo momentáneamente, quedando el otro abierto.
GUIÑO m. Acción de guiñar.
GUIÓN m. Escrito breve que sirve de guía. // Argumento de un filme, con todos los promenores para su realización. // *Gram.* Signo ortográfico (-) con que se

indica la separación de las partes de una palabra, o la unión de dos palabras que forman un compuesto.
GUIPAR tr. vulg. Ver, descubrir.
GUIRIGAY m. fam. Lenguaje oscuro. // Gritería.
GUIRNALDA f. Corona abierta, tejida de flores y ramas.
GUISA f. Modo, manera
GUISANTE m. *Bot.* Planta hortense de las leguminosas, de fruto en vaina con semillas comestibles.
GUISAR tr. Preparar los manjares mediante la acción del fuego.
GUISO m. Manjar guisado.
GUITARRA f. Instrumento musical de cuerda, de caja de mader estrechada por el medio. Tiene seis cuerdas que se pulsan con los dedos.
GULA f. Exceso en la comida o bebida, y apetito desordenado de comer y beber.
GUSANO m. *Zool.* Animal invertebrado, de cuerpo blando, cilíndrico, alargado, contractil y como dividido en anillos. // Lombriz, oruga.
GUSTAR tr. Sentir en el paladar el sabor de las cosas. //Experimentar. // intr. Agradar algo. // Desear, querer.
GUSTO m. Sentido corporal con el que se percibe el gusto de las cosas. // Sabor que tienen las cosas. // Placer, deleite. // Propia voluntad o arbitrio. // Facultad de sentir lo bello o lo feo. // Capricho, antojo.
GUSTOSO, SA adj. Sabroso. // Que siente gusto o hace con gusto una cosa.
GUTURAL adj. Perten. o rel. a la garganta.

H

H f. Novena letra del abecedario español, y séptima de sus consonantes. Su nombre es *hache*.
HABA f. *Bot.* Planta herbácea anual leguminosa, de fruto en vaina con semillas comestibles.
HABANO, NA adj. Perten. a La Habana. // m. Cigarro puro.
HABER tr. Poseer, tener. // Verbo auxiliar que sirve para conjugar otros verbos en los tiempos compuestos. // impers. Acaecer, ocurrir. // Verificar, efectuarse. // Hallarse o existir.
HABER m. Hacienda, caudal.
HABICHUELA f. *Bot.* Judía.
HABIL adj. Capaz o diestro en algo.
HABILIDAD f. Capacidad, inteligencia. // Destreza.
HABILITAR tr. Hacer a una persona o cosa hábil o apta para algo. // tr. y r. Proveer a uno de lo que necesita.
HABITACION f. Acción y efecto de habitar. // Aposento de una casa. // Edificio o parte de él que se destina para habitarse.
HABITAR tr. e intr. Vivir, morar en un lugar o casa.
HÁBITO m. Vestido o traje, esp. el de los religiosos. // Costumbre.
HABITUAL adj. Que se hace, padece o posee por hábito.

HABITUAR tr. y r. Acostumbrar.
HABLA f. Facultad de hablar. // Acción de hablar. // Idioma, oración, arenga.
HABLADURÍA f. Dicho inoportuno e impertinente. // Hablilla.
HABLAR intr. Articular palabras para darse a entender. // Expresarse de uno u otro modo. // Murmurar o criticar. // Rogar por uno. // intr. y r. Tratar, convenir.
HABLILLA f. Rumor, mentira que corre en el vulgo.
HACENDAR tr. Dar o conferir el dominio de haciendas o bienes raíces. // r. Comprar hacienda una persona.
HACENDOSO, SA adj. Diligente en las faenas domésticas.
HACER tr. Producir, crear algo. // Fabricar, formar una cosa. // tr. y r. Ejecutar. // tr. Caber, contener. // Causar, ocasionar. // Disponer, componer. // fig. Imaginar, inventar. // intr. Con algunos nombres de oficios y la prep. de, ejercerlos eventualmente. // r. Crecer, irse formando. // impers. Experimentar o sobrevenir el tiempo atmosférico. // Haber transcurrido cierto tiempo.
HACIA Prep. que determina la dirección del movimiento con respecto al punto de su término. // Alrededor de, cerca de.
HACIENDA f. Finca agrícola. // Cúmulo de bienes y riquezas que uno tiene. // Faena casera. // Ministerio de Hacienda.
HACINA f. *Agr.* Conjunto de haces dispuestos unos sobre otros.
HACINAR tr. Poner los haces formando hacina. // tr. y r. fig. Amontonar, acumular.
HACHA f. Vela de cera, grande y gruesa.
HACHA f. Herramienta cortante de pala acerada y ojo para enastarla.
HADA f. Ser fantástico que se representaba bajo la forma de mujer dotado de poderes mágicos.
HADO m. Divinidad que, según los gentiles, disponía lo que había de suceder. // Destino.
HAGIOGRAFÍA f. Historia de la vida de los santos.
HALAGAR tr. Dar a uno muestras de afecto. // Dar motivo de satisfacción o envanecimiento. // Adular.
HALAGO m. Acción y efecto de halagar. // fig. Cosa que halaga.
HALAGÜEÑO, ÑA adj. Que halaga. // Que atrae con dulzura.
HALCÓN m. *Zool.* Ave de la fam. falcónidos. Se alimenta de aves y mamíferos pequeños.
HÁLITO m. Aliento del animal. // Vapor que una cosa arroja. // poét. Viento suave.
HALO m. *Meteor.* Anillo luminoso que se observa a veces alrededor del Sol o de la Luna.
HALÓFILO, LA adj. *Bot.* Díc. de las plantas esp. adaptadas a medios salinos.
HALLAR tr. Dar con una persona o cosa. // Descubrir algo. // Ver, notar. // Encontrar lo que se busca. // r. Estar presente. // Estar en cierto estado.
HALLAZGO m. Acción y efecto de hallar. // Cosa

hallada.
HAMACA f. Red que, asegurada por las extremidades, sirve de cama y columpio.
HAMBRE f. Gana y necesidad de comer. // Escasez de frutos. // fig. Deseo ardiente de algo.
HAMBRIENTO, TA adj. y s. Que tiene mucha hambre.
HAMPA f. Vida picaresca y maleante, y gente que la lleva.
HAMPÓN adj. y s. Valentón, bribón.
HANDICAP m. Competición en la que se imponen a los participantes ciertas desventajas. // fig. Desventaja.
HANGAR m. Cobertizo para guarecer aparatos de aviación o dirigibles.
HARAGÁN, NA adj. y s. Holgazán.
HARAGANERÍA f. Ociosidad.
HARAPIENTO, TA adj. Lleno de harapos.
HARAPO m. Andrajo.
HARAQUIRI m. En Japón, suicidio ritual que consiste en abrirse el vientre de un tajo.
HARÉN m. Departamento de las casas de los musulmanes en que viven las mujeres. // Conjunto de estas mujeres.
HARINA f. Polvo que resulta de la molienda del trigo o de otras semillas. // Polvo procedente de algunos tubérculos y legumbres.
HARMONÍA f. Armonía.
HARNERO m. Especie de criba.
HARPÍA f. Arpía.
HARTAR tr., r. e intr. Saciar el apetito de comer o beber. // tr. y r. fig. Fastidiar, cansar. // tr. fig. Satisfacer el deseo de algo.
HARTO, TA adj. Bastante o sobrado.
HASTA prep. Sirve para expresar el límite de lugares, acciones, etc. // U. como conjunción copulativa, y equivale a *también* o *aún*.
HASTIAR tr. y r. Causar hastío.
HASTÍO m. Repugnancia a la comida. // fig. Disgusto, tedio.
HATAJO m. Pequeño grupo de ganado. // Conjunto, copia.
HATO m. Ropa y pequeño ajuar que uno tiene para el uso preciso. // Porción de ganado. // fig. Compañía de gente despreciable.
HAYA f. *Bot.* Árbol de hoja caduca (fam. fagáceas). Su madera es apreciada en ebanistería.
HAZ m. Porción atada de hierbas, leña, etc. // Conjunto de rayos luminosos de un mismo origen. // *Bot.* Conjunto de fibras o células.
HAZ f. Cara o rostro. // fig. Cara anterior de una tela o de otras cosas, opuesta al envés.
HAZAÑA f. Acción o hecho ilustre y heroico.
HEBDÓMADA f. Semana. // Espacio de siete años.
HEBILLA f. Pieza con una patilla y uno o más clavillos asegurados por un pasador; sirve para unir las correas, cinturas, etc.
HEBRA f. Porción de hilo que se pone en la aguja para coser. // Fibra de la carne. // Filamento. // Cabello.
HEBRAICO, CA adj. Hebreo.
HEBREO, A adj. y s. Apl. al pueblo semítico o judío. // Díc. del que profesa la ley de Moisés. // adj. Perten. o rel. a este pueblo. // m. Lengua de los hebreos.
HECATOMBE f. Sacrificio de cien víctimas que hacían ant. los paganos. // fig. Mortandad masiva.
HECTÁREA f. Unidad de superficie, equivalente a 100 áreas o 10000 metros².
HECTOGRAMO m. Unidad de masa, equivalente a 100 gramos.
HECTOLITRO m. Unidad de volumen y capacidad, equivalente a 100 litros.
HECTÓMETRO m. Unidad de longitud, equivalente a 100 metros.
HECHICERÍA f. Arte supersticioso de hechizar.
HECHICERO, RA adj. y s. Que practica el arte de hechizar. // adj. fig. Que cautiva la voluntad.
HECHIZAR tr. Actuar sobre la vida de una persona mediante prácticas supersticiosas. // fig. Causar una persona o cosa afecto o deseo.
HECHIZO, ZA adj. Artificioso o fingido. // m. Cualquier cosa supersticiosa a la que se atribuyen virtudes mágicas.
HECHO, CHA adj. Perfecto, maduro. // Con algunos nombres, semejante a las cosas significadas por ellos. // m. Acción u obra. // Suceso. // Asunto de que se trata.
HECHURA f. Acción y efecto de hacer. // Cualquier cosa respecto del que la ha hecho o formado. // Forma exterior o figura que se da a las cosas.
HEDER int. Arrojar de sí un olor muy malo. // fig. Enfadar, cansar.
HEDIONDEZ f. Cosa hedionda. // Mal olor.
HEDIONDO, DA Que arroja de sí hedor. // fig. Enfadoso, insufrible. // Sucio, obsceno.
HEDONISMO m. Doctrina ética que identifica el bien con el placer.
HEDOR m. Mal olor.
HEGEMONÍA f. Supremacía que un estado ejerce sobre otros.
HÉGIRA f. Era de los mahometanos que se cuenta desde el 15 de julio de 622, día de la huida de Mahoma de La Meca a Medina.
HELAR tr., intr. y r. Congelar. // tr. fig. Dejar a uno pasmado. // Desanimar a uno. // r. Ponerse una persona o cosa muy fría.
HELECHO m. *Bot.* Planta criptógama filicínea, de hojas con variación de divisiones, llamadas frondes.
HELÉNICO, CA adj. Perten. a Grecia. // Perten. a la Hélade o los antiguos helenos.
HELENISMO m. Giro o modo de hablar peculiar de la lengua griega. // Influencia de la cultura antigua de los griegos en la civilización y cultura modernas.
HELENO, NA adj. y s. Natural de Grecia. // adj. Perten. o rel. a este país.
HÉLICE f. Mecanismo de propulsión, accionado por

un motor y aplicable a embarcaciones, aeroplanos, etc.
HELICOIDAL adj. En figura de hélice.
HELICÓPTERO m. Aparato de aviación que por la disposición de sus hélices, puede elevarse y tomar tierra verticalmente.

HELICÓPTERO

HELIO m. *Quím.* Cuerpo simple gaseoso, incoloro, que se encuentra en la atmósfera.
HELIOTERAPIA f. *Med.* Método terapéutico, basado en la acción benéfica de los rayos solares.
HELIOTROPO m. *Bot.* Planta leñosa (fam. boragináceas), de olor agradable y suave.
HELVÉTICO, CA adj. y s. Natural de Helvecia, hoy Suiza. // adj. Perten. a este país.
HEMATIE m. Glóbulo rojo de la sangre.
HEMATITES f. Mineral de hierro oxidado, rojo o pardo.
HEMATOLOGÍA f. Parte de la medicina que se ocupa de la sangre.
HEMATOSIS f. Proceso de conversión de la sangre venosa en arterial.
HEMBRA f. Animal del sexo femenino. // Mujer. // Pieza que tiene un agujero donde otra entra.
HEMEROTECA f. Biblioteca donde se coleccionan diarios u otras publicaciones periódicas.
HEMICICLO m. Semicírculo. // Parte de un edificio, dispuesta en semicírculo.
HEMIPLEJÍA f. *Med.* Parálisis de un lado del cuerpo.
HEMÍPTEROS m. pl. *Zool.* Insectos chupadores, como los chinches, pulgones, etc.
HEMISFERIO m. *Geom.* Cada una de las dos mitades de una esfera. // *Astron.* Cada una de las dos mitades de la Tierra, determinadas por el Ecuador.
HEMISTIQUIO m. Mitad o parte de un verso.
HEMOFILIA f. *Med.* Enfermedad congénita, caracterizada por la predisposición a las hemorragias.
HEMOGLOBINA f. Pigmento ferropro-teínico completo, contenido en los glóbulos rojos de la sangre.
HEMORRAGIA f. *Med.* Flujo de sangre producido por rotura de un vaso sanguíneo.
HEMORROIDE f. *Med.* Dilatación de las venas del ano y del recto.
HENCHIR tr. Llenar un espacio vacío.
HENDEDURA f. Acción y efecto de hender.
HENDER tr. y r. Hacer o causar una hendedura.
HENDIDURA f. Hendedura.

HENIL m. Lugar donde se guarda el heno.
HENO m. *Bot.* Forraje verde desecado para pasto del ganado.
HEPÁTICO, CA adj. y s. Que padece del hígado.
HEPATITIS f. *Med.* Inflamación patológica del hígado.
HEPTA- Forma prefija que significa siete.
HERÁLDICA f. Ciencia del blasón.
HERÁLDICO, CA adj. y s. Perten. al blasón, o al que se dedica a esta ciencia.
HERALDO m. Rey de armas. // Mensajero.
HERBÁCEO, A adj. *Bot.* Que tiene la naturaleza o calidades de la hierba.
HERBARIO m. *Bot.* Colección de hierbas y plantas secas.
HERBÍVORO, RA adj. *Zool.* Díc. de los animales que se alimentan sólo de vegetales.
HERBORISTERÍA f. Tienda donde se venden plantas medicinales.
HERCÚLEO, A adj. Perten. o rel. a Hércules. // Que tiene mucha fuerza y robustez.
HÉRCULES m. fig. Hombre de mucha fuerza.
HEREDAD f. Hacienda de campo, bienes raíces o posesiones.
HEREDAR tr. Suceder uno por disposición testamentaria o legal en los bienes y acciones de otra persona. // Darle a uno heredades, posesiones o bienes raíces, etc.
HEREDERO, RA adj. y s. Díc. de la persona a quien pertenece una herencia.
HEREDITARIO, RIA adj. Perten. a la herencia, o que se adquiere por ella.
HEREJE com. Cristiano que en materia de fe se opone a lo que propone la Iglesia Católica.
HEREJÍA f. Error en materia de fe, sostenido con pertinacia. // fig. Sentencia errónea contra los principios ciertos de una ciencia o arte. // Ofensa.
HERENCIA f. Derecho de heredar. // Conjunto de bienes y derechos que se heredan. // *Biol.* Transmisión a los hijos de los caracteres de sus padres o antepasados.
HERIDA f. Incisión o contusión en la carne, producida por alguna violencia exterior. // fig. Ofensa. // Lo que aflige el ánimo.
HERIR tr. Romper o abrir las carnes del animal con un arma u otro instrumento. // Golpear, dar un cuerpo contra otro. // fig. Ofender, agraviar.
HERMAFRODITA adj. Que tiene los dos sexos.
HERMANAR tr. y r. Unir, juntar. // Hacer a uno hermano de otro espiritualmente.
HERMANASTRO, TRA m. y f. Hijo de uno de los dos consortes con respecto al hijo del otro.
HERMANDAD f. Parentesco entre hermanos. // fig. Amistad íntima. // Correspondencia que guardan varias cosas entre sí. // Cofradía.
HERMANO, NA m. y f. Persona que con respecto a otra tiene los mismos padres, o sólo el mismo padre

o madre. // fig. Individuo de una cofradía. // Una cosa respecto de otra a que es semejante.
HERMÉTICO, CA adj. Díc. de lo que cierra una abertura de modo perfecto. // fig. Impenetrable.
HERMETISMO m. Calidad de hermético.
HERMOSEAR tr. y r. Hacer o poner hermosa a una persona o cosa.
HERMOSO, SA adj. Dotado de hermosura. // Despejado, apacible.
HERMOSURA f. Belleza. // Proporción perfecta de las partes con el todo. // Mujer hermosa.
HERNIA f. Salida de un órgano o tejido de la cavidad en que se encuentra encerrado.
HÉROE m. Varón ilustre y famoso. // El que lleva a cabo una acción heroica. // Personaje principal de un poema épico. // *Mit.* Semidiós engendrado por una divinidad y un ser humano.
HEROICO, CA adj. Apl. a las personas famosas por sus hazañas o virtudes, y, por ext., díc. también de las acciones. // Apl. a la poesía en que se cantan hazañas.
HEROÍNA f. Mujer ilustre y famosa por sus hazañas. // La que lleva a cabo un hecho heroico. // Protagonista de una obra literaria. // *Bioquím.* Alcaloide derivado de la morfina. Es tóxico y ocasiona dependencia.
HERPE m. *Med.* Erupción cutánea caracterizada por diminutas vesículas agrupadas.
HERPETOLOGÍA f. Tratado de los reptiles.
HERRADURA f. Hierro que se clava a las caballerías en los cascos.
HERRAJE m. Conjunto de piezas de hierro con que se guarnece un artefacto. // Conjunto de herraduras y clavos con que éste se asegura.
HERRAMIENTA f. Instrumento con que trabajan los artesanos en sus oficios. // Arma blanca.
HERRAR tr. Ajustar y clavar las herraduras a las caballerías. // Marcar con hierro encendido los ganados, esclavos, etc.
HERRERÍA f. Oficio de herrero. // Taller en que se funde o forja y se labra el hierro. // Taller o tienda de herrero.
HERRERO m. El que por oficio labra el hierro.
HERRUMBRE f. Óxido de hierro. // Roya, hongo de los vegetales.
HERTZ o **HERTZIO** m. Unidad de frecuencia, que equivale a una vibración completa por segundo.
HERVIDERO m. Movimiento y ruido que hacen los líquidos cuando hierven. // fig. Manantial donde surge el agua mezclada con burbujas gaseosas. // Muchedumbre.
HERVIR intr. Producir burbujas un líquido por la acción del calor o por fermentación. // fig. Hablando de afectos y pasiones, indica su vehemencia.
HERVOR m. Acción y efecto de hervir. // fig. Fogosidad.
HETERÓCLITO, TA adj. Apl. a toda locución que se aparta de las reglas gramaticales. // fig. Irregular, extraño.

HETERODOXO, XA adj. y s. El que sustenta una doctrina no conforme con el dogma católico. // Por ext., no conforme con la doctrina fundamental de una secta o sistema.
HETEROGÉNEO, A adj. Compuesto de partes de diversa naturaleza.
HETEROMANCIA o **HETEROMANCÍA** f. Adivinación supersticiosa por el vuelo de las aves.
HÉTICO, CA adj. y s. // Tísico. // adj. Perten. a este enfermo.
HEXA- Forma prefija del griego *hex*, seis.
HEXAEDRO m. *Geom.* Poliedro, limitado por seis caras planas.
HEXÁGONO m. *Geom.* Polígono, formado por seis lados.

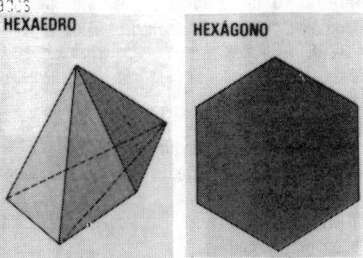

HEXAEDRO   HEXÁGONO

HEZ f. Sedimento de desperdicio de algunos líquidos. // fig. Lo más vil y despreciable. // pl. Excrementos.
HIATO m. Encuentro de dos vocales que no forman diptongo.
HIBERNACIÓN m. *Zool.* Letargo en que permanecen algunos animales durante el invierno. // Estado análogo que se provoca en las personas por la acción del frío.
HIBERNAR intr. Ser tiempo de invierno. // Pasar el invierno.
HÍBRIDO, DA adj. *Biol.* Díc. del animal o planta originado del cruce de dos especies distintas.
HIDALGO, GA m. y f. Persona que por su sangre es de clase noble. // adj. fig. Díc. de la persona generosa y noble.
HIDALGUÍA f. Calidad de hidalgo. // fig. Generosidad.
HIDRA f. *Zool.* Pólipo de forma cilíndrica, de agua dulce, que se reproduce por gemación.
HIDRATACIÓN f. Acción y efecto de hidratar.
HIDRATAR tr. y r. *Quím.* Combinar un cuerpo con el agua.
HIDRATO m. *Quím.* Combinación de un óxido u otro cuerpo con el agua.
HIDRÁULICA f. *Fís.* Parte de la mecánica que estudia el equilibrio y el movimiento de los fluidos.
HIDROAVIÓN m. Tipo de avión concebido para despegar y posarse desde y en el agua.
HIDROCARBUROS m. pl. *Quím. Org.* Compuestos orgánicos que sólo contienen carbono e hidrógeno.
HIDRODINÁMICA f. *Fís.* Parte de la mecánica que estudia el movimiento de los fluidos.
HIDROELÉCTRICO, CA adj. Perten. a la energía

obtenida por fuerza hidráulica.
HIDRÓFILO, LA adj. Que absorbe el agua con facilidad.

HIDROAVIÓN

HIDROFOBIA f. *Med.* Horror al agua, propio de los animales que han contraído la rabia.
HIDRÓGENO m. *Quím.* Gas inflamable, incoloro, inodoro e insípido, y el más ligero conocido.
HIDROGRAFÍA f. Parte de la geografía física, que trata de la descripción de los mares y de las corrientes de agua.
HIDROPESÍA f. *Med.* Derrame de serosidad en cualquier cavidad del cuerpo.
HIDROSFERA f. Conjunto de las partes líquidas del globo terráqueo.
HIDROTERAPIA f. *Med.* Empleo del agua como método terapéutico.
HIDRÓXIDO m. *Quím.* Compuesto formado por un óxido básico con el agua.
HIEDRA f. *Bot.* Planta leñosa trepadora, de tallo ramoso.
HIEL f. *Fisiol.* Bilis. // fig. Disgusto, desabrimiento.
HIELO m. Agua convertida en cuerpo sólido y cristalino por la acción del frío. // Acción de helar o helarse. // fig. Frialdad en los afectos.
HIENA f. *Zool.* Mamífero carnívoro fisípedo que se alimenta de carroña.
HIERÁTICO, CA adj. Perten. a las cosas sagradas o a los sacerdotes. // Apl. a la escritura jeroglífica abreviada de los antiguos egipcios. // fig. Díc. del estilo o ademán afectado.
HIERBA f. *Bot.* Planta pequeña, cuyo tallo es verde y jugoso.
HIERBABUENA f. *Bot.* Planta herbácea vivaz de la fam. labiadas.
HIERRO m. Metal dúctil, maleable y tenaz, de color gris. Se usa mucho en la industria y en las artes.
HÍGADO m. *Anat.* Glándula de color rojo situada en el sector alto del abdomen. Segrega la bilis.
HIGIENE f. *Med.* Parte de la medicina que trata de la conservación de la salud y la prevención de las enfermedades.
HIGIENIZAR tr. Preparar una cosa conforme a las prescripciones de la higiene.
HIGO m. *Bot.* Fruto tardío de la higuera, blanco y de sabor dulce.
HIGROMETRIA f. Parte de la física que trata de la humedad atmosférica.
HIGUERA f. *Bot.* Planta arborácea (fam. moráceas), de hoja caduca. Su fruto es el higo y la breva.
HIJASTRO, TRA m. y f. Hijo o hija de uno de los cónyuges, respecto del otro que no los procreó.
HIJO, JA m. y f. Persona o animal respecto de sus padres. // fig. Cualquier obra o producción del ingenio. // m. Lo que procede de otra cosa por procreación. // m. pl. Descendientes.
HILADO m. Acción y efecto de hilar. // Porción de lino, cáñamo, etc., reducida a hilo.
HILAR tr. Reducir a hilo el lino, seda, etc. // Sacar de sí las hebras el gusano de seda, y ciertos arácnidos e insectos. // fig. Discurrir, inferir una cosa de otra.
HILARANTE adj. Que inspira alegría o mueve a risa.
HILARIDAD f. Alegría del ánimo. // Risa y algazara.
HILAZA f. Hilado. // Hilo que sale gordo y desigual.
HILERA f. Orden o formación en línea de un número de personas o cosas.
HILO m. Hebra delgada, larga y flexible, formada por un conjunto de fibras obtenidas de una materia textil. // Hebra que producen ciertas especies de arácnidos e insectos. // fig. Chorro muy delgado de un líquido.
HILVÁN m. Costura de puntadas largas con que se prepara lo que se ha de coser después.
HILVANAR tr. Unir con hilvanes.
HIMENÓPTEROS m. pl. *Zool.* Insectos masticadores o chupadores, que poseen dos partes de alas membranosas, como las abejas, avispas y hormigas.
HIMNO m. Composición poética o musical de alabanza o adoración.
HINCAPIÉ m. Acción de hincar el pie para hacer fuerza.
HINCAR tr. Introducir o clavar una cosa en otra. // Apoyar una cosa en otra.
HINCHA f. fam. Odio, encono. // com. Partidario fanático de un equipo deportivo.
HINCHAR tr. y r. Hacer que aumente de volumen algún objeto, llenándolo de aire u otra cosa. // tr. fig. Exagerar una noticia o un suceso. // r. Hacer algo con exceso, como comer, trabajar, etc. // fig. Envanecerse.
HINDÚ adj. y s. Natural de la India. // adj. Perten. o rel.

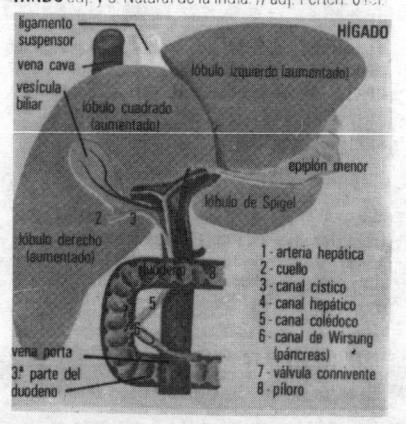

HÍGADO
ligamento suspensor
vena cava
vesícula biliar
lóbulo izquierdo (aumentado)
lóbulo cuadrado (aumentado)
epiplón menor
lóbulo de Spigel
lóbulo derecho (aumentado)
vena porta
3ª parte del duodeno
1 - arteria hepática
2 - cuello
3 - canal cístico
4 - canal hepático
5 - canal colédoco
6 - canal de Wirsung (páncreas)
7 - válvula conivente
8 - píloro

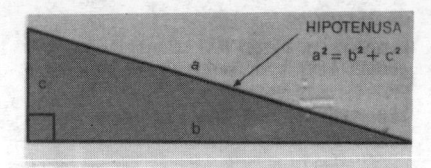

HIPOTENUSA
$a^2 = b^2 + c^2$

a ese país.
HINDUÍSMO m. Religión nacional de la India, procedente del brahmanismo.
HINOJO m. Rodilla. // *Bot.* Planta anual de las umbelíferas, de olor anisado.
HIPAR intr. Sufrir reiteradamente el hipo. // Fatigarse por el mucho trabajo.
HIPÉRBATON m. *Gram.* Figura de construcción, que consiste en alterar el orden lógico de las palabras.
HIPÉRBOLA f. *Geom.* Curva abierta simétrica respecto a sus dos ejes, perpendiculares entre sí.
HIPÉRBOLE f. Figura que consiste en aumentar o disminuir excesivamente lo que se expresa.
HIPERBÓREO, A adj. Apl. a las regiones muy septentrionales, y a lo perten. a ellas.
HIPERESTESIA f. *Med.* Sensibilidad excesiva de los sentidos o de los tegumentos.
HIPERSENSIBILIDAD f. *Med.* Sensibilidad elevada.
HÍPICO, CA, adj. Perten. o rel. al caballo.
HIPNOSIS f. *Psicol.* Sueño producido artificialmente por sugestión.
HIPNÓTICO, CA adj. y s. Perten. o rel. al hipnotismo. // m. Psicofármaco que provoca el sueño.
HIPNOTISMO, m. Procedimiento empleado para producir la hipnosis.
HIPNOTIZAR tr. Producir la hipnosis.
HIPO m. Contracción espasmódica del diafragma acompañada de un sonido característico.
HIPOCASTANÁCEAS f. pl. Bot. Fam. de plantas dicotiledóneas, de frutos en cápsula, como el castaño de Indias.
HIPOCRESÍA f. Fingimiento de cualidades o sentimientos.
HIPÓCRITA adj. y s. Que finge lo que no es o lo que no siente.
HIPODÉRMICO, CA adj. Que está o se pone debajo de la piel.
HIPÓDROMO m. Lugar destinado para carreras de caballos y carros.
HIPÓFISIS f. *Anat.* Glándula de secreción interna que produce importantes hormonas.
HIPOGEO m. Cavidad subterránea que se utilizaba como sepulcro.
HIPOPÓTAMO m. *Zool.* Mamífero paquidermo de gran tamaño.
HIPÓSTILO, LA adj. Sala cuyo techo se encuentra sostenido por columnas.
HIPOTECA t. *Der.* Garantía de una obligación indivisible, real y transmisible de un crédito.
HIPOTECAR tr. Gravar con hipoteca.

HIPOTENUSA f. *Geom.* En un triángulo rectángulo, lado opuesto al ángulo recto.
HIPÓTESIS f. *Fil.* Suposición de una cosa, posible o no, para sacar de ella una consecuencia.
HIRSUTO, TA adj. Díc. del pelo áspero y duro, y de lo que está cubierto de pelo de esta clase, o de púas o espinas.
HISOPO m. Instrumento usado en las iglesias para esparcir agua bendita.
HISPANIDAD f. Carácter genérico de todos los pueblos de lengua y cultura hispánicas. // Conjunto de los pueblos hispanos.
HISPANO, NA adj. y s. Perten. o rel. a España.
HISTERIA f. *Med.* Histerismo
HISTERISMO m. *Med.* Actitud psíquica de la personalidad, caracterizada por trastornos funcionales del sistema nervioso.
HISTOLOGÍA f, *Biol.* Estudio de los tejidos orgánicos
HISTORIA f. Narración y exposición verdadera de los acontecimientos pasados. // Conjunto de los sucesos referidos por los historiadores. // fig. Fábula, cuento. // fig. y fam. Chisme, enredo.
HISTORIADOR, RA m. y f. Persona que escribe historia.
HISTORIAL adj. Perten. a la historia // m. Reseña de las vicisitudes de una persona o cosa.
HISTORIAR tr. Contar o escribir historias. // Exponer las vicisitudes por que ha pasado una persona o cosa.
HISTÓRICO, CA adj. Perten. a la historia.
HISTORIETA f. Cuento o relación breve de un suceso de poca importancia.
HISTRIÓN m. El que representaba disfrazado en el teatro antiguo. // Volatín u otra persona que divierte al público.
HITO, TA adj. Unido, inmediato. // Firme, fijo. // m. Mojón o poste de piedra que indica la dirección o el límite de un territorio.
HOGAÑO adv. t. fam. En el año presente. // Por ext., en la época actual.
HOGAR m. Sitio donde se coloca la lumbre en las cocinas, chimeneas, hornos, etc. // Hoguera. // fig. Casa. // Vida de familia.
HOGAREÑO, ÑA adj. Amante de la vida en familia.
HOGAZA f. Pan de más de dos libras. // Pan de harina mal cernida o de salvado.
HOGUERA f. Porción de materiales encendidos que levantan mucha llama.
HOJA f. *Bot.* Organo asimilador de forma laminar, que crece en el tallo de la mayoría de los vegetales. // Lámina delgada de cualquier materia. // En puertas, ventanas etc., cada una de las partes que se abren y se cierran.
HOJALATA f. *Metal.* Chapa de acero o hierro en forma de lámina, estañada por los dos lados.
HOJALDRE amb. Masa de manteca que, al cocerse en el horno, forma muchas hojas superpuestas.
HOJARASCA f. Conjunto de las hojas que han caído

de los árboles. // fig. Cosa inútil.
HOJEAR tr. Pasar ligeramente las hojas de un libro.

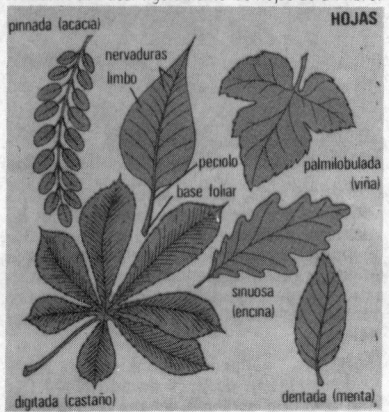

¡HOLA! interj. Se emplea para denotar extrañeza, o para llamar o saludar.
HOLGADO, DA adj. Sin ocupación. // Ancho y sobrado. // fig. Díc. del que vive con bienestar.
HOLGANZA f. Descanso, quietud. // Ociosidad. // Diversión.
HOLGAR intr. Descansar. // Estar ocioso. // intr. y r. Alegrarse de algo. // r. Divertirse.
HOLGAZÁN, NA adj. y s. Apl. a la persona ociosa que no quiere trabajar.
HOLGAZANEAR intr. Estar voluntariamente ocioso.
HOLGAZANERÍA f. Ociosidad, haraganería
HOLGORIO m. fam. Regocijo, fiesta. Suele aspirarse la h.
HOLGURA f. Anchura // Regocijo.
HOLOCAUSTO m. Sacrificio especial entre los judíos en que se quemaba toda la víctima. // fig. Acto de abnegación.
HOLLADURA f. Acción y efecto de hollar.
HOLLAR tr. Pisar. // fig. Abatir, humillar.
HOLLÍN m. Sustancia crasa y negra depositada por el humo.
HOMBRE m. Animal racional. Bajo esta acepción se comprende todo el género humano. // Varón. // El que ha llegado a la edad adulta. // Entre el vulgo, marido.
HOMBRERA f. Franja o pieza de paño sobrepuesta a los hombros.
HOMBRÍA f. Calida de hombre. // Entereza, valor.
HOMBRO m. Parte superior y lateral del tronco del hombre y de los cuadrumanos, de donde nace el brazo.
HOMENAJE m. Juramento de fidelidad a un rey o señor. // Acto o serie de actos en honor de una persona. // firg. Sumisión.
HOMENAJEAR tr. Rendir homenaje.
HOMÉRICO, CA adj. Propio y característico de Homero como poeta.
HOMICIDA com. Que ocasiona la muerte de una persona.

HOMICIDIO m. Muerte causada a una persona por otra, esp. la ilegítima y violenta.
HOMILÍA f. Plática que se hace para explicar al pueblo materias de la religión.
HOMÓFONO, NA adj. Díc. de las palabras que con distinta significación suenan igual.
HOMOGÉNEO, A adj. Perten. a un mismo género// Díc del compuesto cuyos elementos son de igual naturaleza o condición.
HOMÓGRAFO, FA adj. Apl. a las palabras de distinta significación que se escriben de igual manera.
HOMOLOGAR tr. Der. Dar firmeza las partes al fallo de los árbitros, en virtud de consentimiento tácito. // confirmar el juez ciertos actos y convenios.
HOMÓNIMO, MA adj. y s. Díc. de las palabras que tienen una misma forma pero distinto significado.
HOMOSEXUAL adj. Díc. de la pèrsona que tiene relaciòn carnal con otra del mismo sexo.
HOMOSEXUALIDAD f. Atracción sexual hacia personas del mismo sexo.
HONDA f. Tira de cuero u otra materia semejante para tirar piedras con violencia.
HONDO, DA adj. Que tiene profundidad. // fig. Profundo, recóndito. // Tratándose de un sentimiento intenso. // m. Fondo de una cosa hueca o cóncava.
HONDONADA f. Espacio de terreno hondo.
HONDURA f. Profundidad de una cosa.
HONESTIDAD f. Decencia y moderación en la conducta. // Recato, pudor. // Urbanidad, decoro.
HONESTO, TA adj. Decente o decoroso. //Razonable, justo. // Honrado, probo.
HONGOS m. pl. Bot. Plantas sin clorofila, talofíticas, compuestas de numerosos filamentos.
HONOR m. Cualidad moral que nos lleva al màs severo cumplimiento de nuestros deberes. // Gloria, buena reputación. // Obsequio, aplauso o celebridad de una cosa. // Dignidad, cargo o empleo.
HONORÍFICO, CA adj. Que da honor.
HONRA f. Estima y respeto de la dignidad propia. // Buena opinión y fama, adquirida por la virtud y el mérito. // pl. Oficio solemne que se hace por los difuntos.
HONRADEZ f. Calidad de probo. // Proceder recto.
HONRADO, DA adj. Que procede con honradez.

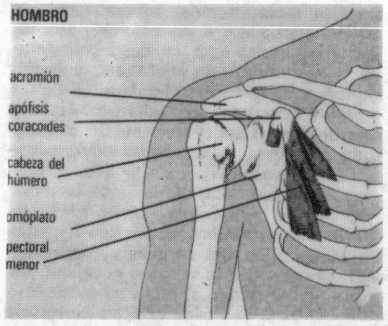

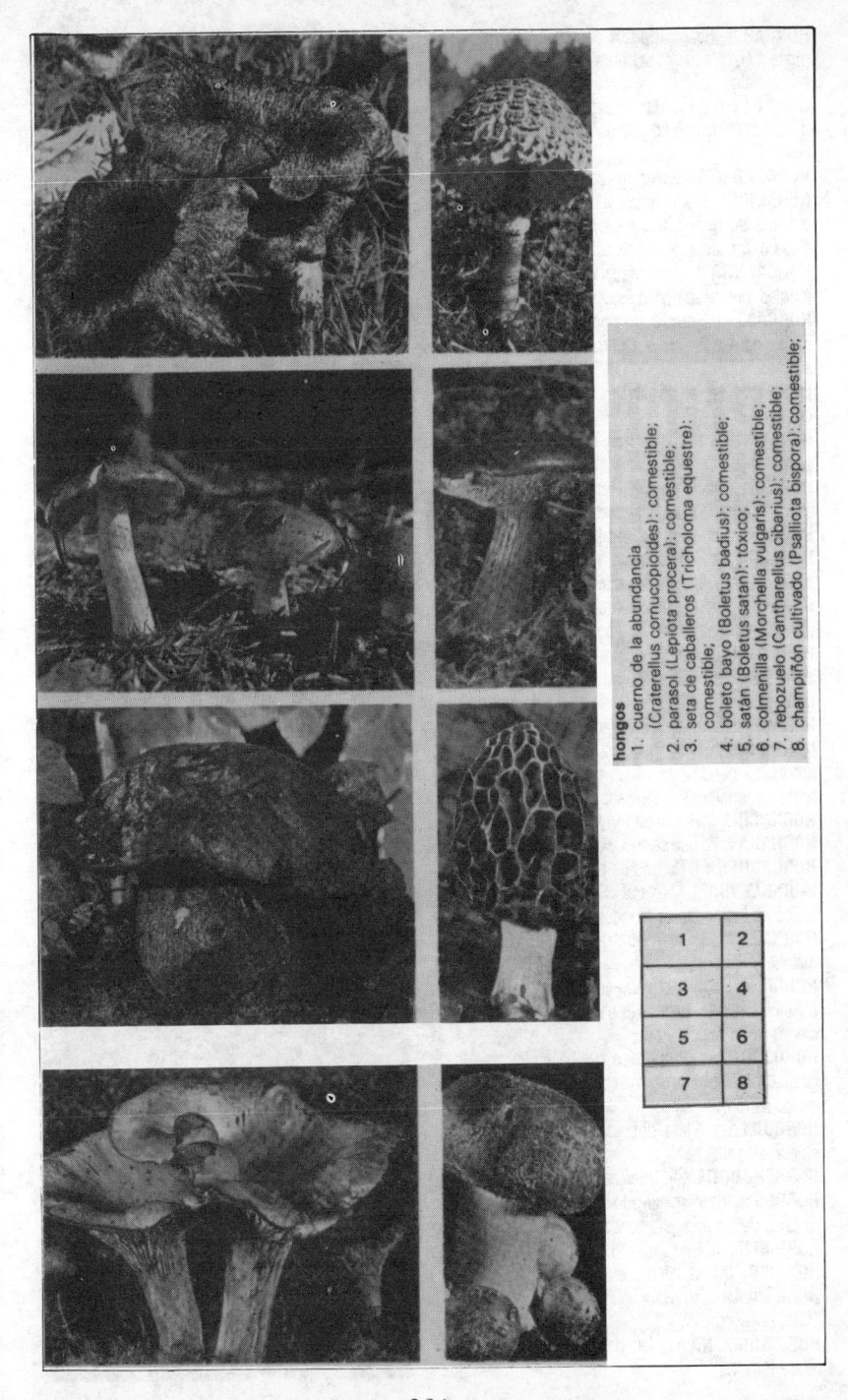

hongos
1. cuerno de la abundancia (Craterellus cornucopioides): comestible;
2. parasol (Lepiota procera): comestible;
3. seta de caballeros (Tricholoma equestre): comestible;
4. boleto bayo (Boletus badius): comestible;
5. satán (Boletus satan): tóxico;
6. colmenilla (Morchella vulgaris): comestible;
7. rebozuelo (Cantharellus cibarius): comestible;
8. champiñón cultivado (Psalliota bispora): comestible.

1	2
3	4
5	6
7	8

HONRAR tr. Respetar a una persona. // Enaltecer o premiar su mèrito. // Dar honor. // r. Tener a honra ser o hacer algo.
HORA f. Cada una de las 24 partes en que se divide el día solar. // Tiempo oportuno y determinado para una cosa.
HORADAR tr. Agujerear una cosa de parte a parte.
HORARIO, RIA adj. Perten. a las horas. // m. Saetilla o mano de reloj que señala las horas. // Reloj. // Cuadro indicador de las horas.
HORCADURA f. Parte superior del tronco de los árboles, donde se divide éste en ramas.
HORCAJO m. Horca que se pone al pescuezo de las mulas para trabajar. // Confluencia de dos ríos o arroyos.
HORDA f. Reunión de salvajes nómadas que viven en comunidad.
HORIZONTAL adj. y s. Ques está en el horizonte o paralelo a él.
HORIZONTE m. Línea que limita la superficie terrestre a que alcanza la vista del observador.
HORMA f. Molde con que se fabrica o forma una cosa.
HORMIGA f. *Zool.* Insecto himenóptero. Vive en sociedad en galerias que excava en el subsuelo.
HORMIGÓN m. Material de construcción constituido por grava, arena, cemento y agua.
HORMIGUEAR intr. Experimentar en alguna parte del cuerpo una sensación como si por ella corrieran hormigas. // fig. Bullir, ponerse en movimiento.
HORMIGUEO m. Acción y efecto de hormiguear.
HORMONA f. *Bioquím.* Sustancia orgánica activa producida por las glándulas endocrinas, que estimula las funciones orgánicas, a través de la sangre.
HORNACINA f. Hueco en forma de arco en la pared.
HORNADA f. Lo que se cuece de una vez en el horno.
HORNAGUERA f. Carbón de piedra.
HORNBLENDA f. *Mineral.* Silicato alumínico del grupo de los anfíboles monoclínicos.
HORNILLO m. Horno manual de barro refractario, o de metal.
HORNO m. Lugar destinado en la industria a la producción del calor necesario para determinadas reacciones químicas.
HORÓSCOPO m. Pronóstico que hacen los astrólogos del futuro de una persona deducido de la posición de los astros.
HORQUILLA f. Pieza doblada por en medio, para sujetar el pelo.
HORRENDO, DA adj. Que causa horror.
HÓRREO m. Granero elevado sobre pilares. Es característico del campo gallego y asturiano.
HORRIBLE adj. Que causa horror.
HÓRRIDO, DA adj. Horrible.
HORRIPILAR tr. y r. Hacer que se ericen los cabellos. // Causar horror.
HORRÍSONO, NA adj. Díc de lo que con su sonido causa horror.

HORROR m. Movimiento del alma causado por una cosa terrible y espantosa. // fig. Atrocidad.
HORRORIZAR tr. Causar horror. // r. Tener horror.
HORROROSO, SA adj. Que causa horror. // fam. Muy feo.
HORTALIZA f. *Agr.* Planta herbácea de huerta, comestible.
HORTELANO, NA adj. Perten. a huertas. // El que por oficio cuida y cultiva huertas.
HORTENSE adj. Perten. a huertas.
HORTENSIA f. *Bot.* Arbusto de la fam. saxifragáceas, de flores muy hermosas.
HORTICULTURA f. *Agr.* Cultivo de las plantas de huerto.
HOSCO, CA adj. Díc. del color moreno muy oscuro. // Ceñudo, intratable.
HOSPEDAJE m. Alojamiento y asistencia que se da a una persona. // Cantidad que se cobre por ello.
HOSPEDAR tr. y r. Recibir uno en su casa, huéspedes.
HOSPEDERÍA f. Casa destinada al alojamiento de viandantes.
HOSPICIANO, NA adj. y s. Díc. del que vive en un hospicio.
HOSPICIO m. Casa destinada para albergar y recibir peregrinos y pobres. // Asilo de niños pobres, expósitos o huérfanos.
HOSPITAL m. *Med.* Establecimiento destinado al tratamiento y curación de enfermos y heridos.
HOSPITALARIO, RIA adj. Díc. del que acoge con agrado a visitantes en su casa.
HOSPITALIDAD f. Virtud que consiste en acoger y prestar asistencia a los necesitados. // Buena acogida que se hace a los visitantes..
HOSPITALIZAR tr. Llevar a uno al hospital.
HOSQUEDAD f. Calidad de hosco.
HOSTAL m. Hostería.
HOSTERÍA f. Casa donde por dinero se da de comer

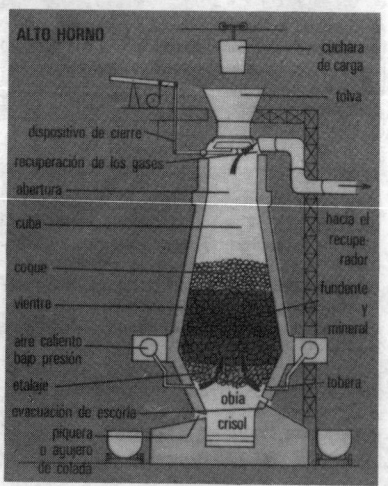

y alojamiento.

HOSTIA f. Lo que se ofrece en sacrificio. // Hoja redonda de pan ázimo que se hace para el sacrificio de la misa.

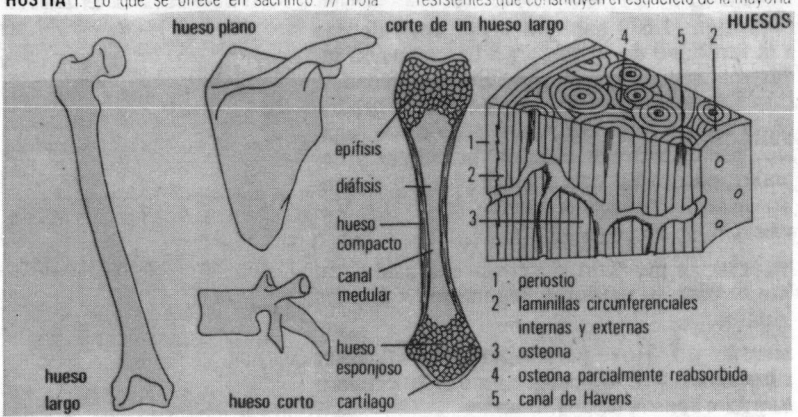

HOSTIGAR tr. Azotar, castigar con látigo. // fig. Perseguir, molestar a uno.

HOSTIL adj. Contrario, enemigo.

HOSTILIDAD f. Calidad de hostil. // Acción hostil.

HOSTILIZAR tr. Hacer daño a enemigos.

HOTEL m. Fonda de lujo.

HOTELERO, RA adj. Perten. o rel. al hotel. // m. y f. Persona que posee o dirige un hotel.

HOY adv. t. En el día presente. // Actualmente, en el tiempo presente.

HOYA m. Hoyo grande en la tierra. // Sepultura. // Llano extenso entre montañas.

HOYO m. Concavidad en la tierra. // Concavidad que se hace en algunas superficies. // Sepultura.

HOZ f. Instrumento para segar, de hoja acerada y curva.

HOZAR tr. e intr. Mover y levantar la tierra con el hocico, el puerco y el jabalí.

HUCHA f. Caja pequeña para guardar dinero.

HUECO, CA adj. y s. Cóncavo o vacío. // adj. fig. Presumido, vano. // m. Intervalo de tiempo o lugar.

HUELGA f. Cesación en el trabajo de personas empleadas en un mismo oficio, con el fin de imponer ciertas condiciones a los patrones.

HUELGO m. Aliento, resuelto. // Achura, holgura.

HUELGUISTA m. El que toma parte en una huelga.

HUELLA f. Señal que deja el pie del hombre o del animal en la tierra. // Acción de hollar. // fig. Señal o vestigio que queda de alguna cosa en otra.

HUÉRFANO, NA adj. y s. Díc de la persona menor de edad que pierde a su padre y madre, o alguno de los dos. // fig. Falto de algo, esp. de amparo.

HUERTA f. Terreno destinado al cultivo de legumbres y árboles frutales. // En algunas partes, toda la tierra de regadío.

HUERTO m. Huerta de corta extensión.

HUESO m. *Anat.* Cada una de las piezas duras y resistentes que constituyen el esqueleto de la mayoría de vertebrados.

HUÉSPED, DA m. y f. Persona alojada en casa ajena. // Persona que hospeda a uno en su casa.

HUESTE f. Ejército en campaña.

HUESUDO, DA adj. Que tiene o muestra mucho hueso.

HUEVA f. *Zool.* Masa formada por los huevos de ciertos peces.

HUEVO m. *Biol.* Célula reproductora, creada por la unión de dos gametos sexuales y que constituye el origen de un nuevo ser.

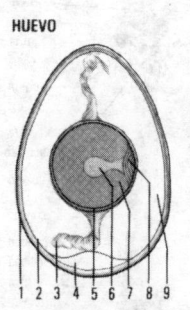

HUGONOTE adj. y s. Dic. de los que en Francia seguían la secta de Calvino.

HUIDA f. Acción de huir.

HUIR intr. y r. Apartarse con velocidad de personas, animales o cosas, para evitar un daño.

HULE m. Caucho. // Tela pintada al óleo y barnizada

para hacerla impermeable.
HULLA f. *Min.* Carbón mineral de piedra, de color negro.
HUMANIDAD f. Naturaleza humana.// Género humano. // Flaqueza propia del hombre. // Sensibilidad, compasión. // Benignidad, mansedumbre. // fam. Corpulencia, gordura.
HUMANISMO m. *Fil.* Doctrina de los humanistas del Renacimiento.
HUMANISTA com. Persona instruida en letras humanas.
HUMANITARIO, RIA adj. Que mira o se refiere al bien del género humano. // Benigno, benéfico.
HUMANITARISMO m. Compasión de las desgracias ajenas.
HUMANIZAR tr. Hacer humano. // r. Hacerse benigno.
HUMANO, NA adj. Perten. al hombre o propio de él. // fig. Apl. a la persona compasiva.
HUMARADA o **HUMAREDA** f. Abundancia de humo.
HUMEAR intr. y r. Exhalar humo. // intr. Arrojar una cosa vaho o vapor.
HUMEDAD f. Vapor de agua contenido en el aire.
HUMEDECER tr. y r. Causar humedad.
HÚMEDO, DA adj. Acueo o que participa de la naturaleza del agua. // Ligeramente impregnado de algún líquido.
HÚMERO m. *Anat.* Hueso del brazo.

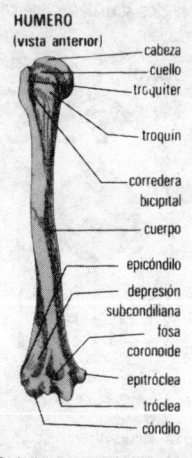

HUMERO
(vista anterior)
- cabeza
- cuello
- troquiter
- troquin
- corredera bicipital
- cuerpo
- epicóndilo
- depresión subcondiliana
- fosa coronoide
- epitróclea
- tróclea
- cóndilo

HUMILDAD f. Virtud cristiana que consiste en el conocimiento de la propia inferioridad. // Bajeza de nacimiento. // Sumisión.
HUMILDE adj. Que tiene o ejercita humildad. // fig. De poca altura. // Pobre.
HUMILLACIÓN f. Acción y efecto de humillar o humillarse.
HUMILLAR tr. y r. Inclinar una parte del cuerpo en señal de sumisión. // fig. Abatir el orgullo de uno.
HUMO m. Mezcla de gases que se desprende de una combustión incompleta.
HUMOR m. Cualquiera de los líquidos del cuerpo del animal. // fig. Jovialidad, agudeza. // Buena disposición del ánimo. // Condición de la expresión irónica.
HUMORISMO m. Ironía de la expresión y estilo literario en que se hermanan lo alegre con lo triste.
HUMORÍSTICO, CA adj. Perten. o rel. al humorismo.
HUNDIMIENTO m. Acción y efecto de hundir o hundirse.
HUNDIR tr. Sumir, meter en lo hondo. // fig. Abrumar, abatir. // Destruir, arruinar. // r. Arruinarse un edificio, sumergirse algo.
HUNOS m. pl. Antiguo pueblo asiático, que invadió Europa.
HURACÁN m. Viento impetuoso que gira circularmente en torno a un centro de bajas presiones.
HURACANADO, DA adj. Que tiene la fuerza del huracán.
HURAÑO, ÑA adj. Que huye y se esconde de las gentes.
HURGAR tr. Remover algo. // Tocar una cosa sin asirla. // fig. Incitar, conmover.
HURGÓN adj. Que hurga. // m. Instrumento de hierro para remover la lumbre.
HURÍ f. Según el Corán, cada una de las vírgenes que viven en el paraíso de los creyentes.
HURÓN m. Mamífero carnívoro de la fam. mustélidos, de cuerpo delgado y flexible.
HURTAR tr. Apropiarse de bienes ajenos contra la voluntad de su dueño, sin intimidación ni fuerza. // fig. Desviar, apartar. // r. fig. Ocultarse.
HURTO m. Acción de hurtar. // Cosa hurtada.
HÚSAR m. Soldado de caballería vestido a la húngara.
HUSMEAR tr. Rastrear con el olfato algo. // fig. y fam. Andar indagando una cosa con arte y disimulo. // intr. Empezar a oler mal algo.
HUSMEO m. Acción y efecto de husmear.
HUSO m. Pieza metálica que sirve en ciertas máquinas de hilar para colocar en ella los carretes o bobinas. // Dispositivo para devanar seda.

I

I, f. Décima letra del abecedario español y tercera de sus vocales.
IBÉRICO, CA adj. Ibero.
IBERO, RA o **ÍBERO, RA** adj. y s. Natural de la Iberia asiática. // adj. Perten. a cualquiera de estos países.
IBEROAMERICANO, NA adj. y s. Perten. o rel. a los pueblos de América colonizados por España y Portugal.
IBIS m. *Zool.* Ave zancuda, venerada ant. por los egipcios.
ICEBERG m. Bloque de hielo desgajado de un glaciar y que flota en los mares fríos
ICONOCLASTA adj. Díc del hereje que negaba el culto

a las sagradas imágenes.
ICONOGRAFÍA f. Descripción de Imágenes, cuadros, estatuas, etc. // Conjunto de imágenes de un libro o trabajo.

Elías en el carro del fuego, icono ruso del s. XV

ICOSAEDRO m. Cuerpo geométrico limitado por veinte caras.
ICTERICIA f. *Med.* Enfermedad por la cual la piel y las mucosas toman un color amarillento, debido a la absorción excesiva de bilis.
ICTIO- Fomra prefija del gr. *Ichthys*, pez.
ICTIOLOGÍA f. Parte de la zoología que estudia los peces.
ICTIOSAURIOS m. pl. Réptiles fósiles que vivieron en el mesozoico.
IDEA f. Representación intelectual de una cosa. // Conocimiento puro racional. // Plan y disposición que se ordena en la fantasía. // Intención de hacer algo. // Opinión, juicio. // Ingenio para disponer o inventar.
IDEAL adj. Perten. o rel. a la idea. // Que sólo está en la fantasía. // Excelente, perfecto en su línea. // m. Prototipo, modelo o ejemplar de perfección.
IDEALISMO m. Tendencia filosófica según la cual todo lo existente se reduce al pensamiento.
IDEALIZAR tr. Elevar las cosas sobre la realidad sensible por medio de la inteligencia o fantasía.
IDEAR tr. Formar idea de una cosa. // Trazar, inventar.
ÍDEM Pron. lat. que significa el mismo o lo mismo.
IDÉNTICO, CA adj. y s. Díc. de lo que es lo mismo que otra cosa con que se compara. // Muy parecido.
IDENTIDAD f. Calidad de idéntico.
IDENTIFICAR tr. y r. Hacer que dos o más cosas distintas aparezcan como una misma
IDEOGRAFÍA f. Representación de las ideas por medio de símbolos.
IDEOLOGÍA f. Conjunto de ideas que caracterizan un autor o una escuela.
IDEÓLOGO, GA m. y f. Persona que profesa la ideología. // Persona ilusa, soñadora.
IDÍLICO, CA adj. Perten. o rel. al idilio.
IDILIO m. Composición poética breve en torno a los amores de unos pastores. // Coloquio amoroso.
IDIOMA m. Lengua de una nación, o de una comarca.
IDIOSINCRASIA f. Índole del temperamento y carácter de cada individuo.
IDIOTA adj. y s. Que padece idiotez.
IDIOTEZ f. Imbecilidad, falta congénita de las facultades mentales.
IDIOTISMO m. Ignorancia. // Modo de hablar contra las reglas ordinarias de la gramática, pero propio de la lengua.
IDO, DA adj. Falto de juicio.
IDÓLATRA adj. y s. Que adora ídolos. // adj. fig. Que ama excesivamente a una persona o cosa.
ÍDOLO m. Figura de una falsa deidad a la que se da adoración. // fig. Persona o cosa excesivamente amada.
IDONEIDAD f. Calidad de idóneo.
IDÓNEO, A adj. Que tiene aptitud para algo.
IGLESIA f. Congregación de todos los cristianos, en la fe de Cristo. // Cada una de las comunidades cristianas. // Templo cristiano.

Moscú, iglesia de San Basilio el Bienaventurado

IGNEO, A adj. De fuego o que tiene alguna de sus cualidades. // De color de fuego.
IGNICIÓN f. Acción y efecto de estar un cuerpo encendido o incandescente.

IGNÍFUGO, GA adj. Que protege contra el incendio.
IGNOMINIA f. Afrenta pública que uno padece con causa o sin ella.
IGNORANCIA f. Falta de ciencia, letras y noticias, general o particular.
IGNORANTE adj. y s. Que no tiene noticias de las cosas.
IGNORAR tr. No saber una cosa o no tener noticia de ella.
IGNOTO, TA adj. No conocido ni descubierto.
IGUAL adj. De la misma naturaleza, cantidad o calidad de otra cosa. // Muy parecido o semejante. // Constante, no variable. // adj. y s. De la misma clase o condición. // *Mat.* Signo de la igualdad, formado por dos rayas horizontales y paralelas. (=)
IGUALAR tr. y r. Poner al Igual con otra a una persona o cosa. // Hacer pacto sobre algo. // tr. fig. Juzgar sin diferencia. // intr. y r. Ser una cosa igual a otra.
IGUALDAD f. Conformidad de una cosa con otra. // Correspondencia y proporción.
IGUANA f. *Zool.* Reptil escamoso de cuerpo muy largo.
IGUANODONTE m. Reptil saurio fósil de la era secundaria
IJADA f. *Anat.* Cavidad par y simétrica, comprendida entre las falsas costillas y las caderas.
IJAR m. Ijada.
ILACIÓN f. Acción y efecto de inferir una cosa de otra. // Trabazón ordenada de las partes de un discurso.
ILATIVO, VA adj. Que se infiere o puede inferirse. // Perten. o rel. a la ilación.
ILEGAL adj. Que es contra ley.
ILEGALIDAD f. Falta de legalidad.
ILEGIBLE adj. Que no puede o no debe leerse.
ILEGITIMAR tr. Privar a uno de la legitimidad.
ILEGÍTIMO, MA adj. No legítimo.
ÍLEON m. *Anat.* Tramo final del intestino delgado, que termina en el ciego.
ILERDENSE adj. y s. Natural de la antigua Ilerda, hoy Lérida. // Leridano.
ILESO, SA adj. Que no ha recibido lesión o daño.
ILETRADO, DA adj. Falto de cultura.
ILÍACO, CA adj. Rel. al Íleon.
ILICITANO, NA adj. y s. Natural de la ant. Ilici, hoy Elche.
ILIÓN m. *Anat.* Hueso coxal que forma el saliente de las caderas.
ILUMINAR tr. Alumbrar, bañar de luz. // Adornar con luces. // Dar color a las figuras, letras, etc., de un libro, estampa, etc. // fig. Ilustrar el entendimiento con estudios.
ILUSIÓN f. Engaño de los sentidos o de la mente por el que se toma lo aprente como real. // Esperanza sin fundamento.
ILUSIONARSE r. Forjarse ilusiones.
ILUSIONISTA com. Prestidigitador.
ILUSO, SA adj. y s. Engañado. // adj. Soñador.

ILUSORIO, RIA adj. Capaz de engañar. // De ningún valor o efecto.
ILUSTRACIÓN f. Acción y efecto de ilustrar o ilustrarse. // Estampa o grabado que adrona un libro.

Ilustración de una obra de **Cyrano de Bergerac**

ILUSTRAR tr. y r. Dar luz al entendimiento. // fig. Hacer ilustre a una persona o cosa. // Instruir, civilizar. // tr. Adornar un impreso con láminas o grabados.
ILUSTRE adj. De distinguida casa, origen, etc. // Insigne, célebre. // Título de dignidad.
IMAGEN f. Figura, representación, semejanza y apariencia de una cosa. // Estatua, efigie, o pintura de Jesucristo, de la Virgen o de un sant. // *Opt.* Reproducción de la figura de un objeto por combinación de los rayos de luz.
IMAGINACIÓN f. Facultad de representar objetos que no están presentes.
IMAGINAR tr. Representar idealmente una cosa; crearla en la imaginación. // Sospechar.
IMAGINARIO, RIA adj. Que sólo tiene existencia en la imaginación.
IMAGINERÍA f. Bordado que imita la pintura. // Talla o pintura de imágenes sagradas.
IMÁN m. Cuerpo que atrae al hierro, ya por propia naturaleza, ya por una propiedad adquirida.
IMANAR o **IMANTAR** tr. y r. Magnetizar un cuerpo.
IMBÉCIL adj. y s. Alelado, escaso de razón.
IMBECILIDAD f. Escasez de razón, necedad.
IMBERBE adj. Díc. del joven que no tiene barba.
IMBIBICIÓN f. Acción y efecto de embeber.
IMBRICADO, DA adj. Díc. de las hojas, semillas y escamas, etc., que están sobrepuestas unas en otras, como las tejas de un tejado.

IMBUIR tr. Infundir, persuadir.
IMITAR tr. Ejecutar una cosa a semejanza de otra.
IMPACIENCIA f. Falta de paciencia.
IMPACIENTAR tr. Hacer que uno pierda la paciencia. // r. Perder la paciencia.
IMPACIENTE adj. Que no tiene paciencia.
IMPACTO m. Choque de un proyectil en el blanco. // Señal que en él deja. // Puñetazo. // fig. Impresión intensa.
IMPALPABLE adj. Que no produce sensación al tacto.
IMPAR adj. Que no tiene par o igual. // *Arit.* m. Número natural que no es divisible por dos.
IMPARCIAL adj. y s. Que juzga o procede con imparcialidad.
IMPARCIALIDAD f. Falta de designio anticipado o de prevención en favor o en contra de personas o cosas.
IMPARTIR tr. Repartir, comunicar, dar.
IMPASIBLE adj. Incapaz de padecer. // Indiferente, imperturbable.
IMPÁVIDO, DA adj. Libre de pavor; sereno ante el peligro, imperterrito.
IMPECABLE adj. Incapaz de pecar. // fig. Exento de tacha.
IMPEDIMENTO m. Obstáculo, estorbo para una cosa.
IMPEDIR tr. Estorbar, imposibilitar la ejecución de algo. // poét. Suspender, embargar.
IMPELER tr. Dar empuje para producir movimiento. // fig. Incitar, estimular.
IMPENETRABILIDAD f. Propiedad de los cuerpos que impide que uno esté en el lugar que ocupa otro.
IMPENETRABLE adj. Que no se puede penetrar. // fig. Díc. de lo que es difícil de comprender o descifrar.
IMPERAR intr. Ejercer la dignidad imperial. // Mandar, dominar.
IMPERATIVO, VA adj. y m. Que impera o manda.
IMPERCEPTIBLE adj. Que no se puede percibir.
IMPERDIBLE adj. Que no puede perderse. // m. Alfiler que se abrocha metiendo su punta dentro de un gancho.
IMPERFECTO, TA adj. No perfecto. // Principiado y no concluido o perfeccionado.
IMPERIAL adj. Perten. al emperador o al imperio.
IMPERIALISMO m. Tendencia de un estado a extender sobre otro su influencia económica, política y cultural.
IMPERICIA f. Falta de pericia.
IMPERIO m. Acción de imperar o de mandar con autoridad. // Dignidad de emperador. // Estados sujetos a un emperador. // Por ext., potencia que estiende su dominio sobre otros pueblos.
IMPERIOSO, SA adj. Que manda con imperio. // Que lleva consigo exigencia o necesidad.
IMPERMEABILIZAR tr. Hacer impermeable algo.
IMPERMEABLE adj. Impenetrable al agua o a otro fluido. // m. Sobretodo de tela impermeable.

IMPERSONAL adj. Tratamiento que se aplica a una persona indeterminada, o a todas en general.
IMPERTÉRRITO, TA adj. Díc. de aquel a quien nada intimida.
IMPERTINENCIA f. Dicho o hecho fuera de propósito. // Importunidad molesta. // Curiosidad, prolijidad.
IMPERTURBABLE adj. Que no se perturba.
IMPETRAR tr. Conseguir una gracia que se ha solicitado con ruegos. // Solicitar una gracia con ahínco.
ÍMPETU m. Movimiento acelerado y violento. // La misma fuerza o violencia.
IMPETUOSIDAD f. Violencia, precipitación.
IMPÍO, A adj. Falto de piedad. // Falto de religión.
IMPLACABLE adj. Que no se puede aplacar o templar.
IMPLANTAR tr. Establecer, fundar, instaurar.
IMPLICAR tr. y r. Envolver, enredar. // tr. y r. Envolver, enredar. // tr. fig. Contener llevar en sí, significar. // intr. Obstar, envolver, contradicción.
IMPLÍCITO, TA adj. Díc. de lo que se entiende incluido en otra cosa sin expresarlo.
IMPLORAR tr. Pedir con ruegos o lágrimas algo.
IMPOLUTO, TA adj. Límpio, sin mancha.
IMPONDERABLE adj. Que no puede pesarse. // fig. Que excede a toda ponderación.
IMPONENTE adj. y s. Que impone.
IMPONER tr. Poner carga, obligación u otra cosa. // Atribuir falsamente a otro algo. // Poner dinero a rédito o en depósito. // tr. y r. Instruir a uno en algo.
IMPORTACIÓN f. Acción de importar cosas extranjeras. // Conjunto de cosas importadas.
IMPORTANCIA f. Calidad de lo que importa.
IMPORTAR intr. Convenir, ser de mucha importancia. // tr. Costar, valer. // Introducir en un país géneros, costumbres, etc., extranjeros.
IMPORTE m. Cuantía de un precio, crédito, deuda o saldo.
IMPORTUNAR tr. Incomodar o molestar con una pretensión.
IMPOSIBLE adj. No posible. // adj. y s. m. Sumamente difícil. // adj. Enfadoso, intratable.
IMPOSICIÓN f. Acción y efecto de imponer o imponerse. // Carga, tributo u obligación.
IMPOSTOR, RA adj. y s. Que calumnia. // Que finge o engaña con apariencia de verdad.
IMPOSTURA f. Imputación falsa // Engaño con apariencia de verdad.
IMPOTENCIA f. Falta de poder para hacer algo. // *Med.* Incapacidad para realizar el coito por falta de erección del pene.
IMPRACTICABLE adj. Que no se puede practicar. // Díc. de los caminos o parajes intransitables.
IMPRECAR tr. Proferir palabras que manifiesten vivamente el deseo de que alguien reciba daño.
IMPREGNAR tr. y r. Introducir entre las moléculas de un cuerpo las de otro.

IMPRENTA f. Arte de imprimir. // Taller o lugar donde se imprime.
IMPRESIÓN f. Acción y efecto de imprimir. // Marca o señal que una cosa deja en otra, apretándola. // Obra impresa. // Alteración que causa en un cuerpo otro extraño. // fig. Movimiento que las cosas causan en el ánimo.
IMPRESIONAR tr. y r. Persuadir o causar emoción. // Fijar la imagen por medio de la luz en las placas fotográficas.
IMPRESO m. Libro, folleto u hoja de impresos.

impresores, miniatura del s. XVI (Bibl. Nat., París)

IMPREVISIBLE adj. Que no se puede prever.
IMPRIMIR tr. Señalar en el papel u otra materia las letras o caracteres de las formas, apretándolas en la prensa. // fig. Fijar en el ánimo.
ÍMPROBO, BA adj. Falto de probidad, malvado. // Apl. al trabajo excesivo y continuado.
IMPROCEDENTE adj. No conforme a derecho. // Inadecuado, extemporáneo.
IMPROPERIO m. Injuria grave de palabra.
IMPROPIO, RIA adj. Falto de las cualidades convenientes. // Ajeno o extraño al caso.
IMPROVISAR tr. Hacer una cosa de pronto, sin estudio ni preparación alguna.
IMPÚBER o IMPÚBERO, RA adj. y s. Que no ha llegado aún a la pubertad.
IMPUDICIA f. Descaro, desvergüenza.
IMPUESTO m. Tributo, carga.
IMPUGNAR tr. Combatir, contradecir, refutar.
IMPULSAR tr. Impeler. // fig. Promover una acción.

IMPULSO m. Acción y efecto de impeler. // Instigación, sugestión.
IMPUNE adj. Que queda sin castigo.
IMPUTAR tr. Atribuir a otro una culpa o acción.
IN- Prefijo negativo o privativo.
INACCESIBLE adj. No accesible.
INACTIVO, VA Sin acción, ocioso, inerte.
INADAPTADO, DA adj. y s. Dic. del que no se adapta a ciertas condiciones o circunstancias.
INANE adj. Vano, fútil, inútil.
INANICIÓN f. *Med.* Estado patológico de desnutrición.
INANIMADO, DA adj. Que no tiene vida.
INAPELABLE adj. Apl. a la sentencia de que no se puede apelar. // fig. Irremediable, inevitable.
INAPETENCIA f. Falta de apetito.
INAUDITO, TA adj. Nunca oído. // fig. Monstruoso.
INAUGURAR tr. Dar principio a una cosa con cierta pompa. // Abrir solemnemente un establecimiento público.
INCALIFICABLE adj. Que no se puede calificar. // Muy vituperable.
INCANDESCENTE adj. Dic del cuerpo gralte. de metal, cuando se enrojece o blanquea por la acción del calor.
INCAPACIDAD f. Falta de capacidad. // fig. Falta de entendimiento.
INCAPACITAR tr. Inhabilitar.
INCAS m. pl. Pueblo amerindio sudamericano, que en la época precolombina constituyó una importante cultura.
INCAUTARSE r. Tomar posesión un tribunal u otra autoridad competente, de alguna cosa.
INCAUTO, TA adj. Que no tiene cautela.
INCENDIAR tr. y r. Poner fuego a una cosa.
INCENDIO m. Fuego grande que abrasa lo que no está destinado a arder. // fig. Pasión vehemente.
INCENSAR tr. Dirigir el humo del incensario hacia una persona o cosa. // fig. Adular.
INCENSARIO m. Braserillo con cadenillas y tapa, que sirve para incensar.
INCENTIVO, VA adj. y s. m. Que mueve o excita a algo.
INCERTIDUMBRE f. Falta de certidumbre, duda.
INCESTO m. Pecado carnal cometido por parientes dentro de los grados en que está prohibido el matrimonio.
INCIDENTE adj. y s. Que sobreviene en el curso de un asunto y tiene con éste algún alcance.
INCIDIR intr. Caer o incurrir en una falta, error, etc.
INCIENSO m. Gomorresina de olor aromático.
INCIERTO, TA adj. No cierto. // Inconstante, no seguro. // Desconocido, ignorado.
INCINERAR tr. Reducir una cosa a cenizas.
INCIPIENTE adj. Que empieza.
INCISIÓN f. Hendidura que se hace con un instrumento cortante.

INCISIVO, VA adj. Apto para abrir o cortar. // fig. Punzante, mordaz. // *Anat.* m. Diente de una sola raíz.

cultura **inca**
ruinas de Sacsahuaman;
templo de las tres ventanas (Machu Picchu)

Cultura **INCA**

INCISO, SA adj. Cortado, dicho del estilo.
INCITAR tr. Estimular a uno para que ejecute algo.
INCLEMENCIA f. Falta de clemencia. // fig. Rigor de la estación, esp. en el invierno.
INCLINAR tr. y r. Apartar una cosa de su posición perpendicular a otra o al horizonte. // tr. fig. Persuadir. // intr. y r. Parecerse o asemejarse un tanto un objeto a otro. // r. Propender a algo.
ÍNCLITO, TA adj. Ilustre, afamado.
INCLUIR tr. Poner una cosa dentro de otra o dentro de sus límites. // Contener una cosa a otra.
INCLUSA f. Casa donde se recoge y cría niños expósitos.
INCLUSIÓN f. Acción y efecto de incluir.
INCLUSIVE adv. m. Con inclusión.
INCOAR tr. Comenzar algo, esp. un proceso, pleito, etc.
INCOATIVO, VA adj. Que explica o denota el principio de una cosa.
INCÓGNITO, TA adj. y s. m. No conocido.
INCOGNOSCIBLE adj. Que no se puede conocer.
INCÓLUME adj. Sano, sin lesión ni menoscabo.
INCOMBUSTIBLE adj. Que no se puede quemar. // fig. Desapasionado.
INCOMODIDAD f. Falta de comodidad. // Molestia.

// Enojo.
INCOMPATIBLE adj. No compatible con otra cosa.
INCOMPETENCIA f. Falta de competencia o de jurisdicción.
INCOMPRENSIÓN f. Falta de comprensión.
INCOMUNICAR tr. Privar de comunicación a personas o cosas. // r. Aislarse, negarse al trato con otras personas.
INCONCEBIBLE adj. Que no puede concebirse o comprenderse.
INCONCLUSO, SA adj. No acabado.
INCONCUSO, SA adj. Firme, sin duda ni contradicción.
INCONDICIONAL adj. Absoluto, sin restricción ni requisito.
INCONSCIENCIA f. Ausencia total o parcial de la conciencia.
INCONSECUENTE adj. Que no se sigue o se deduce de otra cosa. // adj. y s. Que procede con inconsecuencia.
INCONSTANCIA f. Falta de constancia
INCONTESTABLE adj. Que no se puede impugnar ni dudar con fundamento.
INCONTROVERTIBLE adj. Que no admite duda ni disputa.
INCONVENIENCIA f. Incomodidad. // Disconformidad.
INCORPORAR tr. Agregar, unir dos o más cosas para que hagan un todo. // tr. y r. Sentar o reclinar el cuerpo que estaba echado. // r. Agregarse una o más personas a otras para formar un cuerpo.
INCORRUPTO, TA adj. Que está sin corromperse. // fig. No dañado, ni pervertido.
INCRÉDULO, LA adj. Que no cree con facilidad.

La incredulidad de santo **Tomás**, por Honthorst

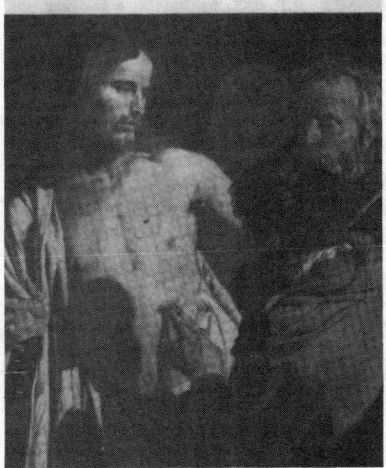

INCREMENTAR tr. Aumentar, acrecentar.
INCREPAR tr. Reprender con dureza.

INCRIMINAR tr. Acusar con fuerza e insistencia. // Exagerar un delito, culpa o defecto.

INCRUENTO, TA adj. No sangriento.

INCRUSTAR tr. Embutir en una superficie lisa y dura piedras, maderas, etc., para decorarlas. // Cubrir una superficie con una costra dura.

INCUBAR tr. Ponerse el ave sobre los huevos para sacar pollos. // Desarrollarse los gérmenes de una enfermedad.

INCULCAR tr. y r. Apretar una cosa contra otra. //r. fig. Imbuir con ahínco en el ánimo de uno una idea, un concepto, etc.

INCULPAR tr. Culpar, acusar a uno de una cosa.

INCULTO, TA adj. Que no tiene cultivo ni labor. // Apl. a la persona, pueblo o nación de modales rústicos o de corta instrucción.

INCUMBIR intr. Estar a cargo de uno una cosa.

INCUNABLE m. Impreso realizado entre los comienzos de la imprenta hasta el año 1500 inclusive.

INCURIA f. Negligencia.

INCURRIR intr. Caer en falta, error, etc., o merecer castigo, a consecuencia de alguna acción.

INCURSIÓN f. Acción de incurrir. // mil. Correría de guerra.

INDAGAR tr. Averiguar, inquirir una cosa.

INDECLINABLE adj. Que necesariamente tiene que hacerse o cumplirse. // Gram. Apl. a las partes de la oración que no se declinan.

INDEFECTIBLE adj. Que no puede faltar o dejar de ser.

INDEFINIDO, DA adj. No definido. // Que no tiene término señalado o conocido.

INDEHISCENTE adj. Bot. Díc. del fruto que no se abre de forma natural, para dejar libres las semillas.

INDELEBLE adj. Que no se puede borrar o quitar.

INDEMNE adj. Libre o exento de daño.

INDEMNIZAR tr. y r. Resacir de un daño o perjuicio.

INDEPENDENCIA f. Falta de dependencia. // Libertad, autonomía y esp. la de un Estado que no depende de otro. // Firmeza de carácter.

INDEPENDIENTE adj. Que no tiene dependencia. // autónomo.

INDEPENDIZAR tr. y r. Hacer independiente.

INDESEABLE adj. y s. Díc. de la persona cuyo trato no es recomendable.

INDESTRUCTIBLE adj. Que no se puede destruir.

INDETERMINADO, DA adj. No determinado, o que no implica determinación alguna. // Irresoluto.

INDICAR tr. Dar a entender o significar una cosa con indicios o señales.

INDICATIVO, VA adj. y s. m. Que indica o sirve para indicar. // m. Término utilizado para designar uno de los modos del verbo.

ÍNDICE adj. y s. Dedo índice. // m. Indicio o señal de una cosa. //Lista o enumeración breve. // Catálogo de autores o materias de las obras que se conservan en una biblioteca.

INDICIO m. Acción o señal que da a conocer lo oculto.

INDIFERENCIA f. Estado del ánimo en que no se siente inclinación ni repugnancia a un objeto o negocio determinado.

INDÍGENA adj. y s. Originario del país de que se trata.

INDIGENCIA f. Falta de medios para alimentarse, vestirse, etc.

INDIGESTARSE r. No sentar bien un manjar o comida.

INDIGESTIÓN f. Trastorno de la digestión del alimento ingerido

INDIGNAR tr. y r. Irritar, enfadar vehementemente a uno.

INDIGNIDAD f. Falta de mérito y de disposición para algo. // Acción reprobable.

ÍNDIGO m. Tinte azul.

INDIO, DIA adj. y s. Natural de la India. // adj. Perten. a este país.

INDIRECTO, TA adj. Que no va rectamente a un fin, aunque se encamine a él.

INDISCRETO, TA adj. y s. Que obra sin discreción. // adj. Que se hace sin discreción.

INDISOLUBLE adj. Que no se puede disolver o desatar.

INDISPENSABLE adj. Que no se puede dispensar ni excusar. // Que es necesario para algún fin.

INDISPONER tr. y r. Privar de la disposición conveniente, o quitar la preparación necesaria para algo. // Enemistar, malquistar. // tr. Causar falta de salud. // r. Experimentarla.

INDISPUESTO, TA adj. Que se siente algo malo.

INDISTINTO, TA adj. Que no se distingue de otra cosa.

INDIVIDUAL adj. Perten. o rel. al individuo. // Particular, propio y característico de una cosa.

INDIVIDUALISMO m. Aislamiento o egoísmo en las relaciones sociales. // Fil. Sistema que considera al individuo como fin de todas las leyes y relaciones políticas y morales.

INDIVIDUO, DUA adj. Individual. // Indivisible. // m. Cada ser organizado, sea animal o vegetal, respecto de la especie a que pertenece. // m. y f. fam. Persona.

INDIVISO, SA adj. y s. No separado o dividido en partes.

INDÓCIL adj. Rebelde.

INDOCTO, TA adj. y s. m. Falto de instrucción. // Inculto.

INDOEUROPEO, A adj. Díc. de cada una de las razas y lenguas de origen común extendidas desde la India hasta el occidente de Europa.

ÍNDOLE f. Condición natural propia de cada uno. / Naturaleza y calidad de las cosas.

INDOLENTE adj. Que no se afecta o conmueve. // Flojo, perezoso. // Que no duele.

INDÓMITO, TA adj. No domado. // Que no se puede domar. // fig. Difícil de sujetar o reprimir.

INDUCCIÓN f. Acción y efecto de inducir. //En Lógica,

acto o proceso de razonar de lo particular a lo general.
INDUCIR tr. Instigar, persuadir. // Inferir por inducción.
INDUCTIVO, VA adj. Que se hace por inducción. // Perten. a ella.
INDULGENCIA f. Facilidad en perdonar las culpas o en conceder gracias. // Remisión que hace la Iglesia de las penas debidas por los pecados.
INDULTAR tr. Perdonar a uno el todo o parte de una pena.
INDULTO m. Gracia o privilegio. // Remisión de la pena aplicada a uno o más delincuentes.
INDUMENTARIA f. Conjunto de todo cuanto sirve para vestirse. // Estudio histórico del traje.
INDUSTRIA f. Maña o artificio para hacer algo. // Conjunto de operaciones que sirven para transformar las materias primas en bienes intermedios o finales.
INDUSTRIAL adj. Perten. a la industria. // m. El que vive del ejercicio de una industria.
INDUSTRIALIZAR tr. Hacer que una cosa sea objeto de industria. // Dar predominio a las industrias en la economía de un país.
INÉDITO, TA adj. Escrito y no publicado.
INEFABLE adj. Que con palabras no se puede explicar.
INEFICACIA f. Falta de eficacia y actividad.
INELUCTABLE adj. Díc. de aquello contra lo cual no puede lucharse.
INEPTO, TA adj. No apto o a propósito para algo. // adj. y s. Necio, incapaz.
INEQUÍVOCO, CA adj. Que no admite duda o equivocación.
INERCIA f. Desidia, inacción. // Propiedad de la materia, consistente en permanecer en su estado de reposo o de movimiento en ausencia de fuerzas exteriores.
INERME adj. Que está sin armas.
INERTE adj. Inactivo, ineficaz, estéril. // Flojo, desidioso.
INERVACIÓN f. *Anat.* Distribución de los nervios en un órgano o región del cuerpo.
INESCRUTABLE adj. Que no se puede saber ni averiguar.
INESTABLE adj. No estable.
INEXORABLE adj. Que no se deja vencer por los ruegos.
INEXPERTO, TA adj. y s. Falto de experiencia.
INEXPUGNABLE adj. Que no se puede tomar o conquistar a fuerza de armas. // fig. Que no se deja vencer ni persuadir.
INEXTRICABLE adj. Difícil de desenredar; muy intrincado.
INFALIBLE adj. Que no puede engañar ni engañarse. // Seguro, cierto, indefectible.
INFAME adj. y s. Que carece de honra, crédito y estimación. // Muy malo y vil en su especie.
INFAMIA f. Descrédito, deshonra. // Maldad, vileza.

INFANCIA f. Edad del niño desde que nace hasta los siete años. // fig. Conjunto o clase de los niños de tal edad.
INFANTE m. Niño que aún no ha llegado a la edad de siete años. //Cualquiera de los hijos varones y legítimos del rey. // Soldado que sirve a pie.
INFANTERÍA f. Tropa que sirve a pie en la milicia.
INFANTICIDA com. y adj. Díc. del que mata a un niño o infante.
INFANTIL adj. Perten. a la infancia. // fig. Inocente, cándido.
INFARTO m. *Med.* Hinchazón de un órgano o parte del cuerpo por falta de riego sanguíneo.
INFATUAR tr. y r. Volver a uno fatuo, engreírle.
INFAUSTO adj. Desgraciado, infeliz.
INFECCIÓN f. Penetración de organismos patógenos en el interior del cuerpo humano.
INFECTAR tr. y r. Causar infección en un organismo. // fig. Corromper con malas doctrinas o ejemplos.
INFECTO, TA adj. Contagiado, corrompido.
INFELIZ adj. y s. Desgraciado. //fam. Bondadoso, apocado.
INFERENCIA f. Acción y efecto de inferir.
INFERIOR adj. Que está debajo de otra cosa o más bajo que ella. // Que es menos que otra cosa.
INFERIR tr. Sacar o inducir una cosa de otra. // Llevar consigo, ocasionar. // Causar ofensas, agravios, etc.
INFERNAL adj. Que es del infierno o perten. a él. //fig. Muy malo o dañoso.
INFESTACIÓN f. Acción y efecto de infestar o infestarse.
INFESTAR tr. y r. Inficionar, apestar. // Causar daños y estragos, con hostilidades o correrías. // Invadir un lugar animales y plantas perjudiciales.
INFESTO, TA adj. Dañoso.
INFICIONAR tr. y r. Infectar, contagiar. //fig. Corromper con malas doctrinas o ejemplos.
INFIDELIDAD f. Falta de fidelidad. // Carencia de la fe.
INFIEL adj. Falto de fidelidad. // Falto de puntualidad y exactitud. // adj. y s. Que no profesa la fe católica.
INFIERNO m. Lugar destinado por la divina justicia para eterno castigo de los malos. //fig. y fam. Lugar en que hay mucha discordia.
INFILTRAR tr. y r. Introducir lentamente un líquido entre los poros de un sólido. // fig. Infundir en el ánimo ideas o doctrinas.
ÍNFIMO, MA adj. Que en su situación está muy bajo. // En el orden y graduación de las cosas, díc. de la que es última y menos que las demás. // Díc. de lo más vil.
INFINIDAD f. Calidad de infinito. // fig. Gran número y muchedumbre de cosas o personas.
INFINITESIMAL adj. *Mat.* Díc. de una cantidad infinitamente pequeña.
INFINITIVO m. *Ling.* Forma no personal del verbo, que expresa la acción pura.
INFINITO, TA adj. y s. m. Que no tiene ni puede tener fin ni término. //Muy numeroso y grande.

INFINITUD f. Calidad de infinito.
INFLACIÓN f. Acción y efecto de infiar. // Desequilibrio económico que se caracteriza por un alza general de los precios.

visión del **Infierno**, anónimo del s. XV

INFLAMACIÓN f. *Med.* Reacción de los tejidos, esp. del tejido conjuntivo, a la presencia de un estímulo irritante.
INFLAMABLE adj. Fácil de inflamarse.
INFLAMAR tr. y r. Encender una cosa levantando llama. // fig. Acalorar, enardecer las pasiones. // Producirse inflamación patológica.
INFLAR tr. y r. Hinchar una cosa con aire u otro gas. // fig. Engreír. // tr. fig. Exagerar.
INFLEXIBLE adj. Incapaz de torcerse o de doblegarse.
INFLEXIÓN f. Torcimiento de una cosa que estaba recta o plana. // Hablando de la voz, cambio que se hace con ella.
INFLINGIR tr. Imponer castigos y penas corporales.
INFLORESCENCIA f. *Bot.* Orden o forma con que aparecen colocadas las flores en las plantas.
INFLUENCIA f. Acción y efecto de influir. // fig. Poder, valimiento de una persona para con otra u otras.
INFLUIR tr. e intr. Producir unas cosas sobre otras ciertos efectos. // fig. Ejercer predominio o fuerza moral.
INFLUJO m. Acción y efecto de influir. // Flujo de la marea.
INFORMACIÓN f. Acción y efecto de informar o informarse. // Averiguación jurídica y legal de un hecho o delito.
INFORMAL adj. Que no se ajusta a las circunstancias prevenidas. // adj. y s. Apl. también a la persona que no observa la conveniente gravedad y puntualidad.
INFORMAR tr. y r. Enterar, dar noticia de algo. // intr. Dictaminar un cuerpo consultivo o una persona perita.
INFORME m. Noticia o instrucción que se da un negocio o suceso.
INFORME adj. Mal formado. // De forma vaga.
INFORTUNIO m. Suerte desdichada o fortuna advesa. // Hecho o acaecimiento desgraciado.
INFRA- Prep. insep. que indica inferioridad.
INFRACCIÓN f. Quebrantamiento de una ley, contrato, etc.
INFRAESTRUCTURA f. Parte de una construcción que está bajo el nivel del suelo.
INFRARROJO, JA adj. Díc. de la zona del espectro situada antes del rojo.
INFRINGIR tr. Quebrantar leyes, órdenes, etc.
INFRUCTÍFERO, RA adj. Que no produce fruto. // fig. Inútil para el fin que se persigue.
INFRUCTUOSO, SA adj. Ineficaz.
ÍNFULA f. Parte posterior de la mitra episcopal. // pl. fig. Presunción, vanidad.
INFUNDADO, DA adj. Que carece de fundamento real o racional.
INFUNDIO m. Mentira, patraña.
INFUNDIR tr. fig. Comunicar Dios al alma un don o gracia. // Causar en el ánimo un impulso moral o afectivo.
INFUSIÓN f. Acción y efecto de infundir. // *Farm.* Líquido obtenido al extraer de las sustancias orgánicas las partes solubles en agua caliente.
INFUSORIOS m. pl. *Zool.* Ciliados.
INGENIAR tr. Trazar o inventar ingeniosamente. // r. Idear con ingenio el modo de conseguir algo.
INGENIERÍA f. Aplicación de las ciencias físicas y matemáticas a la técnica industrial.
INGENIO m. Facultad de discurrir o inventar con prontitud y facilidad. // Intuición. // Máquina o artificio mecánico.
INGÉNITO, TA adj. No engendrado. // Connatural y como nacido con uno.
INGENTE adj. Muy grande.
INGENUIDAD f. Sinceridad, buena fe, candor.
INGENUO, NUA adj. Real, sincero, candoroso.
INGERIR tr Introducir por la boca la comida o los medicamentos.
INGESTIÓN f. Acción de ingerir
INGLE f. *Anat.* Parte del cuerpo donde se unen el abdomen y los muslos.
INGLÉS, SA adj. y s. Natural de inglaterra. // adj. Perten. a esta nación. // m. Lengua inglesa.
INGRATO, TA adj. Desagradecido. // Áspero, desagradable. // Díc. de lo que no corresponde al trabajo que cuesta.
INGRAVIDEZ f. *Fis.* Estado de un cuerpo sustraido a la fuerza de la gravedad.
INGRÁVIDO, DA adj. Ligero, leve, que no pesa.
INGREDIENTE m. Cualquier cosa que entra con otras en un compuesto.
INGRESAR intr. Ir uno adentro. // Intr. y tr. Meter algunas cosas, como el dinero, en un lugar. // Entrar a formar parte de una corporación.

INGRESO m Acción de ingresar
INGUINAL adj. *Anat.* Perten. a la ingle.
INHABILIDAD f. Falta de habilidad, talento o instrucción. // Defecto o impedimento para ejercer u obtener un empleo u oficio.
INHABILITAR tr. Declarar a uno inhábil o incapaz para ejercer u obtener ciertos derechos, empleos, etc. // tr. y r. Imposibilitar para algo.
INHALAR tr. Aspirar ciertas sustancias.
INHERENTE adj. Que por su naturaleza está de tal manera unido a otra cosa que no se puede separar.
INHIBIRSE r. Echarse fuera de un asunto o abstenerse de él.
INHÓSPITO, TA adj. Que no ofrece seguridad.
INHUMANO, NA adj. Falto de humanidad, cruel.
INHUMAR tr. Enterrar un cadáver.
INICIAL adj. Perten. al origen o principio de las cosas.
INICIAR tr. Admitir a uno a la participación de una ceremonia o cosa secreta. // Comenzar a promover una cosa.
INICIATIVA f. Derecho a hacer una propuesta. // Acto de ejercería. // Acción de adelantarse a los demás en hablar u obrar.
INICIO m. Comienzo, principio.
INICUO, CUA adj. Contrario a la equidad. // Malvado, injusto.
INIQUIDAD f. Injusticia grande.
INJERENCIA. f. Acción y efecto de injerirse.
INJERIR tr. Meter una cosa en otra. // Introducir en un escrito una palabra, nota, etc. // r. Entremeterse.
INJERTAR tr. Implantar un fragmento de una planta, provisto de una o más yemas, en una rama o tronco de otra planta.
INJERTO m. Acción de injertar. // Planta injertada.

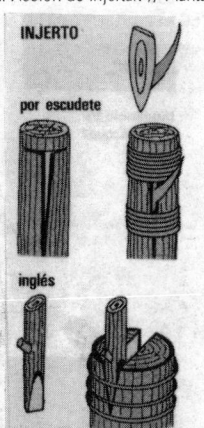

INJERTO
por escudete
inglés

INJURIA f. Agravio, ultraje. // Hecho o dicho contra razón y justicia. // fig. Daño que causa una cosa.
INJURIAR tr. Agraviar, ultrajar. // Dañar, menospreciar.
INJUSTICIA f. Acción contraria a la justicia.

INMACULADO, DA adj. Que no tiene mancha.
INMANENTE adj. *Fil.* Díc. de lo que es inherente a algún ser.
INMARCESIBLE adj. Que no se puede marchitar.
INMEDIACIÓN f. Calidad de inmediato. // pl. Proximidad en torno de un lugar.
INMEDIATO, TA adj. Contiguo o muy cercano a otra cosa. // Que sucede de seguida, sin tardanza.
INMEMORABLE adj. Inmemorial.
INMEMORIAL adj. Tan antiguo, que no hay memoria de cuando empezó.
INMENSIDAD f. Infinidad en la extensión. // fig. Muchedumbre o extensión grande.
INMENSO, SA adj. Que no tiene medida. // fig. Muy grande o muy difícil de medirse o contarse.
INMENSURABLE adj. Que no puede medirse.
INMERSIÓN f. Acción de introducir o introducirse una cosa en un líquido.
INMERSO, SA adj. Sumergido.
INMIGRAR intr. Llegar a un país para establecerse en él los que emigran de otro.
INMINENTE adj. Que amenaza o está próximo a suceder.
INMISCUIR tr. Mezclar. // r. fig. Entremeterse en un asunto o negocio.
INMOLAR tr. Sacrificar, degollando una víctima. // Ofrecer algo en reconocimiento de la divinidad. // r. Sacrificarse por el bien ajeno.
INMORTAL adj. No mortal. // fig. Que dura tiempo indefinido.
INMORTALIZAR r. y r. Perpetuar algo en la memoria de los hombres.
INMOVIBLE o **INMÓVIL** adj. Que no se mueve; firme, invariable.
INMOVILIDAD f. Calidad de inmóvil.
INMUEBLE adj. y s. m. Tierras, edificios, construcciones, etc.
INMUNDICIA f. Suciedad, basura. // Impureza, deshonestidad.
INMUNDO, DA adj. Sucio asqueroso. // fig. No puro.
INMUNE adj. Exento de ciertos oficios, cargos, gravámenes o penas. // No atacable por ciertas enfermedades.
INMUNIZAR tr. Hacer inmune.
INMUTABLE adj. No mudable.
INMUTAR tr. Alterar o variar algo. // r. fig. Sentir cierta conmoción repentina del ánimo.
INNATO, TA adj. Connatural y como nacido con el mismo sujeto.
INNEGABLE adj. Que no se puede negar.
INNOCUO, CUA adj. Que no hace daño.
INNOVAR tr. Mudar o alterar las cosas, introduciendo novedades.
INOCENCIA f. Estado y calidad del alma que está limpia de culpa. // Candor, sencillez.
INOCENTADA f. Broma, chasco. // fam. Acción o palabra candorosa.

INOCENTE adj. y s. Libre de culpa. // Cándido sin malicia.
INOCULAR tr. y r. Comunicar por medios artificiales una enfermedad contagiosa. // fig. Pervertir con mal ejemplo o la falsa doctrina.
INOCUO, CUA adj. Innocuo.
INODORO, RA adj. Que no tiene olor. // adj. y s. Apl. a los aparatos que evitan el mal olor.
INOFENSIVO, VA adj. Incapaz de ofender. // fig. Que no puede causar daño.
INOPERANTE adj. No operante, ineficaz.
INOPIA f. Indigencia, pobreza.
INOPINADO, DA adj. Que sucede sin haber pensado en ello.
INORGÁNICO, CA adj. Díc. de los minerales, por carecer de vida. // fig. Díc. de cualquier conjunto desordenado o mal concertado.
INQUIETAR tr. y r. Quitar el sosiego, turbar la quietud.
INQUIETUD f. Falta de quietud, desazón. // Alboroto.
INQUILINO, NA m. y f. Persona que ha tomado una cosa o parte de ella en alquiler para habitarla.
INQUINA f. Aversión.
INQUIRIR tr. Indagar, examinar cuidadosamente algo.
INQUISICIÓN f. Tribunal eclesiástico establecido para perseguir los delitos contra la fe.
INQUISIDOR, RA adj. y s. Que inquiere. // m. Juez eclesiástico que conocía de las causas de fe.
INSALIVAR tr. Mezclar los alimentos con la saliva.
INSALUBRE adj. Malsano.
INSANO, NA adj. Loco, furioso.
INSCRIBIR tr. Grabar letreros. // tr y r. Apuntar el nombre de una persona en una lista. // *Geom.* Trazar una figura dentro de otra con el mayor número de puntos de contacto posibles.
INSCRIPCIÓN f. Acción y efecto de inscribir o inscribirse. //Escrito grabado en memoria de algo importante.
INSECTÍVORO, RA adj. y s. Que se alimenta de insectos.
INSECTOS m. pl. *Zool.* Atrópodos de respiración traqueal con un par de antenas y tres pares de patas.
INSENSATO, TA adj. y s. Tonto, fatuo, sin sentido.
INSENSIBLE adj. Que carece de sensibilidad. // Que no se puede sentir o percibir. // fig. Que no siente compasión.
INSEPULTO, TA adj. No sepultado.
INSERIR tr. Incluir una cosa en otra. // Injerir. // Injertar.
INSERTAR tr. Incluir una cosa en otra.
INSIDIA f. Engaño, asechanza.
INSIGNE adj. Célebre, famoso.
INSIGNIA f. Señal, distintivo. // Bandera o estandarte. // Pendón, imagen o medalla de una cofradía.
INSIGNIFICANTE adj. Baladí, pequeño, despreciable.
INSINUAR tr. Dar a entender algo. //r. fig. Introducirse mañosamente en el ánimo de uno, un afecto, vicio, etc.
INSÍPIDO, DA adj. Falto de sabor. // fig. Falto de gracia.
INSISTIR intr. Descansar una cosa sobre otra. // Instar reiteradamente; persistir.
INSOBORNABLE adj. Que no puede ser sobornado.
INSOCIABLE adj. Huraño, intratable.
INSOLACIÓN f. Cantidad de radiación solar que llega a un lugar determinado. // Enfermedad causada en la cabeza por el excesivo ardor del sol.
INSOLENCIA f. Acción desusada y temeraria. // Atrevimiento, descaro. // Dicho o hecho ofensivo.
INSÓLITO, TA adj. No común ni ordinario; desacostumbrado.
INSOLUBLE adj. Que no puede disolverse ni diluirse. // Que no se puede resolver ni desatar.
INSOLVENTE adj. y s. Que no tiene con qué pagar.
INSOMNIO m. vigilia, desvelo.
INSONDABLE adj. Que no se puede sondear. // fig. Que no se puede averiguar.
INSOPORTABLE adj. Insufrible, intolerable. // fig. Muy incómodo.
INSOSLAYABLE adj. Ineludible.
INSPECCIONAR tr. Examinar, reconocer atentamente una cosa.
INSPIRACIÓN f. Acción y efecto de inspirar. // fig. Efecto de sentir el escritor o el artista un interior estímulo que le hace crear.
INSPIRAR tr. Aspirar. // fig. Infundir en el ánimo afectos, ideas, etc. // Iluminar Dios el entendimiento. // r. fig. Sentir inspiración el literato o el artista.
INSTALAR tr. y r. Poner en posesión de un empleo o beneficio. // Poner o colocar en un lugar o edificio los enseres y servicios.
INSTANTÁNEO, A adj. Que sólo dura un instante.

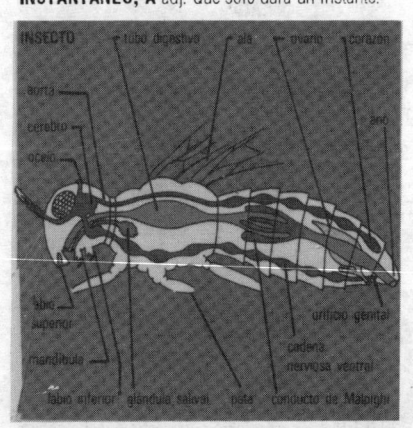

INSTANTE adj. Que insta. // m. Tiempo de un segundo. // fig. Tiempo brevísimo.
INSTAR tr. Repetir una petición con ahínco. // Impugnar la solución dada al argumento. // intr. Urgir la

pronta ejecución de algo.
INSTAURAR tr. Restablecer, restaurar. // Establecer, fundar o instituir de nuevo.
INSTIGAR tr. Incitar, inducir a uno a que haga algo.
INSTILAR tr. Echar gota a gota, un licor en otra cosa. // fig. Infundir insensiblemente en el ánimo una cosa.
INSTINTO m. Facultad innata de los seres vivos de actuar de modo adecuado frente a determinadas situaciones.
INSTITUCIÓN f. Establecimiento o fundación de una cosa. // Cosa fundada. // pl. Órganos constitucionales del poder soberano de la nación.
INSTITUIR tr. Fundar; dar principio a algo.
INSTITUTO m. En España, establecimiento oficial de Enseñanza Media. // Orden religiosa. // Corporación artística, científica, etc.
INSTITUTRIZ f. Maestra encargada de la educación de uno o varios niños, en el hogar doméstico.
INSTRUCCIÓN f. Acción de instruir o instruirse. // Caudal de conocimientos adquiridos // Conjunto de reglas o advertencias para algún fin. // pl. Órdenes que se dictan a los diplomáticos, a los jefes del ejército, etc.
INSTRUIR tr. Enseñar. // Comunicar sistemáticamente ideas, conocimientos. // Formalizar un proceso o expediente.
INSTRUMENTAL m. Conjunto de instrumentos.
INSTRUMENTAR tr. Arreglar una composición musical para varios instrumentos.
INSTRUMENTO m. Utensilio, herramienta. // Ingenio, máquina. // Aquello de que nos servimos para hacer algo.
INSUBORDINACIÓN f. Falta de subordinación.
INSUBORDINAR tr. Introducir la insubordinación. // r. Sublevarse
INSUFICIENCIA f. Falta de suficiencia o de inteligencia; escasez.
INSUFLAR tr. *Med.* Introducir aire o una sustancia pulverizada dentro de un órgano del cuerpo.
INSULAR adj. y s. Natural de una isla. // adj. Perten. a una isla.
INSULINA f. Hormona que regula la cantidad de glucosa presente en la sangre.
INSULSO, SA adj. Insípido. // fig. Falto de gracia.
INSULTAR tr. Ofender a uno con palabras o acciones.
INSURGENTE adj. y s. Levantado o sublevado.
INSURRECIÓN f. Sublevación. //Rebelión.
INSURRECCIONAR tr. Concitar a las gentes para que se amotinen contra la autoridad. // r. Rebelarse, sublevarse.
INSURRECTO, TA adj. y s. Sublevado; rebelde.
INTACTO, TA adj. No tocado. // fig. Que no ha padecido alteración, menoscabo o deterior. // Puro, sin mezcla..
INTACHABLE adj. Que no admite o merece tacha.
INTANGIBLE adj. Que no debe o no puede tocarse.
INTEGRAL adj. Apl. a las partes que entran en la composición de un todo.
INTEGRAR tr. Formar las partes un todo. // Completar uno un todo con las partes integrantes.
ÍNTEGRO, GRA adj. Aquello a que no falta ninguna de sus partes. // fig. Díc. del recto, intachable.
INTELECTO m. *Fil.* Entendimiento // Facultad de comprender
INTELECTUAL adj. Perten. o rel. al entendimiento. // Espiritual o sin cuerpo. // adj. y s. Dedicado a las ciencias y letras.
INTELIGENCIA f. Facultad intelectiva. // Conocimiento, comprensión, acto de entender.
INTELIGENTE adj. y s. Sabio, instruido. // Dotado de facultad intelectual.
INTELIGIBLE adj. Que puede ser entendido.
INTEMPERANCIA f. Falta de templanza.
INTEMPERIE f. Destemplanza o desigualdad del tiempo.
INTEMPESTIVO, VA adj. Que es fuera de tiempo y sazón.
INTENCIÓN f. Determinación de la voluntad en orden a un fin. // fig. Instinto de algunos animales
INTENCIONAL adj. Deliberado, de caso pensado.
INTENDENCIA f. Dirección, cuidado y gobierno de una cosa.
INTENDENTE m. Jefe superior económico. // En el ejército y en la marina, jefe superior de la administración militar.
INTENSIDAD f. Grado de energía en lo físico y en lo moral. // fig. Vehemencia de los afectos.
INTENSIFICAR tr. y r. Hacer que una cosa adquiera mayor intensidad.
INTENTAR tr. Tener ánimo de hacer algo. // Procurar o pretender.
INTENTO m. Propósito, designio. // Cosa intentada.
INTERCALAR tr. Interponer o poner una cosa entre otras.
INTERCAMBIAR tr. Cambiar mutuamente dos o más personas o entidades, ideas, proyectos, informes, etcétera.
INTERCAMBIO m. Acción y efecto de intercambiar.
INTERCEDER intr. Rogar o mediar por otro.
INTERCEPTAR tr. Apoderarse de algo antes de que llegue a su destino. // Obstruir una vía de comunicación.
INTERCESIÓN f. Acción y efecto de interceder.
INTERCOSTAL adj. *Anat.* Que está entre costillas.
INTERCEDIR tr. Vedar o prohibir.
INTERDICCIÓN f. Acción y efecto de prohibir.
INTERDICTO m. Entredicho. // Juicio posesorio, sumario o sumarísimo.
INTERDIGITAL adj. Que está situado entre los dedos.
INTERÉS m. Provecho, ganancia. // Valor que en sí tiene una cosa. // Lucro producido por el capital. // Inclinación del ánimo hacia algo. // pl. Bienes de fortuna.
INTERESAR intr. y r. Tener interés en algo. // tr. Dar

parte a uno en una negociación o comercio. // Cautivar la atención y el ánimo. // Inspirar interés o afecto.
INTERFECTO, TA adj. y s. Díc. de la persona muerta violentamente.
INTERFERENCIA f. Acción y efecto de interferir.
INTERFERIR. tr. y r. Cruzar, interponer algo en el camino de una cosa, o en una acción.
ÍNTERIN m. Interinidad. // adv. t. Entretanto o mientras.
INTERINO, NA adj. y s. Que sirve por algún tiempo supliendo la falta de otra persona o cosa.
INTERIOR adj. Que está de la parte de adentro. // Que está muy adentro. // fig. Que sólo se siente en el alma. // Perten. a la nación de que se habla, en contraposición a extranjero.
INTERJECCIÓN f. Ling. Voz que expresa un estado de ánimo.
INTERLOCUTOR, RA m. y f. Cada una de las personas que toman parte en un diálogo.
INTERLUDIO m. Mús. Composición breve que sirve de introducción o intermedio.
INTERMEDIAR intr. Mediar.
INTERMEDIO, DIA adj. Que está entremedias o en medio de los extremos de lugar o tiempo. // Espacio que hay de un tiempo a otro.
INTERMISIÓN f. Interrupción.
INTERMITENTE adj. Que se interrumpe o cesa y prosigue o se repite.
INTERNACIONAL adj. Rel. a dos o más naciones.
INTERNACIONALISMO m. Predominio del punto de vista internacional en la política.
INTERNAR tr. Conducir tierra adentro a una persona

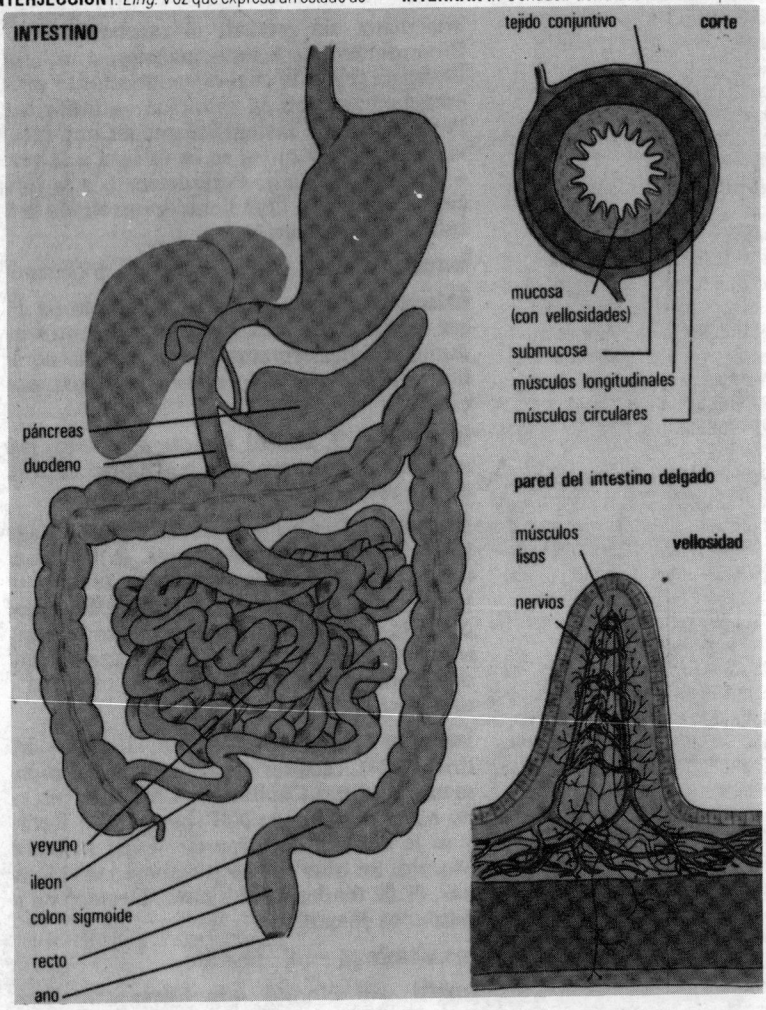

o cosa. // intr. Penetrar. // r. Avanzar hacia adentro.
INTERNO, NA adj. Interior.
INTERNUNCIO m. El que habla por otro. // interlocutor. // Ministro pontificio que hace veces de nuncio.
INTERPELAR t. Implorar auxilio de uno, solicitando su protección. // Compeler a uno para que dé explicaciones.
INTERPOLAR tr. Poner una cosa entre otras. // Intercalar algunas palabras o frases en un texto, o en obras y escritos ajenos.
INTERPONER r. Interpolar. // tr. y r. fig. Poner por intercesor a uno.
INTERPRETAR tr. Explicar el sentido de una cosa. // Traducir de una lengua a otra. // Representar un actor su papel. // Ejecutar una composición musical.
INTÉRPRETE com. Persona que interpreta.
INTERREGNO m. Espacio de tiempo en que un Estado no tiene soberano.
INTERROGACIÓN adj. y s. Que interroga. // amb. Pregunta. // Problema no aclarado incógnita.
INTERROGAR tr. Preguntar en algunas circunstancias.
INTERROGATORIO m. Serie de preguntas. // Acto de dirigirlas a quien las ha de contestar.
INTERRUMPIR tr. Impedir la continuación de algo.
INTERRUPCIÓN f. Acción y efecto de interrumpir.
INTERSTICIO m. Hendidura o espacio pequeño, que media entre dos cuerpos o entre dos partes de un mismo cuerpo.
INTERVALO m. Espacio o distancia que hay de un tiempo a otro o de un lugar a otro.
INTERVENIR intr. Tomar parte en un asunto. // Interponer uno su autoridad. // Mediar.
INTESTADO, DA adj. Que muere sin testar.
INTESTINO, NA adj. Interior, interno. fig. Civil, doméstico. // *Anat.* Parte del tubo digestivo, comprendida entre el estómago y el ano.
INTIMAR tr. Declarar algo con autoridad o fuerza. // r. e. intr. fig. introducirse en el afecto o ánimo de uno.
INTIMIDAD f. Amistad íntima. Zona espiritual íntima de una persona o de un grupo.
INTIMIDAR tr. y r. Infundir miedo.
ÍNTIMO, MA adj. Más interior o interno. // Apl. a la amistad muy estrecha y al amigo de confianza.
INTOLERANCIA f. Falta de tolerancia.
INTOXICAR tr. y r. Inficionar con tóxico, envenenar.
INTRA- Prep. inesp. que significa *dentro, interior*.
INTRAMUROS adv. l. Dentro de una ciudad, villa o lugar.
INTRANQUILIZAR tr. Quitar la tranquilidad.
INTRÉPIDO, DA adj. Que no teme en los peligros.
INTRIGA f. Manejo cauteloso para conseguir un fin. // Enredo.
INTRIGAR intr. Emplear intrigas. // tr. Inspirar viva curiosidad algo.
INTRINCAR tr. y r. Enmarañar algo. // tr. fig. Confundir los pensamientos o conceptos.

INTRÍNGULIS f. fam. Intención solapada que se entrevé en una persona o acción.
INTRÍNSECO, CA adj. Perten. a la esencia íntima de una cosa.
INTRODUCCIÓN f. Acción y efecto de introducir o introducirse.
INTRODUCIR tr. y r. Dar entrada a una persona en un lugar. // fig. Hacer que uno sea recibido o grandearle el trato de otra persona. // Atraer, ocasionar. // tr. Hacer entrar una cosa en otra. // fig. Hacer adoptar, poner en uso.
INTROITO m. Principio de un escrito o de una oración
INTROMISIÓN f. Acción y efecto de entrometer o entrometerse.
INTROSPECCIÓN f. Examen de lo interior. // Examen que la conciencia hace de sí misma.
INTROVERSIÓN f. Propensión a atender más al propio mundo interior que al exterior.
INTRUSIÓN f. Acción de introducirse sin derecho en un oficio, propiedad, etc.
INTRUSO, SA adj. Que se ha introducido sin derecho.
INTUIR tr. Percibir clara e instantáneamente una idea o verdad, sin el proceso del razonamiento.
INTUMESCENCIA f. Hinchazón.
INUNDAR tr. y r. Cubrir el agua los terrenos y a veces las poblaciones. // fig. Llenar o cubrir por completo.
INUSITADO, DA adj. No usado.
INUTILIZAR tr y r. Hacer inútil, vana o nula una cosa.
INVADIR tr. Entrar por fuerza en una parte.
INVALIDAR tr. Hacer inválida o nula una cosa.
INVÁLIDO, DA adj. y s. Que no tiene fuerza ni vigor. // Débil, lisiado. // adj. fig. Nulo, de ningún valor.
INVASIÓN f. Acción y efecto de invadir.
INVECTIVA f. Discurso acre y violento.
INVENCIÓN f. Acción y efecto de inventar. // Ficción.
INVENTAR tr. Hallar o descubrir algo nuevo. // Crear, imaginar el poeta o el artista. // Fingir hechos falsos.
INVENTARIAR tr. Hacer inventario.
INVENTARIO m. Asiento de los bienes y demás cosas perten. a una persona o comunidad.
INVENTIVA f. Facultad y disposición natural para inventar.
INVENTO m. Acción y efecto de inventar. // Cosa inventada.
INVERNÁCULO m. Estructura cubierta para el cultivo de plantas fuera de estación.
INVERNADERO m. Invernáculo.
INVERNAR intr. Pasar el invierno en una parte. // Ser tiempo de invierno.
INVEROSÍMIL adj. Que no tiene apariencia de verdad.
INVERSIÓN f. Acción y efecto de invertir.
INVERTEBRADOS m. pl. *Zool.* Animales desprovistos de columna vertebral.
INVERTIR tr. Alterar, trastornar el orden de las cosas. // Gastar o emplear el dinero en aplicaciones productivas. // Emplear u ocupar el tiempo.
INVESTIGAR tr. Hacer diligencias para descubrir o

averiguar algo.
INVESTIR tr. Conferir una dignidad o cargo importante.
INVETERADO, DA adj. Antiguo, arraigado.
INVICTO, TA adj. No vencido.
INVIERNO m. Época la más fría del año, que corresponde en el hemisferio norte a los meses de diciembre, enero y febrero, y en el hemisferio sur a los meses de junio, julio y agosto.
INVIOLABLE adj. Que no se debe o no se puede violar o profanar.
INVITAR tr. Convidar. // Incitar, estimular a uno a algo.
INVOCAR tr. Llamar uno a otro en su favor. // Acogerse a una ley o costumbre.
INVOLUCRAR tr. Abarcar, incluir. // Injerir en los discursos o escritos asuntos extraños al principal objeto de ellos.
INVULNERABLE adj. Que no puede ser herido.
INYECCIÓN f. Acción y efecto de inyectar. // Fluido inyectado.
INYECTAR tr. Introducir un gas o un fluido en el interior de un cuerpo o cavidad.
ION m. *Quim.* Átomo o grupo de átomos con carga eléctrica positiva o negativa.
IONOSFERA f. Región de la alta atmósfera fuertemente ionizada.
IR intr. y r. Moverse de un lugar hacia otro. // intr. Venir bien o mal. // U. para denotar hacia dónde se dirige un camino. // r. Gastarse o perderse una cosa.
IRA f. Pasión que mueve a indignación y enojo. // Deseo de venganza. // fig. Furia de los elementos.
IRACUNDIA f. Propensión a la ira. // Cólera o enojo.
IRASCIBLE adj. Propenso a irritarse.
IRIDISCENTE adj. Que muestra o refleja los colores del arco iris.
IRIS m. *Anat.* Parte anterior de la coroides del ojo.
IRISAR intr. Presentar un cuerpo reflejos de luz, con los colores del arco iris.
IRONÍA f. Burla fina y disimulada. // Figura retórica que consiste en dar a entender lo contrario de lo que se dice.
IRÓNICO, CA adj. Que denota o implica ironía.
IRRACIONAL adj. Que carece de razón. // Opuesto a la razón o que va fuera de ella.
IRRADIAR tr. Despedir un cuerpo rayos de luz o calor en todas direcciones. // Someter un cuerpo a la acción de ciertos rayos.
IRREFLEXIÓN f. Falta de reflexión.
IRREGULAR adj. Que va fuera de regla; contrario a ellla. // Que no sucede ordinariamente. // *Geom.* Díc. del polígono o del poliedro no regulares.
IRREGULARIDAD f. Calidad de irregular. // fig. y fam. Malversación desfalco u otra inmoralidad semejante.
IRREMISIBLE adj. Que no se puede remitir o perdonar.
IRRESOLUBLE adj. Que no se puede resolver.

IRRESOLUTO, TA adj. y s. Que carece de resolución.
IRREVERENTE adj. y s. Contrario a la reverencia o respeto debido.
IRRIGAR tr. *Med.* Rociar una parte del cuerpo con un líquido determinado. // Regar.
IRRISIÓN f. Burla con que se provoca a risa. // fam. Lo que es o puede ser objeto de esta burla.
IRRISORIO, RIA adj. Que mueve o provoca a risa y burla.
IRRITABILIDAD f. Propensión a irritarse con facilidad.
IRRITAR tr. y r. Hacer sentir ira. // Causar excitación morbosa en un órgano o parte del cuerpo.
IRROGAR tr. y r. Causar perjuicios o daños.
IRRUIR tr. Acometer con ímpetu, invadir un lugar.
IRRUMPIR intr. Entrar violentamente en un lugar.
IRRUPCIÓN f. Acción y efecto de irrumpir. // Acometimiento impetuoso e impensado.
ISLA f. Porción de tierra rodeada de agua por todas partes. // Manzana de casas.
ISLAM m. Islamismo.
ISLAMISMO m. Conjunto de dogmas y preceptos morales que constituyen la religión de Mahoma.
ISLEÑO, ÑA adj. y s. Natural de una isla. // adj. Perten. a una isla.
ISLOTE m. Isla pequeña y despoblada.
ISMAELITA adj. y s. Descendiente de Ismael. Díc. de los árabes. // Agareno o sarraceno.
ISO- Elemento compositivo que denota igualdad.
ISÓBARO, RA adj. y s. Díc. de la línea que une los puntos de la corteza terrestre con igual presión atmosférica.
ISÓMERO, RA adj. *Quím.* Díc. de los cuerpos de igual composición química per de distintas propiedades físicas.
ISOMORFO, FA adj. Díc. de los cuerpos que cristalizan en una misma forma.
ISÓSCELES adj. Díc. de la figura geométrica, triángulo o trapecio, que tiene dos lados iguales.
ISOTERMO, MA adj. y s. Díc. de la línea que une puntos de igual temperatura, en los mapas meteorológicos.
ISÓTOPO m. Díc. de los elementos de igual número atómico y distinto peso atómico que presentan las mismas propiedades. Pueden ser estables o radiactivos.
ISRAELITA adj. y s. Hebreo, judío. // Natural de Israel.
ISTMO m. Lengua de tierra que une dos continentes o una península con un continente.
ITERATIVO, VA adj. Que tiene condición de repetirse o reiterarse.
ITINERARIO, RIA adj. Perten. a los camino. // m. Descripción y dirección de un camino con sus pasos, posadas, etc.
IZAR tr. Hacer subir alguna cosa tirando de la cuerda de que está colgada.
IZQUIERDA f. Mano izquierda. // Hablando de colec-

tividades políticas, la de ideas más progresistas.
IZQUIERDO, DA adj. Díc. de lo que cae o mira hacia la mano izquierda. // Zurdo. // fig. Torcido, no recto.

J

J f. Undécima letra del abcedario español y octava de sus consonantes. Su nombre es *jota*.
JABALCÓN m. Madero ensamblado en uno vertical para apear otro horizontal o inclinado.
JABALÍ m *Zool.* Paquidermo ungulado con grandes colmillos salientes.

jabalí (Sus scrofa)

JABALINA f. Dardo delgado y largo que se lanza en ejercicios atléticos.
JABATO, TA adj. y s. fam. Osado. // Cachorro del jabalí.
JÁBEGA f. Embarcación para pescar.
JABÓN m. *Quím.* Pasta obtenida por acción de un álcali sobre los ácidos grasos. Tiene propiedades detergentes.
JABONAR tr. Fregar la ropa u otras cosas con jabón y agua.
JACA f. Caballo cuya alzada no llega a siete cuartas.
JÁCARA f. Romance alegre. // Cierta música para cantar o bailar.
JACINTO m. *Bot.* Planta herbácea de la fam. liliáceas, de flores muy vistosas.
JACOBINO, NA adj. Díc. del individuo perten. al partido más extremista de la Revolución Francesa.
JACTANCIA f. Alabanza propia y presentuosa.
JACTARSE r. Alabarse presuntuosamente.
JADE m. *Mineral*. Piedra dura, blanquecina o verde, con la que se hacen objetos de arte.
JADEAR intr. Respirar anhelosamente por el cansancio.
JADEO m. Acción de jadear.
JAEZ m. Cualquier adorno que se pone a las caballerías.
JAGUAR m. *Zool.* Mamífero carnívoro de la fam. félidos, semejante a la pantera.
JALAR tr. fam. Halar. // Tirar, atraer. // Comer con ansia.
JALBEGAR tr. Enjalbegar.
JALDE adj. Amarillo subido.
JALEA f. Conserva gelatinosa de zumo de frutas.
JALEAR tr. Llamar a los perros a voces. // tr. y r. Animar a los que bailan, cantan, etc.
JALEO m. Acción y efecto de jalear. // fam. Diversión. // Alboroto, pendencia.
JALIFA m. Autoridad suprema de la zona del protectorado español en Marruecos.
JALÓN m. Vara con regatón de hierro que se clava en tierra.
JALONAR tr. Alinear por medios de jalones.
JAMÁS adv. t. Nunca. Pospuesto a este adverbio, o a *siempre*, refuerza el sentido de una y otra voz.
JAMBA f. *Arquit.* Cada una de las piezas verticales que sostienen el dintel de una puerta o ventana.
JAMELGO m. fam. Caballo flaco y desgarbado.
JAMÓN m. Carne curada de la pierna del cerdo.
JAQUE m. Lance del juego de ajedrez, en que el rey o la reina de un jugador están amenazados por alguna pieza del otro.
JAQUECA f. Dolor de cabeza.
JARA f. *Bot.* Arbusto de la fam. cistáceas, de hojas verdes y flores grandes y blancas.
JARABE m. Bebida compuesta de azúcar cocido en agua y zumos refrescantes o medicinales. // Toda bebida dulce.
JARANA f. fam. Diversión bulliciosa. // Pendencia, tumulto. // Trampa, burla.
JARCIA f. *Mar.* Conjunto de cabos y aparejos de un buque.
JARDÍN m. Terreno en donde se cultivan plantas para recreo de los sentidos.
JARETÓN m. Dobladillo muy ancho.
JARRA f, Vasija con cuello y boca anchos y una o más asas.
JARRETE m. Corva de la pierna humana. // Corvejón de los cuadrúpedos.
JARRO m. Vasija, a manera de jarra y con sólo un asa.
JARRÓN m. Vaso, por lo general de porcelana, gralte. labrado.
JASPE m. *Mineral*. Cuarzo opaco, coloreado y veteado. Se usa en orfebrería.
JAULA f. Caja dispuesta para encerrar animales pequeños. // Encierro formado por enrejados de hierro o de madera.
JAURÍA f. Conjunto de perros que cazan, dirigidos por un mismo perrero.
JAZMÍN m. *Bot.* Planta de jardín (fam. oleáceas), de flores blancas y olorosas usadas en perfumería.
JAZZ m. *Mús.* Música oriunda de Norteamérica basada en los cantos religiosos de los negros.
JEFATURA f. Cargo o dignidad de jefe. // Puesto de guardias de seguridad bajo las órdenes de un jefe.
JEFE m. Superior o cabeza de un cuerpo u oficio.
JEHOVÁ m. Nombre de Dios en la lengua hebrea.

JENGIBRE m. *Bot.* Planta de la fam. cingiberáceas, de rizoma aromático, que se aplica a usos medicinales.
JEQUE m. Soberano entre los musulmanes y otros pueblos orientales, que gobierna en un territorio.
JERARQUÍA f. Conjunto, ordenado por grados, de autoridades o dignidades.
JERGA f. Lenguaje especial que usan entre sí los individuos de ciertas profesiones y oficios.
JERGÓN m. Colchón de paja, esparto o hierba, y sin bastas.
JERIGONZA f. Jerga.
JERINGA f. Instrumento para aspirar o impeler líquidos; consta de un émbolo introducido en un tubo.
JERINGUILLA f. Jeringa pequeña.
JEROGLÍFICO, CA adj. Apl. a la escritura en que se representa el significado de las palabras con figuras o símbolos. // m. Pasatiempo con signos ideográficos.
JERSEY m. Especie de blusa o camiseta de tejiido de punto.
JESUITA adj. y s. Díc. del religioso de la Compañía de Jesús. // com. fam. Persona hipócrita.
JETA f. fam. Cara humana. // Hocico del cerdo. // Grifo.
JIBIA f. Zool. Molusco cefalópodo, parecido al calamar.
JIFERO, RA adj. Perten. al matadero. // fig. y fam. Sucio. // m. Matarife.
JILGUERO m. Zool. Ave paseriforme, de la fam. fringílidos.

JILGUERO

JINETE m. El que monta a caballo.
JIRA f. Pedazo que se corta o rasga de una tela.
JIRA f. Banquete o merienda, est. campestre.
JIRAFA f. Zool. Mamífero rumiante, con el cuello y las patas delantera muy desarrollados. Su pelaje es amarillo con manchas de color castaño.
JIRÓN m. Jira. // fig. Parte pequeña de un todo.
JOCOSO, SA adj. Gracioso, festivo.
JOCUNDO, DA adj. Plácido, alegre.
JODER intr. vulg. Practicar el coito. //tr. y r. vulg. Molestar.
JOFAINA f. Vasija ancha y poco profunda que sirve para lavarse la cara y las manos.
JOLGORIO m. fam. Diversión bulliciosa.

JÓNICO, CA adj. y s. Natural de Jonia. // adj. Perten. o rel. a las regiones de este nombre de Grecia y Asia antiguas.
JORNADA f. Camino que se anda en un día. // Todo el camino. // Tiempo de duración del trabajo diario de los obreros.
JORNAL m. Salario con que se paga una jornada de trabajo.
JORNALERO, RA m. y f. El que trabaja a jornal.
JOROBA f. Giba, chepa. // fig. y fam. Impertinencia.
JOROBAR tr. y r. fig. y fam. Fastidiar.
JOTA f. Baile popular de Aragón.
JOVEN adj. y s. De poca edad.
JOVIAL adj. Perten. a Júpiter. // Alegre, festivo.
JOYA f. Pieza preciosa que sirve para adorno. // fig. Cosa o persona excelente.
JUANETE m. Pómulo saliente. // Hueso excesivamente desarrollado del dedo gordo del pie.
JUBILAR tr. Eximir a un empleado del trabajo, por razón de vejez, con derecho a pensión. // intr. y r. Alegrarse. // r. Conseguir la jubilación.
JUBILEO m. Fiesta pública que celebran los israelitas cada 50 años. // Entre los católicos, indulgencia plenaria concedida por el Papa.
JÚBILO m. Viva alegria.
JUBILOSO, SA adj. Regocijado.
JUBÓN m. Vestidura que cubre desde los hombros hasta la cintura.
JUDÁICO, CA adj. Perten. a los judíos
JUDAIZAR intr. Abrazar la religión de los judíos.// Practicar ritos y ceremonias de la ley judaica.
JUDÍA f. *Bot.* Planta de la fam. papilionáceas, con fruto en legumbre. Es comestible.
JUDICATURA f. Ejercicio de juzgar.// Empleode juez, y tiempo que dura..// Cuerpo constituido por los

JIRAFA

jueces.
JUDICIAL adj. Perten. al juicio, a la administración de justicia.
JUDÍO, A adj. y s. Israelita, hebreo. // Natural de Judea.
JUEGO m. Acción y efecto de jugar. // Ejercicio recreativo sometido a reglas, y en el cual se gana o se pierde. // Disposición con que estan unidas dos cosas, de suerte que sin separarse puedan moverse. // Determinado número de cosas relacionadas entre sí y que sirven al mismo fin.
JUERGA f. Diversión. // Por ext., jarana.
JUEVES m. Quinto día de la semana.
JUEZ com. Persona que tiene autoridad y potestad para juzgar y sentenciar.
JUGADA f. Acción de jugar el jugador cada vez que le toca hacerlo. // fig. Mala pasada.
JUGADOR, RA adj. y s. Que juega. // Que tiene el vicio de jugar.
JUGAR intr. Hacer algo con el solo fin de entretenerse o divertirse. // Tomar parte en uno de los juegos sometidos a reglas. // r. Arriesgar, aventurar.
JUGARRETA f. fam. Jugada mal hecha. // Mala pasada.
JUGLAR adj. Chistoso, picaresco. // Durante la Edad Media, el que tenia por profesión divertir a la gente recitando o cantando poemas.
JUGO m. Líquido orgánico, salsa o zumo. // m. fig. Utilidad que se saca de cualquier cosa material o inmaterial.
JUGUETE m. Objeto con que se entretienen los niños. // Persona o cosa dominada por una fuerza material o moral que la maneja.
JUGUETEAR intr. Entretenerse jugando y retozando.
JUICIO m. Facultad de distinguir el bien del mal, lo verdadero de lo falso. // Estado de la sana razón, opuesto a la locura. // Opinión o dictamen. // fig. Seso, cordura. // Conocimiento de una causa, en la cual el juez ha de pronunciar sentencia. // *Fil.* Comparación de dos ideas para conocer sus relaciones..
JULIO m. Séptimo mes del año.
JUMENTO m. Asno, burro.
JUNCO m. *Bot.* Planta herbácea de tallos lisos, cilíndricos y flexibles.
JUNIO m. Sexto mes del año.
JUNIOR adj. Díc. del más joven de dos personas que llevan el mismo nombre.
JUNÍPERO m. *Bot.* Enebro.
JUNTA f. Reunión de varias personas para tratar de un asunto. // Cada una de las sesiones que celebran. // Juntura.
JUNTAR tr. Unir unas cosas con otras. // tr. y r. Reunir // tr. Acumular, acopiar. // r. Acercarse mucho a uno.
JUNTO, TA adj. Unido, cercano. // adv. l. Seguido de la prep. *a*, cerca de. // adv. m. Juntamente, a la vez.
JUNTURA f. Parte o lugar en que se juntan y unen dos o más cosas.

JURADO, DA adj. Que ha prestado juramento. // Tribunal de ciudadanos convocados para dictaminar la culpabilidad del acusado.
JURAMENTO m. Afirmación o negación de una cosa. // Voto o reniego.
JURAR tr. Afirmar o negar una cosa, poniendo por testigo a Dios. // Reconocer solemnemente con juramento de fidelidad y obediencia.
JURÍDICO, CA adj. Que atañe al derecho, o se ajusta a él.
JURISCONSULTO, TA m. y f. Persona que profesa la ciencia del derecho.
JURISDICCIÓN f. Poder para gobernar y poner en ejecución las leyes. // Término de un lugar o provincia. // Territorio en que el juez ejerce sus facultades.
JURISPRUDENCIA f. Ciencia del derecho. // Norma de juicio que suple omisiones de la ley.
JURISTA m. El que estudia o profesa el derecho.
JUSTICIA f. Virtud que inclina a dar a cada uno lo que le pertenece. // Una de las cuatro virtudes cardinales. // Derecho, razòn, equidad. // Castigo público. // Ministro o tribunal que ejerce justicia. // Poder judicial.
JUSTIFICAR tr. Probar una cosa con razones convincentes, testigos y documentos. // Rectificar o hacer justa una cosa. // Ajustar una cosa con exactitud.
JUSTIPRECIAR tr. Apreciar o tasar.
JUSTO, TA adj. Que obra según justicia y razón. // adj. y s. Que vive según la ley de Dios. // adj. Exacto. // Que ajusta bien con otra cosa.
JUVENTUD f. Edad que media entre la niñez y la edad viril. // Conjunto de jóvenes.
JUZGADO m. Junta de jueces que concurren a dar sentencia. // Tribunal de un solo juez. // Sitio donde se juzga.
JUZGAR tr. Deliberar y sentenciar con autoridad para ello. // Formar juicio de una cosa, creerla.

K

K f. Duodécima letra del abecedario español y novena de sus consonantes. Su nombre es *ka*.
KÁISER m. Título de algunos emperadores de Alemania.
KAN m. Soberano o jefe entre los tártaros.
KANTISMO m. Fil. Sistema filosófico ideado por Kant.
KÉFIR m. Leche fermentada artificialmente.
KERMESSE f. Verbena, fiesta popular.
KILO m. Kilogramo.
KILOGRAMO m. Peso de mil gramos.
KILOFILTRO m. Unidad de capacidad equivalente a mil litros.
KILOMETRICO, CA adj. Perten. o rel. al Kilómetro. // fig. De larga duración.
KILÓMETRO m. Unidad de longitud equivalente a mil

metros.
KILOVATIO m. Medida eléctrica equivalente a mil vatios.
KIRSCH m. Aguardiente de cerezas fermentadas.
KRAUSISMO m. Sistema filosófico de Kraus.
KURDOS m. pl. Etnol. Grupo étnico que habita en Kurdistán.

L

L f. Decimotercera letra del abecedario español, y décima de sus consonantes. Su nombre es *ele*.
LA Gram. Artículo determinado en gén. f. y núm. sing. // Acusativo del pron. pers. de tercera pers. en gén. f. y núm. sing.
LABERINTO m. Lugar artificiosamente formado de calles, encrucijadas y plazuelas. // fig. Cosa confusa y enredad. // Anat. Conjunto de órganos del oído medio.
LABIADO, DA adj. *Bot.* díc. de la planta dicotiledónea que tiene una corola en forma de labios.
LABIAL adj. Perten. a los labios.
LABIO m. *Anat.* Cada una de las dos parte exteriores, carnosas y movibles de la boca. // fig. Borde de ciertas cosas.
LABOR f. Trabajo. // Obra de coser, bordar, etc. // Labranza de las tierras que se siembran.
LABORAR tr. Labrar. // intr. Gestionar o intrigar.
LABORATORIO m. Lugar donde se hacen investigaciones científicas.
LABORIOSO, SA adj. Trabajador, aficionado al trabajo. // Trabajoso, penoso.
LABORISMO m. Tendencia política inglesa, de orientación socialista no marxista.
LABRADOR, RA adj. y s. Que labra la tierra. // m. y f. Persona que cultiva una hacienda de campo.
LABRANZA f. Cultivo de los campos.
LABRAR tr. Trabajar en un oficio. // Cultivar la tierra. // Arar. // fig. Hacer, causar.
LABRIEGO, GA m. y f. Labrador rústico.
LACA f. Quím. Látex que se obtiene de la resina de ciertos árboles. // Pintura, talla o incrustación en laca.
LACAYO m. Soldado a pie, armado de ballesta, que acompaña a los caballeros en la guerra. // Criado de librea que acompaña a su amo.
LACERAR tr. y r. Lastimar, golpear, herir. // tr. fig. Dañar.
LACIO, CIA adj. Marchito, ajado. // Flojo, débil. // Díc. del cabello liso.
LACÓNICO, CA adj. Breve, conciso. // Que habla o escribe de esta manera.
LACRA f. Señal de una enfermedad o achaque. // Defecto, vicio.
LACRAR tr. y r. Dañar la salud. // tr. fig. Perjudicar a uno en sus intereses.
LACRAR tr. Cerrar con lacre.
LACRE m. Mezcla de goma laca, trementina y cera, usada para sellar documentos.
LACRIMÓGENO, NA adj. Que produce lagrimeo.
LACRIMOSO, SA adj. Que tiene lágrimas.
LACTANCIA f. Med. período de la vida infantil en que la criatura mama.
LACTAR tr. Dar de mamar. // Criar con leche.
LÁCTEO, A adj. Perten. a la leche o parecido a ella.
LÁCTICO, CA adj. Perten. o rel. a la leche.
LACTOSA f. *Bioquím.* Azúcar de la leche.
LACUSTRE adj. Perten. a los lagos.
LADEAR tr., intr. y r. Inclinar y torcer una cosa hacia un lado. // intr. Andar por las laderas. // fig. Inclinarse. // Estar una persona o cosa al igual de otra.
LADERA f. Declive de un monte.
LADINO, NA adj. Aplicábase al romance o castellano antiguo. // fig. Astuto, sagaz.
LADO m. Costado del cuerpo de la persona o del animal. // Lo que está a la derecha o a la izquierda de un todo. // Cada una de las caras de cualquier cosa que las tenga. // Sitio, lugar. // Cada una de las líneas que limitan un polígono o un ángulo.
LADRAR intr. Dar ladridos el perro.
LADRIDO m. Voz que forma el perro.
LADRILLO m. Pieza de arcilla cocida usada en la construcción.
LADRÓN, NA adj. y s. Que hurta o roba.
LAGAR m. Recipiente donde se prensa la uva, la aceituna, etc., para obtener respectivamente el mosto, el aceite, etc. // Edificio donde hay un lagar.
LAGARTIJA f. *Zool.* Especie de lagarto pequeño.
LAGARTO m. *Zool.* Reptil escamoso saurio. Posee una cola muy larga.
LAGO m. *Geol.* Masa de agua dulce o salada, que se acumula en las depresiones de la corteza terrestre

el lago **Titicaca**

LÁGRIMA f. Cada una de las gotas del humor que

segrega la glándula lagrimal.

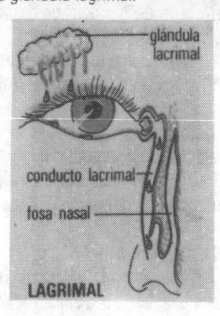

LAGRIMAL (figura: glándula lacrimal, conducto lacrimal, fosa nasal)

LAGRIMEAR intr. Secretar con frecuencia lágrimas, sea con llanto o sin él.
LAGUNA f. Lago pequeño, gralte. de agua dulce.
LAICO, CA adj. y s. Que no tiene órdenes clericales, lego.
LAJA f. Piedra plana utilizada gralte. para pavimentar.
LAMA f. Tela de oro o plata en la que los hilos brillan por su haz sin pasar al envés.
LAMA m. Sacerdote del lamaísmo.
LAMAÍSMO m. Secta del budismo en el Tíbet.
LAMELIBRANQUIOS m. pl. *Zool.* Moluscos bivalvos de vida acuática.
LAMENTACIÓN f. Queja dolorosa.
LAMENTAR tr., intr. y r. Sentir una cosa con llanto u otras demostraciones de dolor.
LAMENTO m. Lamentación.
LAMER tr. y r. Pasar repetidamente la lengua por una cosa.
LAMIDO, DA adj. fig. Díc. de la persona flaca, y de la muy limpia. // Relamido.
LÁMINA f. Plancha delgada de un metal. // Plancha en que está grabado un dibujo para estamparlo. // Estampa.
LAMINADOR, RA m. y f. Máquina formada por dos cilindros que giran en sentidos opuestos y que reducen los metales a láminas.
LAMINAR adj. De forma de lámina.
LAMINAR tr. Tirar láminas, planchas o barras con el laminador.
LÁMPARA f. Utensilio para obtener luz artificial. // Bombilla eléctrica. // Objeto que sirve de soporte o adorno a una o varias luces.
LAMPARILLA f. Candelilla nocturna en una vasija con aceite.
LAMPIÑO, ÑA adj. Que no tiene barba. // De poco vello o pelo.
LAMPREA f. *Zool.* Pez ciclóstomo de cuerpo alargado y cilíndrico. Se alimenta de carroña.
LANA f. Pelo de las ovejas y carneros. // Tela de lana.
LANAR adj. Díc. del ganado o la res que tiene lana.
LANCE m. Acción y efecto de lanzar o arrojar. // Trance u ocasión crítica. // Encuentro, riña.
LANCEAR tr. Herir con lanza.
LANCEOLADO, DA adj. *Bot.* Díc. de la hoja que tiene

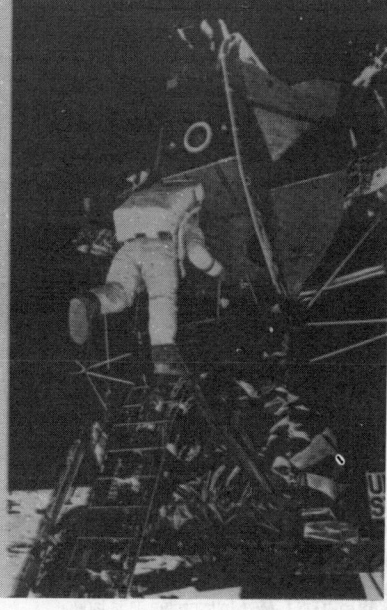

LANZAMIENTO del Apolo XI / Aldrin desciende del módulo lunar

forma de punta de lanza.
LANCHA f. *Mar.* Chalupa, barca, bote. // La mayor embarcación que llevan los buques a bordo.
LANDA f. Terreno carente de árboles y cubierto de matorrales.
LANERO, RA adj. Perten. o rel. a la lana.
LANGOSTA f. *Zool.* Crustáceo marino de cuerpo cilíndrico y antenas largas y fuertes. // Insecto ortóptero que en enjambres asola los cultivos.
LANGOSTINO m. *Zool.* Crustáceo marino de pequeño tamaño.
LANGUIDECER intr. Adolecer de languidez.
LANGUIDEZ f. Flaqueza, debilidad. // Falta de espíritu o de valor.
LÁNGUIDO, DA adj. Flaco, débil. // De poco espíritu.
LANOLINA f. *Quím.* Grasa sólida que se extrae de la lana.
LANOSIDAD f. Pelusa y vello suave que tienen algunos vegetales.
LANUDO, DA adj. Que tiene mucha lana o vello.
LANZA f. Arma compuesta de un asta con un hierro puntiagudo y cortante.
LANZADERA f. Instrumento de forma ahusada con una canilla, utilizado por los tejedores para tramar.
LANZAMIENTO m. Acción de lanzar o arrojar una cosa.
LANZAR tr. y r. Arrojar. // tr. Soltar, dejar libre. // Despojar a uno de la posesión de algo.
LAPA f. *Zool.* Molusco gasterópodo. Vive sobre las rocas.
LÁPIDA f. Piedra llana en que generalmente se pone una inscripción.
LAPIDAR tr. Apedrear, matar a pedradas.
LAPIDARIO, RIA adj. Perten. a las piedras preciosas. // Rel. a las inscripciones en lápidas.
LAPÍDEO, A adj. De piedra o perten. a ella.
LAPISLÁZULI m. *Mineral.* Piedra ornamental de color azul ultramar.
LÁPIZ m. Barrita de grafito encerrada dentro de un cilindro de madera, para escribir o dibujar.
LAPSO m. Caída en una culpa o error. // Curso de un espacio de tiempo.
LAR m. Dios romano del hogar. // Hogar de la lumbre. // pl. fig. Casa propia u hogar.
LARGAR tr. Soltar, dejar libre. // Aflojar poco a poco. // r. fam. Irse con presteza o disimulo.
LARGO, GA adj. Que tiene más o menos largor. // Que tiene largor excesivo. // fig. Liberal, dadivoso. // Copioso, abundante. // Dilatado, extenso. // fig. y fam. Astuto, listo.
LARGUERO m. Cada uno de los palos o barrotes que se colocan a lo largo de una obra de carpintería.
LARGUEZA f. Largor. // Liberalidad.
LARINGE f. *Anat.* Organo de la voz, sit. entre la tráquea y la faringe.
LARINGITIS f. *Med.* Inflamación de la laringe.
LARVA f. *Zool.* Fase intermedia del desarrollo de un animal, comprendida entre el huevo y el adulto.
LASCA f. Trozo pequeño y delgado desprendido de una piedra.
LASCIVIA f. Propensión a los deleites carnales.
LASCIVO, VA adj. Perten. a la lascivia. // adj. y s. Que tiene este vicio.
LASITUD f. Debilidad, cansancio.
LASO, SA adj. Cansado, desfallecido.
LÁSTIMA f. Compasión que excitan males de otro. // Objeto que excita la compasión. // Cosa que causa disgusto.
LASTIMAR tr. y r. Herir o hacer daño. // r. Compadecerse. // tr. fig. Ofender en la estimación u honra.
LASTRAR tr. Poner lastre a la embarcación. // tr. y r. fig. Afirmar una cosa cargándola de peso.
LASTRE m. Carga muerta que llevan los globos, dirigibles y barcos para adquirir estabilidad y aumentar su peso.
LATA m. Hoja de lata. // Envase hecho de hojalata.
LATENTE adj. Oculto y escondido.
LATERAL adj. Perten. o que está al lado de una cosa. // fig. Lo que está no viene por línea recta.
LÁTEX m. *Bot.* Fluido lechoso y viscoso extraído de los árboles de caucho.
LATIDO m. Golpe de contracción y dilatación del corazón.
LATIFUNDIO m. Propiedad rural de gran extensión.
LÁTIGO m. Azote largo, delgado y flexible con que se aviva a las caballerías.
LATÍN m. Lengua del Lacio, hablada por los antiguos romanos.
LATINO, NA adj. y s. Natural del Lacio. // adj. Perten. a este pueblo. // Perten. a la lengua latina o propio de ella. // Díc. de los naturales de pueblos de Europa en que se hablan lenguas derivadas del latín.
LATIR intr. Dal latidos el corazón, las arterias, etc.
LATITUD f. La menor de las dos dimensiones principales que tienen las figuras planas. // *Geogr.* Distancia de un punto de la superficie terrestre al ecuador en grados de meridiano.

LATITUD

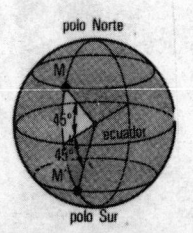

M: 45° de latitud norte
M': 45° de latitud sur

LATO, TA adj. Dilatado, extendido. // Apl. al sentido que se da a las palabras y que no es el literal.
LATRÍA f. adj. Culto y adoración que sólo se debe a Dios.

LATROCINIO m. Hurto o costumbre de hurtar o estafar.
LAÚD m. Instrumento musical de cuerdas, más pequeño que la guitarra.
LAUDABLE adj. Digno de alabanza.
LÁUDANO m. Extracto de opio.
LAUDO m. *Der.* Fallo que dictan los árbitros.
LAURÁCEAS f. pl. *Bot.* Fam. de plantas angiospermas dialipétales.
LAUREAR tr. Coronar con laurel. // fig. Premiar, honrar.
LAUREL m. *Bot.* Arbol de la fam. lauráceas. Sus hojas se usan como condimento y en farmacia. // fig. Corona, triunfo, premio.
LAURO m. Laurel, árbol. // fig. Gloria, alabanza.
LAVA f. Material incandescente que arrojan los volcanes.
LAVADERO m. Lugar en que se lava.
LAVAR tr. y r. Limpiar una cosa con agua u otro líquido. // fig. Purificar, quitar una mancha o descrédito.
LAVATIVA f. Medicamento que se introduce por el ano. // Instrumento para aplicarlo.
LAVATORIO m. Acción de lavar o lavarse.
LAXANTE adj. Que laxa. // m. Medicamento para mover el vientre.
LAXAR tr. y r. Aflojar, ablandar una cosa.
LAXITUD f. Calidad de laxo.
LAXO, XA adj. Flojo o que no tiene la tensión debida. // fig. Apl. a la moral relajada.
LAZARETO m. Hospital para los sopechosos de enfermedades contagiosas.
LAZARILLO m. Muchacho que guía a un ciego.
LAZO m. Atadura o nudo de cintas. // Lazada. // Cordel con que se asegura la carga. // fig. Ardid asechanza. // Unión, vínculo, obligación.
LE Dativo del pron. pers. de tercera pers. en gén. m. o f. y núm. sing. // Acusativo del mismo modo pron. en igual núm. y sólo en gén. m.
LEAL adj. y s. Que guarda la debida fidelidad.
LEALTAD f. Fidelidad.
LEBREL m. *Zool.* Perro de orejas caídas, hocico y cuerpo alargados. Es buen corredor.
LECCIÓN f. Lectura. // Conjunto de conocimientos que en cada vez da a sus discípulos el maestro. // Cada uno de los capítulos de algunos escritos. // fig. Ejemplo que sirve de experiencia.
LECTIVO, VA adj. Apl. al tiempo y días destinados para dar lección en los centros de enseñanza.
LECTURA f. Acción de leer. // Obra o cosa leída. // Materia que un maestro explica a sus discípulos.
LECHA f. *Zool.* Líquido seminal de los peces.
LECHADA f. Masa de cal, yeso o argamasa que sirve para unir ladrillos o blanquear. // Masa de trapo molido para hacer papel.
LECHAL adj. y s. m. Apl. al animal de cría que mama.
LECHE f. Líquido blanco que segregan las mamas de las hembras de los mamíferos. // Jugo blanco de ciertas plantas y frutos.
LECHIGADA f. Cría de animalitos que han nacido de un parto. // fig. cuadrilla de pícaros.
LECHO m. Cama. // fig. Fondo del mar o de un lago.
LECHÓN m. Cochinillo que todavía mama.
LECHUGA f. *Bot.* Planta herbácea de la fam. compuestas, de hojas grandes, blancas y comestibles.
LECHUGINO m. Petimetre.
LECHUZA f. *Zool.* Ave nocturna rapaz. Se alimenta de insectos y roedores.

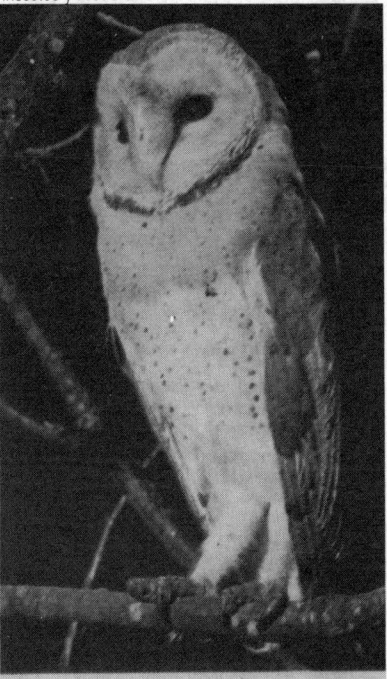

lechuza (Tito alba)

LEER tr. Pasar la vista por lo escrito para enterarse de su significado. // Interpretar un texto de este o del otro modo. // fig. Penetrar el interior de uno por lo que esteriormente aparece.
LEGACIÓN f. Empleo o cargo de legado. // Cargo que da un gobierno a un individuo para que le represente cerca de otro gobierno extranjero.
LEGADO m. Manda que en su testamento o codicilo hace un testador. // Representante de un Estado acreditado en la capital de otro.
LEGAJO m. Atado de papeles.
LEGAL adj. Prescrito por la ley y conforme a ella. // Verídico, puntual, fiel y recto en el cumplimiento de su cargo.
LEGALIDAD f. Calidad de legal. // Régimen político estatuido por la ley fundamental del Estado.
LEGALIZAR tr. Dar estado legal a uno cosa. // Certi-

ficar la autenticidad de un documento o de una firma.
LÉGAMO m. Cieno. // Parte arcillosa de las tierras de labor.
LEGAÑA f. Humor producido por las glándulas palpebrales y que se seca en el borde del párpado.
LEGAR tr. Dejar una persona a otra una manda en su testamento. // Enviar a uno de legado.
LEGATARIO, RIA m. y f. Persona favorecida por el testador.
LEGENDARIO, RIA adj. Perten. o rel. a las leyendas.
LEGIÓN f. Cuerpo de tropa romana que se dividía en diez cohortes. // Nombre de ciertos cuerpos de tropa.
LEGISLACIÓN f. Conjunto de leyes por las cuales se gobierna un Estado.
LEGISLAR intr. Dar, hacer o establecer leyes.
LEGISLATIVO, VA adj. Apl. al derecho o potestad de hacer leyes. // Apl. al cuerpo o código de leyes.
LEGISLATURA f. Tiempo durante el cual funcionan los cuerpos legislativos.
LEGISTA m. Letrado o profesor de leyes o de jurisprudencia.
LEGÍTIMA f. Parte de la herencia que la ley asigna a determinados herederos.
LEGITIMAR tr. Probar la legitimidad de algo. // Hacer legítimo al hijo natural.
LEGITIMISTA adj. y s. Partidario de un príncipe o de una dinastía que considera legítimos.
LEGÍTIMO, MA adj. Conforme a las leyes. // Cierto, genuino.
LEGO, GA adj. y s. Que no tiene órdenes clericales. // adj. Ignorante.
LEGUA f. Medida itineraria equivalente a 5572,7 m.
LEGULEYO m. El que trata de leyes no conociéndolas apenas.
LEGUMBRE f. Todo género o semilla que se cría en vainas. // Por ext., hortaliza.
LEGUMINOSAS f. pl. *Bot.* Fam. de plantas dicotiledóneas, leñosas o herbáceas, de fruto en legumbre.
LEJANÍA f. Parte remota.
LEJANO, NA adj. Distante.
LEJÍA f. Solución acuosa de sales alcalinas.
LEJOS adv. l. y t. A gran distancia; en lugar o tiempo remoto.
LEMA m. Letra o mota de los emblemas. // Tema de un discurso.
LEMOSÍN, NA adj. y s. Natural de Limoges. // Lengua provenzal.
LENCERÍA f. Conjunto de lienzos. // Tienda de lienzos.
LENGUA f. Sistema de comunicación y expresión verbal propio de un pueblo o nación. // Badajo de la campana. // *Anat.* Organo muscular alojado en la boca, que contiene el sentido del gusto e interviene en la deglución y en la articulación de sonidos.
LENGUADO m. *Zool.* Pez pleuronéctido de cuerpo comprimido; tiene los ojos al mismo lado.
LENGUAJE m. Conjunto de sonidos articulados con que el hombre se expresa. // fig. Conjunto de señales que dan a entender una cosa.
LENGUARAZ adj. Deslenguado, atrevido en el hablar.
LENGÜETA f. Epiglotis. // Fiel de la balanza. // Laminilla movible que tienen algunos instrumentos músicos de viento.
LENIDAD f. Blandura en exigir el cumplimiento de los deberes o en castigar las faltas.
LENIFICAR tr. Suavizar, ablandar.
LENITIVO, VA adj. Que tiene la virtud de ablandar o suavizar.
LENTE f. Cristal limitado por dos superficies refringentes, por lo menos una de ella curva, y que suelen tener un mismo eje de simetía. Se usan para corregir ciertos defectos de visión.

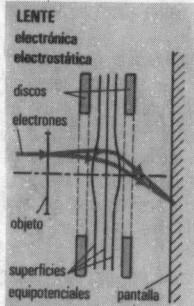

LENTE
electrónica
electrostática
discos
electrones
objeto
superficies
equipotenciales
pantalla

LENTEJA f. *Bot.* Planta leguminosa rica en albúmina y almidón.
LENTEJUELA f. Planchita de metal, de que se usa en los bordados.
LENTICULAR adj. Parecido en la forma a la semilla de la lenteja.
LENTISCO m. *Bot.* Arbusto de la fam. terebintáceas, de cuya corteza mana un zumo resinoso llamado almáciga.
LENTO, TA adj. Tardo y pausado. // Poco vigoroso y eficaz.
LEÑA f. Parte de los árboles y matas qe se destina para la lumbre. // Fig. y fam. Castigo, paliza.
LEÑO m. Trozo de árbol cortado y limpio de ramas. // Parte sólida de los árboles bajo la corteza.
LEÑOSO, SA adj. Díc. de la parte más consistente de los vegetales. // Que tiene dureza como la de la madera.
LEÓN m. *Zool.* Mamífero carnívoro de la fam. félidos; el macho tiene melena.
LEONADO, DA adj. De color rubio oscuro.
LEOPARDO m. *Zool.* Mamífero carnívoro (fam. félidos), de color amarillento con manchas negras.
LEPIDÓPTEROS m. pl. *Zool.* Insectos chupadores de metamorfosis complicada. Tienen cuatro alas membranosas cubiertas de escamas, como la mariposa y la polilla.
LEPORINO, NA adj. Perten. o rel. a la liebre.
LEPRA f. *Med.* Enfermedad bacteriana infecciosa que

produce máculas y nudosidades en la piel, destruye el tejido nervioso y causa mutilación de los miembros.

león en el Camerún (Panthera leo)

LERDO, DA adj. fig. Tardo y torpe para comprender o ejecutar algo.
LESBIANISMO m. Práctica homosexual entre mujeres.
LESIÓN f. Daño corporal causado por una herida, golpe o enfermedad. // fig. Cualquier daño o perjuicio.

leopardo (Felix pardus)

LESIONAR tr. y r. Causar lesión.
LESO, SA adj. Lastimado, ofendido. // Hablando del juicio, turbado, trastornado.
LETAL adj. Mortífero, capaz de ocasionar la muerte.
LETANÍA f. Rogativa que se hace invocando a Dios, la Virgen, los santos, etc.
LETARGO m. Estado patológico de somnolencia. // Estado de sopor, esp. el de muchos reptiles y otros animales durante ciertas épocas.
LETRA f. Cada uno de los signos que representan los sonidos y articulaciones del idioma. // Conjunto de las palabras puestas en música para que se canten. // Conjunto de ciencias humanísticas. // fig. y fam. Sagacidad, astucia.
LETRADO, DA adj. Sabio, docto. // m. Abogado.
LETRERO m. Palabra o conjunto de ellas para notificar o publicar algo.

LETRILLA f. Composición de versos cortos que suele ponerse en música.
LETRINA f. Retrete. // fig. Cosa sucia y asquerosa.
LEUCEMIA f. *Med.* Enfermedad de la sangre, caracterizada por una formación anormal de leucocitos.
LEUCOCITOS m. pl. *Fisiol.* Glóbulos blancos de la sangre y la linfa.
LEVA f. Recluta de gente para el servicio de un Estado.
LEVADURAS f. pl. *Bot.* Hongos unicelulares y microscópicos. Se emplean en la fermentación del pan, vino o cerveza.
LEVANTAMIENTO m. Acción y efecto de levantar o levantarse. // Sedición, alboroto popular. // Sublimidad.
LEVANTAR tr. y r. Mover de abajo hacia arriba algo. // Poner una cosa en lugar más alto que el que antes tenía. // Poner derecho lo que esté inclinado, tendido, etc. // tr. Recoger o quitar. // Construir, edificar. // Abandonar un sitio. // Dar mayor fuerza a la voz. // Hacer que cesen ciertas penas. // tr. y r. fig. Rebelar, sublevar. // Engrandecer, ensalzar. // Esforzar, vigorizar. // Imputar una cosa falsa.
LEVANTE m. Oriente. // Países de la parte oriental del Mediterráneo.
LEVANTISCO, CA adj. De genio inquieto y turbulento.
LEVAR tr. Arrancar o suspender el ancla fondeada.
LEVE adj. Ligero, de poco peso. // fig. De poca importancia.
LEVITA f. Prenda masculina de etiqueta, ceñida al cuerpo y larga hasta la rodilla.
LEVITACIÓN f. *Psicol.* Elevación de un objeto o de una persona en el aire sin apoyo aparente.
LÉXICO m. Diccionario de una lengua. // Caudal de voces, modismos y giros de un autor.
LEXICOGRAFÍA f. Arte de componer léxicos o diccionarios.
LEXICOLOGÍA f. Estudio de la significación y etimología de las palabras.
LEY f. Regla necesaria u obligatoria. // Religión. // Lealtad, fidelidad. // Cantidad de metal contenido en una mena. // Estatuto o condición establecida para un acto particular. // Precepto dictado por la suprema autoridad.
LEYENDA f. Relación de hechos más o menos fantásticos conocidos por la tradición. // Inscripción en moneda o medalla.
LEZNA f. Instrumento punzante, usado por los zapateros para coser o agujerear.
LÍA Soga de esparto machacado, tejida como trenza.
LIAR tr. Atar y asegurar con lías. // tr. y r. fig. y fam. Envolver a uno en un compromiso.
LIBACIÓN f. Acción de libar. // Rito pagano, que consistía en derramar un vaso de vino u otro licor en honor a una deidad.
LIBAR tr. Chupar el jugo de una cosa. // Hacer la libación. // Probar o gustar un licor.

LIBELO m. Escrito en que se denigra o infama a personas o cosas.
LIBÉLULA f. *Zool.* Insecto arquíptero con grandes alas membranosas para volar con rapidez.
LIBERAL adj. Que obra con liberalidad. // Díc. de la cosa hecha con ella. // adj. y s. Que profesa doctrinas favorables a la libertad política en los Estados.
LIBERALIDAD f. Generosidad, desprendimiento.
LIBERALISMO m. Orden de ideas que profesan los partidarios del sistema liberal. // Partido que entre sí forman.
LIBERALIZACIÓN f. Reducción de las barreras que se oponen al libre comercio a nivel internacional.
LIBERALIZAR tr. y r. Hacer liberal en el orden político a una persona o cosa.
LIBERAR tr. Eximir a uno de una obligación o cargo. // tr. y r. Libertar.
LIBERTAD f. Facultad natural del hombre para determinar espontáneamente sus actos // Estado o condición del que no es esclavo o no está preso. // Falta de sujeción y subordinación. // Facultad de hacer y decir cuanto no se oponga a las leyes ni a las buenas costumbres. // Prerrogativa, privilegio. // Licencia u osada familiaridad. // Desembarazo, franqueza.

La **LIBERTAD** guiando al pueblo, por Delacroix

LIBERTAR tr. Poner en libertad. // Librar a uno de algún mal.
LIBERTARIO, RIA adj. Que defiende la librtad absoluta.
LIBERTINAJE m. Desenfreno en las obras o en las palabras. // Irreligiosidad.
LIBERTINO, NA adj. y s. Apl. a la persona entregada al libertinaje. // m. y f. Hijo de liberto.
LIBERTO, TA m. y f. Esclavo a quien se ha dado libertad.
LIBÍDINE m. Lujuria, lascivia.
LIBIDINOSO, SA adj. Lujurioso.
LIBRA f. Peso antiguo que equivale según los países a 400 o 500 gramos. // Moneda cuyo valor varía según los países.
LIBRANZA f. Orden de pago que se da contra uno que tiene fondos a disposición del que la expide.
LIBRAR tr. y r. Sacar o preservar a uno de un mal. // tr. Expedir letras de cambio, cheques, etc. // intr. Parir la mujer.
LIBRE adj. Que goza de libertad. // Insubordinado. // Atrevido. // No sujeto. // Independiente. // Exento de daño o peligro.
LIBREA f. Traje que ciertas personas dan a sus criados.
LIBRECAMBIO m. Sistema que propugna el libre comercio entre naciones sin prohibición ni derechos de aduana.
LIBREPENSAMIENTO m. Doctrina que reclama para la razón individual independencia absoluta de todo dogma religioso.
LIBRERÍA f. Biblioteca. // Tienda donde se venden libros.
LIBRETA f. Cuaderno o libro pequeño con hojas en blanco.
LIBRETO m. Obra dramática escrita para ser puesta en música.
LIBRO m. Conjunto de muchas hojas de papel, gralte. impresas y que forman un volumen.
LICENCIA f. Facultad o permiso para hacer algo. // Abusiva libertad en decir u obrar. // Grado de licenciado.
LICENCIADO, DA Díc. de la persona que se precia de entendida. // Dado por libre. // m. y f. Persona que ha obtenido en una facultad el grado que habilita para ejercerla.
LICENCIAR tr. Dar permiso o licencia. // Conferir el grado de licenciado. // Dar a los soldados su licencia absoluta. // Hacerse licencioso.
LICENCIATURA f. Grado de licenciado. // Estudios para obtenerlo.
LICENCIOSO, SA adj. Libre, disoluto.
LICITAR tr. Ofrecer precio por una cosa en subasta o almoneda.

Simón **Bolívar**, por A. Salguero

LÍCITO, TA adj. Justo, permitido. // Que es de la ley o calidad que se manda.

LICOPODIO m. *Bot.* Planta criptógama. Vive en lugares húmedos y sombríos.

LICOR m. Cuerpo líquido. // Bebida alcohólica preparada sin fermentación.

LICUAR tr. y r. Hacer líquida una cosa sólida o gaseosa, liquidar. // tr. Fundir un metal sin derretir los demás elementos con que se encuentra combinado.

LID f. Combate, pelea. // fig. Disputa.

LÍDER m. Director, jefe de un partido político, de un grupo social, o de otra colectividad.

LIDIA f. Acción y efecto de lidiar.

LIDIAR intr. Batallar, pelear. // fig. Hacer frente a uno, oponérsele. // tr. Burlar al toro luchando con él hasta darle muerte.

LIEBRE f. *Zool.* Mamífero roedor de patas posteriores muy largas, de veloz carrera.

LIENDRE m. *Zool.* Huevecillos del piojo.

LIENZO m. Tela de lino, cáñamo o algodón. // Pintura que está sobre lienzo.

LIGA f. Cinta para asegurar las medias y los calcetines. // Venda o faja. // Materia viscosa usada para cazar pájaros. // Unión o mezcla. // Aleación. // Coalición, confederación entre Estados.

LIGADURA f. Vuelta que se da a una cosa apretando con alguna atadura. // fig. Sujeción con que una cosa está unida a otra.

LIGAMENTO m. Acción y efecto de ligar. // *Anat.* y *Zool.* Cordón fibroso elástico que liga las articulaciones de los huesos o sostiene cualquier órgano en su debida posición.

LIGAMIENTO m. Acción y efecto de ligar o atar.

LIGAR tr. Atar. // Alear. // Unir o enlazar. // intr. Confederarse, unirse para algún fin.

LIGEREZA f. Presteza, agilidad. // Levedad. // fig. Inconstancia. // Hecho o dicho irreflexivo.

LIGERO, RA adj. Que pesa poco. // Ágil, veloz. // Apl. al sueño que se interrumpe fácilmente. // fig. Inconstante.

LIGNITO m. *Mineral.* Carbón de piedra de formación posterior a la hulla, de época terciaria.

LIJA f. *Zool.* Pez selacio, de piel muy dura. Es muy voraz. // Papel con polvos o arenillas para lijar.

LIJAR tr. Alisar y pulir con lija.

LILA f. *Bot.* Arbusto ornamental de la fam. oleáceas, con ramilletes de flores moradas.

LILIÁCEAS f. pl. *Bot.* Fam. de plantas monocotiledóneas, con bulbo y fruto capsular, como la azucena.

LILIPUTIENSE adj. y s. fig. Díc. de la persona extremadamente pequeña o endeble.

LIMA f. Instrumento de acero estriado, usado para desgastar y alisar superficies de madera y metal.

LIMAR tr. Trabajar o pulir con la lima. // fig. Pulir una obra. // Debilitar.

LIMBO m. Lugar a donde, según la Iglesia católica, van las almas de los que sin uso de razón mueren antes de ser bautizados. // Borde de una cosa. // Contorno aparente de un astro.

LIMEÑO, ÑA adj. y s. Natural de Lima. // adj. Perten. a esta ciudad de América.

LIMITADO, DA adj. Díc. del que tiene corto entendimiento.

LIMITAR tr. Poner límites. // tr. y r. fig. Acortar. // intr. Lindar.

LÍMITE m. Término, confín o lindero. // fig. Fin, término.

LIMÍTROFE adj. Confinante, aledaño.

LIMO m. Cieno, barro.

LIMÓN m. *Bot.* Fruto del limonero; baya jugosa, de color amarillo.

LIMONERO m. *Bot.* Arbol de la fam. auranciáceas, cuyo fruto es el limón.

LIMOSNA f. Lo que se da a los pobre por caridad.

LIMPIAR tr. y r. Quitar la suciedad. // tr. fig. Purificar. // Podar. // fig. y fam. Hurtar.

LÍMPIDO, DA adj. poét. Limpio, puro, sin mancha.

LIMPIEZA f. Calidad de limpio. // Acción y efecto de limpiar o limpiarse. // fig. Pureza, castidad. // Honradez. // Precisión, destreza.

LIMPIO, PIA adj. Sin mancha o suciedad. // Que no tiene mezcla de otra cosa. // Que tiene el hábito del aseo. // fig. Libre, exento de cosa que dañe o inficione.

LINÁCEAS f. pl. *Bot.* Fam. de plantas dicotiledóneas, cuyo tipo es el lino.

LINAJE m. Ascendencia o descendencia de cualquier familia. // fig. Clase o calidad de una cosa.

LINAZA f. *Bot.* Simiente del lino.

LINCE m. *Zool.* Mamífero carnívoro de la fam. félidos, con mechones en las orejas. // m. y adj. De vista aguda. // fig. Persona sagaz.

lince

LINCHAR tr. Castigar, gralte., con la muerte, sin proceso y tumultuariamente, a un sospechoso.

LINDANTE adj. Que linda.

LINDAR intr. Estar contiguos dos territorios, terrenos o fincas.
LINDE amb. Límite. // Línea que divide unas heredades de otras.
LINDERO, RA adj. Que linda con una cosa. // m. Linde.
LINDEZA f. Calidad de lindo. // Hecho o dicho gracioso.
LINDO, DA adj. Hermoso y grato a la vista. // fig. Bueno, perfecto, primoroso.
LÍNEA f. *Geom.* Extensión considerada en una sola de sus tres dimensiones: la longitud. // Raya de un cuerpo cualquiera. // Renglón. // Clase, género, especie. // Serie de personas enlazadas por un parentesco. // Frente donde combaten dos ejércitos. // fig. Término, límite. // Conjunto de hilos conductores para transportar la energía eléctrica.
LINEAL adj. Perten. a la línea. // Apl. al dibujo en que sólo se emplean líneas.
LINFA f. Líquido que circula por el interior de los vasos linfáticos.
LINFÁTICO, CA adj. Perten. o rel. a la linfa.
LINGOTE m. Barra de metal en bruto. // Masa sólida que se obtiene vaciando el metal líquido en un molde.
LINGUAL adj. Perten. a la lengua.
LINGÜÍSTICA f. Ciencia que estudia el lenguaje desde todos los posibles aspectos.
LINGÜÍSTICO, CA adj. Perten. o rel. a la lingüística. // Perten. o rel. al lenguaje.
LINIMENTO m. Medicamento balsámico usado para fricciones.
LINO m. Fibra vegetal obtenida de plantas de la fam. liliáceas.
LINÓLEO o **LINÓLEUM** m. *Quím.* Material elástico e impermeable para cubrir pavimentos.
LINOTIPIA f. Máquina con teclado de escribir, para preparar la composición de la imprenta.
LINTERNA f. Farol portátil.
LÍO m. Porción de cosas atadas. // fig. y fam. Embrollo.
LIOSO, SA adj. fam. Embrollador. Díc. también de las cosas.
LIQUEN m. *Bot.* Criptógama inferior, talofita, constituída por la simbiosis de un alga y un hongo.
LIQUIDACIÓN f. Acción y efecto de liquidar o liquidarse. // Venta por menor y con rebaja de precios que hace un comercio.
LIQUIDAR tr. y r. Hacer líquida una cosa sólida o gaseosa. // tr. fig. Hacer el ajuste formal de una cuenta. // Poner fin a una cosa. // Vender en liquidación.
LIQUIDEZ f. Calidad de líquido.
LÍQUIDO, DA adj. y s. m. Estado de agregación de la materia cuya forma depende del recipiente que lo contiene.
LIRA f. *Mús.* Antiguo instrumento de cuerda semejante a la cítara. // Estrofa de cinco versos, tres heptasílabos y dos endecasílabos.
LIRA f. Moneda italiana de plata.

LÍRICO, CA adj. Apl. al género de poesía que expresa los sentimientos personales del autor.
LIRIO m. *Bot.* Planta liliácea de la fam. iridáceas, con flores blancas o azules, etc.
LIRISMO m. Cualidad de lírico, inspiración lírica.
LIRÓN m. *Zool.* Mamífero roedor de costumbres nocturnas; adormecido y oculto gran parte del año.
LIS f. Lirio.
LISA f. *Zool.* Pez acantopterigio marino. // Pez malacopterigio de agua dulce.
LISIAR tr. y r. Producir lesión en alguna parte del cuerpo.
LISO, SA adj. Igual, sin tropiezo ni aspereza; sin adornos ni realces. // De un solo color.
LISONJA f. Alabanza afectada.
LISONJEAR tr. Adular. // tr. y r. Dar motivo de envanecimiento. // fig. Deleitar, agradar.
LISTA f. Tira de papel, tela, etc. // Raya. // Relación de nombres de personas, cosas, etc.
LISTEZA f. Calidad de listo.
LISTO, TA adj. Diligente, pronto, expedito. // Apercibido, preparado. // Sagaz, avisado.
LISTÓN m. Cinta de seda angosta. // Pedazo de tela angosto.
LISURA f. Calidad de liso. // fig. Sinceridad.
LITERA f. Cama estrecha que se usa en los barcos, trenes, etc.
LITERAL adj. Sentido primario y propio de las palabras. // Díc. de la traducción en la que se respeta el texto original palabra por palabra.
LITERARIO, RIA adj. Perten. o rel. a la literatura.
LITERATO, TA adj. y s. Díc. de la persona que cultiva algún ramo literario.
LITERATURA f. Arte bello que emplea como instrumento la palabra. // Conjunto de las producciones literarias de una nación, de una época o de un género.
LITIASIS f. *Med.* Formación de cálculos en las vías excretoras de glándulas u órganos.
LÍTICO, CA adj. Perten. o rel. a la piedra.
LITIGAR tr. Pleitear, disputar en juicio sobre algo. // intr. fig. Altercar, contender.
LITIGIO m. Pleito, contienda judicial. // fig. Disputa.
LITIO m. *Quím.* Metal alcalino blando y de color blanco plateado.
LITÓFAGO, GA adj. *Zool.* Díc. de los moluscos que perforan las rocas para obtener alojamiento.
LITOGRAFÍA f. Dibujo o grabado en piedra para reproducirlo después.
LITOLOGÍA f. Rama de la geología que estudia las rocas.
LITORAL adj. Perten. a la orilla o costa del mar. // m. Costa de un mar, país o territorio.
LITOSFERA f. *Geol.* Capa más externa de la Tierra o corteza terrestre.
LITRO m. Medida de capacidad cuyo contenido es un decímetro cúbico.
LITURGIA f. Culto oficial de la Iglesia católica.

LIVIANDAD f. Calidad de liviano. // fig. Acción liviana.

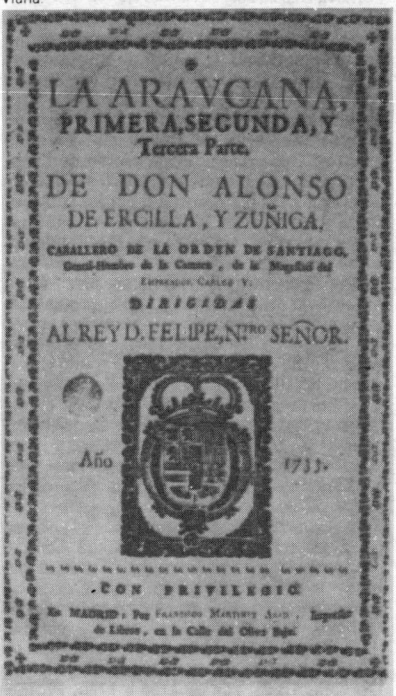

A. de Ercilla: La Araucana, portada s. XVII

LIVIANO, NA adj. De poco peso. // fig. Fácil, inconstante. // De poca importancia. // Lascivo.
LÍVIDO, DA adj. Amoratado, que tira a morado.
LIZA f. Campo dispuesto para que lidien dos o más personas. // Lid.
LO *Gram.* Artículo determinado en género neutro. // Acusativo del pron. pers. de tercera pers., en gén. masculino o neutro y núm. singular
LOA f. Acción y efecto de loar o alabar. // Preámbulo de una obra teatral.
LOAR tr. Alabar.
LOBATO m. Cachorro de lobo.
LOBEZNO m. Lobato.
LOBO m. *Zool.* Mamífero carnívoro de la fam. cánidos, de aspecto de perro.
LÓBREGO, GA adj. Oscuro, tenebroso. // fig. Triste, melancólico.
LOBREGUEZ f. Oscuridad.
LOBULADO, DA adj. En figura de lóbulo. // Que tiene lóbulos.
LÓBULO m. Parte saliente y redondeada de un órgano u otra cosa.
LOCAL adj. Perten. al lugar. // Municipal o provincial, por oposición a general o nacional. // m. Sitio cerrado y cubierto.

LOCALIZAR tr. y r. Fijar, encerrar en límites determinados. // tr. Averiguar el lugar en que se halla algo.
LOCATIVO, VA adj. Perten. o rel. al contacto de locación o arriendo.
LOCIÓN f. Acción y efecto de lavar. // Producto para la limpieza del caballo.
LOCO, CA adj. y s. Que ha perdido la razón. // De poco juicio, disparatado, imprudente. // fig. Que excede en mucho a lo ordinario.
LOCOMOCIÓN f. Traslación de un punto a otro.
LOCOMOTOR, RA adj. Propio para la locomoción.
LOCOMOTORA f. Máquina de tiro de los ferrocarriles.

locomotora de vapor norteamericana (hacia 1880)

locomotora de Stephenson en la línea Manchester-Liverpool (1830)

LOCOMOTORAS

LOCUACIDAD f. Calidad de locuaz.
LOCUAZ adj. Que habla mucho.
LOCUCIÓN f. Modo de hablar. // Grupo de palabras que forman sentido, frase.
LOCURA f. Privación del juicio o del uso de la razón. // Acción inconsiderada o gran desacierto. // fig. Exaltación del ánimo.
LOCUTOR, RA m. y f. Persona que habla ante el micrófono.
LOCUTORIO m. Departamento que en los conventos y en las cárceles se usa para recibir visitas.
LODAZAL m. Paraje lleno de lodo.
LODO m. Mezcla de tierra y agua, esp. la que resulta de las lluvias en el suelo.
LOGANIÁCEAS f. pl. *Bot.* Fam. de plantas angiospermas de hojas opuestas y fruto en cápsula o drupa, como el maracure.

251

LOGARITMO m. *Mat.* Exponente a que es necesario elevar una cantidad positiva para que resulte un número determinado.
LOGIA f. Local donde se celebran asambleas de francmasones. // Asamblea de francmasones.
LÓGICA f. Ciencia que estudia la estructura formal del pensamiento inferente y, en especial, de las argumentaciones teóricas.
LÓGICO, CA adj. Perten. a la lógica. // adj. y s. Que la estudia y sabe. // adj. Díc. de lo que es consecuencia natural de ciertos antecedentes.
LOGÍSTICA f. Ciencia de la guerra, estrategia.
LOGRAR tr. Conseguir lo que se intenta o desea. // r. Llegar a su perfección una cosa.
LOGRO m. Acción y efecto de lograr. // Ganancia, lucro.
LOMA f. Altura pequeña y prolongada.
LOMBARDA f. Cañón antiguo de gran calibre. // Variedad de berza semejante al repollo.
LOMBRIZ f. *Zool.* Gusano de cuerpo blanco y cilíndrico, que vive en los terrenos húmedos.
LOMO m. Parte inferior y central de la espalda. // En los cuadrúpedos, todo el espinazo desde la cruz hasta las ancas. // Parte del libro opuesta al corte de las hojas. // En los instrumentos cortantes, la parte opuesta al filo.
LONA f. Tela fuerte de algodón o cáñamo, para velas de navío, toldos, etc.
LONDINENSE adj. y s. Natural de Londres. // adj. Perten. a esta ciudad de Inglaterra.
LONGÁNIMO, MA adj. Magnánimo.
LONGANIZA f. Embutido delgado hecho de carne de cerdo picada y adobada.
LONGEVIDAD f. Largo vivir.
LONGEVO, VA adj. Muy anciano o de larga edad.
LONGITUD f. La mayor de las dimensiones que se consideran en las cosas o figuras planas.

LONGITUD

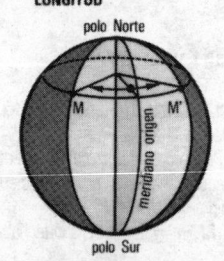

polo Norte
M
M'
meridiano origen
polo Sur

M: 45° longitud Oeste
M': 45° longitud Este

LONGITUDINAL adj. Perten. a la longitud; hecho o colocado en el sentido o dirección de ella.
LONJA f. Parte larga, ancha y poco gruesa, que se corta o separa de otra.
LONJA f. Edificio público donde se juntan los comerciantes para sus tratos y comercios.
LONTANANZA f. Términos de un cuadro más distantes del plano principal.
LOOR m. Elogio, alabanza.
LORANTÁCEAS f. pl. *Bot.* Fam. de plantas parásitas siempre verdes, como el muérdago.
LORD m. Título de honor que se da en Inglaterra a los individuos de la alta nobleza.
LORIGA f. Armadura tomada de pequeñas láminas de acero imbricadas.
LORO m. *Zool.* Papagayo.
LOSA f. Piedra llana y de poco grueso, que sirve para solar y otros usos. // Sepulcro.
LOSETA f. Baldosa.
LOTE m. Cada una de las partes en que se divide un todo para su distribución.
LOTERÍA f. Especie de rifas que se hacen con mercaderías, billetes, dinero y otras cosas, con autoridad pública.

Vendedor de **lotería**, por Cortés (Granada)

LOTO m. *Bot.* Planta acuática de la fam. ninfeáceas, de grandes flores y hojas en forma de escudo.
LOZA f. Barro fino, cocido y barnizado, con el que se realizan vasijas, platos, etc.
LOZANÍA f. Verdor y frondosidad en las plantas. // Viveza, gallardía. // Orgullo, altivez.
LOZANO, NA adj. Que tiene lozanía.
LUBINA f. *Zool.* Pez marino acantopterigio. Su mandíbula inferior es más larga que la superior.
LUBRICANTE o **LUBRIFICANTE** adj. y s. m. Díc. de la sustancia que sirve para lubricar.
LUBRICAR o **LUBRIFICAR** tr. hacer lúbrica o

resbaladiza una cosa.
LUBRICIDAD f. Calidad de lúbrico.
LÚBRICO, CA adj. Resbaladizo. // fig. Propenso a la lujuria. // Libidinoso, lascivo.
LUCENSE adj. natural de Lugo. // Perten. a esta ciudad.
LUCERNA f. Araña grande para alumbrar.
LUCERO m. El planeta Venus. // Cualquier astro brillante.
LÚCIDO, DA adj. poét. Luciente. // fig. Claro en el razonamiento, en el estilo, etc.
LUCIDO, DA adj. Que hace las cosas con gracia y liberalidad.
LUCIÉRNAGA f. Zool. Insecto coleóptero cuyo abdomen despide una luz fosforescente.
LUCIMIENTO m. Acción y efecto de lucir o lucirse.
LUCIO m. Zool. Pez acantopterigio de agua dulce, muy voraz.
LUCIO, CIA adj. Terso, lúcido.
LUCIR intr. Brillar, resplandecer. // fig. Corresponder el provecho al trabajo. // tr. Iluminar, comunicar luz y claridad. // Manifestar, hacer ostentación de algo. // Enlucir. // r. Vestirse con esmero.
LUCRAR tr. Lograr uno lo que desea. // r. Sacar provecho de un negocio o encargo.
LUCRATIVO, VA adj. Que produce utilidad y ganancia.
LUCRO m. Ganancia o provecho que se saca de algo.
LUCTUOSO, SA adj. Triste y digno de llanto.
LUCUBRAR tr. Trabajar velando y con aplicación en obras de ingenio.
LUCHA f. Pelea entre dos, cuerpo a cuerpo. // Lid, combate. // fig. Contienda, disputa.
LUCHAR intr. Contender dos personas a brazo partido. // Pelear, combatir. // fig. Disputar, abrirse paso en la vida.
LÚDICO, CA adj. Rel. o perten. al juego.
LUDIR tr. Frotar, estregar.
LUEGO adv. t. Pronto, sin dilación. // Después. // Conj. ilat. que denota deducción o consecuencia.
LUENGO, GA adj. Largo.
LUGAR m. Espacio que ocupa o puede ocupar un cuerpo. // Sitio o paraje. // Ciudad, villa o aldea. // Tiempo, ocasión, oportunidad. // Puesto, empleo.
LUGAREÑO, ÑA adj. y s. Natural de un lugar o población pequeña. // Que lo habita.
LUGARTENIENTE m. El que tiene autoridad y poder para hacer las veces de otro en un cargo.
LÚGUBRE adj. Triste, funesto, melancólico.
LUJO m. Demasía en el adorno, en la pompa y en el regalo.
LUJOSO, SA adj. Que tiene o gasta lujo.
LUJURIA f. Vicio o apetito desordenado de los deleites carnales. // Demasía en algunas cosas.
LUJURIANTE adj. Que lujuria. // Muy lozano. // Muy abundante.
LUJURIOSO, SA adj. y s. Dado a la lujuria.

LULISMO m. Sistema filosófico de Ramón Llull.
LUMBAGO m. Med. Dolor vivo de la musculatura lumbar.
LUMBAR adj. Anat. Perten. a los lomos y caderas.
LUMBRE f. Materia combustible encendida. // Luz de los cuerpos en combustión.
LUMBRERA f. Cuerpo luminoso. // Abertura por donde entra la luz. // fig. Persona insigne y esclarecida.
LUMEN m. Unidad de flujo luminoso.
LUMINAR m. Cualquiera de los astros que despiden luz y claridad. // fig. Persona de mucha virtud.
LUMINARIA f. Luz que se pone en ventanas, balcones, etc. // Luz que arde en las iglesias delante del Santísimo Sacramento.
LUMÍNICO, CA adj. Perten. o rel. a la luz.
LUMINISCENCIA f. Fis. Emisión de luz sin desprendimiento de calor.
LUMINOSO, SA adj. Que despide luz.
LUNA f. Satélite de la Tierra. // Lámina gruesa de cristal o vidrio. // Espejo de vidrio. // Cristal de los anteojos.

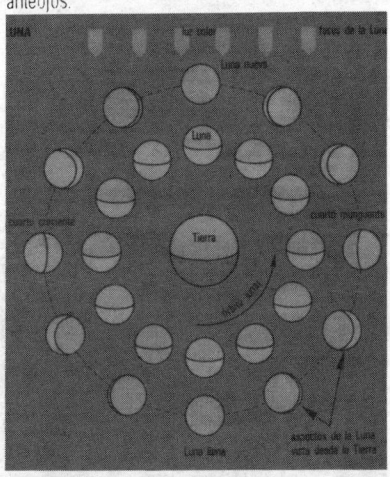

Fases de la LUNA

LUNACIÓN f. Tiempo comprendido entre dos lunas nuevas consecutivas.
LUNAR m. Pequeña mancha natural en cualquier parte del cuerpo.
LUNAR adj. Perten. a la Luna.
LUNÁTICO, CA adj. y s. Que padece locura, no continua, sino a intervalos.
LUNETA f. Lente de los anteojos.
LUPA f. Opt. Lentes de aumento.
LÚPULO m. Bot. Planta trepadora de las cannabáceas, cuyos frutos desecados se emplean para dar sabor a la cerveza.
LUSITANO, NA adj. y s. Natural de la Lusitania. // Portugués.

LUSO, SA adj. y s. Lusitano.
LUSTRAR tr. Dar lustre o brillo a una cosa.
LUSTRE m. Brillo de las cosas tersas o bruñidas. // fig. Esplendor, gloria.
LUSTRO m. Espacio de cinco años.
LUSTROSO, SA adj. Que tiene lustre.
LUTERANO, NA adj. y s. Que profesa la doctrina de Lutero.
LUTO m. Signo exterior de aflicción por la muerte de una persona. // Vestido negro que se usa por la muerte de uno. // Pena, aflicción.
LUXACIÓN f. *Med.* Dislocación de un hueso.
LUXAR tr. y r. Dislocar un hueso.
LUZ f. Agente físico que hace visible los objetos.

LL

LL f. Decimocuarta letra del abecedario español y undécima de sus consonantes. Su nombre es *elle*.
LLAGA f. Úlcera. // fig. Cualquier daño o infortunio.
LLAGAR tr. Hacer o causar llagas.
LLAMA f. Masa gaseosa en combustión, que se eleva de los cuerpos que arden, y despiden luz de vario color. // fig. Fuerza de una pasión.
LLAMA f. *Zool.* Mamífero artiodáctilo de la fam. camélidos, propio de América Meridional.

LLAMEAR intr. Echar llamas.
LLANADA f. Campo llano.
LLANERO, RA m. y f. Habitante de las llanuras.
LLANEZA f. fig. Sencillez.
LLANO, NA adj. Sin altos ni bajos. // Allanado, conforme. // fig. Sencillo, sin presunción. // Libre, franco. // Claro, evidente. // Aplicado a las palabras, grave.
LLANTA f. Cerco de hierro o de acero que rodea las ruedas de los vehículos.
LLANTÉN m. *Bot.* Planta herbácea vivaz de la fam. plantagináceas, propia de lugares húmedos.
LLANTO m. Efusión de lágrimas.
LLANURA f. Terreno igual y extenso, sin altos ni bajos.
LLAVE f. Instrumento metálico para abrir o cerrar una cerradura. // Instrumento que sirve para impedir o facilitar el paso de un fluido por un conducto. // En la lucha atlética, movimiento para agarrar e inmovilizar al contrario.
LLEGADA f. Acción y efecto de llegar.
LLEGAR intr. Venir, arribar de un sitio o paraje a otro. // Conseguir el fin a que se aspira. // Tocar, alcanzar una cosa. // Verificarse, venir el tiempo de ser o hacerse una cosa. // r. Ir a un paraje cercano.
LLENAR tr. y r. Ocupar con alguna cosa un espacio vacío. // tr. fig. Parecer bien, satisfacer una cosa. //

rebaño de **llamas** en el Altiplano andino

LLAMADA f. Acción y efecto de llamar.
LLAMAR tr. Dar voces a uno o hacer ademanes para advertirle alguna cosa. // Convocar, citar. // Nombrar, apellidar. // intr. Hacer sonar la aldaba, un timbre, etc. // r. Tener tal o cual nombre.
LLAMARADA f. Llama que se levanta del fuego y se apaga de pronto.
LLAMATIVO, VA adj. fig. Que llama la atención exageradamente.

Fecundar el macho a la hembra. // Colmar abundantemente. // r. fam. Hartarse de comida o bebida.
LLENO, NA adj. Ocupado o henchido de otra cosa. // m. Concurrencia que ocupa todas las localidades de un espectáculo.
LLEVADERO, RA adj. Tolerable.
LLEVAR r. Transportar una cosa de una parte a otra. // Percibir el precio de los derechos de una cosa. // Tolerar, sufrir. // Persuadir a uno. // Guiar, conducir.

// Traer puesta la ropa, o cosas en los bolsillos, etc.
LLORAR intr. y tr. Derramar lágrimas. // fig. Caer un líquido gota a gota. // tr. fig. Sentir vivamente una cosa.
LLORERA f. Lloro fuerte y continuado.
LLORIQUEAR intr. Llorar sin fuerza y sin bastante causa.
LLORO m. Acción de llorar.
LLORÓN, NA adj. y s. Que llora mucho y fácilmente.
LLOVER intr. y tr. Caer agua de las nubes. // fig. Caer sobre uno con abundancia una cosa.
LLOVIZNA f. Lluvia menuda.
LLOVIZNAR intr. Caer llovizna.
LLUVIA f. Acción de llover. // fig. Copia o abundancia.
LLUVIOSO, SA adj. Apl. al tiempo o al país en que llueve mucho.

M

M f. Decimoquinta letra del abecedario español, y duodécima de sus consonantes. Su nombre es eme. // *Metrol.* Símbolo del metro.
MACABRO, BRA adj. Que participa de la fealdad de la muerte.

la danza **macabra**, grabado de Durero

MACACO m. *Zool.* Mono cercopitécido. Tiene cola, hocico saliente y frente deprimida.
MACANA f. Especie de machete que usaban los indios americanos // fig. Artículo de comercio de difícil venta.
MACANUDO, DA adj. fam. *Amer.* Bueno, magnífico, excelente.
MACARRÓN m. Pasta alimenticia hecha con gluten de trigo en figura de tubos.
MACARRONEA f. Composición burlesca en verso, donde se mezclan palabras latinas y palabras vulgares con terminación latina.
MACARRÓNICO, CA adj. Apl. a la macarronea, al latín muy defectuoso y a la lengua vulgar usada incorrectamente.

MACARSE r. Empezar a pudrirse las frutas por los golpes recibidos.
MACERAR tr. Ablandar una cosa, estrujándola, golpeándola o manteniéndola sumergida en un líquido. // tr. y r. fig. Mortificar la carne con penitencias.
MACETA f. Vaso de barro cocido, que sirve para criar plantas.
MACILENTO, TA adj. Flaco, descolorido, triste.
MACIZO, ZA adj. y s. m. Lleno, sólido. // Prominencia rocosa, conjunto de montañas.
MACRO- Forma prefija del griego *makrós*, grande.
MACROBIÓTICA f. Arte de vivir muchos años.
MACROCOSMO o **MACROCOSMOS** m. El universo, esp. considerado como un ser semejante al hombre o microcosmos.
MACRUROS m. pl. *Zool.* Crustáceos decápodos, con el abdomen alargado y bien desarrollado.
MÁCULA f. Mancha.
MACULAR tr. Poner sucia una cosa.
MACUTO m. Mochila de soldado.
MACHACAR tr. Golpear una cosa. // Reducirla a fragmentos. // intr. fig. Porfiar e insistir pesadamente sobre una cosa.
MACHACONERÍA f. fam. Pesadez.
MACHADA f. Valentía. // Necedad.
MACHETE m. Arma más corta que la espada. // Cuchillo grande.
MACHIHEMBRAR tr. Ensamblar dos piezas de madera a caja y espiga o a ranura y lengüeta.
MACHO m. Animal del sexo masculino. // Mulo. // Pieza que entra dentro de otra; como el tornillo en la tuerca. // adj. fig. Fuerte.
MACHUCAR tr. Golpear o machacar.
MADEJA f. Hilo recogido en vueltas iguales para que se pueda devanar fácilmente. // fig. Mata de pelo.
MADERA f. Parte sólida de los árboles debajo de la corteza. // fig. y fam. Talento de las personas para determinada actividad.

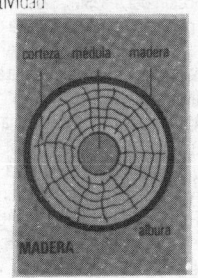

MADERABLE adj. Apl. al árbol, bosque, etc., que da madera útil para las construcciones.
MADERAJE o **MADERAMEN** m. Conjunto de maderas de una obra.
MADERO m. Pieza larga de madera. // fig. Nave, buque.
MADRASTRA f. Mujer del padre respecto de los hijos

llevados por éste al matrimonio.
MADRE f. Hembra que ha parido. // Hembra respecto de sus hijos. // Título que se da a las religiosas. // fig. Causa, origen de donde proviene una cosa. // Terreno por donde corren las aguas de un río o arroyo.
MADREPERLA f. *Zool.* Nombre de distintas especies de moluscos lamelibranquis capaces de elaborar perlas.
MADRÉPORA f. *Zool.* Pólipo de los mares intertropicales, que forma colonias ramificadas con su esqueleto pétreo, arborescente y poroso.
MADRESELVA f. *Bot.* Arbusto trepador de la fam. caprifoliáceas, de flores olorosas.
MADRIGAL m. Breve composición lírica de tema amoroso.
MADRIGUERA f. Cuevecilla en que habitan ciertos animales, esp. los conejos.
MADRINA f. Mujer que presenta o asiste a otra persona al recibir ésta algún sacramento o algún honor grado, etc. // fig. La que favorece o protege a otra persona.
MADROÑO m. *Bot.* Arbusto de la fam. ericáceas, cuyo fruto es una baya esférica, roja por fuera y amarilla por dentro.
MADRUGADA f. El alba, el amanecer // Acción de madrugar.
MADRUGAR intr. Levantarse muy temprano. // fig. Ganar tiempo.
MADURAR tr. Dar sazón a los frutos. // fig. Meditar una idea, un proyecto, etc. // intr. Ir sazonándose los frutos. // fig. Crecer en edad, juicio y prudencia.
MADUREZ f. Sazón de los frutos. // fig. Buen juicio o prudencia con que el hombre se gobierna.
MADURO, RA adj. Que está en sazón. // fig. Prudente, juicioso. // Dicho de persona, entrada en años.
MAESTRANZA f. Sociedad cuyo instituto era ejercitarse en la equitación.
MAESTRAZGO m. Dignidad de maestre. // Territorio de la jurisdicción del maestre.
MAESTRE m. Superior de cualquiera de las órdenes militares.
MAESTRESALA m. Criado que asistía a la mesa de un señor y distribuía en ella la comida.
MAESTRÍA f. Destreza en ejecutar una cosa. // Título de maestro.
MAESTRO, TRA adj. Díc. de la obra perfecta en su clase. // m. y f. Persona que enseña una ciencia, arte u oficio. // Experto en una materia. // Compositor de música.
MAGDALENA f. Bollo pequeño de varias formas, parecido al bizcocho.
MAGENTA adj. y s. m. Díc. del color carmesí oscuro.
MAGIA f. Ciencia o arte que enseña a hacer cosas extraordinarias y admirables. // fig. Encanto, atractivo con que una cosa deleita.
MAGIAR adj. y s. Díc. de un pueblo que habita en Hungría y Transilvania. // adj. Perten. a los magiares.
// m. Lengua hablada por los magiares.
MÁGICO, CA adj. Perten. a la magia // Maravilloso, estupendo.
MAGÍN m. fam. Imaginación.
MAGISTERIO m. Enseñanza y gobierno que el maestro ejerce sobre sus discípulos. // Título o grado de maestro. // Profesión de maestro. // Conjunto de maestros de una nación, provincia, etc.
MAGISTRADO m. Superior en el orden civil, y más comúnmente ministro de justicia. // Dignidad de juez o ministro superior.
MAGISTRAL adj. Perten. al ejercicio del magisterio. // Díc. de lo que se hace con maestría.
MAGISTRATURA f. Oficio de magistrado. // Tiempo que dura.
MAGMA m. *Geol.* Masa rocosa total o parcialmente fundida, que se encuentra en el interior de la Tierra.
MAGNANIMIDAD f. Grandeza y elevación de ánimo.
MAGNÁNIMO, MA adj. Que tiene magnanimidad.
MAGNATE m. Persona muy ilustre y principal por su cargo y poder.
MAGNESIA f. *Quim.* Oxido de magnesio.
MAGNESIO m. *Quim.* Metal alcalinotérreo, de símbolo Mg. Es blanco, argénteo, maleable y dúctil.
MAGNÉTICO, CA adj. Perten. a la piedra imán. // Que tiene las propiedades del imán.
MAGNETISMO m. Conjunto de fenómenos producidos por cierto género de corrientes eléctricas.
MAGNETIZAR tr. Comunicar a un cuerpo la propiedad magnética. // Hipnotizar.
MAGNETO m. Generador de electricidad de alta tensión, usado para el encendido de los motores de explosión.
MAGNETÓFONO m. *Electrotec.* Aparato que registra y reproduce los sonidos por imantación de una cinta de material ferromagnético.
MAGNICIDIO m. Muerte violenta dada a una persona muy principal.
MAGNIFICAR tr. y r. Engrandecer, alabar, ensalzar.
MAGNIFICIENCIA f. Liberalidad, disposición para grandes empresas. // Ostentación.
MAGNÍFICO, CA adj. Espléndido, suntuoso. // Excelente, admirable. // Título de honor.
MAGNITUD f. Tamaño de un cuerpo. // fig. Grandeza, importancia de una cosa. // *Astron.* Valor numérico que se asigna a cada astro de acuerdo con su luminosidad.
MAGNO, NA adj. Grande, ilustre.
MAGNOLIA f. *Bot.* Planta arbórea de grandes flores blancas o rojas y muy olorosas.
MAGO, GA adj. y s. Que ejerce la magia.
MAGRO, GRA adj. Flaco o enjuto, con muy poca grosura.
MAGULLAR tr. y r. Causar a un cuerpo contusión, pero no herida.
MAHOMETANO, NA adj. y s. Que profesa la religión de Mahoma, o pertenece a ella.

MAITINES m. pl. Primera de las horas canónicas.
MAÍZ m. *Bot.* Planta de la fam. gramíneas, de tallo erecto y grueso, cuyo fruto es una mazorca de grano liso y de color amarillo a rojizo, según la variedad.
MAIZAL m. Tierra sembrada de maíz.
MAJADA f. Lugar donde se recoge de noche el ganado. // Estiércol de los animales.
MAJADERÍA f. Dicho o hecho necio.
MAJADERO, RA adj. y s. Necio.
MAJAR tr. Machacar. // fig. y fam. Molestar, cansar.
MAJESTAD f. Condición de una persona o cosa que inspira admiración y respeto. // Tratamiento que se da a Dios, a reyes, etc.
MAJESTUOSO, SA adj. Que tiene majestad.
MAL adj. Apócope de malo. U. antepuesto al sustantivo masculino. // m. Negación del bien; lo contrario al bien. // Daño u ofensa. // Desgracia. // Enfermedad.
MAL adv. m. Contrariamente a lo que es debido; desacertadamente.
MALABARISMO m. fig. Arte de juegos de destreza y agilidad.
MALACOPTERIGIOS m. pl. *Zool.* Peces teleósteos, de aletas blandas y sin radios espinosos.
MALANDANZA f. Desgracia.
MALANDRÍN, NA adj. y s. Maligno, perverso, bellaco.
MALAQUITA f. *Mineral.* Carbonato básico de cobre, de color verde, gralte. asociado a la azurita.
MALAR adj. Perten. a la mejilla.
MALARIA f. *Med.* Paludismo.
MALAVENTURA f. Desgracia.
MALAYO, YA adj. y s. Díc. del individuo perten. a una raza que habita en la península de malaca, islas de la Sonda y Oceanía Occidental. // m. Lengua malaya.
MALBARATAR tr. Vender la hacienda a bajo precio. // Disiparla.
MALCARADO, DA adj. Que tiene mala cara o aspecto repulsivo.
MALCRIADO, DA adj. Falto de buena educación, descortés.
MALCRIAR tr. Educar mal.
MALDAD f. Calidad de malo. // Acción mala e injusta.
MALDECIR tr. Echar maldiciones. // intr. Hablar en prejuicio de alguno, denigrándole.
MALDICIÓN f. Imprecación que se dirige contra una persona o cosa.
MALDITO, TA adj. Perverso. // adj. y s. Condenado por la justicia divina. // adj. De mala calidad.
MALEABLE adj. Apl. a los metales que pueden batirse y extenderse en planchas o láminas.
MALEANTE adj. Que malea o daña. // adj. y s. Burlador, maligno.
MALEAR tr. y r. Dañar, echar a perder una cosa. // fig. Pervertir.
MALECÓN m. Terraplén para contener las crecidas de las aguas.
MALEDICENCIA f. Acción de maldecir, denigrar.

MALEFICENCIA f. Costumbre de hacer mal.
MALEFICIO m. Daño causado por arte de hechicería. // Hechizo.
MALÉFICO, CA adj. Que perjudica. // Capaz de ocasionar daño.
MALENTENDER tr. Entender o interpretar equivocadamente.
MALESTAR m. Desazón, incomodidad.
MALETA f. Cofre que sirve para guardar ropa u otras cosas y se puede llevar a mano. // m. fam. El que practica con torpeza su profesión.
MALEVOLENCIA f. Malquerencia.
MALÉVOLO, LA adj. y s. Perverso.
MALEZA f. Abundancia de hierbas perjudiciales en los sembrados. // Espesura de arbustos.
MALFORMACIÓN f. *Med.* Deformidad congénita.
MALGACHE adj. y s. Natural de la isla de Madagascar.
MALGASTAR tr. Desperdiciar, emplear mal el dinero, el tiempo, etc.
MALHADADO, DA adj. Infeliz.
MALHECHOR, RA adj. y s. Que comete delito, esp. por hábito.
MALHERIR tr. Herir gravemente.
MALHUMORAR tr. y r. Poner a uno de mal humor.
MALICIA f. Maldad. // Inclinación a lo malo. // Perversidad. // Bellaquería con que se hace o dice una cosa. // Propensión a pensar mal. // Sagacidad.
MALICIAR tr. y r. Recelar, sospechar. // Malear.
MALIGNO, NA adj. y s. Propenso a pensar u obrar mal. // adj. De índole perniciosa.
MALMETER tr. Malbaratar. // Inducir a hacer cosas malas. // Malquistar.
MALO, LA adj. Que carece de la bondad que debe tener según su naturaleza. // Nocivo a la salud. // Que se opone a la razón o a la ley. // Enfermo. // Dificultoso. // Desagradable. // fam. Travieso. // Deteriorado. // adj. y s. Que es de mala vida y costumbre.
MALOGRAR tr. Perder, no aprovechar una cosa. // r. Frustrarse lo que se pretendía. // No llegar una persona o cosa a su natural desarrollo.
MALOLIENTE adj. Que exhala mal olor.
MALPARAR r. Maltratar, poner en mal estado.
MALPARIR intr. Abortar.
MAPENSADO, DA adj. y s. Que se inclina gralte. a pensar mal.
MALQUERENCIA f. Mala voluntad.
MALQUISTAR tr. y r. Poner mal a uno con otro u otros.
MALSANO, NA adj. Dañoso a la salud. // Enfermizo.
MALTA f. Cebada germinada artificialmente y tostada, para la fabricación de la cerveza.
MALTRAER tr. Maltratar, injuriar.
MALTRATAR tr. y r. Tratar mal. // tr. Menoscabar.
MALTRECHO, CHA adj. Maltratado.
MALTHUSIANISMO m. *Econ.* Teoría de Malthus que preconiza la restricción voluntaria de la procreación.

MALVA f. *Bot.* Planta herbácea de la fam. malváceas. Sus flores son de color rosa violáceo.
MALVÁCEAS f. pl. *Bot.* Fam. de plantas diapétalas, que abundan en los paises cálidos.
MALVADO, DA adj. y s. Perverso.
MALVASIA f. Uva olorosa y muy dulce.
MALVAVISCO m. *Bot.* Planta malvácea. Su raíz se usa como emoliente.
MALVERSAR tr. Invertir ilícitamente los caudales ajenos que uno tiene a su cargo.
MALLA f. Cada uno de los cuadriláteros que constituyen el tejido de la red. // Tejido de pequeños anillos o eslabones de metal.
MAMA f. fam. Voz equivalente a madre. // Seno, teta, órgano encargado de la secreción de la leche en los mamíferos hembras.
MAMÁ f. fam. Mama, madre.
MAMAR tr. Chupar con labios y lengua la leche de los pechos. // fam. Comer, engullir.
MAMARIO, RIA adj. Perten. a las mamas.
MAMARRACHO m. fam. Cosa defectuosa, ridícula.
MAMELUCO m. Soldado de cierta milicia de Egipto. // fig. y fam. Hombre necio y bobo.
MAMEY m. *Bot.* Arbol de la fam. gutíferas, de fruto comestible, propio de los paises tropicales.
MAMÍFEROS m. pl. *Zool.* Animales vertebrados, que poseen glándulas mamarias y el cuerpo cubierto de pelo.

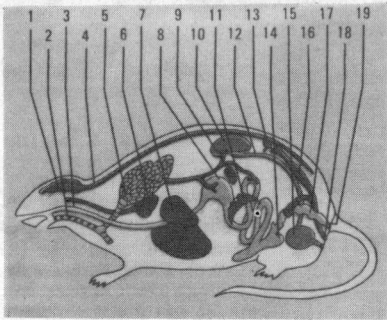

MAMÍFERO

1 - cerebro
2 - tráquea
3 - esófago
4 - médula espinal
5 - pulmón
6 - corazón
7 - hígado
8 - estómago
9 - bazo
10 - riñón
11 - páncreas
12 - uretra
13 - ovario
14 - ciego
15 - vejiga
16 - útero
17 - intestino grueso
18 - vagina
19 - ano

MAMOTRETO m. Libro o cuaderno de apuntes. // fig. y fam. Libro o legajo muy abultado.
MAMPARA f. Cancel movible que se pone en las habitaciones.
MAMPOSTERÍA f. Obra en piedra natural empleada en la construcción de muros.
MAMUT m. Mamífero proboscídeo fósil.
MANA m. Alimento, enviado por Dios desde el cielo, a modo de escarcha, a los israelitas.
MANADA f. *Zool.* Grupo de individuos de la misma especie, que andan juntos, de forma permanente o temporal.
MANATIAL m. Nacimiento de las aguas. // fig. Origen y principio de una cosa.
MANAR intr. y tr. Brotar o salir un líquido. // intr. fig. Abundar una cosa.
MANCEBO m. Joven. // Hombre soltero. // Oficial auxiliar, dependiente.
MANCILLA f. fig. Mancha, desdoro.
MANCILLAR tr. y r. Manchar, desacreditar.
MANCO, CA adj. y s. Falto de un brazo o mano, o que ha perdido su uso. // adj. fig. Defectuoso, incompleto.
MANCOMUNAR tr. y r. Unir personas, fuerzas o caudales para un fin.
MANCOMUNIDAD f. Acción y efecto de mancomunar o mancomunarse. // Corporación constituida por agrupación de municipios o provincias.
MANCHA f. Señal que una cosa hace en un cuerpo, ensuciándolo. // Pedazo de terreno, que se distingue de los inmediatos por alguna calidad. // Deshonra.
MANCHAR tr. y r. Ensuciar algo. // fig. Deslustrar la buena fama.
MANDA f. Oferta o promesa de dar una cosa. // Legado de un testamento.
MANDADO m. Orden, mandamiento. // Comisión, encargo.
MANDAMIENTO m. Orden de un superior a un inferior. // Cada uno de los preceptos del Decálogo. // orden escrita del juez.
MANDAR tr. Ordenar el superior al inferior lo que ha de hacer. // Enviar. // Encargar. // intr. y tr. Regir, gobernar.
MANDARÍN m. En China y otros países asiáticos, gobernador o magistrado.
MANDARINA adj. y s. Díc. de la lengua sabia de China. // Naranja mandarina.
MANDATARIO m. Persona que acepta del mandante el encargo de representarle o de gestionar sus negocios.
MANDATO m. Orden o precepto. // Contrato por el cual una persona se obliga a prestar algún servicio a cuenta de otra.
MANDÍBULA f. *Anat.* Quijada. // *Zool.* En los vertebrados, cada una de las dos piezas óseas o cartilaginosas de la cavidad bucal, donde se implantan los dientes.
MANDIL m. Delantal.
MANDIOCA f. *Bot.* Arbol euforbiáceo. Se extraen de su raíz almidón, harina y tapioca.
MANDO m. Autoridad y poder que tiene el superior sobre sus subordinados. // Dispositivo que actúa sobre el funcionamiento de un mecanismo.
MANDOLINA f. Instrumento musical de cuatro cuerdas y de cuerpo curvado como el laúd.
MANDRÁGORA f. *Bot.* Hierba de la fam. solanáceas, con raíces gruesas y fusiformes.

MANDRIL m. Eje cilíndrico que sujeta fuertemente la pieza que hay que tornear.
MANDUCAR intr. fam. Comer.
MANECILLA f. Broche con que se cierran algunas cosas. // Saetilla del reloj que señala los minutos y las horas.
MANEJAR tr. Usar o traer entre las manos una cosa. // tr. y r. fig. Gobernar, dirigir.
MANEJO m. Acción y efecto de manejar o manejarse. // fig. maquinación, intriga.
MANERA f. Modo y forma con que se ejecuta o acaece una cosa. // Porte y modales de una persona.
MANES m. pl. Dioses infernales que purificaban las almas.
MANGA f. Parte del vestido en que se mete el brazo. // Tubo largo, de cuero, caucho, etc., que se adapta a las bombas o bocas de riego.
MANGANESO m. *Quím.* Metal de color gris, quebradizo y más duro que el hierro.
MANGO m. Parte por donde se coge con la mano un utensilio.
MANGONEAR intr. fam. Vagabundear. // Entremeterse uno en lo que no le incumbe, ostentando autoridad.
MANGOSTA f. *Zool.* Mamífero carnívoro de la fam. vivérridos, de pequeño tamaño.

mangostas (Subicata subicata)

MANGUERA f. Manga de las bocas de riego.
MANI m. Cacahuete.
MANIA f. Especie de locura. // Extravagancia, preocupación caprichosa. // fam. Mala voluntad contra otro.
MANIACO, CA o **MANÍACO, CA** adj. y s. Enajenado, que padece manía.
MANIATAR tr. Atar de manos.
MANIÁTICO, CA adj. y s. Que tiene manías.
MANICOMIO m. Hospital para locos.
MANIFESTACIÓN f. Acción y efecto de manifestar o manifestarse. // Aglomeración de ciudadanos que recorren las calles abogando por alguna medida política, social, etc.
MANIFESTAR tr. y r. Declarar, dar a conocer. // Descubrir, poner a la vista.
MANIFIESTO, TA adj. Claro, patente. // m. Escrito que una persona o partido dirige a la opinión pública.
MANIJA f. Mango.
MANILLA f. Anillo de hierro que por prisión se echa a la muñeca.
MANILLAR m. Pieza de la bicicleta que sirve para darle dirección.
MANIOBRA f. Cualquier operación material que se ejecuta con las manos. // pl. Operaciones que hacen algunos vehículos para cambiar de rumbo. // Evolución en que se ejercita la tropa.
MANIOBRAR intr. Ejecutar maniobras.
MANIPULAR tr. Operar con las manos. // fig. y fam. Manejar los negocios propios y ajenos.
MANIQUEO adj. y s. Apl. al que sigue la secta de Manes, que admitía dos principios creadores, uno para el bien y otro para el mal.
MANIQUÍ m. Figura movible que puede ser colocada en diversas actitudes. // Armazón, en figura de cuerpo humano, para colocar la ropa. // Mujer que exhibe modelos de vestidos.
MANIRROTO, TA adj. y s. Pródigo, demasiado liberal.
MANIVELA f. Manubrio.
MANJAR m. Cualquier comestible. // fig. Recreo o deleite del espíritu.
MANO f. Apéndice terminal de la extremidad superior del hombre y del mono. Es un órgano prensil, táctil y de trabajo. // Aguja o manecilla del reloj. // Capa de color, barniz, etc., que se da sobre el lienzo, pared, etc.

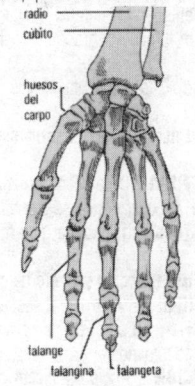

MANO

MANOJO m. Hacecillo de cosas que se pueden coger con la mano. // fig. Abundancia de cosas.
MANÓMETRO m. Instrumento para medir la tensión de los gases.
MANOPLA f. Pieza de la armadura ant., con que se guarnecía la mano.
MANOSEAR tr. Tocar repetidamente una cosa.

MANOTEAR tr. Dar golpes con las manos.
MANQUEDAD o **MANQUERA** f. Condición de manco.
MANSEDUMBRE f. Condición de manso.
MANSIÓN f. Detención o estancia en una parte. // Morada, albergue.
MANSO, SA adj. Benigno y suave en la condición. // Apl. a los animales que no son bravos. // fig. Sosegado, suave.
MANSO m. Casa de campo, masía.
MANTA f. Prenda suelta de lana o algodón, tupida y gralte. peluda, que sirve para abrigarse. // fig. Tunda, paliza.
MANTECA f. Grasa de los animales, esp. la del cerdo. // Sustancia crasa y oleosa de la leche y de algunos frutos.
MANTECOSO, SA adj. Que tiene mucha manteca o se asemeja a ella.
MANTEL m. Tejido con que se cubre la mesa para comer.
MANTENER tr. y r. Proveer a uno del alimento necesario. // tr. Conservar una cosa en su ser o estado. // Sostener una cosa. // Proseguir en lo que se está ejecutando. // Sustentar una opinión o sistema.
MANTENIMIENTO m. Efecto de mantener o mantenerse. // Manjar o alimento.
MANTEQUILLA f. Manteca de la leche de las vacas.
MANTILLA f. Paño que usan las mujeres para cubrirse la cabeza.
MANTIS f. *Zool.* Insecto ortóptero de la fam. mántidos.
MANTO m. Ropa suelta, a modo de capa, que se pone sobre el vestido. // Capa de mineral, de poco espesor y casi horizontal.
MANTÓN m. Pañuelo grande y generalmente de abrigo.
MANUAL adj. Que se ejecuta con las manos. // Fácil de manejar.
MANUBRIO m. Empuñadura o manija de un instrumento.
MANUFACTURA f. Obra hecha a mano o con auxilio de máquina. // Lugar donde se fabrica.
MANUFACTURAR tr. Fabricar con medios mecánicos.
MANUMISIÓN f. Acción y efecto de manumitir.
MANUMITIR tr. Dar Libertad al esclavo.
MANUSCRITO, TA adj. Escrito a mano. // m. Papel o libro escrito a mano.
MANUTENCIÓN f. Acción y efecto de mantener o mantenerse. // Conservación y amparo.
MANZANA f. *Bot.* Fruto del manzano, de forma globosa, corteza delgada, pulpa carnosa ácida o dulce.
MANZANILLA f. *Bot.* Planta herbácea de la fam. compuestas, que se usa para infusiones.
MANZANO m. *Bot.* Arbol de la fam. rosáceas; su fruto es la manzana.
MAÑA f. Destreza, habilidad. // Astucia. // Mala costumbre.
MAÑANA f. Tiempo desde que amanece hasta el mediodía. // adv. t. En el día que seguirá inmediatamente al de hoy. // fig. En tiempo venidero.
MAÑO, ÑA m. y f. fig. y fam. Aragonés, natural de Aragón. // Perten. a esta región.
MAÑOSO, SA adj. Que tiene maña. // Que se hace con maña.
MAPA m. Representación geográfica de la Tierra o parte de ella en una superficie plana.
MAPACHE m. *Zool.* Mamífero carnívoro fisipedo de la fam. prociónidos, parecido al tejón.

mapache

MAQUETA f. Modelo en tamaño reducido de un monumento, edificio, etcétera.
MAQUIAVÉLICO adj. Perten. al maquiavelismo. // Que sigue las máximas de Maquiavelo.
MAQUIAVELISMO m. Doctrina de Maquiavelo. // Modo de proceder con astucia, y perfidia.
MAQUILLAJE m. Acción y efecto de maquillar o maquillarse.
MAQUILLAR tr. y r. Poner afeites al trostro.
MÁQUINA f. Artificio para aprovechar, dirigir o regular la acción de una fueza. // fig. Agregado de diversas partes ordenadas entre sí para formar un todo. // Proyecto de pura imaginación. // Intervención de lo maravilloso o sobrenatural en una fábula poética.
MAQUINACIÓN f. Proyecto o asechanza oculta, dirigida regularmente a mal fin.
MAQUINAL adj. Perten. a los movimientos y efectos de la máquina. // fig. Apl. a los actos y movimientos ejecutados sin deliberación.
MAQUINAR tr. Urdir, tramar algo oculta y artificiosamente.
MAQUINARIA f. Arte que enseña a fabricar las máquinas. // Conjunto de máquinas para un fin determinado. // Mecanismo que da movimiento a un artefacto.
MAQUINISMO m. Empleo predominante de las máquinas en la industria moderna.
MAQUINISTA com. Persona que inventa o fabrica máquinas. // El que las dirige o gobierna.
MAQUIS com. Guerrillero, y organización a que pertenece.
MAR amb. Masa de agua salada que cubre la mayor

MARCHAR intr. y r. Caminar, hacer viaje, ir o partir de un lugar. // intr. fig. Funcionar o desenvolverse una cosa.
MARCHITAR tr. y r. Ajar, deslucir y quitar la lozanía a las hierbas, flores, etc. // fig. Enflaquecer, debilitar.
MARCHITO, TA adj. Ajado, falto de vigor y lozanía.
MAREA f. Movimiento periódico de flujo y reflujo de las aguas del mar debido a las atracciones del Sol y la Luna.
MAREAR tr. Gobernar una nave. // tr. e intr. fig. y fam. Enfadar, molestar. // r. Padecer mareo.
MAREJADA f. Movimiento tumultuoso de grandes olas. // fig. Exaltación de los ánimos.
MAREMOTO m. Agitación violenta del mar a causa de un seísmo, cuyo epicentro se encuentra en el fondo.
MAREO m. Malestar general, acompañado de náuseas y vértigos, producido a causa de un movimiento oscilatorio continuado.
MARFIL m. *Zool.* Sustancia dura y elástica; forma parte de la corona y de la raíz de los dientes, y está cubierta por el esmalte.
MARGA f. *Geol.* Roca sedimentaria formada por arcilla y carbonato cálcico.
MARGARINA f. Sustancia grasa o mantequilla obtenida de materias vegetales.
MARGARITA f. *Bot.* Planta de la fam. compuestas, cultivada como ornamental.
MARGEN amb. Extremidad y orilla de una cosa. // Espacio en blanco a los lados de una página manuscrita o impresa. // fig. Ocasión, motivo para un acto o suceso.
MARGINAL adj. Perten. al margen. // Que está al margen.
MARGINAR tr. Poner apostillas al margen de un texto. // Dejar márgenes en el papel en que se escribe o imprime.
MARGRAVE m. Título de dignidad de algunos príncipes de Alemania.
MARIANO, NA adj. Perten. a la Virgen María y a su culto.
MARICA m. fig. y fam. Hombre afeminado.
MARIDO m. Hombre casado, con respecto a su mujer.
MARINA f. Parte de tierra junto al mar. // Pintura que representa el mar. // Arte de navegar. // Conjunto de personas que sirven en la armada. // Conjunto d elos buques de una nación.
MARINAR tr. Dar cierta sazón al pescado para conservarlo.
MARINERO, RA adj. Díc. del buque fácil de gobernar. // Díc. de lo que pertenece a la marina o a los marineros. // m. El que sirve en las maniobras de las embarcaciones.
MARINO, NA adj. Perten. al mar. // m. El que se ejercita en la náutica. // El que sirve en la marina.
MARIPOSA f. *Zool.* Insecto lepidóptero adulto.
MARIQUITA f. *Zool.* Insecto coleóptero de la fam. coccinélidos; tiene élitros rojos o amarillos con pun-

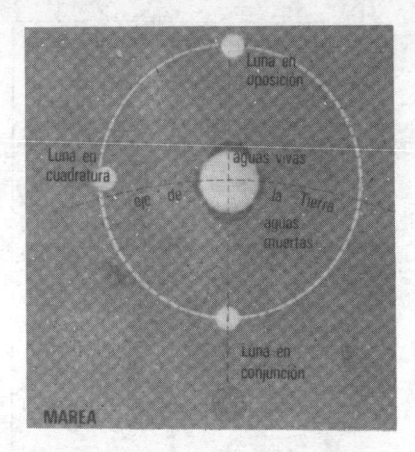

parte de la superficie terrestre. // Cada una de las partes en que se considera dividida. // fig. Abundancia extraordinaria de ciertas cosas.
MARABÚ m. *Zool.* Ave zancuda parecida a la cigüeña.
MARAÑA f. Conjunto de hebras que forma la parte exterior de los capullos de seda y tejido hecho con ellas. // fig. Enredo de los hilos o del cabello. // Embuste para enredar un negocio.
MARASMO m. Grado extremo de extenuación. // fig. Paralización.
MARAVEDI m. Moneda española, efectiva unas veces y otras imaginaria, que ha tenido diferentes valores y calificativos.
MARAVILLA f. Suceso o cosa extraordinarios que causan admiración. // Acción y efecto de maravillar o admirarse.
MARAVILLAR tr. Causar admiración. // Ver con admiración.
MARAVILLOSO, SA adj. Extraordinario, excelente, admirable.
MARBETE m. Etiqueta, rótulo.
MARCA f. Provincia, distrito fronterizo. // Señal hecha en una persona, animal o cosa, para distinguirla de otra, o denotar calidad o pertenencia.
MARCADOR, RA adj. y s. Que marca.
MARCAR tr. Señalar y poner la marca a una persona o cosa. // fig. Señalar a uno, o advertir en él una calidad digna de notarse. // Aplicar, destinar.
MARCIAL adj. Perten. a la guerra. // fig. Bizarro, varonil.
MARCIANO, NA adj. Rel. al planeta Marte. // m. Supuesto habitante de Marte.
MARCO m. Cerco que rodea o guarnece algunas cosas. // Unidad monetaria alemana.
MARCHA f. Acción de marchar. // Grado de celeridad en el andar de un vehículo. // Pieza de música destinada a facilitar el paso acompasado de la tropa o de un cortejo.
MARCHAMAR tr. Marcar los géneros en las aduanas.

MARIPOSAS

1 - Pavón menor (Eudia pavonia)
2 - cola de golondrina (Papilio alexanor)
3 - Arctia hebe
4 - Torcedora de la encina (Tortrix viridana)
5 - pantera (Pseudopantera maculata)
6 - zigena de los arbustos (Zigaena fausta)
7 - Meleageria daphnis
8 - pirálido del tomillo (Pyrausta purpuralis)
9 - Lasiommata maera
10 - Dichonia aprilina
11 - aurora de Provenza (Antocharis belia euphenoides)
12 - Nymphalis antiopa

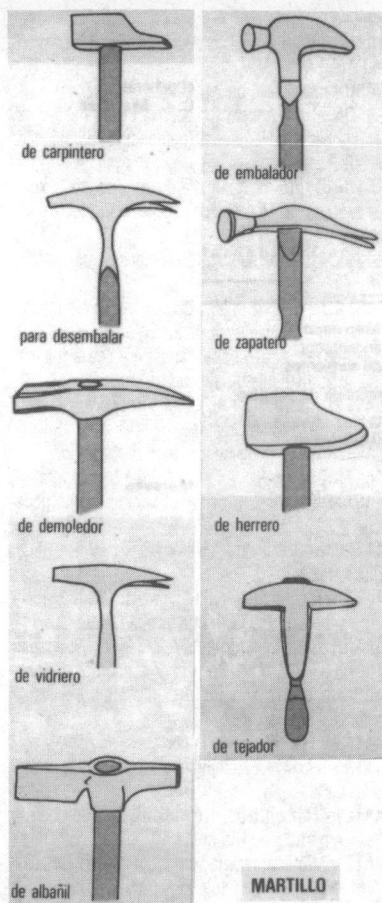

de carpintero
de embalador
para desembalar
de zapatero
de demoledor
de herrero
de vidriero
de tejador
de albañil

MARTILLO

tos negros. // m. fam. Marica.
MARISCAL m. Oficial muy preeminente en la milicia ant. // El que ant. tenía el cargo de aposentar la caballería.
MARISCO m. Cualquier crustáceo o molusco comestible.
MARISMA f. *Geol.* Terreno bajo y pantanoso cerca del mar.
MARITAL adj. Perten. al marido o a la vida conyugal.
MARÍTIMO, MA adj. Perten. al mar.
MARJAL m. Terreno bajo y pantanoso.
MÁRMOL m. Piedra caliza metamórfica, mezclada con sustancias que le dan diversos colores, manchas y betas.
MARMOTA f. *Zool.* Mamífero roedor de la fam. de los esciúridos.
MAROMA f. Cuerda gruesa de esparto o cáñamo.
MARQUÉS m. Señor de una tierra que estaba en la frontera. // Título de honor o dignidad.
MARQUESA f. mujer o viuda del marqués, o la que por sí goza este título. // Marquesina.
MARQUESADO m. Territorio en el que ejercía jurisdicción un marqués.
MARQUESINA f. Cobertizo que avanza sobre una puerta, escalinata o andén.
MARQUETERÍA f. Ebanistería. // Taracea.
MARRANO m. y f. Cerdo, puerco, animal. // adj. y s. fig. y fam. Persona sucia y desaseada. // El que se porta bajamente.
MARRAR intr. y tr. Faltar, errar. // intr. fig. Desviarse de lo recto.
MARROQUÍ adj. y s. natural de marruecos. // adj. Perten. a esta nación de África.
MARROQUINERÍA f. Industria de artículos de cuero, piel, etc. // Establecimiento donde se venden.
MARSOPA f. *Zool.* Mamífero cetáceo de la fam. delfínidos.
MARSUPIALES f. *Zool.* Mamíferos metaterios, cuyas hembras presentan una bolsa ventral o marsupio, para alimentar a las crías.
MARTA f. *Zool.* Mamífero carnívoro de la fam. mustélidos.
MARTE *Astron.* Planeta del sistema solar.
MARTILLAR tr. y r. Dar golpes con el martillo. // fig. Oprimir, atormentar.
MARTILLEAR tr. Dar repetidos golpes con el martillo.
MARTILLEO m. Acción y efecto de martillear.
MARTILLO m. Herramienta de percusión, compuesta de una cabeza de hierro y un mango. // *Anat.* Uno de los huesecillos del oído medio.
MARTINGALA f. Artimaña.
MÁRTIR com. Persona que padece muerte por amor a Jesucristo y en defensa de su religión. // Por ext., persona que muere o padece mucho en defensa de otras creencias o causas.
MARTIRIO m. Muerte o tormentos padecidos por defender uno su religión o por otras causas. // fig. Cualquier trabajo penoso.
MATIRIZAR tr. Hacer sufrir martirio. // tr. y r. fig. Afligir, atormentar.
MARXISMO m. Conjunto de las doctrinas de K. Marx y F. Engels, y de las derivadas de aquéllas.

Karl **Marx**

MARXISTA adj. y s. Partidario de K. Marx, o que

profesa su doctrina. // adj. Perten. o rel. al marxismo.
MAS conj. advers. Pero. // Sino.
MÁS *Gram.* Adv. comp. con que se denota idea de exceso, aumento, ampliación o superioridad.
MASA f. Mezcla que proviene de la incorporación de un líquido con una materia pulverizada, de lo cual resulta un todo espeso, blando y consistente. // Volumen, conjunto, reunión. // fig. Muchedumbre. // *Fis.* Cantidad de materia que contiene un cuerpo.
MASACRE f. Matanza, asesinato en masa.
MASAJE m. Técnica terapéutica consistente en realizar manipulaciones sobre la superficie del cuerpo.
MASCAR tr. Partir y desmenuzar el manjar con la boca.
MÁSCARA f. Figura, a veces ridícula, con que una persona puede taparse el rostro para no ser conocida. // Careta. // fig. Pretexto, disfraz. // com. fig. Persona enmascarada.

MÁSCARA funeraria de Teotihuacán (Museo de Antropología, México)

MASCARADA f. Fiesta de personas enmascaradas.
MASCOTA f. Persona, animal o cosa que sirve de talismán.
MASCULINIDAD f. Virilidad.
MASCULINO, NA adj. Díc. del ser que está dotado de órganos para fecundar. // Rel. a este ser. // fig. Varonil, enérgico.
MASCULLAR tr. Fam. Hablar entre dientes.
MASILLA f. pasta hecha de tiza y aceite de linaza, que usan los vidrieros.
MASIVO, VA adj. fig. Díc. de lo que se aplica en gran cantidad.
MASÓN m. y f. Que pertenece a la masonería.
MASONERÍA f. Asociación secreta cuyos miembros se proponen el mejoramiento personal y la hermandad universal.
MASOQUISMO m. Anomalía de la conducta sexual que reside en la necesidad de padecer sufrimiento para obtener placer sexual.
MASTICAR tr. Desmenuzar el manjar con los dientes. // fig. Rumiar o meditar.
MÁSTIL m. Palo de una embarcación. // Palo menor de una vela. // Cualquiera de los palos derechos que sostienen una cosa. // Parte más estrecha de la guitarra y de otros instrumentos de cuerda.
MASTÍN m. *Zool.* Perro fuerte y robusto, de gran simetría y exento de pesadez.
MASTODONTE m. Mamífero fósil proboscídeo.
MASTOIDES f. *Anat.* Apófisis del hueso temporal.
MASTURBARSE r. Procurarse solitariamente goce sexual.
MATA f. *Bot.* Planta que vive varios años y tiene tallo bajo, ramificado y leñoso.
MATANZA f. Acción y efecto de matar. // Mortandad de personas ejecutada en una batalla, asalto, etc.
MATAR tr. y r. Quitar la vida. // tr. Extinguir o apagar el fuego o la luz. // fig. Desazonar o incomodar a uno con necedades. // Extinguir, aniquilar. // r. fig. Trabajar con afán y sin descanso.
MATARIFE m. El que mata las reses, jifero.
MATASELLOS m. Estampilla para inutilizar los sellos de las cartas.
MATE m. Lance que pone término al juego de ajedrez. // adj. Amortiguado, sin brillo.
MATE m. *Bot.* Planta de la fam. aquifoliáceas. Con sus hojas se prepara una infusión nutritiva y excitante.
MATEMÁTICA f. Ciencia que estudia las propiedades y relaciones de entes abstractos por medio de esquemas lógicos y sistemas deductivos.
MATEMÁTICO, CA adj. Rel. a las matemáticas. // m. El que sabe o profesa las matemáticas.
MATERIA f. Sustancia extensa e impenetrable, capaz de recibir toda especie de formas. // fig. Cualquier punto o negocio de que se trata. // Asunto de que se compone una obra literaria, científica, etc. // Causa, ocasión. // Principio constitutivo de los cuerpos.
MATERIAL adj. perten. o rel. a la materia. // Opuesto a lo espiritual. // m. Conjunto de máquinas, herramientas u objetos necesarios para determinado fin.
MATERIALISMO m. Doctrina filosófica consistente en admitir como única sustancia la materia.
MATERIALIZAR tr. Considerar como material una cosa que no lo es. // r. Dejarse dominar por las cosas materiales sobre las espirituales.
MATERNAL adj. Materno.
MATERNIDAD f. Estado o calidad de madre. // Esta-

blecimiento donde se atiende a las parturientas.
MATERNO, NA adj. Perten. a la madre.
MATINAL adj. De la mañana.
MATIZ m. Combinación de diversos colores mezclados con proporción. // Cada una de las gradaciones que puede recibir un color.
MATIZAR tr. Armonizar diversos colores. // fig. Graduar con delicadeza sonidos, o conceptos espirituales.
MATORRAL m. *Bot.* Asociación vegetal de tipo xerofito, formada por matas.
MATRAZ m. Vasija de vidrio que termina con un cuello largo y angosto. Se usa en los laboratorios.
MATRIARCADO m. Forma de organización social que otorga el lugar preponderante a la mujer.
MATRICIDIO m. Delito de matar uno a su madre.
MATRÍCULA f. lista de los nombres de las personas que se asientan para un fin determinado por las leyes o reglamentos. // Documento en que se acredita este asiento.
MATRICULAR tr. Inscribir el nombre de uno en las matrículas. // r. Hacer uno que inscriban su nombre en la matrícula.
MATRIMONIO m. Institución social por la cual se unen legítimamente un hombre y una mujer para hacer vida en común.
MATRIZ f. Molde de cualquier clase con que se da forma a alguna cosa. // Tuerca. // *Anat.* Utero de la mujer. // adj. fig. Principal, materna, generadora.
MATRONA f. Madre de familia noble y virtuosa. // Comadrona.
MATUTINO, NA adju. Perten. o rel. a la mañana. // Que ocurre o se hace por la mañana.
MAULLAR intr. Dar maullidos el gato.
MAULLIDO m. Voz del gato.
MÁUSER m. Especie de fusil de repetición.
MAUSOLEO m. Sepulcro ornamental.
MAXILAR adj. Perten. o rel. a la quijada o mandíbula. // *Anat.* Hueso maxilar.
MÁXIMA f. Regla gralte. admitida en una facultad o ciencia. // Sentencia, dogma aceptado como norma de moral.
MÁXIME adv. m. Principalmente.
MÁXIMO, MA adj. sup. de grande. // m. Límite superior o extremo.
MAYESTÁTICO, CA adj. Rel. a la majestad o propio de ella.
MAYÓLICA f. Loza común con esmalte metálico.
MAYONESA f. Salsa que se hace batiendo aceite crudo y yema de huevo; mahonesa.
MAYOR adj. comp. de grande. Que excede a una cosa en cantidad o calidad. // Jefe de una comunidad. // pl. Abuelos y demás progenitores de una persona.
MAYORAL m. Pastor principal. // En los carruajes, el que gobierna el tiro de mulas o caballos.
MAYORAZGO m. Institución del derecho civil destinada a perpetuar en la familia la propiedad de un sector de los bienes patrimoniales. // Conjunto o poseedor de estos bienes. // Primogénito. // Primogenitura.
MAYORDOMO m. Criado principal de una casa o hacienda.
MAYORIA f. Calidad de mayor. // Mayor edad. // Mayor número de votos. // Parte mayor de los individuos que forman un grupo.
MAYORISTA m. Comerciante que vende al por mayor.
MAYORITARIO adj. Perten. o rel. a la mayoría.
MAYÚSCULO, LA adj. Algo mayor que lo ordinario en su especie.
MAZA f. Arma ant., hecha de palo guarnecido de hierro con la cabeza gruesa.
MAZACOTE m. Cenizas de la planta llamada barrilla. // Hormigón.
MAZDEÍSMO m. Religión de los antiguos persas.
MAZO m. Martillo o maza grande de madera. // Porción de cosas atadas. // fig. Hombre molesto y pesado.
MAZORCA f. Porción ya hilada del huso. // Espiga densa y apretada de algunos frutos como el maíz.
MAZURCA f. Danza popular polaca.
ME *Gram.* Dativo o acusativo del pron. pers. de la primera pers. en gén. f. o m. y núm. sing.
MEANDRO m. Curva que se forma en un río.
MEAR intr., tr. y r. Orinar.
MECÁNICA f. Parte de la física que estudia el movimiento de los cuerpos en relación con las fuerzas que lo producen.
MECÁNICO, CA adj. Preten. a la mecánica. Díc. de los oficios y obras de los artesanos. // adj. y s. Díc. de las personas que se dedican a estos oficios.
MECANISMO m. Corriente filosófica que concibe la realidad como una máquina o de acuerdo con un modelo mecánico.
MECANISMO m. Conjunto y combinación de órganos o piezas para producir determinado movimiento.
MECANIZAR tr. Implantar el uso de las máquinas en operaciones militares, industriales, etc.
MECANOGRAFÍA f. Arte de escribir con máquina.
MECENAS m. fig. Príncipe o persona poderosa que patrocina a los literatos o artistas.
MECER tr. Remover un líquido para que se mezcle. // tr. y r. Mover algo compasadamente.
MECHA f. Cuerda retorcida que se pone en algunos aparatos de alumbrado y en las bujías y velas. // Tubo de algodón relleno de pólvora, que sirve para hacer estallar explosivos.
MECHERO m. Canutillo donde se pone la mecha. // Tubo por donde sale el gas en algunos aparatos del alumbrado. // Encendedor.
MECHÓN m. Porción de pelos, hebras o hilos.
MEDALLA f. Pieza de metal acuñada en forma de moneda. Se usa con motivos religiosos o civiles.
MEDALLÓN m. Bajorrelieve de forma redonda, usado

en arquitectura para embellecimiento de fachadas. // Joya en forma de caja, donde se colocan retratos o recuerdos.

MÉDANO m. Duna. // Bajío de arena casi a flor de agua.

MEDIA f. Prenda de punto que cubre el pie y la pierna. // *Amer.* Calcetín.

MEDIA f. Mitad de algunas cosas, esp. de unidades de medida. // Promedio, media aritmética.

MEDIACAÑA f. Moldura cóncava, de perfil semicircular.

MEDIADO, DA adj. Que sólo contiene la mitad de su cabida.

MEDIANA f. Línea que une un vértice de un triángulo con el punto medio del lado opuesto.

MEDIANERO, RA adj. Que está en medio de dos cosas. // adj. y s. Que media e intercede por otro.

MEDIANO, NA adj. De calidad intermedia. // Moderado. // fig. y fam. Casi malo.

MEDIAR intr. Llegar a la mitad de una cosa. // Interceder por uno. // Interponerse entre dos o más para reconciliarlos. // Ocurrir entretanto alguna cosa.

MEDIATIZAR tr. Privar al gobierno de un Estado de la autoridad suprema, pero conservando la soberanía nominal.

MEDIATO, TA adj. Díc. de lo que está próximo a una cosa, mediando otra entre los dos.

MEDICAMENTO m. Sustancia que se administra al hombre o a los animales con fines terapéuticos.

MEDICAR tr. y r. Administrar medicamentos.

MEDICINA f. Ciencia que trata de la curación de las enfermedades y mantenimiento de la salud en el hombre. // Medicamento.

MEDICINAL adj. Perten. a la medicina.

MÉDICO, CA adj. Perten. o relativo a la medicina. // m. El que se halla legalmente autorizado para profesar y ejercer la medicina.

MEDIDA f. Acción de medir. // Expresión de una cantidad o dimensión con respecto a una unidad dada.

MEDIEVAL adj. Perten. o rel. a la Edad Media de la historia.

MEDIEVO m. Edad Media.

MEDIO, DIA adj. igual a la mitad de una cosa. // Díc. de lo que está entre dos cosas. // m. Parte que en una cosa equidista de sus extremos. // Lo que puede servir para determinado fin. // Médium. // Elemento en que vive o se mueve un ser. // pl. Caudal, rentas. // adv. m. No del todo.

MEDIOCRE adj. Mediano.

MEDIOCRIDAD f. Calidad de mediocre.

MEDIODIA m. hora en que el Sol está en su punto más elevado.

MEDIOEVO m. Medievo.

MEDIR tr. Determinar las dimensiones o la cantidad de una cosa. // Examinar la cantidad y número de sílabas de un verso.

MEDITABUNDO, DA adj. Que medita o reflexiona en silencio.

MEDITAR tr. Aplicar con profunda atención el pensamiento a la consideración de una cosa.

MEDITERRÁNEO, A adj. y s. m. Díc. de lo que está rodeado de tierra. // Perten. al mar Mediterráneo.

MÉDIUM com. Persona que, para los espiritistas, tiene el poder de intermediar entre los hombres y los espíritus.

MEDO, DA adj. y s. Natural de Media. // Perten. a esta región de Asia antigua.

MEDRAR intr. Crecer los animales y plantas. // fig. Mejorar uno de fortuna.

MEDROSO, SA adj. y s. Temeroso.

MÉDULA f. Sustancia de naturaleza conjuntiva que llena las cavidades, conductos y canalículos de los huesos.

MEDULAR adj. Rel. a la médula.

MEDUSA f. *Zool.* Forma libre libre de celentéreo. Tiene apariencia de casquete esférico

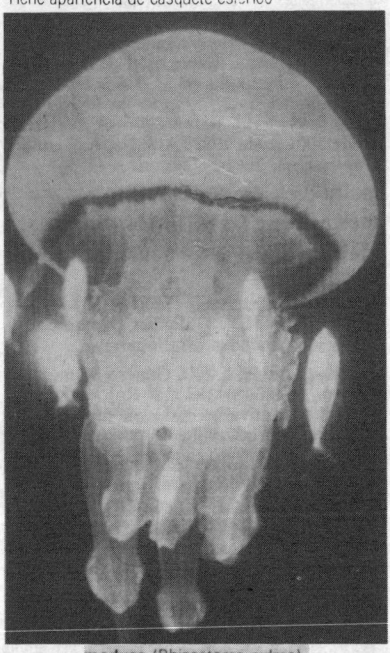

medusa (Rhizostoma pulmo)

MEFITICO, CA adj. Díc. de lo que, respirado, puede causar daño.

MEGA- Prefijo procedente de la voz griega *megas*, un millón.

MEGÁFONO m. Dispositivo empleado para reforzar cualquier sonido.

MEGALITO m. Monumento funerario prehistórico construido con grandes piedras sin labrar.

MEGALOMANIA f. Delirio caracterizado por ideas de grandeza.

MEGALÓMANO, NA adj. Que padece megalomanía.
MEGATÓN m. Fuerza explosiva equivalente a la de un millón de toneladas de TNT.
MEJANA f. Isleta en un río.
MEJILLA f. Cada una de las dos prominencias que hay en el rostro humano, debajo de los ojos.
MEJILLÓN f. *Zool.* Molusco lamelibranquio, con dos valvas negras azuladas. Es comestible.
MEJOR adj. comp. de bueno. Superior a otra cosa. // adv. m. Más bien.
MEJORANA f. *Bot.* Planta de la fam. labiadas. Es medicinal, tónica y antiespasmódica.
MEJORAR tr. Adelantar una cosa, haciéndola pasar de un estado bueno a otro mejor. // intr. y r. Ir cobrando la salud perdida; restablecerse. // Ponerse el tiempo más benigno. // Progresar.
MEJORÍA f. Aumento de una cosa. // Alivio en una dolencia. // Ventaja o superioridad de una cosa respecto a otra.
MEJUNJE m. despect. Mezcla de varios ingredientes.
MELANCOLÍA f. Tristeza vaga, profunda y persistente.
MELANINA f. Pigmento de color oscuro, localizado en la piel, pelos y globo ocular.
MELAZA f. Jarabe oscuro, espeso y dulce, subproducto de la fabricación del azúcar.
MELENA f. Cabello largo, suelto y colgante. // Crin del león.
MELENA f. *Med.* Deposición de color negro, por acompañarse de sangre alterada.
MELENERA f. Parte superior del testuz de los bueyes.
MELIÁCEAS f. pl. *Bot.* Fam. de plantas dicotiledóneas, propias de países tropicales.
MELIFLUO, FLUA adj. Que tiene miel o es parecido a ella. // fig. Dulce, suave, delicado.
MELINDRE m. Dulce de miel y harina. // Delicadeza afectada y excesiva.
MELINDROSO, SA adj. y s. Que afecta demasiada delicadeza.
MELISA f. *Bot.* Planta herbácea de la fam. labiadas, de tallo cuadrangular y muy aromática.
MELOCOTÓN m. *Bot.* Fruto del melocotonero. Es una drupa de forma esférica, su carne es dulce y aromática, y encierra un hueso rugoso y duro.
MELOCOTONERO m. *Bot.* Árbol de la fam. rosáceas, cuyo fruto es el melocotón.
MELODÍA f. Dulzura y suavidad en la voz, o del sonido de un instrumento musical. // Sucesión de sonidos musicales que resulta agradable al oído.
MELODIOSO, SA adj. Agradable al oído.
MELODRAMA m. Drama puesto en música; ópera. // Obra teatral en que se exageran los trozos sentimentales y patéticos.
MELOMANÍA f. Amor desordenado a la música.
MELÓMANO, NA m. y f. Persona fanática por la música.

MELÓN m. *Bot.* Planta de la fam. cucurbitáceas, de tallos rastreros y fruto comestible de forma esférica o elipsoide.
MELOPEA o MELOPEYA f. Arte de producir melodías. // Entonación con que se recita prosa o verso.
MELOSO, SA adj. De naturaleza de miel. // fig. Blando, suave.
MELLA f. Hendidura en el filo de un arma o herramienta. // fig. Menoscabo, merma.
MELLAR tr. y r. hacer mella. // fig. Menoscabar, disminuir.
MELLIZO, ZA adj. y s. Nacido del mismo parto, gemelo.
MEMBRANA f. Piel delgada a modo de pergamino. // Lámina de tejido vegetal o animal que envuelve ciertos órganos.
MEMBRANOSO, SA adj. Compuesto de membranas, o parecido a ella.
MEMBRETE m. Anotación que se hace de una cosa. // Nombre o título de una persona o corporación puesto en el papel en que se escribe.
MEMBRILLO m. *Bot.* Planta arbórea de la fam. rosáceas, de fruto piriforme aromático.
MEMBRUDO, DA adj. Robusto.
MEMO, MEMA adj. y s. Tonto.
MEMORABLE adj. Digno de memoria.
MEMORÁNDUM m. Carnet de notas. // Comunicación en que se señala el estado de una situación.
MEMORAR tr. y r. Recordar una cosa.
MEMORIA f. Capacidad del hombre y de algunos animales por la que se retiene y recuerda lo pasado. // Relación de unos hechos determinados, actos o trabajos de una corporación. // Estudio sobre un tema.
MEMORIAL m. Libro de notas. // Escrito en que se pide una gracia.
MENA f. *Min.* Mineral del que se beneficia un metal.
MENAJE m. Muebles de una casa.
MENCIÓN f. Recuerdo que se hace de una persona o cosa.
MENCIONAR tr. Hacer mención de una persona. // Referir una cosa.
MENDAZ adj. y s. Mentiroso.
MENDELISMO m. *Biol.* Teoría de la herencia basada en la transmisión de caracteres de acuerdo con las leyes de mendel.
MENDIGAR tr. Pedir limosna. // fig. Solicitar algo con humillación.
MENDIGO, GA m. y f. Persona que habitualmente pide limosna.
MENDRUGO m. Pedazo de pan duro.
MENEAR tr. y r. mover una cosa de una parte a otra. // tr. fig. Dirigir, gobernar un negocio. // r. fig. y fam. Hacer una cosa diligentemente.
MENESTER m. Necesidad de una cosa. // Ejercicio, empleo. // pl. Necesidades corporales.
MENESTEROSO, SA adj. y s. Pobre.
MENESTRA f. Guisado de hortalizas y trozos de

carne.
MENESTRAL, LA m. y f. Persona que practica un oficio mecánico.
MENGUA f. Acción y efecto de menguar. // fig. Descrédito.
MENGUAR intr. Disminuir o irse consumiendo una cosa. // Disminuir la parte iluminada de la Luna. // tr. Disminuir, amenguar.
MENHIR m. Monumento megalítico que consiste en una pidra vertical clavada en el suelo.
MENINGE f. *Anat.* Cada una de las tres membranas que envuelven el encéfalo y la médula espinal.
MENINGITIS f. *Med.* Inflamación de las meninges.
MENISCO m. *Anat.* Cartílago de forma semilunar, como el de la rodilla. // *Opt.* Lente que presenta un lado cóncavo y el otro convexo.

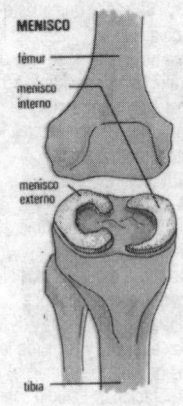

MENISCO
fémur
menisco interno
menisco externo
tibia

MENOR adj. Que tiene menos cantidad que otra cosa de la misma especie. // adj. y s. Menor de edad.
MENOS Adv. comp. con que se denota la idea de falta, disminución, restricción o inferioridad. // Denota a veces limitación indeterminada de cantidad expresa. // adv. m. Excepto.
MENOSCABAR tr. y r. Disminuir las cosas, acortarlas. // fig. Deteriorar, deslustrar.
MENOSPRECIAR tr. Tener una cosa o una persona, en menos de lo que merece. // Despreciar.
MENOSPRECIO m. Poco aprecio. // Desprecio, desdén.
MENSAJE m. Recado que envía una persona a otra.
MENSTRUACIÓN f. Pérdida periódica de sangre, que forma parte del proceso fisiológico del ciclo sexual femenino.
MENSUAL adj. Que se repite cada mes. // Que dura un mes.
MENSUALIDAD f. Sueldo o salario de un mes.
MENSURAR tr. Medir.
MENTA f. *Bot.* Hierbabuena.
MENTADO, DA adj. Que tiene fama.
MENTAL adj. Perten. o rel. a la mente.
MENTALIDAD f. Capacidad, actividad mental. // Modo de pensar.
MENTAR tr. Nombrar c mencionar una cosa.
MENTE f. potencia intelectual del alma. // Pensamiento, voluntad.
MENTECATO, TA adj. y s. Necio.
MENTIDERO m. fam. Sitio donde se junta la gente ociosa para conversar.
MENTIR intr. Decir lo que no es verdad. // Inducir a error. // Fingir, disfrazar algo. // tr. Quebrantar un pacto.
MENTIRA f. Expresión contraria a la verdad.
MENTIROSO, SA adj. y s. Que tiene costumbre de mentir. // Engañoso, falso.
MENTÍS m. Voz injuriosa con que se desmiente a uno. // Hecho o demostración que contradice o niega un aserto.
MENTÓN m. Barbilla.
MENTOR m. fig. Consejero o guía de otro.
MENUDEAR tr. Hacer algo repetidamente. // intr. Suceder una cosa con frecuencia.
MENUDO, DA adj. Pequeño, delgado. // Despreciable. // Plebeyo, vulgar. // Exacto, minucioso.
MEÑIQUE adj. y s. Díc. del dedo más pequeño de la mano. // adj. fam. Muy pequeño.
MEOLLO m. Cráneo, seso. // Médula. // fig. Sustancia o fondo de una cosa.
MEQUETREFE m. fam. Hombre entremetido y de poco provecho.
MERCADER m. El que comercia con géneros vendibles.
MERCADERÍA f. Mercancía.
MERCADO m. Contratación pública de mercaderías, y sitio donde se efectúa.

mercado **aimara**
(Laja, Bolivia)

MERCANCÍA f. Todo género vendible.
MERCANTIL adj. Perten. o rel. al mercader, a la mercancía o al comercio.
MERCAR tr. y r. Comprar.
MERCED f. Premio que se da por el trabajo. // Cualquier beneficio que se hace a uno. // Voluntad o arbitrio de uno. // Tratamiento de cortesía.
MERCENARIO, RIA adj. Apl. al que guerrea en un ejército extranjero por cierto estipendio. // m. El que percibe paga por sus servicios.
MERCURIO m. *Quím.* Elemento simple de carácter metálico. Es líquido a temperatura ordinaria. // Primer planeta del sistema solar.
MERECER tr. Hacerse uno digno de premio o castigo. // Conseguir, lograr. // Tener cierta estimación a algo. // intr. Hacer méritos.
MERECIDO m. Castigo de que se juzga digno a uno.
MERECIMIENTO m. Acción y efecto de merecer. // Mérito.
MERENDAR intr. Tomar la merienda.
MERIDIANO, NA adj. Perten. o rel. a la hora del mediodía. // fig. Clarísimo, luminosísimo. // Cualquiera de los círculos máximos de la esfera terrestre que pasan por los dos polos.
MERIDIONAL adj. y s. Perten. o rel. al Sur o Mediodía.
MERIENDA f. Comida ligera que se hace por la tarde antes de la cena.
MERINO, NA adj. *Zool.* Díc. de cierta raza de ovejas de lana muy fina.
MÉRITO m. Acción que hace el hombre digno de premio o castigo. // Lo que da valor a una cosa.
MERITORIO, RIA adj. Digno de premio o galardón.
MERLUZA f. *Zool.* Pez marino malacopterigio, de carne blanca comestible muy apreciada.
MERMA f. Acción y efecto de mermar. // Porción que se gasta naturalmente o se sustrae de una cosa.
MERMAR intr. y r. Disminuirse una cosa o consumirse una parte de ella. // tr. Menoscabar.
MERO, RA adj. Puro, simple y que no tiene mezcla de otra cosa.
MERODEAR intr. Vagar por las inmediaciones de algún lugar.
MEROVINGIO, GIA adj. Díc. de la dinastía de los primeros reyes de Francia, instaurada por Meroveo.
MES m. Cada una de las doce partes en que se divide el año.
MESA f. Mueble gralte. de madera, que se compone de una tabla lisa, sostenida por uno o varios pies. // Conjunto de personas que dirigen asambleas u otras corporaciones. // fig. Comida que cada día toma una persona.
MESAR tr. y r. Arrancar los cabellos o barbas con las manos.
MESENTERIO m. *Anat.* Repliegue peritoneal que fija las diferentes porciones del intestion a las paredes abdominales.
MESETA f. Relieve de superficie plana a cierta altura sobre el nivel del mar.
MESIÁNICO, CA adj. Perten. al Mesías.
MESIANISMO m. Doctrina rel. al Mesías, creencia en él. // fig. Confianza en un mesías.
MESIAS m. Nombre que dieron los hebreos al que había de ser el Salvador. // fig. Individuo del que se espera la solución de problemas sociales.
MESNADA f. Cuerpo militar que servía al rey o a un señor.
MESOCARPIO o **MESOCARPO** m. *Bot.* Parte intermedia del pericarpio de los frutos carnosos.
MESOCRACIA f. Forma de gobierno en que la clase media tiene preponderancia.
MESOLÍTICO m. Período intermedio entre el paleolítico y el neolítico.
MESÓN m. Casa pública donde, por dinero, se da albergue a viajeros, caballerías y carruajes.
MESOZOICO, CA adj. Díc. de la era geológica secundaria.
MESTA f. Ant. asociación de los ganaderos.
MESTER m. Arte, oficio, menester.
MESTIZO, ZA adj. y s. Apl. a la persona nacida de padre y madre de raza diferente. // adj. Apl. al animal o vegetal que resulta del cruce de dos razas distintas.
MESURA f. Gravedad, compostura. // Reverencia, cortesía. // Moderación.
MESURAR tr. Infundir mesura. // Contenerse, moderarse.
META f. Término señalado a una carrera. // Portería de ciertos deportes. // fig. Fin a que tiende una persona.
METABOLISMO m. Conjunto de reacciones químicas que tienen lugar en los organismos vivos para el mantenimiento de la vida, crecimiento y reproducción.
METACARPO m. *Anat.* Parte de la mano comprendida entre la muñeca y los dedos.
METAFÍSICA f. parte de la filosofía que trata de los principios primeros y universales.
METAFÍSICO, CA adj. Perten. o rel. a la metafísica. // fig. Difícil de comprender. // m. El que profesa la metafísica.
METÁFORA f. *Ret.* Tropo consistente en expresar una idea con el signo de otra con la cual guarda analogía o semejanza.
METAL m. Cuerpo simple que es sólido a la temperatura ordinaria, excepto el mercurio; es conductor del calor y de la electricidad. Tiene un brillo especial.
METÁLICO, CA adj. De metal, o perten. a él.
METALÍFERO, RA adj. Que contiene metal.
METALIZAR tr. hacer que un cuerpo adquiera propiedades metálicas // Cubrir con una capa metálica.
METALOIDE m. *Quím.* Uno cualquiera de los elementos simples no metálicos.
METALURGIA f. Conjunto de técnicas encaminadas a la extracción y tratamiento de los metales.
METAMÓRFICO, CA adj. perten. o rel. al metamorfismo.

METAMORFISMO m. Transformación natural ocurrida en un mineral o en una roca.
METAMORFOSEAR tr. y r. Transformar.
METAMORFOSIS f. Transformación de una cosa en otra. // fig. Mudanza que hace una persona o cosa de un estado a otro. // *Zool.* Conjunto de cambios morfológicos del desarrollo posembrionario en algunos animales.

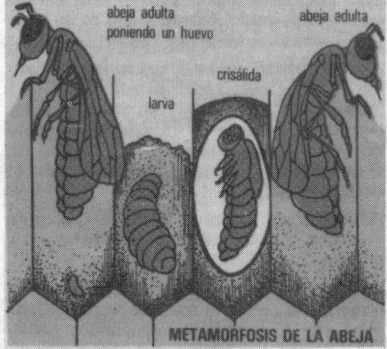

METAMORFOSIS DE LA ABEJA

METAMORFOSIS DE LA RANA

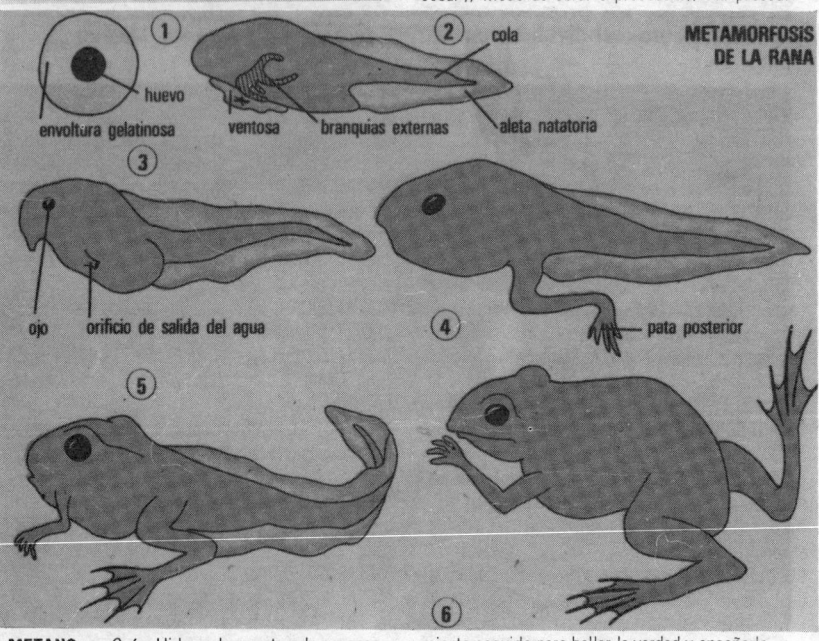

METANO m. *Quím.* Hidrocarburo saturado gaseoso, incoloro e insípido.
METAPSÍQUICA f. Estudio de los fenómenos que exceden los límites de la conciencia normal.
METATARSO m. *Anat.* Parte del pie comprendida entre el tarso y los dedos.
METEÓRICO, CA adj. Perten. a los meteoros.
METEORISMO m. Acumulación de gases en el tubo digestivo.
METEORITO m. Partícula sólida procedente del espacio interplanetario.
METEORO o **METÉORO** m. cualquier fenómeno atmosférico aéreo, acuoso, luminoso o eléctrico.
METEOROLOGIA f. Ciencia que tiene por objeto el estudio de la atmósfera y de los fenómenos que en ella tienen lugar.
METEOROLÓGICO, CA adj. perten. a la meteorología o a los meteoros.
METER tr. y r. Introducir o incluir una cosa dentro de otra o en alguna parte. // Promover chismes o enredos. // Con voces como *miedo, ruido*, etc., ocasionar. // Inducir a uno a determinado fin. // Introducirse sin ser llamado.
METICULOSO, SA adj. y s. Medroso. // adj. Escrupuloso, concienzudo.
METÓDICO, CA adj. Hecho con método. // Que usa de método.
METODISMO m. Conjunto de movimientos religiosos desarrollados dentro del anglicanismo.
MÉTODO m. Modo de decir o hacer con orden una cosa. // Modo de obrar o proceder. // Fil. procedimiento seguido para hallar la verdad y enseñarla.
METODOLOGÍA f. Ciencia del método.
METONIMIA f. *Ret.* Tropo consistente en designar una cosa con el nombre de otra con la que guarda alguna relación de causa a efecto.
METRALLA f. Munición menuda con que se cargan las piezas de artillería.
MÉTRICA f. Ciencia que estudia la estructura interna

270

de los versos y sus distintas combinaciones.
MÉTRICO, CA adj. perten. o rel. al metro o medida.
METRO m. Combinación de sílabas que caracteriza a un verso. // Unidad de longitud equivalente a la diezmillonésima parte del cuadrante de meridiano que pasa por París.
METRÓNOMO m. Aparato para medir el tiempo e indicar el compás de las composiciones musicales.
METRÓPOLI f. Ciudad principal de un Estado. // Iglesia arzobispal. // La nación respecto de sus colonias.
METROPOLITANO adj. Perten. o rel. a la metrópoli. // Arzobispal. // m. El arzobispo, respecto de los obispos, sus sufragáneos. // m. Ferrocarril subterráneo para el transporte de viajeros en las grandes ciudades.
MEZCLA f. Acción y efecto de mezclar o mezclarse. // Agregación de varias sustancias que no tienen entre sí acción química. // Argamasa.
MEZCLAR tr. y r. Juntar, unir, incorporar una cosa con otra. // r. Introducirse o meterse uno entre otros.
MEZQUINDAD f. Calidad de mezquino. // Cosa mezquina.
MEZQUINO, NA adj. Pobre. // Avaro miserable. // Pequeño, diminuto. // Desdichado, infeliz.
MEZQUITA f. Templo mahometano donde los fieles desarrollan sus ceremonias de culto.
MI m. Tercera voz de la escala musical.
MI *Gram.* Forma tónica del genitivo, dativo y acusativo del pron. pers. de primera persona en gen. m y f. y núm. sing.

MIAJA f. Migaja.
MICA f. *Mineral.* Silicato múltiple en forma de láminas brillantes, elásticas y muy delgadas.
MICADO m. Nombre que se da al emperador de japón.
MICCIÓN f. Acción de orinar.
MICÉNICO, CA adj. Perten. o rel. a Micenas.
MICOLOGÍA f. Parte de la botánica que estudia los hongos.
MICRA f. Unidad de longitud igual a una milésima de milímetro.
MICROBIO m. *Biol.* Organismo microscópico, y más esp. bacteria.
MICROBIOLOGÍA f. Estudio de los microbios.
MICROCOSMO m. El hombre, concebido como reflejo y resumen completo del universo o macrocosmo.
MICRÓFONO m. Transductor electroacústico con el que se obtienen corrientes eléctricas variables a partir de ondas sonoras.
MICROORGANISMO m. *Biol.* Microbio.
MICROSCÓPICO, CA adj. Perten. o rel. al microscopio. // Tan pequeño que no puede verse sino con el microscopio. // Díc., por ext. de lo que es muy pequeño.
MICROSCOPIO m. Instrumento óptico destinado a la observación y estudio de objetos extremadamente pequeños.

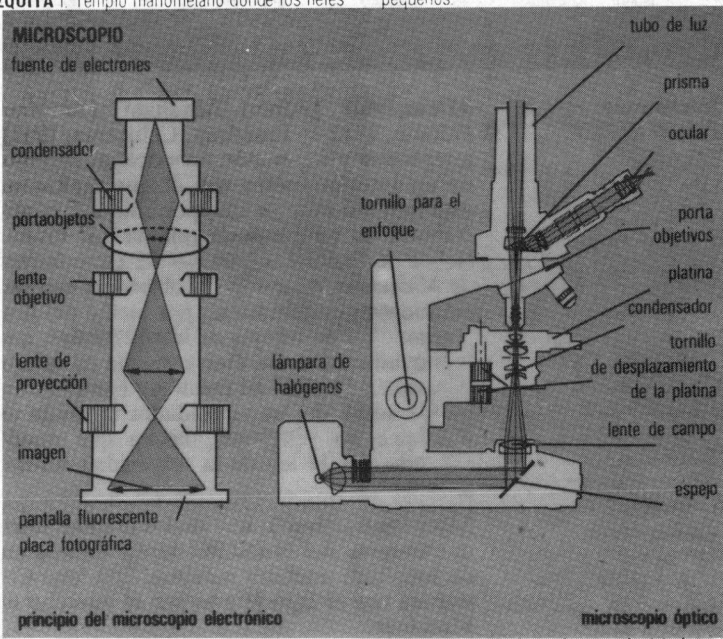

MIEDO m. Sentimiento de angustia ante la proximidad de algún daño. // Recelo o aprensión.
MIEDOSO, SA adj. y s. fam. Que de cualquier cosa tiene miedo.
MIEL f. Sustancia viscosa y muy dulce, elaborada por

las abejas.
MIEMBRO m. Cualquiera de las extremidades de un hombre o de los animales. // Organo de la generación en el hombre y en algunos animales. // Individuo que forma parte de una colectividad. // Parte de un todo unida con él.
MIENTE f. Pensamiento.
MIENTRAS adv t. y conj. Durante el tiempo en qué. U. también antepuesto a la conj. *que.*
MIES f. Planta cereal. // Tiempo de la siega y cosecha de granos. // pl. Los sembrados.
MIGA f. Porción pequeña de pan o de cualquier cosa. // Parte más blanda del pan. // fig. y fam. Sustancia y virtud interior de la cosas.
MIGAJA f. porción de cualquier cosa. // pl. fig. Desperdicios.
MIGRACIÓN f. Emigración. // Viaje periódico de las aves migratorias.
MIGRAÑA f. *Med.* Jaqueca.
MIGRATORIO, RIA adj. Perten. o rel. a los viajes periódicos de ciertas aves.
MIJO m. *Bot.* Planta herbácea de la fam. gramíneas.
MIL adj. Diez veces ciento.
MILAGRO m. Acto de poder divino, superior al orden natural y a las fuerzas humanas. // Cualquier suceso o cosa extraordinaria y maravillosa.
MILAGROSO, SA adj. Perten. al milagro. // Que obra o hace milagros. // Maravilloso, asombroso.
MILANO m. *Zool.* Ave rapaz diurna, de plumaje rojizo en el cuerpo.
MILDIU m. Enfermedad de la vid producida por un hongo microscópico.
MILENAIO, RIA adj. Perten. al núm. mil o al millar.
MILENIO m. Período de mil años.
MILI- Prefijo usado en el sistema métrico decimal, con la significación de milésima parte.
MILICIA f. Arte de la guerra. // Servicio o profesión militar. // Tropa o gente de guerra.
MILICIANO, NA adj. Perten. a la milicia. // m. Individuo de una milicia.
MILITAR adj. Perten. o rel. a la milicia o a la guerra. // m. El que profesa la milicia.
MILITAR intr. Servir en la guerra o profesar la milicia. // fig. Figurar en un partido.
MILITARIZAR tr. Someter a la disciplina militar. // Dar carácter militar a una colectividad.
MILLA f. Medida itineraria usada esp. en la marina, equivalente a 1852 metros.
MILLAR m. Conjunto de mil unidades. // Número grande indeterminado.
MILLÓN m. Mil millares. // fig. Núm muy grande indeterminado.
MILLONARIO, RIA adj. y s. Muy rico.
MIMAR tr. Hacer caricias y halagos. // Tratar con excesivo regalo a alguien.
MIMBRE m. Rama de la mimbrera.
MIMBRERA f. *Bot.* Arbusto de la fam. salicáceas, de ramas largas delgadas y flexibles, usadas para fabricar muebles y cestas.
MIMESIS f. Imitación de una persona en sus gestos y voz.
MIMETISMO m. Capacidad de algunas plantas y animales de imitar las formas y colores del medio en que viven.
MÍMICA f. Arte de imitar o representar por medio de gestos o ademanes.
MIMO m. Cariño, demostración de ternura. // Condescendencia excesiva con que se trata a alguien.
MIMOSA f. *Bot.* Planta de la fam. mimosáceas, de flores amarillas.
MIMOSÁCEAS f. pl. *Bot.* Fam. de plantas angiospermas, en su mayoría ornamentales.
MIMOSO, SA adj. Melindroso.
MINA f. Criadero de minerales. // Excavación e instalación para la excavación de minerales. // Galería subterránea. // Artefacto explosivo enterrado u oculto. // Barrita interior del lápiz.
MINAR tr. Abrir galerías por debajo de tierra. // fig. Desgastar.
MINERAL adj. Díc. de las sustancias inorgánicas. // m. Sustancia natural de composición química definida y con estructura cristalina.
MINERALOGÍA f. Ciencia que estudia la forma, propiedades, composición, etc., de los minerales.
MINERÍA f. Industria que se ocupa de la extracción de las riquezas del subsuelo.
MINERO, RA adj. Perten. a la minería. // m. El que trabaja en las minas.
MINERVA f. Máquina de impresión de pequeñas dimensiones.
MINGITORIO, RIA adj. Perten. o rel. a la micción. // m. Urinario.
MINIAR tr. Pintar de miniatura.
MINIATURA r. Pintura de pequeñas dimensiones.
MINFUNDIO m. Explotación agraria de reducida extensión.
MINIMIZAR tr. Reducir una cosa de volumen, quitarle importancia.
MÍNIMO, MA adj. Díc. de lo más pequeño en su especie. // Minucioso. // m. Límite inferior a que se puede reducir una cosa.
MINISTERIAL adj. Perten al ministerio o gobierno del Estado, o a alguno de los ministros.
MINISTERIO m. Cada uno de los departamentos en que se divide el gobierno del Estado. // Empleo de ministro. // Cuerpo de ministros. // Cargo, empleo, ocupación.
MINISTRAR tr. e intr. Servir o ejercer un ejemplo o ministerio.
MINISTRO m. El que ministra algo. // Jefe de cada uno de los departamentos del gobierno del Estado.
MINORAR tr. y r. Disminuir.
MINORIA f. Parte menor de los componentes de un grupo. // Menor edad.

MINORISTA m. Comerciante por menor.
MINORITARIO, RIA adj. Perten. o rel a la minoría.
MINUCIA f. Menudencia.
MINUCIOSO adj. Que se detiene en las cosas más pequeñas.
MINUENDO m. Cantidad de la que ha de restarse otra.
MINÚSCULO, LA adj. De muy pequeñas dimensiones, o de muy poca entidad.
MINUTA f. Extracto o borrador de un contrato u otra cosa. // Cuenta que de sus honorarios presentan los abogados y curiales. // Lista de personas o cosas.
MINUTERO m. Manecilla que señala los minutos en el reloj.
MINUTO m. Cada una de las sesenta partes iguales en que se divide una hora.
MIO, MIA, MIOS, MIAS *Gram.* Pron. posesivo de primera persona en gén. m. y f., y ambos números, sing. y pl.
MIOCARDIO m. *Anat.* Capa muscular del corazón.
MIOCENO m. Período de la era terciaria comprendido entre el oligoceno y el plioceno.
MIOPIA f. *Med.* Defecto de la vista que sólo permite ver los objetos próximos al ojo.
MIRA f. Toda pieza que en ciertos instrumentos sirve para dirigir la vista. // fig. Finalidad o norma de conducta.
MIRADA f. Acción y efecto de mirar. // Modo de mirar.
MIRADO, DA adj. Díc. de la persona cauta y reflexiva.
MIRAR tr. y r. Fijar la vista o atención en un objeto. // tr. Observar. // Apreciar, estimar algo. // Estar situado frente a algo. // Concernir, pertenecer. // Cuidar, proteger. // Inquirir, reconocer, buscar.
MIRIADA f. Cantidad muy grande, pero indefinida.
MIRIÁMETRO m. Medida de longitud, equivalente a 10.000 m.
MIRIÁPODOS m. pl. *Zool.* Artrópodos terrestres, de respiración traqueal, ojos simples y cuerpo dividido en anillos con un par de antenas y numerosos pares de patas.
MIRILLA f. Abertura para observar quién llama a la puerta.
MIRIÑAQUE m. Saya interior de tela rígida y almidonada, que usaban las mujeres.
MIRLO m. *Zool.* Pájaro negro dentirrostro. Es domesticable y aprende a imitar los sonidos.
MIRRA f. *Quím.* Resina aromática.
MIRTÁCEAS f. pl. *Bot.* Fam. de plantas dicotiledóneas, ricas en aceite, con hojas compuestas, flores tubulares y fruto capsular.
MIRTO m. *Bot.* Arbusto de la fam. mirtáceas, de hojas coriáceas y fruto en baya.
MISA f. Sacrificio en que, bajo las especies de pan y vino, ofrece el sacerdote de la Iglesia católica el cuerpo y sangre de Cristo.
MISÁNTROPO m. El que manifiesta aversión al trato humano.
MISCELÁNEA f. Mezcla de diversas cosas. // Obra en que se tratan muchas materias mezcladas.
MISCIBLE adj. Mezclable.
MISERABLE adj. Desdichado, infeliz. // Abatido, sin valor ni fuerza. // Avariento, mezquino. // Perverso, canalla.
MISERIA f. Desgracia, infortunio. // Pobreza extremada. // Avaricia, mezquindad. // fig. y fam. Cosa corta.
MISERICORDIA f. Virtud que inclina el ánimo a compadecerse de las miserias ajenas.
MISERO, RA adj. Infeliz. // Abatido. // Avariento. // De pequeño valor.
MISIÓN f. Acción de enviar. // Poder que se da a una persona para desempeñar un cometido. // Actividad apostólica consistente en predicar el Evangelio a los infieles.
MISIVO, VA adj. y s. Apl. al escrito que se envía a uno.
MISMO, MA adj. Denota la identidad de una persona o cosa. // Semejante o igual.
MISÓGENO adj. y s. m. Que odia a las mujeres.
MISTELA f. Bebida hecha con aguardiente, agua, azúcar y otros ingredientes.
MISTÉRICO, CA adj. Rel. a las religiones de origen griego u oriental.
MISTERIO m. Cosa secreta en cualquier religión. // Cualquier cosa muy recóndita, que no se puede comprender o explicar.
MISTERIOSO, SA adj. Que encierra o incluye en sí misterio.
MÍSTICA f. Parte de la teología, que trata de la vida espiritual y contemplativa.
MISTICISMO m. Doctrina filosófica y religiosa que fija la perfección en la mística unión con Dios.
MITIFICAR tr. Engañar, embaucar. // Falsear, falsificar.
MITAD f. Cada una de las dos partes iguales en que se divide un todo. // Parte central.
MÍTICO, CA adj. Rel. al mito.
MITIGAR tr. y r. Moderar, aplacar.
MITIN m. Reunión donde se discuten públicamente asuntos políticos o sociales.
MITO f. Fábula alegórica que alude a hechos significativos de un grupo social.
MITOLOGÍA f. historia de los dioses y héroes de la gentilidad.
MITRA f. Toca o adorno de la cabeza. // Toca alta y apuntada con que en las solemnidades se cubren la cabeza los prelados.
MIXOMATOSIS f. *Vet.* Enfermedad de los conejos, producida por un virus filtrable.
MIXTIFICAR tr. Mistificar.
MIXTO, TA adj. Mezclado con una cosa. // Mestizo. // adj. y s. m. Compuesto de varios simples. // Cerilla.
MIXTURA f. Mezcla de varias cosas.
MIXTURAR tr. Mezclar.
MNEMÓNICA o **MNEMOTECNIA** f. Arte de fomentar la memoria. // Método por medio del cual se forma una

memoria artificial.
MOBILIARIO, RIA adj. Mueble. // m. Conjunto de muebles.

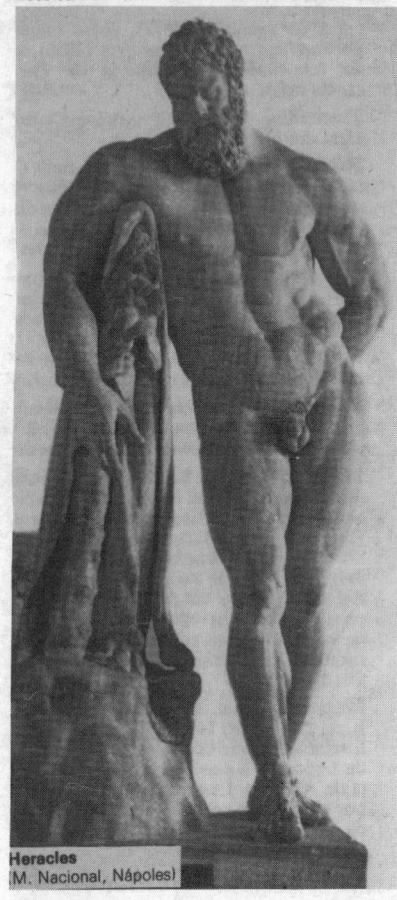

Heracles
(M. Nacional, Nápoles)

MOCA m. Café de Arabia.
MOCASÍN m. Calzado que usan los indios, hecho de piel sin curtir.
MOCEDAD f. Epoca de la vida humana que va desde la pubertad hasta la edad adulta.
MOCIÓN f. Acción de moverse o ser movido. // Proposición que se hace en una asamblea.
MOCO m. Sustancia viscosa y espesa, secretada por las membranas mucosas.
MOCHILA f. Morral de los cazadores, soldados y viandantes.
MOCHUELO m. *Zool.* Ave rapaz nocturna, de la fam. estrígidas.
MODA f. Uso, costumbre que está en boga durante algún tiempo.
MODAL adj. Que comprende modo particular. // m. pl. Acciones externas de cada persona.

MODALIDAD f. Modo de ser o manifestarse una cosa.
MODELADO m. Acción y efecto de modelar.
MODELAR tr. Formar con materia blanda figuras o adornos.
MODELO m. Ejemplar que uno se propone imitar. // Representación en pequeño de algo.
MODERACIÓN f. Acción y efecto de moderar o moderarse. // Sensatez, templanza.
MODERAR tr. y r. Templar, evitar el exceso.
MODERNIZAR tr. Dar forma o aspecto moderno a cosas antiguas.
MODERNO, NA adj. Que existe desde hace poco tiempo. // Que ha sucedido recientemente.
MODESTIA f. Virtud que modera y templa las acciones externas. // Honestidad, recato.
MODESTO, TA adj. y s. Que tiene modestia.
MÓDICO, CA adj. Moderado, escaso.
MODIFICAR tr. y r. Cambiar la forma o el fondo de algo.
MODISTA com. Persona que tiene por oficio hacer prendas de vestir.
MODO m. Forma o manera de ser o manifestarse algo. // Manera de hacer una cosa. // Moderación, templanza. // Cortesía, decencia. // *Ling.* Cada una de las distintas maneras generales de manifestarse la significación del verbo.
MODORRA f. Sueño muy pesado.
MODOSO, SA adj. Que guarda compostura en su conducta y ademanes.
MODULAR intr. Dar a la voz las inflexiones adecuadas a la expresión de los afectos. // Pasar de unos tonos a otros según las reglas de la armonía.
MÓDULO m. Cantidad que sirve de medida o tipo de comparación en ciertos cálculos.
MOFA f. Burla y escarnio.
MOFAR intr. y r. Hacer mofa.
MOFETA f. Cualquiera de los gases perniciosos que se desprenden de las minas y otros sitios subterráneos. // Fumarola. // *Zool.* Mamífero carnívoro de la fam. mustélidos.
MOFLETE m. fam. Carrillo grueso y carnoso.
MOGOLES m. pl. Mongoles.
MOHARRA f. Punta de la lanza.
MOHÍN m. Mueca o gesto.
MOHINO, NA adj. Triste, melancólico.
MOHO m. Hongo muy pequeño que se cría en la superficie de los cuerpos orgánicos. // Capa que se forma en la superficie de un cuerpo metálico por oxidación.
MOHOSO, SA adj. Cubierto de moho. // Cubierto de herrumbre.
MOJAR tr. y r. Humedecer una cosa con agua u otro líquido. // intr. fig. Introducirse o tener parte en un negocio.
MOJIGATO, TA adj. y s. Disimulado, que afecta humildad o cobardía.
MOJÓN m. Señal permanente que se pone para fijar

MOLUSCO

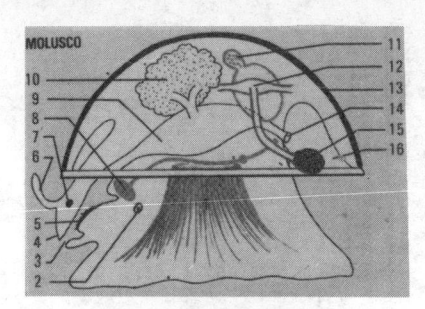

1 - músculo
2 - estatocisto
3 - boca
4 - cabeza
5 - rádula
6 - tentáculo
7 - ojo
8 - sistema nervioso
9 - estómago
10 - glándula digestiva
11 - gónada
12 - corazón
13 - concha
14 - ano
15 - branquia
16 - cavidad paleal

los linderos de heredades, términos y fronteras.
MOJONAR tr. Poner mojones.
MOLAR adj. perten. o rel. a la muela. // Apto para moler.
MOLDE m. Pieza hueca que da su forma a la materia fundida que en ella se vacía.
MOLDEAR tr. Moldurar. // Sacar el molde de una figura.
MOLDURA f. Parte saliente de perfil uniforme, que sirve para adornar obras de arquitectura, etc.
MOLDURAR tr. hacer molduras en una cosa.
MOLE f. corpulencia o bulto grande.
MOLÉCULA f. Quím. Agrupación ordenada y definida de átomos, que constituye la menor porción de un compuesto que puede existir en libertad conservando su naturaleza química.
MOLECULAR adj. Perten. o rel. a las moléculas.
MOLER tr. Quebrantar un cuerpo, hasta hacerlo polvo. // fig. Fatigar mucho.
MOLESTAR tr. y r. Causar molestia.
MOLESTIA f. Fatiga. // Enfado, fastidio, inquietud del ánimo. // Impedimento para los libres movimientos del cuerpo.
MOLESTO, TA adj. Que causa molestia. // fig. Que la siente.
MOLIBDENO m. Quím. Metal pesado, de color y brillo plomizos, quebradizo y difícil de fundir.
MOLICIE f. Blandura. // fig. Afición al regalo y a la comodidad.
MOLIENDA f. Acción de moler.
MOLIFICAR tr. y r. Ablandar, suavizar.
MOLINILLO m. Instrumento pequeño para moler.
MOLINO m. Instalación que sirve para moler. Puede ser de viento o movido por electricidad. // Edificio en que hay un molino.
MOLTURAR tr. Moler.
MOLUSCOS m. pl. Zool. Animales invertebrados de cuerpo blando, simétrico y no segmentado, diferenciado en cabeza, masa visceral y pie. Muchos tienen concha.
MOLLAR adj. Blando.
MOLLEDO m. Parte carnosa y redonda de un miembro.
MOLLEJA f. Zool. Estómago muscular de las aves.
MOLLERA f. Parte más alta del casco de la cabeza. // fig. Seso.
MOMENTÁNEO, A adj. Que dura poco.
MOMENTO m. Mínimo espacio en que se divide el tiempo.
MOMIA f. Cadáver que se deseca con el paso del tiempo, sin entrar en putrefacción.

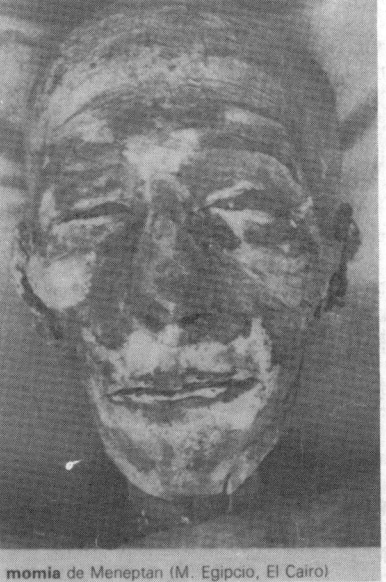

momia de Meneptan (M. Egipcio, El Cairo)

MOMIFICAR tr. y r. Convertir en momia un cadáver.
MOMO m. Gesto, figura o mofa.
MONA f. Hembra del mono. // fig. y fam. Embriaguez, borrachera.
MONACAL adj. Pert. o rel. a los monjes.
MONACATO m. estado o profesión de monje. // Institución monástica.
MONADA f. Cosa pequeña y delicada. // fig. Acción graciosa.
MONAGUILLO m. Niño que hace servicios en la iglesia.
MONARCA m. Soberano de un Estado.
MONARQUÍA f. Estado regido por un monarca. // Forma de gobierno en que el poder supremo corresponde a un príncipe.
MONÁRQUICO, CA adj. Rel. al monarca o a la monarquía. // adj. y s. Partidario de la monarquía.
MONASTERIO m. Convento, ordinariamente fuera de poblado.

MONDAR tr. Limpiar una cosa. // Quitar la cáscara a las frutas, la piel a los tubérculos, etc.
MONDO, DA adj. limpio y libre de cosas superfluas.
MONEDA f. Pieza de metal en figura de disco y acuñada con el busto del soberano o el sello del Gobierno.
MONETARIO, RIA adj. Perten. o rel. a la moneda.
MONGOLES m. pl. Pueblo asiático. Tienen la piel de color amarillo pardo a moreno y la cara oval.
MONGOLISMO m. Retraso mental de grado variable, acompañado de alteraciones morfológicas.
MONIATO m. *Bot.* Batata.
MONICIÓN f. Admonición.
MONIGOTE m. fig. y fam. Persona ignorante y ruda. / Muñeco o figura ridícula.
MONISMO m. Doctrina filosófica según la cual la realidad puede reducirse a un único principio.
MONITOR m. El que amonesta o avisa. // El que enseña un deporte.
MONJA f. Religiosa de una comunidad.
MONJE Solitario, anacoreta. // Individuo de una comunidad religiosa.
MONO, NA adj. fig. y fam. Bonito, lindo. // m. fig. Figura humana o de animal, pintada o dibujada. // Traje de faena.
MONO m. *Zool.* Mamífero primate que se caracteriza por ser plantígrado, y gralte. omnívoro y arborícola.
MONO- Voz usada como prefijo, con el significado de "único" o "uno solo".
MONOCOTILEDÓNEAS f. pl. *Bot.* Plantas angiospermas, cuyo embrión contiene un solo cotiledón.
MONOCROMÁTICO, CA adj. Que posee un solo color.
MONÓCULO m. Lente para un solo ojo.
MONOGAMÍA f. Calidad de monógamo. // Régimen familiar que veda la pluralidad de esposas.
MONÓGAMO, MA adj. y s. Casado con una sola mujer.
MONOGRAFÍA f. Tratado de algún asunto en particular.
MONOLINGÜE adj. Que habla una lengua // Escrito en un solo idioma.
MONOLITO m. Monumento de piedra de una sola pieza.
MONOLOGAR intr. Recitar soliloquios o monólogos.
MONÓLOGO m. Soliloquio. // Especie de obra dramática en que habla un solo personaje.
MONOMANÍA f. Locura parcial sobre un solo orden de ideas.
MONOMIO m. Expresión algebraica que consta de un solo término.
MONOPOLIO m. Privilegio concedido en exclusiva a un individuo o sociedad para vender o explotar una cosa en un territorio determinado.
MONOPOLIZAR tr. Adquirir o atribuirse uno el exclusivo aprovechamiento de un negocio.
MONOSÍLABO, BA adj. y s. Apl. a la palabra de una sola sílaba.
MONOTEISMO m. Doctrina teológica de los que reconocen un solo Dios.
MONOTIPIA f. Máquina de componer con tipos sueltos.
MONOTONÍA f. Uniformidad de tono en el que habla, en la música, etc. // Falta de variedad.
MONÓTONO adj. Que adolece de monotonía.
MONOVALENTE adj. Díc. del átomo que tiene una sola valencia.
MONSEÑOR m. Título de honor que se da en algunos países a los prelados eclesiásticos.
MONSERGA f. fam. Lenguaje confuso y embrollado.
MONSTRUO m. Producción contra el orden regular de la naturaleza. // Excesivamente grande, o extraordinario en cualquier línea.// Persona muy cruel y perversa.
MONSTRUOSIDAD f. Desorden grave en la proporción que deben tener las cosas. // Suma fealdad.
MONTA f. Acción y efecto de montar. // Valor de una cosa.
MONTAJE m. Acción y efecto de montar un aparato o una máquina.
MONTANO, NA adj. Perten. o rel. al monte.
MONTAÑA f. Grande elevación natural del terreno. // Territorio cubierto y erizado de montes.
MONTAÑISMO m. Deporte que consiste en escalar altas montañas.
MONTAÑOSO, SA adj. Perten. o rel. a las montañas; abundante en ellas.
MONTAR intr. y r. Subirse encima de una cosa. // intr. y tr. Cabalgar. // Cubrir el caballo o burro a la yegua. // En las cuentas, importar o subir a una cantidad total las partidas diversas. // Armar las piezas de un aparato.
MONTARAZ adj. Que está heco a andar por los montes. // fig. Feroz.
MONTE m. Elevación natural del terreno. // Tierra inculta cubierta de árboles, arbustos o matas.
MONTEPIO m. Depósito de dinero integrado por los miembros de una sociedad, para socorros mutuos.
MONTERÍA f. Caza mayor. // Arte de cazar.
MONTÉS adj. Que anda, está o se cría en el monte.
MONTÍCULO m. Monte pequeño, por lo común aislado.
MONTÓN m. Conjunto de cosas puestas sin orden unas encima de otras. // fig. y fam. Número considerable.
MONTURA f. Cabalgadura. // Conjunto de los arreos de una caballería de una silla. // Montaje.
MONUMENTAL adj. Perten. o rel. al monumento. // fig. y fam. Muy excelente o grande.
MONUMENTO m. Obra arquitectónica o escultórica, hecha en recuerdo de una persona o acción memorable. // Obra de mérito excepcional.
MONZÓN m. Viento estacional periódico del océano Indico.
MOÑO m. Atado que se hace con el cabello para

tenerlo recogido. // Lazo de cintas.
MOQUETA f. Tejido fuerte usado para recubrir suelos y paredes.

monumento a la india Catalina, Cartagena

MOQUILLO m. *Vet.* Enfermedad catarral de algunos animales.
MORA f. *Bot.* Infrutescencia carnosa y comestible, formada por varias drupas esféricas.
MORADA f. Casa o habitación.
MORADO, DA adj. y s. De color entre carmín y azul.
MORAL adj. Perten. o rel. a la moral. // Rel. a cosas del entendimiento o de la conciencia. // f. Ciencia que trata del bien en general, y de las acciones humanas en orden a su bondad o malicia.
MORALEJA f. Enseñanza que se deduce de un cuento, fábula, etc.
MORALIDAD f. Conformidad de una acción o doctrina con los dictados de la moral.
MORALIZAR tr. y r. Corregir las malas costumbres.
MORAR intr. Residir en un lugar.
MORATORIA f. Plazo que se otorga para solventar una deuda vencida.

MÓRBIDO, DA adj. Que padece enfermedad o la ocasiona. // Blando.
MORBO m. Enfermedad.
MORBOSO, SA adj. Enfermo. // Que causa enfermedad, o concierne a ella.
MORCILLA f. Embutido hecho con sangre cocida, cebolla y especias.
MORDAZ adj. Que corroe. // Aspero y picante. // fig. Que hiere y ofende con maledicencia punzante.
MORDAZA f. Instrumento que se pone en la boca para impedir hablar.
MORDEDURA f. Acción de morder. // Daño ocasionado en ella..
MORDENTE m. Mordiente.
MORDER tr. Asir con los dientes una cosa clavándolos en ella. // Gastar poco a poco, quitando partes muy pequeñas, como hace la lima. // Murmurar o satirizar.
MORDIENTE m. Sustancia que se usa en tintorería para fijar los colores.
MORDISCO m. Mordedura que se hace sin causar grave lesión. // Pedazo que se saca de una cosa mordiéndola.
MORDISQUEAR tr. Picar como mordiendo.
MORENO, NA adj. Apl. al color oscuro que tira a negro. // Díc. de color menos claro de la raza blanca.
MORERA f. *Bot.* Planta arbórea de la fam. moráceas. Su fruto és la mora.
MORFINA f. *Bioquim.* Alcaloide principal del opio, de acción analgésica.
MORFINÓMANO, NA adj. y s. Que tiene el hábito morboso de tomar morfina.
MORFOLOGÍA f. Estudio de las formas. Apl. tanto en Biología como en Lingüistica y en Geología.
MORIBUNDO, DA adj. y s. Que está muriendo, o cercano a morir.
MORIGERAR tr. y r. Moderar los excesos de los afectos y acciones.
MORIR intr. Acabar la vida. // fig. Fenecer o acabar del todo cualquier cosa. // Sentir violentamente algún afecto, pasión u otra cosa. // r. Acabar la vida.
MORISCO, CA adj. y s. Díc. de los moros que en España adoptaron oficialmente el cristianismo.
MORISMA f. Secta de los moros. // Multitud de moros.
MORO, RA adj. y s. Natural de la parte del África septetrional, frontera a España. // Mahometano.
MOROSIDAD f. Lentitud, demora. // Falta de actividad.
MOROSO, SA adj. Que incurre en morosidad. // Apl. al deudor que no cancela su deuda en término.
MORRAL m. Saco con pienso, que se cuelga de la cabeza de las bestias para que coman. // Saco que se usa para llevar provisiones, transportar cosas, etc.
MORRIÑA f. fig. y fam. Tristeza, melancolía, nostalgia.
MORRO m. Cualquier cosa redonda. // Saliente que

forman los labios, esp. los abultados o gruesos.
MORROCOTUDO, DA adj. fam. De mucha importancia o dificultad.
MORSA f. *Zool.* Mamífero acuático pinnípedo, parecido a la foca.
MORTAJA f. Vestidura, sábana u otra cosa en que se envuelve el cadáver para el sepulcro.
MORTAL adj. Sujeto a la muerte. // adj. y s. Por anton, díc. del hombre. // adj. Que ocasiona o puede ocasionar la muerte. // fig. Fatigoso, abrumador.
MORTALIDAD f. Calidad de mortal. // Número proporcional de defunciones en pobl. o tiempo determinados.
MORTANDAD f. Multitud de muertes causadas por peste, guerra, etc.
MORTECINO, NA adj. fig. Bajo, apagado y sin vigor.
MORTERO m. Pieza de artillería de gran calibre, que sirve para disparar bombas. // Vaso en que se machacan las especias.
MORTÍFERO, RA adj. Que ocasiona o puede ocasionar la muerte.
MORTIFICAR tr. y r. fig. Domar las pasiones castigando el cuerpo y refrenando la voluntad. // Afligir, desazonar.
MORTUORIO, RIA adj. Perten. o rel. al muerto o a las honras que por él se hacen.
MORUECO m. Carnero padre.
MOSAICO, CA adj. Perten. a Moisés.
MOSAICO m. Obra taraceada de piedras o vidrios de varios colores. Suele formar figuras.
MOSCA f. *Zool.* Insecto díptero de antenas cortas, boca en forma de trompa y patas previstas de ventosas.
MOSCARDÓN m. Especie de mosca de gran tamaño.
MOSCATEL adj. y s. m. Uva moscatel. // adj. Apl. al viñedo que la produce y al vino que da.
MOSCÓN m. Especie de mosca zumbadora.
MOSCONEAR tr. Importunar.
MOSQUEAR tr. y r. fig. Responder uno resentido y como picado.
MOSQUETE m. Arma de fuego ant. más larga y pesada que el arcabuz.
MOSQUETÓN m. Carabina corta.
MOSQUITO m. *Zool.* Insecto díptero, con antenas, de cuerpo y patas largos, y alas estrechas. Las hembras pican para chupar la sangre.
MOSTACHO m. Bigote del hombre.
MOSTAZA f. *Bot.* Planta de la fam. crucíferas, de flores blancas y semillas picantes. Su polvo se usa como condimento.
MOSTO m. Zumo extraído de la uva, antes de fermentar.
MOSTRAR tr. Exponer a la vista una cosa; enseñarla o señalarla. // Explicar, dar a conocer una cosa. // r. Darse uno a conocer de alguna manera.
MOSTRENCO, CA adj. fig. y fam. Díc. del que no tiene hogar ni amo conocido. // adj. y s. fig. y fam. Tardo de entendimiento.

MOTA f. Granillo que se forma en el paño. // Partícula de hilo u otra cosa semejante que se pega a los vestidos o a todas partes. // fig. Defecto muy pequeño.
MOTE m. Frase breve que incluye un secreto o misterio. // Apodo.
MOTEAR tr. Salpicar de motas una tela.
MOTEJAR tr. Censurar las acciones de uno con motes o apodos.
MOTEL m. Hotel situado al lado de una carretera principal.
MOTÍN m. Movimiento de protesta, de raíz popular, contra los abusos o la incompetencia de la autoridad.
MOTIVAR tr. Dar motivo para algo.
MOTIVO m. Causa o razón que mueve para una cosa.
MOTOCICLETA f. Vehículo de dos ruedas parecido a la bicicleta, con un motor de combustión.
MOTONAVE f. Buque propulsado por un motor de combustión interna.
MOTOR, RA adj. y s. Que produce movimiento. // *Tecnol.* m. Máquina que transforma en movimiento cualquier forma de energía. // f. Embarcación menor provista de motor.
MOTORIZAR tr. Dotar de medios mecánicos de tracción o transporte.
MOTRIZ adj. f. Que mueve.
MOVEDIZO, ZA adj. Fácil de moverse o ser movido. // Inseguro.
MOVER tr. y r. Hacer que un cuerpo deje el lugar que ocupa y pase a ocupar otro. // tr. Por ext., agitar una cosa. // fig. Dar motivo para una cosa. // Seguido de la prep. *a*, causar, ocasionar.
MOVIBLE adj. Que puede moverse.
MÓVIL adj. Movible. // Que no está fijo. // m. Lo que mueve a una cosa.
MOVILIDAD f. Calidad de movible.
MOVILIZAR tr. Poner en actividad o movimiento tropa, etc. // Poner en pie de guerra.
MOVIMIENTO m. Acción y efecto de mover o moverse. // fig. Alteración, inquietud.
MOZALBETE m. Mozo de pocos años.
MOZÁRABE adj. y s. Díc. del cristiano que vivió ant. mezclado con los moros en España. // adj. Perten. o rel a los mozárabes.
MOZO, ZA adj. y s. Joven. // Célibe. // m. Hombre que vive en oficios humildes.
MOZUELO, LA m. y f. Muchacho.
MUCÍLAGO m. Sustancia viscosa que se halla en ciertos vegetales.
MUCOSIDAD f. Materia glutinosa de la misma naturaleza que el moco.
MUCOSO, SA adj. Semejante al moco. // Que tiene mucosidad o la produce.
MUCHACHO m. y f. Niño o niña que no ha llegado a la adolescencia. // Persona que se halla en la mocedad.
MUCHEDUMBRE f. Abundancia, multitud de personas o cosas.

MOTORES

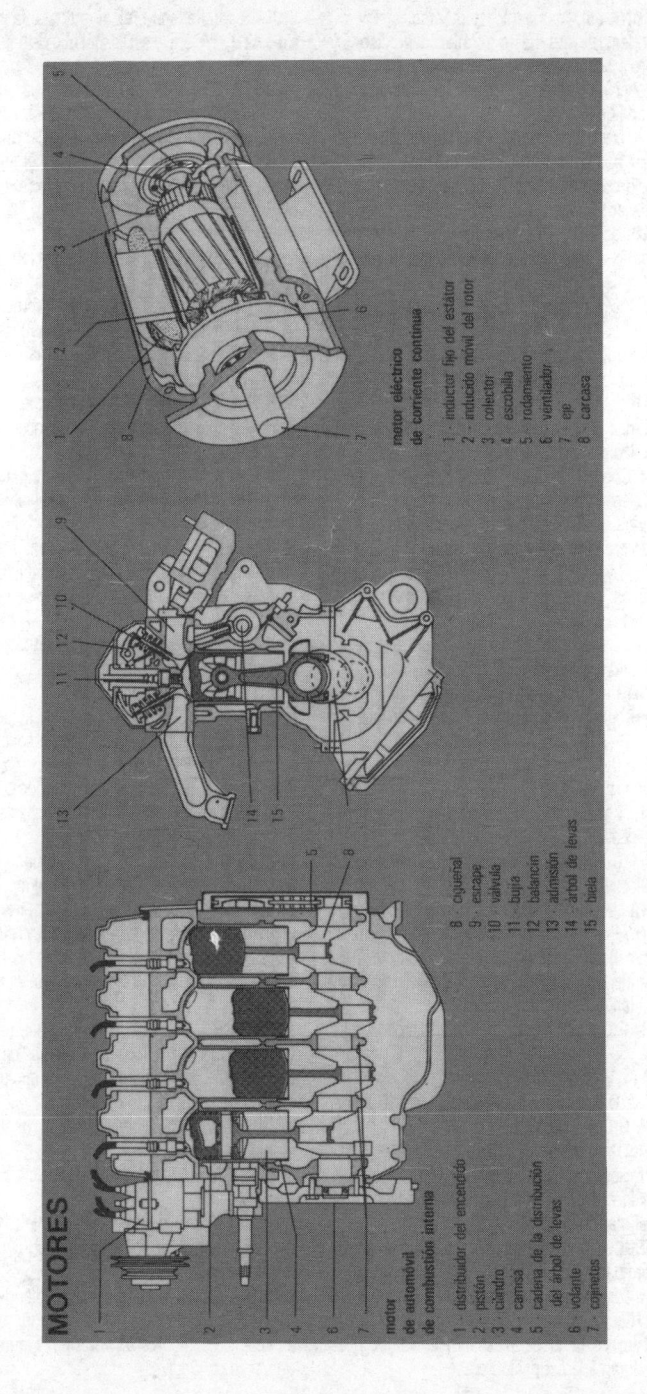

motor de automóvil de combustión interna

1. distribuidor del encendido
2. pistón
3. cilindro
4. camisa
5. cadena de la distribución del árbol de levas
6. volante
7. cojinetes
8. cigüeñal
9. escape
10. válvula
11. bujía
12. balancín
13. admisión
14. árbol de levas
15. biela

motor eléctrico de corriente continua

1. inductor fijo del estator
2. inducido móvil del rotor
3. colector
4. escobilla
5. rodamiento
6. ventilador
7. eje
8. carcasa

279

MUCHO, CHA adj. Abundante, numeroso. // adv. c. Con abundancia; más de lo regular o preciso. // Antepuesto a ciertos adverbios denota comparación.
MUDA f. Acción de mudar algo. // Conjunto de ropa que se muda de una vez.
MUDAR tr. Dar o tomar otro ser, estado, figura, lugar, etc. //Dejar una cosa y tomar, en su lugar, otra. // Apartar de un sitio o empleo. // r. Dejar la casa que se habita y pasar a vivir a otra.
MUDÉJAR adj. Díc. del musulmán que quedaba como vasallo de los reyes cristianos, sin mudar de religión.
MUDEZ f. Incapacidad de hablar, congénita o adquirida.
MUDO, DA adj. y s. Que no tiene la facultad de hablar. // Muy silencioso o callado.
MUEBLAR tr. Amueblar.
MUEBLE m. Cada uno de los enseres, que sirven para la comodidad o adorno de las casas.
MUECA f. Contorsión del rostro, gralte, burlesca.
MUELA f. *Anat.* Cada uno de los dientes posteriores a los caninos. // Disco de piedra que gira con rapidez sobre la solera para moler lo que hay entre ambas.
MUELLE adj. y s. Delicado, suave. // Voluptuoso. // m. Pieza elástica, gralte. de acero, que, separada de su posición natural, tiende a recobrarla en seguida.
MUELLE m. Obra construida en la orilla del mar, de un río o lago para facilitar el embarque y desembarque.
MUÉRDAGO m. *Bot.* Planta hemiparásita de la fam. lorantáceas, que crece sobre las ramas de ciertos árboles.
MUERTE f. Cesación de la vida. // Homicidio. // fig. Destrucción, ruina.
MUERTO, TA adj. y s. Que está sin vida. // adj. Apagado, desvaído.
MUESCA f. Concavidad o hueco que hay en una cosa para encajar otra.
MUESTRA f. Rótulo que anuncia mercancías, oficio o profesión. // Porción de una mercancía, que sirve para conocer la calidad del género. // Ejemplar que se ha de copiar o imitar. // Porte, ademán. // fig. Señal, indicio, demostración.
MUESTRARIO m. Colección de muestras de mercaderías.
MUGIDO m. Voz de toro y de la vaca.
MUGIR intr. Dar mugidos la res vacuna. // fig. Bramar.
MUGRE f. Grasa o suciedad.
MUGRIENTO adj. Lleno de mugre.
MUJER f. Persona de sexo femenino. // La que ha llegado a la edad de la pubertad. // La casada con relación al marido.
MUJERIEGO, GA adj. Perten. o rel. a la mujer. // Díc. del hombre dado a mujeres.
MUJERIL adj. Perten. o rel. a la mujer. // Afeminado.
MULA f. Hija de asno y yegua o de caballo y burra.
MULADI adj. y s. El cristiano español convertido al islamismo durante la ocupación árabe.

MULAR adj. Perten. o rel. al mulo o a la mula.
MULATO, TA adj. y s. Díc. del hijo de negra y blanco o viceversa.
MULETA f. Palo con un travesaño en unos de sus extremos, que sirve para apoyarse. // Palo con un paño rojo que maneja el torero para engañar al toro.
MULO m. *Zool.* Híbrido resultante del asno con la yegua o del caballo con la burra.
MULTA f. Pena pecuniaria.
MULTAR tr. Imponer una multa.
MULTICOPISTA adj. y s. Máquina que sirve para sacar copias de documentos, dibujos, etc.
MULTINACIONAL adj. Díc. de la empresa cuyas actividades se llevan a cabo en diversos Estados.
MÚLTIPLE adj. Vario, de muchas maneras, opuesto a simple.
MULTIPLICACIÓN f. Operación que consiste en sumar un número (multiplicando) tantas veces como indica otro (multiplicador).
MULTIPLICADOR adj. y s. Que multiplica.
MULTIPLICANDO adj. y s. Díc. del factor que ha de ser multiplicado.
MULTIPLICAR tr., r. e intr. Aumentar en número considerable los individuos de una especie. // r. Afanarse, desvelarse. // *Arit.* Efectuar una multiplicación.
MULTIPLICIDAD f. Calidad de múltiple. // Muchedumbre, abundancia excesiva de cosas.
MÚLTIPLO, PLA adj. y s. *Mat.* Díc. del número que contiene o a otro varias veces exactamente.
MULTITUD f. Número grande de personas o cosas.
MULTITUDINARIO, RIA adj. Que forma multitud.// Propio o característico de las multitudes.
MULLIR r. Ahuecar y esponjar una cosa para que esté blanda.
MUNDANAL adj. Perten. o rel. al mundo humano.
MUNDANO, NA adj. Perten. o rel. al mundo.
MUNDIAL adj. Perten. o rel. a todo el mundo.
MUNDO m. Conjunto de todas las cosas creadas. // La tierra que habitamos. // Totalidad de los hombres. // Sociedad humana. // Experiencia de la vida y del trato social.
MUNICIÓN f. Conjunto de pertrechos necesarios a una plaza fuerte. // Carga de las armas de fuego.
MUNICIPAL adj. Perten. o rel. al municipio.// m. Individuo de la guardia municipal.
MUNICIPALIDAD f. Ayuntamiento de un término municipal.
MUNICIPALIZAR tr. Asignar al municipio un servicio público.
MUNICIPIO m. Conjunto de habitantes de un mismo término jurisdiccional, regido por un ayuntamiento. // El término municipal.
MUNIFICENCIA f. Generosidad espléndida.
MUÑECA f. Parte del cuerpo humano, en donde se articula la mano con el antebrazo. // Figurilla de niña, que sirve de juguete.

MUÑEIRA f. Baile popular de Galicia.
MUÑÓN m. Parte de un miembro cortado que permanece adherida al cuerpo.
MURAL adj. Perten. o rel. al muro.

Cantinflas, detalle de un mural de Rivera

MURALLA f. Muro u obra defensiva que rodea una plaza fuerte o protege un territorio.

La Gran **MURALLA** China

MURCIÉLAGO m. *Zool.* Mamífero quiróptero volador. Tiene una ancha membrana que rodea su cuerpo, extendida entre sus dedos muy desarrollados. Es de hábitos nocturnos.
MURMULLO m. Ruido que se hace hablando en voz baja. // Ruido continuado y confuso de algunas cosas.
MURMURAR intr. Hacer ruido blando y apacible la corriente de las aguas u otras cosas. // intr. y tr. fig. Hablar entre dientes, manifestando queja o disgusto.

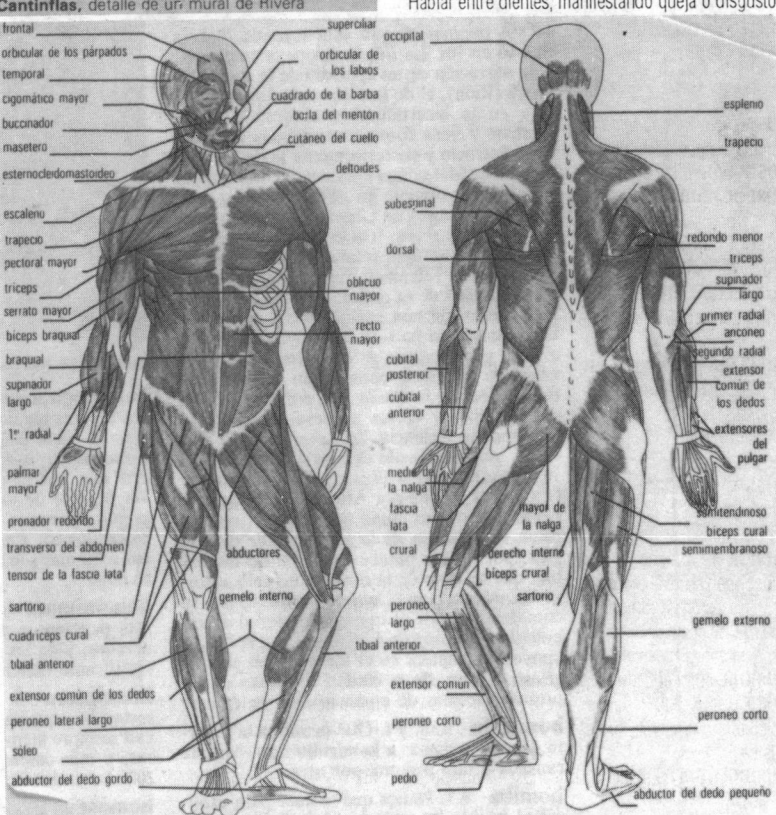

MURO m. Pared o tapia. // Muralla.
MUSA f. Cada una de las deidades que protegían las ciencias y las artes liberales. // fig. Inspiración del poeta. // Poesía.

las **musas**, detalle de «El Parnaso» de Rafael

MUSARAÑA f. *Zool.* Mamífero insectívoro de la fam. sorícios, emparentado con el topo.
MUSCULAR adj. Perten. a los músculos.
MUSCULATURA f. *Anat.* Conjunto de los músculos del cuerpo.
MÚSCULO m. *Anat.* Organo contráctil que sirve para realizar movimientos.
MUSCULOSO, SA adj. Apl. a la parte del cuerpo que tiene músculos. // Que tiene los músculos muy abultados y visibles.
MUSELINA f. Tejido de seda fino y transparente.
MUSEO m. Lugar destinado para el estudio de las ciencias, las letras y las artes. // Lugar donde se guardan y exponen objetos notables perten. a las ciencias y artes.
MUSGO m. *Bot.* Cada una de las plantas criptógamas, herbáceas, muy pequeñas y apiñadas, propias de los lugares húmedos.
MÚSICA f. Arte de combinar rítmicamente los sonidos con el fin de expresar emociones o sentimientos. // Sucesión de sonidos modulados para recrear el oído. // Colección de papeles en que están escritas las composiciones musicales.
MUSICAL adj. Perten. o rel. a la música.
MÚSICO, CA adj. Perten. o rel. a la música. // m. y f. Persona que ejerce, profesa o sabe el arte de la música.
MUSICOLOGIA f. Estudio de la teoría o historia de la música.

MUSITAR intr. Susurrar o hablar entre dientes.
MUSLIME adj. y s. Musulmán.
MUSLO m. *Anat.* Parte de la pierna comprendida entre la cadera y la rodilla.
MUSTÉLIDOS m. pl. *Zool.* Fam. de mamíferos carnívoros, de cuerpo alargado, patas cortas y molares poco desarrollados, como la marta.
MUSTIARSE r. Marchitarse.
MUSTIO, TIA adj. Melancólico, triste. // Lánguido, marchito.
MUSULMÁN, NA adj. y s. Mahometano.
MUTACIÓN f. Acción y efecto de mudar o mudarse. // *Biol.* Variación súbita de carácter hereditario.
MUTILADO, DA adj. y s. Díc. de la persona a quien le falta una parte del cuerpo.
MUTILAR tr. y r. Cortar una parte del cuerpo. // tr. Cortar una parte de cualquier cosa.

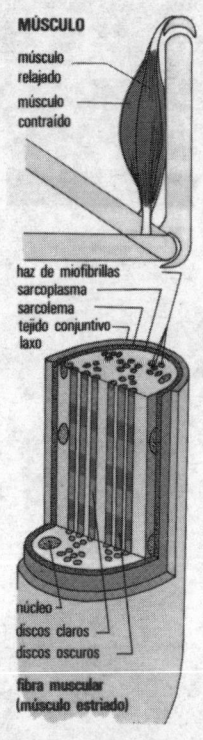

MUTIS m. Voz que se usa en el teatro para hacer que un actor se retire de la escena. // El acto de retirarse.
MUTISMO m. Silencio voluntario o impuesto.
MUTUALIDAD f. Asociación de seguros en que sus miembros son a la vez asegurados y aseguradores.
MUTUO, TUA adj. y s. Apl. a lo que recíprocamente se hace entre dos o más personas, animales o cosas.
MUY Adv. c. que denota grado sumo o superlativo.

N

N f. Decimosexta letra del abecedario español y decimotercera de sus consonantes. Su nombre es *ene*.
NABO m. *Bot.* Planta de la fam. crucíferas de raíz muy abultada, blanca o amarilla, carnosa y comestible.
NÁCAR m. *Zool.* Sustancia dura, blanca y brillante con reflejos irisados, que forma la parte interior de la concha de los moluscos.
NACARINO, NA adj. Propio del nácar o parecido a él.
NACER intr. Salir del vientre materno o del huevo. // Empezar a salir un vegetal de su semilla. // Salir el vello, pelo o pluma. // Aparecer las hojas, flores, etc., en las plantas. // fig. Tomar principio una cosa de otra. // Prorrumpir o brotar.
NACIENTE adj. Muy reciente. // m. Oriente, Este.
NACIMIENTO m. Acción y efecto de nacer. // Lugar o tiempo donde tiene algo su origen o principio.
NACIÓN f. Conjunto de los habitantes de un país regido por el mismo gobierno. // Territorio de ese mismo país. // Conjunto de personas con idioma, historia, religión, costumbres y origen étnico comunes.
NACIONAL adj. Perten. o rel a una nación. // adj. y s. Natural de una nación.
NACIONALIDAD f. Calidad de miembro de un Estado soberano.
NACIONALISMO m. Apego a lo propio de una nación y a cuanto le pertenece. // Doctrina que exalta la personalidad nacional completa. // Aspiración de un pueblo o raza a constituirse en estado soberano.
NACIONALIZAR tr. Naturalizar. // Dar carácter nacional a algo. // Atribuir al Estado bienes o empresas privadas.
NADA f. Carencia absoluta de todo ser. // pron. indet. Ninguna cosa. // Poco o muy poco. // adv. neg. De ninguna manera, de ningún modo.
NADAR intr. Mantenerse sobre el agua, o ir por ella sin tocar el fondo. // Flotar en un líquido cualquiera. // fig. Abundar en cualquier cosa.
NADERÍA f. Cosa de poca entidad.
NADIE pron. indet. Ninguna persona. // m. fig. Persona insignificante.
NAFTA f. *Quím.* Líquido incoloro, volátil, más ligero que el agua y muy combustible, que se obtiene de la destilación del petróleo.
NAFTALINA m. Hidrocarburo que se utiliza para colorantes y para fabricar bolas contra la polilla.
NAIPE m. Cartulina que lleva dibujadas ciertas figuras en una cara y está destinada al juego. // fig. Conjunto de naipes, baraja.
NALGA f. Cada una de las dos partes carnosas y redondeadas que constituyen el trasero.
NANA f. fam. Abuela. // Canción de cuna. // Nodriza.
NARANJA f. *Bot.* Árbol de las auranciáceas. Su fruto es la naranja y su flor el azahar.
NARCISISMO m. Enamoramiento de sí mismo.
NARCISO m. fig. Enamorado de sí mismo.
NARCISO m. *Bot.* Planta de la fam. amarilidáceas, bulbosa y de flores amarillas y blancas, olorosas.
NARCOSIS f. *Med.* Estado de somnolencia producido por los narcóticos.
NARCÓTICO, CA adj. y s. Díc. de lo que produce sopor o adormecimiento de los sentidos.
NARCOTISMO m. Estado de sopor que procede del uso de los narcóticos.
NARCOTIZAR tr. y r. Producir narcotismo.
NARDO m. *Bot.* Planta amarilidácea similar al narciso.
NARIGUDO, DA adj. y s. Que tiene la nariz grande.
NARIZ f. *Anat.* En el hombre y otros vertebrados, parte saliente del rostro, entre la boca y la frente. // fig. Sentido del olfato.
NARRACIÓN f. Relación de hechos, reales o fantásticos.
NARRAR tr. contar, referir algo.
NARRATIVA f. Acción y efecto de narrar. // Habilidad para narrar.
NARRATIVO, VA adj. Perten. o rel. a la narración.
NARVAL m. *Zool.* Mamífero cetáceo. Tiene dos incisivos superiores, uno corto y el otro muy largo.
NASA f. Aparejo construido de mimbres o redes, en forma de cesto, usado para pescar.
NASAL adj. Perten. o rel. a la nariz. // Díc. del sonido producido cuando el aire expirado pasa parcial o totalmente por la nariz. // adj. y s. f. Apl. a la letra que representa este sonido.
NASALIZAR tr. Dar a un sonido o letra pronunciación nasal.
NATA f. Sustancia grasa que se forma en la superficie de la leche en reposo. // fig. Lo mejor de una cosa.
NATACIÓN f. Acción y efecto de nadar. // Arte de nadar.
NATAL adj. Perten. al nacimiento, o al lugar donde uno ha nacido.
NATALICIO, CIA adj y s. m. Perten. al día del nacimiento.
NATALIDAD f. Número proporcional de nacimientos en población y tiempo determinados.
NATATORIO, RIA adj. Perten. a la natación.
NATILLAS f. pl. Dulce hecho de yemas de huevo, leche y azúcar.
NATIVO, VA adj. Que nace naturalmente. // Perten. al país o lugar en que uno ha nacido. // Natural, nacido. // Innato, propio a la naturaleza de cada cosa.
NATO, TA adj. Apl. al título o al cargo que está anejo a un empleo o a la calidad de un sujeto.
NATURA f. Naturaleza. // Partes genitales.
NATURAL adj. Perten. a la naturaleza o esencia de las cosas. // adj. y s. Nativo, originario de un pueblo o nación. // adj. Hecho sin artificio. // Ingenuo, sin doblez. // Díc. de las cosas que imitan a la naturaleza. // m. Genio, índole, temperamento. // Instinto de los animales.
NATURALEZA f. Esencia y propiedad característica

de cada ser. // Estado natural del hombre. // Conjunto, orden y disposición de todo lo que compone el universo. // Propiedad de las cosas. // Instinto, propensión.

NATURALIDAD f. Calidad de natural. // Ingenuidad, sencillez.

NATURALIZAR tr. Conceder a un extranjero los derechos de los naturales de un país. // r. Adquirir los derechos de los naturales de un país.

NATURISMO m. Sistema terapéutico basado en el empleo de los agentes físicos naturales.

NAUFRAGAR intr. Irse a pique o perderse la embarcación. // fig. Salir mal un intento o negocio.

NAUFRAGIO m. Pérdida o ruina de la embarcación que navega. // fig. Pérdida grande.

NÁUFRAGO, GA adj. y s. Que ha padecido naufragio.

NÁUSEA f. Basca, ansia de vomitar. // fig. Aversión que causa algo.

NAUSEABUNDO, DA adj. Que causa o produce náuseas. // Propenso a vómito.

NAUTA m. Hombre de mar.

NÁUTICA f. Ciencia o arte de navegar.

NÁUTICO, CA adj. Perten. o rel. a la navegación.

NAVA f. Tierra baja y llana, a veces pantanosa.

NAVAJA f. Cuchillo cuya hoja puede doblarse para guardar el filo entre dos cachas.

NAVAJA f. *Zool.* Molusco acéfalo, de dos conchas simétricas lisas, de color verdoso.

NAVAL adj. Perten. o rel. a las naves y a la navegación.

NAVE f. Embarcación en general, barco. // Cada uno de los espacios entre muros o filas de columnas que se extienden a lo largo de las iglesias u otros edificios.

NAVEGABLE adj. Díc. del río, lago, etc., donde se puede navegar. // Que puede navegar.

NAVEGACIÓN f. Acción de navegar. // Viaje que se hace con la nave. // Tiempo que éste dura. // Náutica.

NAVEGAR intr. Trasladarse por el agua con embarcación o nave. // Andar el buque o embarcación. // Por analogía, ir por el aire en globo o avión.

NAVETA f. Cajón de un escritorio. // Construcción megalítica caraterística de las Baleares.

NAVIDAD n. p. f. Natividad de Jesucristo. // Día en que se celebra. // Tiempo inmediato a este día.

NAVIDEÑO, ÑA adj. Perten. o rel. al tiempo de navidad.

NAVIERO, RA adj. Concerniente a naves o a navegación. // m. Dueño de un navío.

NAVÍO m. Buque de guerra o mercante. // Bajel de guerra para el combate en alta mar.

NÁYADE f. En la mitología gr., ninfa de los ríos y las fuentes.

NEBLINA f. Niebla espesa y baja.

NEBULOSA f. Masa de materia cósmica, difusa y luminosa, similar a una nube.

NEBULOSIDAD f. Calidad de nebuloso. // Pequeña oscuridad, sombra.

NEBULOSO, SA adj. Que abunda de nieblas o cubierto de ellas. // Sombrío, tétrico. // Falto de lucidez. // Difícil de comprender.

NECEDAD f. Calidad de necio. // Dicho o hecho necio.

NECESARIO, RIA adj. Que inevitablemente ha de ser o suceder. // Indispensable para un fin.

NECESER m. Caja o estuche con diversos objetos de tocador, costura, etc.

NECESIDAD f. calidad de necesario. // Todo aquello a lo cual es imposible sustraerse. // Falta de lo necesario para vivir. // Riesgo o peligro que requiere pronto auxilio.

NECESITADO, DA adj. y s. Pobre.

NECESITAR intr. y tr. Tener necesidad de una persona o cosa.

NECIO, CIA adj. y s. Ignorante. // Imprudente o falto de razón. // adj. Apl. también a las cosas ejecutadas con ignorancia o imprudencia.

NECRÓFAGO, GA adj. Que se alimenta de cadáveres.

NECROLOGÍA f. Noticia o biografía de una persona con ocasión de su muerte. // Lista o noticia de muertos.

NECROLÓGICO, CA adj. Perten. o rel. a la necrología.

NECRÓPOLIS f. Cementerio extenso.

NÉCTAR m. *Mit.* Bebida de los dioses. // fig. Cualquier licor deliciosamente suave y gustoso.

NEERLANDÉS, SA adj. y s. Holandés. // m. Lengua hablada por los habitantes de los Países Bajos.

NEFANDO, DA adj. Indigno, vil, execrable.

NEFASTO, TA adj. Triste, funesto.

NEFRÍTICO, CA adj. Renal, perten. o rel. a los riñones. // adj. y s. Que padece de nefritis.

NEFRITIS f. *Med.* Inflamación del riñón.

NEGACIÓN f. Acción y efecto de negar. // Carencia o falta total de una cosa.

NEGADO, DA adj. y s. Inepto para una cosa.

NEGAR tr. Decir que no es verdad una cosa. // Dejar de reconocer algo. // No conceder lo que se pide. // Prohibir o vedar. // No reconocer una cosa como propia. // r. Excusarse de hacer algo.

NEGATIVA f. negación o denegación. // Repulsa.

NEGATIVO, VA adj. Que incluye o contiene negación o contradicción. // Perten. a la negación. // Díc. de la imagen producida por la luz en una placa o película sensible. // m. Clisé.

NAVÍOS

NEGLIGENCIA f. Descuido, omisión. // Falta de aplicación.
NEGLIGENTE adj. y s. Descuidado, omiso.
NEGOCIACIÓN f. Acción y efecto de negociar.
NEGOCIANTE adj. y s. Que negocia. // m. Comerciante.
NEGOCIAR intr. Comerciar con mercaderías o valores. // Traspasar o endosar un vale o letra. // Descontar valores. // Tratar asuntos públicos, privados o diplomáticos.
NEGOCIO m. Cualquier ocupación. // Todo lo que es objeto de interés. // Negociación. // Ganancia, utilidad.
NEGREAR intr. Mostrar una cosa su negrura. // Tirar a negro.
NEGRECER intr. y r. Ponerse negro.
NEGRERO, RA adj. y s. Dedicado a la trata de negros. // m. y f. fig. Persona dura y cruel para sus subordinados.
NEGRO, GRA adj. y s. Totalmente oscuro, falto de todo color. // Díc. del individuo cuya piel es de color negro.
NEGROIDE adj. y s. Díc. de lo que presenta alguno de los caracteres de la raza negra o de su cultura.
NEGRURA f. Calidad de negro.
NEGRUZCO, CA adj. De color moreno algo negro.
NEGUS m. Título que recibe el emperador de Etiopía.
NEMATELMINTOS m. pl. *Zool*. Gusanos no segmentados, de aspecto filiforme.
NEMOTECNIA f. Mnemotecnia.
NENE, NA m. y f. fam. Niño pequeñito.
NENÚFAR m. *Bot*. Planta acuática de la fam. ninfeáceas.
NEOCLASICISMO m. Movimiento estético que se desarrolló en Europa durante el siglo XVIII.
NEÓFITO, TA m. y f. Persona recién convertida a una religión. // Por ext., persona adherida recientemente a una causa, partido, etc.
NEOLÍTICO, CA adj. y s. m. Perten. o rel. a la segunda mitad de la edad de Piedra.
NEOLOGISMO m. Vocablo, acepción o giro nuevo en una lengua.
NEÓN m. *Quím*. Elemento gaseoso que se encuentra en el aire en proporción muy pequeña.
NEPOTE m. Pariente y privado del papa.
NEPOTISMO m. Desmedida preferencia que algunos dan a sus parientes para las gracias o empleos públicos.
NEPTUNO n. p, m. Planeta mucho mayor que la Tierra y acompañado de un satélite.
NEREIDA f. *Mit*. Ninfa del mar.
NERVADURA f. Moldura que sobresale. // *Bot*. Conjunto de nervios de una hoja.
NÉRVEO, A adj. Perten. a los nervios. // Semejante a ellos.
NERVIO m. Cada uno de los cordones blanquecinos que se distribuyen por todas las partes del cuerpo y son los órganos conductores de los impulsos nerviosos. // Haz fibroso que corre a lo largo de las hojas de las plantas. // fig. Fuerza y vigor.
NERVIOSISMO m. *Med*. Nervosidad.
NERVIOSO, SA adj. Que tiene nervios. // Perten. o rel. a los nervios. // Apl. a la persona cuyos nervios se excitan fácilmente. // Fuerte y vigoroso.

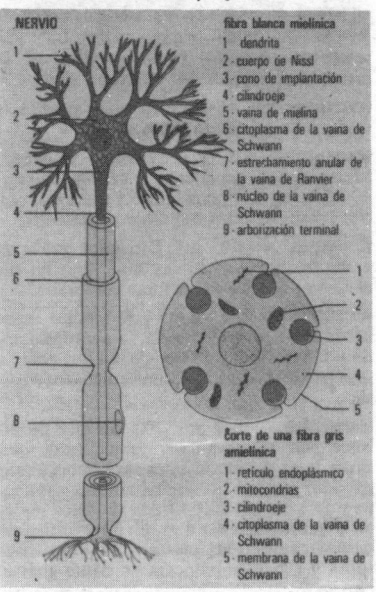

NERVOSIDAD f. Fuerza y actividad de los nervios.
NERVUDO, DA adj. Que tiene fuertes y robustos nervios.
NETO, TA adj. Limpio y puro. // Que resulta líquido en una cuenta. // En contabilidad, diferencia entre el activo y el pasivo.
NEUMÁTICO, CA adj. Apl. a varios aparatos destinados a operar con el aire. // m. Llanta de caucho que se aplica a las ruedas de los automóviles, bicicletas, etc.
NEUMONÍA f. *Med*. Enfermedad inflamatoria del pulmón.
NEURAL adj. Perten. o rel. a los nervios.
NEURALGIA f. *Med*. Dolor a lo largo de un nervio.
NEURASTENIA f. Conjunto de síntomas psíquicos que incluyen depresión de las fuerzas vitales.
NEURITIS f. *Med*. Inflamación de los nervios que altera la conducción de estímulos.
NEUROLOGÍA f. *Med*. Parte de la medicina que estudia los nervios.
NEURÓLOGO, GA m. y f. Médico especialista del sistema nervioso.
NEURONA f. *Biol*. Célula del tejido nervioso.
NEUROPATÍA f. *Med*. Cualquier alteración del sistema nervioso.
NEURÓPTEROS m. pl. *Zool*. Insectos con aparato

bucal masticador, antenas largas y alas membranosas.
NEUROSIS f. Conjunto de trastornos emocionales que se caracterizan por una deficiencia en la adaptación del paciente al mundo que le rodea.
NEURÓTICO, CA adj. y s. Que padece neurosis. // adj. Perten. o rel. a la neurosis.
NEUTRAL adj. y s. Que no es ni de uno ni de otro. // Díc. de la nación o Estado que no toma parte en la guerra movida por otros.
NEUTRALIDAD f. Calidad de neutral.
NEUTRALIZAR tr. y r. Hacer neutral. // fig. Debilitar el efecto de una causa por la concurrencia de otra.
NEUTRO, TRA adj. Indiferente en política, o que se abstiene en intervenir en ella. // *Quím.* Compuesto que no es ni ácido ni base. // *Gram.* Apl. al género que no es ni m. ni f.
NEUTRÓN m. *Fís.* Componente del núcleo del átomo, que carece de carga eléctrica.
NEVAR intr. Caer nieve. // tr. fig. Poner blanca una cosa.
NEVERA f. Armario frigorífico.
NEXO m. Nudo, unión o vínculo de una cosa con otra.
NI Conj. copulat. que enlaza palabras o frases y denota negación.
NICOTINA f. Alcaloide tóxico contenido en el tabaco.
NICTAGINÁCEAS f. pl. *Bot.* Fam. de plantas herbáceas o leñosas, de flores vistosas, como el dondiego.
NICHO m. Concavidad en un muro para colocar dentro alguna cosa, esp. un cadáver.
NIDADA f. Conjunto de los huevos puestos en el nido. // Conjunto de los pajarillos mientras están en el nido.
NIDAL m. Lugar donde la gallina pone sus huevos. // fig. Guarida, escondrijo.
NIDO m. Construcción o lugar empleado por distintos animales para poner huevos y cuidar las crías. // Lugar donde procrean diversos animales. // Nidal. // Principio o fundamento de una cosa. //fig. Casa o habitación de uno.

nido y huevos de ruiseñor (Luscinia Magarhynchos)

NIEBLA f. Condensación del vapor de agua atmosférico, esp. cuando forma una capa en contacto con la tierra.
NIETO, TA m. y f. Respecto de una persona, hijo o hija de su hijo o de su hija.

NIEVE f. Agua helada que se desprende de las nubes en cristales muy pequeños agrupados en forma de copos blancos. // fig. Suma blancura de cualquier cosa.
NIFE m. Núcleo terrestre.
NIGROMANCIA o **NIGROMANCÍA** f. Arte de adivinar el futuro evocando a los muertos.
NIGROMANTE m. El que ejerce la nigromancia.
NIHILISMO m. *Fil.* Negación de toda creencia y de todo principio político, religioso y social.
NIMBO m. Aureola que rodea la cabeza de una imagen. // Cierta clase de nubes.
NINFA f. Cada una de las divinidades menores de la mit. clásica.
NINFÁCEAS f. pl. *Bot.* Fam. de plantas dicotiledóneas acuáticas, como el nenúfar y el loto.
NINGÚN adj. Apócope de ninguno.
NINGUNO, NA adj. Ni uno solo. // pron. indet. Nulo y sin valor. // Ninguna persona, nadie.
NIÑA f. Pupila o niña del ojo.
NIÑEZ f. Período de la vida humana desde el nacimiento hasta la adolescencia.
NIÑO, ÑA adj. y s. Que se halla en la niñez. // Por ext., que tiene pocos años o poca experiencia.
NIPÓN, NA adj. Natural de Japón. // Perten. a Japón.
NÍQUEL m. Metal blanco, duro, dúctil, maleable y poco oxidable.
NIQUELAR tr. Cubrir con un baño de níquel otro metal.
NIRVANA m. En el budismo, existencia despojada de todo atributo corporeo.
NITIDEZ f. Calidad de nítido.
NÍTIDO, DA adj. Limpio, terso, claro, puro.
NITRATO m. *Quím.* Sal o éster del ácido nítrico.
NITRÓGENO m. *Quím.* Metaloide gaseoso, que constituye el 78 por ciento de la atmósfera.

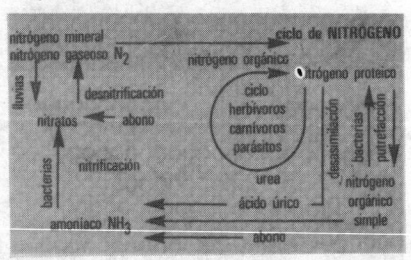

ciclo de NITRÓGENO

NIVEL m. Instrumento para averiguar la diferencia de altura entre dos puntos. // Calidad de horizontal. // fig. Altura que una cosa alcanza, o a que está colocada.
NIVELAR tr. Aplicar el nivel a un plano.// Poner un plano en la posición horizontal. // Por ext., igualar dos o más cosas. // tr. y r. fig. Igualar una cosa con otra.
NÍVEO, A adj. poét. De nieve, o semejante a ella.
NIVOSO, SA adj. Que frecuentemente tiene nieve.
NO Adv. neg. que se emplea para contestar o preguntar.

NOBILIARIO, RIA adj. Perten. o rel. a la nobleza.
NOBLE adj. Preclaro, ilustre. // Principal en cualquier línea. // Honroso, estimable.
NOBLEZA f. Calidad de noble. // Grupo social al que se le reconocen privilegios transmitidos por herencia.
NOCIÓN f. Conocimiento o idea que se tiene de algo. // Conocimiento elemental.
NOCIVO, VA adj. Dañoso, pernicioso.
NOCTÁMBULO, LA adj. Que anda vagando durante la noche.
NOCTURNO, NA adj. Perten. a la noche, o que se hace en ella. // fig. Que anda siempre solo y triste. // m. Pieza de música vocal o instrumental de melodía lírica.
NOCHE f. Tiempo en que falta sobre el horizonte la claridad del sol. // fig. Confusión, oscuridad.
NOCHEBUENA f. Noche de vigilia de Navidad.
NODRIZA f. Ama de cría.
NÓDULO m. Concreción de poco volumen.
NOGAL m. *Bot.* Arbol de la fam. juglandáceas, cuyo fruto es la nuez. Su madera es muy apreciada en ebanistería.
NOLICIÓN o **NOLUNTAD** f. Acto de no querer.
NÓMADA adj. Apl. a la persona, familia o pueblo que anda sin domicilio fijo.
NOMBRAMIENTO m. Acción y efecto de nombrar. // Documento en que se designa a uno para algún cargo.
NOMBRAR tr. Decir el nombre de una persona o cosa. // Elegir a uno para un empleo.
NOMBRE m. Palabra con que se designa a una persona o cosa. // Título de una cosa. // Fama, reputación. // Apodo.
NOMENCLATURA f. Nómina. // Conjunto de las voces técnicas de una facultad.
NÓMINA f. Lista o catálogo de nombres de personas o cosas.
NOMINACIÓN f. Acción y efecto de nombrar.
NOMINAL adj. Perten. al nombre.
NOMINAR tr. Dotar de un nombre a una persona o cosa.
NOMINATIVO m. Caso de la declinación que designa el sujeto activo, y no lleva prep.
NON adj. y s. Impar. // m. pl. Negación repetida de una cosa.
NONATO, TA adj. No nacido naturalmente.
NONO, NA adj. Noveno.
NOPAL m. *Bot.* Planta cactácea, cuyo fruto es el higo chumbo.
NORIA f. Máquina para elevar agua, constituida gralte. por dos ruedas, una horizontal y otra vertical.
NORMA f. fig. Regla que se debe seguir o a la que se debe ajustar la conducta.
NORMAL adj. Díc. de lo que se halla en su natural estado. // Que sirve de norma o regla. // Díc. de lo que se ajusta a ciertas normas fijadas de antemano.
NORMALIDAD f. Calidad o condición de normal.
NORMALIZAR tr. Regularizar o poner en buen orden lo que no lo estaba. // Hacer que una cosa sea normal.
NORTE m. Polo ártico. // Lugar de la Tierra o de la esfera celeste que cae del lado del polo ártico. // m. Viento que sopla de esta parte.
NOS Una de las dos formas del dativo y el acusativo del pron. pers. de primera pers. en gén. m. o f. y núm. pl.
NOSOTROS, TRAS Formas del pron. pers. de primera pers. en núm. pl.
NOSTALGIA f. Pena por la ausencia de personas o cosas queridas.
NOSTÁLGICO, CA adj. Perten. o rel. a la nostalgia. // adj. y s. Que padece de nostalgia.
NOTA f. Señal que se pone en una cosa. // Reparo que se hace a un libro o escrito. // Advertencia o comentario fuera de texto. // Anotación provisional. // *Mús.* Cada uno de los signos con que se representan los sonidos.
NOTABLE adj. Digno de atención. // Díc. de lo que es grande y excesivo. // m. pl. Personas principales en una colectividad.
NOTACIÓN f. Anotación. // Escritura musical.
NOTAR tr. Señalar una cosa. // Reparar, observar. // Apuntar brevemente una cosa. // Poner notas a los escritos o libros. // Censurar, reprender. // Causar descrédito.
NOTARÍA f. Oficio de notario y oficina donde éste despacha.
NOTARIO m Funcionario público autorizado para dar fe de los contratos, testamentos y otros actos extrajudiciales.
NOTICIA f. Divulgación de un suceso. // Novedad que se comunica. // Conocimiento elemental, esp. de sucesos.
NOTICIERO, RA adj. Que da noticias. // m. y f. Persona que da noticias como por oficio.
NOTIFICAR tr. Hacer saber una resolución de la autoridad. // Por ext. dar extrajudicialmente noticia de algo.
NOTORIEDAD f. Calidad de notorio. // Fama.
NOTORIO, RIA adj. Público y sabido por todos.
NOVATO, TA adj. y s. Nuevo o principiante en cualquier facultad o materia.
NOVEDAD f. Estado de las cosas recién hechas o descubiertas. // Cambio, alteración. // Noticia. // fig. Extrañeza o admiración. // pl. Mercaderías adecuadas a la moda.
NOVEL adj. Nuevo, principalmente, inexperto.
NOVELA f. Obra narrativa de ficción, extensa y en prosa. // fig. Ficción o mentira.
NOVELAR intr. Componer o escribir novelas.
NOVELESCO, CA adj. Propio o característico de las novelas.
NOVELÍSTICA f. Literatura novelesca.
NOVIAZGO m. Estado de novio o novia. // Tiempo que dura.
NOVICIADO m. Tiempo que dura el estado de novicio.

// Casa en que habitan los novicios.
NOVICIO, CIA m. y f. Persona que no ha profesado todavía. // Principalmente en cualquier arte o facultad.

Gabriel **García Márquez**

NOVILLO, LLA m. y f. Res vacuna de dos a tres años.
NOVIO, VIA m. y f. Persona recién casada. // La que está próxima a casarse.
NUBARRÓN m. Nube grande y densa.
NUBE f. Masa más o menos densa de vapor acuoso suspendida en la atmósfera. // Agrupación de cosas, como el polvo, el humo u otra cosa que enturbia la atmósfera. // fig. Abundancia. // Cualquier cosa que oscurece o encubre otra.
NÚBIL adj. Díc. de la persona que por su edad es apta para el matrimonio.
NUBLAR tr. y r. Ocultar las nubes el cielo, el sol, etc. // fig. Oscurecer, empañar.
NUCA f. *Anat*. Región localizada en la parte posterior del cuello.
NUCLEAR adj. Perten. o rel. al núcleo.

Albert **Einstein**

NÚCLEO m. Parte mollar de los frutos que tienen cáscara dura. // Hueso de las frutas. // fig. Elemento primordial al cual se van agregando otros para formar un todo. // m. Parte densa y luminosa de un astro. // *Fís*. Parte central del átomo, que contiene la mayor porción de su masa y posee una carga eléctrica positiva.
NUDILLO m. Parte exterior de cualquiera de las articulaciones de los dedos.
NUDO m. Lazo que se estrecha y cierra de modo que con dificultad se puede soltar. // En los árboles y plantas, parte del tronco por la cual salen las ramas. // En los poemas épico y dramático y en la novela, enlace o trabazón de los sucesos que preceden al desenlace. // fig. Lazo, vínculo. // Unidad itineraria marina, que equivale a una milla por hora.

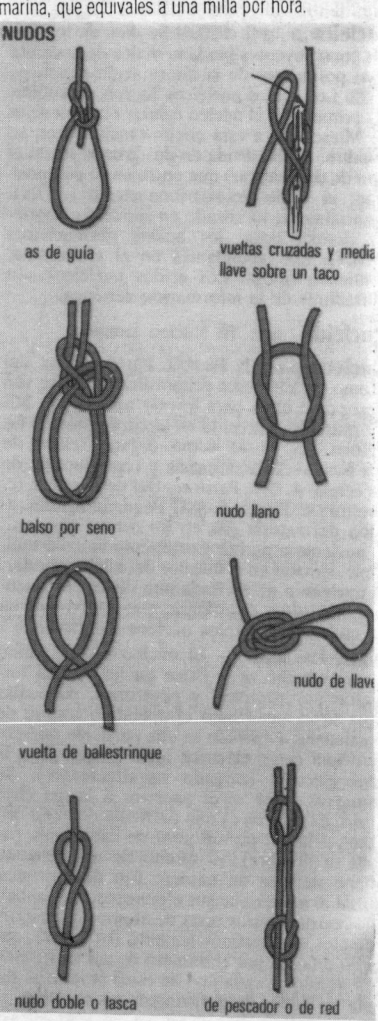

NUDOS

as de guía

vueltas cruzadas y media llave sobre un taco

balso por seno

nudo llano

vuelta de ballestrinque

nudo de llave

nudo doble o lasca

de pescador o de red

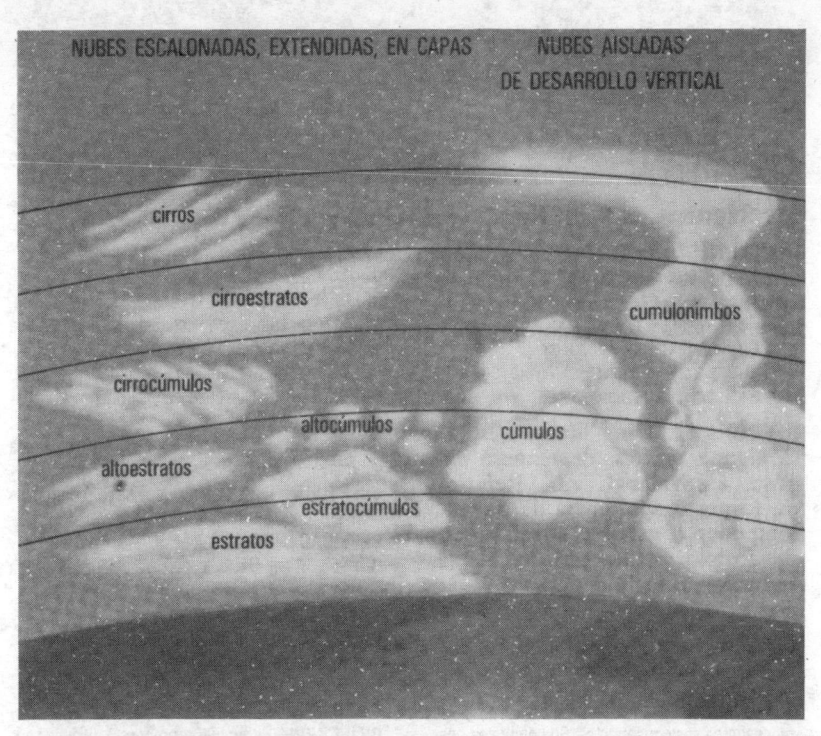

NUBES ESCALONADAS, EXTENDIDAS, EN CAPAS — NUBES AISLADAS DE DESARROLLO VERTICAL

- cirros
- cirroestratos
- cirrocúmulos
- altocúmulos
- altoestratos
- cúmulos
- cumulonimbos
- estratocúmulos
- estratos

NUBES		
familia	nivel	tipo
1. nubes altas	inferior medio: 6.000 m	cirros (Ci) cirrocumulos (Cc) cirrostratos (Cs)
2. nubes medias	superior medio: 6.000 m	altocúrnulos (Ac)
	inferior medio: 2.000 m	altostratos (As)
3. nubes bajas	superior medio: 2.000 m	estratocúmulos (Sc)

	inferior medio: cercano al suelo	nimbostratos (Ns) estratos (St)
4. nubes de desarrollo vertical	superior medio: nivel de los cirrus	cúmulos (Cu) cumulonimbos (Cb)
	inferior medio: 500 m	

Estos niveles se dan para regiones de clima templado.

NUERA f. Respecto de una persona, mujer de su hijo.
NUESTRO, TRA Pron. posesivo de primera persona en género m. y f. U. también como neutro: *nuestro*.
NUEVA f. Noticia.
NUEVO, VA adj. Recién hecho o fabricado. // Que se ve o se oye por primera vez. // Repetido o reiterado para renovarlo. // Diferente de lo que se tenía aprendido. // Que se añade a algo que había antes.
NUEZ f. Fruto del nogal, de forma ovoide, constituido por dos cortezas: una verde, lisa y caediza y otra dura y rugosa. // Prominencia que forma la laringe en la garganta.
NULIDAD f. Calidad de nulo. // Incapacidad, ineptitud.
NULO, LA adj. Falto de valor y fuerza. // Incapaz para hacer una cosa.

NUMEN m. Cualquier divinidad de los antiguos. // Inspiración.
NUMERACIÓN f. Acción y efecto de numerar. // *Arit.* Arte de expresar de palabra o por escrito todos los números.
NUMERADOR m. *Arit.* Guarismo que señala el número de partes iguales de la unidad que contiene un quebrado.
NUMERAL adj. Perten. o rel. al número.
NUMERAR tr. Contar por el orden de los números. // Marcar con números.
NUMERARIO, RIA adj. Que es del número o perten. a él. // m. Dinero efectivo.
NÚMERO m. Signo o conjunto de signos con que se representa el número. // Cantidad de personas o cosas

de determinada especie. // Condición, categoría de personas o cosas. // Parte o acto de un espectáculo. // *Gram*. Accidente gramatical que expresa si las palabras se refieren a un solo ser o a más de uno.
NUMEROSO, SA adj. Que incluye gran número de cosas.
NUMISMÁTICA f. Ciencia que estudia las monedas y medallas.
NUNCA adv. t. En ningún tiempo. // Ninguna vez.
NUNCIO m. El que lleva noticia o encargo de un sujeto a otro. // Representante diplomático del papa. // fig. Anuncio.
NUPCIAL adj. Rel. a las nupcias.
NUPCIAS f. pl. Casamiento, boda.
NUTRIA f. *Zool*. Mamífero carnívoro de la fam. mustélidos, de cuerpo alargado.
NUTRICIO, CIA adj. Nutritivo. // Que procura alimento para otro.
NUTRICIÓN f. Acción y efecto de nutrir o nutrirse.
NUTRIDO, DA adj. fig. Lleno, abundante.
NUTRIR tr. Aumentar la sustancia del cuerpo animal o vegetal por medio del alimento. // fig. Dar nuevas fuerzas.
NUTRITIVO, VA adj. Capaz de nutrir.

Ñ

Ñ f. Decimoséptima letra del abecedario, y decimocuarta de sus consonantes. Su nombre es *eñe*.
ÑAME m. *Bot*. Planta herbácea de la fam. dioscoreáceas. Es comestible y se cultiva en Extremo Oriente por sus tubérculos.
ÑANDÚ m. *Zool*. Ave de la fam. reidos, también conocida como avestruz americano.
ÑANDUTÍ m. *Amer*. Encaje muy fino, imitando la tela de araña.
ÑANGA adj. *Amer*. Díc. de la tierra pantanosa, sin valor ni provecho.
ÑAQUE m. Conjunto o montón de cosas inútiles y ridículas.
ÑIQUIÑAQUE m. fam. Individuo o cosa muy despreciable.
ÑIRE m. *Bot*. Arbol de la fam. fagáceas, de hojas elípticas profundamente aserradas, propio de Chile y Argentina.
ÑOCIO m. Melindre hecho con masa de harina, azúcar, manteca, huevos, vino y anís.
ÑOÑERIA f. Acción o dicho propio de persona ñoña.
ÑOÑEZ f. Calidad de ñoño.
ÑOÑO, ÑA adj. fam. Díc. de la persona sumamente apocada y de corto ingenio. // Dicho de las cosas, soso, de poca sustancia.
ÑU m. *Zool*. Mamífero artiodáctilo rumiante, especie de antílope propio de Sudáfrica.
ÑUDILLO m. Nudillo.
ÑUDO m. Nudo.

O

O f. Decimoctava letra del abecedario español, cuarta de sus vocales.
O Conj. disyunt. que denota diferencia, separación o alternativa entre dos o más personas o cosas.
OASIS m. Lugar del desierto en el que la presencia de agua hace posible la vegetación.// fig. Tregua, descanso, regudio.
OBCECAR tr. y r. Cegar, ofuscar.
OBEDECER tr. Cumplir la voluntad de quien manda. // Ceder un animal con docilidad a la dirección que se le da. // intr. fig. Proceder, dimanar.
OBEDIENCIA f. Acatamiento a la autoridad legítima.
OBEDIENTE adj. Que obedece. // Propenso a obedecer.
OBELISCO m. Pilar monolítico, de sección cuadrada y terminado en punta.
OBERTURA f. Pieza sinfónica que sirve de introducción a una ópera u oratorio.
OBESIDAD f. Calidad de obeso.
OBESO, SA adj. Díc. de la persona que tiene gordura en demasía.
ÓBICE m. Obstáculo, estorbo.
OBISPADO m. Dignidad de obispo. // Territorio asignado a un obispo.
OBISPO m. Prelado superior de una diócesis.
ÓBITO m. Fallecimiento de una persona.
OBJECCIÓN f. Razón que se propone o dificultad que se presenta en contra de una opinión.
OBJETAR tr. Oponer reparo a una opinión o designio.
OBJETIVAR tr. Dar carácter objetivo a una idea o sentimiento.
OBJETIVIDAD f. Calidad de objetivo.
OBJETIVO, VA adj. Perten. o rel. al objeto en sí y no a nuestro modo de pensar o de sentir. // m. Objeto. // Opt. Lente o sistema de lentes emplazada en el extremo de un aparato óptico.
OBJETO m. Todo lo que puede ser materia de conocimiento o sensibilidad. // Término o fin de los

ñus de barba blanca

actos de las potencias. // Fin a que se dirige una acción.
OBLACIÓN f. Ofrenda y sacrificio que se hacen a Dios.
OBLATA f. Dinero que se da para sufragar los gastos de la iglesia.
OBLICUIDAD f. Calidad de oblicuo.
OBLICUO, CUA adj. Sesgado, inclinado, desviado de la horizontal.
OBLIGACIÓN f. Imposición . // Vínculo que sujeta a hacer o abstenerse de hacer una cosa. // Econ. Título comúnmente amortizable con interés fijo, que presenta una suma exigible a la persona o empresa que lo emitió.
OBLIGAR tr. Impulsar a hacer cumplir una cosa; compeler, ligar. // Ganar la voluntad de uno con beneficios u obsequios. // r. Comprometerse a cumplir una cosa.
OBLIGATORIO, RIA adj. Díc. de lo que obliga a su cumplimiento.
OBLITERAR tr. y r. Med. Obstruir un conducto o cavidad del cuerpo.
OBLONGO, GA adj. Más largo que ancho.
OBNUBILACIÓN f. Ofuscamiento de la visión o de la mente.
OBNUBILAR tr. y r. Ofuscar.
OBOE m. Instrumento musical de viento de timbre ligeramente nasal, construido en madera.
ÓBOLO m. Ant. moneda griega de plata, de escaso valor. // fig. Cantidad exigua con que se contribuye a un fin determinado.
OBRA f. Cosa hecha o producida por un agente. // Cualquier producción del entendimiento. // Edificio en construcción, o innovación que en él se hace. // Medio, virtud. // Acción moral.
OBRAR tr. Hacer una cosa. // Ejecutar una cosa no material. // Causar efecto una cosa. // Existir una cosa en sitio determinado.
OBRERO, RA adj. y s. que trabaja. // m. y f. Trabajador manual retribuido.
OBSCENO, NA adj. Impúdico, torpe, ofensivo al pudor.
OBSCURECER tr. Oscurecer.
OBSCURO, RA adj. Oscuro.
OBSEQUIAR tr. Agasajar a uno. // Enamorar, galantear.
OBSEQUIO m. Regalo. // Afabilidad.
OBSERVANCIA f. Cumplimiento exacto de lo que se manda a ejecutar.
OBSERVAR tr. Examinar atentamente. // Cumplir exactamente lo que se manda. // Advertir, reparar.
OBSERVATORIO m. Posición que sirve para hacer observaciones. // Edificio destinado a la observación de fenómenos astronómicos o meteorológicos.
OBSESIÓN f. Idea que con tenaz persistencia asalta la mente.
OBSESIONAR tr. y r. Causar obsesión.
OBSESO, SA adj. Que padece obsesión.

OBSIDIANA f. Roca volcánica, vítrea, de color negro o verde oscuro.
OBSOLETO, TA adj. Caído en desuso.
OBSTACULIZAR tr. Impedir o dificultar la consecución de un propósito
OBSTÁCULO m. Impedimento.
OBSTAR intr. Impedir, estorbar. // impers. Oponerse una cosa a otra.
OBSTETRICIA f. Med. Parte de la medicina que estudia el embarazo, parto y puerperio.
OBSTINACIÓN f. Terquedad.
OBSTINARSE r. Mantenerse uno tenzamente en su resolución sin atender a razones.
OBSTRUIR tr. Estorbar el paso, cerrar un conducto o camino. // Impedir la acción . // r. Cerrarse un agujero, conducto, etc.
OBTENER tr. Alcanzar, conseguir. // Tener, conservar.
OBTURAR tr. Tapar una abertura o conducto mediante un cuerpo.
OBTUSO, SA adj. Romo, sin punta. // fig. Torpe, tardo de comprensión. // *Geom*. Díc. del ángulo mayor de 90°.
OBÚS m. pieza de artillería de poco alcance y gran ángulo de caída.
OBVIAR tr. Evitar, apartar obstáculos o inconvenientes.
OBVIO, VIA adj. Manifiesto. // fig. Muy claro o que no tiene dificultad.
OC Lengua de oc, occitano.
OCA f. *Zool*. Ave palmípeda (fam. anátidos) de unos 90 cm de long., cabeza pequeña, plumaje gris o blanco y pico fuerte.
OCASIÓN f. Oportunidad que se ofrece para ejecutar o conseguir algo. // Causa o motivo. // Peligro o riesgo.
OCASIONAR tr. Ser causa o motivo para que suceda una cosa.
OCASO m. Puesta del Sol al trasponer el horizonte. // Occidente. // fig. Decadencia.
OCCIDENTE m. Punto cardinal del horizonte por donde se pone el Sol. // Lugar que, respecto de otro, cae hacia donde se pone el Sol. // fig. Conjunto de naciones de la parte occidental de Europa.
OCCIPITAL adj. Perten. o rel. al occipucio.
OCCIPUCIO m. Anat. Parte posterior e inferior de la cabeza.
OCCISO, SA adj. Muerto violentamente.
OCCITANO, NA adj. y s. Natural de Occitania. // adj. Perten. a esta ant. región del mediodía de Francia. // m. Lengua románica hablada en Occitania, también denominada provenzal.
OCÉANO m. Gran extensión de agua que ocupa el 71% de la superficie del globo terráqueo.
OCEANOGRAFÍA f. Ciencia que se dedica al estudio de todo lo concerniente a océanos y mares.
OCELOTE m. Zool. Mamífero carnívoro (fam. Féli-

dos), parecido al leopardo.
OCIO m. Cesación del trabajo. // Diversión u ocupación reposada.
OCIOSO, SA adj. y s., Desocupado. // Inútil.
OCLUIR tr. y r. Cerrar un conducto o una abertura del cuerpo.
OCLUSIÓN f. Acción y efecto de ocluir u ocluirse.
OCLUSIVO, VA adj. Perten. o rel. a la oclusión. // Que la produce. // Ling. Díc. del sonido cuya emisión supone la oclusión momentánea de algún punto del canal vocal.
OCRE m. Quím. Arcilla que lleva óxido de hierro que le da color amarillo rojizo. Se emplea en pintura.
OCTA- Forma prefija. Octo.
OCTAEDRO m.Geom. Sólido de ocho caras.

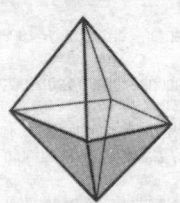

OCTAEDRO regular

OCTÁGONO, NA u **OTCÓGONO, NA** adj. y s. m. Geom. Polígono de ocho ángulos y de ocho lados.
OCTAVA f. Período de tiempo de 8 días. // Díc. en música de los 8 grados diatónicos que parten de un tono fundamental. // Estrofa de 8 versos endecasílabos.
OCTAVILLA f. Octava parte del pliego de papel. // Estrofa de 8 versos cortos.
OCTO- Forma prefija del griego *októ* y del latín octo, ocho.
OCTUBRE m. Décimo mes del año. Tiene treinta y un días.
ÓCTUPLE adj. Que contiene ocho veces una cantidad.
OCULAR adj. Perten. a los ojos o que se hace por medio de ellos.
OCULISTA com. Médico que se dedica esp. a las enfermedades de los ojos.
OCULTAR tr. y r.Esconder, encubrir a la vista. // tr. Callar lo que se pudiera o debiera decir, o disfrazar la verdad.
OCULTISMO m. Doctrina que estudia los secretos y misterios de la naturaleza, y prácticas que conlleva.
OCULTO, TA adj. Escondido, ignorado, que no se da a conocer.
OCUPACIÓN f. acción y efecto de ocupar. // Trabajo que impide emplear el tiempo en otra cosa. // Empleo, oficio.
OCUPAR tr. Tomar posesión, apoderarse de una cosa. // Obtener, gozar un empleo, dignidad, etc. // Llenar un espacio o lugar. // Habitar una casa. // Dar que hacer o en qué trabajar. // Estorbar. // r. Emplearse en un trabajo.
OCURRENCIA f. Encuentro, suceso casual. // Pensamiento, dicho original que ocurre en la imaginación.
OCURRIR intr. Acontecer, suceder una cosa. // Recurrir a un juez o autoridad. // intr. y r. Venir a la mente algo, de repente e inesperadamente.
ODA f. Composición poética para ser cantada, gralte. dividida en estrofas.
ODALISCA f.Esclava dedicada al servicio de un harén turco.
ODEÓN m. En Grecia y Roma, edificio similar a un teatro en donde se realizan audiciones musicales.

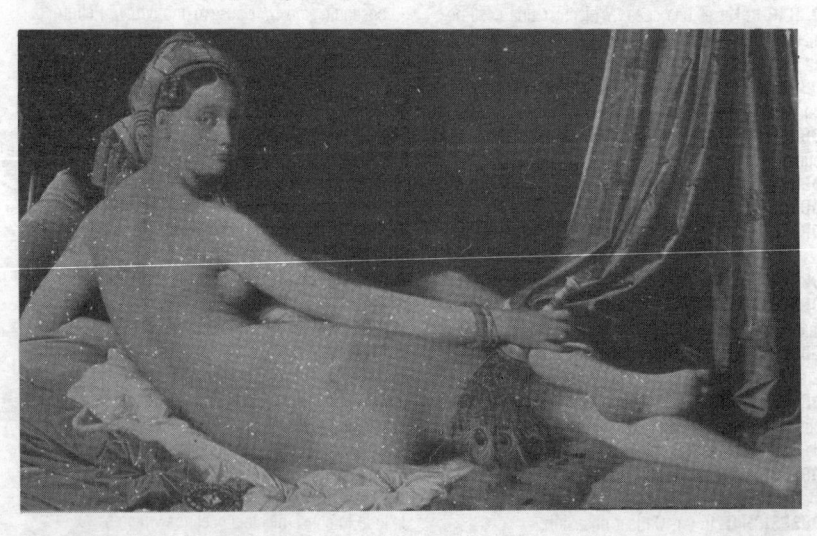

La Gran-**ODALISCA**, por Ingres (Museo del Louvre)

ODIAR tr. Tener odio.
ODIO m. Antipatía y aversión hacia alguna cosa o persona.
ODIOSO, SA adj. Dígno de odio.
ODISEA f. fig. Viaje largo en que abundan las aventuras.
ODONTALGIA f. Dolor de las piezas dentarias.
ODONTOLOGÍA f. Med. Parte de la medicina que estudia la fisiología y patología de los dientes.
ODORANTE adj. Oloroso, fragante.
ODORÍFERO, RA adj. Que huele bien.
ODRE m. Recipiente de cuero para contener vino, aceite, etc.
OESTE m. Occidente, punto cardinal. // Viento que sopla de esta parte.
OFENDER tr. Hacer daño a uno. // Injuriar. // Fastidiar, enfadar. // r. Enfadarse por un dicho o hecho.
OFENSA f. Acción y efecto de ofender.
OFENSIVO, VA adj. Que ofende o puede ofender.
OFERTA f. Promesa de dar o cumplir una cosa. // Don que se presenta a uno. // Propuesta para contratar.
OFI-, OFIO- Formas prefijas del griego *óphis*, reptil.
OFICIAL adj. Que es de oficio, y no particular o privado. // m. El que trabaja en un oficio. // El que en un oficio manual ha terminado el aprendizaje y no es maestro todavía. // El encargado de los negocios en una oficina. // Militar con grado de alférez, teniente o capitán.
OFICIALA f. La que trabaja en un oficio. // La que en un oficio manual ha terminado el aprendizaje.
OFICIALIDAD f. Conjunto de oficiales de ejército o de parte de él.
OFICIAR tr. Celebrar la misa y demás oficios divinos. // Comunicar una cosa oficalmente y por escrito.

OFICINA f. Sitio donde se hace, se ordena o trabaja una cosa.
OFICIO m. Ocupación habitual. // Cargo, ministerio. // Profesión de algún arte mecánica. // Función propia de alguna cosa. // Comunicación sobre asuntos del servicio público. // Rezo diario a que los eclesiásticos están obligados.
OFICIOSO, SA adj. Apl. a la persona solícita en ejecutar su deber. // Provechoso, eficaz para determinado fin. // Díc. de lo que se hace o dice sin carácter oficial.
OFIDIOS m. pl. Reptiles sin extremidades cubiertos de escamas y cuya lengua les sirve de órgano del tacto y olfato.
OFRECER tr. Prometer. // Presentar y dar voluntariamente una cosa. // Manifestar y poner patente una cosa. // Dedicar o consagrar a Dios algo. // r. Entregarse voluntariamente a otro para ejecutar alguna cosa.
OFRENDA f. Don que se dedica a Dios. // Por ext. dádiva en muestra de gratitud o amor.
OFRENDAR tr. Ofrecer dones y sacrificios a Dios. // Contribuir con dones a un fin.
OFTALMÍA f. *Med.* Inflamación de uno o ambos ojos.
OFTALMO- Forma prefija del gr. *ophtalmós*, ojo.
OFTALMOLOGÍA f. Parte de la medicina que se ocupa del ojo y de sus enfermedades.
OFTALMÓLOGO, GA m. y f. Oculista.
OFUSCAR tr. y r. Deslumbrar, turbar la vista. // fig. Trastornar o confundir las ideas. // tr. Oscurecer y hacer sombra.
OGRO m. *Mit.* Gigante que se alimentaba de carne humana.

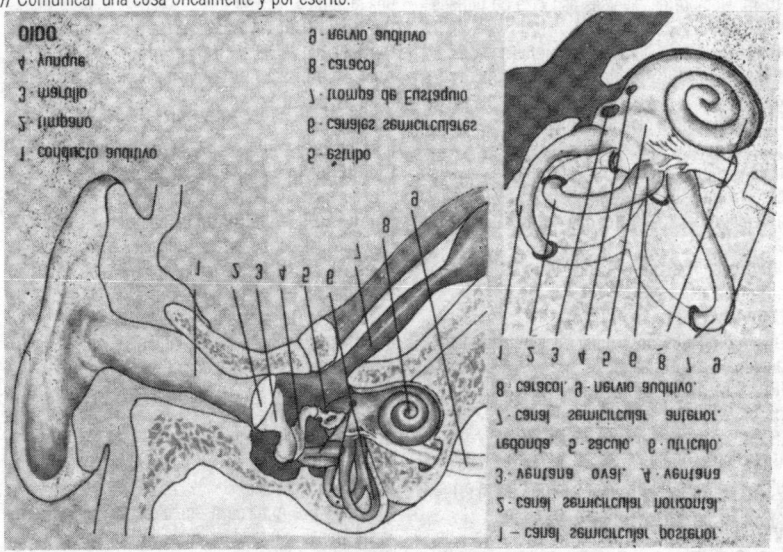

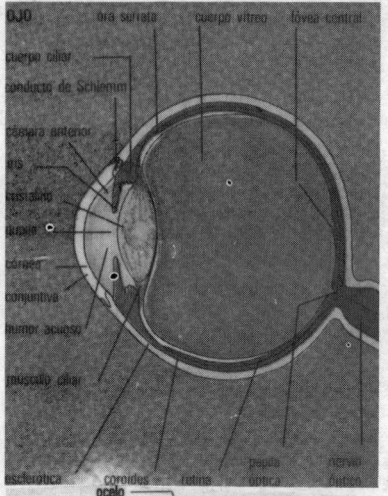

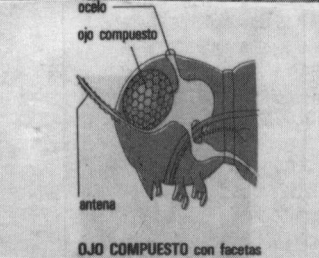

¡OH! Interj. usada para manifestar diversos movimientos del ánimo, como asombro o pena.
OÍDIO m. Nombre de diversas especies de hongos parásitos, como el de la vid.
OÍDO m. Sentido que permite percibir los sonidos. // Aptitud para percibir y reproducir los sonidos musicales.
OIR tr. Percibir con el oído los sonidos. // Atender los ruegos o avisos de uno.
OJAL m. Hendidura ordinariamente reforzada en sus bordes y apropósito para abrochar un botón y otra cosa semejante. // Agujero que atraviesa algunas cosas.
¡OJALÁ! Interj. con que se denota vivo deseo de que suceda una cosa.
OJEADA f. Mirada pronta y ligera.
OJEAR tr. Dirigir los ojos y mirar a determinada parte. // Hacer mal de ojo, aojar.
OJERA f. Mancha o surco, perenne o accidental, alrededor de la base del párpado inferior.
OJERIZA f. Enojo y mala voluntad contra uno.
OJIVA f. *Arqu.* Figura formada por dos arcos de círculos iguales, que se cortan en uno de sus extremos. // Arco con esta figura.
OJIVAL adj. De figura de ojiva.
OJO m. Organo de la vista en el hombre y en los animales. // Abertura o agujero que atraviesa de parte a parte alguna cosa.
OLA f. Onda de gran amplitud que se forma en la superficie de las aguas. // Fenómeno atmosférico que produce variación repentina en la temperatura de un lugar.
OLEÁCEAS f. pl. Bot. Fam. de plantas dicotiledóneas, como los jazmines, fresnos y lilas.
OLEADA f. Ola grande. // Embate y golpe de la ola.
OLEAGINOSO, SA adj. Oleoso, aceitoso.
OLEAJE m. Sucesión continuada de olas.
OLEICULTURA f. Arte de cultivar el olivo y mejorar la producción del aceite.
OLEÍNA f. *Quim.* Sustancia aceitosa, presente en el aceite de oliva y en otros aceites no volátiles.
ÓLEO m. Aceite. // Técnica pictórica que utiliza pintura hecha con colores desleídos en aceite secante.
OLEODUCTO m. Tubería de conducción de petróleo.
OLEOSIDAD f. Calidad de oleoso.
OLEOSO, SA adj. Aceitoso.
OLER tr. Percibir los olores. // fig. Conocer o adivinar una cosa. // intr. Exhalar olor.
OLFACCIÓN f. Acción de oler.
OLFATEAR tr. Oler con ahínco y persistentemente. / / fig. y fam. Indagar, averiguar con empeño.
OLFATEO m. Acción y efecto de olfatear.
OLFATIVO, VA adj. Perten. o rel. al sentido del olfato.
OLFATO m. *Fisol.* Organo de los sentidos que percibe sustancias químicas volátiles, en forma de olores. // fig. Sagacidad para descubrir lo que está encubierto.
OLIGARCA m. Individuo de una oligarquía.
OLIGARQUÍA f. Sistema político y social cuya característica es el control del oder político y económico por una minoría.
OLIGÁRQUICO, CA adj. Perten. a la oligarquía.
OLIGISTO m. *Mineral.* Oxido de hierro, de color gris o negro con irisaciones, y brillo metálico. Es una mena importante de hierro.
OLIGOCENO m. *Geol.* Período de la era terciaria, entre el eoceno y el mioceno.
OLIGOFRENIA f. *Med.* Falta de desarrollo de la inteligencia, que puede ser congénita o adquirida.
OLIMPIADA u **OLIMPÍADA** f. Competición universal de juegos atléticos que se celebra cada cuatro años. / / Fiesta que se hacía cada cuatro años en la ant. ciudad de Olimpia.
OLISCAR tr. Oler algo uno o un animal con cuidado y persistencia. // fig. Averiguar, inquirir, husmear algo. //intr. Empezar a oler mal una cosa.
OLIVA f. Olivo, árbol. // Fruto del olivo, aceituna. // Lechuza, ave. // fig. Paz.
OLIVAR m. Sitio plantado de olivos.
OLIVINO m. *Mineral.* Silicato de hierro y magnesio. Es un mineral volcánico.
OLIVO m. *Bot.* Arbol de la fam. oleáceas, oriundo del Mediterráneo. Su fruto en drupa es la aceituna y su derivado el aceite. La madera se emplea en carpintería.

OLMO m. *Bot*. Arbol ulmáceo muy frondoso. Adorna los paseos. Su madera se utiliza en ebanistería.
OLOR m. Impresión que los efluvios de los cuerpos producen en el olfato. // Esta sensación. // fig. Fama, opinión, reputación.
OLOROSO, SA adj. Que exhala de sí fragancia.
OLVIDAR tr. Perder la memoria de una cosa. // tr. y r. No tener en cuenta alguna cosa.
OLVIDO m. Cesación de la memoria que se tenía. // Cesación del afecto que se tenía. // Descuido de algo que se debía tener presente.
OLLA f. Vasija redonda con una o dos asas, que sirve para cocer manjares, calentar agua, etc.
OMBLIGO m. *Anat*. Cicatriz de forma redondeada que se forma en medio del vientre, después de secarse el cordón umbilical.
OMINOSO, SA adj. Azaroso, de mal agüero, abominable.
OMISIBLE adj. Que se puede omitir.
OMISIÓN f. Abstención de hacer o decir.
OMISO, SA adj. Flojo y descuidado.
OMITIR tr. Dejar de hacer una cosa. // tr. y r. Pasar en silencio una cosa.
OMNÍMODO, DA adj. Que lo abraza y comprende todo.
OMNIPOTENCIA f. Poder omnímodo. // fig. Poder muy grande.
OMNIPOTENTE adj. Que todo lo puede.
OMNIPRESENCIA f. Ubicuidad.
OMNISCIENCIA f. Conocimiento de todas las cosas.
OMNISCIENTE adj. Omniscio.
OMNISCIO, CIA adj. Que tiene omnisciencia.
OMNÍVORO, RA adj. *Zool*. Díc. del animal que se alimenta tanto de vegetales como de animales.
OMÓPLATO m. *Anat*. Hueso par, plano y de forma triangular, situado en la parte posterior y superior del tórax.
ONDA f. Cada una de las elevaciones que se forman al perturbar la superficie de un líquido. // Movimiento que se propaga en un fluido. // Cada una de las curvas, a manera de eses, que se forman en algunas cosas flexibles.
ONDEAR intr. Hacer ondas.
ONDEO m. Acción de ondear.
ONDINA f. Ninfa, que residía en el agua.
ONDULACIÓN f. Acción y efecto de ondular. // Movimiento que se propaga en un fluido sin traslación permanente de sus moléculas.
ONDULAR intr. Moverse una cosa formando ondas. / / tr. Hacer ondas en el pelo.
ONEROSO, SA adj. Pesado, molesto, gravoso.
ÓNICE m. *Mineral*. Variedad de ágata, de aspecto nacarado y veteada.
ONÍRICO, CA adj. Perten. o rel. a los sueños.
ÓNIX f. Onice.
ONOMÁSTICO, CA adj. Perten. o rel. a los nombres y esp. a los propios.

ONOMATOPEYA f. Imitación del sonido de una cosa en el vocablo que se forma para significarla. // El mismo vocablo.
ONTO- Forma prefija del griego *on*, *óntos*, ser.
ONTOLOGÍA f. Parte de la filosofía, cuyo objeto es el estudio del ser o ente.
ONUBENSE adj. y s. Natural de la ant. Onuba, hoy Huelva. // Perten. a esta ciudad.
ONZA f. Peso que equivale a 287 decigramos. // Por ext., duodécima parte de varias medidas ant.
OPACIDAD f. Calidad de opaco.
OPACO, CA adj. Que impide el paso de la luz. // Oscuro, sombrío. // fig. Triste.
ÓPALO m. Mineral amorfo de sílice hidradatada. Es piedra preciosa.
OPCIÓN f. Libertad y facultad de elegir. // La elección misma. // Derecho que se tiene a un oficio, dignidad, etc.
ÓPERA f. Poema dramático puesto en música.
OPERACIÓN f. Acción y efecto de operar. // Ejecución de una cosa.
OPERAR tr. Ejecutar sobre el cuerpo animal vivo alguna maniobra quirúrgica. // intr. Obrar una cosa, y hacer el efecto para que se destina. // Ejecutar diversas acciones y trabajos.
OPERARIO, RIA m. y f. Obrero, trabajador manual.
OPIÁCEO, A adj. Díc. de los compuestos de opio. // fig. Que calma como el opio.
OPINABLE adj. Que puede ser defendido en pro y en contra.
OPINAR intr. Formar o tener opinión. // Expresarla de palabra o por escrito. // Hacer conjeturas acerca de una cosa.
OPINIÓN f. Concepto que forma de una cosa cuestionable. // Concepto en que se tiene a una persona o cosa.
OPIO m. *bot*. Jugo de la adormidera. Contiene una gran cantidad de drogas: morfina, narcotina, codeína, papaverina, etc.
OPÍPARO, RA adj. Copioso y espléndido, tratándose de domida, etc.
OPONER tr. y r. Poner una cosa contra otra para estorbarle o impedirle su efecto. // tr. Proponer una razón contra lo que otro dice. // r. Ser una cosa contraria a otra. // Estar una cosa situada o colocada enfrente de otra. // Impugnar, estorbar.
OPORTUNIDAD f. Coyuntura, conveniencia de tiempo y lugar.
OPORTUNISMO m. Sistema político que prescinde en cierta medida de los principios fundamentales, tomando en cuenta las circunstancias de tiempo y lugar.
OPORTUNO, NA adj. Que se hace o sucede cuando conviene. // Díc. también del que es ocurrente en la conversación.
OPOSICIÓN f. Acción y efecto de oponer u oponerse. // Concurso de los pretendientes a una cátedra u otro

empleo por medio de los ejercicios en que demuestran su suficiencia. // Conjunto de organización y personas contrarias a la política oficial de un Estado.
OPOSITAR intr. Oponerse a un cargo o empleo, hacer oposiciones a él.
OPRESIÓN f. Acción y efecto de oprimir.
OPRIMIR tr. Ejercer presión sobre una cosa. // fig. Sujetar a alguno afligiéndolo o tiranizándolo.
OPTAR tr. Entrar en la dignidad, empleo u otra cosa a que se tiene derecho. // tr. e intr. Escoger una cosa entre varias.
ÓPTICA f. Parte de la física que trata de la leyes de la luz y de los fenómenos de la visión.
ÓPTICO, CA adj. Perten. o rel. a la óptica. // m. Comerciante de objetos de óptica, particularmente anteojos.
OPTIMISMO m. propensión a ver y juzgar las cosas en su aspecto más favorable.
OPTIMISTA adj. y s. Que profesa o siente el optimismo.
ÓPTIMO, MA adj. sup. de bueno. Sumamente bueno; que no puede ser mejor.
OPUGNACIÓN f. Oposición violenta. // Contradicción por fuerza de razones.
OPUGNAR tr. Hacer oposición con violencia. // Asaltar o combatir una plaza o ejército.// Contradecir.
OPULENCIA f. Abundancia riqueza.
OPÚSCULO m. Obra científica o literaria de poca extensión.
OQUEDAD f. Espacio hueco en el interior de un cuerpo.
ORA Conj. distrib., aféresis de ahora.
ORACIÓN f. Súplica que se hace a Dios. // Ling. Se designa con este término a la menor unidad del habla que posee sentido completo.
ORÁCULO m. Respuesta que da Dios o por sí o por sus ministros. // Contestación que las pitonisas y sacerdotes de la gentilidad daban en nombre de sus dioses o ídolos.
ORADOR, RA m. y f. Persona que habla en público.
ORAL adj. Expresado con la boca o con la palabra, a diferencia de escrito.
ORANGUTÁN m. Zool. Mamífero primate catarrino de la fam. póngidos, que mide de 1,5 a 2 m de alt.
ORAR intr. Hablar en público para persuadir y convencer a los oyentes. // Hacer oración. // tr. Rogar, pedir.
ORATE com. Persona que ha perdido el juicio.
ORATORIA f. Arte de deleitar, conmover y persuadir por medio de la palabra.
ORATORIO m. Lugar destinado para retirarse a hacer oración. // Composición dramática y música sobre asunto sagrado.
ORATORIO, RIA adj. Perten. o rel. a la oratoria.
ORBE m. Redondez o círculo. // Esfera celeste o terrestre. // Conjunto de todas las cosas creadas, mundo.
ORBICULAR adj. Redondo o circular.

ÓRBITA f. Curva que describe un astro en su movimiento de traslación alrededor del Sol o de otro astro.
ORDALÍAS f. pl. Pruebas o juicios de Dios, a que se sometían los acusados.
ORDEN amb. Colocación de las cosas en el lugar que les corresponde. // Concierto, buena disposición de las cosas entre sí. // Regla para hacer las cosas. // Serie y sucesión de las cosas. // Relación de una cosa a otra. // Instituto religioso aprobado por el Papa. // f. Mandato que se debe obedecer.
ORDENACIÓN f. Disposición, prevención. // Acción y efecto de ordenar u ordenarse. // Regla que se observa para hacer las cosas. // Mandato, orden.
ORDENADA f. Geom. Apl. en el sistema cartesiano a la coordenada vertical.
ORDENAMIENTO m. Acción y efecto de ordenar. // Ley, pragmática u ordenanza.
ORDENANZA f. Método, orden en que las cosas se ejecutan. // Conjunto de preceptos referentes a una materia. // La que está hecha para el régimen de los militares o al gobierno de una ciudad o comunidad. / m. Empleado subalterno en ciertas oficinas.
ORDENAR tr. Poner en orden una cosa. // Mandar que se haga algo. // Encaminar y dirigir a un fin. // Conferir las órdenes a uno. // r. Recibir la tonsura, los grados o las órdenes sagradas.
ORDEÑAR tr. Extraer la leche exprimiendo la ubre.
ORDINAL adj. Mat. Número que designa el lugar ocupado por cualquier objeto en una secuencia ordenada.
ORDINARIEZ f. Falta de urbanidad y cultura.
ORDINARIO, RIA adj. Común, regular y que acontece las más veces. // Basto, vulgar.
OREAR tr. Dar el viento en una cosa, refrescándola. / / r. Salir uno a tomar el aire.
ORÉGANO m. Bot. Planta herbácea de la fam. labiadas. Es aromático y se emplea como condimento.
OREJA f. Organo de la audición // Sentido de la audición. // Parte externa del órgano del oído.
ORFANATO m. Asilo de huérfanos.
ORFANDAD f. Estado de huérfano. // Pensión que disfrutan algunos huérfanos. // fig. Falta de ayuda, desamparo.
ORFEBRERÍA f. Arte de labrar metales nobles con el fin de fabricar joyas, ornamentos y utensilios.
ORFELINATO m. Orfanato.
ORFEÓN m. Sociedad de cantantes en coro, sin instrumentos que los acompañen.
ORGANDÍ m. Tejido de algodón, ligero y transparente, con apresto.
ORGÁNICO, CA adj. Apl. al cuerpo con aptitud para vivir. // Que tiene armonía y consonancia. // fig. Díc. de lo que atañe a la constitución de las corporaciones o entidades colectivas. // Quím. adj. Díc. de los componentes que contienen carbono.
ORGANILLO sm. Organo pequeño o plano portátil que se hace sonar por medio de un manubrio.

ORGANISMO m. Conjunto de órganos del cuerpo animal y vegetal. // fig. Conjunto de sus oficinas, dependencias o empleos.

ORGANISTA com. Persona que toca el órgano.

ORGANIZACIÓN f. Acción y efecto de organizar u organizarse. // Disposición de los órganos de la vida. // fig. Disposición, orden.

ORGANIZAR tr. y r. Dar estructura orgánica auna cosa. // fig. Establecer o reformar una cosa.

ÓRGANO m. Instrumento músico de viento compuesto de muchos tubos por los que pasa y vibra el aire impelido mecánicamente. // fig. Medio o conducto que pone en comunicación dos cosas. // Cualquiera de las partes del cuerpo animal o vegetal que ejercen una función.

ORGASMO m. Culminación del placer sexual.

ORGÍA f. Festín en que se come y bebe inmoderadamente y se cometen otros excesos.

ORGULLO m. Arrogancia, vanidad, exceso de estimación propia, que a veces nace de causas nobles.

ORGULLOSO, SA adj. y s. Que tiene orgullo.

ORIENTACIÓN f. Acción y efecto de orientar u orientarse.

ORIENTAL adj. Perten. a Oriente. // adj. y s. Natural de Oriente. // Perten. a las regiones de Oriente.

ORIENTAR tr. Colocar una cosa en posición determinada respecto a los puntos cardinales. // tr. y r. Informar a uno de lo que ignora y desea saber. // tr. fig. Dirigir o encaminar una cosa hacia un fin determinado.

ORIENTE m. Punto cardinal del horizonte, por donde nace o aparece el Sol. // Asia y las regiones inmediatas a ella de Europa y África. // Viento que sopla de la parte de oriente.

ORIFICIO m. Boca o agujero.

ORIGEN m. Principio, nacimiento y causa de una cosa. // Patria, país donde uno ha nacido o de donde una cosa proviene. // Ascendencia o familia.

ORIGINAL adj. Perten. al origen. // Díc. de toda producción humana que no es copia o imitación de otra. // Díc. de la lengua en que se escribió una obra, a diferencia del idioma a que se ha traducido. // Singular, extraño. // m. Manuscrito o impreso que se da a la imprenta para su reproducción.

ORIGINAR tr. Ser causa u origen de una cosa. // r. Traer una cosa su principio u origen de otra.

ORIGINARIO, RIA adj. Que da origen a una persona o cosa o que trae su origen de ella.

ORILLA f. Término, límite o extremo de la extensión superficial de algunas cosas. // Extremo o remate de una tela.

ORILLAR tr. fig. Concluir, arreglar un asunto. // intr. y r. Llegarse a las orillas. // intr. Dejar orillas a una tela.

ORILLO m. Orilla del paño.

ORÍN m. Oxido rojizo que se forma en la superficie del hierro por la acción de aire húmedo.

ORINA f. Fisol. Líquido excrementicio de color amarillo excretado por el riñón.

ORINAL m. Vasija para recoger la orina.

ORINAR intr. y r. Expeler naturalmente la orina. // tr. Expeler por la uretra algún otro líquido.

ORIUNDO, DA adj. Que trae su origen de algún lugar.

ORLA f. Orilla de paños, telas u otras cosas, con algún adorno. // Adorno que se pone en las orillas de una hoja de papel, vitela, etcétera.

ORLAR tr. Adornar un vestido u otra cosa con guarniciones al canto.

ORNAMENTACIÓN f. Acción y efecto de ornamentar.

ORNAMENTAL adj. Perten. o rel. al adorno.

ORNAMENTAR tr. Engalanar con adornos, adornar.

ORNAMENTO m. Adorno.

ORNAR tr. y r. Adornar.

ORNATO m. Adorno atavío.

ORNITOLOGÍA f. Parte de la zoología que estudia las aves.

ORNITORRINCO m. Zool. Mamífero monotrema ovíparo, con boca parecida al pico de un pato, pies palmeados y cuerpo cubierto de pelo fino.

ORO m. Quim. Metal noble amarillo, muy dúctil y maleable, sólo es atacable por el cloro y el agua regia. Es utilizado en la acuñación de monedas, en joyería y en odontología. // Moneda o monedas de oro. // Caudal, riquezas.

OROBANTÁCEAS f. pl. Bot. Plantas dicotiledóneas con clorofila que viven parásitas de algunas leguminosas.

OROGENIA f. Parte de la geología que estudia la formación del relieve terrestre.

OROGRAFÍA f. Parte de la geografía física que estudia que trata de las montañas.

ORONDO, DA adj. Apl. a las vasijas de mucha concavidad. // fig. y fam. Lleno de presunción.

OROPEL m. Lámina de latón, muy batida, que imita el oro. // fig. Cosa de poco valor y mucha apariencia.

OROPÉNDOLA f. Zool. Pájaro de plumaje amarillo, con las alas y la cola negras.

ORQUESTA f. Conjunto de instrumentos que tocan unidos en los teatros y otros lugares.

ORQUESTAR tr. Instrumentar para orquesta.

ORQUIDÁCEAS f. pl. Bot. Fam. de plantas monocotiledóneas, de flores vistosas y muy aromáticas.

ORQUÍDEA f. Bot. Cada una de las especies vegetales, o flores de las plantas perten. a la fam. orquidáceas.

ORTIGA f. Bot. Planta herbácea de las urticáceas, con hojas cubiertas de pelos espinosos que segregan un líquido urente.

ORTO m. Salida de un astro por el horizonte.

ORTODOXIA f. Calidad de ortodoxo.

ORTODOXO, XA adj. y s. Conforme con el dogma católico. // adj. Por ext. conforme con la doctrina de cualquier secta o sistema. // Díc. de la religión griega y otras orientales.

ORTOEDRO m. Geom. Paralelepípedo cuyas bases son rectángulos.

ORTOGONAL adj. Díc. de lo que está en ángulo recto.

ORTOGRAFÍA f. Parte de la gramática que enseña a escribir correctamente.

ORTOPEDIA f. Parte de la medicina que estudia la correción de las deformaciones del organismo.

ORTÓPTEROS m. pl. *Zool.* Insectos de aparato bucal masticador que tienen un par de élitros consistentes y otro de alas membranosas plegadas longitudinalmente.

ORTOSA f. *Mineral.* Mineral alumínico potásico, o feldespato potásico de estructura laminar.

ORUGA f. *Zool.* Fase de larva en la metamorfósis de los insectos lepidópteros (mariposas).

ORUJO m. Hollejo de la uva, después de exprimida. // Residuo de la aceituna molida y prensada.

ORZAR intr. *Mar.* Inclinar la proa hacia la parte de donde viene el viento.

OS Dativo y acusativo del pron. de segunda pers. en gén. m. y f. y núm. pl.

OSADÍA f. Atrevimiento, audacia.

OSADO, DA adj. Que tiene osadía.

OSAMENTA f. Esqueleto. // Los huesos sueltos del esqueleto.

OSAR intr. y r. Atreverse; emprender algo con audacia.

OSARIO m. Lugar destinado para reunir los huesos que se sacan de las sepulturas. // Cualquier lugar donde se hallan huesos.

OSCENSE adj. y s. Natural de Huesca. // adj. Perten. a esta ciudad.

OSCILACIÓN f. Acción y efecto de oscilar. // Espacio recorrido por un cuerpo oscilante.

OSCILAR intr.. Moverse alternativamente de un lado para otro. // Variar con más o menos regularidad, la intensidad de algunas manifestaciones o fenómenos. // Vacilar.

OSCURANTISMO m. Oposición sistemática a que se difunda la instrucción en las clases populares.

OSCURECER tr. Privar de luz y claridad. // fig. Disminuir la estimación de las cosas, deslustrarlas. // Ofuscar la razón. I// Dificultar la inteligencia del concepto. // intr. Ir anocheciendo. //r. fig. Nublarse el día, el cielo, etc.

OSCURIDAD f. Calidad de oscuro.

OSCURO, RA adj. Que carece de luz o claridad. // Díc. del color que casi llega a ser negro. // fig. Humilde, poco conocido. // Confuso. // Incierto, peligroso.

ÓSEO, A adj. De hueso. // De la naturaleza del hueso.

OSEZNO m. Cachorro de oso.

OSIFICARSE r. Convertirse en hueso o adquirir la consistencia de tal una materia orgánica.

ÓSMOSIS f. Paso recíproco de líquidos de distinta densidad a través de una membrana que los separa.

OSO m. *Zool.* Mamífero carnívoro fisípedo de gran tamaño.

OSTENSIBLE adj. Claro, patente.

OSTENTACIÓN f. Accdión y efecto de ostentar. // Jactancia, vanagloria. // Magnificiencia.

OSTENTAR tr. Mostrar o hacer patente una cosa. // Hacer gala de grandeza y boato.

OSTENTOSO, SA adj. Magnífico, suntuoso.

OSTEOLOGÍA f. Parte de la anatomía que trata de los huesos.

OSTRA f. *Zool.* Molusco lamelibranquio acéfalo marino de conchas ásperas. Es apreciado como marisco.

OSTRACISMO m. Destierro político entre los ant. griegos. // fig. Exclusión voluntaria del trato con las gentes.

OSTRO m. Cualquiera de los moluscos cuya tinta servía para teñir de púrpura. // fig. Color o tinte de púrpura.

OSTROGODO, DA adj. Díc. del individuo del pueblo godo que estuvo establecido al oriente del Dniéper.

OTEAR tr. Registrar desde lugar alto lo que está abajo. // Escudriñar.

OTERO m. Cerro aislado que domina un llano.

OTITIS f. *Med.* Inflamación del oído.

OTOLOGÍA f. *Med.* Parte de la patología, que estudia las enfermedades del oído.

OTOMANO, NA adj. y s. Natural de Turquía.// Perten. a Turquía.

OTOÑAL adj. Propio del otoño o perten. a él. // adj. y s. m. fig. Apl. a personas de edad madura.

OTOÑO m. Estación del año que, principia en el equinoccio del mismo nombre y termina en el solsticio de invierno.

OTORGAMIENTO m. Permiso, consentimiento. // Acción de otorgar un testamento, etc.

OTORGAR tr. Consentir, conceder una cosa. // Disponer, estipular o prometer algo ante notario.

OTORRINOLARINGOLOGÍA f. Rama de la patología que estidia las enfermedades del oído, laringe y nariz.

OTRO, TRA adj. y s. Apl. a la persona o cosa distinta de aquella que se habla. // adj. U. Muchas veces para explicar semejanza entre dos cosas o personas distintas.

OVACIÓN f. fig. Aplauso ruidoso que colectivamente se tributa a una persona o cosa.

OVACIONAR tr. Aclamar, tributar una ovación o aplauso.

OVAL adj. De figura de óvalo.

OVALADO, DA adj. Oval.

OVALAR tr. Dar a una cosa figura de óvalo.

ÓVALO m. *Geom.* Cualquier curva cerrada, con la convexidad vuelta siempre hacia fuera y simétrica con respecto a uno o dos ejes.

OVAR intr. Poner huevos.

OVAS f. pl. Huevas.

OVEJA f. Hembra del carnero.

OVEJUNO, NA adj. Perten. o rel. a las ovejas.

OVETENSE adj. y s. Natural de Oviedo.

OVILLO m. Bola o lío que se forma devanando el hilo. // fig. Montón o multitud confusa de cosas, sin trabazón ni arte.

OVINO, NA adj. *Zool.* Díc. del ganado lanar.

OVÍPARO, RA adj. *Zool.* Díc. de las especies animales que se reproducen por medio de huevos.
OVOIDE adj. y s. De figura de huevo.
OVOVIVÍPARO, RA adj. *Zool.* Apl. al animal cuyos huevos se abren en el trayecto de las vías uterinas.
OVULACIÓN f. Desprendimiento natural de un óvulo, en el ovario.
OXALIDÁCEAS f. pl. *Bot.* Fam. de plantas dicotiledóneas, gralte. herbáceas, propias de países templados e intertropicales.
OXIDABLE adj. Que se puede oxidar.
OXIDACIÓN f. Acción y efecto de oxidar u oxidarse.
OXIDANTE adj. Sustancia usada para oxidar.
OXIDAR tr. y r. Transformar un cuerpo por la acción del oxígeno o de un oxidante.
ÓXIDOS m. pl. *Quím.* Combinación del oxígeno con un metal o metaloide, distinta de los ácidos.
OXIGENAR s tr. y r. Combinar el oxígeno formando óxidos. // r. fig. Airearse, respirar el aire libre.
OXÍGENO m. *Quím.* Metaloide gaseoso, esencial a la respiración, algo más pesado que el aire y parte integrante de él.
OYENTE adj. y s. Que oye.
OZONO m. *Quím.* Estado alotrópico del oxígeno, producido por la electricidad.

P

P f. Decimonona letra del abecedario español, y decimoquinta de sus consonantes. Su nombre es pe.
PABELLÓN m. Tienda de campaña cónica. // Dosel plegadizo de una cama, altar, etc. // Bandera nacional. // Edificio, por lo común aislado, pero que forma parte de otro o está contiguo a él. // fig. Nación a que pertenecen las naves mercantes.
PABILO o **PÁBILO** m. Torcida o cordón que está en el centro de la vela o antorcha. // Parte carbonizada de esta torcida.
PÁBULO m. Alimento para la subsistencia. // fig. Lo que mantiene o fomenta ciertas cosas inmateriales.
PACENSE adj. y s. Natural de Badajoz. // adj. Perten. a esta ciudad o a su provincia.
PACER intr. y r. Comer el ganado la hierba en los campos, prados, etc.
PACIENCIA f. Virtud que consiste en sufrir con entereza los infortunios y trabajos. // Virtud cristiana opuesta a la ira. // Espera y sosiego. // Lentitud o tardanza en ejecutar algo.
PACIENTE adj. Que tiene paciencia. // com. Persona enferma.
PACIFICAR tr. Establecer la paz donde había guerra o discordia. // r. fig. Sosegarse y aquietarse las cosas insensibles.
PACÍFICO, CA adj. Quieto, sosegado y amigo de paz.
PACIFISMO m. Doctrina que aspira a la paz universal.

PACOTILLA f. Porción de géneros que los marineros u oficiales de un barco pueden embarcar por su cuenta libres de flete.
PACTAR tr. Asentar condiciones para concluir un negocio u otra cosa entre partes. // Contemporizar una autoridad.
PACTO m. Concierto o convenio entre dos o más personas o entidades. // Lo estatuido por tal concierto.
PACHÁ m. Bajá.
PACHORRA f. fam. Indolencia.
PADECER tr. Sentir un dolor, enfermedad, etc. // Sentir los agravios, pesares, etc. // Soportar, sufrir. // fig. Recibir daños las cosas.
PADECIMIENTO m. Acción de padecer daño, enfermedad, etc.
PADRASTRO m. Marido de la madre, respecto de los hijos que ésta tiene de anterior matrimonio. // fig. Mal padre.
PADRE m. Varón o macho que ha engendrado. // Principal y cabeza de una descendencia, familia o pueblo. // Religioso o sacerdote. // fig. El que ha creado o adelantado notablemente una ciencia o facultad. // pl. el padre y la madre.
PADRINO m. El que asiste a otra persona en el sacramento del bautismo, de la confirmación, del matrimonio, o del orden, etc. // El que favorece o protege a otro. // pl. El padrino y la padrina.
PADRÓN m. Lista de vecinos de un pueblo. // Columna o pilar con una lápida o inscripción que recuerda un suceso notable.
PAELLA f. Plato de arroz seco, con carne, pescado, etc.
PAGA f. Acción de pagar. // Cantidad de dinero que se da en pago. // Satisfacción de la culpa, por medio de la pena correspondiente. // Sueldo.
PAGANISMO m. conjunto de instituciones religiosas de los paganos o gentiles.
PAGANO m. fam. El que paga.
PAGANO, NA adj. y s. Apl. a los idólatras y politeístas. // Por ext., apl. a los mahometanos, y aun a todo infiel no bautizado.
PAGAR tr. Dar uno a otro lo que le debe. // fig. Satisfacer una pena. // Corresponder al afecto, cariño, etc. // r. Prendarse, aficionarse. // Ufanarse de algo.
PAGARÉ m. Papel de obligación por una cantidad que ha de pagarse a un determinado tiempo.
PÁGINA f. Cada una de las dos planas de la hoja de un libro o cuaderno. // Lo escrito o impreso en cada página.
PAGO m. Entrega de un dinero o especie que se debe. // Satisfacción, premio o recompensa.
PAGODA f. Templo de los ídolos en algunos pueblos de Oriente.
PAIDOLOGÍA f. Conjunto de ciencias cuyo objeto es la infancia y el desarrollo físico e intelectual del niño.
PAIRAR tr. Estar quieta la nave, con las velas tendidas y largas las escotas.

PAÍS m. Nación, territorio. // Paisaje.
PAISAJE m. País, pintura o dibujo. // Porción de terreno considerado en su aspecto artístico.
PAISANO, NA adj. y s. Que es del mismo país o lugar que otr. // m. y f. Campesino. // m. El que no es militar.
PAJA f. Caña de trigo, cebada, centeno y otras gramíneas, después de seca y separada del grano. // Conjunto de estas cañas. // fig. Cosa ligera o insignificante. // Lo inútil y desechado de cualquier materia.
PAJAR m. Sitio donde se encierra y conserva paja.
PAJARERO, RA adj. Perten. o rel. a los pájaros. // fam. Apl. a la persona festiva.
PÁJARO m. Nombre genérico de las aves, esp. de las más pequeñas. // m. y adj. fig. Hombre astuto.
PAJE m. Criado joven que acompañaba a sus amos, les servía la mesa, etc.
PALA f. Instrumento compuesto de una tabla de madera o una plancha de hierro con un mango. // Parte ancha y delgada de algunos instrumentos.
PALABRA f. Sonido o connjunto de sonidos articulados que expresan una idea. // Representación gráfica de estos sonidos. // Facultad de hablar. // Aptitud oratoria. // Empeño que hace uno de su fe y prohibidad en testimonio de lo que afirma. // Promesa u oferta.
PALABRERÍA f. Abundancia de palabras vanas y ociosas.
PALACIEGO, GA adj. Perten. o rel. a palacio. // r. fig. Cortesano.
PALACIO m. Casa destinada para residencia de los reyes. // Cualquier casa suntuosa.
PALADAR m. Parte interior y superior de la boca del animal . // fig. Gusto de los manjares. // Gusto, sensibilidad para discernir.
PALADEAR tr. y r. Tomar poco a poco el gusto de una cosa.
PALADÍN m. Caballero que en la guerra se distingue por sus hazañas. // fig. Defensor denodado de alguna causa.
PALADINO, NA adj. Público, claro y patente. // m. Paladín.
PALADIO m. *Quím*. Metal bastante raro, cuyas cualidades participan delas de la plata y el platino.
PALAFITO m. Vivienda primitiva construida en un lago o río sobre estacas.
PALAFRÉN m. Caballo manso en que montaban las damas. // Caballo en que va montado el criado de un jinete.
PALAFRENERO m. Mozo de caballos.
PALANCA f. Barra que se apoya y puede girar sobre un punto, y sirve para transmitir una fuerza.
PALANGANA f. Jofaina.
PALANGRE m. Cordel largo provisto de ramales con anzuelos para pescar.
PALANQUÍN m. Mozo de cordel. // Especie de andas usadas en Oriente para llevar en ellas a los personajes.

PALATAL adj. Perten. o rel. al paladar. // Ling. Díc. de las consonantes que se articulan entre la lengua y el paladar duro, y de las letras que las representan.
PALATINADO m. Dignidad o título de uno de los príncipes palatinos de Alemania. // Territorio de los príncipes palatinos.
PALATINO, NA adj. Perten. al paladar.
PALATINO, NA adj. Perten. a palacio. // adj. y s. Díc. de los que tenían oficio principal en los palacios de los príncipes.
PALCO m. Localidad independiente, con balcón, en los teatros y otros lugares de recreo. // Tabladillo donde se coloca la gente para ver una función.
PALENQUE m. Valla o estacada de madera.
PALEOCRISTIANO, NA adj. Apl. al arte de la primera época del cristianismo, que se extiende entre los siglos III y IV.
PALEOGRAFÍA f. Arte de leer la escritura y signos de los libros y documentos antiguos.
PALEOLÍTICO, CA adj. y s. m. Perteneciente o rel. a la primitiva Edad de Piedra.
PALEONTOLOGÍA f. Ciencia que estudia los seres vivos del pasado, a partir de los restos fósiles.
PALEOZOICO, CA adj. y s. m. Era primaria de la historia geológica de la Tierra, que duró trescientos millones de años.
PALESTRA f. Sitio o lugar donde se lucha. // fig. La misma lucha.
PALETA f. Tabla pequeña donde el pintor tiene ordenados los colores. // Utensilio de palastro, de figura triangular y mango de madera que usan los albañiles. // Omóplato. // Cada una de las láminas de madera o metal, planas o curvas, dispuestas sobre una rueda o eje.
PALETILLA f. Omóplato. // Ternilla en que termina el esternón.
PALETO m. Gamo. // fig. Persona rústica y zafia.
PALIAR tr. Encubrir, disimular. // Mitigar la violencia de ciertas enfermedades.
PALIATIVO, VA adj. y s. m. Díc. de los remedios que se aplican para mitigar.
PALIDECER intr. Ponerse pálido.
PALIDEZ f. Amarillez, falta de color natural.
PÁLIDO, DA adj. Amarillo, decaecido de su color natural. // Descolorido, desvaído. // fig. Desanimado.
PALIMPSESTO m. Manuscrito ant. que conserva huellas de una escritura anterior.
PALINODIA f. Escrito en el que su autor se retracta públicamente de ideas que expuso anteriormente.
PALIO m. Insignia que da el papa a los prelados, la cual es como una faja blanca con cruces negras. // Dorsel portátil con el que se cubre al que lleva la Eucaristía, al papa, al rey, etc.
PALIQUE m. fram. Conversación de poca importancia.
PALISANDRO m. *Bot*. Madera preciosa, muy dura, usada en ebanistería, producida por árboles

tropicales de la fam. papilionáceas.
PALITROQUE m. Palo pequeño, tosco o mal labrado.
PALIZA f. Zurra de golpes dados con palo. // fig. y fam. Disputa en que uno queda vencido.
PALIZADA f. Sitio cercado de estacas. // Empalizada.
PALMA f. Palmera. // Hoja de la palmera. // Datilera. // Palmito. // Parte inferior de la mano, desde la muñeca hasta los dedos. // fig. Gloria, triunfo.
PALMÁCEAS f. pl. *Bot.* Fam. de plantas monocotiledóneas, como el cocotero, la palma datilera, etc.
PALMADA f. golpe dado conla palma de la mano. // Ruido que se hace
PALMAR adj.Díc. de las cosas de palma. // Perten. a la palma de la mano. // fig. Claro, patente. // m. Sitio poblado de palmas.
PALMAR intr. fam. Morir una persona.
PALMARIO, RIA adj. Claro, patente.
PALMATORIA f.Especie de candelero bajo, con mango y pie.
PALMEADO, DA adj. De figura de palma.
PALMEAR intr. Dar golpes con las palmas de las manos una contra otra.
PALMERA f.*Bot.* Arbol de la fam. palmáceas, de tronco subterráneo y hojas en forma de abanico, que abunda en la región mediterránea.
PALMÍPEDO, DA adj. *Zool.* Díc. de las aves que tienen los dedos palmeados a propósito para la natación.
PALMITO m.*Bot.* Planta de la fam. palmáceas, de tronco subterráneo y hojas en forma de abanico, que abunda en la región mediterránea.
PALMO m. Medida de longitud, cuarta parte de la vara, equivalente a unos 21 cm.
PALMOTEAR intr. Palmear.
PALO m.Trozo de madera mucho más largo que grueso, gralte. cilíndrico. //Madera del árbol.// Golpe que se da con un palo. // Cada uno de los maderos redondos fijos verticalmente en una embarcación.
PALOMA f. *Zool.* Ave cuya mandíbula superior está abovedada en la punta,y presenta los dedos libres, como la paloma doméstica y la tórtola.
PALOMILLA f. Mariposa nocturna que causa estragos en los graneros. // Armazón triangular para sostener tablas u otras cosas.
PALPABLE adj. Que puede tocarse. // fig. Patente, evidente.
PALPAR tr. Tocar con las manos una cosa para reconocerla. // Andar a tientas o a oscuras. // fig. Conocer una cosa tan claramente como si se tocara.
PALPITAR intr. contraerse y dilatarse alternativamente el corazón. // Aumentarse la palpitación natural del corazón. //fig. Manifestar con vehemencia un afecto.
PALUDISMO m. *Med.* Enfermedad infecciosa y febril causada por parásitos transmitidos por cierta clase de mosquitos.
PALUSTRE adj. Perten. a laguna o pantano.

PAMELA f. Sombrero de paja bajo de copa y ancho de alas, que usan las mujeres.
PAMPA f. Denominación dada a las grandes llanuras de América del Sur, desprovistas de arbolado.
PÁMPANO m. Sarmiento verde y tierno, o pimpollo de la vid. // Hoja de la vid.
PAMPLINA f. fig. y fam.Dicho o cosa de poca entidad.
PAN m. Porción de masa de harina y agua que, después de fermentada y cocida en horno, sirve de alimento al hombre. // fig. Todo lo que en general sirve para el sustento diario. // Trigo.
PAN- PANTO- Formas prefijas drivadas del gr. *pân*, todo.
PANA f. Tela de algodón parecida al terciopelo.
PANACEA f. Medicamento a que se atribuye eficacia para curar diversas enfermedades.
PANADERO, RA m. y f. Persona que tiene por oficio hacer o vender pan.
PANAL m. conjunto de celdillas prismáticas hexagonales de cera, que las abejas fabrican para depositar la miel.
PANCARTA f. Pergamino que contiene copiados varios documentos. // Cartelón de tela, cartón, etc., que se exhibe en reuniones públicas.
PÁNCREAS m. *Anat.* Glándula situada en la cavidad abdominal, y cuyo jugo contribuye a la digestión.
PANCREÁTICO, CA adj. Perten. al páncreas.
PANDANÁCEAS f. pl. *Bot.* Fam. de plantas arborescentes monocotiledóneas cuyas hojas sirven para hacer esterillas, y las fibras para la confección de cuerdas y sacos.
PANDEAR intr. y r. Torcerse una cosa encovándose, esp. en el medio.
PANDEMIA f. *Med.* Enfermedad epidémica que se extiende a muchos paises.
PANDERO m. Instrumento músico de percusión formado por un aro cuyo vano está cubierto por una piel estirada.
PANDILLA f. Liga o unión. // La que forman algunos para perjudicar a otros. // Cualquier reunión de gente, esp. jóvenes, para divertirse.
PANEGÍRICO m. Discurso de alabanza a alguien o a algo.
PANEL m. Cada uno de los compartimientos en que se dividen los lienzos de pared, las hojas de puerta, etc.
PÁNICO m. Miedo grande o temor excesivo, sin causa justificada.
PANÍCULA f. *Bot.* Inflorescencia racimosa, de perfil piramidal.
PANIFICAR tr. Convertir la harina en pan.
PANIZO m. *Bot.* Planta gramínea que se cultiva para grano y forraje.
PANOJA f. *Bot.* Mazorca de maíz, panizo o mijo.
PANOPLIA f. Armadura completa. // Colección de armas.
PANORAMA m. Vista de un horizonte muy dilatado.

PANTAGRUÉLICO, CA adj. Díc. de las comidas muy abundantes.
PANTALÓN m. Prenda de vestir que se ciñe al cuerpo en la cintura y baja cubriendo cada pierna hasta los tobillos.
PANTALLA f. Lámina que se sujeta alrededor de la luz artificial para que no ofenda a los ojos. // Telón sobre el que se proyectan las figuras del cinematógrafo u otro aparato de proyecciones.
PANTANO m. Hondonada donde se detienen las aguas. // Gran depósito artificial de agua.
PANTEÍSMO m. Doctrina filosófico-religiosa que identifica a Dios con el mundo.
PANTEÓN m. Monumento funerario destinado a varias personas. // Templo que griegos y romanos consagraban a sus dioses.
PANTERA f. *Zool.* Mamífero carnívoro de la fam. félidos. Es un leopardo de manchas amarillas.

pantera (Panthera pardus)

PANTOMIMA f. Representación por figura y gesto, sin que intervengan palabras.
PANTOMIMO m. Cómico que remeda o imita diversas figuras.
PANTORRILLA f. Parte carnosa y abultada de la pierna, por debajo de la corva.
PANTUFLO o **PANTUFLA** m. o f. Calzado sin orejas ni talón que se usa en casa.
PANZA f. Vientre, esp. el muy abultado. // Parte más saliente de ciertas vasijas o de otras cosas. // Zool. Parte más voluminosa del estómago de los rumiantes.
PAÑAL m. Sabanilla en que se envuelve a los niños de teta.
PAÑO m. Tela de lana muy tupida. //Tela de diversas clases de hilo. // Lienzo de pared. // Pl. Cualquier género de vestiduras.
PAÑUELO m. Pedazo de tela cuadrado y de una sola pieza. // El que se usa para limpiarse el sudor y la nariz.
PAPA m. Obispo de Roma, cabeza visible de toda la iglesia católica y sucesor de San Pedro.
PAPÁ m. fam. Padre.
PAPADA f. Abultamiento carnoso debajo de la barba. // Pliegue cutáneo que sobresale del cuello de ciertos animales.
PAPADO m. Dignidad de papa, y tiempo que dura.
PAPAGAYO m. *Zool.* Ave trepadora de vistosos colores y pico curvo. La mayoría son tropicales. Se domestica con facilidad y aprende a repetir palabras.

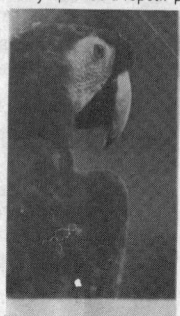

papagayo

PAPANATAS m. fig. y fam. Hombre simple y crédulo.
PAPARRUCHA f. fam. Noticia falsa y desatinada. // Obra literaria insustancial y desatinada.
PAPAVERÁCEAS f. pl. *Bot.* Fam. de plantas dicotiledóneas, de jugo acre y olor fétido, cuyo tipo es la adormidera.
PAPEL m. Hoja delgada que se obtiene de una pasta de madera y otras sustancias. // Pliego, hoja o pedazo de papel. // Impreso que no llega a formar libro. // fam. Parte de la obra dramática que ha de representar cada actor. // Personaje de la obra dramática// fig. Carácter, representación o calidad con que se interviene en algún asunto. // Carta, documento o manuscrito de cualquier clase.
PAPELEO m. Acción y efecto de revolver papeles. // Exceso de trámites en la resolución de un asunto.
PAPELETA f. Cédula. // fig. y fam. Asunto difícil de resolver.
PAPERAS f. pl. Med. Enfermedad infecciosa localizada en las glánduloas salivares, produciendo fiebres eruptivas.
PAPILA f. Prominencia de pequeño tamaño en la superficie de un órgano.
PAPILIONÁCEAS f. pl. Bot. Fam. de plantas leguminosas caracterizadas por su corola amariposada, como el guisante.
PAPIRO m. Bot. Planta herbácea vivaz de la fam. ciperáceas, cultivada por los ant. egipcios, cuyas hojas preparaban para escribir.
PAPO m. Parte abultada del animal entre la barba y el cuello.
PAQUEBOTE m. Buque que lleva correo y pasajeros.
PAQUETE m. Envoltorio bien dispuesto y no muy abultado. // Conjunto de cartas o papeles que forman mazo.
PAQUIDERMOS m. pl. Zool. Animales mamíferos de piel gruesa y dura, y tres o cuatro dedos en cada extremidad, como el hipopótamo, el cerdo, etc.

PAR adj. Igual o semejante. // m. Conjunto de dos personas o dos cosas de una misma especie.
PARA- Prep. insep. que significa junto a, a un lado.
PARA Prep. con que se denota el fin de término a que se encamina una acción. // Hacia. // Indica el lugar o tiempo a que se difiere o determina el ejecutar una cosa o finalizarla. // U. determinado el uso que conviene o puede darse a una cosa. // Por, o a fin de.
PARABIÉN m. Felicitación.
PARÁBOLA f. Narración de un suceso fingido, de que se deduce una verdad o una enseñanza moral. // Geom. Curva abierta, que resulta de cortar un cono circular recto por un plano paralelo a una generatriz.
PARACAÍDAS m. Aparato en forma de sombrilla que al abrirse sirve para moderar la velocidad de caída de un objeto o persona arrojados desde un avión.
PARADA f. Acción de parar o detenerse. // Lugar o sitio donde se para. // Fin o término del movimiento de una cosa. // Suspensión o pausa.
PARADERO m. Sitio donde se para o se va a parar. // fig. Fin o término de una cosa.
PARADIGMA m. Ejemplo o ejemplar.
PARADISÍACO, ca adj. Perten. o rel. al Paraíso.
PARADO, da adj. Remiso, tímido. // adj. y s. Desocupado o sin ejercicio o empleo.
PARADOJA f. Especie extraña u opuesta a la común opinión. // Aserción inverosímil que se presenta como verdadera.
PARADOR, ra adj. Que para o se para. // m. Mesón.
PARAFINA f. Quím. Sustancia sólida, blanca y fusible, que se obtiene destilando petróleo o materias bituminosas naturales.
PARAFRASEAR tr. Hacer la paráfrasis de un texto o escrito.
PARÁFRASIS f. Explicación de un texto. // Traducción libre de un texto.
PARAGOGE f. Ling. Adición de una letra al final de una palabra.
PARAGUAS m. Utensilio portátil para resguardarse de la lluvia.
PARAÍSO m. Lugar amenísimo en donde Dios puso a Adán y Eva. // El cielo de los ángeles y de los justos. // fig. Cualquier sitio muy ameno.
PARAJE m. Lugar, sitio. // Estado, ocasión y disposición de una cosa.
PARALELEPÍPEDO m. Geom. Prisma cuyas bases son paralelogramos.
PARALELISMO m. condición y calidad de paralelo.
PARALELO, LA adj. Apl. a las líneas o planos equidistantes entre sí y que por más que se prolonguen no pueden encontrarse. // Correspondiente o semejante. // m. Comparación de una cosa con otra. // Geogr. Cada uno de los círculos menores paralelos al ecuador que se suponen descritos en el globo terráqueo.
PARALELOGRAMO m. Geom. Cuadrilátero cuyos lados opuestos son iguales y paralelos entre sí.

PARALIPÓMENOS m. pl. dos libros canónicos del Ant. Testamento.
PARÁLISIS f. Med. Pérdida de la movilidad de un músculo o de un grupo muscular.
PARALÍTICO, CA adj. y s. Enfermo de parálisis.
PARALIZACIÓN f. fig. Detención de una cosa dotada de acción o de movimiento.
PARALIZAR tr. y r. Causar parálisis. // fig. Detener, impedir la acción y movimiento de algo.
PARALOGISMO m. Razonamiento falso.
PARAMECIO m. Zool. Protozoo ciliado con forma de zapatilla.
PARAMENTO m. Adorno con que se cubre una cosa. // Cualquiera de las dos caras de una pared.
PARÁMETRO m. Geom. Línea constante e invariable que entra en la ecuación de algunas curvas.
PÁRAMO m. Terreno erial raso y desabrigado. // fig. Lugar muy frío y desamparado.
PARANGÓN m. Comparación o semejanza.
PARANGONAR tr. Hacer comparación de una cosa con otra.
PARANINFO m. Salón de actos académicos.
PARANOIA f. Perturbación mental caracterizada por delirios de persecución, grandeza, etc.
PARAPETARSE r. y tr. Resguardarse con parapetos. // fig. Precaverse de un riesgo.
PARAPETO m. Pared o baranda que se pone para evitar caídas en los puentes, escaleras, etc.
PARAPLEJÍA f. Parálisis de la mitad inferior del cuerpo.
PARAR intr. y r. Cesar en el movimiento o en la acción. // intr. Ir a dar a un término o llegar al fin. // Recaer, venir o estar en dominio o propiedad de alguien. // Habitar, hospedarse. // Detener e impedir el movimiento o acción de uno. // fig. Detenerse o suspender la ejecución de un designio.
PARARRAYOS m. Dispositivo usado para proteger contra el rayo los edificios y otras construcciones.
PARASIMPÁTICO, CA adj. Fisol. Díc. de cualquier parte del sistema nervioso vegetativo.
PARASÍNTESIS f. Gram. Modo en que se forman las palabras mediante la combinación de la composición y la derivación.
PARASITARIO, ria adj. Perten. o rel. a los parásitos.
PARASITISMO m. Biol. Asociación de organismos de distinta especie, en la que el beneficio de una (*parásito*) supone un perjuicio para la otra (*huésped*).
PARÁSITO, TA adj. y s. Biol. Díc. del organismo que se alimenta a expensas de otro. // Díc. de los ruidos que perturban las transmisiones radioeléctricas.
PARASOL m. Quitasol.
PARCA f. Mit. Cada una de las divinidades romanas del destino.
PARCELA f. Porción pequeña de terreno. // Parte pequeña de algunas cosas.
PARCIAL adj. Rel. a una parte del todo. // No cabal o completo. // Que juzga o procede con parcialidad. /

/ adj. y s. Que sigue el partido de otro.
PARCIALIDAD f. Unión de algunos que se confederan para algún fin. // Familiaridad en el trato. // Prejuicio injusto en favor o en contra de personas o cosas.

PARCO, CA adj. Corto, escaso en el uso o concesión de las cosas. // Sobrio, moderado en la comida y en la bebida.

PARCHE m. Pedazo de lienzo en que se pega un ungüento y se pone en una parte enferma del cuerpo. // Remiendo. // fig. Cualquier cosa sobrepuesta a otra y que desdice de la principal.

PARDILLO m. Zool. Pájaro granívoro de color pardo rojizo, domesticable y comestible.

PARDO, DA adj. Del color de la tierra o de la piel del oso común. // Oscuro.

PARDUSCO, CA adj. De color que tira a pardo.

PAREAR tr. Juntar, igualar dos cosas comparándolas entre sí. // Formar pares de las cosas.

PARECER m. Juicio o dictamen.

PARECER intr. Aparecer o dejarse ver alguna cosa. // Opinar, creer. // Encontrar lo que se tenía por perdido. // Tener determinada apariencia. // r. Asemejarse.

PARECIDO, DA adj. Que se parece a otro. // Con los advs. *bien* o *mal*, que tiene buena o mala disposición de facciones o aire de cuerpo.

PARED f. Obra de fábrica levantada a plomo, para cerrar un espacio o sostener las techumbres. // Tabique.

PAREDÓN m. Pared que queda en pie de un edificio antiguo.

PAREJA f. Conjunto de dos personas o cosas que guardan entre sí alguna relación. // Compañero o compañera en los bailes.

PAREJO, JA adj. Igual o semejante. // Liso, llano.

PARÉNESIS f. Exhortación.

PARÉNQUIMA m. Bot. Tejido celular esponjoso.

PARENTESCO m. Vínculo, enlace por consanguinidad o afinidad. // fig. Unión o vínculo que tienen las cosas.

PARÉNTESIS m. Oración o frase incidental, sin enlace necesario con los demás miembros del período. // Signo ortográfico () en que suele encerrarse esta oración. // fig. Suspensión o interrupción.

PARHELIO m. Meteor. Aparición simultánea de varias imágenes del sol reflejadas en las nubes.

PARIA com. fig. Persona a quien se tiene por vil y excluida de las ventajas que gozan las demás.

PARIAS f. pl. Tributo que paga un príncipe a otro en reconocimiento de superioridad.

PARIDAD f. Comparación de una cosa con otra, por ejemplo o símil. // Igualdad.

PARIENTE, TA adj. y s. Respecto de una persona, cada uno de los ascendientes, descendientes y colaterales de su misma familia, por consanguinidad o afinidad.

PARIETAL adj. Perten. o rel. a la pared. // Anat. adj. y s. m. Hueso del cráneo.

PARIGUAL adj. Igual o muy semejante.

PARIHUELA f. Artefacto compuesto de dos barras gruesas, con unas tablas atravesadas, donde se coloca el peso o carga para llevarlo entre dos. // Camilla.

PARIR intr. y tr. Expeler la hembra el feto que tenía concebido. // intr. Poner huevos las aves y otros animales. // Producir o causar una cosa otra.

PARLAMENTAR intr. Conversar unos con otros. // Tratar de ajustes o contratos.

PARLAMENTARIO, RIA adj. Perten. al parlamento. // m. Persona que va a parlamentar. // Miembro de un parlamento.

PARLAMENTARISMO m. Doctrina, sistema parlamentario.

PARLAMENTO m. Institución del Estado que ejerce la función legislativa. // Razonamiento que se dirige a un congreso o junta. // Entre actores, relación larga en verso o prosa. // Acción de parlamentar.

PARLANCHÍN, NA adj. y s. fam. Locuaz.

PARLAR intar. y tr. Hablar con desembarazo o expedición. // intr. Hablar mucho y sin sustancia.

PARLOTEAR intr. fam. Hablar mucho y sin sustancia.

PARNASO m. fig. Conjunto de todos los poetas de un pueblo o tiempo determinados.

PARO m. fam. Suspensión o término de la jornada industrial o agrícola. // Huelga.

PARODIA f. Imitación jocosa de una obra literaria seria.

PARODIAR tr. Hacer una parodia. // Remedar, imitar.

PARÓNIMO, MA adj. Díc. de cada uno de dos o más vocablos que tienen semejanza.

PARÓTIDA f. Anat. Glándula salival st. debajo del oído.

PAROXISMO m. Med. Exacerbación o acceso violento de una enfermedad. // fig. Exaltación extrema de las pasiones.

PARPADEAR intr. Abrir y cerrar los ojos.

PÁRPADO m. Cada una de las membranas movibles que resguardan el ojo.

PARQUE m. Terreno o sitio cercado y con plantas, para caza o recreo. // Conjunto de instrumentos o materiales destinados a un servicio público. // Paraje destinado en las ciudades para estacionar transitoriamente automóviles.

PARQUEDAD f. Moderación económica y prudente en el uso de las cosas.

PARRA f. Bot. Vid. esp. la que está artificialmente levantada y extendida.

PÁRRAFO m. Cada una de las divisiones de un escrito señaladas por letra mayúscula al principio y punto y aparte al final.

PARRANDA f. fam. Fiesta, jarana.

PARRICIDA com. y adj. Persona que comete parricidio.

PARRICIDIO m. Delito que comete el que mata a su

ascendiente, descendiente o cónyuge.

PARRILLA f. Utensilio de hierro en figura de rejilla, con mango y pies, y a propósito para tostar o asar.

PÁRROCO m. y adj. Sacerdote.

PARROQUIA f. Iglesia de una feligresía. // Conjunto de feligreses. // Territorio que está bajo la jurisdicción del párroco. // Clientela de una tienda.

PARROQUIANO, na adj. y s. Perten. a determinada parroquia. // m. y f. Cliente de una tienda.

PARSIMONIA f. Moderación en los gastos. // Circunspección, templanza.

PARSIMONIOSO, sa adj. Que procede con parsimonia.

PARTE f. Porción de un todo. // Sitio o lugar. // Cada uno de los ejércitos, facciones, etc., que se oponen o luchan. // m. Comunicación de cualquier clase transmitida por el telégrafo, radio, etc. // f. pl. Organos de la generacilón.

PARTENOGÉNESIS f. Biol. Reproducción de la especie sin el concurso directo del sexo masculino.

PARTERA f. Mujer que tiene por oficio asistir a la que está de parto.

PARTERRE m. Jardín o parte de él, con césped y flores.

PARTICIÓN f. División o repartimiento que se hace entre algunas personas, de hacienda, herencia, etc. // Arit. División.

PARTICIPACIÓN f. Acción y efecto de participar. // Aviso o noticia que se da a uno.

PARTICIPAR intr.Tener uno parte en una cosa o tocarle algo de ella. // tr. Dar parte, notificar.

PARTÍCIPE adj. y s. Que tiene parte en una cosa.

PARTICIPIO m. Gram. Forma del verbo que len sus distintas aplicaciones participa ya de la índole del verbo, ya de la del adj.

PARTÍCULA f. Parte pequeña. // Ling. Parte indeclinable de la oración.

PARTICULAR adj. Propio y privativo de una cosa. // Especial, extraordinario. // Singular o individual. // adj. y s. Díc. del que no tiene título o empleo que lo distinga de los demás. // m. Materia de que se trata.

PARTICULARIDAD f.Singularidad, especialidad. // Distinción en el trato.

PARTICULARIZAR tr. Expresar algo con todas sus circunstancias y particularidades. // Mostrar parcialidad en favor de alguien. // r. Distinguirse, singularizarse.

PARTIDA f. Acción de salir de un punto. // Asiento de nacimiento, matrimonio, etc., que se escribe en los libros del registro civil. // Copia certificada de estos asientos. // Cantidad de un género de comercio. // Conjunto de personas de ciertos trabajos y oficios.

PARTIDARIO, RIA adj. y s. Que sigue un partido o bando, o entra en él.

PARTIDO m. Parcialidad o coligación entre los que siguen una misma opinión o interés. // Provecho, conveniencia. // En ciertos juegos, competencia concertada entre los jugadores. // Trato, convenio. // Distrito o territorio de una jurisdicción o administración.

PARTITIVO, VA adj. *Ling.* Díc. del numeral que expresa división de un todo en partes.

PARTIR tr. Dividir una cosa. // Repartir. // Distribuir o dividir en clases. // tr. y r. Hender, rajar. // intr. Tomar un hecho, o cualquier otro antecedente, como base de razonamiento o cómputo. // intr. y r. Ponerse en camino.

PARTITURA f. Texto completo de una obra musical.

PARTO m. acción de parir.

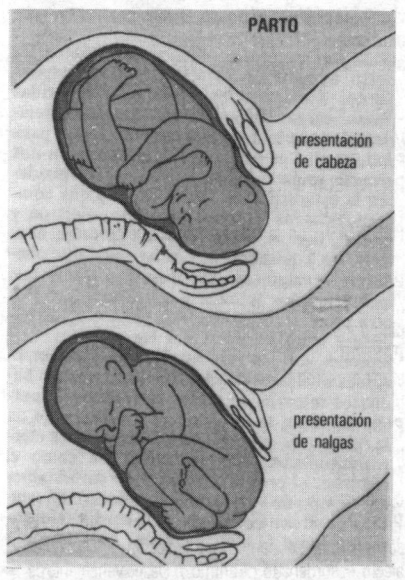

PARTO

presentación de cabeza

presentación de nalgas

PARTURIENTA adj. y s. Apl. a la mujer que está de parto o recién parida.

PARVEDAD f. Pequeñez, poquedad.

PARVO, va adj. Pequeño.

PÁRVULO, LA adj. De muy corta edad. // fig. Inocente. // adj. y s. Niño.

PASA f. Uva seca enjugada.

PASACALLE m. Mús. Marcha popular de compás muy vivo.

PASADA f. Acción de pasar de una parte a otra. // fig. y fam. Mal comportamiento de una persona.

PASADERO, RA adj. Que se puede pasar con facilidad. // Medianamente bueno de salud.

PASADIZO m. Paso estrecho. // fig. Cualquier otro medio para pasar de una parte a otra.

PASADO m. Tiempo que pasó.

PASAJE m. Acción de pasar de una parte a otra. // Sitio o lugar por donde se pasa. // Precio que se paga por el transporte de una persona en una nave, y conjunto de pasajeros de esta nave. // Trozo de un libro o escrito. // Paso público entre dos calles.

PASAJERO, RA adj. Apl. al lugar por donde pasa continuamente mucha gente. //IQue dura poco. //adj. y s. Que va de camino de un lugar a otro.

PASAMANO m. Género que sirve para adornar los vestidos y otras cosas. // Barandilla.

PASAPORTE m. Despacho por escrito que se da para poder pasar libre y seguramente de un país a otro. // fig. Licencia franca o libertad de ejecutar una cosa.

PASAR tr. Llevar, conducir de un lugar a otro. // Enviar, transmitir.// Penetrar o traspasar. // Sufrir, tolerar. // Colar un líquido. // Cerner, cribar. // Tragar la comida o bebida. // No poner reparo o censura en una cosa. // tr. intr. y r. Trasladarse // tr. e intr. Atravesar. // Transferir una cosa de un sujeto a otro. // tr. y r. Exceder, aventajar. // intr. y r. Acabarse una cosa. // Impers. Ocurrir. // Olvidarse de una cosa. // Empezarse a pudrir los alimentos.

PASARELA f. Puente pequeño o provisional

PASATIEMPO m. Diversión y entretenimiento en que se pasa el rato.

PASCUA f. En la iglesia católica, festividad de la Resurreccilón de Jesucristo.

PASE m. Permiso para que se use de un privilegio. // Licencia por escrito para pasar algunos géneros, para transitar por algún sitio, etc.

PASEAR intr. y r. Andar, ir a caballo, en carruaje, etc., por recreo o por higiene. // tr. Hacer pasear. // tr. fig. Llevar una cosa de una parte a otra.

PASEO m. Acción de pasear o pasearse. // Lugar para pasearse.

PASILLO m. Pieza de paso, larga y angosta, de cualquier edificio.

PASIÓN f. Acción de padecer. // Por anton., la de Jesucristo. // Lo contrario a la acción. // Cualquier afecto desordenado de ánimo.// Deseo vehemente de algo.

PASIONAL adj. Perten. o rel. a la pasión, esp. amorosa.

PASIONARIA f. Bot. Planta pasiflorácea, cuyas flores imitan la corona de espinas, la lanza y los clavos de la pasión de Cristo.

PASIVIDAD f. Calidad de pasivo.

PASIVO, VA adj. Apl. al sujeto que recibe la acción del agente, sin cooperar con ella. // Apl. al que deja obrar a los otros.// m. Importe total de los débitos que tiene contra sí una persona o entidad. // Ling. adj. Díc. de las oraciones en que el sujeto del verbo es paciente.

PASMADO, DA adj. Díc. de la persona alelada, absorta.

PASMAR tr. y r. Enfriar mucho o bruscamente. // Causar suspensión o pérdida de los sentidos y del movimiento. //tr., intr. y r. fig. Asombrar con extremo.

PASMO m. fig. Admiración y asombro extremados.

PASO m. Movimiento de cada uno de los pies para ir de una parte a otra. // Acción de pasar. // Lugar por donde se pasa de una parte a otra. // Acción o acto de la vida o conducta del hombre.

PASQUÍN m. Escrito anónimo que se fija en sitio público.

PASTA f. Masa hecha de una o diversas cosas machacadas y trabajadas con algo de líquido. // Masa de harina de trigo, de que se hacen los fideos, tallarines, etc.

PASTAR tr. Llevar o conducir el ganado al pasto // intr. Pacer.

PASTEL m. Masa de harina y manteca en que gralte. se envuelve crema o dulce. // Lápiz compuesto de una materia colorante y agua de goma.

PASTELERO, RA m. y f. Persona que tiene por oficio hacer o vender pasteles.

PASTEURIZAR tr. Esterelizar los líquidos según el procedimiento Pasteur.

PASTILLA f. Porción de pasta muy pequeña, y esp. la que contiene alguna sustancia medicinal.

PASTIZAL m. Terreno de abundante pasto.

PASTO m. Acción de pastar. // Hierba que el ganado pace, y sitio en que pasta. // Cualquier cosa que sirve para el sustento del animal. // fig. Materia que sirve para la actividad de los agentes.

PASTOR, RA m. y f. Perrsona que guarda y apacienta el ganado. // m. Prelado o cualquier otro eclesiástico.

PASTORAL adj. Perten. al pastor. // Perten. a los prelados. // Perten. o rel. a la poesía en que se pinta la vida de los pastores.

PASTOREAR tr. Apacentar los ganados.

PASTORIL adj. Propio o característico de los pastores.

PATA f. Pie y pierna de los animales. // Pie de un mueble.

PATADA f. Golpe dado con el pie o con la pata del animal.

PATALEAR intr. Mover las piernas o patas violentamente y con ligereza. // Dar patadas en el suelo.

PATALEO m. Acción de patalear.

PATALETA f. fam. Convulsión, esp. cuando se cree que es fingida.

PATÁN m. fam. Aldeano o rústico.

PATATA f. Bot. Planta herbácea de la fam. solanáceas, de origen americano; forma tubérculos subterráneos alimenticios.

PATATÚS m. fam. Desmayo.

PATEAR tr. fam. Dar golpes con los pies. // fig. y fam. Tratar rudamente a uno. // intr. fam. Dar patadas en señal de enojo. // fig. y fam. Andar mucho haciendo diligencias.

PATENTAR tr. Conceder y expedir patentes. // Proteger con patente algún invento.

PATENTE adj. Manifiesto, visible. // fig. Claro, perceptible. // f. Documento en que oficialmente se otorga un privilegio de invención y propiedad industrial.

PATENTIZAR tr. Hacer patente o manifiesta una cosa.

PATERNIDAD f. Calidad de padre.

PATERNO, NA adj. Perten. al padre, o propio suyo,

o derivado de él.
PATÉTICO, CA adj. Díc. de lo que expresa padecimiento.
PATETISMO m.Cualidad de patético.
PATÍBULO m. Tablado o lugar en que se ejecuta la pena de muerte.
PATILLA f. Porción de barba que se deja crecer en cada uno de los carrillos.
PATÍN m. Aparato de patinar.
PÁTINA f. Especie de barniz verdoso aceitunado que se forma en los objetos ant. de bronce.
PATINAR intr. Deslizarse o ir resbalando con los patines. // Resbalar las ruedas de un carruaje sin rodar, o dar vueltas y sin avanzar.
PATIO m. Espacio cerrado conparedes o galerías que en algunos edificios se deja al descubierto. // En los teatros, planta baja.
PATITIESO, SA adj. fam. Díc. del que por un accidente se queda sin sentido ni movimiento en las piernas.
PATIZAMBO, BA adj. y s. Que tiene las piernas torcidas hacia fuera
PATO- forma prefija del gr. *páthos*, enfermedad.
PATO m. *Zool.* ave palmípeda, con el pico más ancho en la punta que en la base, y con los tarsos cortos. Se domestica fácilmente.
PATOGENIA f. *Med.* Estudio del origen y desarrollo de las enfermedades.
PATÓGENO, NA adj. *Med.* Díc. de lo que produce las enfermedades.
PATOLOGÍA f. Parte de la medicina que trata de las enfermedades.
PATRAÑA f. Mentira o noticia de pura invención.
PATRIA f. Lugar, ciudad o país en que se ha nacido.
PATRIARCA m. Nombre que se da a algunos personajes de la Biblia, por haber sido cabezas de dilatadas familias. // Obispo de algunas iglesias principales.
PATRIARCADO m. Gobierno o autoridad del patriarca. // Organización primitiva en la que predominaba la autoridad paterna.
PATRICIO, CIA adj. y s. Descendiente de los primeros senadores de Roma. //m. Individuo que por su nacimiento, riqueza o virtudes descuella entre sus conciudadanos.
PATRIMONIO m. Hacienda que una persona ha heredado de sus ascendientes. // fig. Bienes propios adquiridos por cualquier título.
PATRIOTA com. Persona que tiene amor a su patria y procura todo su bien.
PATRIOTERÍA f. fma. Alarde propio del patriotero.
PATRIOTERO, RA adj. y s. fam. Que alardea de patriotismo.
PATRIOTISMO m. Amor a la patria. // Sentimiento y conducta propios del patriota.
PATROCINAR tr. Defender, proteger, amparar, favorecer.

PATRÓN, NA m. y f. Defensor, protector. // Santo titular de una iglesia. // Amo, señor. // m. El que manda un pequeño buque mercante. // Dechado que sirve de muestra para sacar otra cosa igual.
PATRONATO m. Derecho, poder o facultad que tiene el patrono o patronos. // Corporación que forman los patronos. // Fundación de una obra pía.
PATRONÍMICO, CA adj. y s. Apellido que ant. se daba en España a los hijos, formado del nombre de sus padres.
PATRONO, NA m. y f. Defensor, protector. // El que tiene derecho o cargo de patronato. // Santo título de una iglesia. // Persona que emplea obreros.
PATRULLA f. Partida pequeña de gente armada que ronda para mantener el orden y seguridad en lasplazas. // Corto número de personas que van acuadrilladas.
PATRULLAR intr. Rondar una patrulla.
PAULATINO, NA adj. Que obra despacio o lentamente.
PAUPÉRRIMO, MA adj. sup. Muy pobre.
PAUSA f. Breve interrupción. // Tardanza, lentitud.
PAUSADO, DA adj. Que obra con pausa. // Que se ejecuta o acaece de este modo.
PAUTA f. Modelo de comportamiento aceptado por una determinada cultura. // fig. Dechado o modelo.
PAVÉS m.Escudo oblongo que cubría todo el cuerpo del combatiente.
PÁVIDO, DA adj. Tímido, lleno de pavor.
PAVIMENTAR tr. Revestir el suelo con ladrillos, losas, etc.
PAVIMENTO m. Recubrimiento artificial del suelo.
PAVO m. *Zool.* Ave gallinácea; el macho posee una hermosa cola de plumas que se extiende en abanico.
PAVONEAR intr. y r. Hacer uno vana ostentación de su gallardía.
PAVOR m. Terror con espanto o sobresalto.
PAVORO, SA adj. Que causa pavor.
PAYASO m. Titiritero que hace de gracioso.
PAYÉS, SA m. y f. Campesino o campesina de Cataluña o las islas Baleares.
PAZ f. Virtud que pone en el ánimo tranquilidad y sosiego. // Pública tranquilidad y quietud de los estados, en contraposición a la guerra. // Genio pacífico y apacible.
PAZGUATO, TA adj. y s. Simple, que sepasma de todo lo que ve u oye.
PAZO m. En Galicia, casa solariega, y esp. la del campo.
PEAJE m. Derecho de tránsito.
PEANA f. Basa, apoyo para colocar encima una figura u otra persona.
PEATÓN, NA m. y f. Persona que anda a pie.
PECA f. Mancha de color pardo, que suele salir en el cutis.
PECADO m. Infracción de cualquier precepto religioso. // Culpa, en general.

PECAMINOSO, SA adj. Perten. o rel. al pecado o al pecador. // fig. Apl. a las cosas contaminadas de pecado.

PECAR intr. Quebrantar la ley de Dios. // Faltar a cualquier obligación, precepto o regla.

PECERA f. Vasija o globo de cristal para tener peces.

PECÍOLO o **PECIOLO** m. *Bot.* Parte de la hoja que une el limbo al tallo.

PÉCORA f. Res o cabeza de ganado lanar.

PECOSO, SA adj. Que tiene pecas.

PECTINA f. *Quím.* Principio inmediato que existe en muchos frutos.

PECTORAL adj. Rel. al pecho. // adj. y s. m. Util para el pecho. // m. Cruz que llevan sobre el pecho los prelados.

PECUARIO, RIA adj. Perten. al ganado.

PECULIAR adj. Propio o privativo de cada persona o cosa.

PECULIARIDAD f. Calidad de peculiar.

PECULIO m. fig. Dinero particular de cada uno.

PECUNIARIO, RIA adj. Perten. al dinero efectivo.

PECHERA f. Lienzo o paño con que se abriga el pecho.

PECHERO, RA adj. y s. Obligado a pagar o contribuir con pecho o tributo. // Plebeyo.

PECHO m. *Anat.* Parte superior del tronco, comprendida entre el cuello y el abdomen.

PECHUGA f. Cada una de las dos partes del pecho del ave. // fig. y fam. Pecho de hombre o de mujer.

PEDAGOGÍA f. Ciencia que se ocupa de los problemas educativos.

PEDAGOGO, GA m. y f. Persona experta en pedagogía.

PEDAL m. Palanca que pone en movimiento un mecanismo, oprimiéndola con el pie.

PEDALEAR intr. Poner en movimiento un pedal.

PEDANTE adj. y s. Apl. al que hace alarde de erudición.

PEDANTERÍA f. Vicio de pedante.

PEDAZO m. Parte de una cosa separada del todo. // Cualquier parte de un todo, físico o moral.

PEDERASTIA f. Abuso deshonesto cometido contra los niños. // Sodomia.

PEDERNAL m. *Geol.* Variedad criptocristalina del cuarzo o del sílex. Es compacto y lustroso, y produce chispas al chocar.

PEDESTAL m. Cuerpo con base y cornisa, que sostiene una columna, estatua, etc. // Peana.

PEDESTRE adj. Que anda a pie. // fig. Llano, vulgar, inculto.

PEDIATRA m. Médico de los niños.

PEDIATRÍA f. Parte de la medicina que estudia y se ocupa de las enfermedades de los niños.

PEDÍCULO m. *Anat.* Parte de una vértebra que limita el hueco de conjunción.// *Bot.* Tallo muy pequeño que sirve de soporte en setas, líquenes y flores.

PEDICURO, RA m. y f. Callista.

PEDIDO m. Encargo hecho a un fabricante o vendedor, de géneros de su tráfico. // Acción y efecto de pedir.

PEDIGÜEÑO, ÑA adj. y s. Que pide con frecuencia e importunidad.

PEDIR tr. Rogar o demandar a uno que dé o haga una cosa. // Poner precio a la mercadería el que vende. // Requirir una cosa, necesaria o conveniente.

PEDO m. Ventosidad que se expele del vientre por el ano.

PEDRADA f. Acción de arrojar una piedra. // Golpe dado con ella.

PEDREA f. fam. Conjunto de los premios menores de la lotería nacional.

PEDREGAL m. Sitio o terreno cubierto de piedras.

PEDREGOSO, SA adj. Apl. al terreno cubierto de piedras.

PEDRERÍA f. Conjunto de piedras preciosas.

PEDRISCO m. Granizo.

PEDRUSCO m. fam. Pedazo de piedra sin labrar.

PEDÚNCULO m. *Bot.* Rabillo de una flor o de una inflorescencia compuesta. // *Zool.* Prolongación del cuerpo con la que algunos animales se fijan al sustrato.

PEGA f. Acción de pegar. // Sustancia que sirve para pegar. // Chasco. // Obstáculo, reparo. // Pregunta capciosa o difícil de contestar.

PEGADIZO, ZA adj. Pegajoso.

PEGAJOSO, SA adj. Que con facilidad se pega. // Contagioso. // fig. y fam. Meloso.

PEGAR tr. Adherir, conglutinar. // Arrimar o aplicar una cosa a otra.// Comunicar uno a otro una cosa por el contacto, trato, etc. // Maltratar dando golpes. // Caer bien una cosa; ser oportuna.//Tratándose de versos, rimar uno con otro.

PEGOTE m. Emplasto. // fig. y fam. Persona impertinente que no se aparta de otra. // Parche que se pega.

PEINADO m. Adorno y compostura del pelo.

PEINAR tr. y r. Desenredar, limpiar o componer el cabello. //tr. fig. Desenredar o limpiar el pelo o lana de algunos animales.

PEINE m. Utensilio que tiene muchos dientes espesos, con el cual se compone el pelo. // Carda.

PEINETA f. Peine convexo que usan las mujeres por adorno.

PELADILLA f. Almedra confitada.

PELADO, DA adj. Desnudo de vegetación, de adornos, etc. // adj. y s. Pobre, sin dinero.

PELÁGICO, CA adj.*Zool.* Díc. de los animales y plantas que viven en alta mar.

PELAGRA f. *Med.* Enfermedad crónica producida por insuficiencia vitamínica.

PELAMBRE m. Conjunto de pelo en todo el cuerpo o en algunas partes de él.

PELAMBRERA f. Porción de pelo o de vello espeso y crecido.

PELAR tr. y r. Cortar, arrancar, quitar el pelo. //tr. fig. Quitar la piel o la corteza a una cosa. // Criticar,

murmurar. // r. Perder el pelo.
PELDAÑO m.Cada una de las partes de una escalera, donde se apoya el pie.
PELEA f. CLombate, batalla, riña.
PELEAR intr. Batallar, contender con armas. //Reñir. // fig. Resistir y trabajar por vencer las pasiones. // Afanarse por conseguir algo. // r. fig. Enemistarse.
PELELE m.Figura humana de paja o trapos. //fig. y fam. Persona simple o inútil.
PELETERO m. El que tiene por oficio trabajar en pieles finas o venderlas.
PELIAGUDO, DA adj. fig. y fam. Díc. del negocio dificultuoso.
PELÍCANO m. Zool. Ave palmípeda de pico muy grande y con la membrana de la mandíbula inferior en forma de bolsa.
PELÍCULA f. Piel delgada y delicada. // Pellejo, hollejo de la fruta. // Cinta de celuloide dispuesta para ser impresionada fotográficamente.
PELIGRAR intr. Estar en peligro.
PELIGRO m. Riesgo inminente de que suceda algún mal.
PELIGROSIDAD f. Calidad de peligroso.
PELIGROSO, SA adj. Que tiene riesgo o puede ocasionar daño.
PELMA m. fam. Cosa muy aplastada. // com. fam. Persona molesta e importuna.
PELMAZO m. Pelma.
PELO m. Filamento cilíndrico, de naturaleza córnea, que nace entre los poros de la piel de casi todos los mamíferos y de otros animales. // Conjunto de estos filamentos. // Cabello. // Vello que tienen algunas frutas, plantas, etc. // Cualquier hebra delgada de lana, seda, etc.

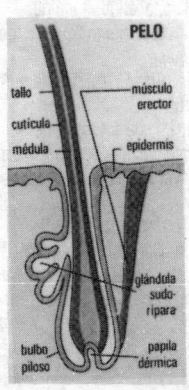

PELÓN, NA adj. y s.Que no tiene pelo, o tiene poco.
PELOTA f. Bola de cualquier material blando o elástico, hueca o maciza. // Balón. // Juego que se hace con ella.
PELOTERA f. fam. Pendencia.
PELOTILLERO, RA adj. fig. Que adula.

PELOTÓN m. Conjunto de personas en tropel. // Unidad de infantería, subdivisión de la sección.
PELUCA f.Cabellera postiza.
PELUDO, DA adj. Que tiene mucho pelo.
PELUQUERO, RA m. y f. Persona que tiene por oficio peinar, cortar el pelo, etc.
PELUSA f. Pelusilla de algunas frutas. // Pelo menudo que se desprende de las telas. //fig. y fam. Envidia propia de los niños.
PELUSILLA f. Vellosilla.
PELVIS f. Anat. Cavidad sit. en la parte inferior del abdomen.

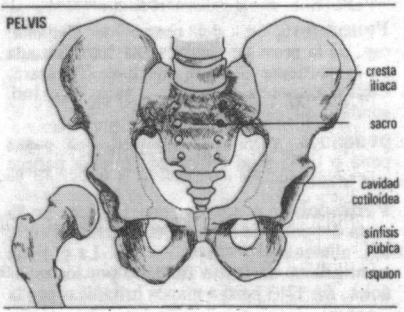

PELLA f. Masa consistente. // Masa de los metales fundidos o sin labrar. // Manteca del puerco tal como se quita de él. // fig. y fam. Cantidad de dinero.
PELLEJA f. Piel quitada del cuerpo del animal.
PELLEJO m. Piel que tiene el animal. // Piel quitada de un animal. // Odre. // fig. y fam. Persona ebria.
PELLIZA f. Prenda de abrigo hecha o forrada de piel.
PELLIZCAR tr. y r. Asir con el dedo pulgar y cualquiera de los otros una pequeña porción de piel y carne, apretándola de suerte que cause dolor. // Tr. Tomar pequeña cantidad de una cosa.
PELLIZCO m. Acción y efecto de pellizcar. // Porción pequeña de una cosa que se toma.
PENA f. Castigo impuesto por autoridad legítima. // Aflicción grande. // Dolor, tormento. // Dificultad, trabajo.
PENACHO m. Grupo de plumas que tienen algunas aves en la cabeza. //Adorno de plumas que sobresale.
PENAL adj. Perten. o rel. a la pena, o que la incluye. // m. Lugar en que los penados cumplen condena.
PENALIDAD f. Trabajo aflictivo, molestia.
PENALISTA adj. y s. Díc. del que se dedica al estudio del derecho penal.
PENALIZAR tr. Imponer una sanción o castigo.
PENAR tr. Imponer pena. // intr. Padecer, tolerar un dolor o pena. // r. Afligirse.
PENALES m. pl. En la mitología estrusca y romana, divinidades protectoras del hogar.
PENDENCIA f. Contienda, riña.
PENDENCIERO, RA adj. Propenso a pendencias.
PENDER intr. Estar colgada, suspendida o inclinada alguna cosa. //fig. Estar por resolverse o terminarse.

// m. Joya colgante. // Cuesta o declive de un terreno.
PENDIENTE adj. Que pende. // fig. Que está por resolverse o terminarse. // m. Joya colgante. // f. Cuesta o declive.
PENDULAR adj. Propio del péndulo o rel. a él.
PÉNDULO m. Cuerpo que puede oscilar suspendido de un punto fijo por un hilo o varilla.
PENE m. *Anat.* Miembro viril.
PENETRACIÓN f. Acción y efecto de penetrar. // Inteligencia cabal de una cosa difícil. // Agudeza.
PENETRANTE adj. Que penetra. // Profundo. // fig. Agudo, alto, hablando de la voz, del grito, etc.
PENETRAR tr. Introducir un cuerpo en otro por sus poros. // Introducirse en lo interior de un espacio. // Hacerse sentir con violencia una cosa. // tr., intr. y r. fig. Comprender el interior de uno.
PENICILINA f. Antibiótico descubierto por A. Fleming en 1928, que se obtiene de cierto moho.
PENÍNSULA f. Porción de tierra de un continente, rodeada de mar por todas partes menos por una, que se llama istmo.
PENINSULAR adj. y s. Natural de una península. // adj. Perten. a una península.
PENIQUE m. Moneda inglesa de cobre, duodécima parte del chelín.
PENITENCIA f. Sacramento en el cual se perdonan los pecados. // Cualquier acto de mortificación.
PENITENCIARÍA f. Establecimiento penitenciario.
PENITENCIARIO, RIA adj. y s. Apl. a los sistemas adoptados para castigo y corrección de los penados.
PENITENTE adj. Perten. a la penitencia. // com. Persona que hace penitencia.
PENOSO, SA adj. Trabajoso. // fig. Que padece una pena.
PENSAMIENTO m. Potencia o facultad de pensar. // Acción y efecto de pensar. // Idea capital de una obra. // Cada una de las ideas o sentencias notables de un escrito.
PENSAR tr. Imaginar, considerar o discurrir. // Reflexionar. // Formar ánimo de hacer algo.
PENSATIVO, VA adj. Que medita intensamente y está absorto.
PENSIÓN f. Renta o canon anual que se impone sobre una finca. // Cantidad anual que se asigna a uno por méritos o servicios propios o extraños. // Casa donde se reciben huéspedes mediante precio convenido. // Auxilio pecuniario para ampliar estudios.
PENSIONAR tr. Imponer una pensión o un gravamen. // Conceder pensión.
PENSIONISTA com. Persona que tiene derecho a percibir una pensión.
PENTA- Forma prefija del gr. pente, cinco.
PENTÁGONO m. *Geom.* Polígono de cinco lados.
PENTAGRAMA o PENTÁGRAMA m. Reglonadura formada por cinco rectas paralelas y equidistantes, sobre la cual se escribe música.
PENTATEUCO m. Nombre de los cinco primeros libros del Ant. Testamento.

PENTECOSTÉS m. Fiesta con que los cristianos celebran la venida del Espíritu Santo.
PENÚLTIMO, MA adj. y s. Inmediatamente anterior a lo último.
PLENUMBRA f. Sombra débil entre la luz y la oscuridad.
PENURIA f. Escasez.
PEÑA f. Piedra grande sin labrar. // Monte o cerro peñascoso. // Grupo de amigos o camaradas.
PEÑASCAL m. Sitio cubierto de peñascos.
PEÑASCO m. Peña grande y elevada.
PEÑÓN m. Monte peñascoso.
PEÓN m. Peatón. // Jornalero que trabaja en cosas materiales que no requieren ni arte ni habilidad. // Pieza del juego de damas, del ajedrez y de otros.
PEONÍA f. *Bot.* Planta de flores grandes y color carmesí, de la fam. ranunculáceas.
PEONZA f. Juguete de madera, de figura cónica, terminado en punta, que gira al desenrollarse con fuerza un corde.
PEOR Adj. comp. de malo. De o de inferior calidad, respecto de otra cosa. // adv. m. comp. de malo. Más mal.
PEPINO m. *Bot.* Planta cucurbitáceo de fruto comestible cilíndrico.
PEPITA f. Simiente de algunas frutas, como el melón, la pera, etc. // Trozo rodado de oro u otros metales nativos, que suele hallarse en los terrenos de aluvión.
PEPLO m. Túnica femenina griega sin mangas.
PEPSINA f. *Bioquím.* Enzima secretado por las glándulas del estómago.
PEQUEÑEZ f. Calidad de pequeño. // Mezquindad.
PEQUEÑO, ÑA adj. Corto, limitado. // De muy corta edad. // fig. Bajo, abatido, humilde.
PERA f. *Bot.* Fruto en pomo del peral, de forma cónica y aspecto carnoso.
PERAL m. *Bot.* Arbol frutal de la fam. rosáceas, cuyo fruto es la pera.
PERALTE m. Lo que sobresale del semicírculo en la altura de un arco o una bóveda. // En caminos, carreteras, etc., mayor elevación de la parte exterior de una curva.
PERCAL m. Tela de algodón.
PERCANCE m. Contratiempo.
PERCATAR intr. y r. Advertir, considerar, cuidar.
PERCEBE m. *Zool.* Crustáceo cirrópodo que se fija

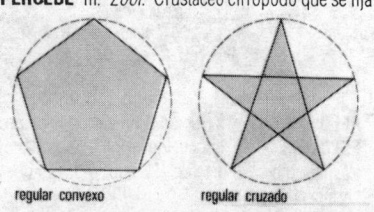

regular convexo   regular cruzado

PENTÁGONOS

310

a las rocas con largo pedúnculo carnoso. Es marisco muy apreciado.
PERCEPCIÓN f. Acción y efecto de percibir. // Sensación correspondiente a la impresión material de los sentidos.
PERCEPTIBLE adj. Que se puede percibir, recibir o cobrar.
PERCIBIR tr. Recibir o cobrar. // Recibir por medio de los sentidos las sensaciones exteriores. // Comprender o conocer una cosa.
PERCUSIÓN f. Acción y efecto de percutir.
PERCUSOR m. El que hiere. // Pieza de las armas de fuego.
PERCUTIR tr. Golpear repetidamente.
PERCUTOR m. Pieza que golpea, esp. la que hace detonar el fulminante en las armas de fuego.
PERCHA f. Madero atravesado en otro para sostener una cosa. // Pieza o mueble con colgaderos.
PERCHERÓN adj. *Zool.* Díc. del caballo muy fuerte y corpulento.
PERDER tr. Dejar de tener, o no hallar, uno lo que poseía. // Disipar, malgastar. // No conseguir lo que se desea o ama. // Ocasionar un daño a las cosas. // r. Errar uno el camino que llevaba. // fig. Conturbarse. // Entregarse a los vicios.I // r. y tr. fig. No aprovecharse una cosa que podía y debía ser útil. // Naufragar.
PERDICIÓN f. Acción de perder o perderse. // fig. Ruina o daño grave. // Pasión desenfrenada de amor. // Condenación eterna. // Desenfreno.
PÉRDIDA f. Carencia, privación de lo que se poseía. // Daño, menoscabo. // Cantidad o cosa perdida.
PERDIDO, DA adj. Que no tiene o no lleva destino determinado. // m. Hombre sin provecho ni moral.
PERDIGÓN m. Pollo de la perdiz. // Cada uno de los granos de plomo que forma la munición de caza.
PERDIGUERO, RA adj.Díc. del animal que caza perdices.
PERDIZ f. *Zool.* Ave gallinácea con cuerpo grueso, cuello corto, cabeza pequeña y pico y pies encarnados.
PERDÓN m. Remisión de la pena merecida. // Remisión de los pecados.
PERDONAR tr. Remitir la deuda, ofensa u otra cosa. // Exceptuar a uno de la obligación general. // fig. Renunciar a un derecho o disfrute.
PERDULARIO, RIA adj. y s. Sumamente descuidado. // Vicioso.
PERDURABILIDAD f.Calidad de perdurable o perpetuo.
PERDURAR intr. Durar mucho, subsistir, mantenerse en un mismo estado.
PERECEDERO, RA adj. Poco durable, que ha de perecer.
PERECER intr. Fenecer o dejar de ser. //fig. Padecer un daño grande. // Tener suma pobreza. // r. fig. Desear con ansia algo.
PEREGRINACIÓN f. Viaje por tierras extrañas. // Viaje que se hace a un santuario por devoción.
PEREGRINAJE m. Peregrinación.
PEREGRINAR intr. Andar uno por tierras extrañas. // Ir en romería a un santuario.
PEREGRINO, NA adj. y s. Que peregrina. // adj. Raro, extraño.
PEREJIL m. *Bot.* Hierba de la fam. umbelíferas. Se emplea como condimento.
PERENNE adj. Continuo, incesante.
PERENNIDAD f. Perpetuidad, continuación incesable.
PERENTORIO, RIA adj. Concluyente, decisivo. // Urgente, apremiante.
PEREZA f. Negligencia o descuido en las cosas a que estamos obligados. // Flojedad, descuido o tardanza en las acciones o movimientos.
PEREZOSO, SA adj. y s. Que tiene o muestra pereza.
PERFECCIÓN f. Acción de perfeccionar o perfeccionarse. // Calidad de perfecto. // Cosa perfecta.
PERFECCIONAR tr. y r. Acabar enteramente una obra, dándole el mayor grado posible de bondad o excelencia en su línea.
PERFIDIA f. Deslealtad, traición.
PÉRFIDO, DA adj. y s. Desleal, traidor.
PERFIL m. Adorno sutil y delicado. // Trazo fino que se hace con la pluma. // Postura en que no se deja ver sino una de las dos mitades laterales del cuerpo. // Contorno aparente de la figura. // pl. Retoques con que se remata una cosa.
PERFILAR tr. Dar, presentar el perfil o sacar los perfiles a una cosa. // fig. Afinar, perfeccionar una cosa. // r.Colocarse de perfil.
PERFORAR tr. Agujerear una cosa atravesándola.
PERFUMAR tr. y r. Aromatizar una cosa. // tr. fig.Esparcir cualquier olor bueno., // intr.Exhalar perfume.
PERFUME m. Sustancia volátil, sólida o líquida, odorífica, que desprende olor agradable. // El mismo olor. // fig. Olor agradable.
PERFUMERÍA f. Taller o fábrica donde se preparan perfumes. // Tienda donde se venden.
PERGAMINO m. Piel de res sin curtir y alisada. // Título o documento escrito en pergamino.
PÉRGOLA f. Emparrado. // Jardín sobre la techumbre de algunas casas.
PERI- Prep. insep. que significa alrededor.
PERICARDIO m. *Anat.* Membrana que rodea el corazón.
PERICARPIO m. *Bot.* Parte exterior del fruto que cubre las semillas de las plantas.
PERICIA f. Sabiduría y habilidad en una ciencia o arte.
PERICIAL adj. Perten. o rel. al perito.
PERICLITAR intr. Peligrar; decaer, declinar.
PERIFERIA f. Contorno de una figura curvilínea. // fig. Espacio que rodea un núcleo cualquiera.
PERIFÉRICO, CA adj. Perten. o rel. a la periferia.
PERÍFRASIS f. *Ling.* Expresión de un concepto o

idea simple por medio de una circunlocución.

PERIFRÁSTICO, CA adj. Perten. o rel. a la perífrasis; abundante en ellas.

PERIGEO m. Punto en que la luna se halla más proxima a la Tierra.

PERILLA f. Adorno en figura de pera. // Porción de pelo que se deja crecer en la punta de la barba.

PERÍMETRO m. *Geom.* Contorno de una figura.

PERINEO m. *Anat.* Espacio que media entre el ano y las partes sexuales.

PERIORICIDAD f. Calidad de periódico.

PERIÓDICO, CA adj. Que guarda período determinado. // adj. y s. m. Díc. del impreso que se publica periódicamente.

PERIODISMO m. Ejercicio o profesión de periodista.

PERIODISTA com. Persona que compone, escribe o edita un periódico. // La que tiene por oficio escribir en periódicos.

PERIODÍSTICO, CA adj. Perten. o rel. a periódicos y periodistas.

PERIODO o **PERÍODO** m. Tiempo que una cosa tarda en volver al estado o posición que tenía al principio. // Espacio de tiempo. // Menstruación.

PERIOSTIO m. *Anat.* Membrana vascularizada que envuelve al hueso.

PERIPATÉTICO, CA adj. y s. Que sigue la filosofía de Aristóteles. // adj. Perten. a ella

PERIPECIA f. Incidente.

PERIPLO m. Circunnavegación.

PERÍPTERO, RA adj. Díc. del edifico rodeado de columnas.

PERIQUETE m. fam. Brevísimo espacio de tiempo.

PERIQUITO m. *Zool.* Papagayo.

PERISCOPIO m. Aparato óptico empleado en la observación de objetos sit. por encima de un obstáculo que impide la visión directa. Se usa en los submarinos.

PERISTÁLTICO, CA adj. Que tiene la virtud de contraerse.

PERISTILO m. *Ant.*, patio interior rodeado de columnas. // Galería de columnas que rodea un edificio o parte de él.

PERITAJE m. Trabajo o estudio que hace un perito.

PERITO, TA adj. y s. Sabio, experimentado en una ciencia o arte. // m. El que tiene título de tal, conferido por el Estado.

PERITONEO m. *Anat.* Membrana transparente que rodea la cavidad abdominal.

PERJUDICAR tr. y r. Dañar.

PERJUDICIAL adj. Que perjudica o puede perjudicar.

PERJUICIO m. Efecto de perjudicar o perjudicarse.

PERJURAR intr. y r. Jurar en falso.

PERJURIO m. Juramento en falso.

PERJURO, RA adj. y s. Que jura en falso.

PERLA f. Concreción nacarada que se forma sobre un cuerpo extraño en el interior de algunos moluscos.

PERMANECER intr. Mantenerse sin mutación en un mismo lugar, estado o calidad.

PERMANENCIA f. Duración firme, constancia, estabilidad.

PERMANENTE adj. Que permanece.

PERMEABILIDAD f. Calidad de permeable.

PERMEABLE adj. Que puede ser penetrado por el agua u otro fluido..

PÉRMICO m. *Geol.* Período final de la era primaria.

PERMISIÓN f. Acción de permitir. // Permiso.

PERMISO m. Consentimiento para hacer o decir algo.

PERMITIR tr. y r. Dar permiso. // tr. No impedir.

PERMUTA f. Acción y efecto de permutar una cosa por otra.

PERMUTACIÓN f. Permuta.

PERMUTAR tr. Cambiar una cosa por otra. // Variar la disposición u orden en que estaban dos o más cosas.

PERNERA f. Pernil.

PERNICIOSO, SA adj. Gravemente dañoso y perjudicial.

PERNIL m. Anca y muslo del animal, y esp. los del puerco. // Parte del pantalón que cubre la pierna.

PERNOCTAR intr. Pasar la noche en determinado lugar, esp. fuera del propio domicilio.

PERO Conj. advers. con que a un concepto se contrapone otro. // U. a principio de claúsula sin referirse a otra anterior, sólo para dar fuerza de expresión a lo que se dice. // Sino. // m. fam. Defecto o dificultad.

PEROGRULLADA f. fam. Verdad evidente que de tan sabida es necedad decirla.

PEROL m. Vasija de metal, de figura como de media esfera.

PERONÉ m. *Anat.* Hueso largo y delgado de la pierna, detrás de la tibia.

PERORAR intr. Pronunciar un discurso.

PERORATA f. Discurso molesto o inoportuno.

PERPENDICULAR adj. *Geom.* Díc. de la línea que forma ángulo recto con otra, y del plano que forma ángulo recto con otro. // Vertical.

PERPETRAR tr. Cometer, consumar. Apl. sólo a delito o culpa grave.

PERPETUAR tr. y r. Hacer perpetua o perdurable una cosa. // Dar a las cosas una larga duración.

PERPETUIDAD f. Duración sin fin. // fig. Duración muy larga.

PERPETUO, TUA adj. Que dura y permanece siempre.

PERPLEJIDAD f. Irresolución, duda, confusión.

PERRO m. *Zool.* Mamífero doméstico de la fam. cánidos, muy apreciado por su agudo olfato, facilidad de adaptación y fidelidad al hombre. // fig. Nombre que se da por afrenta y desprecio. (VER LÁMINA P. 417).

PERRUNO, NA adj. Perten. o rel. al perro.

PERSECUCIÓN f. Acción de perseguir, o insistencia en hacer o procurar daño.

PERSEGUIR tr. Seguir al que va huyendo con ánimo de alcanzarle. // fig. Seguir o buscar a uno en todas

partes. // Molestar, fatigar.
PERSEVERANCIA f. Constancia en los propósitos y en las resoluciones. // Duración larga de una cosa.
PERSEVERAR intr. Mantenerse constante en la prosecución de lo comenzado. // Durar por largo tiempo.
PERSIANA f. Celosía, formada de tablillas colocadas de forma que dejen paso al aire y no al sol.
PÉRSICO, CA adj. Perten. a Persia.
PERSIGNAR tr. y r. Hacer la señal de la cruz.
PERSISTENCIA f. Constancia en el intento o ejecución de algo. // Duración permanente de una cosa.
PERSISTIR intr. Mantenerse firme en una cosa. // Durar por largo tiempo.
PERSONA f. Individuo de la especie humana. // Hombre o mujer cuyo nombre se ignora o se omite.
PERSONAJE m. Persona distinguida e influyente. // Cada uno de los seres humanos ideados por el escritor.
PERSONAL adj. y s. Perten. a la persona, o propio y particular de ella. // m. Conjunto de las personas perten. a determinada clase, corporación o dependencia.
PERSONALIDAD f. Diferencia individual que constituye a cada persona y la distingue de otra.
PERSONALIZAR tr. Incurrir en personalidades, hablando o escribiendo. // Gram. Usar como personales algunos verbos generalmente impers.
PERSONARSE rf. Presentarse personalmente en una parte.
PERSONIFICAR tr. Atribuir vida o acciones de persona a las cosas o seres que no lo son. // Representar una persona un suceso, opinión, etc. // tr. y r. Representar en los discursos o escritos, bajo nombres supuestos, personas determinadas.
PERSPECTIVA f. Arte de representar los objetos de tres dimensiones sobre una superficie plana. // fig. Conjunto de objetos que desde un punto determinado se presentan a la vista del espectador. // Contingencia que puede preverse en el curso de algún negocio.
PERSPICACIA f. Calidad de perspicaz.
PERSPICAZ adj. Díc. de la vista, la mirada, etc., muy agudas. // fig. Apl. al ingenio agudo y al que lo tiene.
PERSPICUO, CUA adj. Claro, transparente y terso.
PERSUADIR tr. y r. Inducir, mover a uno a creer o hacer algo.
PERSUASIÓN f. Acción y efecto de persuadir o persuadirse.
PERSUASIVO, VA adj. Que tiene fuerza y eficacia para persuadir.
PERTENECER intr. Tocar a uno o ser propia de él una cosa. // Referirse una cosa a otra o ser parte integrante de ella.
PERTENENCIA f. Acción o derecho que uno tiene a la propiedad de una cosa. // Espacio que toca a uno por jurisdicción o propiedad. // Cosa accesoria a la principal.
PÉRTIGA f. Barra larga.
PERTINACIA f. Obstinación, terquedad. // fig. Grande duración o persistencia.
PERTINAZ adj. Obstinado, terco. // fig. Muy duradero o persistente.
PERTINENCIA f. Calidad de pertinente.
PERTINENTE adj. Perten. a una persona. // Díc. de lo que viene a propósito.
PERTRECHAR tr. Abastecer de pertrechos. // tr. y r. fig. Preparar lo necesario para la ejecución de una cosa.
PERTRECHOS m. pl. Municiones, armas y demás instrumentos necesarios para la guerra. // Por ext., instrumentos necesarios para cualquier operación.
PERTURBADO, DA adj. y s. Enfermo mental.
PERTURBAR tr. y r. Trastornar el orden y concierto de las cosas o su quietud. // r. Perder el juicio una persona.
PERVERSIDAD f. Suma maldad o corrupción.
PERVERSIÓN f. Acción y efecto de pervertir o pervertirse. // Estado de error o corrupción de costumbres.
PERVERSO, SA adj. y s. Sumamente malo o depravado.
PERVERTIR tr. Perturbar el orden o estado de las cosas. // tr. y r. Corromper las costumbres, la fe, etc.
PERVIVENCIA f. Acción y efecto de pervivir.
PERVIVIR intr. Seguir viviendo a pesar del tiempo o de las dificultades.
PESA f. Pieza de determinado peso, que sirve para pesar.
PESADEZ f. Calidad de pesado.
PESADILLA f. Ensueño angustioso y tenaz.
PESADO, DA adj. Que pesa mucho. // fig. Obeso. // Intenso, hablando del sueño. // Cargado de humores, vapores, etc. // Muy lento. // Molesto, enfadoso.
PESADUMBRE f. Calidad de pesado. // Injuria, agravio. // Molestia o desazón.
PÉSAME m. Expresión con que se significa a uno el sentimiento que se tiene de su pena.
PESAR m. Sentimiento o dolor interior. // Dicho o hecho que causa disgusto. // Arrepentimiento.
PESAR intr. Tener gravedad o peso. // fig. Tener una cosa estimación o valor. // Causar dolor un hecho o dicho. // tr. Determinar el peso de una cosa por medio de un instrumento adecuado.
PESAROSO, SA adj. Arrepentido. // Que tiene pesadumbre.
PESCA f. Acción y efecto de pescar. // Arte de pescar.
PESCADERÍA f. Tienda donde se vende pescado.
PESCADO m. Pez comestible sacado del agua.
PESCADOR, RA adj. y s. Que pesca.
PESCANTE m. Pieza saliente, que sirve para sostener o colgar de ella algo. // Brazo de una grúa. //

En los coches, asiento exterior.
PESCAR tr. Sacar del agua peces y otros animales. / / fig. y fam. Contraer una enfermedad. // Coger.
PESCUEZO m. Parte del cuerpo del animal desde la nuca hasta el tronco.
PESEBRE m. Especie de cajón donde comen las bestias.
PESETA f. Unidad monetaria en España.
PESIMISMO m. Propensión a ver las cosas en su aspecto más desfavorable.
PESIMISTA adj. y s. Que propende a ver las cosas con pesimismo.
PÉSIMO, MA adj. sup. de malo. Sumamente malo.
PESO m. Gravedad de la Tierra. // Fuerza de gravitación universal ejercida sobre la materia. // Cosa pesada. // fig. Importancia de una cosa. // Fuerza de las cosas no materiales. // Unidad monetaria de varios paises latinoamericanos.
PESPUNTAR O PESPUNTEAR tr. Hacer pespuntes
PESPUNTE m. Labor de costura, con puntadas unidas.
PESQUERÍA f. Trato o ejercicio de los pescadores.
PESQUISA f. Indagación.
PESTAÑA f. Cada uno de los pelos que hay en los bordes de los párpados.
PESTE f. Enfermedad contagiosa que causa gran mortandad en los hombres o en los animales. // Mal olor. // fig. Cosa que puede ocasionar daño grave.
PESTÍFERO, RA adj. Que puede ocasionar daño grave.
PESTILENCIA f. Peste.
PESTILENTE adj. Que origina peste. // Que da mal olor.
PESTILLO m. Pasador con que se asegura una puerta.
PESUÑA f. Pezuña.
PESUÑO m. Cada uno de los dedos cubierto con su uña, de los animales de pata hendida.
PETACA f. Estuche para llevar cigarros o tabaco picado.
PÉTALO m. *Bot.* Cada una de las hojas que forman la corola de la flor.
PETARDO m. Cañuto que se llena de pólvora para que, prendiéndole fuego, produzca una gran detonación.
PETATE m. Lío de la cama, y la ropa de cada marinero, soldado, etc. // fam. Equipaje del que navega.
PETIMETRE, TRA m. y f. Persona que se cuida con exceso de su compostura o de seguir las modas.
PETO m. Armadura del pecho. // Adorno o vestidura que se pone en el pecho.
PETROGRAFÍA f. Parte de la Geología que trata de las rocas.
PETRÓLEO m. Líquido oleoso, de color oscuro, más ligero que el agua. Es una mezcla de hidrocarburos y se encuentra nativo en el interior de la corteza terrestre.
PETROLÍFERO, RA adj. Perten. o rel. al petróleo.

// m. Buque destinado al transporte de petróleo.
PETROLÍFERO, RA adj. Que contiene petróleo.
PETULANCIA f. Insolencia. // Ridícula presunción.
PETULANTE adj. y s. Que tiene petulancia.
PEYORATIVO, VA adj. Que empeora. Díc. esp. de los conceptos morales.
PEYOTE m. *Bot.* Planta de la fam. cactáceas. Se encuentra en Mexico. Contiene alcaloides que provocan en el hombre alucinaciones.
PEZ m. *Zool.* Vertebrado acuático de cuerpo fusiforme, piel escamosa, respiración branquial y sangre fría; posee gralte. aletas, pectorales, abdominales y caudal. Es un alimento de primer orden.

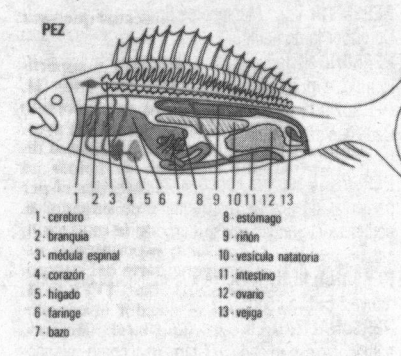

PEZ

1 2 3 4 5 6 7 8 9 10 11 12 13
1 · cerebro   8 · estómago
2 · branquia   9 · riñón
3 · médula espinal   10 · vesícula natatoria
4 · corazón   11 · intestino
5 · hígado   12 · ovario
6 · faringe   13 · vejiga
7 · bazo

PEZÓN m. Botoncito que sobresale en los pechos o tetas de las hembras.
PEZUÑA f. Conjunto de los pesuños de una misma pata.
PIADOSO, SA adj. Benigno, misericordioso. // Apl. a las cosas que mueven a compasión, o se originan de ella. // Devoto.
PIANISTA com. Persona que sabe tocar el piano.
PIANO m. Instrumento músico de teclado y percusión.
PIANOLA f. Piano que puede tocarse mecánicamente.
PIAR intr. Emitir su voz algunas aves, y esp. el pollo.
PIARA f. Manada de cerdos, y por ext., la de yeguas, mulas, etc.
PICA f. Especie de lanza larga.
PICADOR, RA m. y f. El que por oficio doma y adiestra caballos. // Persona que torea a caballo.
PICADURA f. Acción y efecto de picar una cosa. // Pinchazo. // Mordedura o punzada de una ave, un insecto, o de ciertos reptiles.
PICANTE adj. Que pica. // fig. Apl. a lo dicho con cierta mordacidad. // m. Sabor picante.
PICAPEDRERO m. Cantero.
PICAPLEITOS m. fam. Pleitista. // Abogado sin pleitos.
PICAPORTE m. Instrumento para cerrar de golpe las puertas y ventanas. // Llamador, aldaba.
PICAR tr. Herir superficialmente con instrumento punzante. // Punzar o morder las aves, los insectos

o ciertos reptiles. // Cortar en trozos muy menudos. // Tomar las aves la comida con el pico. // Morder el pez el cebo. // tr. e intr. Causar escozor en alguna parte del cuerpo. // Enardecer el paladar ciertas cosas excitantes. // Enojar a otro. // r. Agitarse el mar. // fig. Ofenderse.

PICARDÍA f. Vileza. // Astucia o disimulo. // Burla inocente.

PICARESCA f. Junta de pícaros. // Profesión de pícaros.

PICARESCO, CA adj. y s. Perten. o rel. a los pícaros.

PÍCARO, RA adj. y s. Bajo, ruín. // Astuto, taimado. // m. Personaje de mal vivir y travieso, que figura en obras de la literatura española.

PICAZÓN f. Picor. // Enojo.

PICO. m. *Zool.* Parte saliente, córnea y puntiaguda, desprovista de dientes, de la cabeza de las aves. // Instrumento que sirve para cavar. // Cúspide aguda de una montaña. fig. y fam. Facundia.

PICOR m. Escozor en el paladar por haber comido alguna cosa picante. // Desazón que causa una cosa que pica.

PICOTEAR tr. Golpear o herir las aves con el pico.

PICTÓRICO, CA adj. Perten. o rel. a la pintura. // Adecuado para ser representado en pintura.

PICUDO, DA adj. Que tiene pico. // Que tiene hocico.

PICHÓN m. Pollo de la paloma casera.

PIE m. Extremidad de cualquiera de los dos miembros inferiores del hombre; parte análoga en muchos animales. // Base en que se apoya alguna cosa. // Medida de long., usada en varios países.

PIEDAD f. Virtud que inspira devoción a las cosas santas, y actos de abnegación. // Misericordia.

PIEDRA f. Sustancia mineral, más o menos dura y compacta, que no es terrosa ni de aspecto metálico. // Cálculo de la orina. // granizo grueso.

PIEL f. Tegumento fibroso y elástico que cubre el cuerpo de algunos animales. // Cuero curtido.

PIÉLAGO m. Parte del mar que dista mucho de la tierra. // Mar.

PIENSO m. Alimento seco que se da al ganado.

PIERNA f. *Anat.* Parte de la extremidad inferior, comprendida entre la rodilla y el pie. // Zool. En los cuadrúpedos y aves, muslo.

PIEZA f. Parte o pedazo de una cosa. // Moneda de metal. // Obra dramática o musical.

PIFIA f. fig. y fam. Error, descuido.

PIGMENTO m. *Biol.* Sustancia coloreada que se encuentra en las células. // Quím. Sustancia colorante que se emplea en la industria de la pintura.

PIGMEO, A adj. Díc. del individuo de ciertos pueblos del África central caracterizado por su baja estatura.

PIGNORAR tr. Empeñar una cosa.

PIJAMA m. Traje de dormir, ligero, compuesto de blusa y pantalón.

PILA n. f. Montón de cosas colocadas las unas sobre las otras. // *Arqu.* Cada uno de los machones que sostienen dos arcos contiguos o los tramos metálicos de un puente.

PILA n. f. Recipiente donde cae o se echa el agua para varios usos. // Pila bautismal. Pila para administrar el sacramento del bautismo. // Metal. Receptáculo en la delantera de los hornos de fundición en el cual cae el metal fundido. // Fis. Generador de corriente eléctrica que utiliza la energía liberada en una reacción química. // Fís. Nucl. Pila nuclear. Reactor nuclear utilizado plara investigación, pruebas o producción de elementos radiactivos.

PILAR m. Mojón. // Especie de pilastra aislada. // fig. Persona que sirve de amparo.

PILASTRA f. Columna cuadrada.

PÍLDORA f. Bolita que se hace mezclando un medicamento con un excipiente.

PÍLORO m. Abertura inferior del estómago.

PILOSO, SA adj. De mucho pelo.

PILOTAR tr. Dirigir un buque, aeroplano u otro vehículo.

PILOTO m. El que gobierna o dirige un buque, un avión, etc.

PILTRAFA f. Parte de carne flaca, que casi no tiene más que el pellejo. // pl. Residuos.

PILLAJE m. Hurto, rapiña.

PILLAR tr. Hurtar, robar. // Alcanzar o atropellar. // fam. Sorprender. // fig. Coger, agarrar.

PILLASTRE m. fam. Pillo.

PILLO, LLA adj. y s. m. Díc. del pícaro. // Sagaz, astuto.

PIMENTERO m. *Bot.* Arbusto trepador de las piperáceas, cuyo fruto es la pimienta.

PIMIENTA f. *Bot.* Fruto del pimentero, de sabor picante.

PIMIENTO m. *Bot.* Planta herbácea anual, de la fam. solanáceas, de fruto en baya, llamado también pimiento.

PIMPOLLO m. Vástago o tallo nuevo de las plantas.

PINACOTECA f. Galería o museo de pinturas.

PINÁCULO m. Parte más alta de un edificio o templo.

PINAR m. Lugar poblado de pinos.

PINCEL m. Instrumento con que el pintor asienta los colores.

PINCHAR tr. y r. Picar, punzar o herir con una cosa aguda. // tr. fig. Picar, estimular

PINCHAZO m. Punzadura que se hace con algo que pincha.
PINCHE m. Mozo de cocina.
PINCHO m. Aguijón o punta aguda de hierro u otra materia.
PINGÜE adj. Craso, mantecoso. // fig. Copioso, fértil.
PINGÜINO m. *Zool.* Ave palmípeda, muy adaptada para nadar, que vive en las costas de las regiones polares.

pingüinos en Puerto Madryn (Patagonia argentina)

PINNÍPEDOS m. pl. *Zool.* Mamíferos marinos, carnívoros, que poseen cortas extremidades convertidas en aletas.
PINO m. *Bot.* Arbol conífero, de la fam. abietáceas, de hojas aciculares reunidas en hacecillos. Su fruto es la piña.
PINTA f. Mancha o señal pequeña en el plumaje, pelo o piel de los animales, y en los minerales. // fig. Aspecto de las personas o cosas. // m. Sinvergüenza.
PINTAR tr. Representar un objeto en una superficie, con líneas y colores. // Dar una capa de color a las cosas. // fig. Describir personas o cosas por medio de la palabra. // r. y tr. Darse colores y afeites en el rostro.
PINTARRAJEAR tr. y r. fam. Dibujar o pintar de varios colores y sin arte una cosa.
PINTOR, RA m. y f. Persona que profesa o ejercita el arte de la pintura.
PINTORESCO, CA adj. Apl. a las cosas dignas de ser pintadas. // fig. Díc. del lenguaje, estilo, etc., vivo y animado. // Estrafalario.
PINTURA f. Arte de pintar. // Tabla, lámina o lienzo en que está pintada una cosa. // La misma obra pintada. // Color preparado para pintar. // fig. Descripción viva y animada por medio de palabras.
PINZAS f. pl. Instrumento de metal, a manera de tenacillas, que sirve para coger cosas menudas. // *Zool.* Organo prensil en forma de pinzas que tienen algunos artrópodos.
PIÑA f. Fruto del pino y otros árboles. // fig. Conjunto de personas o cosas unidas estrechamente.
PIÑÓN m. Rueda dentada que engrana con otra mayor en una máquina. // Semilla del pino.
PÍO, A adj. Devoto. // Compasivo.
PIOJO m. *Zool.* Insecto anopluro provisto de aparato bucal picador-chupador, sin alas; vive parásito en los mamíferos.
PIPA f. Utensilio para fumar.
PIPA f. Pepita de frutas.
PIPERÁCEAS f. pl. Bot. Fam. de plantas dicotiledóneas, cuyo tipo es el pimentero.
PIPETA f. Tubo de cristal, usado en el laboratorio.
PIQUETE m. Grupo pequeño de soldados.
PIRA f. Hoguera en que ant. se quemaban los cuerpos de los difuntos. // fig. Hoguera.
PIRAGUA f. Embarcación larga y estrecha, mayor que la canoa.
PIRAMIDAL adj. De figura de pirámide.
PIRÁMIDE f. *Geom.* Poliedro que tiene por base un polígono, y las demás caras son triángulos con un vértice común.
PIRAR intr. vulg. Faltar a clase. // r. Fugarse.
PIRATA m. Ladrón que anda robando por el mar.
PIRATEAR intr. Apresar o robar embarcaciones.
PIRATERÍA f. Ejercicio de pirata. // Presa que hace el pirata.

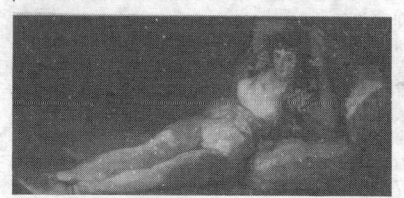

La Maja Vestida, por Goya.

Arearea, de Paul Gauguin

PIRENÁICO, CA adj. Perten. o rel. a los Pirineos.
PIRITA f. *Mineral.* Sulfuro de hierro, de color amarillo de oro.

pirámide de Tikal, en El Petén (Guatemala)

PIROPO m. fam. Requiebro.
PIROTECNIA f. Técnica aplicada a la fabricación de fuegos de artificio.
PIROXENO m. *Mineral.* Silicato de hierro y calcio.
PIRRARSE r. fam. Desear con vehemencia una cosa.
PIRUETA f. Cabriola. // Voltereta.
PISAR tr. Poner el pie sobre alguna cosa. // Apretar o estrujar una cosa con los pies o con un instrumento. // fig. Hollar, conculcar. // fig. y fam. Humillar.
PISCICULTURA f. Arte de fomentar la reproducción de los peces y mariscos.
PISCIFORME adj. De forma de pez.
PISCINA f. Estanque donde pueden bañarse a la vez diversas personas.
PISCIS m. Duodécimo signo o parte del Zodíaco.
PISO m. Pavimento, suelo. // Conjunto de habitaciones que constituyen vivienda independiente.
PISOTEAR tr. Pisar repetidamente, maltratando una cosa. // fig. Humillar.
PISTA f. Rastro que dejan los animales o personas en la tierra. // Sitio dedicado a las carreras y demás ejercicios. // Terreno acondicionado para el despegue y aterrizaje de aviones. // fig. Conjunto de indicios que puede conducir a la averiguación de algo.
PISTILO m. *Bot.* Organo femenino de la flor.
PISTOLA f. Arma de fuego corta.
PISTOLERO m. Delincuente que se sirve de la pistola.
PISTÓN m. Embolo. // Parte central de la cápsula, donde está colocado el fulminante. // Llave de ciertos instrumentos.
PITANZA f. Distribución que se hace diariamente de una cosa. // fam. Alimento cotidiano. // Precio o estipendio.
PITAR intr. Tocar o sonar el pito.
PITECÁNTROPO m. Homínido fósil.
PITIDO m. Silbido de pito o de los pájaros
PITILLO m. Cigarrillo.
PITO m. Flauta pequeña, como un silbato de sonido agudo.
PITÓN m. Cuerno que empieza a salir a los animales. // fig. Bulto pequeño que sobresale en la superfice de una cosa. // *Zool.* Reptil ofidio no venenoso, de gran tamaño.
PITONISA f. Hechicera.
PITORREARSE r. Guasearse.
PITUITARIO, RIA adj. *Anat.* Díc. de la mucosa nasal.
PIVOTE m. Punto de soporte que permite el giro de una pieza.
PIZARRA f. Roca de grano fino, de color negro azulado, y que se divide con facilidad en hojas planas y delgadas.
PIZCA f. fam. Porción mínima o muy pequeña de una cosa.
PLACA f. Lámina o plancha formada o superpuesta en un objeto.
PLÁCEME m. Felicitación.
PLACENTA f. *Anat.* En los mamíferos, órgano adherido al útero y unido al feto por el cordón umbilical.
PLACENTERO, RA adj. Agradable.
PLACER m. Contento del ánimo. // Sensación agradable. // Beneplácito. // Diversión, entretenimiento.
PLACER tr. Agradar o dar gusto.
PLACIDEZ f. Calidad de plácido.
PLÁCIDO, DA adj. Quieto, sosegado. // Grato, apacible.
PLAGA f. Calamidad grande que aflige a una persona, a un pueblo, etc. // Ulcera. // fig. Cualquier infortunio. // Abundancia de una cosa nociva.
PLAGIAR tr. fig. Copiar obras ajenas, dándolas como propias.

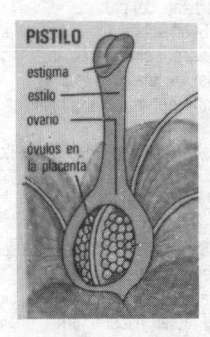

PISTILO
estigma
estilo
ovario
óvulos en la placenta

PLAGIO m. Acción de plagiar.
PLAN m. Altitud o nivel. // Intento, proyecto.
PLANA f. Cada una de las dos caras o haces de una hoja de papel. // Porción extensa de país llano.
PLANCTON m. Conjunto de organismos que viven suspendidos en el mar.
PLANCHA f. Lámina de metal llana y delgada, respecto de su tamaño. // Utensilio de hierro para planchar la ropa. // fig. y fam. Desacierto que hace quedar en situación ridícula.
PLANCHAR tr. Pasar la plancha caliente sobre la ropa para estirarla.
PLANEADOR m. Avión que vuela sin motor.
PLANEAR tr. Trazar el plan de una obra. // Hacer planes o proyectos.
PLANETA m. Astro opaco que sólo brilla por la luz que refleja del sol, alrededor del cual se desplaza describiendo órbitas elípticas.
PLANICIE f. llanura.
PLANIFICAR tr. Trazar los planos para la ejecución de una obra. // Hacer planes o proyectos.
PLANISFERIO m. Carta en que la esfera celeste o la terrestre está representada en un plano.
PLANO, NA adj. Llano, liso. // m. Superficie plana. // Representación gráfica en una superficie, de un terreno, edificio, etc.
PLANTA f. Vegetal. // Parte inferior del pie, sobre el cual se sostiene el cuerpo. // Cada uno de los pisos de un edificio.
PLANTACIÓN f. Acción de plantar. // Conjunto de lo plantado.
PLANTAR tr. Meter en tierra una planta, un vástago, etc., para que arraigue. // Poblar de plantas un terreno. // fig. Poner derecha una cosa. // Abandonar. // r. fig. y fam. Ponerse de pie firme. // Llegar con brevedad a un lugar.
PLANTEAMIENTO m. Acción y efecto de plantear.
PLANTEAR tr. Trazar el plano o proyecto de una cosa. // Presentar o proponer un problema, una cuestión, etc.
PLANTIFICAR tr. Plantear. // fig. y fam. Plantar. // r. fig. y fam. Llegar pronto a un lugar.
PLANTÍGRADOS m. pl. *Zool.* Mamíferos que al andar apoyan toda la planta del pie.
PLANTILLA f. Suela sobre la cual los zapateros arman el calzado. // Pieza que sirve de patrón. // Censo de los trabajadores fijos de una empresa.
PLANTÍO, A adj. Apl. a la tierra plantada o que se puede plantar.
PLAÑIDERA f. Mujer pagada que iba a llorar a los entierros.
PLAÑIDO m. Lamento, queja.
PLAÑIR intr. y r. Gemir y llorar.
PLAQUETA f. *Biol.* Uno de los elementos celulares de la sangre, de forma circular y ovalada.
PLASMA m. Parte líquida de la sangre en circulación.
PLASMAR tr. Figurar, hacer o formar una cosa.

PLÁSTICA f. Arte de plasmar o formar cosas de barro, yeso, etc.
PLASTICIDAD f. Calidad de plástico.
PLÁSTICO, CA adj. Perten. a la plástica. // Dúctil, blando. // fig. Apl. al estilo o a la frase que da mucho realce a las ideas. // Díc. de ciertos materiales sintéticos que pueden moldearse fácilmente.
PLATA f. Metal noble blanco, brillante, dúctil y maleable. // fig. Dinero en general.
PLATAFORMA f. Tablero horizontal elevado sobre el suelo, donde se colocan personas o cosas. // Suelo superior, a modo de azotea, de las torres y otras cosas.
PLÁTANO m. *Bot.* Arbusto de la fam. musáceas, propio de climas tropicales. Su fruto es el plátano.
PLATEA f. Patio o parte baja de los teatros.
PLATEADO, DA adj. Bañado en plata. // De color semejante al de la plata.
PLATEAR tr. Cubrir de plata.
PLATELMINTOS m. pl. *Zool.* Gusanos que tienen el cuerpo en forma de cinta y viven parásitos en el interior de otros animales.
PLATERO m. Artífice que labra la plata. // El que vende objetos labrados de plata u oro.
PLÁTICA f. Conversación.
PLATICAR tr. e intr. Conversar.
PLATILLO m. Pieza pequeña, de figura semejante al plato.
PLATINO m. Metal de color de plata, dúctil, muy pesado y maleable. Es inatacable por los ácidos, a excepción del agua regia. Se usa en joyería.
PLATIRRINOS m. pl. *Zool.* Monos con los orificios nasales separados por una ancha membrana. Son propios de América.
PLATO m. Vasija baja y redonda con una concavidad en el medio. // Platillo de la balanza. // Manjar que se sirve en los platos.
PLATONISMO m. Conjunto de ideas filosóficas basadas en las teorías de Platón.
PLAUSIBLE adj. Digno de aplauso. // Admirable, recomendable.
PLAYA f. Ribera del mar o río, de gran tamaño, formada por arenales más o menos horizontales.
PLAZA f. Lugar ancho y espacioso dentro de un poblado. // Sitio donde hay mercado. // Cualquier lugar fortificado. // Sitio, lugar. // Puesto o empleo.
PLAZO m. Término señalado para una cosa. // Cada parte de una cantidad pagadora en varias veces.
PLEAMAR f. Fin de la creciente del mar. // Tiempo que ésta dura.
PLEBE f. En la ant. Roma, clase social inferior a la de los patricios. // Populacho.
PLEBEYO, YA adj. y s. Propio de la plebe o perten. a ella.
PLEBISCITO m. Resolución tomada por todo un pueblo o pluralidad de votos. // Consulta al voto popular directo.
PLEGAR tr. y r. Hacer pliegues en una cosa. // tr.

Doblar los pliegos de que se compone un libro. // r. fig. Doblarse, ceder, someterse.
PLEGARIA f. Súplica humilde y ferviente para pedir una cosa.
PLEISTOCENO m. Período de comienzos del cuaternario.
PLEITEAR tr. Litigar judicialmente.
PLEITESÍA f. Rendimiento, muestra reverente de cortesía.
PLEITO m. Litigio judicial entre partes. // Lid o batalla que se determina por las armas. // Disputa, riña.
PLENARIO, RIA adj. Lleno, entero, cumplido.
PLENILUNIO m. Luna llena.
PLENIPOTENCIARIO, RIA adj. y s. Díc. de la persona enviada por un rey o un Estado con plenos poderes para negociar otros.
PLENITUD f. Calidad de pleno.
PLENO, NA adj. Completo, lleno. // m. Reunión o junta general de una corporación.
PLEONASMO m. Figura gramatical consistente en utilizar enfáticamente más vocablos de los necesarios.
PLÉTORA f. fig. Abundancia excesiva de alguna cosa.
PLETÓRICO, CA adj. Que tiene plétora.
PLEURA f. *Anat.* Membrana serosa par, que recubre la cavidad torácica y pulmones.
PLEURESÍA f *Med.* Inflamación de la pleura.
PLEXIGLÁS m. Denominación de una resina acrílica o plástica.
PLEXO m. *Anat.* Red de vasos o nervios anastomosados.
PLÉYADE f. fig. Grupo de personas notables, esp. en las letras, que se acreditan por el mismo tiempo.
PLIEGO m. Porción o pieza de papel en forma cuadrangular y doblada por el medio. // Por ext., la hoja de papel.
PLIEGUE m. Doblez que se hace en una cosa flexible.
PLIOCENO m. Período final de la era terciaria.
PLISAR tr. Plegar.
PLOMADA f. Pesa cilíndrica o cónica, colgada de una cuerda, que sirve para señalar la línea vertical.
PLOMO m. *Quím.* Metal pesado, blando y fácilmente fusible de color gris. // m. fig. Bala de las armas de fuego.
PLUMA f. *Zool.* Cada una de las piezas de revestimiento del cuerpo de las aves. // fig. Cualquier instrumento con que se escribe en forma de pluma.
PLUMAJE m. Conjunto de plumas que visten al ave.
PLÚMBEO, A adj. De plomo. // fig. Que pesa como el plomo.
PLÚMBICO, CA adj. Perten. o rel. al plomo.
PLUMÓN m. Pluma muy delgada, que tienen las aves debajo del plumaje exterior.
PLURAL adj. y s. Número gramatical que indica una cantidad superior a la unidad.
PLURALIZAR tr. Dar número plural. // Referir a dos o más sujetos lo que sólo es propio de uno.
PLUS m. Gratificación o sobresueldo.

PLUSVALÍA f. Acrecentamiento del valor de una cosa por causas extrínsecas a ella.
PLUTOCRACIA f. Gobierno de los ricos.
PLUTONIO m. *Quím.* Cuerpo simple radiactivo.
PLUVIAL adj. Peren. o rel. a la lluvia.
PLUVIOSO, SA adj. Lluvioso.
POBLACIÓN f. Acción y efecto de poblar. // Número de personas que componen un pueblo, nación, etc. // Ciudad, villa, lugar.
POBLADO m. Población, lugar.
POBLAMIENTO m. Asentamiento humano en diversas regiones del planeta.
POBLAR tr. Ocupar con gente un sitio para que habite o trabaje en él. // Por ext. díc. de animales o cosas. // Procrear mucho.
POBRE adj. y s. Falto de lo necesario para vivir. // adj. Que carece de algo. // fig. Humilde. // Infeliz. // m. Mendigo.
POBREZA f. Carencia de lo necesario para vivir. // Escasez. // fig. Falta de nobleza del ánimo.
POCILGA f. Establo para ganado de cerda.
PÓCIMA f. Conocimiento medicinal de materias vegetales. // fig. Cualquier bebida medicinal.
POCIÓN f. Cualquier líquido que se bebe.
POCO, CA adj. Escaso, limitado. // m. Cantidad corta o escasa. // adv. c. Con escasez, en corto grado, en reducido número o cantidad.
PODAR tr. Cortar las ramas superfluas de los árboles, y otras plantas para que fructifiquen con más vigor.
PODER m. Dominio, facultad y jurisdicción que uno tiene para mandar o ejecutar algo. // Fuerzas de un Estado, en esp. las militares. // Fuerza, poderío.
PODER tr. Tener expedita la facultad para hacer algo. // Tener facilidad, tiempo o lugar para hacer algo. // impers. Ser posible que suceda una cosa.
PODERÍO m. Hacienda, bienes. // Poder, dominio. // Vigor, fuerza.
PODEROSO, SA adj. y s. Que tiene mucho poder. / / Muy rico. // Excelente. // Activo, eficaz.
PODIO m. Pedestal largo en que estriban varias columnas.
PODRE f. Putrefacción de algunas cosas. // Pus.
PODRECER tr., intr. y r. Pudrir.
PODREDUMBRE f. Putrefacción material de las cosas. // Corrupción moral.
PODRIR tr. y r. Pudrir.
POEMA m. Obra en verso, o perten. por su género, aunque esté escrita en prosa, a la poesía.
POESÍA f. Obra en verso. // Arte de componer obras poéticas. // Cualidad de las cosas que produce una emoción estética.
POETA m. El que compone obras poéticas.
POÉTICA f. Poesía. // Obra o tratado sobre los principios y reglas de la poesía.
POÉTICO, CA adj. Perten. o rel. a la poesía. // Propio o característico de ella.
POETISA f. Mujer que compone obras poéticas.

POETIZAR intr. Componer obras poéticas. // tr. Embellecer alguna cosa con el encanto de la poesía.

POLAINA f. Prenda de paño o cuero que cubre la pierna hasta la rodilla.

POLAR adj. y s. Perten. o rel. a los polos.

POLARIDAD f. Fis. Propiedad que tienen los agentes físicos de acumularse en los polos de un cuerpo y polarizarse.

POLARIZAR tr. Fis. Acumular los efectos de un agente físico en puntos o direcciones opuestas de un cuerpo. // r. Concentrar la atención en una cosa.

POLCA f. Danza de origen bohemio.

PÓLDER m. En los Paises Bajos, región ganada al mar y dedicada al cultivo.

POLEA f. Rueda móvil alrededor de un eje, con un canal por donde pasa una cuerda o cadena; sirve para levantar o mover pesos.

POLÉMICA f. Controversia por escrito sobre materias teológicas, literarias, etc.

POLEMIZAR intr. Sostener o entablar una polémica.

POLEN m. Bot. Polvillo fecundante contenido en la antera de las flores.

POLI- Prefijo derivado del gr. *polys*, muchos.

POLIARQUÍA f. Gobierno de muchos.

POLICÍA f. Cuerpo encargado de velar por el mantenimiento del orden público y la seguridad de los ciudadanos. // m. Agente de la policía.

POLICIACO, CA o **POLICÍACO, CA** adj. Rel. o perten. a la policía.

POLICIAL adj. Perten. o rel. a la policia.

POLICLÍNICA f. Consultorio de varias especialidades médicas.

POLICROMÍA f. Cualidad de policromo.

POLICROMO, MA adj. De varios colores.

POLICHINELA m. Personaje burlesco de las farsas.

POLIEDRO m. Geom. Sólido terminado por superficies planas.

POLIFACÉTICO, CA adj. Que ofrece varios aspectos o facetas.

POLIFONÍA f. Combinación armónica de varias melodías o motivos simultáneos.

POLIGAMIA f. Matrimonio entre un hombre y varias mujeres.

POLÍGAMO, MA adj. y s. Díc. del hombre que tiene a un tiempo varias esposas.

POLIGLOTO, TA o **POLÍGLOTO, TA** adj. Escrito en varias lenguas. // adj. y s. m. Apl. también a la persona versada en varias lenguas.

POLÍGONO m. Geom. Porción de plano limitada por varias rectas.

POLIMORFISMO m. Propiedad de los cuerpos que pueden cambiar de forma sin variar su naturaleza.

POLINIZACIÓN f. Bot. Transporte del polen desde el estambre de la flor hasta el estigma.

POLIOMIELITIS f. Med. Inflamación de la sustancia gris de la médula espinal. // Parálisis infantil.

PÓLIPO m. Zool. Animal acuático, con forma de saco, con la boca rodeada de tentáculos. // Med. Tumor benigno, que se forma en una mucosa.

POLIS f. Nombre que recibía en Gregia la ant. ciudad-estado.

POLISÍNDENTON m. Figura retórica consistente en utilizar reiteradamente conjunciones para dar énfasis al discurso.

POLITÉCNICO, CA adj. Que abraza muchas ciencias o artes.

POLITEÍSMO m. Religión o doctrina que admite la existencia de varios dioses.

POLÍTICA f. Arte de gobernar. // Actividad de los que rigen o aspiran a regir los asuntos públicos. // Cortesía.

POLÍTICO, CA adj. Perten. o rel. a la política. // Cortés. // adj. y s. Versado en las cosas del gobierno del Estado.

POLITIQUEAR intr. Tratar de política con superficialidad.

PÓLIZA f. Documento justificativo del contrato de seguros, operaciones de bolsa, etc. // Sello suelto con que se satisface determinado impuesto.

POLIZÓN m. El que se embarca clandestinamente.

POLO m. Cualquiera de los dos extremos del eje de rotación de una esfera o cuerpo redondeado. // Región contigua al polo terrestre. // Cada una de las dos zonas de un imán en las que se concentran sus propiedades magnéticas.

POLTRÓN, NA adj. Haragán.

POLUCIÓN f. Contaminación.

POLUTO, TA adj. Sucio, inmundo.

POLVAREDA f. Cantidad de polvo que se levanta de la tierra.

POLVO m. Parte más menuda y deshecha de la tierra muy seca. // Lo que queda de otras cosas sólidas, moliéndolas hasta reducirlas a partes muy menudas.

PÓLVORA f. Explosivo compuesto de salitre, azufre y carbón.

POLVOREAR tr. Echar polvo o polvos sobre una cosa.

POLVORIENTO, TA adj. Que tiene mucho polvo.

POLVORÍN m. Lugar dispuesto para guardar la pólvora y otros explosivos.

POLLERÍA f. Casa donde se venden pollos y otras aves comestibles.

POLLINO, NA m. y f. Asno joven y cerril. // m. y f. y adj. fig. Persona simple e ignorante.

POLLO m. Cría que sacan las aves. // fig. y fam. Joven.

POMÁCEAS f. pl. Bot. plantas dicotiledóneas, con fruto en pomo y semilla sin albumen.

POMADA f. Mixtura pastosa que se usa como afeite o medicamento.

POMO m. Bot. Fruto carnoso que posee un endocarpio cartilaginoso, formando un corazón, con varias cápsulas para las semillas, como la pera, manzana, etc.

POMPA f. Acompañamiento suntuoso, que se hace en una ceremonia. // Fausto, vanidad. // Ampolla que

forma el agua por el aire que se le introduce.
POMPOSO, SA adj. Ostentoso, magnífico. // Hueco, hinchado.
PÓMULO m. *Anat.* Hueso de cada una de las mejillas.
PONCHE m. Bebida de ron u otro licor espiritoso con agua, limón y azucar.
PONCHO m. *Amer.* Manta rectangular con un agujero central para pasar la cabeza.
PONDERACIÓN f. Atención y cuidado con que se dice o hace algo.
PONDERAR tr. Determinar el peso de algo. // fig. Examinar con cuidado algún asunto. // Exagerar. // Contrapesar, equilibrar.
PONENCIA f. Encargo de ponente. // Informe dado por el ponente.
PONENTE adj. y s. Díc. del individuo de una asamblea o de un cuerpo a quien toca hacer una relación de un asunto y proponer una resolución.
PONER tr. y r. Colocar. // tr. Disponer algo para un fin. // Soltar el huevo las aves. // Aplicar nombre o motes. // r. Oponerse a uno. // Mancharse, llenarse. // Hablando de astros, ocultarse bajo el horizonte.
PONIENTE m. Occidente. // Viento que sopla de la parte occidental.
PONTIFICADO m. Dignidad de pontífice y tiempo que dura.
PONTÍFICE m. Obispo o arzobispo de una diócesis. // Por anton., prelado supremo de la Iglesia católica.
PONTIFICIO, CIA adj. Perten. o rel. al pontífice.
PONTÓN m. Barco chato para pasa ríos o construir puentes. // Puente formado de amderos o de una sola tabla.
PONZOÑA f. Sustancia venenosa, nociva para la salud.
POPA f. Parte postrerior de las naves.
POPE. Sacerdote de la Iglesia cismática griega.
POPULACHO m. Lo ínfimo de la plebe.
POPULAR adj. Perten. o rel. al pueblo. // adj. y s. Que es grato al pueblo.
POPULARIDAD f. Aceptación y aplauso que uno tiene en el pueblo.
POPULARIZAR tr. y r. Extender el crédito o fama de una persona o cosa entre el público. // Dar carácter popular a una cosa.
POPULOSO, SA adj. Apl. a la ciudad o lugar que abunda de gente.
POPURRI m. Composición musical formada de fragmentos de obras diversas.
POQUEDAD f. Escasez, miseria. //Timidez. // Cosa de ningún valor.
POR Prep. que denota lugar o tiempo en que se hace algo y también la razón del acto.
PORCELANA f. Especie de loza fina. //Vasija o figura de porcelana.
PORCENTAJE m. Tanto por ciento.
PORCINO, NA adj. Perten. al puerco.
PORCIÓN f. Cantidad segregada de otra mayor. // fam. Número considerable de personas o cosas.
PORCUNO, NA adj. Perten. o rel. al puerco.
PORCHE m. Soportal, cobertizo.
PORDIOSERO, RA adj. y s. Díc. del mendigo.
PORFÍA f. Acción de porfiar.
PORFIADO, DA adj. y s. Díc. del sujeto obstinado y terco.
PORFIAR intr. Disputar obstinadamente. // Continuar y repetir una acción para el logro de algo.
PÓRFIDO m. Roca compacta y dura, de color oscuro, con cristales de feldespato y cuarzo.
PORMENOR m.Conjunto de circunstancias menudas de una cosa. // Detalle.
PORNOGRAFÍA f. Tratado acerca de la prostitución. // Carácter obsceno de obras artísticas o literarias.
PORO m. Espacio que hay entre las moléculas de los cuerpos. // Intersticio entre las partículas de los sólitos. // Agujerito.
POROSIDAD f. Calidad de poroso.
POROSO, SA adj. Que tiene poros.
PORQUE conj. causal. Por causa o razón de que. // fam. Ganancia, sueldo o retribución.
PORQUÉ m. fam. Causa, razón, motivo.
PORQUERÍA f. fam. Suciedad, basura. //Acción sucia o indecente.
PORQUERIZA f. Pocilga.
PORRA f. Cachiporra. // martillo de bocas iguales y mango largo.
PORRAZO m.Golpe que se da con la porra.
PORRÓN m. Redoma de vidrio para beber vino a chorro.
PORTAAVIONES m. Buque de guerra destinado al transporte de aviones, con cubierta de despeque y aterrizaje y hangares.
PORTADA f. Primera plana de los libros impresos. // fig. Cara principal de cualquier cosa.
PORTAL m. Zaguán o primera pieza de la casa donde está la puerta principal. // Soportal. // Pórtico.
PORTAR tr. Llevar o traer. // r. Conducir, gobernarse.
PORTÁTIL adj. Fácil de transportar.
PORTAVOZ m. fig. El que representa o lleva la voz en una colectividad.
PORTE m. Acción de portear. // Cantidad que se paga por el transporte de una cosa. // Modo de proceder, conducta.
PORTEAR tr. Conducir o llevar de una parte a otra algo.
PORTENTO m.Cosa que causa admiración o terror.
PORTENTOSO, SA adj. Singular, extraño, maravilloso.
PORTERÍA f. Pabellón o garita desde donde el portero vigila las entradas y salidas. // En algunos juegos meta.
PORTERO, RA m. y f. Persona encargada de guardar la entrada de un edificio. // Jugador que en algunos deportes defiende la meta de su bando.
PÓRTICO m. Sitio cubierto y con columnas que se

construye delante de los templos u otros edificios. // Galería con arcadas o columnas a lo largo de una fachada, patio, etc.
PORTILLO m. Paso o entrada que se abre en un muro, vallado, etc.
PORTUARIO, RIA adj. Perten. o rel. al puerto de mar.
PORVENIR m. Suceso o tiempo futuro.
POS Prep. insep. que significa detrás o después de. // U. como adv. con igual significación en el m. adv. en pos.
POSADA f. Mesón, casa de huéspedes.
POSAR intr. Hospedarse. // Descansar, reposar. // r. Depositar en el fondo las partículas sólidas que están en suspensión en un líquido, o caer el polvo sobre las cosas.
POSDATA f. Lo que se añade a una carta ya concluida y firmada.
POSE f. Actitud afectada.
POSEER tr. Tener uno en su poder algo. // Saber bien una cosa.
POSEÍDO, DA adj. y s. Poseso.
POSESIÓN f. Acción y efecto de poseer. // Captación del espíritu del hombre por otro espíritu que obra en él como agente.
POSESIONAR tr. y r. Poner en posesión de una cosa.
POSESO, SA adj. y s. Díc. de la persona poseída por un espíritu ajeno.
POSGUERRA f. Tiempo que sigue a la terminación de una guerra.
POSIBILIDAD f. Aptitud, potencia u ocasión para ser o existir las cosas. // Facultad para hacer o no hacer algo.
POSIBILITAR tr. Facilitar o hacer posible.
POSIBLE adj. Que puede ser o suceder, que se puede ejecutar. // m. Posibilidad. posición f. Postura, mode de estar puesta una persona o cosa. // Acción de poner. // Condición social de cada persona. // Situación, disposición.
POSITIVISMO m. Calidad de atenerse a lo positivo. // Sistema filosófico que admite únicamente el método experimental.
POSITIVO, VA adj. Cierto, Verdadero. // Apl. al derecho promulgado, en contraposición al natural. // Díc. del que busca la realidad de las cosas. // Gram. Uno de los grados de comparación del adj.
POSO m. Sedimento del líquido contenido en una vasija. // Reposo.
POSOLOGÍA f. Med. Parte de la terapéutica que trata de las dosis de los medicamentos.
POSPONER tr. Poner a una persona o cosa después de otra.
POSPOSICIÓN f. Acción de posponer.
POST prep. Pos.
POSTA f. En el servicio de viajeros y correo realizado en coche, lugar donde se cambiaban las caballerías.
POSTAL adj. Concerniente al ramo de correos.
POSTE m. Madero, piedra o columna colocada verticalmente para servir de apoyo.
POSTERGAR tr. Posponer. // Perjudicar a alguien posponiéndolo a otro.
POSTERIDAD f. Descendencia venidera. // Fama póstuma.
POSTERIOR adj. Que fue o viene después, o está o queda atrás.
POSTERIODAD f. Calidad de posterior.
POSTÍN m. Entono, boato.
POSTOR m. El que ofrece precio en una subasta.
POSTRAR tr. Rendir, derribar algo. // tr. y r. Debilitar. // r. Hincarse de rodillas humillándose.
POSTRE adj. Postrero. // m. Fruta u otras cosas que se sirven al fin de las comidas.
POSTRER adj. Apócope de postrero.
POSTRERO, RA adj. Ultimo en una serie. // Ultimo en el lugar.
POSTRIMERÍA f. Ultimo periodo de los ultimos años de la vida. // periodo último de duración de una cosa.
POSTULADO m. Proposición cuya verdad se admite sin pruebas y que sirve de base en ulteriores razonamientos.
PÓSTUMO, MA adj. Que sale a la luz después de la muerte del padre o autor.
POSTURA f. Situación o modo en que está puesta una persona o cosa. // Pacto o convenio.
POTABLE adj. que se puede beber.
POTAJE .m. Caldo de olla u otro guisado.
POTASA f. Quím. Oxido de potasio.
POTASIO m. Quím. Metal alcalino, menos pesado que el agua y capaz de producir llama en contacto con ella.
POTE m. Vasija redonda gralte. de hierro para cocer viandas.
POTENCIA f. Virtud para ejecutar una cosa o producir un efecto. // Imperio, dominación. // Virtud generativa. // Nación o Estado soberano. // Alg. Producto que resulta de multiplicar una cantidad por si misma una o más veces.
POTENCIAL adj. Que encierra en sí potencia o perten. a ella. // Posible.
POTENCIALIDAD f. Capacidad de la potencia, independiente del acto.
POTENCIAR tr. Comunicar potencia a una cosa.
POTENTADO m. Cualquier persona poderosa y opulenta.
POTENTE adj. Que tiene poder o virtud para una cosa. // Poderoso.
POTESTAD f. Dominio, poder o jurisdicción que se tiene sobre una cosa. // Potentado.
POTINGUE m. fam. y fest. Bebida de botica.
POTRO m. Caballo desde que nace hasta que muda los dientes de leche.
POZO m. Perforación que se hace en el terreno hasta encontrar vena de agua.
PRÁCTICA f. Ejercicio de cualquier arte o facultad. // Destreza adquirida con este ejercicio. // Uso conti-

nuado, costumbre. // Aplicación de una idea o doctrina.
PRACTICANTE m.El que posee título para el ejercicio de la cirugía menor.
PRACTICAR tr. Ejercitar, poner en práctica una cosa.
PRÁCTICO, CA adj. Peren. a la práctica. //Apl. a las facultades que enseñan el modo de hacer una cosa. // Experimentado en algo. // m. Piloto que dirige las maniobras de un buque.
PRADERA f. Conjunto de prados. // Prado grande.
PRADO m. Tierra muy húmeda que produce hierba para pasto.
PRAGMÁTICA f. Ley que se promulgaba con arreglo a determinadas fórmulas
PRAGMÁTICO, CA adj. Perten. o rel. al pragmatismo.
PRAGMATISMO m. Método filosófico, según el cual el único criterio de toda verdad, se ha de fundar en sus afectos prácticos
PRE- Prep. insep. que denota antelación, prioridad o encarecimiento.
PREÁMBULO m. Exordio, prólog. // Rodeo o disgresión.
PREBENDA f. Renta aneja a un oficio eclesiástico. // fig. y fam. Oficio lucrativo y poco trabajoso.
PREBOSTE m. El que es cabeza de una comunidad.
PRECARIO, RIA adj. De poco estabilidad o duración.
PRECAUCIÓN f. Reserva, cautela para evitar los inconvenientes.
PRECAVER tr. y r. Prevenir un riesgo, daño o peligro.
PRECAVIDO, DA adj. Cauto.
PRECEDENCIA f. Anterioridad, prioridad de tiempo. // Primacía, superioridad.
PRECEDENTE adj. Que precede o es anterior. // m. Antecedente.
PRECEDER tr. e intr. Ir delante en tiempo, orden o lugar. // Anteceder. // fig. tener preferencia o superioridad.
PRECEPTIVA f. Conjunto de preceptos aplicables a determinada materia.
PRECEPTO m. Mandato u orden de autoridad legítima. // Cada una de las reglas que se dan para el conocimiento de un arte o facultad.
PRECEPTOR, RA m. y f. Persona que enseña.
PRECEPTUAR tr. Dar o dictar preceptos.
PRECES f. pl. Ruegos.
PRECIAR tr. Apreciar. // r. Gloriarse, jactarse.
PRECINTAR tr. Poner precinto.
PRECINTO m. Acción y efecto de precintar. // Ligadura sellada con que se atan cajones, legajos, etc.
PRECIO m. Valor pecuniario en que se estima una cosa. // fig. Estimación, crédito. // Esfuerzo, pérdida, sufrimiento.
PRECIOSIDAD f. Calidad de precioso. // Cosa preciosa.
PRECIOSISMO m. Extremado atildamiento del estilo.
PRECIOSO, SA adj. Excelente, exquisito. // De mucho valor. // fig. y fam. Hermoso.
PRECIPICIO m. Despeñadero.
PRECIPITACIÓN f. Acción y efecto de precipitar o precipitarse. // Cantidad de lluvia o nieve caída.
PRECIPITADO, DA adj. y s. Atropellado, alocado. // Quím. m. Materia que por resultado de reacciones químicas se separa del líquido en que estaba disuelta.
PRECIPITAR tr. y r. Despeñar, arrojar de un lugar alto. // tr. Atropellar, acelarar. // r. fig. Arrojarse sin prudencia a hacer o decir algo.
PRECISAR tr. Determinar de modo preciso. // Obligar sin excusa a ejecutar algo.
PRECISIÓN f. Necesidad que fuerza a ejecutar algo. // Exactitud, concisión.
PRECISO, SA adj. Necesario, indispensable. // Puntual, exacto.
PRECLARO, RA adj. Esclarecido, ilustre.
PRECOLOMBINO, NA adj. Díc. de lo que rel. a América, antes de su descubrimiento por C. Colón.
PRECONCEBIR tr. Pensar con anterioridad.
PRECONIZAR tr. Encomiar, elogiar.
PRECOZ adj. Díc. del fruto temprano. // fig. Apl. a la persona que en corta edad muestra cualidades gralte. más tardías.
PRECURSOR, RA adj. y s. Que precede o va delante.
PREDECESOR, RA m. y f. Antecesor.
PREDECIR tr. Anunciar algo que ha de suceder.
PREDESTINAR tr. Destinar anticipadamente una cosa para un fin.
PREDICADO m. *Ling.* Lo que se afirma del sujeto en una proposición.
PREDICAMENTO m. Fama que uno goza por sus obras.
PREDICAR tr. Publicar, hacer patente una cosa. // Pronunciar un sermón. // Alabar con exceso.
PREDICATIVO, VA adj. *Gram.* Díc. del complemento que depende a su vez del sujeto y del verbo.
PREDICCIÓN f. Acción y efecto de prededir.
PREDILECCIÓN f. Cariño esp. con que se distingue a una persona o cosa.
PREDILECTO, TA adj. Preferido.
PREDIO m. Heredad, tierra o posesión inmueble.
PREDISPONER tr. y r. Preparar anticipadamente algunas cosas o el ánimo de las personas para un fin determinado.
PREDISPOSICIÓN f. Acción y efecto de predisponer o predisponerse.
PREDOMINAR tr. e intr. Prevalecer, preponderar.
PREDOMINIO m. Poder, superioridad.
PREEMINENTE adj. Sublime, superior.
PREFACIO m. Prólogo.
PREFECTO m. Persona a quien compete el desempeño de ciertos cargos.
PREFECTURA f. Dignidad o cargo de prefecto y territorio gobernado por éste.
PREFERENCIA f. Primacia, ventaja. // Elección de una cosa o persona, entre varias.

PREFERIR tr. y r. Dar la preferencia. // tr. Exceder, aventajar.
PREFIGURAR tr. Representar anticipadamente una cosa.
PREFIJO, JA adj. y s. m. *Gram.* Díc. del afijo que va antepuesto.
PREGÓN m. Publicación en voz alta de una cosa que conviene que todos sepan.
PREGONAR tr. Publicar en voz alta una cosa para que venga a noticia de todos. // fig. Publicar lo que debía callarse.
PREGUNTA f. Interrogación que se hace para que uno responda lo que sabe de una cosa.
PREGUNTAR tr. y r. Hacer preguntas.
PREHISTORIA f. Historia del mundo y del hombre con anterioridad a todo documento escrito.
PREHISTÓRICO, CA adj. De tiempos a que no alcanza la historia.
PREJUICIO m. Acción y efecto de prejuzgar.
PREJUZGAR tr. Juzgar las cosas sin tener de ellas cabal conocimiento.
PRELADO m. Alto dignatario eclesiástico.
PRELIMINAR adj. Que sirve de preámbulo para tratar alguna materia. // adj. y s. fig. Que antecede o se antepone a algo.
PRELUDIAR tr. fig. Preparar o iniciar una cosa.
PRELUDIO m. Lo que precede y sirve de entrada a una cosa.
PREMATURO, RA adj. Que no está en sazón. // Que ocurre antes de tiempo.
PREMEDITAR tr. Pensar reflexivamente una cosa antes de ejecutarla.
PREMIAR tr. Dar premio o recompensa.
PREMIO m. Recompensa o remuneración por algún mérito o servicio.
PREMIOSO, SA adj. Gravoso, molesto. // Que apremia. // fig. Rígido, estricto.
PREMISA f. fig. Señal, indicio o especie por donde se infiere una cosa.
PREMONITORIO, RIA adj. Díc. del síntoma precursor de alguna enfermedad.
PREMURA f. Aprieto, apuro, prisa, urgencia.
PRENDA f. Cosa mueble que se sujeta al cumplimiento de una obligación. // Cualquiera de las partes que componen el vestido y calzado. // fig. Cualidad del cuerpo o del alma.
PRENDAR tr. Ganar la voluntad de uno. // r. Enamorarse.
PRENDER tr. Asir, agarrar algo. // Apresar. // Enredarse una cosa en otra. // Empezar a arder una cosa.
PRENDIMIENTO m. Acción de prender; prisión, captura.
PRENSA f. Máquina que sirve para comprimir. // Conjunto de las publicaciones periódicas y esp. las diarias.
PRENSAR tr. Apretar en la prensa una cosa.
PRENSIL adj. Que sirve para asir o coger.

PREÑAR tr. Empreñar, fecundar. // fig. Llenar, henchir.
PREÑEZ f. Estado de la hembra preñada.
PREOCUPACIÓN f. Idea que preocupa.
PREOCUPAR tr. Ocupar antes una cosa. // fig. Prevenir el ánimo de uno con prejuicios. // r. Poner el ánimo con cuidado.
PREPARAR tr. Prevenir, disponer una cosa para que sirva a un efecto. // Prevenir a un sujeto para una acción que se ha de seguir. // Hacer las operaciones necesarias para obtener un producto. // r. Disponerse, prevenirse.
PREPONDERANCIA f. Mayor peso de una cosa respecto de otra. // fig. Superioridad.
PREPONDERAR intr. Pesar una cosa más respecto a otra. // fig. Prevalecer. // Ejercer un influjo dominante.
PREPOSICIÓN f. *Ling.* Parte invariable de la oración, que indica el régimen o relación entre dos palabras o términos.
PREPOTENTE adj. Muy poderoso.
PREPUCIO m. *Anat.* Piel móvil que cubre el bálano del pene.
PRERROGATIVA f. Privilegio o exención. // fig. Atributo de dignidad.
PRESA f. Acción de prender o tomar una cosa. // Cosa apresada. Muro que se construye a través de un río para detener el agua a fin de derivarla fuera del cauce.
PRESAGIAR tr. Anunciar o prever una cosa.
PRESAGIO m. Señal que anuncia un suceso.
PRESBICIA f. *Med.* Disminución de la vista cercana.
PRESBITERIANO, NA adj. y s. Díc. del protestante que no reconoce la autoridad episcopal sobre los presbíteros.
PRESBÍTERO m. Clérigo ordenado de misa, o sacerdote.
PRESCINDIR intr. Hacer abstracción de una persona o cosa. // Privarse de ella, evitarla.
PRESCRIBIR tr. Preceptuar, ordenar. // fig. Extinguirse una carga, una obligación, etc., por el transcurso de cierto tiempo.
PRESCRIPCIÓN f. Acción y efecto de prescribir.
PRESENCIA f. Estado de la persona que se halla delante de otra u otras. // Figura y disposición del cuerpo.
PRESENCIAR tr. Hallarse presente a un acontecimiento, etc.
PRESENTAR tr. y r. Mostrar una cosa. // Ofrendar. // Introducir a uno en el trato de otro. // r. Ofrecerse para un fin. // Comparecer.
PRESENTE adj. Que está en presencia de algo o de alguien. // Díc. del tiempo en que actualmente está uno cuando habla. // m. Don, regalo.
PRESENTIMIENTO m. Acción y efecto de presentir.
PRESENTIR tr. Antever, por cierto movimiento inferior del ánimo lo que ha de suceder.

PRESERVAR tr. y r. Proteger.

PRESIDENTE m. El que preside. // Cabeza o superior de un consejo, tribunal, junta o sociedad. // En las Repúblicas, el jefe electivo del Estado.

PRESIDIARIO m. Penado que cumple en presidio condena.

PRESIDIO m. Establecimiento penitenciario.

PRESIDIR tr. Tener el primer lugar en una asamblea, corporación, etc. // Predominar.

PRESIÓN f. Acción y efecto de apretar o comprimir. // fig. Apremio, coacción.

PRESO, SA adj. y s. Díc. de la persona que sufre prisión.

PRESTACIÓN f. Acción y efecto de prestar. // Cosa o servicio exigido por la ley.

PRESTAMISTA com. Persona que da dinero o préstamo.

PRÉSTAMO m. Contrato por el cual una persona entrega a otra una cosa para que la restituya después de haberla utilizado. // Cantidad de dinero u otra cosa prestada.

PRESTANCIA f. Excelencia. // Aspecto de distinción.

PRESTAR tr. Entregar a uno dinero u otra cosa para que por algún tiempo tenga el uso de ella. // Ayudar al logro de algo. // Dar o comunicar. // r. Avenirse a una cosa.

PRESTATARIO, RIA adj. Díc. de quien recibe dinero u otra cosa en un contrato de préstamo.

PRESTEZA f. Prontitud, diligencia.

PRESTIDIGITADOR, RA m. y f. El que hace juegos de manos.

PRESTIGIO m. Influencia, autoridad, ascendiente.

PRESTIGIOSO, SA adj. Que tiene prestigio.

PRESTO, TA adj. Pronto, diligente. // adv. t. Al instante.

PRESUMIR tr. Sospechar, conjeturar. // intr. Vanagloriarse, engreírse.

PRESUNCIÓN of. Acción y efecto de presumir.

PRESUNTO, TA adj. Supuesto.

PRESUPONER tr. Dar por supuesta una cosa. // Hacer cálculo previo de ingresos y gastos.

PRESUPOSICIÓN f. Suposición previa.

PRESUPUESTO m. Motivo con que se ejecuta algo. // Cálculo anticipado de gastos o ingresos.

PRETENDER tr. Querer conseguir algo. // Solicitar.

PRETENDIENTE, TA adj. y s. Que pretende.

PRETENSIÓN f. Aspiración.

PRETÉRITO, TA adj. Díc. de lo que ya ha pasado o sucedió.

PRETEXTO m. Disculpa, excusa.

PRETIL m. Muro que se pone en ciertos parajes para preservar de caídas.

PRETOR m. Magistrado de la ant. Roma.

PRETORIANO, NA adj. Apl. a los soldados de la guardia de los emperadores romanos.

PREVALECER intr. Sobresalir una persona o cosa. // Conseguir una cosa en oposición a otros.

PREVALER intr. Prevalecer. // r. Servirse de una cosa.

PREVENCIÓN f. Acción y efecto de prevenir.

PREVENIR tr. Preparar con anticipación. // Prever. // Precaver. // Advertir, informar. // r. Disponer con anticipación.

PREVER tr. Ver con anticipación.

PREVIO, VIA adj. Que va delante o sucede primero.

PREVISIÓN f. Acción y efecto de prever.

PRIMA f. Premio sobre el precio o valor de las cosas. // Precio que el asegurado paga al asegurador.

PRIMACÍA f. Superioridad de una cosa sobre otra de su especie.

PRIMADO m. Primero y más preeminente de todos los arzobispos y obispos de un reino o región.

PRIMARIO, RIA adj. y s. Principal o primero en orden o grado.

PRIMATES m. pl. *Zool.* Mamíferos que tienen las extremidades superiores del tipo de manos, comprende el hombre y el mono.

PRIMAVERA f. Estación del año, que principia en el equinoccio del mismo nombre y termina en el solsticio de verano.

PRIMER adj. Apócope de primero.

PRIMERO, RA adj. y s. Díc. de la persona o cosa que precede a las demás de su especie en orden, tiempo, lugar, situación, clase o jerarquía. // Excelente.

PRIMICIA f. Fruto primero. // pl. fig. Principios o primeros frutos que produce algo no material.

PRIMIGENIO, NIA adj. Primitivo, originario.

PRIMITIVO, VA adj. Que no tiene ni toma origen de otra cosa.

PRIMO, MA adj. Primero. // Primoroso. // m. y f. Respecto de una persona, hijo o hija de su tío o tía. // fam. Persona incauta.

PRIMOGÉNITO, TA adj. y s. Apl. al hijo que nace primero.

PRIMOGENITURA f. Derecho del primogénito.

PRIMOR m. Cuidado con que se hace una cosa. // Belleza de una obra.

PRIMORDIAL adj. Que sirve de fundamento.

PRINCESA f. Mujer del príncipe. // La que gobierna por título propio un principado. // En España, hija del rey, inmediata sucesora del reino.

PRINCIPADO m. Dignidad de príncipe. // Territorio sobre el que recae este título.

PRINCIPAL adj. Díc. de la persona o cosa que tiene el primer lugar en importancia y se antepone a otras. // Esencial.

PRÍNCIPE m. El primero y superior en una cosa. // Por anton., hijo primogénito del rey.

PRINCIPESCO, CA adj. Díc. de lo que es o parece propio de un príncipe o princesa.

PRINCIPIANTE adj. y s. Que empieza a estudiar a ejercer un oficio, arte, etc.

PRINCIPIO m. Primer instante del ser de una cosa. // Punto que se considera como primero en una extensión o cosa. // Base, origen, fundamento, razón

fundamental.
PRIOR m. Superior de un convento.
PRIORIDAD-f. Anterioridad de una cosa respecto de otra, o en tiempo o en orden.
PRISA f. Prontitud y rapidez con que sucede o se ejecuta algo.
PRISIÓN f. Acción de prender, asir o coger. // Cárcel o sitio donde se encierra a los presos.
PRISIONERO, RA m. y f. Persona que en campaña cae en poder del enemigo.
PRISMA m. *Geom*. Sólido terminado por dos caras paralelas e iguales llamadas bases, y cuyas caras laterales son paralelogramos.
PRISMÁTICO, CA adj. De figura de prisma.
PRISMÁTICOS m. pl. Anteojos.
PRIVACIÓN f. Acción de despojar o privar. // Carencia de algo.
PRIVADO, DA adj. Que se ejecuta a vista de pocos. // Particular o personal de cada uno.
PRIVAR tr. Despojar a uno de lo que poseía. // Prohibir o vedar. // r. Dejar voluntariamente una cosa de gusto o interés.
PRIVATIVO, VA adj. Que casua privación o la significa. // Propio y peculiar de una persona o cosa.
PRIVILEGIAR tr. Conceder privilegio.
PRIVILEGIO m. Gracia o prerrogativa que concede el superior.
PRO amb. Provecho, ventaja.
PRO- Prefijo que denota sustitución, progresión, continuidad, etc.
PROA f. Parte delantera de la nave.
PROBABILIDAD f. Verosimilitud. // Calidad de probable.
PROBABLE adj. Verosímil. // Que se puede probar. // Que hay razones para creer que sucederá.
PROBAR tr. Examinar, experimentar. // Justificar. // Catar.
PROBETA f. Tubo de cristal cerrado por un extremo y destinado a contener líquidos o gases.
PROBIDAD f. Bondad, honradez.
PROBLEMA m. Cuestión que se trata de aclarar. // Conjunto de hechos que dificultan la consecución de algún fin.
PROBLEMÁTICO, CA adj. Dudoso, incierto.
PROBO, BA adj. Que tiene probidad.
PROBOSCÍDEOS m. pl. *Zool*. Mamíferos ungulados de gran tamaño, trompa prensil e incisivos muy desarrollados, como el elefante.
PROCACIDAD f. Desverguenza.
PROCAZ adj. Desvergonzado.
PROCEDENCIA f. Origen, principio.
PROCEDENTE adj. Que procede de una persona o cosa. // Conforme a derecho.
PROCEDER m. Modo de portarse.
PROCEDER intr. Originarse una cosa de otra. // Portarse bien o mal. // Pasar a poner en ejecución una cosa.

PROCEDIMIENTO m. Acción de proceder. // Método de ejecutar algunas cosas.
PRÓCER adj. Eminente. // m. Persona constituida en alta dignidad.
PROCESAR tr. Formar autos y procesos. // Declarar a una persona presunto reo de delito.
PROCESIÓN f. fig. y fam. Una o más hileras de personas o animales que van de un lugar a otro.
PROCESIONARIA f. *Zool*. Especie de mariposa, cuyas orugas van en fila una detrás de otras.
PROCESO m. Acción de ir hacia adelante. // Serie de fases sucesivas de un fenómeno. // Causa criminal.
PROCLAMA f. Notificación pública.
PROCLAMAR tr. Publicar en alta voz una cosa. // Aclamar. // Conferir a una voz un cargo.
PROCLIVE adj. Inclinado o propenso a una cosa; esp. a lo malo.
PROCREAR tr. Engendrar, multiplicar una especie.
PROCURADOR, RA adj. y s. Que procura. // m. El que en virtud de poder o facultad de otro ejecuta en su nombre una cosa.
PROCURAR tr. Hacer diligencias para conseguir algo.
PRODIGALIDAD f. Derroche, desperdicio. // Abundancia.
PRODIGAR tr. Disipar, derrochar. // Dar con abundancia. // r. Excederse en la exhibición personal.
PRODIGIO m. Suceso extraño que excede los límites de lo natural. // Cosa rara. // Milagro.
PRODIGIOSO, SA adj. Maravilloso.
PRÓDIGO, GA adj. y s. Disipador, manirroto.
PRODUCCIÓN f. Acción de producir. // Cosa producida. // Suma de los productos del suelo o de la industria.
PRODUCIR tr. Engendrar, procear. // Dar fruto los terrenos, los árboles, etc. // Dar interés, utilidad o beneficio una cosa. // fig. Procurar, ocasionar. // Fabricar, elaborar.
PRODUCTIVIDAD f. Calidad de productivo.
PRODUCTIVO, VA adj. Que tiene virtud de producir.
PRODUCTO m. Cosa producida. // Caudal o renta que se obtiene de una cosa. // Mat. Cantidad que resulta de la multiplicación.
PRODUCTOR, RA adj. y s. Que produce. // m. Persona que interviene en la producción.
PROEZA f. Hazaña, valentía.
PROFANAR tr. Tratar una cosa sagrada sin el debido respeto. // fig. Deshonrar, prostituir.
PROFANO, NA adj. Que no es sagrado. // Irreverente. // adj. y s. Ignorante de una materia.
PROFECÍA f. Predicción.
PROFERIR tr. Pronunciar, decir palabras.
PROFESAR tr. Ejercer una ciencia, oficio, etc. // Enseñar una ciencia o arte. // Creer, confesar. // fig. Sentir algún efecto. // intr. Hacer votos en una orden religiosa.
PROFESIÓN f. Acción y efecto de profesar. //

Empleo, facultad u oficio que cada uno tiene y ejerce.
PROFESOR, RA m. y f. Persona que ejerce o enseña una ciencia o arte.
PROFETA m. El que posee el don de la profecía.
PROFETISA f. Mujer que posee el don de la profecía.
PROFETIZAR tr. Predecir las cosas el profeta. // fig. Conjeturar.
PROFILAXIS f. *Med.* Tratamiento para prevenir las enfermedades.
PRÓFUGO, GA adj. Fugitivo de la justicia. // Mozo que se ausenta para eludir el servicio militar.
PROFUNDIDAD f. Calidad de profundo.
PROFUNDIZAR tr. Cavar una cosa para que esté más honda. // tr. e intr. fig. Llegar al perfecto conocimiento de una cosa.
PROFUNDO, DA adj. Que tiene gran fondo. // Que penetra mucho. // fig. Intenso, eficaz.
PROFUSIÓN f. Abundancia. // Prodigalidad.
PROGENIE f. Casta o familia de que desciende una persona.
PROGENITOR m. Pariente en línea recta ascendiente.
PROGENITURA f. Calidad o derecho de primogénito.
PROGRAMA m. Sistema y distribución de las materias de un curso o asignatura. // Exposición de las partes de que se han de componer ciertas cosas.
PROGRESAR intr. Hacer progresos en una materia.
PROGRESIÓN f. Acción de avanzar o de proseguir una cosa. // *Mat.* Serie de números en la cual cada tres consecutivos forman proporción contigua.
PROGRESO m. Acción de ir hacia adelante. // Aumento, adelantamiento, perfeccionamiento.
PROHIBIR tr. Vedar o impedir el uso o ejecución de algo.
PRÓJIMO m. Cualquier hombre respecto de otro.
PROLE f. Linaje, hijos de uno.
PROLETARIO, RIA m. y f. Individuo perteneciente a la clase obrera.
PROLIFERACIÓN f. Multiplicación de formar similares.
PROLÍFICO, CA adj. Que tiene virtud de engendrar.
PROLIJO, JA adj. Largo con exceso. // Demasiado esmerado.
PROLOGAR tr. Escribir el prólogo de una obra.
PRÓLOGO m. Escrito que antecede a una obra. // fig. Lo que sirve como principio para ejecutar algo.
PROLONGAR tr. y r. Alargar, extender. // Hacer que una cosa dure más tiempo de lo regular.
PROMEDIAR tr. Igualar o repartir una cosa en dos partes iguales.
PROMEDIO m. Punto en que una cosa se divide por mitad.
PROMESA f. Palabra de dar o hacer algo. // fig. Señal que hace esperar algún bien.
PROMETER tr. Obligarse a hacer, decir o dar algo. // Asegurar, afirmar. // intr. Esperar, confiar en lograr algo.
PROMINENCIA f. Elevación de una cosa sobre lo que está alrededor.
PROMINENTE adj. Que se levanta sobre lo que está a su inmediación.
PROMISCUO, CUA adj. Mezclado confusamente. // Que tiene dos sentidos o usos equivalentes.
PROMISIÓN f. Promesa de hacer o cumplir algo fijado.
PROMOCIÓN f. Acción de promover. // Conjunto de individuos que obtienen un grado en un mismo tiempo.
PROMONTORIO m. Altura muy considerable de tierra, esp. si avanza dentro del mar.
PROMOTOR, RA adj. y s. Que promueve una cosa.
PROMOVER tr. Iniciar una cosa, procurando su logro. // Elevar a una persona a una dignidad o empleo superior.
PROMULGAR tr. Publicar una cosa solemnemente. // fig. Hacer que una cosa se divulgue mucho.
PRONOMBRE m. *Gram.* Parte de la oración que suple al nombre o lo determina.
PRONOMINAL adj. *Gram.* Perten. al pronombre, o que participa de su índole o naturaleza.
PRONOSTICAR tr. Conocer con algunos indicios lo futuro.
PRONÓSTICO m. Acción y efecto de pronosticar. // *Med.* Juicio emitido por el médico acerca de la gravedad de una enfermedad.
PRONTITUD f. Celeridad, presteza.
PRONTO, TA adj. Veloz, ligero. // Dispuesto para la ejecución de algo. // f. fam. Movimiento repentino del ánimo.
PRONUNCIACIÓN f. Acción y efecto de pronunciar.
PRONUNCIAMIENTO m. Sublevación encabezada por un jefe militar contra el gobierno constituido.
PRONUNCIAR tr. Emitir y articular sonidos para hablar. // tr. y r. Determinar, resolver. // fig. Sublevar, rebelar.
PROPAGANDA f. Esfuerzo que se hace para difundir algo. // Publicidad.
PROPAGAR tr. Multiplicar por alguna vía de reproducción. // Extender, aumentar una cosa.
PROPALAR tr. Divulgar algo secreto u oculto.
PROPASAR tr. y r. Pasar más adelante de lo debido.
PROPEDÉUTICA f. Enseñanza preparatoria para una disciplina.
PROPENDER intr. Inclinarse a una cosa.
PROPENSIÓN f. Inclinación de una persona o cosa a lo que es de su gusto o naturaleza.
PROPENSO, SA adj. Con inclinación a lo que es natural a uno.
PROPICIAR tr. Favorecer la ejecución de algo.
PROPICIO, CIA adj. Benigno, inclinado a hacer bien.
PROPIEDAD f. Derecho de gozar y disponer de una cosa libremente.
PROPIETARIO, RIA adj. y s. Que tiene derecho de propiedad sobre una cosa.
PROPILEO m. Vestíbulo de un templo.
PROPINA f. Gratificación pequeña con que se

recompensa un servicio eventual.

PROPINAR tr. Dar a beber. // fig. Pegar, maltratar a uno.

PROPIO, PIA adj. Perten. a uno en propiedad. // Característico, peculiar. // Adecuado, conveniente. // Natural.

PROPONER tr. Manifestar con razones una cosa para conocimiento de uno, o para inducirle a adoptarla. // Hacer una propuesta. // tr. y r. Determinar ejecutar o no una cosa.

PROPORCIÓN f. Disposición debida de las partes de una cosa con el todo, o entre cosas relacionadas entre sí. // La mayor o menor dimensión de una cosa. // Mat. Igualdad de dos razones.

PROPORCIONAL adj. Perten. a la proporción o que la incluye en sí.

PROPORCIONAR tr. Disponer y ordenar una cosa en la debida proporción. // Suministrar, facilitar.

PROPOSICIÓN f. Acción y efecto de proponer.

PROPÓSITO m. Intención de hacer o no hacer una cosa. // Objeto, mira.

PROPUESTA f. Proposición.

PROPUGNAR tr. Defender, amparar.

PROPULSAR tr. Impeler hacia delante. // Rechazar, repulsar.

PROPULSIÓN f. Acción de propulsar.

PRÓRROGA f. Continuación de una cosa por un tiempo determinado.

PRORROGAR tr. Continuar, extender una cosa por tiempo determinado.

PRORRUMPIR intr. Salir con fuerza y violencia una voz, suspiro u otra demostración.

PROSA f. Forma ordinaria del lenguaje no sometida a las leyes del verso.

PROSAICO, CA adj. Perten. a la prosa, o escrito en prosa. // Díc. de la obra poética que adolece de prosaísmo. // fig. Vulgar.

PROSCENIO m. Parte del escenario más inmediata al público.

PROSCRIBIR .tr. Echar a uno del territorio de su patria. // fig. Prohibir el uso de una cosa.

PROSCRIPCIÓN f. Acción y efecto de proscribir.

PROSECUCIÓN f. Acción y efecto de proseguir. // Persecución.

PROSEGUIR tr. Seguir, continuar lo empezado.

PROSELITISMO m. Celo de ganar prosélitos.

PROSÉLITO m. fig. Partidario que se gana para una facción o doctrina.

PROSISTA com. Escritor o escritora de obras en prosa.

PROSODIA f. Parte de la gramática que enseña la recta pronunciación y acentuación de las palabras.

PROSÓDICO, CA adj. Perten. o rel. a la prosodia.

PROSOPOPEYA f. Figura que consiste en atribuir a las cosas inanimadas acciones propias del ser animado.

PROSPECCIÓN f. Conjunto de técnicas empleadas en la búsqueda de yacimientos subterráneos.

PROSPERAR tr. Ocasionar prosperidad. // Tener prosperidad.

PRÓSPERO, RA adj. Favorable, propicio.

PRÓSTATA f. *Anat.* Glándula que tienen los machos de los mamíferos unida al cuello de la vejiga.

PROSTÍBULO m. Casa de mujeres públicas.

PROSTITUCIÓN f. Acción y efecto de prostituir o prostituirse.

PROSTITUTA f. Ramera.

PROTAGONISTA com. Personaje principal de una obra literaria o dramática.

PROTAGONIZAR tr. Representar un papel en calidad de protagonista.

PROTECCIÓN f. Acción y efecto de proteger.

PROTECCIONISMO m. Doctrina económica según la cual debe protegerse la agricultura y la industria de un país, gravando las importaciones.

PROTECTORADO m. Situación de un país puesto bajo la tutela de otro sin suprimir las autoridades del país protegido. // Territorio en que se ejerce esta soberanía.

PROTEGER tr. Amparar, favorecer, defender.

PROTEÍNAS f. pl. Sustancias orgánicas formadas por la unión de muchas moléculas de aminoácidos.

PRÓTESIS f. Procedimiento por el cual se repara artificialmente la falta de órgano o parte de él.

PROTESTA f. Acción y efecto de protestar.

PROTESTANTE adj. Que protesta. // adj. y s. Que sigue el luteranismo, o cualquiera de sus sectas.

PROTESTANTISMO m. Conjunto de las doctrinas religiosas originadas a raíz de la reforma luterana.

PROTESTAR tr. Expresar uno su intención de ejecutar una cosa. // Confesar públicamente la fe y creencia que uno profesa. // intr. Con la prep. de, aseverar con ahínco. // Con la prep. contra, negar la validez de un acto.

PROTESTO m. Diligencia notarial de la falta de aceptación o pago de una letra de cambio.

PROTO- Prefijo que significa prioridad, preeminencia o superioridad.

PROTOCOLO m. Regla ceremonial diplomática o palatina.

PROTOHISTORIA f. Período histórico en que faltan la cronología y los documentos.

PROTÓN .m. *Fís.* Partícula elemental que, junto con el neutrón, configura la estructura del núcleo atómico.

PROTOPLASMA m. *Biol.* Sustancia coloidal que se encuentra encerrada por la membrana plasmática de las células.

PROTOTIPO m. Original ejemplar o primer molde en que se ejecuta una cosa. // El más perfecto ejemplar.

PROTOZOOS o **PROTOZOARIOS** m. pl. *Zool.* Microorganismos unicelulares provistos de núcleo. Se reproducen por división, gemación o fecundación.

PROTRÁCTIL adj. Díc. de la lengua de ciertos animales, que puede proyectarse mucho fuera de su

boca.
PROTUBERANCIA f. Prominencia más o menos redonda.

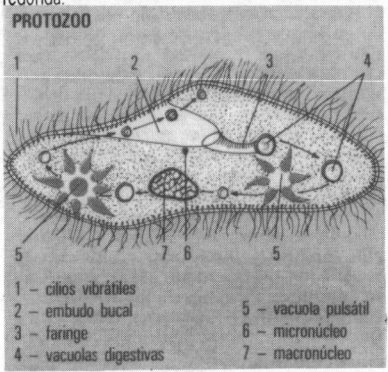

PROTOZOO

1 – cilios vibrátiles
2 – embudo bucal
3 – faringe
4 – vacuolas digestivas
5 – vacuola pulsátil
6 – micronúcleo
7 – macronúcleo

PROVECHO m. Beneficio o utilidad.
PROVECHOSO, SA adj. Que causa provecho.
PROVEEDOR, RA m. y f. Persona que provee.
PROVEER tr. y r. Prevenir, juntar las cosas necesarias para un fin. // tr. y r. Suministrar lo necesario.
PROVENIR intr. Proceder, originarse una cosa de otra.
PROVENZAL adj. y s. Natural de la Provenza. // m. Lengua de oc.
PROVERBIAL adj. Perten. o rel. al proverbio, o que lo incluye. // Muy notorio.
PROVERBIO m. Sentencia, refrán. // pl. Libro del ant. Testamento.
PROVIDENCIA f. Disposición encaminada al logro de un fin. // Disposición que se toma para evitar un daño. // fig. Dios, en cuanto árbitro del destino.
PROVIDENTE adj. Prudente. // Prevenido.
PROVINCIA f. Cada una de las grandes divisiones de un territorio o Estado.
PROVISIÓN f. Acción y efecto de proveer. // Acopio de cosas necesarias o útiles.
PROVISIONAL adj. Dispuesto o mandado interinamente.
PROVOCAR tr. Excitar, inducir a uno a que se ejecute algo. // Irritar o estimular a uno con palabras u obras. // Facilitar, ayudar.
PROVOCATIVO, VA adj. Que tiene virtud de provocar.
PROXENETA com. El que interviene para favorecer relaciones sexuales ilícitas.
PROXIMIDAD f. Calidad de próximo. // Lugar próximo.
PROYECCIÓN f. Acción y efecto de proyectar.
PROYECTAR tr. Lanzar, arrojar hacia adelante. // Idear, disponer o proponer el plan y los medios para ejecutar algo. // tr. y r. Hacer visible sobre un cuerpo o una superficie la figura o la sombra de otro.
PROYECTIL m. Nombre genérico de todo cuerpo que se lanza a distancia contra un blanco.

PROYECTO m. Plan para la ejecución de una cosa. // Desnignio o pensamiento de ejecutar algo.
PROYECTOR m. Aparato óptico que sirve para proyectar rayos luminosos, imágenes, etc.
PRUDENCIA f. Templanza, moderación. // Buen juicio. // Cautela, circunspección.
PRUDENTE adj. Que tiene prudencia.
PRUEBA f. Acción y efecto de probar. // Indicio o muestra que se da de una cosa. // Ensayo o experiencia.
PRURITO m. Sensación especial que impele a rascarse.
PSEUDO adj. Seudo.
PSICO- Prefijo derivado del griego *psiché*, alma.
PSICOANÁLISIS f. *Med.* Método de exploración y tratamiento de ciertas enfermedades mentales y psíquicas, descubierto por S. Freud.
PSICOFÍSICA f. Estudio de las relaciones entre lo psíquico y lo físico.
PSICOLOGÍA f. Ciencia que estudia, describe y clasifica los hechos psíquicos.
PSICOLÓGICO, CA adj. Perten. al alma.
PSICÓPATA com. Enfermo mental.
PSICOSIS f. Nombre común dado a las enfermedades mentales crónicas de evolución activa.
PSICOTERAPIA f. *Med.* Tratamiento psíquico de las enfermedades mentales.
PSIQUIATRÍA f. Ciencia cuyo objeto es el estudio y tratamiento de las enfermedades mentales.
PSÍQUICO, CA adj. Perten. o rel. al alma.
PÚA f. Cuerpo delgado y rígido, que acaba en punta aguda. // Diente de un peine.
PÚBER, RA adj. y s. Que ha llegado a la pubertad.
PUBERTAD f. Edad que marca el paso de la infancia a la edad adulta.
PUBIS m. Parte inferior del vientre.
PUBLICACIÓN f. Acción y efecto de publicar. // Obra publicada.
PUBLICAR tr. Hacer que una cosa llegue a noticia de todos. // Hacer patente y manifiesta al público una cosa.
PUBLICIDAD f. Calidad o estado público. // Conjunto de medios que se emplean para hacer pública una cosa.
PUBLICITARIO, RIA adj. Perten. o rel. a la publicidad utilizada con fines comerciales.
PÚBLICO, CA adj. Notorio, sabido por todos. // Apl. a la potestad o autoridad para hacer una cosa. // Perten. a todo el pueblo. // m. Conjunto de las personas que concurren a determinado lugar.
PUCHERO m. Vasija para cocer la comida. // Especie de cocido.
PUDIBUNDO, DA adj. De mucho pudor.
PÚDICO, CA adj. Pudoroso, casto.
PUDIENTE adj. y s. Rico.
PUDOR m. Recato, reserva, vergüenza.
PUDOROSO, SA adj. Lleno de pudor.

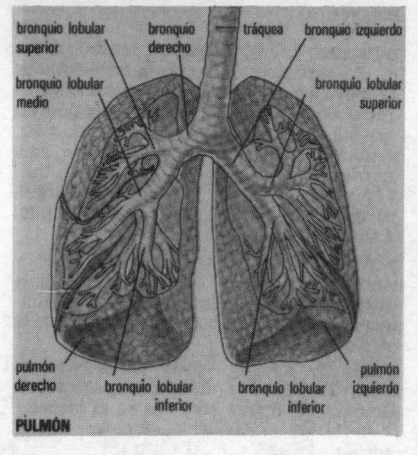

Figure: PULMÓN — bronquio lobular superior, bronquio lobular medio, bronquio derecho, tráquea, bronquio izquierdo, bronquio lobular superior, pulmón derecho, bronquio lobular inferior, bronquio lobular inferior, pulmón izquierdo.

PUDRIR tr. y r. Corromper, dañar una cosa. // fig. Consumir, molestar.
PUEBLO m. Población pequeña. // Conjunto de personas de un lugar, región o país. // Gente común y humilde de una población.
PUENTE amb. Fábrica que se construye sobre los rios, fosos, etc., para poder pasarlos. // Objeto que por su colocación semeja un puente.
PUERCO m. Cerdo
PUERICULTURA f. Conjunto de normas para criar y educar correctamente a los niños.
PUERIL adj. Perten. o rel. al niño. // fig. Fútil, trivial.
PUERILIDAD f. Calidad de pueril.
PUERPERIO m. Período de seis semanas posterior al parto.
PUERRO m. *Bot.* Planta con bulbo, similar a la cebolla, que sirve de alimento.
PUERTA f. Vano en una pared, cerca o verja, para entrar y salir.
PUERTO m. Lugar en la costa dispuesto para seguridad de las naves y para las operaciones de tráfico. // Paso entre montañas. // Por ext., montaña o cordillera. // fig. Asilo.
PUES Conj. causal que denota causa, motivo o razón.
PUESTA f. Acción de ponerse un astro. // Acción de poner un huevo.
PUESTO m. Espacio que ocupa una cosa. // Tienda, gralte. ambulante.// Empleo, dignidad, oficio.
PÚGIL m. Boxeador.
PUGNA f. Batalla, pelea. // Oposición entre personas o colectividades.
PUGNAR intr. Batallar, pelear. // Porfiar con tesón.
PUJA f. Acción de pujar.
PUJANZA f. Fuerza grande para ejecutar una cosa.
PUJAR tr. Hacer fuerza para pasar adelante o proseguir una acción.
PUJAR tr. Aumentar los licitadores el precio puesto a una cosa que se vende o arrienda.
PULCRITUD f. Limpieza, aseo. // fig. Delicadeza.
PULCRO, CRA adj. Aseado, bello. // Delicado.
PULGA f. *Zool.* Insecto parásito, sin alas, de pequeñas dimensiones. Tiene patas a propósito para dar grandes saltos.
PULGADA f. Medida de long., equivalente a 25,40 mm.
PULGAR f. Dedo primero y más grueso de los de la mano.
PULGÓN m. *Zool.* Insecto hemíptero. Las larvas y hembras viven parásitas de los vegetales.
PULIDO, DA adj. Agraciado, pulcro, primoroso.
PULIMENTO m. Acción y efecto de pulir.
PULIR tr. Alisar o dar lustre a una cosa. // tr. y r. Adornar, aderezar. // fig. Derrochar.
PULMÓN m. *Anat.* Cada uno de los dos órganos de la respiración, sit. a ambos lados de la cavidad torácica.
PULMONAR adj. Perten. a los pulmones.
PULMONÍA f. *Med.* Inflamación del pulmón, o de una parte de él.
PULPA f. Parte mollar de las carnes, de los frutos, etc.
PÚLPITO m. Plataforma con antepecho que hay en las iglesias para predicar.
PULPO m. *Zool.* Molusco cefalópodo provisto de ocho tentáculos con fuertes ventosas adherentes.
PULSACIÓN m. Acción de pulsar. // Cada uno de los latidos del corazón.
PULSAR tr. Tocar, golpear. // fig. Tantear un asunto por vía de ensayo. // intr. Latir el corazón u otra cosa que tiene movimiento sensible.
PULSÁTIL adj. Díc. de lo que pulsa o golpea.
PULSERA f. Cerco de metal o de otra materia que se lleva en la muñeca.
PULSO m. Latido intermitente de las arterias. // Parte de la muñeca donde se siente el latido de la arteria. // Seguridad o firmeza en la mano para ejecutar una acción.
PULULAR intr. Empezar a brotar y echar vástagos un vegetal. // fig. Abundar y bullir en un paraje personas o cosas.
PULVERIZAR tr. y r. Reducir a polvo una cosa. // Reducir un líquido a partículas muy tenues.
PUMA m. *Zool.* Mamífero carnívoro, parecido al tigre, pero con pelo suave y leonado.
PUNCIÓN f. *Cir.* Operación que consiste en abrir los tejidos con instrumento punzante y cortante a la vez.
PUNDONOR m. Punto de honor, punto de honra.
PUNIBLE adj. Que merece castigo.
PÚNICO, CA adj. Perten. a Cartago.
PUNIR tr. Castigar a un culpado.
PUNITIVO, VA adj. Perten. o rel. al castigo.
PUNTA f. Extremo agudo de un arma u otro instrumento. // Extremo de una cosa. // Clavo pequeño. // Lengua de tierra que penetra en el mar.
PUNTADA f. Cada uno de los agujeros hechos con la

aguja.

PUNTAL m. Madero hincado en firme, para sostener la pared u otra obra que está desplomada. // Prominencia de un terreno que forma como punta. // fig. Apoyo, fundamento. // *Mar.* Altura de la nave.

puma (Felix concolor)

PUNTAPIÉ m. Golpe dado con la punta del pie.
PUNTEAR tr. Marcar puntos en una superficie. // Coser. // Tocar la guitarra u otro instrumento semejante hiriendo las cuerdas cada uno con un dedo.
PUNTERÍA f. Destreza del tirador para dar en el blanco.
PUNTIAGUDO, DA adj. Que tiene aguda la punta.
PUNTILLA f. Encaje hecho de puntas y ondas. // Especie de puñal corto.
PUNTO m. Señal de dimensiones poco o nada perceptibles. // Cada una de las puntadas, en las obras de costura. // Sitio, lugar. // Unidad de valoración. // Cada uno de los asuntos o materias de que se trata en un escrito, discurso, etc. // *Geom.* Lugar del espacio al que no se le atribuye extensión.
PUNTUACIÓN f. Acción y efecto de puntuar. // Conjunto de signos que sirven para puntuar.
PUNTUAL adj. Exacto en hacer las cosas. // Cierto. // Conforme, conveniente.
PUNTUALIDAD f. Calidad de puntual.
PUNTUALIZAR tr. Referir un suceso minuciosamente.
PUNTUAR tr. Poner en la escritura los signos ortográficos necesarios. // Ganar puntos.
PUNTURA f. Herida con instrumento o cosa que punza.
PUNZADA f. Herida o picada de punta. // fig. Dolor agudo, repentino y pasajero.
PUNZAR tr. Herir de punta. // Intr. fig. Avivarse un dolor de cuando en cuando.
PUNZÓN m. Instrumento de hierro que remata en punta. // Buril.
PUÑADO m. Porción de cualquier cosa que se puede contener en el puño.
PUÑAL m. Arma ofensiva de acero, que sólo hiere de punta.
PUÑALADA f. Golpe que se da de punta con el puñal. // Herida que resulta. // fig. Pesadumbre grande dada de repente.
PUÑO m. Mano cerrada. // Puñado. // Parte de la manga de las prendas de vestir que rodea la muñeca. // Mango de algunas armas.
PUPA f. Erupción de los labios. // Postillas de grano.
PUPILA f. *Anat.* Abertura que el iris tiene en su parte media.
PUPILO, LA m. y f. Huérfano o huérfana menor de edad, respecto de su tutor. // Persona que se hospeda en casa particular, por precio ajustado.
PUPITRE m. Mueble con tapa en forma de plano inclinado.
PURÉ m. Pasta que se hace de legumbres y otras cosas comestibles, cocidas y pasadas pro el colador.
PUREZA f. Calidad de puro. // fig. Virginidad, doncellez.
PURGA f. Medicina que se toma para descargar el vientre. // Forma empleada en los regímenes totalitarios para eliminar discrepancias.
PURGACIÓN f. Acción y efecto de purgar o purgarse.
PURGANTE m. Medicina que se aplica o sirve para purgar.
PURGAR tr. Limpiar, purificar una cosa. // Expiar una culpa. // Dar al enfermo una purga.
PURGATORIO m. Lugar donde las almas no condenadas al infierno purgan sus pecados.
PURIFICACIÓN f. Acción y efecto de purificar o purificarse.
PURIFICAR tr. y r. Quitar de una cosa lo que le es extraño. // Limpiar de toda imperfección una cosa no material.
PURISTA adj. y s. Que escribe o habla con pureza.
PURITANO, NA adj. Rígido, austero.
PURO, RA. adj. Libre de toda mezcla de otra cosa. // Que procede con desinterés. // Casto. // fig. Libre de imperfecciones morales. // Díc. del lenguaje o del estilo correctos.
PÚRPURA f. Colorante que los romanos extraían de ciertos moluscos gasterópodos. // fig. Color rojo subido que tira a violado.
PURPÚREO, A adj. De color de púrpura. // Perten. o rel. a la púrpura.
PURPURINA f. Sustancia colorante extraída de la raíz de la rubia. // Polvo finísimo de bronce o metal blanco, usado en pintura.
PURULENTO, TA adj. Que tiene pus.
PUS m. Líquido espeso, amarillo claro, formado a causa de una inflamación de los tejidos producida por bacterias.
PUSILÁNIME adj. y s. Cobarte.
PÚSTULA f. *Med.* Lesión dela piel que segrega pus.
PUTA f. Mujer pùblica.
PUTATIVO, VA adj. Tenido por padre, hermano, etc., no siéndolo.

PUTREFACCIÓN f. Acción y efecto de pudrir o pudrirse.
PUTREFACTO, TA adj. Podrido.
PÚTRIDO, DA adj. Putrefacto.
PUYA f. Punta acerada que tienen las varas de los picadores y vaqueros.

Q

Q f. Vigésima letra del abecedario español, y decimosexta de sus consonantes. Su nombre es cu.
QUE Pron. relat. invariable, que equivale a *el, la lo, cual, los, las cuales*. // Conj. copulat. que sirve para enlazar oraciones subordinadas con el verbo principal.
QUEBRADA f. Abertura estrecha y áspera entre montañas. // *Amer.* Arroyo que corre con una quiebra.
QUEBRADIZO, ZA adj. Fácil de quebrarse.
QUEBRADO, DA adj. y s. Que ha hecho bancarrota o quiebra. // Quebrantado. // adj. Terreno desigual y tortuoso. // *Mat.* Expresión de cociente entre números enteros.
QUEBRANTAR tr. Romper, separar con vilencia las partes de un todo. // Profanar. // Violar una ley, palabras, etc. // tr. y r. Cascar o hender una cosa. // Disminuir las fuerzas.
QUEBRANTO m. Acción y efecto de quebrantar o quebrantarse. // fig. Desaliento. // Gran pérdida.
QUEBRAR tr. Quebrantar. // tr. y r. Doblar, torcer.
QUECHUA adj. Díc. del miembro de una familia de tribus americanas que habitan en los Andes.
QUEDA f. Hora de la noche, señalada en algunos puueblos, para que todos se recogan.
QUEDAR intr. Permanecer en cierto lugar o estado// Subsistir. // r. Retener algunas cosa propia o ajena. / / intr. Terminar, cesar. // Acordar lo que se expresa.
QUEDO, DA adj.Quieto. // adv. m. Con voz baja. // Con tiento.
QUEHACER m. Ocupación, negocio.
QUEJA f. Expresión de dolor o sentimiento. // Resentimiento, desazón. // Acusación ante el juez.
QUEJAR tr. Aquejar. // r. Expresar una queja.
QUEJIDO m. Voz lastimosa, motivada por un dolor o pena.
QUEJOSO, SA adj. Díc. del que tiene queja de otro.
QUELONIO, A s m. pl. *Zool* Reptil de cuerpo ancho y mandíbulas con un pico córneo y sin dientes, como la tortuga.
QUEMA f. Acción y efecto de quemar o quemarse. // Incendio.
QUEMADURA f. Destrucción de los tejidos animales por el fuego o por una sustancia corrosiva.
QUEMAR tr. Abrasar, o consumir con fuego. // Hacer llaga o ampolla una cosa cáustica o muy caliente. // r. fig. Padecer la fuerza de una pasión o afecto.

QUEMAZÓN f. Acción de quemar o quemarse. // fig. y fam. Disgusto.
QUERATINA f. Bioquim. Albuminoide elástico y duro que forma parte de la epidermis, uñas y alas de muchos animales.
QUERELLA f. Queja. // Discordia, pendencia. // Escrito presentado por el agravio a la autoridad judicial para denunciar un delito.
QUERELLARSE r. Quejarse. // Presentar querella contra uno.
QUERENCIA f. Acción de amar o querer bien.
QUERER tr. Desear o apetecer. // Amar, tener cariño a una persona o cosa. // Tener voluntad de hacer una cosa. // Resolver. // Pretender, intentar. // impers. Estar próxima a verficarse una cosa.
QUERER m. Cariño, amor.
QUERMES m. *Zool.* Insecto hemíptero del que se extraía un colorante rojizo.
QUERUBÍN m. Angel que pertenece al segundo coro de los ángeles.
QUESO m. Alimento que se obtiene haciendo fermentar la leche cuajada.
QUETZAL m. *Zool.* Ave tropical con plumaje de colores y moño verde.
QUEVEDOS m. pl. Anteojos.
QUICIAL m. Madero de las puertas y ventanas que, por medio de bisagras, se sujeta en el quicio.
QUICIO m. Parte de las puertas o ventanas en que entra el espigón del quicial.
QUIEBRA f. Rotura de una cosa por alguna parte. // Hendedura de la tierra en los montes. // Acción y efecto de quebrar.
QUIEN Pron. relat. con antecedente de persona, de gén. m. y f.
QUIENQUIERA pron. indet. Persona indeterminada, alguno, sea el que fuere.
QUIETISMO m. Inacción, quietud.
QUIETO, TA adj. Que no tiene o no hace movimiento. // fig. Pacífico, sosegado.
QUIETUD f. Carencia de movimientos. // fig. Sosiego, descanso.
QUIJADA f. *Zool.* Cada una de las dos mandíbulas de los vertebrados que tienen dientes.
QUIJOTE m. fig. Hombre exageradamente altruista.
QUILATE m. Unidad de peso para las piedras preciosas. // Cada una de las veinticuatroavas partes en peso de oro puro que contienen una aleación de este metal.
QUILO m. Líquido lechoso absorbido por la mucosa intestinal durnate la digestión.
QUILO m. Kilo.
QUILOMBO m. *Amer.* Choza, cabaña campestre. // Lupanar.
QUILLA f. *Mar.* Pieza que va de popa a proa por la parte inferior del barco y en que se asienta toda su armazón. // Parte saliente del esternón de las aves.
QUIMERA f. *Mit.* Monstruo imaginario que tenía cabeza de león, vientre de cabra y cola de dragón //

fig. ilusión. // Riña, pendencia.
QUIMÉRICO, CA adj. Fabuloso, fingido, imaginado sin fundamento.
QUÍMICA f. Ciencia que se ocupa de la composición, estrucutra y propiedades de las sustancias y de las transformaciones que experimentan.
QUÍMICO, CA adj. Perten. a la química. // m. El que profesa la química.
QUIMIOTERAPIA f. Tratamiento de las enfermedades por medio de productos químicos.
QUIMO m. Líquido dens que resulta de la digestión de los alimentos en el estómago.
QUIMONO m. Túnica japonesa, usada por las mujeres.

mujer con **quimono**

QUINA f. *Bot.* Sustancia que se obtiene dela corteza del quino, y se emplea como medicamento.
QUINCALLA f. Conjunto de objetos de metal, gralte. de poco valor.
QUINCENA f. Espacio de quince días.
QUINCENAL adj. Que sucede o se repite cada quince días.
QUINDENIO m. Espacio de quince años.
QUINIELA f. Sistema reglamentado de apuestas mutuas en los partidos de futbol.
QUININA f. Alcaloide que se extrae de la quina. Se usa como medicamento antipalúdico.
QUINO m. Arbol americano de las rubiáceas, cuya corteza es la quina.
QUINQUÉ m. Especie de lámpara con tubo de cristal, y gralte. con pantalla.
QUINQUENAL adj. Que sucede o se repite cada quinquenio.
QUINQUENIO m. Tiempo de cinco años.

QUINTA f. Casa de recreo en el campo. // Reemplazo anual para el ejército.
QUINTAESENCIA f. Refinamiento, última esencia de alguna cosa.
QUINTAL m. Unidad de peso del sistema métrico, equivalente a 100 Kilos.
QUINTETO m. Combinación métrica de cinco versos de arte mayor aconsonantados. // *Mús.* Composición a cinco voces o instrumentos.
QUINTILLIZO, ZA adj. Díc. de cada individuo nacido de un parto quintuple. quinto, ta adj. y s. Díc. de cada una de las cinco partes en que se divide un todo. // m. Recluta.
QUINTUPLICAR tr. y r. Hacer cinco veces mayor una cantidad.
QUINTUPLO, PLA adj. y s. m. Que contiene un número cinco veces exactamente.
QUIOSCO m. Pabellón o edificio pequeño que se construye en plazas u otros parajes públicos, para vender periódicos, flores, etc.
QUIRO- Forma prefija del gr. *cheir, cheirós,* mano.
QUIRÓFANO m. *Cir.* Recinto esp. acondicionado para la práctica de operaciones quirúrgicas.
QUIROMANCIA O QUIROMANCÍA f. Adivinación por las rayas de las manos.
QUIRÓPTEROS m.pl. *Zool.* Mamíferos adaptados al vuelo mediante una membrana que se extiende entre los dedos, como el murciélago.
QUIRÚRGICO, CA adj. Perten. o rel. a la cirugía.
QUISQUILLA f. Camarón, crustáceo.
QUISQUILLOSO, SA adj. y s. Demasiado delicado en el trato común.
QUISTE m. *Med.* Tumor consistente en una cavidad que se encierra una sustancia líquida o semisólida.
QUITAR tr. Tomar una cosa apartándola de otras, o del sitio en que estaba. // Tomar o coger algo ajeno, hurtar. // Impedir, estorbar. // Obstar. // Despojar o privar de una cosa. // r. Dejar una cosa.
QUITASOL m. Especie de paraguas para resguardarse del sol.
QUITE m. Acción de quitar o estorbar.
QUITINA f. Materia córnea que endurece los élitros y otros órganos de los insectos.
QUITINOSO, SA adj. Que tiene quitina.
QUIZÁ O QUIZÁS Adv. de duda con que se denota posibilidad.
QUÓRUM m. Número de individuos necesario parra que se tome ciertos acuerdos una asamblea deliberadamente.

R

R f. Vigésima primera letra del abecedario español, y decimoséptima de sus consonantes.
RABADILLA f. *Anat.* Parte inferior de la columna vertebral.

RÁBANO m. Bot. Planta herbácea de la fam. crucíferas. La raíz y base del tallo forman un tubérculo comestible.
RABÍ m. Título con que los judíos honran a los sabios de su ley.
RABIA f. fig. Ira, enojo, enfado grande. // Med. Hidrofobia.
RABIAR intr. Padecer el mal de rabia. // fig. Impacientarse, encolerizarse.
RABIETA f. fig. fam. Impaciencia, enfado grande que dura poco.
RABILLO m. Peciolo. // pedúnculo. // Rabo. // Cizaña.
RABINO m. Rabí.
RABIOSO, SA adj. y s. Que padece rabia. // Colérico, enojado. // Violento.
RABO m. Cola. // Rabillo, pedúnculo.
RACIAL adj. Perten. o rel. a la raza.
el trabajo.
RACIONALIZAR tr. Reducir a normas o conceptos racionales.
RACIONAMIENTO m. Acción y efecto de racionar o racionarse.
RACIONAR tr. Limitar la adquisición de los artículos de primera necesidad, en caso de escasez.
RACISMO m. Exacerbación del sentido racial de un grupo étnico. // Doctrina antropológica o política basada en este sentimiento.
RACISTA adj. Perten. o rel. al racismo. // com. Partidario del racismo.
RACHA f. Ráfaga de aire. // fig. y fam. Período breve de fortuna.
RADA f. Bahía, ensenada.
RADAR m. Aparato para descubrir y localizar objetos lejanos o invisibles.

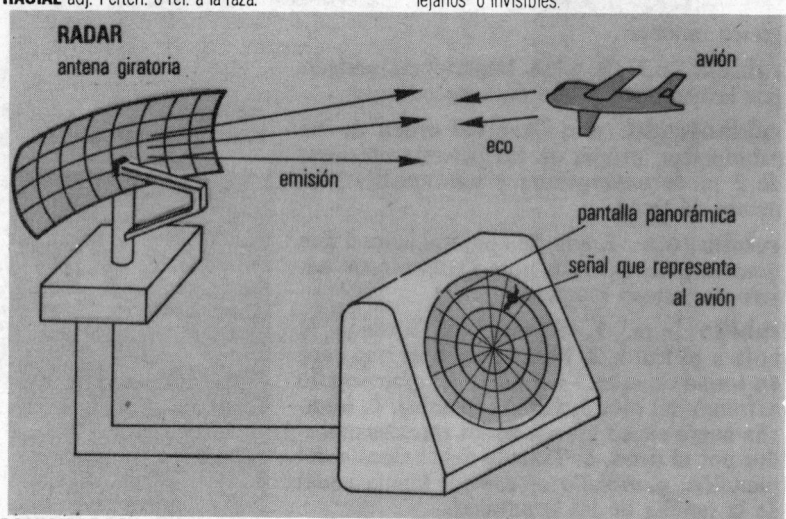

RADAR
antena giratoria
avión
eco
emisión
pantalla panorámica
señal que representa al avión

RACIMARSE f. Formar racimo.
RACIMO m. Porción de uvas o granos que produce la vid. // Por ext., dic. de otras frutas. // fig. Conjunto de cosas menudas dispuestas con alguna semejanza de racimo.
RACIMOSO, SA adj. Que echa o tiene racimos.
RACIOCINAR intr. Usar de la razón para conocer y juzgar.
RACIOCINIO m. Facultad de raciocinar. // Acción y efecto de raciocinar. // Argumento y discurso.
RACIÓN f. Porción que se da para alimento en cada comida. // Asignación diaria que en especie o dinero se da a una persona para su alimento.
RACIONAL adj. Perten. o rel. a la razón. // Arreglado a ella. // adj. y s. Dotado de razón.
RACIONALIDAD f. Calidad de racional.
RACIONALISMO m. Fil. Doctrina cuya base es la omnipotencia e independencia de la razón humana.
RACIONALIZACIÓN f. Acción y efecto de racionalizar

RADIACION f. Acción y efecto de irradiar.
RADIACTIVIDAD f. Fís. Energía de los cuerpos radiactivos.
RADIACTIVO, VA f. Fís. Díc. del cuerpo cuyos átomos se desintegran espontáneamente.
RADIADO, DA adj. Bot. Díc. de la planta que tiene sus partes situadas alrededor de un punto o un eje. Zool Díc. de los metazoos de una estructura simétrica, respecto a un eje central.
RADIADOR m. Aparato calefactor compuesto de uno o más cuerpos huecos.
RADIAL adj. Geom. Perten. o rel. al radio del círculo o de la esfera. // Anat. Perten. al radio, hueso del brazo.
RADIANTE adj. Que radia. // fig. Brillante, resplandeciente.
RADIAR tr. Difundir por medio de la telefonía sin hilos noticias, música, etc. // tr. e intr. Despedir rayos de luz, calor, o energía de otra clase.
RADICACIÓN f. Acción y efecto de radicar o radicarse.

// fig. Larga permanencia y duración de un uso, costumbre, etc.
RADICAL adj. Perten. o rel. a la raíz. // fig. Fundamental. de raíz. // adj. y s. Partidario de reformas extremas, esp. en sentido democrático. // Mat. Díc. del signo √ con que se indica la operación de extraer raíces. / / Quím. Díc. del cuerpo que, combinándolo con el oxígeno da un óxido básico o un anhídrido.
RADICALISMO m. Doctrina política de los que pretenden reformas fundamentales. // Por ext., modo extremado de tratar los asuntos.
RADICAR intr. y r. Echar raíces, arraigar. // Estar ciertas cosas en determinado lugar.
RADIO f. Apócope de radiodifusión. // Anat. Hueso del antebrazo. // Geom. Línea recta tirada desde el centro del círculo a la circunferencia.
RADIO m. Quim. Elemento metálico altamente radiactivo, de color blanco brillante.
RADIODIFUSIÓN f. Transmisión por medio de ondas hertzianas de noticias, programas artísticos, científicos, etc.
RADIOFONÍA f. Radiotelefonía o telefonía sin hilos.
RADIOFÓNICO, CA adj. Perten. o rel. a la radiofonía.
RADIOGRAFÍA f. Procedimiento para hacer fotografías por medio de los rayos X. // Fotografía así obtenida.
RADIOGRAFIAR tr. Transmitir noticias por medio de la telegrafía o telefonía sin hilos. // Hacer fotografías por medio de los rayos X.
RADIOLOGÍA f. Med. Estudio de las aplicaciones diagnósticas y terapéuticas de los rayos X.
RADIORRECEPTOR m. Aparato para recibir y transformar en sonidos las ondas emitidas por las emisoras de radiodifusión.
RADIOTELEFONÍA f. Sistema de comunicación telefónica por medio de ondas hertzianas.
RADIOTELEGRAFÍA f. Sistema de comunicación telegráfica que hace uso de las ondas hertzianas.
RADIOTERAPIA f. *Med.* Empleo terapéutico de los rayos X.
RAEDERA f. Instrumento pra raer.
RAEDURA f. Acción y efecto de raer. // Parte menuda que se rae de una cosa.
RAER tr. Quitar, como cortando y raspando la superficie, pelos, etc., de una cosa.
RÁFAGA f. Golpe de aire, de poca duración. // Golpe de luz vivo o instantáneo. // Serie de proyectiles que lanza un arma automática.
RAFIA f. Bot. Palmera propia de Africa y América, de la que se extrae una fibra textil resistente y flexible.
RAIGAMBRE f. Conjunto de raices de los vegetales. // fig. Conjunto de antecedentes, intereses, etc., que hacen estable una cosa.
RAIL O RAÍL m. Carril de las vías férreas.
RAIZ f. Bot. Parte subterránea de las plantas superiores, que absorbe las sustancias nutritivas para el vegetal que hay en el suelo. // Bien inmueble. // fig. Origen, principio. // Mat. Resultado de la radicación.
RAJA f. Hendedura, abertura. // Pedazo que se corta a lo largo o a lo ancho de un fruto o de otros comestibles.
RAJÁ m. Soberano indico.
RAJAR tr. y r. Dividir en rajas. // Hender, partir, abrir. // r. fig. y fam. Desistir de algo a última hora.
RALEA f. Especie, género, calidad. // despect. Aplicado a personas, raza, casta o linaje.
RALO, LA adj. Díc. de las cosas cuyas partes están separadas más de lo regular.
RALLADOR m. Utensilio de cocina que sirve para rallar.
RALLADURA f. Surco que deja el rallador. // Lo que queda rallado.
RALLAR tr. Desmenuzar una cosa restregándola con el rallador. // fig. y fam. Molestar, fastidiar.
RAMA f. Cada una de las partes que nacen del tronco o tallo principal de la planta. // fig. Serie de personas que descienden del mismo tronco. // Parte que se deriva de otra principal.
RAMAL m. Parte que arranca de la línea principal de un camino, acequia, etc.
RAMBLA f. Lecho natural de las aguas pluviales. // Calle ancha y con árboles, gralte. con andén central.
RAMERA f. Mujer que se entrega al comercio carnal por interés.
RAMIFICARSE r. Esparcirse y dividirse en ramas una cosa. // fig. Extenderse las consecuencias de un hecho o suceso.
RAMILLETE m. Ramo pequeño de flores o hierbas olorosas.
RAMO m. Rama que sale de la rama madre. // Conjunto de flores, ramas, o hierbas. // fig. Cada una de las partes en que se considera dividida una ciencia, arte, etc.
RAMPA f. Plano inclinado para subir o bajar por él.
RAMPLÓN, NA adj. Apl. al calzado tosco. // fig. Vulgar.
RANA f. *Zool.* Batracio anuro, de color verdoso. Vive en el agua dulce, posee lengua escotada protráctril y anda y nada a saltos.
RANCIO, CIA adj. Díc. del vino y los comestibles grasientos que, con el tiempo, adquieren sabor y olor más fuertes. // fig. Díc. de las cosas ant. y de las personas apegadas a ellas.
RANCHO m. Comida que se hace para muchos en común. // Lugar fuera de poblado donde se albergan diversas familias que suelen dedicarse a la cría de ganado.
RANGO m. Indole, clase, categoría. // Amer. Situación social elevada. // Rumbo, esplendidez.
RÁNULA f. Vet. Tumor debajo de la lengua, frecuente en perros y ganado vacuno.
RANUNCULÁCEAs f. pl. Bot. Plantas dicotiledóneas, cuyo tipo es el ranúnculo.
RANÚNCULO m. Bot. Planta herbácea anual de las

ranunculáceas, que contiene un jugo venenoso.
RANURA f. Canal estrecha y larga que se abre en un material.
RAPACES m. pl. *Zool.* Grupo de aves que comprende las llamadas aves de rapiña.
RAPACIDAD f. Condición del dado al robo o al hurto.
RAPAPOLVO m. fam. Represión áspera.
RAPAR tr. y r. Rasurar o afeitar. // tr. Cortar el pelo al rape. // fig. y fam. Hurtar o quitar con violencia.
RAPAZ adj. Inclinado al robo, hurto o rapiña. // m. Muchacho de corta edad.
RAPE m. fam. Rasura o corte de la barba hecho de prisa y sin cuidado.
RAPE m. *Zool.* Pez osteíctio (fam. lófidos), de cuerpo aplanado y cabeza gigantesca.
RAPIDEZ f. Velocidad impetuosa o movimiento acelerado.
RÁPIDO, DA adj. Veloz, pronto.
RAPIÑA f. Robo o saqueo que se ejecuta arrebatando con violencia.
RAPOSO, SA m. y f. Zorro, animal. // fig. y fam. persona astuta.
RAPSODA m. El que en la Grecia ant. iba de pueblo en pueblo cantando trozos de poemas homéricos u otras poesías.
RAPSODIA f. Trozo de un poema. // Pieza musical formada con fragmentos de otras obras o con trozos de aires populares.
RAPTAR tr. Cometer el delito de rapto.
RAPTO m. Impulso, acción de arrebatar. // Acción de llevarse consigo o retener por la violencia, seducción o engaño, a alguien.
RAQUETA f. Aro con mango y cubierto de una red para practicar ciertos deportes, esp. el tenis.
RAQUÍDEO m. *Anat.* Parte del sistema nervioso central, comprendida entre la protuberancia, cerebelo y médula espinal.
RAQUIS m. *Anat.* Columna vertebral en el hombre.
RAQUÍTICO, CA adj. y s. Que padece raquitisjmo. // fig. Exiguo, mezquino, desmedrado.
RAQUITISMO m. *Med.* Enfermedad de la nutrición caracterizada por deformación de los huesos. Es frecuente esp. en los niños.
RAREZA f. Calidad de raro. // Cosa rara.
RARO, RA adj. Extraordinario, poco común. // Extravagante.
RAS m. Igualdad en la superficie o la altura de las cosas.
RASANTE f. Línea de una calle o camino considerada en su inclinación respecto del plano horizontal.
RASAR tr. Igualar con el rasero las medidas de áridos. // Pasar rozando ligeramente un cuerpo con otro.
RASCACIELOS m. Edificio de muchos pisos.
RASCAR tr. y r. Refregar la piel con una cosa aguda o áspera, y gralte. con las uñas. // tr. Arañar.
RASERO m. Palo cilíndrico para rasar las medidas de los áridos.

RASGADURA f. Acción y efecto de rasgar.
RASGAR tr. y r. Romper o hacer pedazos, sin el auxilio de ningún instrumento, cosas de poca consistencia.
RASGO m. Línea de adorno trazada airosamente con la pluma. // Acción gallarda y notable. // Facción del rostro. // Peculiaridad.
RASGUEAR tr. Tocar la guitarra u otro instrumento rozando varias cuerdas a la vez con las puntas de los dedos.
RASGUÑO m. Pequeña herida hecha con las uñas o con instrumento cortante.
RASO, SA adj. y s. Plano, liso, sin estorbos. // adj. Que no tiene ningún título. // Díc. de la atmósfera cuando está sin nubes y sin nieblas. // Que pasa o se mueve a poca altura del suelo. // m. Tela de seda lustrosa.
RASPADURA f. Acción y efecto de raspar. // Lo que raspando se quita de la superficie.
RASPAR tr. Raer ligeramente. // Picar el vino u otro licor al paladar. // Hurtar. // Pasar rozando.
RASTRA f. Rastro de coger hierba, paja, etc. // Cualquier cosa que va colgando y arrastrando.
RASTREAR tr. Seguir el rastro o buscar alguna cosa por él. // fig. Inquirir, indagar. // intr. Hacer alguna labor con el rastro.
RASTREO m. Acción de rastrear.
RASTRERO, RA adj. Que va arrastrando. // fig. Bajo, vil.
RASTRILLAR tr. Recoger con el rastro la parva en las eras o la hierba segada en los prados. // Pasar la rastra por los sembrados.
RASTRILLO m. Rastro para recoger hierba y herramienta para extender piedra.
RASTRO m. Instrumento compuesto de un mango largo, cruzado en uno de sus extremos por un travesaño armado de púas. // Vestigio, señal o indicio que deja una cosa.
RASTROJO m. Residuo que queda en la tierra después de segar. // El campo después de segada la mies.
RASURA f. Acción y efecto de rasurar. // Acción y efecto de raer.
RASURAR tr. y r. Afeitar.
RATA f. *Zool.* Mamífero roedor múrido, con cola larga y orejas grandes y desnudas. Muy prolífica, es transmisora de enfermedades.
RATAFÍA f. Licor muy aromatizado hecho con zumo de frutas, azúcar y alcohol.
RATERO, RA adj. y s. Díc. del ladrón que hurta con maña y cautela cosas de poco valor.
RATICIDA m. Sustancia que se emplea para exterminar ratas y ratones.
RATIFICAR tr. y r. Aprobar o confirmar actos, palabras o escritos dándolos por valederos y ciertos.
RATO m. Espacio de tiempo, y esp. cuando es corto.
RATÓN m *Zool.*. Mamífero roedor, muy fecundo y ágil. Vive en las casas, donde causa daño por lo que come, roe y destruye.
RAUDAL m. Copia de agua que corre arrebatada-

mente. // fig. Abundancia de cosas.
RAUDO, DA adj. Rápido, violento, precipitado.
RAYA f. Señal larga y estrecha que se hace en una superficie. //Término, confín, límite. // *Ortogr.* Guión algo más largo que el ordinario y para usos diferentes.
RAYA f. *Zool.* Pez marino de cuerpo aplastado y romboidal y cola larga y delgada.
RAYANO, NA adj. Que confina o linda con una cosa. // fig. Cercano, semejante.
RAYAR tr. Hacer rayas. //Subrayar.// intr. Confirmar una cosa con otra. // Con las voces *alba*, *día*, *luz*, *sol*, *amanecer*, *alborear*. // Asemejarse una cosa a otra.
RAYO m. Línea que señala la dirección en que se transmite la energía. // Línea de luz procedente de un cuerpo luminoso. // *Meteor.* Chispa eléctrica de gran intensidad producida por descarga eléctrica entre dos nubes, o entre nube y tierra.
RAYÓN m. Seda artificial.
RAZA f. Casta o calidad del origen o linaje. Cada uno de los grupos en que subdividen algunas especies botánicas y zoológicas. // Calidad de algunas cosas, esp. la que contraen su formación. (VER LÁMINA P.418).
RAZÓN f. Facultad de discurrir. // Acto de discurrir. // Palabras o frases con que se expresa el discurso. // Argumento o demostración que se aduce en apoyo de una cosa. // Motivo o causa. // fam. Recado, información, mensaje. // *Mat.* Cociente entre dos cantidades.
RAZONABLE adj. Arreglado, conforme a razón. // fig. Mediano, regular.
RAZONAMIENTO m. Acción y efecto de razonar. // Serie de conceptos encaminados a demostrar algo.
RAZONAR intr. Valerse de la razón para conocer algo o juzgar.// Hablar, de cualquier modo que sea. // tr. Tratándose de dictámenes, cuentas,etc., apoyarlos con pruebas o documentos.
RE Prep. insep. que denota repetición, negación o inversión del significado simple, etc.
RE m. *Mús.* Segunda nota de la escala.
REACCIÓN f. Acción que resiste o se opone a otra acción. // *Quím.* Acción recíproca entre dos o más cuerpos que originan otro u otros distintos de los primitivos.
REACCIONAR intr. Producirse una reacción en una persona o colectividad.
REACCIONARIO, RIA adj. y s. Que propende a restablecer lo abolido. // adj. Opuesto a las innovaciones.
REACIO, CIA adj. Inobediente, remolón, renuente.
REACTIVAR tr. Volver a activar.
REACTIVO, VA adj. y s. m. Díc. de lo que produce reacción.
REACTOR m. Propulsor a reacción.
REAL adj. Que tiene existencia verdadera y efectiva.
REAL adj. Perten. o rel. al rey o la realeza. // fig. Regio, grandioso. // Ant. moneda española de plata.

REALCE m. Adorno o labor que sobresale en la superficiede una cosa.
REALEZA f. Dignidad o soberanía real.
REALIDAD f. Existencia real y efectiva de una cosa. // Verdad, ingenuidad, sinceridad.
REALISMO m. Doctrina u opinión favorable a la monarquía. // Tendencia estética que intenta expresar la realidad en la forma más concreta posible. // *Fil.* Doctrina opuesta al idealismo.
REALIZAR tr. y r. Efectuar, hacer real y efectiva una cosa.
REALZAR tr. y r. Elevar una cosa más de lo que estaba. // Labrar de realce. // fig. Ilustrar o engrandecer.
REANIMAR tr. y r. Confortar, restablecer las fuerzas. // fig. Infundir ánimo y valor.
REATA f. Hilera de caballerías; cuerda o correa que las ata.
REBAJAR tr. Hacer más bajo el nivel de un terreno u otro objeto. // tr. y r. fig. Humillar, abatir.
REBANADA f. Porción delgada y ancha que se saca de una cosa.
REBANAR tr. Hacer rebanadas. // Cortar una cosa de una parte a otra.
REBAÑAR tr. Recoger alguna cosa sin dejar nada.
REBAÑO m. Hato grande de ganado.
REBASAR tr. Pasar o exceder de cierto límite.
REBATIBLE tr. Que se puede rebatir o refutar.
REBATIR tr. Rechazar o contrarrestar la fuerza o violencia de uno. // Redoblar, reforzar. //Impugnar, refutar.
REBATO m. Alarma.
REBELARSE r. Levantarse faltando la obediencia a un superior o autoridad. // fig. Oponer resistencia.
REBELDE adj. y s. Que se rebela o subleva. // adj. Indócil, desobediente. // Que se resiste con obstinación.
REBELDÍA f. Calidad de rebelde. // Acción propia del rebelde.
REBELIÓN f.Acción y efecto de rebelarse.
REBLANDECER tr. y r. Ablandar una cosa o ponerla tierna.
REBORDE m. Faja estrecha y saliente a lo largo del borde de una cosa.
REBOSAR intr. y r. Derramarse un líquido por encima de los bordes de un recipiente en que no cabe. //tr. fig. Abundar con demasía una cosa.
REBOTAR intr. Botar repetidamente un cuerpo elástico. // Cambiar de dirección un cuerpo en movimiento por haber chocado con un obstáculo. // tr. y r. fam. Conturbar, poner fuera de sí a una persona.
REBOTE m. Acción y efecto de rebotar.
REBOZAR tr. y r. Cubrir casi todo el rostro con la capa o manto. // tr. Bañar una vianda en huevo batido, harina, etc.
REBOZO m. Modo de llevar la capa o manto cubriéndose casi todo el rostro. // Mantilla de las

mujeres.
REBUSCAR tr. Buscar con cuidado.
REBUZNAR intr. Dar rebuznos.
REBUZNO m. Voz del asno.
RECABAR tr. Conseguir con instancias lo que se desea.
RECADO m. Mensaje. // Regalo, presente. // Provisión que se lleva a las casas del mercado.
RECAER intr. Volver a caer en algo. // Venir a caer sobre uno beneficios o gravámenes.
RECAÍDA f. Acción y efecto de recaer.
RECALAR tr. y r. Penetrar un líquido por los poros de un cuerpo seco.
RECALCAR tr. Apretar mucho una cosa con otra o sobre otra. // fig. Tratándose de palabras, decirlas con énfasis exagerado.
RECALCITRANTE adj. Terco, reacio, reincidente.
RECALENTAR tr. Volver a calentar. // Calentar demasiado.
RECAMADO m. Bordado de realce.
RECÁMARA f. Cuarto después de la cámara. // En las armas de fuego, lugar del ánima del cañón en el cual se coloca el cartucho.
RECAMBIAR tr. Hacer segundo cambio o trueque.
RECAMBIO m. Repuesto de piezas de una máquina.
RECAPACITAR tr. e intr. Reflexionar.
RECAPITULAR tr. Recordar sumaria y ordenadamente lo manifestado con extensión.
RECARGO m. Nueva carga o aumento de carga. // Nuevo cargo que se hace a uno.
RECATADO, DA adj. Circunspecto, cauto. // Honesto, modesto.
RECATAR tr. y r. Encubrir u ocultar.
RECATO m. Cautela, reserva. // Honestidad, modestia.
RECAUDAR tr. Cobrar o percibir caudales o efectos. // Poner o tener en custodia.
RECAUDO m. Acción de recaudar. // Preocupación, cuidado.
RECELAR tr. y r. Temer, desconfiar y sospechar.
RECELO m. Acción y efecto de recelar.
RECENSIÓN f. Noticia o reseña de una obra literaria o científica.
RECEPCIÓN f. Acción y efecto de recibir. // Admisión de un empleo, oficio o sociedad. // Acto solemne en el que desfilan ante cualquier autoridad los representantes de cuerpos o clases.
RECEPTÁCULO m. Cavidad en que se contiene o puede contenerse cualquier sustancia.
RECEPTIVIDAD f. Capacidad de recibir.
RECEPTOR, RA adj. y s. Que recibe. // Díc. del aparato que sirve para recibir señales eléctricas, telegráficas o telefónicas.
RECESO m. Suspensión, cesación, vacación.
RECETA R. Prescripción facultativa. // fig. Nota que comprende aquello de que debe componerse una cosa, y el modo de hacerla.

RECETAR tr. Prescribir un medicamento, con expresión de su dosis, preparación y uso.
RECIBIMIENTO m. Recepción. // Acogida que se hace al que viene de fuera.
RECIBIR tr. Tomar uno lo que le dan o envían. // Padecer uno algún daño. // Aceptar, aprobar una cosa. // Admitir visitas una persona. // Salir a encontrarse con uno cuando viene de fuera.
RECIBO m. Acción y efecto de recibir. // Escrito firmado en que se declara haber recibido dinero u otra cosa.
RECIEDUMBRE f. Fuerza o vigor.
RECIÉN adv. t. Recientemente.
RECINTO m. Espacio comprendido dentro de ciertos límites.
RECIO, CIA adj. Fuerte, robusto. // Gordo o abultado. // Áspero, duro de genio.
RECIPIENTE m. Cavidad en que puede contenerse algo.
RECIPROCIDAD f. Correspondencia mutua de una persona o cosa con otra.
RECÍPROCO, CA adj. Igual en la correspondencia de uno a otro.
RECITAL m. *Mús.* Concierto dado por un solo artista. // Apl. también a la lectura de obras poéticas.
RECITAR tr. Referir, contar o decir en voz alta un discurso u oración.
RECLAMAR intr. Clamar contra una cosa. // tr. Clamar o llamar con repetición. // Pedir o exigir con derecho una cosa.
RECLINAR tr. y r. Inclinar el cuerpo o parte de él, apoyándolo sobre alguna cosa. // Inclinar una cosa sobre otra.
RECLUIR tr. y r. Encerrar o poner en reclusión.
RECLUSIÓN f. Encierro o prisión voluntaria o forzada. // Sitio en que uno está recluido.
RECLUTA f. Acción y efecto de reclutar. // m. Mozo alistado para el servicio militar.
RECLUTAR tr. Alistar reclutas. // Por ext., buscar o allegar adeptos.
RECOBRAR tr. Volver a tomar o adquirir lo que antes se tenía o poseía. // r. Repararse de un daño recibido. // Reintegrarse de lo perdido.
RECODO m. Angulo o revuelta que forman las calles, ríos y otras cosas.
RECOGER tr. Volver a coger una cosa. // Juntar o congregar personas o cosas separadas. // Encoger, estrechar o ceñir. // Dar asilo. // tr. Retirarse, acogerse a una parte.
RECOGIDA f. Acción y efecto de recoger.
RECOGIMIENTO m. Acción oy efecto de recoger o recogerse.
RECOLECCIÓN f. Acción y efecto de recolectar. // Recopilación, resumen. // Cosecha de frutos.
RECOLECTAR tr. Recoger.
RECOLETO, TA adj. y s. fig. Díc. del que vive con retiro y abstracción o viste modestamente.

RECOMENDAR tr. Encargar a uno para que tome a su cuidado una persona o negocio. // Hablar en favor de alguien.
RECOMPENSAR tr. Compensar. // Retribuir o remunerar un servico. // Premiar una virtud o mérito.
RECOMPONER tr. Componer de nuevo, reparar.
RECONCILIAR tr. y r. Volver a la concilia los que estaban desunidos.
RECÓNDITO, TA adj. Muy escondido, reservado y oculto.
RECONFORTAR tr. confortar de nuevo o con energía y eficacia.
RECONOCER tr. Examinar con cuidado a una persona o cosa. // En las relaciones internacionales, aceptar un nuevo estado de cosas. // Admitir como cierto. // Confesar que es legítima una obligación. Distinguir de las demás personas a una, por sus rasgos propios. // r. Confesarse culpable de algo.
RECONOCIMIENTO m. Acción y efecto de reconocer o reconocerse. // Gratitud.
RECONQUISTA f. Acción y efecto de reconquistar.
RECONQUISTAR tr. Volver a conquistar; recuperar.
RECONSTITUIR tr. y r. Volver a constituir, rehacer. // Med. Dar o devolver al organismo sus condiciones normales.
RECONSTRUCCIÓN m. Acción y efecto de reconstruir.
RECONSTRUIR tr. Volver a construir. // Unir en la memoria todas las circunstancias de un hecho.
RECONVENCIÓN f. Acción de reconvenir. // Cargo o argumento con que se reconviene.
RECONVENIR tr. Reprender a uno, arguyéndole ordinariamente con su propio hecho o palabra.
RECOPILACIÓN f. Compendio, resumen breve de una obra o un discurso. // Colección de escritos.
RECOPILAR tr. Juntar en compendio. Díc. esp. de escritos literarios.
RÉCORD m. Plusmarca.
RECORDAR tr. e intr. Traer a la memoria algo. // Mover a uno a que tenga presente una cosa de que se hizo cargo.
RECORDATORIO m. Aviso, comunicación u otro medio para hacer recordar algo.
RECORRER tr. Con nombre que expresa espacio o lugar, ir o transitar por él. // Leer ligeramente un escrito.
RECORRIDO m. Espacio que recorre o ha de recorrer una persona o cosa.
RECORTAR tr. Cortar o cercenar lo que sobra de una cosa. // Cortar con arte el papel u otro material.
RECORTE m. Acción y efecto de recortar. // pl. Residuos.
RECOSTAR tr. y r. Reclinar.
RECOVECO m. Vuelta y revuelta de un callejón, arroyo, etc. // fig. Fingimiento para conseguir un fin.
RECREACIÓN f. Acción y efecto de recrear o recrearse. // Diversión para alivio del trabajo.

RECREAR tr. Crear o producir de nuevo alguna cosa. // tr. y r. Divertir, alegrar.
RECREO m. Recreación. // Sitio apto para diversión.
RECRIMINAR tr. Responder a cargos o acusaciones con otros u otras.
RECRUDECER intr. y r. Agravarse un mal físico o moral, después de haber empezado a remitir o ceder.
RECTAL adj. Perten. o rel. al intestino recto.
RECTÁNGULO m. *Geom.* Paralelogramo cuyos cuatro ángulos son rectos y sus lados contiguos desiguales.
RECTIFICAR tr. Corregir una cosa para que sea más exacta. // r. Enmendar uno sus actos o su proceder.
RECTILÍNEO, A adj. Que se compone de líneas rectas.
RECTITUD f. Calidad de recto o justo.
RECTO, TA adj. Que no se inclina a un lado ni a otro. // fig. Justo, severo en sus resoluciones.
RECTO m. *Anat.* Ultima porción del intestino grueso, que empieza en el colon y termina en el ano.
RECTOR, RA adj. y s. Que rige o gobierna. // m. Pàrroco.
RECTORADO m. Oficio, cargo y oficina del rector. // Tiempo que ejerce.
RECUA f. Conjunto de animales de carga. // fig. y fam. Muchedumbre de cosas que van o siguen una detrás de otras.
RECUADRO m. Compartimiento o división en forma de cuadro.
RECUBRIR tr. Volver a cubrir. // Retejar.
RECUENTO m. Segunda cuenta que se hace de una cosa.
RECUERDO m. Memoria que se hace de una cosa pasada. // fig. Cosa que se regala en testimonio de buen afecto.
RECULAR intr. Cejar o retroceder. recuperar tr. Volver a tomar o adquirir lo que antes se tenía. // r. Volver en si.
RECURRENTE adj. Que recurre.
RECURRIR intr. Acudir a un juez o autoridad con una demanda o petición. // Acogerse en caso de necesidad al favor de uno.
RECURSO m. Acción y efecto de recurrir. // Retorno de una cosa al lugar de donde salió. // Memorial, petición por escrito. // pl. Bienes, medios de subsistencia.
RECUSAR tr. No querer admitir o aceptar una cosa.
RECHAZAR tr. Resistir un cuerpo a otro, forzándole a retroceder. // fig. Resistir al enemigo, obligándole a ceder.
RECHAZO m. Vuelta que hace un cuerpo por encontrarse con alguna resistencia.
RECHINAR intr. Producir una cosa un sonido desapacible, por ludir con otra.
RECHISTAR intr. Iniciar una voz, chistar.
RECHONCHO, CHA adj. fam. Díc. de la persona o animal gruesos y de poca altura.

RED f. Aparejo hecho con hilos, cuerdas, alambres, etc., trabados en forma de mallas. // Redecilla para el pelo. // fig. Ardid para atraer a otro. // Conjunto sistemático de caños o de hilos conductores, o de vías de comunicación, etcétera.

REDACCIÓN f. Acción y efecto de redactar. // Lugar u oficina donde se redacta. // Conjunto de redactores de un periódico.

REDACTAR tr. Poner por escrito cosas sucedidas, acordadas o pensadas con anterioridad.

REDACTOR, RA adj. y s. Que redacta. // Que forma parte de una redacción.

REDADA f. Lance de red. // fig. y fam. Conjunto de personas o cosas que se cogen de una vez.

REDENCIÓN f. Acción y efecto de redimir o redimirse.

REDENTOR, RA adj. y s. Que redime. // m. Por antonom., Cristo.

REDIL m. Aprisco circuido con un vallado o con redes.

REDIMIR tr. y r. Rescatar de esclavitud al cautivo mediante precio. // Dejar libre una cosa hipotecada. // tr. y r. Librar de una obligación, o extinguirla.

RÉDITO m. Beneficio o renta que produce el dinero.

REDIVIVO, VA adj. Aparecido, resucitado.

REDOBLAR tr. y r. Aumentar una cosa otro tanto o el doble de lo que antes era. // Repetir, reiterar. // intr. Tocar redobles en el tambor.

REDOBLE m. Acción y efecto de redoblar. // Toque vivo y sostenido del tambor.

REDOMA f. Vasija de vidrio ancha en su fondo que va angostándose hacia la boca.

REDOMADO, DA adj. Cauteloso y astuto.

REDONDA f. *Mús.* Nota considerada como la unidad básica.

REDONDEAR tr. y r. Poner redonda una cosa. // Hablando de cantidades, prescindir de fracciones.

REDONDEL m. fam. Círculo.

REDONDEZ f. Calidad de redondo.

REDONDILLA f. Combinación métrica de cuatro versos octosílabos.

REDONDO, DA adj. De figura circular o semejante a ella. // De figura esférica o semejante a ella.

REDUCCIÓN f. Acción y efecto de reducir o reducirse.

REDUCIR tr. Volver una cosa al lugar o al estado que tenía. // Disminuir o minorar. // Mudar una cosa en otra. // Cambiar el estado de un cuerpo. // Sujetar a la obediencia a los que se habían separado de ella.

REDUCTO m. *Mil.* Obra de campaña, cerrada, más pequeña que el fuerte.

REDUNDANCIA f. Demasiada abundancia. // Repetición inútil de un concepto.

REDUPLICAR tr. Aumentar una cosa al doble de lo que antes era.

REEMBOLSAR tr. y r. Volver una cantidad a poder del que la había desembolsado.

REEMBOLSO m. Acción y efecto de reembolsar o reembolsarse.

REEMPLAZAR tr. Sustituir una cosa por otra. // Suceder a uno.

REENCARNAR intr. y r. Volver a encarnar.

REFACCIÓN f. Alimento moderado pra reparar las fuerzas.

REFECCIÓN f. Refacción. // Compostura.

REFECTORIO m. Habitación destinada en las comunidades y colegios a comedor.

REFERENCIA f. Narración de una cosa. // Relación o semejanza de una cosa con otra. // Remisión de un escrito a otro. // Informe.

REFERÉNDUM m. Consulta que se hace al pueblo sobre los asuntos de interés general.

REFERIR tr. Relatar. // tr. y r. Dirigir, encaminar una cosa a cierto fin. // Aludir.

REFINAMIENTO m. Esmero, cuidado. // Crueldad refinada.

REFINAR tr. Hacer más fina o más pura una cosa.

REFINERÍA f. Fábrica donde se refina un producto no terminado.

REFLECTAR intr. *Fís.* Reflejar la luz, el calor, etc.

REFLEJAR intr. y r. Hacer retroceder o cambiar de dirección la luz, el calor, el sonido, etc., oponiéndoles una superficie lisa. // tr. Manifestar. // r. fig. Dejarse ver una cosa en otra.

REFLEJO, JA adj. Que ha sido reflejado. // m. Luz reflejada. // *Psicol.* Respuesta motora automática ante un estímulo sensorial.

REFLEXIÓN f. Acción y efecto de reflejar o reflejarse. // fig. Acción y efecto de reflexionar.

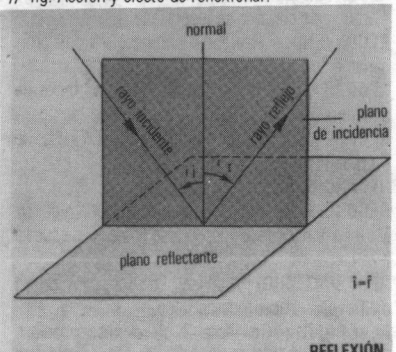

REFLEXIÓN

REFLEXIONAR intr. y r. Considerar nueva o determinada una cosa.

REFLEXIVO, VA adj. Que refleja o reflecta. // Acostumbrado a hablar y a obrar con reflexión.

REFLUIR intr. Volver hacia atrás o hacer retroceso un líquido.

REFLUJO m. Movimiento de descenso de la marea.

REFORMA f. Acción y efecto de reformar o reformarse.

REFORMATORIO m. Establecimiento en donde, por medios educativos severos, se trata de modificar la conducta antisocial de algunos jóvenes.

REFORZAR tr. Hacer más fuerte una cosa. // Fortalecer o reparar lo que padece ruina o detrimento. // tr. I y r. Animar, alentar.

REFRACCIÓN f. Acción y efecto de refractar o refractarse.

REFRACTAR tr. *Fís.* Hacer que cambie de dirección un haz de luz haciéndolo pasar oblicuamente de un medio a otro de diferente densidad.

REFRACTARIO, RIA adj. Apl. a la persona que rehúsa cumplir una obligación. // Quím. Apl. al cuerpo que resiste la acción del fuego sin cambiar de estado ni descomponerse.

REFRÁN m. Dicho agudo y sentencioso del uso común.

REFRANERO m. Colección de refranes.

REFREGAR tr. y r. Frotar una cosa con otra.

REFRENAR tr. Sujetar al caballo con el freno. // tr. y r. Contener, reprimir.

REFRENDAR tr. Autorizar un despacho u otro documento por medio de la firma de persona hábil para ello.

REFRENDO m. Acción y efecto de refrendar.

REFRESCAR tr. y r. Rebajar el calor de una cosa. // tr. fig. Renovar una acción. // intr. fig. Tomar fuerzas o aliento. // Moderarse el calor del aire.

REFRESCO m. Bebida fría o del tiempo.

REFRIEGA f. Reencuentro o combate parcial.

REFRIGERAR tr. y r. Disminuir el calor. // tr. y r. fig. Reparar las fuerzas con un refrigerio.

REFRIGERIO m. Beneficio o alivio. // fig. Corto alimento que se toma para reparar las fuerzas.

REFRINGENCIA f. Opt. Calidad de refringente.

REFRINGENTE adj. Que refleja la luz.

REFUERZO m. Mayor grueso que se da a una cosa para hacerla más resistente. // Socorro o ayuda.

REFUGIAR tr. y r. Acoger o amparar a uno, sirviéndole de resguardo y asilo.

REFUGIO m. Asilo, amparo. // Lugar adecuado para refugiarse.

REFULGENCIA f. Resplandor que emite el cuerpo resplandeciente.

REFULGENTE adj. Que emite resplandor.

REFULGIR intr. Resplandecer, emitir fulgor.

REFUNFUÑAR intr. Dar muestras de desagrado, protestando entre dientes.

REFUTAR tr Contradecir, rebatir con razones lo que otros dicen.

REGADÍO, A adj. y s. m. Apl. al terreno que se puede regar. // m. Terreno dedicado a cultivos que se fertilizan con riego.

REGALAR tr. Dar a uno graciosamente una cosa. // tr. y r. Recrear o deleitar.

REGALIZ m. *Bot.* Planta de raíz medicinal.

REGALO m. Dádiva que se hace voluntariamente o por costumbre. // Gusto o complacencia que se recibe.

REGAÑAR intr. fam. Contener, reñir. // tr. fam. Reprender.

REGAÑIÑA f. Reprimenda.

REGAR tr. Esparcir agua sobre una superficie. // fig. Esparcir, desparramar una cosa.

REGATA f. Reguera pequeña en las huertas y jardines. // Carrera que se disputa entre embarcaciones.

REGATE m. Movimiento pronto y rápido que se hace hurtando el cuerpo a una parte u otra.

REGATEAR tr. Debatir el comprador y el vendedor el precio de una cosa puesta en venta.

REGATEO m. Acción y efecto de regatear.

REGAZO m. Enfaldo que se forma entre las rodillas y la cintura de una persona sentada.

REGENCIA f. Acción de regir o gobernar. // Gobierno de un Estado durante la menor edad, ausencia o incapacidad de su rey.

REGENERAR tr. y r. Dar nuevo ser a una cosa que degeneró; restablecerla o mejorarla.

REGENTAR tr. Desempeñar temporalmente ciertos cargos o empleos.

REGENTE adj. Que rige o gobierna. // com. Persona que gobierna un Estado en la menor edad de un príncipe o por otro motivo. // m. En las imprentas, boticas, etc., el que sin ser dueño actúa como tal.

REGICIDA adj. y s. Matador de un rey o reina.

REGICIDO m. Acto o crimen del regicida.

REGIDOR, RA adj. Que rige o gobierna.

RÉGIMEN m. Modo de gobernarse o regirse una cosa. // Constituciones, reglamentos o prácticas de un gobierno. // Gram. Dependencia que existe entre los vocablos que integran una oración.

REGIMIENTO m. Acción y efecto de regir o regirse. // *Mil.* Unidad orgánica de una misma arma militar y cuyo jefe es un coronel.

REGIO, GIA adj. Real, perten. o rel. al rey. // fig. Suntuoso.

REGIÓN f. Porción de territorio determinada por caracteres étnicos o circunstancias especiales. // fig. Todo espacio que se imagina ser de mucha capacidad.

REGIONAL adj. Perten. o rel. a la región.

REGIONALISMO m. Doctrina política que propugna el gobierno autónomo de las regiones.

REGIR tr. Dirigir, gobernar. // Guiar, conoducir una cosa. // intr. Estar vigente.

REGISTRAR tr. Mirar, examinar una cosa con cuidado. // Anotar, señalar. // Inscribir mecánicamente en un disco, cienta, etc., las diferentes fases de un fenómeno.

REGISTRO m. Acción de registrar. // Libro donde se apuntan noticias, datos.

REGLA f. Listón largo y delgado, que sirve esp. para trazar líneas rectas. // Ley por que se gobierna una comunidad religiosa. // Estatuto, constitución. // Orden y concierto invariable que guardan las cosas naturales.

REGLAMENTAR tr. Sujetar a reglamento un instituto o materia determinada.

REGLAMENTO m. Colección de reglas para el

régimen de una corporación, dependencia, etc.
REGLAR tr. Tirar o hacer líneas o rayas derechas, con una regla. // Sujetar a reglas una cosa.
REGOCIJAR tr. Alegrar, festejar. // r. Recrearse, sentir júbilo.
REGOCIJO m. Júbilo. // Acto cono que se manifieste la alegría.
REGODEARSE r. fam. Complacerse en lo que gusta, deteniéndose en ello.
REGOLFAR intr. y r. Retroceder el agua contra su corriente, haciendo un remanso.
REGRESAR intr. Volver al lugar de donde se partió.
REGRESIÓN f. Acción de volver atrás.
REGRESO m. Acción de regresar.
REGUERA f. Reguero.
REGUERO m. Corriente que se hace de una cosa líquida. // Señal continuada que queda de una cosa que se va vertiendo.
REGULAR adj. Ajustado y conforme a regla. // Moderado en las acciones u modo de vivir. // Mediano. // Apl. a las personas que viven bajo una regla religiosa.
REGULAR tr. Medir, ajustar o concertar una cosa según ciertas reglas.
REGULARIDAD f. Calidad de regular.
REGULARIZAR tr. Reglar, poner en orden una cosa.
RÉGULO m. Dominante o señor de un Estado pequeño.
REGURGITAR intr. Expeler por la boca, sin esfuerzo, sustancias contenidas en el esófago o en el estómago.
REHABILITAR tr. y r. Restablecer una persona o cosa a su antiguo estado.
REHACER tr. Volver a hacer lo que se había deshecho. // Reformar. // tr. y r. Reponer, reparar. // r. Reforzarse. // fig. Dominar una emoción.
REHÉN m. Persona que como prenda queda en poder del enemigo, mientras está pendiente un ajuste o tratado.
REHOGAR tr. Sazonar una vianda a fuego lento, sin agua y muy tapada.
REHUIR tr., intr. y r. Eludir, evitar, esquivar. // tr. Rehusar.
REHUNDIR tr. Sumergir a lo más hondo. // Ahondar.
REHUSAR tr. Excusar, no querer o no aceptar una cosa.
REINA f. Esposa del rey. // La que ejerce la potestad real por derecho propio. // Pieza del juego del ajedrez.
REINADO m. Espacio de tiempo en que gobierna un rey o reina.
REINAR intr. Regir un rey o principe un Estado. // Dominar una persona o cosa sobre otra.
REINCIDENCIA f. Reiteración de una misma culpa o defecto.
REINCIDIR intr. Volver a caer oincurrir en un error o delito.
REINO m. Territorio o Estado con sus habitantes sujetos a un rey. // fig. Espacio real o imaginario en que actúa algo material o inmaterial.
REINTEGRAR tr. Restituir. // Restablecer la integridad de una cosa. // r. Recobrarse enteramene de lo que se había perdido.
REINTEGRO m. Pago. // En la lotería, premio igual a la cantidad jugada.
REIR intr. y r. Manifestar alegría y regocijo. // fig. Hacer burla. // tr. Celebrar con risa algo.
REITERAR tr. y r. Volver a decir o ejecutar; repetir una cosa.
REIVINDICAR tr. Reclamar, exigir uno aquello a que tiene derecho.
REJA f. Red formada de barras de hierro, que se pone en las ventanas y otras aberturas de los muros.
REJALGAR m. Mineral de color rojo, muy venenoso, compuesto de arsénico y azufre.
REJÓN m. Asta de madera que sirve para rejonear.
REJONEAR tr. En el toreo a caballo, herir con el rejón al toro.
REJUVENECER tr., intr. y r. Remozar, dar a uno fortaleza y vigor, que suele tener en la juventud.
RELACIÓN f. Referencia que se hace de un hecho. // Finalidad de una cosa. // Conexión, correspondencia de una cosa con otra.
RELACIONAR tr. Hacer relación de un hecho. // tr. y r. Poner en relación personas o cosas.
RELAJACIÓN f. Acción y efecto de relajar o relajarse. // Hernia.
RELAJAMIENTO m. Relajación.
RELAJAR tr. y r. Aflojar, laxar, ablandar. // fig. Esparcir o divertir el ánimo con algún descanso. // Hacer menos severa la observación de las leyes, reglas, etc.
RELÁMPAGO m. Resplandor producido en las nubes por una descarga elèctrica. // fig. Cualquier fuego repentino. // Cualquier cosa muy veloz y fugaz.
RELAMPAGUEAR intr. Haber relámpagos.
RELATAR tr. Referir. // Hacer la relación de un proceso o pleito.
RELATIVIDAD f. Calidad de relativo.
RELATIVISMO m. Fil. Doctrina según la cual el conocimiento humano no puede llegar nunca a lo absoluto.
RELATIVO, VA adj. Que hace relación a una persona o cosa.
RELATO m. Conocimiento que se da de un hecho. // Narración, cuento.
RELEGAR tr. Desterrar. // fig. Apartar, posponer.
RELENTE m. Humedad que en noches serenas se nota en la atmósfera.
RELEVAR tr. Hacer de relieve una cosa. // Eximir o liberar de una carga. // Subsistir a una persona con otra en cualquier empleo o comisión.
RELEVO m. Mil. Acción de relevar o cambiar de guardia. // Soldado o cuerpo que releva.
RELIEVE m. Labor o figura que resalta sobre el plano. // fig. Mérito, renombre.

RELIGIÓN f. Conjunto de creencias acerca de la divinidad. // Profesión y observancia de la doctrina religiosa. // Orden, instituto religioso.
RELIGIOSO, SA adj. Perten. o rel. a la religión o a los que la profesan. // adj. y s. Que ha tomado hábito en una orden religiosa regular.
RELINCHAR intr. Emitir con fuerza su voz el caballo.
RELINCHO m. Voz del caballo.
RELIQUIA f. Parte del cuerpo de un santo, o lo que por haberle tocado es digno de veneración. // fig. Vestigio de cosas pasadas.
RELOJ m. Aparato que sirve para medir el tiempo.
RELOJERO, RA m. y f. Persona que hace, compone o vende relojes.
RELUCIENTE adj. Que reluce.
RELUCIR intr. Despedir o reflejar luz. // fig. Resplandecer uno en alguna cualidad.
RELUMBRAR intr. Dar una cosa viva luz o alumbrar con exceso.
RELUMBRE m. Brillo, destello.
RELLANO m. Porción horizontal en que termina cada tramo de escalera.
RELLENAR tr. y r. Volver a llenar una cosa. // Llenar enteramente.
RELLENO, NA adj. Muy lleno. // m. Acción y efecto de rellenar o rellenarse.
REMACHAR tr. Machacar la punta o la cabeza del clavo ya clavado. // fig. Recalcar, afianzar lo dicho o hecho.
REMACHE m. Acción y efecto de remachar.
REMANENTE m. Residuo de una cosa.
REMANGAR tr. y r. Recoger hacia arriba las mangas o la ropa.
REMANSO m. Detención de la corriente del agua u otro líquido. // fig. Lentitud.
REMAR intr. Trabajar con el remo para impeler la embarcación en el agua.
REMATAR tr. Dar fin o remate a una cosa. // Poner fin a la vida de la persona o del animal que está en trance de muerte.
REMEDAR tr. Imitar.
REMEDIAR tr. y r. Poner remedio al daño. // Corrgir, enmendar. // Socorrer una necesidad.
REMEDIO m. Medio que se toma pra reparar un daño. // Enmienda o corrección. // Ayuda.
REMEDO m. Imitación de una cosa.
REMEMORAR tr. Recordar.
REMENDAR tr. Reforzar con remiendo. // Corregir, enmendar.
REMERA f. *Zool.* Cada una de las plumas con que terminan las alas de las aves.
REMESA f. Envío que se hace de una cosa. // La cosa enviada en cada vez.
REMIENDO m. Pedazo de paño u otra tela, que se cose a lo que está viejo o roto.
REMILGO m. Pulidez o delicadeza exagerada o afectada.

REMINISCENCIA f. Acción de ofrecerse a la memoria la especie de una cosa que pasó.
REMISIBLE adj. que se puede remitir o perdonar.
REMISIÓN f. Acción y efecto de remitir o remitirse. // Indicación, en un escrito, del lugar a que se remite el lector. // Perdón de una deuda.
REMISO, SA adj. Flojo, irresoluto. // Apl. a las calidades físicas que tienen escasa actividad.
REMITE m. Escrito que se pone en cartas, paquetes, etc., en que consta las señas del que los envía.
REMITIR tr. Enviar. // Perdonar. // tr., intr. y r. Ceder o perder una cosa parte de su intensidad.
REMO m. Instrumento de forma de pala larga y estrecha, que sirve para mover las embarcaciones haciendo fuerza en el agua.
REMOJAR tr. Empapar en agua una cosa.
REMOJO m. Acción de remojar.
REMOLACHA f. Bot. Planta herbácea con raíz grande, carnosa, fusiforme, que es comestible y de la cual se extrae el azúcar.
REMOLCAR tr. Llevar una cosa sobre el agua, tirando de ella por medio de un cabo. // Por anal., llevar por tierra un carruaje a otro.
REMOLINO m. Movimiento giratorio y rápido del aire, el agua, el polvo, el humo, etc.
REMOLQUE m. Acción y efecto de remolcar. //Cosa que se lleva remolcada.
REMONTAR tr. y r. fig. Elevar, sublimar. // r. Volar muy alto las aves. // fig. Subir hasta el origen de una cosa.
RÉMORA f. fig. Cualquier cosa que origina dificultades o estorba.
REMORDER tr. fig. Inquietar interiormente una cosa.
REMORDIMIENTO m. Pesar interno que queda después de ejecutada una mala acción.
REMOTO, TA adj. Distante o apartado. // fig. Poco probable.
REMOVER tr. y r. Mudar una cosa de un lugar a otro. // Conmover, alterar una cosa o asunto.
REMOZAR tr. y r. Dar o comunicar cierta especie de lozanía propias de la mocedad.
REMUNERAR tr.Recompensar, premiar, galardonar.
RENACER intr. Volver a nacer; resucitar.
RENACIMIENTO m. Acción de renacer. // Epoca que comienza a mediados del s. XV, caracterizada por el influjo de la Antigüedad clásica griega y latina.
RENACUAJO m. *Zool.* Larva de la rana, mientras posee cola y respira por branquias.
RENAL adj. Peten. o rel. a los riñones.
RENANO, NA adj. Díc. de los territorios sit. a orillas del Rin.
RENCILLA f. Cuestión o riña de que queda algún encono.
RENCO, CA adj. y s. Cojo por lesión de las caderas.
RENCOR m. Resentimiento arraigado y tenaz.
RENDICIÓN f. Acción y efecto de rendir o rendirse.
RENDIJA f. Hendedura, raja larga y angosta.

RENDIMIENTO m. Rendición, fatiga, cansancio // Sumisión. // Producto o utilidad que rinde o da una cosa.
RENDIR tr. Vencer, obligar a las tropas o plazas enemigas, etc., a que se entreguen. // Dar fruto o utilidad una cosa. // tr. y r. Someter una cosa al dominio de uno. // Cansar, fatigar.
RENEGAR tr. Negar con instancia una cosa. // Detestar, abominar. // intr. Pasarse de una religión o culto a otro. // Blasfemar. // fig. y fam. Decir injurias.
RENGLERA f. Ringlera.
RENGLÓN m. Serie de palabras o caracteres escritos o impresos en línea recta.
RENIEGO m. Blasfemia.
RENO m. Zool. Mamífero rumiante de la fam. cérvidos, con cornamenta muy ramificada.
RENOMBRE m. Apellido. // Epíteto de gloria. // Fama y celebridad.
RENOVAR tr. y r. Hacer como de nuevo una cosa. // Reanudar una relación u otra cosa que se había interrumpido.
RENQUEAR intr. Andar como renco.
RENTA f. Beneficio que rinde anualmente una cosa. // Lo que paga un arrendatario. // Deuda del Estado o títulos que la representan.
RENTABILIDAD f. Calidad de rentable.
RENTABLE adj. Que produce renta suficiente o remuneradora.
RENTAR tr. Producir renta.
RENUENTE adj. Indócil, remiso.
RENUEVO m. Vástago que echa el árbol después de podado o cortado. // Acción y efecto de renovar o renovarse.
RENUNCIA f. Acción de renunciar.
RENUNCIAR tr. Hacer dejación voluntaria de una cosa que se tiene. // No querer admitir o aceptar una cosa. // Despreciar o abandonar.
REÑIR intr. Contender o disputar. // Batallar. // Enemistarse. // tr. Reprender o corregir a uno con algún rigor o amenaza.
REO, A com. Persona que por haber cometido culpa merece castigo.
REOSTATO m. Aparato para regular la intensidad de la corriente eléctrica.
REPANTIGARSE r. Arrellenarse en el asiento para mayor comodidad.
REPARAR tr. Componer o enmendar el menoscabo que ha padecido una cosa. // Notar, advertir una cosa. // Atender, reflexionar. // Enmendar, remediar. // Desagraviar. // r. Contenerse.
REPARO m. Restauración o remedio. // Advertencia, observación. // Duda, dificultad.
REPARTICIÓN f. Acción de repartir.
REPARTIMIENTO m. Reparto.
REPARTIR tr. y r. Distribuir entre varios. // Cargar una contribución o gravamen por partes.
REPARTO m. Acción y efecto de repartir.

REPASAR tr. e intr. Volver a pasar por un mismo sitio o lugar. // tr. Volver a mirar o examinar una cosa. // Volver a la lección. // Recoser.
REPASO m. Acción y efecto de repasar.
REPATRIAR tr., intr. y r. Hacer que uno regrese a su patria.
REPECHO m. Cuesta bastante pendiente y no larga.
REPELENTE adj. Que repele. // Repulsivo.
REPELER tr. Lanzar o echar de sí una cosa con impulso o violencia. // Rechazar, contradecir una idea. // Causar aversión.
REPELO m. Lo que no va al pelo.
REPENTE m. fam. Movimiento súbito o no previsto de personas o animales.
REPENTINO, NA adj. Pronto, impensado, no prevenido.
REPERCUSIÓN f. Acción y efecto de repercutir.
REPERCUTIR intr. Retroceder o rebotar en un cuerpo al chocar con otro. // fig. Trascender, causar efecto una cosa en otra.
REPERTORIO m. Recopilación de obras o de noticias de una misma clase.
REPETIR tr. Volver a hacer lo que se había hecho, o decir lo que se había dicho.
REPICAR tr. Picar una cosa; reducirla a partes muy menudas. // Tañer o sonar las campanas. // r. Presumir de una cosa.
REPIQUE m. Acción y efecto de repicar o repicarse.
REPIQUETEAR tr. Repicar con mucha viveza las campanas u otro instrumento sonoro.
REPISA f. Ménsula que tiene más longitud que vuelo.
REPLANTEAR tr. Trazar en el terreno la planta de una obra ya estudiada y proyectada.
REPLEGAR tr. Plegar o doblar muchas veces. // tr. y r. Retirarse las tropas avanzadas.
REPLETO, TA adj. Muy lleno.
RÉPLICA f. Acción de replicar. // Expresión, argumento con que se replica. // Copia de una obra artística.
REPLICAR intr. Contestar a una respuesta. // Poner objeciones.
REPLIEGUE m. Pliegue doble. // Acción de retirarse las tropas en buen orden.
REPOBLAR tr. y r. Volver a poblar.
REPOLLO m. Agr. Variedad de col.
REPONER tr. Volver a poner. // Reemplazar. // Recobrar la salud o la hacienda. // Serenarse.
REPORTAJE m. Trabajo periodístico de carácter informativo.
REPORTAR tr. y r. Refrenar, reprimir una pasión de ánimo al que la tiene. // Lograr, obtener. // Traer o llevar.
REPORTE m. Noticia. // Chisme.
REPORTERO, RA adj. y s. Díc. del que lleva reportes o noticias.
REPOSAR intr. Descansar. // intr. y r. Permanecer en quietud y paz. // Posarse los líquidos.

REPOSICIÓN f. Acción y efecto de reponer o reponerse.
REPOSO m. Alcción y efecto de reposar o reposarse.
REPOSTAR tr. y r. Reponer provisiones, combustible, etc.
REPOSTERÍA f. Arte y oficio del respostero.
REPOSTERO, RA com. Persona que tiene por oficio hacer pastas, dulces y algunas bebidas.
REPRENDER tr. Corregir, amonestar.
REPRENSIÓN f. Acción de reprender. // Expresión o razonamiento con que se reprende.
REPRESA f. Acción de recobrar.
REPRESALIA f. Derecho que se arrogan los enemigos para causarse recíprocamente igual o mayor daño que el que han recibido.
REPRESENTACIÓN f. Acción y efecto de representar o representarse. // Figura, imagen o idea que sustituye a la realidad.
REPRESENTANTE adj. Que representa. // com. Persona que representa a un ausente, cuerpo o comunidad. // tr. Actor y actriz.
REPRESENTAR tr. y r. Hacer presente una cosa en la imaginación. // tr. Informar, declarar. // Ejecutar en público una obra dramática. // Sustituir a uno o hacer sus veces. // Ser imagen o símbolo de una cosa.
REPRESIÓN f. Acción y efecto de reprimir o reprimirse.
REPRIMIR tr. y r. Contener, refrenar, templar o moderar.
REPROBAR tr. No aprobar, dar por malo.
RÉPROBO, BA adj. y s. Condenado a las penas eternas.
REPROCHAR tr. y r. Reconvenir, echar en cara.
REPROCHE m. Acción de reprochar. // Expresión con que se reprocha.
REPRODUCCIÓN f. Acción y efecto de reproducir o reproducirse. // Cosa reproducida. // Fenómeno biológico encaminado a la perpetuación de la especie.
REPRODUCIR tr. y r. Volver a producir o producir de nuevo.
REPTAR intr. Andar arrastrándose como algunos reptiles.
REPTILES m. pl. *Zool.* Animales vertebrados, ovíparos u ovovivíparos, de sangre fría y respiración pulmonar. Camina rozando el vientre con la tierra.
REPÚBLICA f. Cuerpo político de una nación. // Forma de gobierno representativo en que el poder reside en el pueblo, personificado éste por un presidente.
REPUBLICANO, NA adj. Perten. o rel. a la república. // adj. y s. Apl. al ciudadano de la república. // Partidario de este género de gobierno.
REPUDIAR tr. Repeler la mujer propia.
REPUDIO m. Acción y efecto de repudiar.
REPUGNANCIA f. Oposición o contradicción entre dos cosas. // Tedio, aversión.

REPUESTO m. Prevención de comestibles u otras cosas para cuando sean necesarias.
REPUGNAR tr. Ser opuesta una cosa a otra. // tr. Contradecir o negar algo. // Rehusar, hacer de mala gana una cosa. // intr. Causar repugnancia.
REPUJAR tr. Labrar a martillo chapas metálicas en cuero u otra materia adecuada.
REPULSA f. Acción y efecto de repulsar.
REPULSAR tr. Desechar, repeler o despreciar una cosa. // Negar lo que se pide o pretende.
REPULSIÓN f. Acción y efecto de repeler. // Repulsa. // Repugnancia.
REPUTACIÓN f. Fama.
REPUTAR tr. y r. Juzgar o hacer concepto del estado o calidad de una persona o cosa.
REQUEBRAR tr. fig. Lisonjear a una mujer. // Adular.
REQUEMAR tr.y r. Volver a quemar. // Tostar con exceso.
REQUERIMIENTO m. Acción y efecto de requerir. // Intimación o aviso que se hace a una persona bajo fe notarial.
REQUERIR tr. Intimar, avisar o hacer saber una cosa con autoridad pública. // Reconocer o examinar una cosa. // Necesitar algo. // Solicitar, pretender.
REQUESÓN m. Masa blanca y mantecosa que se hace cuajando la leche.
REQUETÉ m. Cuerpo de voluntarios que lucharon en las guerras civiles españolas en defensa de la tradi-

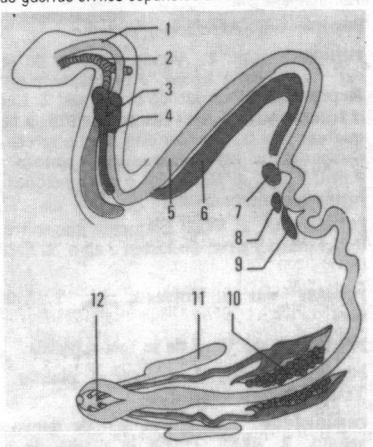

REPTIL

1 – esófago
2 – tráquea
3 – corazón
4 – aorta
5 – estómago
6 – hígado
7 – vesícula biliar
8 – bazo
9 – páncreas
10 – ovario
11 – riñón
12 – cloaca

ción religiosa y monárquica.

REQUIEBRO m. Acción y efecto de requebrar. // Dicho o expresión con que se requiebra.

RÉQUIEM m. Composición musical que se canta con el texto litúrgico de la misa de difuntos, o parte de él.

REQUISA f. Revista o inspección, de las personas o de las dependencias de un establecimiento. // Recuento y embargo de cosas necesarias en tiempo de guerra.

REQUISAR tr. Hacer requisa para el servicio militar.

RES- Prep. insep. que acentúa la significación de las voces simples a que se halla unida.

RES f. Cualquier animal cuadrúpedo de ciertas especies domésticas, o salvajes.

RESABIO m. Sabor desagradable que deja una cosa. // Vicio o mala costumbre.

RESACA f. Movimiento en retroceso de las olas después que han llegado a la orilla.

RESALTAR intr. Rebotar. // Sobresalir en parte un cuerpo de otro. // fig. Distinguirse, sobresalir mucho una cosa de otra.

RESALTE O RESALTO m. Parte que sobresale de la superficie de una cosa.

RESARCIR tr. Indemnizar, compensar un daño o perjuicio.

RESBALAR intr. y r. Escurrirse, deslizarse. // fig. Incurrir en un desliz.

RESCATAR tr. Recobrar por precio o por fuerza lo que el enemigo ha cogido.

RESCATE m. Acción y efecto de rescatar. // Dinero con que se rescata, o que se pide para ello.

RESCINDIR tr. Dejar sin efecto un contrato, obligación, etc.

RESCOLDO m. Brasa menuda que se queda bajo la ceniza. // fig. Escozor, recelo o escrúpulo.

RESECAR tr. y r. Secar mucho.

RESENTIDO, DA adj. Díc. de la persona que muestra o tiene algún resentimiento.

RESENTIMIENTO m. Acción y efecto de resentirse.

RESENTIRSE r. Empezar a flaquear una cosa. // Tener pesar o enojo por una cosa.

RESEÑA f. Narración sucinta. // Noticia y examen de una obra literaria o científica.

RESEÑAR tr. Hacer una reseña.

RESERVA f. Guarda o custodia que se hace de una cosa. // Cautela para no descubrir algo. // parte del ejército o armada de una nación oque no está en servicio activo.

RESERVADO, DA adj. Reacio en manifestar su interior. // Discreto. // Que se reserva o debe reservarse.

RESERVAR tr. Guardar algo para lo futuro. // Destinar un lugar o una cosa para uso o persona determinados. // tr. y r. Callar.

RESFRIADO m. *Med.* Destemple general del cuerpo, ocasionado por frío o la humedad.

RESFRIAR tr. Enfriar. // tr. y r. fig. Entibiar, templar el ardor o fervor. // intr. Empezar a hacer frío. // Contraer resfriado.

RESGUARDAR tr. Defender. // r. Precaverse o prevenirse contra un daño.

RESGUARDO m. Guardia que se pone en una cosa. // Seguridad que por escrito se hace en las deudas o contratos.

RESIDENCIA f. Acción y efecto de residir. // Lugar en que se reside.

RESIDIR intr. Estar de asiento en un lugar. // fig. Estar en una persona cualquier cosa inmaterial.

RESIDUO m. Parte que queda de un todo. // arit. Resultado dle la operación de restar.

RESIGNACIÓN f. Conformidad.

RESIGNAR tr. Renunciar un beneficio eclesiástico a favor de un sujeto determinado. Conformarse, someterse, condescender.

RESINA f. Sustancia sólida o pastosa que se obtiene naturalmente de varias plantas, y artificialmente por destilación de las trementinas.

RESINAR tr. Sacar resina a ciertos árboles haciendo incisiones en el tronco.

RESISTENCIA f. Acción y efecto de resistir o resistirse. // Electr. Dificultad que opone un conductor al paso de la corriente. // Mec. Fuerza que se opone a la acción de una máquina y que ha de ser vencida por la potencia.

RESISTIR intr. y r. Oponerse un cuerpo o una fuerza a la acción o violencia de otra. // intr. Repugnar, rechazar, contradecir. // tr. Tolerar, aguantar. // Combatir las pasiones, deseos, etc. // r. Forcejear.

RESMA f. Conjunto de veinte manos de papel.

RESOL m. Reverberación del sol.

RESOLUBLE adj. Que se puede resolver.

RESOLUCIÓN f. Acción y efecto de resolver o resolverse. // ánimo, valor. // Decreto, auto o fallo de la autoridad gubernativa o judicial.

RESOLVER tr. Tomar determinación fija y decisiva. // Resumir, epilogar. // Hallar la solución de un problema. // r. Arrestarse a decir o hacer una cosa.

RESOLLAR intr. Respirar. // Respirar con ruido.

RESONANCIA f. Prolongación del sonido causada por reflexión. // Sonido producido por repercusión de otro. // fig. Gran divulgación de un hecho.

RESONAR intr. Hacer sonido por repercusión o sonar mucho.

RESOPLAR intr. Dar resoplidos.

RESOPLIDO o RESOPLO m. Resuelto fuerte.

RESORTE m. Muelle. // fig. Medio para lograr un fin.

RESPALDAR tr. Apuntar algo en el respaldo de un escrito. // fig. Proteger, apoyar, garantizar. // r. Arrimarse al respaldo de un asiento.

RESPALDO m. Parte de la silla o banco, en que descansan las espaldas. // fig. Apoyo moral.

RESPECTIVO, VA adj. Que atañe o se contrae a persona o cosa determinada.

RESPECTO m. Razón, relación o proporción de una

cosa a otra.
RÉSPED m. Lengua de la culebra o víbora. // Aguijón de la abeja o de la avispa.
RESPETAR tr. Tener respeto.
RESPETO m. Veneración, acatamiento. // Miramiento, atención.
RESPINGAR intr. Sacudirse la bestia y gruñir.
RESPINGO m. Acción de respingar. // Sacudida violenta del cuerpo.
RESPIRACIÓN f. Acción y efecto de respirar. Entrada y salida libre del aire en un aposento u otro lugar cerrado.
RESPIRADERO m. Abertura por donde entra y sale el aire.
RESPIRAR intr. y tr. Absorber el aire los seres vivos. // intr. Exhalr olor. // fig. Cobrar aliento. // Descansar. // Hablar.
RESPIRO m. Acción y efecto de respirar. // fig. Rato de descanso en el trabajo. // Alivio de una fatiga o dolor.
RESPLANDECER intr. Despedir rayos de luz una cosa. // fig. Sobresalir, aventajarse.
RESPLANDOR m. luz muy clara que despide un cuerpo luminoso. // fig. Brillo de algunas cosas. // Lucimiento, gloria, nobleza.
RESPONDER tr. Contestar. // Satisfacer unla duda o demanda. // fig. Rendir o fructificar. // Corresponder con una acción a las realizada por otr. // Protestar. // Garantizar la verdad de una cosa.
RESPONSABILIDAD f. Obligación de reparar una culpa u otra causa legal. // Cargo u obligación moral que resulta para uno del posible yerro en cosa o asunto determinado.
RESPONSABLE adj. Obligado a responder de alguna cosa o por alguna persona.
RESPUESTA f. Sastisfacción a una pregunta, duda o dificultad. // Réplica, refutación. // Contestación a una cara o billetè.
RESQUEBRAJAR tr. y r. Hender ligera y a veces superficialmente algunos cuerpos duros.
RESQUEBRAR intr. y r. Empezar a quebrarse o saltarse una cosa.
RESQUEMAR tr. intr.Causar en la lengua algunos alimentos un sabor picante. // tr. fig. Producirse en el ánimo una impresión molesta.
RESQUICIO m. Abertura que hay entre el quicio y la puerta. // fig. coyuntura que se proporciona para un fin.
RESTA f. *Mat.* Sustracción, operación de restar. // Residuos.
RESTABLECER tr. Volver a establecer una cosa. // r. Recuperarse de un daño o menoscabo.
RESTALIAR intr. Chasquear, estallar una cosa. // Crujir.
RESTAÑAR tr. Volver a estañar. // tr., intr. y r. Detener el curso de un líquido o humor.
RESTAR tr. Separar o quitar parte de un todo y hallar el residuo que queda. // Disminuir, rebajar. //intr. Faltar o quedar.
RESTAURAR tr. Recuperar o recobrar. // Renovar o volver a poner una cosa en aquel estado o estimación que antes tenía. // Reparar una pintura, escultura, etc., del deterioro.
RESTITUIR tr. Devolver. // Restablecer una cosa.
RESTO m. Parte que queda de un todo. // pl. Residuos, desperdicios.
RESTREGAR tr. Estregar mucho y con ahínco.
RESTREGÓN m. Acción de restregar.
RESTRICCIÓN f. Limitación o modificación.
RESTRICTIVO, VA adj. Que tiene virtud o fuerza para restringuir. // Que restringe, limita o acorta.
RESTRINGIR tr. Ceñir, cirncunscribir, reducir a menores límites. // Apretar, constreñir, restriñir.
RESTRIÑIR tr. Apretar, constreñir.
RESUCITAR tr. Volver la vida a un muerto. // fig. y fam. Restablecer, renovar. // intr. Volver uno a la vida.
RESUELTO, TA adj. Determinado, audaz, arrojado y libre. // Pronto, diligente, expedito.
RESUELLO m. Aliento o respiración, esp. la violenta.
RESULTA f. Efecto, consecuencia.
RESULTADO m. Efecto y consecuencia de un hecho.
RESULTANTE adj. y s. f. *Mec.* Díc. de una fuerza que equivale al conjunto de otras varias.
RESULTAR intr. Nacer, originarse una cosa de otra. // Manifestar o comprobarse una cosa. // Llegar a ser. // Tener buen o mal resultado.resumen m. Acción y efecto de resumir o resumirse. // Exposición resumida de un asunto.
RESUMIR tr. y r. Reducir a tèrminos breves y precisos lo esencial de un asunto. // r. Convertirse, resolverse una cosa en otra.
RESURGIR intr. Surgir de nuevo. // Volver a la vida.
RESURRECCIÓN f. Acción de resucitar. // Por excelencia la de nuestro Señor Jesucristo.
RETABLO m. Colección de figuras pintadas o de talla, que representan en serie una historia. // Obra de arquitectura que compone la decoración de un altar.
RETAGUARDIA f. Postrer cuerpo de tropa, que cubre las marchas y movimientos de un ejército.
RETAHÍLA f. Serie de muchas cosas que están o suceden unas detrás de otras.
RETAL m. Pedazo sobrante de una tela, piel, etc.
RETAMA f. Bot. Arbusto leguminoso papilionáceo, de flores amarillas y olorosas.
RETAR tr. Desafiar. // fam. Reprender, echar en cara.
RETARDAR tr. y r. Diferir, detener, entorpecer.
RETARDO m. Demora, tardanza.
RETAZO m.Retal. // fig.Trozo de uln razonamiento o discurso.
RETÉN m. Repuesto o prevención que se tiene de una cosa. // Tropa que se tiene dispuesta para retuerzo de puestos militares.

RETENCIÓN f. Acción y efecto de retener.
RETENER tr. Detener, conservar, guardar. // Conservar en la memoria una cosa.
RETENTIVA f. Memoria.
RETICENCIA f. Efecto de dar a entender que se calla algo que pudiera o debiera decirse.
RETÍCULO m. Tejido en forma de red.
RETINA f. *Anat.*. Membrana interior del ojo, en la cual se reciben las impresiones luminosas.
RETINTÍN m. Sonido de una campana u otro cuerpo sonoro. // fig. y fam. Tonillo y modo de hablar gralte. para zaherir a uno.
RETIRADA f. Acción y efecto de retirarse. // Retreta, toque militar.
RETIRAR tr. y r. Apartar o separar. // tr. Apartar de la vista algo. // Obligar a uno a que se aparte, o rechazarle. // r. Apartarse del trato o amistad.
RETIRO m. Acción y efecto de retirarse. // Lugar apartado de la gente. // Recogimiento.
RETO m. Desafío.
RETOCAR tr. Volver a tocar. // fig. Perfeccionar una obra.
RETOÑO m. Vástago o tallo que echa de nuevo la planta. // fig. fam. Hablando de personas, hijo, y esp. el de corta edad.
RETOQUE m. Acción y efecto de retocar.
RETORCER tr. y r. Torcer mucho una cosa, dándoles vueltas alrededor. // fig. Tergiversar.
RETORCIDO, DA adj. fam. Díc. de la persona de intención sinuosa.
RETORCIMIENTO m. Acción y efecto de retorcer o retorcerse.
RETÓRICA f. Ciencia y arte de la oratoria en sus diversas formas. // pl. fam. Sofisterías o razones que no son del caso.
RETÓRICO, CA adj. Perten. a la retórica, versado en ella.
RETORNAR tr. Devolver. // Retorcer algo. // Hacer que una cosa retroceda. // intr. y r. Volver al lugar o a la situación en que se estuvo.
RETORNO m. Acción oy efecto de retornar.
RETORTA f. Vasija con cuello largo encorvado.
RETORTIJAR tr. Ensortijar o retorcer mucho.
RETORTIJÓN m. Dolor breve y vehemente que se siente en las tripas.
RETOZAR intr. Saltar y brincar alegremente.
RETOZÓN, NA adj. Inclinado a retozar.
RETRACCIÓN f. Acción y efecto de retraer.
RETRACTAR tr. y r. Revocar expresamente lo que se ha dicho.
RETRÁCTIL adj. *Zool* Díc. de la parte del cuerpo que es posible retraer y ocultar.
RETRACTO m. Derecho de quedarse por su precio con algo que compró otro.
RETRAER tr. Volver a traer. // tr. y r. Disuadir de un intento. // r. Acogerse, refugiarse. // Retirarse, retroceder.

RETRAÍDO, DA adj. Que gusta de la soledad. // fig. Tímido.
RETRAIMIENTO m. Acción y efecto de retraerse. // Timidez.
RETRANSMISIÓN f. Acción y efecto de retransmitir.
RETRANSMITIR tr. Volver a transmitir. // Transmitir desde una emisora de radiofifusión lo que se ha transmitido a ella desde otro lugar.
RETRASAR tr. Atrasar, diferir la ejecución de una cosa. // intr. Ir atrás o a menos en alguna cosa.
RETRASO m. Acción y efecto de retrasar o retrasarse.
RETRATAR tr. Hacer un retrato. // Describir con exacta fidelidad una cosa.
RETRATO m. Pintura o efigie que representa alguna persona o cosa. // Descripción de la figura o carácter de una persona.
RETREPARSE r. Echar hacia atrás la parte superior del cuerpo.
RETRETA m. Aposento dotado de las instalaciones necesarias para originar y evacuar el vientre.
RETRETE m. aposento dotado de las instalaciones necesarias para orinar y evacuar el vientre.
RETRIBUCIÓN f. Recompensa, remuneración.
RETRIBUIR tr. Recompensar o pagar un servicio, favor, etc.
RETRO- Forma prefija del latín retro, hacia atrás.
RETROACTIVO, VA adj. Que obra o tiene fuerza sobre lo pasado.
RETROCEDER intr. Volver hacia atrás.
RETROCESO m. Acción y efecto de retroceder.
RETROGRADAR intr. Ir hacia atrás, retroceder.
RETRÓGRADO, DA adj. Que retrograda. // adj. y s. Partidario de instituciones políticas o sociales propias de tiempos pasados.
RETROSPECCIÓN f. Mirada o examen retrospectivo.
RETROSPECTIVO, VA adj. Que se refiere a tiempo pasado.
RETROTRAER tr. y r. Fingir que una cosa sucedió en un tiempo anterior a aquel en que realmente ocurrió, esp. para efectos legales.
RETROVISOR m. Espejo dispuesto en el automóvil para ver lo que viene detrás.
RETRUÉCANO m. Inversión de los términos de una proposición en otra subsiguiente para que el sentido de esta última forme contraste con el de la anterior.
RETUMBAR intr. Resonar mucho o hacer grande estruendo.
REUMA m. Reumatismo.
REUMATISMO m. *Med.* Enfermedad que se manifiesta por dolores en las articulaciones, o en las partes musculares y fibrosas del cuerpo.
REUNIÓN f. Conjunto de personas reunidas.
REUNIR tr. y r. Volver a unir. // Juntar, congregar, amontonar.
REVÁLIDA f. Acción y efecto de revalidar.
REVALIDAR tr. Ratificar o dar nuevo valor a una cosa.
revalorizar tr. Devolver a una cosa el valor o estima-

ción que había perdido.

REVELADO m. Conjunto de operaciones necesarias para revelar una imagen fotográfica.

REVELAR tr. y r. Descubrir o manifestar lo ignorado o secreto. // Hacer visible la imagen latente en la placa fotográfica.

REVENDER tr. Volver a vender lo que se ha comprado.

REVENIR intr. volver una cosa a su estado propio. // Hablando de conservas y licores, agriarse. // Escupir una cosa hacia fuera la humedad que tiene.

REVENTA f. Acción y efecto de revender.

REVENTAR intr., tr. y r. Abrirse una cosa por impulso interior. // intr. fig. Tener deseo vehemente de algo. // fig. y fam. Estallar. // tr. Deshacer una cosa con violencia. // tr. y r. fig. Fatigar a uno con exceso de trabajo.

REVENTÓN m. Acción y efecto de reventar o reventarse.

REVERBERACIÓN f. Acción y efecto de reverberar.

REVERBERAR intr. Hacer reflexión la luz en un cuerpo bruñido.

REVERBERO m. Reverberación.

REVERENCIA f. Respeto. // Inclinación del cuerpo en señal de respeto.

REVERENCIAR tr. respetar o venerar.

REVERENDO, DA adj. digno de reverencia.

REVERENTE adj. Que muestra reverencia o respeto.

REVERSIBLE adj. *Fis. y Quim.* Díc. de las transformaciones que en un momento dado pueden cambiar de sentido.

REVERSIÓN f. Restitución de una cosa al estado que tenía.

REVERSO m. Revés. // En las monedas y medallas haz opuesta al anverso.

REVERTIR intr. Volver una cosa al estado o condición que tuvo antes. // Venir a parar una cosa en otra.

REVÉS m. Espalda o parte opuesta de una cosa. // fig. Infortunio.

REVESADO, DA adj. Difícil, intrincado. // fig. Travieso.

REVESTIMIENTO m. Acción y efecto de revestir. // Capa o cubierta con que se resguarda o adorna una superficie.

REVESTIR tr. y r. Vestir una ropa sobre otra. // fig. Cubrir con un revestimiento. // Presentar una cosa determinado aspecto, cualidad o carácter. // r. fig. Imbuirse con fuerza de una especie.

REVISAR tr. Examinar con cuidado.

REVISIÓN f. Acción de revisar.

REVISOR m. El que tiene por oficio revisar o reconocer.

REVISTA f. Segunda vista o examen hecho con cuidado. // Inspección que un jefe hace de las personas o cosas sometidas a su autoridad. // Publicación impresa de periodicidad inferior a la diaria.

REVIVIR intr. Resucitar. // Volver en sí el que parecía muerto. // fig. Renovarse o reproducirse una cosa.

REVOCAR tr. Dejar sinefecto. // Enlucir.

REVOLCAR tr. Derribar a uno y darle vueltas en el suelo. // fam. Echarse sobre una cosa, restregándose en ella.

REVOLCÓN m. fam. Revuelco.

REVOLOTEAR intr. Volar haciendo tornos o giros en poco espacio.

REVOLTOSO, SA adj. y s. Sedicioso, rebelde. // adj. Travieso.

REVOLUCIÓN f. Acción y efecto de revolver o revolverse. // Cambio violento en las instituciones políticas de una nación. // Por ext., inquietud, sedición.

REVOLUCIONAR tr. Provocar un estado de revolución.

REVOLUCIONARIO, RIA adj. Perten. o rel. a la revolución.

REVÓLVER m. Pistola de un cilindro giratorio con varias recámaras.

REVOLVER tr. Menear una cosa de un lado a otro. // Alterar el buen orden de las cosas. // Inquietar, enervar. // tr. y r. Volver la cara al enemigo para embestirle. // r. Moverse de un lado a otro.

REVUELCO m. Acción y efecto de revolcar o revolcarse.

REVUELO m. Vuelta y revuelta del vuelo. // fig. Turbación, agitación.

REVUELTA f. Alboroto, sedición. // Riña, disensión. // Punto en que una cosa empieza a cambiar de dirección.

REVULSIÓN f. *Med.* Inflamación de la piel provocada para evitar o atenuar un proceso profundo más grave.

REVULSIVO, VA adj. y s. Díc. del medicamento que produce revulsión.

REY m. Monarca o príncipe soberano de un reino. // Pieza principal del juego de ajedrez.

REYERTA f. Contienda, altercación.

REZAGAR tr. Dejar atrás una cosa. // Atrasar la ejecución de algo. // r. Quedarse atrás.

REZAR tr. Orar vocalmente. // fam. Decir o decirse en un escrito una cosa.

REZO m. Acción de rezar.

REZONGAR intr. Gruñir, refunfuñar.

REZUMAR intr. y r. Filtrarse un líquido a través de los poros de un recipiente.

RÍA f. Valle fluvial invadido por las aguas del mar.

RIACHUELO m. Río pequeño y de poco caudal.

RIADA f. Inundación, crecida.

RIBAZO m. Porción de tierra con alguna elevación y declive.

RIBERA f. Margen y orilla del mar o río.

RIBEREÑO, ÑA adj. Perten. a la ribera o propio de ella.

RIBERO m. Vallado que se hace a la orilla de las presas.

RIBETE m. Cinta o cosa análoga con que se guarnece

y refuerza la orilla del vestido, calzado, etc.
RICINO m. Bot. Planta de cuya semilla se extrae un aceite purgante.
RICO, CA adj. y s. Adinerado, acaudalado. // adj. Abundante, opulento. // Gustoso, sabroso. // Excelente en su línea.
RICTUS m. Contracción de los labios que da a la boca el aspecto de la risa.
RIDICULEZ f. Dicho o hecho ridículo. // Nimia delicadeza.
RIDICULIZAR tr. Burlarse de una persona o cosa haciendo resaltar su ridiculez.
RIDÍCULO, LA adj. Que por su rareza mueve a risa. // Extraño, de poco aprecio. // m. Situación ridícula en que cae una persona.
RIEGO m. Acción y efecto de regar. // Agua disponible para regar.
RIEL m. Ferr. Carril.
RIELAR intr. poét. Brillar con luz trémula.
RIENDA f. Cada una de las dos correas con que se gobierna la caballería. l// pl. fig. Gobierno, dirección de una cosa.
RIFA f. Juego que consiste en sortear una cosa entre varios.
RIFAR tr. Efectuar el juego de la rifa.
RIFLE m. Fusil rayado de procedencia norteamericana.
RIGIDEZ f. Calidad de rígido.
RÍGIDO, DA adj. Inflexible. // fig. Riguroso, severo.
RIGOR m. Severidad. // Aspereza en el genio o en el trato. // Ultimo término a que pueden llegar las cosas. // Intensidad. // Propiedad, precisión.
RIGUROSO, SA adj. Aspero y acre. // Muy severo, cruel. // Austero, rígido. // Extremado, inclemente.
RIMA f. Lit. Igualdad o semejanza de las letras de dos versos, a contar desde la última acentuada.
RIMBOMBANTE adj. fig. Ostentoso.
RINCÓN m. Angulo entrante que se forma en el encuentro de dos paredes o de dos superficies. // Escondrijo o lugar retirado.
RINOCERONTE m. Zool. Mamífero paquidermo ungulado, de piel muy gruesa y rígida. Es herbívoro y de gran tamaño y peso.
RINOLOGÍA f. Med. Rama de la medicina que se ocupa de las enfermedades del aparato olfatorio.
RIÑA f. Pendencia, cuestión.
RIÑÓN m. Anat. Cada una de las dos glándulas secretorias de la orina, sit. en la región lumbar.

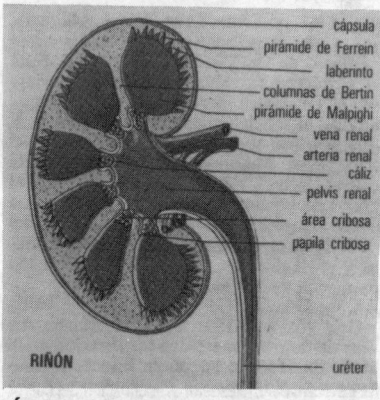

RÍO m. Corriente de agua continua que va a desembocar en otra, en un lago o en el mar. // fig. Grande abundancia de una cosa. // Afluencia de personas.
RIPIO m. Palabra o frase inútil que se emplea viciosamente.
RIQUEZA f. Abundancia de bienes y cosas preciosas. // Copia de cualidades o atributos excelentes.
RISA f. Acción y efecto de reír. // Lo que mueve a reír.
RISCO m. Hendidura, corte. // Peñasco alto y escarpado.
RISOTADA f. Carcajada.
RISTRA f. Hilera de ajos, cebollas, etc., unidos por medio de sus tallos trenzados.
RISTRE m. Hierro injerido en la parte derecha del peto de la armadura ant.
RISUEÑO, ÑA adj. Que muestra risa en el semblante. // Que con facilidad se ríe. // fig. Próspero, favorable.
RÍTMICO, CA adj. Perten. al ritmo o al metro.
RITMO m. Armoniosa combinación y sucesión de voces, sonidos, etc. // Metro, verso. // fig. Orden acompasado en la sucesión o acaecimiento de las cosas.
RITO m. Costumbre o ceremonia. // Conjunto de reglas establecidas para el culto.
RITUAL adj. Perten. o rel. al rito. // m. Conjunto de ritos de una liturgia.
RIVAL com. Competidor.
RIVALIDAD f. Oposición entre dos o más personas que aspiran a obtener una misma cosa. // Enemistad.
RIVERA f. Arroyo.
RIZADO m. Acción de rizar o rizarse.
RIZAR tr. Formar artificialmente en el pelo sortijas, bucles, etc. // tr. y r. Mover el viento la mar, formando

olas pequeñas.
RIZO m. Mechón de pelo que tiene forma de sortija, bucle, etc.
RIZOMA m. *Bot.* Tallo subterráneo.
RIXZÓPODOS m. pl. *Zool.* Protozoos susceptibles de formar seudópodos.
ROBAR tr. Tomar para sí con violencia lo ajeno. // Hurtar de cualquier modo que sea. // Raptar.
ROBLAR tr. Doblar o remachar una pieza de hierro para que esté más firme.
ROBLE m. *Bot.* Arbol de las cupulíferas, de madera dura y compacta y muy apreciada.
robledo m. Sitio poblado de robles.
ROBO m. Acción y efecto de robar. // Cosa robada.
ROBOT m. Aparato, gralte. de apariencia humana, capaz de realizar una función de manera automática.
ROBUSTECER tr. y r. Dar robustez.
ROBUSTEZ f. Calidad de robusto.
ROBUSTO, TA adj. Fuerte, vigoroso. // Que tiene fuertes miembros y buena salud.
ROCA f. Asociación natural de minerales que se presenta en la corteza terrestre.
ROCALLA f. Conjunto de piedrecillas desprendidas de las rocas. // Abalorio grueso.
ROCE m. Acción y efecto de rozar o rozarse. // fig. Trato frecuente con algunas personas.
ROCIADA f. Acción y efecto de rociar. // Rocio. // fig. Conjunto de cosas que se esparcen al arrojarlas.
ROCÍN m. Caballo de mala traza. // Caballo de trabajo.
ROCÍO m. Vapor que con la frialdad de la noche se condensa en la atmósfera en muy pequeñas gotas.
ROCOCÓ m. Estilo artístico del siglo XVIII en Europa, sucesor del barroco y predecesor del neoclásico.
ROCOSO, SA adj. Díc. del paraje lleno de rocas.
RODA f. *Mar.* Pieza gruesa y curva que forma la proa de la nave; también roa.
RODABALLO m. Pez marino de carne muy apreciada.
RODADA f. Señal que deja la rueda de un vehículo en el suelo por donde pasa.
RODAJA f. Pieza circular y plana, de madera, metal u otra metería. // Tajada circular o rueda de algunos alimentos.
RODAJE m. Conjunto de ruedas. // Acción de filmar una pelicula cinematográfica. // Primer periodo de funcionamiento de una máquina o mecanismo.
RODAR intr. Dar vueltas un cuerpo alrededor de su eje. // Moverse una cosa por medio de ruedas. // Caer dando vueltas. // fig. tr. Impresionar o proyectar peliculas cinematográficas.
RODEAR intr. Andar alrededor. // Ir por camino más largo que el ordinario. // fig. Usar de rodeos en lo que se dice. // tr. Cercar una cosa.
RODEO m. Acción de rodear. // Desvío del camino derecho. // Manera de decir o hacer una cosa indirectamente.
RODERA f. Rodada.
RODETE m. Rueda hidráulica horizontal con paletas planas.
RODILLA f. Conjunto de partes blandas y duras que forman la unión del muslo con la pierna. // En los cuadrúpedos, unión del antebrazo con la caña.
RODILLO m. Cilindro que se hace rodar para allanar y apretar la tierra. // Cilindro que se emplea para dar tinta en las imprentas.
RODIO m. Metal raro de color blanco de plata y difícilmente fusible.
ROEDORES m. pl. *Zool.* Mamíferos fitófagos vegetarianos, que oren y tienen dos largos incisivos en cada mandíbula, como la rata.
ROER tr. Cortar, descantillar menuda y superficialmente con los dientes parte de una cosa dura. // fig. Atormentar interiormente.
ROGAR tr. Pedir con gracia una cosa. // Suplicar.
ROGATIVA f. Oración pública hecha a Dios.
ROGATIVO, VA adj. Que incluye ruego.
ROÍDO, DA adj. fig. y fam. Despreciable dado con miseria.
ROJIZO, ZA adj. Que tira a rojo.
ROJO, JA adj. y s. Encarnado muy vivo. // adj. De color parecido al oro. // Rubio muy vivo. // Fis. m. Primer color del espectro visible a la luz solar.
ROL m. Rollo. // Lista o nómina.
ROLLIZO, ZA adj. Redondo, en figura de rollo. // Robusto y grueso.
ROLLO m. Cualquier materia que toma forma cilíndrica. // Cilindro que sirve para labrar en ciertos oficios. // Porción de tejido, papel, etc., que se tiene enrollado en forma cilíndrica.
ROMANA f. Instrumento que sirve para pesar.
ROMANCE adj. y s. m. Apl. a cada una de las lenguas modernas derivadas del latín. // m. Idioma español. // Novela o libro de caballerías. // m. Composición poética de origen español, formada por una serie de versos octosílabos, con rima asonante los pares.
ROMANCERO, RA m. y f. Persona que canta romances. // m. Colección de romances.
ROMANESCO, CA adj. Estilo artístico originado a fines del s. X, que se difundió por la Europa cristiana hasta el s. XIII.
ROMANISTA adj. y s. Especialista en derecho romano. // Díc. dela persona versada en lenguas romanas.
ROMANÍSTICA f. Ciencia que abarca la lingüística y la filología románicas.
ROMANO, NA adj. y s. Natural de Roma. // Adj. Perten. a esta ciudad de Italia o cada uno de los Estados dominados por Roma. // Aplicable a la religión católica.
ROMANTICISMO m. Escuela literaria de la primera mitad del s. XIX, extremadamente individualista.
ROMÁNTICO, CA adj. Perten. al romanticismo o que participa de sus calidades. // adj. Sentimental, soñador.

RÓMBICO, CA adj. En forma de rombo.
ROMBO m. *Geom.* Paralelogramo que tiene los lados iguales y dos de sus ángulos mayores que los otros dos.
ROMERÍA f. Viaje o peregrinación. // Fiesta popular que se celebra en el campo inmediato a algún santuario.
ROMERO m. *Bot.* Arbusto de hojas aromáticas y flores azules.
ROMO, MA adj. Obtuso y sin punta.
ROMPECABEZAS m. fig. y fam. Problema, acertijo.
ROMPEHIELOS m. Buque para navegar por los mares donde abunda el hielo.

ROMPEHIELOS

ROMPEOLAS m. Dique avanzado en el mar para proteger un puerto o rada.
ROMPER tr. y r. Separar con violencia las partes de un todo. // Hacer pedazos una cosa. // Gastar, destrozar. // tr. fig. Interrumpir la continuidad de algo no material. // intr. fig. Prorrumpir, brotar.
ROMPIENTE m. Bajo, escollo o costa donde rompe el agua.
ROMPIMIENTO m. Acción y efecto de romper o romperse. // fig. Desavenencia, riña.
RON m. Licor alcohólico sacado de una mezcla fermentada de melazas y zumo de caña de azúcar.
RONCAR intr. Hacer ruido bronco con el resuello cuando se duerme. // fig. Hacer un ruido sordo o bronco ciertas cosas.
RONCO, CA adj. Que tiene o padece ronquera. // Apl. también a la voz o sonido áspero y bronco.
RONCHA f. Hinchazón de la piel en figura de haba.
RONDA f. Acción de rondar. // Grupo de personas que andan rondando. // Camino inmediato a una población. // Distribución de copas de vino o de cigarros a personas reunidas en corro.
RONDALLA f. Cuento, patraña.
RONDAR intr. y tr. Andar de noche vigilando una población. // Andar de noche paseando por las calles. // tr. fig. Dar vueltas alrededor de una cosa.
RONDÓ m. Composición musical en que se repite, a intervalos regulares, el motivo principal.
RONQUEAR intr. Estar ronco.
RONQUERA f. Afección de la laringe, que da a la voz un timbre bronco y poco sonoro.
RONQUIDO m. Sonido que se hace roncando.
RONRONEAR intr. Producir el gato una especie de ronquido.
ROÑA f. Suciedad pegada fuertemente. // Orín de los metales.
ROÑERÍA f. fam. Tacañería.
ROPA f. Todo género de tela que sirve para el uso o adorno de las personas o cosas. // Cualquier prenda de tela que sirve para vestir.
ROPAJE m. Ornato exterior del cuerpo. // Conjunto de ropas.
ROPERO, RA m. y f. Persona que vende ropa hecha. // m. Armario donde se guarda la ropa.
ROQUEDA O ROQUEDAL f. o m. fam. Lugar abundante en rocas.
ROQUEÑO, ÑA adj. Apl. al sitio lleno de rocas. // Duro como roca.
ROSA f. *Bot.* Flor del rosal, a menudo muy olorosa, que se presenta en muy diversas variedades. // m. Color rosa.
ROSÁCEAS f. pl. *Bot.* Fam. de plantas dialipétalas, dicotiledóneas, con flores pentámeras, completas y regulares, como el rosal.
ROSAL m. *Bot.* Planta de la fam. rosáceas, de tallos espinosos. Se cultiva para ornamentación y para obtención de esencia de rosa.
ROSARIO m. Rezo de la Iglesia católica. // fig. Sarta, serie.
ROSBIF m. Carne de vaca poco asada.
ROSCA f. Cualquier cosa redonda y rolliza que, cerrándose, forma un círculo. // Cada una de las vueltas de una espiral, o el conjunto de ellas. // Resalto helicoidal de un tornillo, o estría helicoidal de una tuerca.
ROSCO m. Rosca de pan.
ROSCÓN m. Bollo en forma de rosca.
ROSÉOLA f. *Med.* Erupción cutánea, caracterizada por la aparición de pequeñas manchas rosáceas.
ROSETÓN m. Ventana circular calada, con adornos. // Adorno circular que se coloca en los techos.
ROSQUILLA f. Especie de masa dulce, en figura de roscas pequeñas.
ROSTRADO, DA adj. Que remata en una punta.
ROSTRO m. Pico del ave. // Cara de las personas.
ROTA f. *Bot.* Planta de la fam. palmáceas, de tallo trepador fuerte y delgado.
ROTACIÓN f. Acción y efecto de rodar.
ROTAR intr. Rodar.
ROTATIVA f. Máquina que a gran velocidad imprime los ejemplares de un periódico.
ROTATIVO, VA adj. Que da vueltas. // m. Periódico.
ROTATORIO, RIA adj. Que tiene movimiento circular.
ROTÍFEROS m. pl. *Zool.* Protozoos verrmiformes microscópicos.
ROTO, TA adj. y s. Andrajoso. // adj. Apl. al sujeto

licencioso.
ROTONDA f. Templo, edificio o sala de planta circular.
RÓTULA f. *Anat.* Hueso plano, móvil, de forma triangular, sit. en la parte anterior de la rodilla.
ROTULAR tr. Poner un rótulo.
RÓTULO m. Título. // Cartel que se fija en público para dar noticia o aviso de algo.
ROTUNDO, DA adj. Redondo. // fig. Apl. al lenguaje lleno y sonoro. // Completo, terminante.
ROTURA f. Acción y efecto de romper o romperse.
ROTURAR tr. Arar o labrar por primera vez unas tierras.
ROZADURA f. Acción y efecto de rozar una cosa con otra.
ROZAMIENTO m. Roce.
ROZAR tr. Limpiar las tierras de las matas y hierbas inútiles. // intr. y tr. Pasar una cosa tocando ligeramente la superficie de otra. // r. fig Tener confianza entre sí dos o más personas.
RÚA f. Calle de un pueblo. // Camino carretero.
RÚBEO, A adj. Que tira a rojo.
RUBÉOLA f. *Med.* Enfermedad infecciosa caracterizada por una erupción semejante a la del sarampión.
RUBÍ m. Variedad de corindón, de color rojo, transparente.
RUBIA f. *Bot.* Planta rubiáceas, cuya raíz contiene colorante rojo.
RUBICUNDO, DA adj. Rubio que tira a rojo. // Apl. a la persona de buen color.
RUBIDIO m. Metal raro, semejante al potasio, aunque más blando y pesado; símbolo, Rb.
RUBIO, A adj. De color rojo claro parecido al del oro.
RUBLO m. Unidad monetaria de la URSS.
RUBOR m. Color encarnado, esp. el que la Vergüenza saca al rostro.
RUBORIZAR tr. Causar rubor o vergüenza. // r. Teñirse uno de rubor.
RÚBRICA f. Rasgo de figura determinada, que como parte de la firma se pone después del nombre. // Epígrafe o rótulo.
RUBRICAR tr. Poner uno su rúbrica. // fig. Suscribir una cosa.
RUCIO, CIA adj. y s. De color pardo claro, blanquecino o canoso
RUDA f. *Bot.* Planta herbácea de la fam. rutáceas, de flores amarillas de pétalos dentados. ES de olor desagradable.
RUDEZA f. Calidad de rudo.
RUDIMENTARIO, RIA adj. Perten. o rel. al rudimento o a los rudimentos.
RUDIMENTO m. Embrión o estado informe de un ser orgánico. // pl. Primeros estudios de una ciencia o profesión.
RUDO, DA adj. Tosco, sin pulimento. // Necio, de inteligencila torpe. // Descortés. // Violento.
RUECA f. Instrumento para hilar.
RUEDA f. Máquina elemental, en forma circular, que puede girar sobre un eje. // Corro formado de algunas personas o cosas.
RUEDO m. Círculo o circunferencia de una cosa. // Contorno, límite. // Redondel de la plaza de toros.
RUEGO om. Súplica, petición.
RUFIÁN m. fig. Hombre sin honero, perverso, despreciable.
RUGIDO m. Voz del león. // fig. Grito del hombre colérico.
RUGIR intr. Bramar el león. // fig. Bramar una persona enojada.
RUGOSIDAD f. Calidad de rugoso.
RUGOSO, SA adj. Que tiene arrugas.
RUIBARBO m. *Bot.* Planta de la fam. poligonáceas, de rizoma usado en medicina como purgante.
RUIDO m. Sonido inarticulado y confuso. // fig. Pendencia, alboroto.
RUIDOSO, SA adj. Que causa mucho ruido.
RUIN adj. Vil, despreciable. // pequeño, desmedrado. // Mezquino.
RUINA f. Acción de caer o destruirse una cosa. // fig. Pérdida grande de los bienes de fortuna. // pl. Restos de uno o más edificios arruinados.
RUINDAD f. Calidad de ruin. // Acción de ruin.
RUINOSO, SA adj. Que se empieza a arruinar o amenaza ruina.
RUISEÑOR m. *Zool.* Pájaro túrdido, insectívoro, de plumaje gris rojizo. El más famoso de los canoros.
RULETA f. Juego de azar para el que se usa una rueda horizontal giratoria dividia en 36 casillas numeradas.
ROLO m. bola gruesa u otra cosa redonda que rueda fácilmente. // Rodillo.
RUMBA f. Cierto baile popular cubano, y música que lo acompaña.
RUMBO m. Dirección. // Camino que uno se propone seguir. // fig. y fam. Pompa, ostentación. // Garbo, desinterés.
RUMBOSO, SA adj. fam Pomposo. // Desprendido, dadivoso.
RUMIANTES m. pl.*Zool.* Mamíferos ungulados herbívoros. Carecen de dientes incisivos, y su estómago consta de cuatro partes: panza, redecilla, libro y cuajar.
RUMIAR tr. Masticar por segunda vez el alimento, volviéndolo a la boca. // fig. y fam. Considerar con reflexión y madurez una cosa. //Rezongar, refunfuñar.
RUMOR m. Voz que corre entre el público. // Ruido vago, sordo y continuado.
RUPESTRE adj.Dic. de algunas cosas perten. a las rocas. Apl. esp. a las pinturas y dibujos prehistóricos existentes en algunas rocas.
RUPIA f. Unidad monetaria de la India, Ceilán y Pakistán.
RUPTURA f. fig. Acción y efecto de romper o romperse.
RURAL adj. Rústico.
RUSO, SA adj. y s. Natural de Rusia. // Perten. a este

país. // m. Idioma ruso.
RUSTICIDAD f. Calidad de rústico.
RÚSTICO, CA adj. Perten. o rel. al campo. // fig. Tosco, grosero.
RUTA f. Itinerario para un viaje. // fig. Camino que se toma para un propósito.
RUTÁCEA f. pl. *Bot.* Fam de plantas angiospermas dicotiledóneas, que gralte. secretan esencias.
RUTILANCIA f. Brillo rutilante.
RUTILAR intr. poét. Brillar como el oro, resplandecer.
RUTINA f. Hábito, costumbre de hacer siempre las cosas por mera práctica.
RUTINARIO, RIA adj. Que se hace o practica por rutina.

S

S f. Vigésima segunda letra del abecedario español, y decimoctava de sus consonantes. Su nombre es ese.
SÁBADO m. Séptimo y último día de la semana.
SABANA f. En América, llanura dilatada, sin vegetación arbórea. // Formación vegetal propia de países tropicales.
SÁBANA f. Cada una de las dos piezas para cubrir la cama.
SABANDIJA f. Cualquier reptil pequeño o insecto.
SABAÑÓN m. *Med.* Tumefacción o nódulo, causada por frío excesivo.
SABÁTICO, CA adj. Sabatino. // Apl. al séptimo año, en que los hebreos dejaban descansar sus tierras.
SABATINO, NAZ adj. Perten. al sábado o ejecutado en él.
SABER m. Conocimiento. // Ciencia o facultad.
SABER tr. Conocer una cosa, o tener noticia de ella. // Ser docto en alguna cosa. // Tener habilidad para una cosa. // intr. Estar informado de algo.
SABIDURÍA f. Conducta prudente. // Conocimiento profundo en ciencias, letras o artes.
SABIHONDO, DA adj. y s. fam. Que presume de sabio sin serlo.
SABIO, BIA adj. y s. Díc de la persona que posee la sabiduría. // De buen juicio, cuerdo.
SABLAZO m. Golpe dado con sable. // fig. y fam. Acto de sacar dinero a uno.
SABLE m. Arma blanca semejante a la espada, pero algo corva.
SABOR m. Sensación que ciertos cuerpos producen en el órgano del gusto. // fig. Impresión que una cosa produce en el ánimo.
SABOREAR tr. y r. Percibir con deleite el sabor de lo que se come o bebe. // fig. Apreciar con deleite una cosa grata.
SABOTAJE m. Daño que para perjudicar a los patronos hacen los obreros en las maquinaría, productos, etc.
SABOTEAR tr. Hacer sabotaje.

SABROSO, SA adj. Grato al sentido del gusto.
SABUESO, SA adj. y s. Apl. a una clase de perro de olfato muy fino. // m. fig. Persona que sabe indagar.
SACA f. Costal muy grande de tela fuerte.
SACACORCHOS m. Instrumento que sirve para quitar los tapones de corcho a las botellas.
SACAPUPUNTAS m. Instrumento para afilar los lápices.
SACAR tr. Extraer una cosa. // Quitar, apartar. // Aprender, averiguar. // Conocer, descubrir por señales e indicios. // Ganar por suerte una cosa. // Citar, nombrar. // Desenvainar un arma.
SACARINA f. Edulcorante sintético que supera en 500 veces el dulzor del azúcar.
SACAROSA f. Azúcar.
SACERDOCIO m. Dignidad del sacerdote. // Ejercicio y ministerio propio del sacerdote.
SACERDOTAL adj. Perten. al sacerdote.
SACERDOTE m. Hombre consagrado a celebrar y ofrecer sacrificios.
SACERDOTISA f. Mujer dedicada a ofrecer sacrificos a ciertas deidades y cuidar de sus templos.
SACIAR tr. y r. Hartar y satisfacer de bebida o de comida.
SACIEDAD f. Hartura.
SACO m. Receptáculo de tela, papel, etc., abierto uno de los lados. // Lo contenido en él. // Vestidura tosca de paño burdo.
SACRAMENTAL adj. Perten. a los sacramentos.
SACRAMENTO m. Signo sensible de un efecto interior y espiritual que Dios obra en las almas.
SACRIFICAR tr. Hacer sacrificios a alguna divinidad. // Matar, degollar las reses. // fig. Poner a alguno en algún riesgo o trabajo. // r. Sujetarse con resignación a una cosa violenta o repugnante.
SACRIFICIO m. Ofrenda a una deidad en señal de homenaje o expiación. // fig. Peligro o trabajo que se somete una persona.
SACRILEGIO m. Profanación de cosa, persona o lugar sagrado.
SACRÍLEGO, GA adj. Que comete o contiene sacrilegio.
SACRISTÁN m. El que en las iglesias ayuda al sacerdote, cuida de los ornamentos, etc.
SACRISTÍA f. Lugar, en las iglesias, donde se revisten los sacerdotes y están guardados los ornamentos.
SACRO, A n. m. Anat. Hueso simétrico y triangular constituido por cinco vértebras soldadas (llamadas sacras) situadas en la base de la columna vertebral. // adj. Sagrado.
SACROLULMBAR adj. Anat. Perteneciente o relativo al sacro y a las vértebras lumbares a la vez.
SACROSANTO, TA adj. Que reúne las cualidades de sagrado y santo.
SACUDIDA f. Acción y efecto de sacudir o sacudirse.
SACUDIR tr. y r. Mover violentamente una cosa a una

y otra parte. // Arrojar, tirar una cosa.
SÁDICO, CA adj. y s. Perten. o rel. al sadismo.
SADISMO m. Perversión sexual por la cual la excitación erótica se consigue practicando la crueldad.
SADUCEO, A adj. y s. Díc. del individuo de cierta secta de judíos que negaba la inmortalidad del alma y la resurrección del cuerpo.
SAETA f. Arma arrojadiza que consiste en una asta delgada y ligera, con punta afilada. // Manecilla del reloj. // Copla que se canta en ciertas solemnidades religiosas.
SAFARI m. Expedición de caza mayor a África.
SAGA f. Cada una de lals leyendas poéticas en que se recogen las tradiciones heroicas y mitológicas de la ant. Escandinavia.
SAGACIDAD f. Calidad de sagaz.
SAGAZ adj. Astuto, prudente, que prevé las cosas.
SAGITARIO m. Noveno signo del Zodíaco.
SAGRADO, DA adj. Que según el rito está dedicado a Dios. // Perten. o rel. a la divinidad o a su culto. // Venerable.
SAGRARIO m. Parte interior del templo, en que se guardan las cosas sagradas.
SAHUMAR tr. y r. Dar humo aromático a una cosa.
SAIN m. Grasa o gordura de un animal.
SAINAR tr. Engordar a los animales.
SAINETE m. Salsa que se pone a ciertos manjares. // Pieza dramática de carácter humorístico y popular, de un solo acto.
SAJADURA f. Cortadura hecha en la carne.
SAJAR tr. Cir. Cortar en la carne.
SAJÓN, NA adj. y s. Natural de Sajonia. // adj. Perten. o rel. a este país de Europa.
SAL f. Cloruro sódico. Es luna sustancia blanca, cristalina, de sabor característico, muy soluble en agua, que se emplea para sazonar los manjares y conservar las carnes. // Quim. Sustancia que resulta de sustituir total o parcialmente el hidrógeno de los ácidos por metales o por radicales básicos.
SALA f. Pieza principal de la casa. // Aposento de grandes dimensiones. // Pieza donde se constituye un tribunal de justicia.
SALADO, DA adj. Apl. a los manjares que tienen más sal de la necesaria. // fig. Gracioso, agudo.
SALAMANDRA f. Zool. Anfibio urodelo de cuerpo alargado y cola redondeada. // Su piel es delgada, de color gris o pardo.
SALAMANQUESA f. Zool. Reptil escamoso de cabeza ancha y deprimida. Su piel es delgada, de color gris o pardo.
SALAR tr. Echar en sal, curar con sal carnes, pescados, etc. // Sazonar con sal.
SALARIAL adj. Perten. o rel. al salario.
SALARIO m. Remuneración que percibe una persona por su trabajo.
SALAZÓN f. Acción y efecto de salar carnes o pescados.

SALCE m. Sauce.
SALCOCHAR tr. Cocer carnes u otras viandas sólo con agua y sal.
SALCHICHA f. Embutido, en tripa delgada, de carne de cerdo picada.
SALCHICHÓN m. Embutido de jamón, tocino y pimienta en grano, prensado y curado.
SALDAR tr. Liquidar enteramente una cuenta. // Vender a bajo precio una mercancía.
SALDO m. Pago o finiquito de una deuda. // Cantidad de que de una cuenta resulta a favor o en contra de uno. // Resto de mercancías que se venden a bajo precio.
SALEDIZO, ZA adj. Que sobresale.
SALERO m. Vaso en que se sirve la sal en la mesa. // fig. y fam. Gracia, donaire.
SALEROSO, SA adj. fig. y fam. Que tiene salero, gracia.
SALICÁCEAS f. pl. Bot. Plantas dicotiledóneas; hojas sencillas y alternas, frutos oen cápsula polisperma, como el álamo, sauce, etc.
SALIDA f. Acción y efecto de salir, o salirse. // Parto por donde se sale fuera de un sitio. // fig. Escapatoria, recurso. // fig. y fam. Ocurrencia, dicho agudo.
SALIENTE adj. Que sale. // m. Oriente, levante. // Parte que sobresale de una cosa.
SALÍFERO, RA adj. Salino.
SALIFICAR tr. Quím. Convertir una sustancia en sal.
SALINA f. Mina de sal. // Establecimiento donde se extrae la sal de las aguas del mar.
SALINIDAD f. Cantidad realtiva de sales contenidas en un líquido.
SALINO, NA adj. Que naturalmente contiene sal. // Que participa de los caracteres de la sal
SALIR intr. y r. Pasar de la parte de adentro a la de afuera. // intr. Partir. // Librarse de algún lugar peligroso o molesto. // Desembarazarse de algo. // Aparecer, manifestarse. // Nacer, brotar. // Decir o hacer una cosa inesperada. // Estar bien hechas las cuentas. // Parecerse, asemejarse. // Ser sacado por cuenta o votación. // r. Derramarse el contenido de un receptáculo.
SALITRAL m. Sitio donde se cría y halla el salitre.
SALITRE m. Quim. Nitro (nitrato potásico.)
SALIVA f. Humor alcalino viscoso que segregan las glándulas salivares.
SALIVAL adj. Perten. a la saliva.
SALIVAR intr. Arrojar saliva.
SALIVAZO m. Porción de saliva que se escupe de una vez.
SALMANTINO, NA adj. y s. Natural de Salamanca. // adj. Perten. o rel. a Salamanca.
SALMO m. Composición o cántico que contiene alabanzas a Dios.
SALMODIA f. Canto usado en la iglesia para los salmos. // fig. y fam. Canto monótono.
SALMÓN m. Zool. Pez osteíctio de cuerpo alargado, hocico puntiagudo y carne rojiza muy

apreciada. Es fluvial y marino.
SALMUERA f. Agua cargada de sal. // Agua que sueltan las cosas saladas.
SALOBRE adj. Que contiene cierta cantidad de sal.
SALÓN m. Aposento de grandes dimensiones, para visitas y fiestas.
SALPICAR tr. e intr. Hacer que salte un líquido esparcido en gotas menudas. // Mojar con un líquido que salpica.
SALPULLIDO m. Erupción leve y pasajera en el cutis, formada por granitos o ronchas.
SALPULLIR tr. Levantar salpullido. // r. Llenarse de salpullido.
SALSA f. Mezcla de varias sustancias comestibles desleídas para aderezar la comida.
SALSERA f. Vasija en que se sirve salsa.
SALTABANCO m. Histrión, volatinero, prestidigitador que hace sus habilidades en la calle.
SALTAMONTES m. *Zool.* Insecto ortóptero, con patas anteriores cortas, y muy robustas y largas las posteriores, con las que da grandes saltos.
SALTAR intr. Levantarse del suelo con impulso y ligereza. // Arrojarse desde una altura. // Moverse una cosa de una parte a otra, levantándose con violencia. // Desprenderse una cosa de donde estaba fija. // intr. y r. Salir un líquido hacia arriba con ímpetu. // tr. Salvar de un salto una distancia. / Pasar de una cosa a otra. // tr. y r. fig. Omitir parte de un escrito.
SALTARÍN, NA adj. y s. Que danza o baila.
SALTEADOR m. El que saltea y roba en los despoblados o caminos.
SALTEAR tr. Salir a los caminos y robar a los pasajeros. // Acometer. // Hacer una cosa con interrupciones.
SALTERIO m. Libro canónico de la Biblia. Consta de 150 salmos.
SALTIMBANQUI m. fam. Saltabanco.
SALTO m. Acción y efecto de saltar. // Despeñadero muy profundo. // Espacio comprendido entre el punto de donde se salta y aquel a que se llega.
SALTÓN, NA adj. Que anda a saltos o salta mucho. // Díc. de algunas cosas que sobresalen más de lo regular.
SALUBRE adj. Saludable.
SALUBRIDAD f. Calidad de salubre.
SALUD f. Estado en que el ser orgánico ejerce normalmente todas sus funciones. // Salvación del alma.
SALUDABLE adj. Que sirve para conservar o restablecer la salud corporal. // fig. Provechoso.
SALUDAR tr. Dirigir a otro palabras corteses; mostrarle benevolencia o respeto.
SALUDO m. Acción y efecto de saludar.
SALUTACIÓN f. Saludo.
SALVA f. Saludo hecho con armas de fuego.
SALVACIÓN f. Acción y efecto de salvar o salvarse. // Consecución de la bienaventuranza eterna.

SALVADO m. Cáscara de grano cereal desmenuzada por la molienda.
SALVAGUARDA m. Salvaguardia.
SALVAGUARDAR tr. Defender, amparar.
SALVAGUARDIA m. Guardia que se pone para la custodia de una cosa. // f. Papel o señal que se da a uno para que no sea detenido. // Custodia, amparo, garantía.
SALVAJE adj. Apl. a las plantas silvestres y sin cultivo. // Díc. del animal que no es doméstico. // adj. y s. fig. Sumamente necio, terco, zafio o rudo.
SALVAMENTO m. Acción y efecto de salvar o salvarse. // Lugar en que uno se asegura de un peligro.
SALVAR tr. y r. Librar de un riesgo o peligro. // Evitar un inconveniente, riesgo, etc. // Vencer un obstáculo. // Recorrer la distancia que media entre dos lugares. // r. Alcanzar la vida eterna.
SALVAVIDAS m. Aparato con que los náufragos pueden salvarse.
SALVEDAD f. Advertencia que se emplea como excusa o limitación de lo que se va a decir o hacer.
SALVIA f. *Bot.* Mata de la fam. labiadas, cuyas hojas se emplean para preparar un cocimiento tónico.
SALVO, VA adj. Ileso. // Exceptuado, omitido. // adv. m. Fuera de, con excepción de, excepto.
SALVOCONDUCTO m. Permiso para transitar sin riesgo.
SAMARIO m. Elemento químico, metálico, de color gris y duro como el acero; símbolo, Sm.
SAMBENITO m. Escapulario que se ponía a los penitentes reconciliados con el tribunal de la Inquisición. // fig. Descrédito que queda de una acción.
SAMURAI m. En el ant. sistema feudal japonés, miembro de una clase inferior de la nobleza, dedicado a la acción militar.
SAN adj. Apócope de santo.
SANAR tr. Restituir a uno la salud. // intr. Recobrar la salud.
SANATORIO m. Establecimiento dispuesto para la estancia de enfermos. sanción f. Estatuto o ley. // Acto por el que el jefe de Estado confirma una ley o estatuto. // Pena que la ley establece para el que la infringe. // Autorización o aprobación.
SANCIONAR tr. Dar fuerza de ley a una disposición. // Aprobar. // Imponer pena.
SANCTASANCTÓRUM m. Parte interior y más sagrada del tabernáculo. // fig. Lo muy apreciado, o muy reservado.
SANDALIA f. Calzado compuesto de una suela que se asegura con correas o cintas.
SÁNDALO m. *Bot.* Plant arbórea de la fam. santaláceas, de la que se extrae la esencia de sándalo.
SANDEZ f. Calidad de sandio. // Despropósito, simpleza, necedad.
SANDÍA f. *Bot.* Planta cucurbitácea de tallo tendido y fruto de grandes dimensiones y pulpa dulce.
SANDIO, DIA adj. y s. Necio, simple.

SANDUNGA f. fam. Gracia, salero.
SANEADO, DA adj. Apl. a los bienes o a la renta libres de cargas o descuentos.
SANEAR tr. Reparar o remediar una cosa. // Dar condiciones de salubridad a un terreno, edicio, etc.
SANEDRÍN m. Consejo supremo de los judios.
SANGRAR tr. Abrir una vena y dejar salir determinada cantidad de sangre. // fig. Dar salida a un líquido. // fig. y am. Hurtar, sisar.
SANGRE f. *Fisiol.* Tejido liquido coagulable, de color rojo en los vertebrados. //La forma el plasma, de naturaleza albuminoide, donde flotan los glóbulos rojos, los glóbulos blancos y las plaquetas. // fig. Linaje o parentesco.

Mezclado con sangre.
SANIDAD f. Calidad de sano. // Calidad de saluble. // Conjunto de servicios gubernativos para preservar la salud pública.
SANITARIO, RIA adj. Perten. o rel. a la sanidad. // m. Individuo del cuerpo de sanidad militar.
SANO, NA adj. y s. Que goza de perfecta salud. // adj. Seguro, sin riesgo. // Bueno para la salud. // fig. Libre de error o vicio.
SÁNSCRITO m. *Ant.* Lengua de los brahmanes.
SANTALÁCEAS f. pl. *Bot.* Fam. de plantas angiospermas, dicotiledóneas, de fruto en drupa.
SANTIDAD f. Calidad de santo.
SANTIFICAR tr. Hacer a uno santo por medio de la

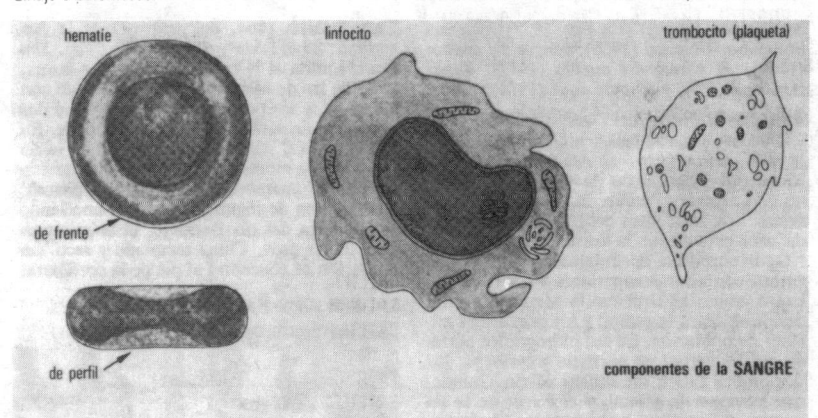

componentes de la SANGRE

GRUPOS SANGUÍNEOS — MÉTODO AB0				
Antígeno del hematíes	Aglutinina correspondiente	Grupo sanguíneo	Puede recibir sangre de	Puede dar sangre a
A	Anti-B	A	0 y A	A y AB
B	Anti-A	B	0 y B	B y AB
A y B	carece	AB	Todos (receptor universal)	AB
carece	Anti-A y Anti B	0	0	Todos (donante universal)

SANGRÍA f. Acción y efecto de sangrar. // fig. Bebida compuesta de agua y vino con azúcar y limón u otros aditamentos.
SANGRIENTO, TA adj. Que echa sangre, o teñido en sangre. // Que causa efusión de sangre. // fig. Que ofende gravemente.
SANGUIJUELA f.*Zool.* Gusano anélido, de cuerpo casi cilíndrico, que se alimenta de sangre que chupa a los animales a que se agarra.
SANGUINARIO, RIA adj. Feroz vengativo, que goza derramando sangre.
SANGUÍNEO, A adj. De sangre.// Que echa sangre. // Que contiene sangre o abunda en ella. //De color de sangre.
SANGUINOLENTO, TA adj. Que echa sangre. //

gracia. // Dedicar a Dios una cosa.
SANTIGUAR tr.y r. Hacer la señal de la cruz desde la frente al pecho y desde el hombro izquierdo al derecho.
SANTO, TA adj. Perfecto y libre de toda culpa. // adj. y s. Díc. de la persona a quien la Iglesia declara tal. // Apl. a la persona de especial virtud y ejemplo. // adj. Apl. a lo que es venerable por algún motivo de religión. // Conforme a la ley de Dios. // Sagrado, inviolable.
SANTÓN m. El que profesa vida penitente y austera fuera de la religión cristiana.
SANTORAL m. Libro que contiene vidas de santos. // Lista de los santos cuya festividad se conmemora un día al año.

SANTUARIO m. Templo en que se venera la imagen o reliquia de un santo.
SANTURRÓN, NA adj. y s. Nimio en los actos de devoción. // adj. Hipócrita que aparenta ser devoto.
SAÑA f. Furor, enojo ciego. // Intención rencorosa y cruel.
SAÑUDO, DA adj. Que tiene saña.
SÁPIDO, DA adj. Apl. a la sustancia que tiene algún sabor.
SAPIENCIA f. Sabiduría.
SAPO m. *Zool.* Anfibio anuro de piel verrugosa; es semejante a la rana, pero de mayor tamaño.
SAPONIFICAR tr. y r. Convertir en jabón un cuerpo graso.
SAPROFITO, TA adj. *Biol.* Díc. del organismo que se nutre de materias orgánicas en descomposición.
SAQUE m. Acción de sacar. // Sitio desde el cual se saca la pelota.
SAQUEAR tr. Apoderarse violentamente los soldados de lo que hallan en un paraje. // Entrar en un lugar robando cuanto se halla.
SAQUEO m. Acción y efecto de saquear.
SARAMPIÓN m. *Med.* Enfermedad infecciosa producida por un virus, que se manifiesta por manchas rojas en la piel y síntomas catarrales.
SARAO m. Reunión nocturna para divertirse con baile o música.
SARAPE m. Manta mexicana de lana, con una abertura en el centro.
SARASA m. fam. Hombre afeminado.
SARCASMO m. Burla, ironía mordaz y cruel.
SARCÁSTICO, CA adj. Que denota o implica sarcasmo. // Propenso a emplearlo.
SARCÓFAGO m. Sepulcro, obra de piedra en que se da sepultura a un cadáver.
SARCOMA m. *Med.* Tumor maligno del tejido conjuntivo, con gran tendencia a la proliferación.
SARDANA f. Danza popular de Cataluña, que se baila en corro.
SARDINA f. *Zool.* Pez osteíctio de la fam. clupeidos, de cuerpo comprimido. Forma grandes bancos que viven en aguas costeras.
SARDO, DA adj. y s. Natural de Cerdeña. // adj. Perten. a esta isla de Italia.
SARGA f. *Bot.* Arbusto sallicáceo; sus ramas, mimbreñas, se usa para construir cestos. // Tela cuyo tejido forma líneas diagonales.
SARGAZO m. *Bot.* Planta marina de la fam. de las algas, que a veces cubre grandes extensiones en la superficie del mar.
SARGENTO m. Grado militar superior al de cabo.
SARGO m. *Zool.* Pez marino acantopterigio.
SARMENTOSO, SA adj. Que tiene semejanza con los sarmientos.
SARMIENTO m. *Bot.* Vástago de la vid, largo, delgado, flexible y nudoso.
SARNA f. *Med.* Enfermedad contagiosa y parasitaria de la piel; la produce el ácaro arador de la sarna.
SARNOSO, SA adj. Que tiene sarna.
SARRACENO, NA adj. y s. Natural de la Arabia. // Mahometano.
SARRACINA f. Pelea entre muchos, esp. confusa y tumultaria.
SARRO m. Sedimento que dejan las vasijas algunos líquidos. // Sustancia amarillenta que se adhiere al esmalte de los dientes.
SARTA f. Serie de cosas metidas por orden en un hilo, cuerda, etc. // fig. Serie de sucesos o cosas análogas.
SARTÉN f. Vasija circular de hierro de fondo plano y con mango largo. // Lo que se fríe de una vez en la sartén.
SASAFRÁS f. *Bot.* Planta arbórea americana de la fam. lauráceas, de hojas aromáticas.
SASTRE m. El que tiene por oficio cortar y coser trajes.
SASTRERÍA f. Oficio de sastre. // Obrador de sastre.
SATÁNICO, CA adj. Perten. a Satanás; propio y característico de él. // fig. Extremadamente perverso.
SATÉLITE m. Astro que gira en torno a un planeta. // Persona o nación que está en relación de dependencia con respecto a otra u otras.
SATÉN m. Tejido arrrasado.
SATINAR tr. Dar al papel o a la tela tersura y lustre.
SÁTIRA f. Escrito, discurso o dicho agudo, picante y mordaz.
SATÍRICO, CA adj. Perten. a la sátira.
SATIRIZAR intr. Escribir sátiras. // tr. Zaherir, motejar.
SÁTIRO m. fig. Hombre lascivo. // mit. Monstruo o semidiós que era medio hombre y medio cabra.
SATISFACCIÓN f. Acción y efecto de satisfacer o satisfacerse. // Razón o acción con que se responde enteramente a una queja. // Presunción, vanagloria. // Cumplimiento del deseo o del gusto.
SATISFACER tr. Pagar enteramente lo que se debe. // Saciar un apetito, pasión, etc. // Dar solución a una duda o a una dificultad. // Deshacer un agravio u ofensa; sosegar o aquietar una queja. // Premiar los méritos que se tiene hechos.
SATISFACTORIO, RIA adj. Que puede satisfacer o pagar una cosa debida; una deuda o una queja; o deshacer un agravio. // Grato, próspero.
SATISFECHO, CHA adj. Pagado de sí mismo. // Complacido, contento.
SATIVO, VA adj. *Bot.* Díc. de la planta sembrada y cultivada, frente a la silvestre.
SÁTRAPA m. Gobernador de una provincia de la ant. Persia.
SATURACIÓN f. Acción y efecto de saturar o saturarse.
SATURAR tr. y r. Saciar. // Quím. y Fís. Combinar dos o más sustancias en las proporciones atómicas máximas en que éstas pueden unirse.

SATURNO m. Planeta distante del Sol nueve veces más grande que la Tierra.
SAUCE m.*Bot.* Arbol de la fam. salicáceas, de hoja caduca y flores reunidas en amentos. Crece en riberas y lugares húmedos.
SAÚCO m. *Bot.* Arbusto de la fam. caprifoliáceas. El tronco está muy ramificado, con ramas de medula esponjosa blanca.
SAUNA f. Baño de vapor a muy alta temperatura.
SAURIOS m.pl. *Zool.* Reptiles escamosos provistos de cuatro extremidades, cola delgada y mandíbulas con dientes.
SAVIA f. *Bot.* Líquido que circula por los vasos leñosos de las plantas.
SAXÍFRAGA f. *Bot.* Planta herbácea de la fam. saxifrágeas. Presenta bulbos en la base del tallo, flores en corimbo y fruto en cápsula.
SAXIFRAGÁCEAS f. pl. *Bot.* Fam. de plantas dialipétalas, del orden orsales. Su tipo es la saxífraga.
SAXOFÓN O SAXÓFONO m. Instrumento musical de viento formado por un tubo de metal con varias llaves y boquilla de madera.
SAYA f. Falda.
SAYAL m. Tela muy basta labrada de lana burda.
SAYO m. Casaca holgada y sin botones. // *fam.* Cualquier vestido.
SAYÓN m. *Ant.*, verdugo.
SAZÓN f. Punto o madurez de las cosas. //Ocasión, coyuntura. // Gusto y sabor de los manjares.
SAZONAR tr. y r. Dar sazón al manjar. //Poner las cosas en el punto y madurez que deben tener.
SE Forma reflexiva del pron. pers. de tercera persona. Sirve también para formar oraciones impersonales y de pasiva.
SEBÁCEO, A adj. Que contiene o produce sebo. // *Anat.* Díc. de ciertas glándulas que segregan materias grasas.
SEBO m. Grasa sólida obtenida de los animales herbívoros.
SEBORREA f. *Med.* Aumento patológico de la secreción sebácea.
SECANO m. Tierra de labor que no tiene riego.
SECANTE m. Papel esponjoso para secar lo escrito. // *Geom.* Linea o superficie que corta a otras líneas o superficies, y esp. la recta que corta a una curva en uno o más puntos.
SECAR tr. Extraer la humedad de un cuerpo mojado. // r. Quedarse sin agua un rio, una fuente, etc. // Perder una planta su vigor, o lozanía. // Enflaquecer y extenuarse uno.
SECCIÓN f. Separación que se hace en un cuerpo sólido con instrumento cortante. // Cada una de las partes en que se divide un todo, o conjunto de cosas, de personas, etc.
SECCIONAR tr. Dividir en secciones, fraccionar.
SECESIÓN f. Acto de separarse de una nación parte de su territorio.

SECESIONISMO m. Tendencia favorable a la secesión política.
SECO, CA adj. Que carece de jugo o humedad. // Falto de agua. // Apl. a las frutas de cáscara dura. // Falto de vigor o lozanía. // fig. Aspero, poco cariñoso.
SECOYA o **SECUOYA** f. *Bot.* Conífera gigantesca americana, que alcanza hasta 150 m de altura.
SECRECIÓN f. Separación. // Acción y efecto de secretar.
SECRETAR tr. Elaborar y despedir las glándulas, membranas y células una sustancia.
SECRETARÍA f. Cargo de secretario. // Oficina donde se despacha.
SECRETARIO, IA m. y f. Encargado de escribir la correspondencia, extenderlas actas, etc., en una oficina, asamblea o corporación.
SECRETO m. Lo que se tiene reservado y oculto. // Reserva, sigilo.
SECRETO, TA adj. Oculto, ignorado. // Callado, silencioso.
SECRETORIO, RIA adj. y s. Que profesa y sigue una secta. // adj. Fanático.
SECTOR m. Porción de círculo comprendida entre un arco y los dos radios que pasan por sus extremidades. // fig. Parte de una colectividad que presenta caracteres peculiares.
SECUAZ adj. y s. Que sigue el partido, doctrina u opinión de otro.
SECUELA f. Consencuencia de una cosa.
SECUENCIA f. Continuidad, sucesión ordenada. // Sucesión de planos fílmicos que presentan continuidad y constituyen un episodio.
SECUESTRAR tr. Embargar judicialmente. // Aprehender a una persona, exigiendo dinero por su rescate.
SECUESTRO m. Acción y efecto de secuestrar.
SECULAR adj. Seglar. // Que dura un siglo, o desde hace siglos. // adj. y s. Díc. del clero que vive en el siglo.
SECULARIZAR tr. y r. Hacer secular lo que era eclesiástico.
SECUNDAR tr. Ayudar, favorecer.
SECUNDARIO, RIA adj. Segundo en orden. // No principal, accesorio.
SED f. Gana y necesidad de beber. // fig. Apetito o deseo de una cosa.
SEDA f. Hebra fina y flexible con que forman sus capullos ciertos gusanos u orugas. // Hilo formado con varias de estas hebras. // Cualquier obra o tela hecha de seda.
SEDAL m. En la caña de pescar, hilo que sujeta el anzuelo.
SEDANTE m. Medicamento que calma el dolor o los nervios.
SEDE f. Asiento de un prelado que ejerce jurisdicción. // Capital de una diócesis. // Lugar donde tiene su domicilio una sociedad.
SEDENTARIO, RIA adj. Apl. al oficio o vida de poco

movimiento. // Dic. del pueblo o que se dedica a la agricultura, por oposición a nómada.
SEDENTE adj. Que está sentado.
SEDICIÓN f. Tumulto, rebellión popular contra la autoridad establecida.
SEDICIOSO, SA adj. y s. Díc. de la persona que toma parte en una sedición.
SEDIENTO, TA adj. y s. Que tiene sed.
SEDIMENTAR tr. Depositar sedimento un líquido. // r. Formar sedimento las materias suspendidas en un líquido.
SEDOSO, SA adj. Parecido a la seda.
SEDUCCIÓN f. Acción y efecto de seducir.
SEDUCIR tr. Engañar con arte y maña. // Cautivar el ánimo.
SEFARDÍ adj. y s. Díc. del judío oriundo de España.
SEGAR tr. Cortar mieses o hierba. // fig. Cortar, impedir bruscamente el desarrollo de algo.
SEGLAR adj. y s. Que no tiene órganos clericales.
SEGMENTAR tr. Dividir en segmentos.
SEGMENTO m. Porción o parte de una cosa.
SEGREGACIÓN f. Acción y efecto de segregar.
SEGREGAR tr. Separar o apartar una cosa de otra u otras. // Secretar, expeler.
SEGUIDO, DA adj. Continuo, sucesivo. // Que está en línea recta.
SEGUIR tr. e intr. Ir después o detrás de uno. // Proseguir lo empezado. // Observar los movimientos de una persona o cosa. // Perseguir. // r. Inferirse.
SEGÚN prep. Conforme o con arreglo a. // adv. En conformidad a lo que, como. // Con proporción o correspondencia. // De la misma manera.
SEGUNDERO m. Manecilla que señala los segundos en el reloj.
SEGUNDO, DA adj. Que sigue inmediatamente al o a lo primero. // m. Cada una de las sesenta partes iguales en que se divide el minuto.
SEGURIDAD f. Calidad de seguro. // Fianza u obligación de indemnidad a favor de uno.
SEGURO, RA adj. Libre y exento de todo daño o riesgo. // Cierto, indudable. // Firme, constante. // Der. Contrato por el cual una de las partes (*asegurador*) se compromete a indemnizar a la otra (*asegurado*) de ciertos daños que pueda sufrir, mediante el pago de una cuota periódica.
SEÍSMO m. Movimiento de vibración de la corteza terrestre.
SELÁCEOS m. pl. Zool. Peces caracterizados por tener el esqueleto cartilaginoso y la piel con denículos dérmicos.
SELECCIÓN f. Elección de una persona o cosa entre otras.
SELECCIONAR tr. Elegir, escoger.
SELECTIVO, VA adj. Que implica selección.
SELECTO, TA adj. Que es menor entre otras cosas de su especie.
SELENIO m. Elemento químico metaloide, de símbolo Se. Es buen conductor de la electricidad.
SELENITA com. Supuesto habitante de la Luna.// f. Espejuelo.
SELVA f. Terreno extenso, inculto y muy poblado de árboles. // fig. Abundancia desordenada de una cosa.
SELVÁTICO, CA adj. Perten. o rel. a las selvas, o que se cría en ellas.
SELLAR tr. Imprimir el sello. // fig. Poner fin a una cosa.
SELLO m. Utensilio para estampar las armas o divisas grabadas en él. // Lo que queda estampado con el mismo sello. // Etiqueta de papel con timbre oficial que asegura el franqueo de los documentos y las caras en que se pega.
SEMÁFORO m. Telégrafo óptico con que los buques se comunican a distancia. // Poste de señales que regula la circulación de automóviles, ferrocarriles, etc.
SEMANA f. Serie de siete días naturales consecutivos, empezando por el domingo y acabando por el sábado.
SEMANAL adj. Que sucede cada semana. // Que dura una semana.
SEMANARIO m. Periódico que se publica semanalmente.
SEMÁNTICA f. Ling. Estudio del significado de las palabras.
SEMASIOLOGÍA f. Semántica.
SEMBLANTE m. Cara o rostro humano. // fig. Apariencia, aspecto de las cosas.
SEMBLANZA f. Bosquejo biográfico.
SEMBRADO m. Tierra sembrada.
SEMBRAR tr. Esparcir las semillas en la tierra preparada para este fin. // fig. Desparramar, esparcir.
SEMEJANTE adj. y s. Que se parece a una persona o cosa. // m. Cualquier hombre respecto a uno, prójimo.
SEMEJANZA f. Calidad de semejante. // Símil retórico.
SEMEJAR intr. y r. Parecerse una persona o cosa a otra.
SEMEN m. Sustancia mucosa segregada por los órganos reproductores masculinos.
SEMENTAL adj. y s. Animal macho que se destina a la reproducción.
SEMENTERA f. Siembra.
SEMESTRAL adj. Que sucede cada semestre. // Que dura un semestre.
SEMESTRE m. Espacio de seis meses.
SEMI- Prefijo que significa medio, o casi.
SEMICIRCULAR adj. De figura de semicírculo o semejante a ella.
SEMICÍRCULO m. *Geom.* Cada una de las dos mitades en que el diámetro divide el círculo.
SEMICIRCUNFERENCIA f. *Geom.* Cada una de las dos mitades de una circunferencia.
SEMICONSONANTE adj. Díc. de las articulaciones

vocálicas i, u ante otra vocal con la que forman diptongo.
SEMIDIÓS m. *Mit.* Hijo de un dios y de un mortal, que participaba de ambas naturalezas.
SEMIFINAL f. Cada una de las dos penúltimas competiciones de un campeonato o concurso.
SEMILLA f. *Bot.* Parte del fruto de la planta, que contiene el germen de ella. // fig. Cosa que es causa u origen de otras.
SEMILLERO m. Lugar donde se siembran y crian las plantas que más tarde han de trasplantarse.
SEMINAL adj. Perten. o rel. al semen, o a la semilla.
SEMINARIO m. Semillero. // Casa o lugar destinado para educación de niños y jóvenes. // Clase en que se reúne el profesor con los discípulos para realizar trabajos de investigación.
SEMINÍFERO, RA adj. Que produce o contiene semen.
SEMIOLOGÍA f. Semiótica.
SEMIÓTICA f. Parte de la Medicina que trata de los signos de las enfermedades.
SEMITA adj. y s. Descendiente de Sem; dic. de los árabes, hebreos y otros pueblos.
SEMÍTICO, CA adj. Perten. o rel. a los semitas.
SEMITISMO m. Conjunto de las doctrinas morales, instituciones y costumbres de los pueblos semitas.
SÉMOLA f. Trigo candeal sin corteza. // Pasta de harina de flor reducida a granos muy menudos y que se usa para sopa.
SENADO m. Asamblea de patricios que formaba el Consejo supremo de la ant. Roma. // En los Estados en que existen dos cámaras legislativas, la que no elegida por sufragio directo. // Edificio en que delibera esta cámara.
SENADOR, RA m. y f. Miembro del senado.
SENARIO, RIA adj. Compuesto de seis elementos, unidades o guarismos.
SENATORIALL adj. Perten. o rel. al senado o al senador.
SENCILLEZ f. Calidad de sencillo.
SENCILLO, LLA adj. Que no tiene artificio ni composición. // Que carece de adornos. // Que no ofrece dificultad.
SENDA f. Camino estrecho.
SENDERO m. Senda.
SENDOS, DAS adj. pl. Uno o una para cada cual de dos o más personas o cosas.
SENECTUD f. Edad senil.
SENIL adj. Perten. a los viejos o a la vejez.
SÉNIOR adj. Apl. a la de más edad de dos personas que llevan el mismo nombre.
SENO m. concavidad o hueco. // Matriz de la mujer y de las hembras de los mamíferos. // fig. Amparo, abrigo. // *Anat.* Pecho o mama, en la mujer.
SENSACIÓN f. Percepción de las cualidades sensibles. // Emoción.
SENSACIONAL adj. Que causa sensación.

SENSATEZ f. Calidad de sensato.
SENSATO, TA adj. Prudente, cuerdo.
SENSIBILIDAD f. Facultad de sentir, propia de los seres animados. // Calidad de las cosas sensibles.
SENSIBILIZAR tr. *Fotogr.* Hacer sensible a la acción de la luz una superficie o materia.
SENSIBLE adj. Capaz de sentir. // Perceptible, manifiesto. // Dic. de la persona que se deja llevar fácilmente de la ternura, compasión, etc.
SENSIBLERÍA f. Sentimentalismo exagerado o fingido.
SENSITIVO, VA adj. Perten. a los sentimientos corporales. // Capaz de sensibilidad. // Que tiene la virtud de excitar la sensibilidad.
SENSORIAL adj. Perten. o rel. al sensorio.
SENSORIO, RIA adj. Perten. o rel. a la sensibilidad. // m. Centro común de todas las sensaciones.
SENSUAL adj. Sensitivo. // Perten. al apetito carnal.
SENSUALIDAD f. Calidad de sensual. // Sensualismo.
SENSUALISMO m. Propensión excesiva a los places de los sentidos.
SENTADO, DA adj. Juicioso, quieto.
SENTAR tr. y r. Poner a uno en silla, banco, etc., de manera que quede descansando sobre las nalgas. // tr. fig. Dar por supuesta o por cierta alguna cosa. // intr. fig. y fam. Ser bien recibido el alimento en el estómago. // r. Asentarse en un lugar.
SENTENCIA f. Dicho grave y sucinto que encierra doctrina o moralidad. // Declaración del juicio y resolución del juez.
SENTENCIAR tr. Dar o pronunciar sentencia. // fig. y fam. Destinar una cosa para un fin.
SENTENCIOSO, SA adj. Apl. al dicho, oración o escrito que encierra moralidad o doctrina.
SENTIDO, DA adj. Que incluye un sentimiento. // Que se ofende con facilidad. // m. Entendimiento o razón. // Inteligencia. // Razón de ser, finalidad.
SENTIMENTAL adj. Que expresa o excita sentimientos tiernos. // Propenso a ellos.
SENTIMENTALISMO m. Calidad de sentimental.
SENTIMIENTO m. Acción y efecto de sentir o sentirse. // Impresión que causan en el alma las cosas espirituales.
SENTINA f. *Mar.* Cavidad inferior de la nave. // fig. Lugar lleno de inmundicias. // Lugar donde abundan los vicios.
SENTIR m. Sentimiento del ánimo. // Parecer, dictamen.
SENTIR tr. Experimentar sensaciones. // Lamentar una cosa. Juzgar, opinar. // Presentir. // r. Formar queja una persona de algo. // Padecer un dolor o indisposición.
SEÑA f. Nota o indicio para dar a entender una cosa. // pl. Indicación del lugar y domicilio de una persona.
SEÑAL f. Marca o nota que se pone o hay en las cosas. // Signo. // Indicio inmaterial de una cosa. // Determi-

nar persona, día, hora y lugar para algún fin. // Hacer una herida o señal en el cuerpo. // r. Distinguirse o singularizarse.
SEÑALADO, DA adj. Insigne, famoso.
SEÑALAR tr. Poner señales en una cosa. // Rubricar. // Llamar la atención hacia una persona o cosa. // Determinar persona, día o cosa. // Cicatriz que queda en el cuerpo. // Prodigio o cosa extraordinaria.
SEÑALIZACIÓN f. Acción y efecto de señalizar.
SEÑALIZAR tr. Poner señales para regular el tráfico de las carreteras y ferrocarriles.
SEÑERO, RA adj. Solo, solitario. // Unico, sin par.
SEÑOR, RA adj. y s. Dueño de una cosa; que tiene dominio y propiedad sobre ella. // fam. Noble, distinguido. // Título nobiliario. // Término de cortesía que se aplica a cualquier persona.
SEÑOREAR tr. Dominar o mandar en una cosa como dueño de ella. //tr. y r. Apoderarse de una cosa.
SEÑORÍA f. Tratamiento que se da a ciertas personas. // Persona a quien se da este tratamiento.
SEÑORIAL adj. Perten. o rel. al señorío. // Dicho del feudo pagado a un señor. // Majestuoso, noble.
SEÑORÍO m. Dominio o mando sobre una cosa. // Teritorio perten. al señor. // Dignidad de señor. //fig. Gravedad y mesura en el porte o en las acciones.
SEÑORITA f. Término de cortesía que se aplica a la mujer soltera.
SEÑORITO m. Hijo de un señor o de persona de representación. // fam. Amo. // Joven acomodado y ocioso.
SEÑUELO m. fig. Cualquier cosa que sirve para atraer.
SÉPALO m.Bot. Cada una de las piezas, gralte. verdosas, que forman el cáliz de la flor.
SEPARAR tr. y r. Poner a una persona o cosa fuera del contacto o proximidad de otra. // Distinguir unas cosas de otras. // r. Retirarse de algún ejercicio u ocupación.
SEPARATA f. Impresión por separado de un artículo o capítulo publicado en una revista o libro.
SEPARATISMO m. Tendencia de una comunidad nacional a independizarse del Estado a que pertenece.
SEPELIO m. Acción de inhumar la Iglesia a los fieles.
SEPIA f. Jibia, molusco. // Colorante que se saca de la jibia.
SEPTENTRIÓN m. Osa mayor. // Norte.
SEPTENTRIONAL adj. Perten. o rel. al septentrión. // Que cae al norte.
SEPTICEMIA f.Alteración de la sangre, causada por materias pútridas.
SÉPTICO, CA adj. Med. Que produce corrupción o putrefacción.
SEPTIEMBRE m. Setiembre.
SÉPTIMO, MA adj. Que sigue immediatamente en orden al o a lo sextos.
SEPULCRAL adj. Perten. o rel. al sepulcro.
SEPULCRO m. Obra que se construye para dar en ella sepultura al cadáver de una persona.

SEPULTAR tr. Poner en la sepultura a un difunto; enterrar. // tr. y r. fig. Sumir, ocultar algo como enterrándolo. // Sumergir, abismar, dicho del ánimo.
SEPULTURA f.Acción y efecto de sepultar. // Hoyo que se hace en tierra para enterrar un cadáver.
SEPULTURERO m. El que tiene por oficio sepultar a los muertos.
SEQUEDAD f. Calidad de seco. //fig. Dicho o ademán áspero y duro.
SÉQUITO m. Agregación de gente que acompaña y sigue a una persona.
SER m. Esencia o naturaleza. // Lo que es, existe o puede existir. // Valor, precio, estimación de las cosas.
SERAFÍN m. Cada uno de los espíritus bienaventurados que forman el segundo corro.
SERENA f. fam. Humedad de la atmósfera en la noche.
SERENAR tr., intr. y r. Aclarar, sosegar. // tr. y r. fig. Templar, o cesar en el enojo.
SERENATA f. Música al aire libre y durante la noche, para festejar a una persona.

La **serenata**, pintura anónima ecuatoriana (Guayaquil)

SERENIDAD f. Calidad de sereno. // Título de honor de algunos príncipes.
SERENO m. Serena. // Guarda encargado de rondar de noche.
SERENO, NA adj. Claro, despejado de nubes o nieblas. // fig. Apacible, sosegado.
SERIAL adj. Perten. o rel. a una serie.

SERIAR tr. Poner en serie, formar series.
SERICULTURA f. Industria que tiene por objeto la cría de gusanos de seda para obtener dicho producto.
SÉRICO, CA adj. De seda.
SERIE f. Conjunto de cosas relacionadas entre sí y que se suceden unas a otras.
SERIEDAD f. Calidad de serio.
SERIO, RIA adj. Grave y compuesto en las acciones y en el modo de proceder. // Severo en el semblante, en el modo de mirar o hablar. // Real, sincero. // Importante.
SERMÓN m. Discurso evangélico. // fig. Amonestación o represión.
SERMONEAR intr. Predicar, echar sermones. // Reprender.
SEROLOGÍA f. Med. Tratado de los sueros terapéuticos.
SEROSIDAD f. Líquido que ciertas membranas segregan.
SEROSO, SA adj. Med. Perten. o rel. al suero o a la serosidad. // Que produce serosidad.
SERPENTEAR intr. Moverse o extenderse formando vueltas y tornos como la serpiente.
SERPENTÍN m. Tubo largo en espiral, para facilitar el enfriamiento de la destilación en los alambiques.
SERPENTINA f. Silicato de magnesio; es de color verdoso y se da en masas compactas u hojosas. // Tira de papel coloreado y arrollado que se tira en las fiestas.
SERPIENTE f. *Zool.* Reptil ofidio de cuerpo alargado y cilíndrico. Carece de patas y algunas poseen una glándula que segrega veneno.
SERRALLO m. Lugar en que los mahometanos tienen sus mujeres y concubinas.
SERRANÍA f. Espacio de terreno cruzado por montañas y sierras.
SERRANO, NA adj. y s. Que habita en una sierra, o nacido en ella. // adj. Perten. a las sierras o a sus moradores.
SERRAR tr. Cortar o dividir con sierra la madera u otra cosa.
SERRÍN m. Conjunto de partículas que se desprenden de la madera cuando se sierra.
SERRUCHO m. Sierra de hoja ancha y con una manija.
SERVENTESIO m. Composición poética provenzal, de carácter gralte. moral o satírico.
SERVICIAL adj. Que sirve con cuidado y obsequio. // Pronto a complacer y servir a otros.
SERVICIO m. Acción y efecto de servir. // Estado de criado o sirviente. // Provecho que resulta a uno de lo que otro ejecuta en atención suya. // Conjunto de vajilla y otras cosas. // pl. Retretes.
SERVIDUMBRE f. Estado o condición de siervo. // Conjunto de criados de una casa. // Obligación inexcusable de hacer una cosa.
SERVIL adj. Perten. a los siervos y criados. // Bajo, humilde.

SERVILISMO m. Ciega y baja adhesión a la autoridad de uno.
SERVILLETA f. Paño que sirve en la mesa para aseo de cada persona.
SERVIR intr. y tr. Echar al servicio de otro. // Ejercer un empleo o cargo. // intr. Valer, ser de utilidad. // Ser soldado en activo. // tr. Dar culto o adoración a Dios. // r. Valerse de una persona para el uso propio de ella.
SESEAR intr. Pronunciar la z como s.
SESGAR tr. Cortar o partir en sesgo.
SESGO, GA adj. Trocido, cortado o sit. oblicuamente. // fig. Serio o torcido en el semblante. // m. Oblicuidad de una cosa. // fig. Curso que toma un negocio.
SESIÓN f. Cada una de las juntas de una corporación. // fig. Consulta entre varios para determinar algo.
SESO m. Cerebro. // Masa de tejido nervioso contenida en la cavidad del cráneo.
SESTEAR intr. Pasar la siesta durmiendo o descansando.
SETA f. *Bot.* Cualquiera especie de hongos de forma de casquete sostenido por un piececillo.
SETIEMBRE m. Noveno mes del año.
SETO m. Cercado o hecho de palos o varas entretejidas.
SEUDO- Prefijo que significa supuesto, falso.
SEUDÓNIMO m. Nombre empleado por un autor en vez del suyo propio.
SEUDÓPODO m. *Biol.* Prolongación protoplasmática de ciertos protozoos.
SEVERIDAD f. Calidad de severo.
SEVERO, RA adj. Riguroso, áspero. // Exacto, puntual.
SEX- Forma prefija del latín, sex, seis.
SEXAGESIMAL adj. Apl. al sistema de numeración que se cuenta de sesenta en sesenta.
SEXO m. Condición orgánica que distingue al macho de la hembra.
SEXTANTE m. Instrumento para medir el ángulo entre dos visuales.
SEXTETO m. *Mús.* composición para seis instrumentos o voces.
SEXTUPLICAR tr. y r. Hacer séxtupla una cosa; multiplicar por seis una cantidad.
SEXUAL adj. Perten. o rel. al sexo.
SEXUALIDAD f. *Biol.* Conjunto de condiciones anatómicas y fisiológicas que caracterizan cada sexo.
SHA m. Título que se da al soberano del Irán.
SI Conj. con que se denota condición o suposición en virtud de la cual un concepto depende de otro u otros. // A veces denota aseveración terminante, o circunstancia dudosa.
SI Forma reflexiva del pron. pers. de tercera persona.
SI m. Séptima voz de la escala musical.
SI Adv. afirmativo que se emplea gralte. respondiendo a preguntas. // U. como sustantivo por consentimiento o permiso.
SIBARITA adj. y s. fig. Díc. de la persona muy dada

a los placeres.
SIBARITISMO m. Género de vida regalada y sensual.
SIBILA f. Mujer sabia a quien los antiguos atribuyeron espíritu profético.

La **SIBILA**, por Miguel Angel

SIBILANTE adj. Que silba o suena a manera de silbo.
SIBILINO, NA adj. Perten. o rel. a la sibila. // fig. Misterioso.
SICARIO m. *Bot.* Arbol de la fam. moráceas, especie de higuera.
SIDERAL adj. Perten. a los astros.
SIDÉREO, A adj. Sideral.
SIDERITA f. Carbonato de hierro, de color pardo y brillo vítreo.
SIDERURGIA f. Conjunto de técnicas empleadas en la extracción y posterior trabajo del hierro.
SIDRA f. Bebida alcohólica que se obtiene por fermentación del zumo de manzanas.
SIEGA f. Acción y efecto de segar. // Tiempo en que se siega. // Mieses segadas.
SIEMBRA f. Acción y efecto de sembrar. // Tiempo en que se siembra.
SIEMPRE adv. t. En todo o en cualquier tiempo. // En todo caso o cuando menos.
SIEMPREVIVA f. Bot. Planta perenne de las crasuláceas, con flores que no se marchitan.
SIEN f. Cada una de las dos partes laterales de la cabeza comprendidas entre la frente, la oreja y la mejilla.
SIERPE f. Culebra de gran tamaño. // fig. Persona muy fea o muy feroz. // Vástago que brota de las raices leñosas.
SIERRA f. Herramienta para cortar, consistente en una hoja dentada de acero y un mango adecuado. // Cordillera de montes o peñascos cortados. // Loma o colina.
SIERVO, VA m. y f. Esclavo. // Persona profesa en ciertas órdenes religiosas.
SIESTA f. Tiempo después del mediodía, en que aprieta más el calor. // Sueño que se toma después de comer.
SIETEMESINO, NA adj. y s. Apl. a la criatura que nace a los siete meses de engendrada.
SÍFILIS f. *Med.* Enfermedad venérea infecciosa y hereditaria.
SIFÓN m. Tubo encorvado que sirve para sacar líquidos de un nivel superior a otro más bajo. // Botella que vierte su líquido a presión gracias al ácido carbónico que contiene. // Tubo doblemente acodado en el que el agua detenida dentro de él impide la salida de los gases de las cañerías al exterior.
SIGILO m. Secreto.
SIGILOSO, SA adj. Que guarda sigilo.
SIGLA f. Letra inicial que se emplea como abreviatura.
SIGLO m. Espacio de cien años. // Mucho o muy largo tiempo.
SIGNAR tr. Hacer, poner o imprimir el signo. // Poner uno su firma.
SIGNATARIO, RIA adj. Díc. del que firma.
SIGNATURA f. Marca o señal.
SIGNIFICACIÓN f. Acción y efecto de significar. // Sentido de una palabra o frase.
SIGNIFICADO, DA adj. Conocido, reputado. // m. Significación.
SIGNIFICAR tr. Ser una cosa signo de otra. // Ser una palabra o frase expresión de una idea. // r. Hacerse notar o distinguirse.
SIGNIFICATIVO, VA adj. Que da a entender con propiedad una cosa. // Que tiene importancia.
SIGNO m. Cosa que evoca en el entendimiento la idea de otra. // Mat. Señal o figura utilizada en los cálculos para indicar las operaciones que se han de ejecutar.
SIGUIENTE adj. Ulterior, posterior.
SÍLABA f. Sonido o sonidos articulados que se pronuncian en una sola emisión de voz.
SILABEAR intr. y tr. Ir pronunciando separadamente cada sílaba.
SILÁBICO, CA adj. Perten. o rel. a la sílaba.
SILBAR intr. Producir silbos.
SILBATO m. Instrumento para silbar.
SILBIDO m. Acción y efecto de silbar.
SILBO m. sonido agudo que hace el aire, o que resulta de hacer pasar con fuerza el aire por la boca con los labios fruncidos. // Voz aguda y penetrante de algunos animales. // Silbato.
SILENCIAR tr. Callar, omitir.
SILENCIO m. Abstención de hablar. // fig. Falta de ruido.
SILENCIOSO, SA adj. Que calla. // Que no hace ruido.
SILENTE adj. Silencioso.
SÍLEX m. Pedernal, piedra dura cuyo principal componente es el sílice.

SÍLFIDE f. Ninfa, ser fantástico o espíritu elemental del aire.
SILICATOS m. pl. *Quim*. Sales del ácido silícico; constituyen la base de muchos minerales.
SÍLICE f. *Quim*. Combinación del silicio con el oxígeno.
SILICIO m. Metaloide que se extrae de la sílice; símbolo Si.
SILICOSIS f. *Med*. Lesión pulmonar producida por el polvo de sílice o cuarzo.
SILO m. Depósito destinado al almacenamiento de granos.
SILOGISMO m. *Lóg*. Razonamiento formado por tres proposiciones, de las cuales la última se deduce necesariamente de las dos primeras.
SILOGÍSTICA f. *Lóg*. Teoría de la consecuencia lógica.
SILUETA f. Dibujo sacada siguiendo los contornos de la sombra de un objeto. // Perfil de una figura.
SILÚRICO, CA adj. Díc. del segundo período de la era primaria.
SILVESTRE adj. Criado naturalmente y sin cultivo en selvas o campos. // Agreste, rústico.
SILVICULTURA f. Cultivo de los bosques o montes.
SILLA f. Asiento con respaldo, y en que sólo cabe una persona. // Aparejo para montar a caballo.
SILLAR m. Cada una de las piedras labradas que forma parte de una construcción de sillería.
SILLERÍA f. Fábrica hecha de sillares asentados unos sobre otros y en hileras.
SILLÍN m. Silla de montar más ligera que la común. // Asiento de la bicicleta.
SILLÓN m. Silla de brazos, mayor y más cómoda que la ordinaria.
SIMA f. Concavidad grande y muy profunda en la tierra. // Parte de la litosfera constituida por silicatos magnésicos.
SIMBIOSIS f. *Biol*. Asociación entre individuos de distinta especie, con beneficio mutuo.
SIMBIÓTICO, CA adj. Perten. o rel. a la simbiosis.
SIMBÓLICO, CA adj. Perten. o rel. al símbolo, o expresado por él.
SIMBOLISMO m. Sistema de símbolos con que se representan creencias, conceptos o sucesos.
SIMBOLIZAR tr. Servir una cosa como símbolo de otra.
SÍMBOLO m. Imagen, figura o divisa con que se representa un concepto moral o intelectual. // Dicho sentencioso. // Abreviatura usada en nomenclatura química para designar un elemento.
SIMETRÍA f. Proporción adecuada de las partes de un todo entre sí y con el todo mismo. // Armonía de posición de las partes similares unas respecto de otras, y con referencia a punto, línea o plano determinado.
SIMÉTRICO, CA adj. Perten. a la simetría. // Que la tiene.

SIMIENTE f. Semilla. // Semen.
SÍMIL m. Comparación, semejanza entre dos cosas.
SIMILAR adj. Que tiene semejanza o analogía con una cosa.
SIMILITUD f. Semejanza, parecido.
SIMIOS m. pl. *Zool*. Mamíferos primates de cara pequeña y corta y uñas planas; anatómicamente se asemejan al hombre.
SIMONÍA f. Compra o venta de cosas espirituales. // Propósito de efectuar dicha compraventa.
SIMPATÍA f. Comunidad, acoplamiento sentimental con uona persona. // Relación entre órganos inconexos, de carácter funcional o patológico.
SIMPÁTICO, CA adj. Que inspira simpatía.
SIMPLE adj. Sin composición. // Sencillo. // adj. y s. fig. Desabrido. // manso, incauto. // Mentecato.
SIMPATIZAR intr. Sentir simpatía.
SIMPLEZA f. Bobería. // fam. Cosa insignificante.
SIMPLICIDAD f. Calidad de simple. // Sencillez, candor.
SIMPLIFICAR tr. Hacer más sencilla, más fácil o menos complicada una cosa.
SIMPLISTA adj. y s. Que significa o tiende a simplificar.
SIMPOSIO m. Conferencia o reunión en que se examina y discute determinado tema.
SIMULACRO m. Efigie o imagen hecha a semejanza de una cosa o persona. // Acción de guerra fingida.
SIMULAR tr. Representar una cosa, fingiendo lo que no es.
SIMULTANEAR tr. Realizar en el mismo espacio de tiempo dos o más cosas.
SIMULTANEIDAD f. Calidad de simultáneo.
SIMULTÁNEO, A adj. Que ocurre al mismo tiempo que otra cosa.
SIMÚN m. Viento seco y caliente que sopla del mediodía en el norte de África.
SIN- Prep. insep. que significa unión o simultaneidad.
SIN Prep. separat. y negat. que denota carencia o falta. // Fuera de o además de.
SINAGOGA f. Templo o junta religiosa de los judíos.
SINALEFA f. Fusión en una sola sílaba de la última vocal de una palabra con la primera de la siguiente.
SINCERAR tr. y r. Justificar la inculpabilidad de uno.
SINCERIDAD f. Sencillez, veracidad.
SINCERO, RA adj. Veraz y sin doblez.
SINCLINAL m. Pliegue del terreno que presenta forma de V.
SÍNCOPA f. *Ling*. Desaparición de un sonido o grupo de sonidos en el interior de una palabra. // Mús. Enlace de dos sonidos que pertenecen al tiempo débil y al fuerte respectivamente.
SINCOPAR tr. Hacer síncopa. // fig. Abreviar, acortar.
SÍNCOPE m. *Med*. Pérdida repentina del conocimiento, de duración variable.
SINCRETISMO m. Fusión de filosofías, doctrinas o creencias.

SINCRONÍA f. Sincronismo.
SINCRÓNICO, CA adj. Díc. de las cosas que suceden al mismo modo.
SINCRONISMO m. Circunstancia de ocurrir o verificarse una o más cosas al mismo tiempo.
SINCRONIZAR tr. Hacer que coincidan en el tiempo dos o más movimientos o fenómenos.
SINDÉRESIS f. Discreción, cordura.
SINDICAL adj. Perten. o rel. al sindicato.
SINDICALISMO m. Sistema de organización obrera por medio del sindicato.
SINDICAR tr. Acusar o delatar. // Sujetar una cantidad de valores, dinero o mercancías a compromisos especiales. // r. Entrar a formar parte de un sindicato.
SÍNDROME m. *Med.* Conjunto de síntomas que caracterizan una enfermedad.
SINÉCDOQUE f. Tropo que consiste en alterar la signficación de las palabras, designado un todo con el nombre de una partes de sus partes, o viceversa.
SINÉRESIS f. *Ling.* Transformación de un hiato en diptongo.
SINERGIA f. *Biol.* Acción de cooperar varios órganos en un fin común.
SINFÍN m. Infinidad, sin número.
SINFONÍA r. Conjunto de voces, de instrumentos, o de ambas cosas, que suenan acordes a la vez. // Composición instrumental para orquesta.
SINGLADURA f. *Mar.* Distancia recorrida por una nave en el curso de 24 horas.
SINGULAR adj. Solo, único. // fig. Extraordinario, raro.
SINGULARIDAD f. Calidad de singular. // Particularidad.
SINGULARIZAR tr. Distinguir o particularizar una cosa entre otras. // r. Distinguirse, particularizarse, apartarse de lo común.
SINIESTRA f. La mano izquierda.
SINIESTRADO, DA adj. y s. Díc. de la persona o cosa que ha padecido un siniestro.
SINIESTRO, TRA adj. Apl. a la parte o sitio que está a la mano izquierda. // fig. Avieso, malintencionado. // Infeliz, funesto. // m. Propensión a lo malo. // Avería grave.
SINNÚMERO m. Numero incalculable de personas o cosas.
SINO Conj. advers. con que se contrapone a un concepto negativo otro afirmativo. // Denota a veces idea de excepción.
SINO m. Hado.
SINODAL adj. Perten. al sínodo.
SINOLOGÍA f. Estudio de la lengua, la literatura y las instituciones de China.
SINÓNIMO, MA adj. y s. m. Díc. de los vocablos y expresiones que tienen una misma o muy parecida significación.
SINOPSIS f. Sumario o resumen de una ciencia o tratado, dispuesto a la vista con claridad y distinción de sus partes.
SINÓPTICO, CA adj. Que tiene forma o caracteres de sinopsis.
SINOVIA f. *Fisol.* Líquido viscoso lubricante de las articulaciones óseas.
SINRAZÓN f. Acción injusta y fuera de lo razonable o debido.
SINSABOR m. Desabrimiento del paladar. // fig. Pesadumbre.
SINTÁCTICO, CA adj. Perten. o rel. a la sintaxis, o que forma parte de la misma.
SINTAXIS f. Parte de la gramática que, desde un punto de vista funcional, enseña a coordinar y unir las palabras para formar oraciones.
SÍNTESIS f. Composición de todo por la reunión de sus partes. // Suma, compendio de una materia. // Formación de compuestos químicos por unión de otros simples o compuestos.
SINTÉTICO, CA adj. Perten. o rel. a la síntesis. // Que procede por composición, o que pasa de las partes al todo. // Díc. de productos obtenidos por procedimientos industriales.
SINTETIZAR tr. Hacer síntesis.
SINTOISMO m. Religión nacional del Japón.
SÍNTOMA m. *Med.* Fenómeno revelador de una enfermedad.
SINTOMÁTICO, CA adj. Perten. al síntoma.
SINTONÍA f. Igualdad de frecuencia entre dos sistemas de vibraciones.
SINTONIZAR tr. En la telegrafía sin hilos, hacer que el aparato de recepción vibre al unísono con el de transmisión.
SINUOSIDAD f. Calidad de sinuoso. // Concavidad.
SINUOSO, SA adj. Que tiene ondulaciones o recodos. // fig. Díc. de las acciones que tratan de ocultar el fin a que se dirigen.
SINUSITIS f. *Med.* Inflamación de la mucosa de los senos frontales.
SINVERGÜENZA adj. y s. Pícaro, bribón.
SIONISMO m. Aspiración de los judíos a recobrar la Palestina como patria.
SIQUIERA advers. que equivale a bien que o aunque. // U. como conj. distributiva, equivaliendo a o, ya u otra semejante.
SIR m. Tratamiento honorífico o de respeto que en Inglaterra se usa delante de un nombre.
SIRENA f. Cualquiera de las ninfas marinas con busto de mujer y cuerpo de ave o pez. // Pito que se oye a mucha disntancia.
SIRENIOS m. pl. *Zool.* Mamíferos marinos herbívoros; tienen dos extremidades anteriores cortas y aletiformes, como el manatí, dugongo, etcétera.
SIRGA f. Cable para tirar de las redes y para arrastrar una embarcación desde tierra.
SIRIACO, CA O SIRÍACO, CA adj. y s. Natural de Siria. // adj. Perten. a esta región de Asia.

SIRIO, RIA adj. y s. Siriaco.

SIROCO m. Viento del Mediterráneo, seco y cálido, que sopla en Italia, Túnez, Argelia y Sicilia.

SIRVIENTE, TA m. y f. Persona dedicada al servicio doméstico.

SISA f. Parte que se degrada o se hurta. // Sesgadura hecha en la tela de las prendas de vestir para que ajusten bien al cuerpo.

SISAL m. Fibra textil que se extrae del agave.

SISAR tr. Cometer el hurto llamado sisa. // Hacer sisas en las prendas de vestir.

SISEAR intr. y tr. Emitir repetidamente el sonido inarticulado de s o ch.

SISEO om. Acción y efecto de sisear.

SÍSMICO, CA adj. Perten. o rel. al terremoto.

SISMÓGRAFO m. Instrumento que registra la amplitud, duración, etc., de los movimientos sísmicos.

SISMOLOGÍA f. Parte de la Geología que trata de los terremotos.

SISTEMA m. Conjunto de reglas o principios enlazados entre sí. // Conjunto de cosas que ordenadamente relacionadas entre sí contribuyen a determinado objeto. // Biol. Conjunto de órganos que intervienen en una misma función.

SISTEMÁTICO, CA adj. y s. Que sigue o se ajusta a un sistema.

SISTEMATIZAR tr. Reducir a sistema.

SÍSTOLE f. *Fisiol.* Movimiento de contracción del corazón y de las arterias.

SITIAL m. Asiento de ceremonia, que usan ciertas personas en actos solemnes.

SITIAR tr. Cercar una plaza o fortaleza. // fig. Asediar.

SITIO m. Espacio, lugar. // Paraje o terreno a propósito para algo.

SITO, TA adj. Situado, fundado.

SITUACIÓN f. Acción y efecto de situar. // Disposición de una cosa respecto del lugar que ocupa. // Estado o constitución de las cosas y personas.

SITUAR tr. y r. Poner a una persona o cosa en determinado sitio o situación.

SMOKING m. Chaqueta de hombre que se usa como traje de etiqueta.

SO m. fam. U. Sólo seguido de adjetivos despectivos, con los que se increpa a una persona.

SO prep. Bajo, debajo de. Hoy tiene uso con los sustantivos.

SOBACO m. Concavidad que forma el arranque del brazo con el cuerpo.

SOBADO, DA adj. y s. fig. Manido, muy usado. // m. Acción y efecto de sobar.

SOBAR tr. Manejar y manosear una cosa repetidamente a fin de que se ablande o suavice. // fig. Palpar, manosear a una persona.

SOBERANÍA f. Calidad de soberano. // Autoridad suprema del poder público.

SOBERANO, NA adj. y s. Que ejerce o posee la autoridad suprema. // adj. Elevado, excelente.

SOBERBIA f. Estimación excesiva de sí mismo, con desprecio de los demás.

SOBERBIO, BIA adj. Que tiene soberbia o se deja llevar de ella. // Altivo, arrogante. // fig. Grandioso, magnífico.

SOBORNAR tr. Corromper a uno con dádivas.

SOBORNO m. Acción y efecto de sobornar. // Dádiva con que se soborna.

SOBRA f. Exceso en cualquier cosa. // Injuria, agravio. // pl. Lo que sobra o queda de otras cosas.

SOBRADO, DA adj. Demasiado, que sobra. // Audaz y licencioso. // Rico. // m. Desván.

SOBRAR intr. Haber más de lo que se necesita para una cosa. // Estar de más. // Quedar, restar.

SOBRASADA f. Embutido grueso de carne de cerdo muy picada y sazonada con sal y pimiento molido.

SOBRE prep. Encima de. // Acerca de. // Además de. // U. para indicar aproximación en una cantidad o número. // Con dominio y superioridad. // m. Cubierta de papel en que se incluye la carta, tarjeta, etcétera.

SOBREABUNDAR intr. Abundar mucho.

SOBRECARGA f. Lo que se añade a una carga regular. // fig. Molestia, pena.

SOBRECARGAR tr. Cargar con exceso.

SOBRECOGEDOR, RA adj. Que sobrecoge.

SOBRECOGER tr. Coger de repente y desprevenido. // r. Sorprenderse, intimidarse.

SOBRECOGIMIENTO m. Acción de sobrecoger, y más comunmente efecto de sobrecogerse.

SOBREHILAR tr. Dar puntadas sobre el borde de una tela cortada.

SOBREHUMANO, NA adj. Que excede a lo humano.

SOBRELLEVAR tr. Soportar, aguantar. // Conformarse, resignarse a los contratiempos.

SOBREMESA f. El tiempo que se está a la mesa después de haber comido.

SOBRENATURAL adj. Nombre calificativo con que se distingue esp. a una persona.

SOBRENTENDER tr. y r. Entender una cosa que no está expresada.

SOBREPASAR tr. y r. Rebasar un límite, exceder de él. // r. Superar, aventajar.

SOBREPONER tr. Añadir una cosa o ponerla encima de otra. // r. fig. Dominar los impulsos del ánimo, hacerse superior a las adversidades.

SOBREPUESTO m. Ornamento de materia distinta de aquella a que se sobrepone. // Panal que forman las abejas, encima de la obra que hacen primero.

SOBRESALIENTE adj. y s. Que sobresale. // m. En los exámenes, calificación máxima.

SOBRESALIR intr. Exceder una persona o cosa a otras en figura, tamaño, etc.// Aventajarse unos a otros.

SOBRESALTAR tr. Acometer de repente. // tr. y r. Asustar a uno repentinamente.

SOBRESALTO m. Sensación que provoca un suceso imprevisto. // Susto repentino.
SOBRESDRÚJULO, LA adj. Díc. de la voz cuyo acento principal va en la sílaba anterior a la antepenúltima.
SOBRESEER intr. Desistir de la pretensión que se tenía. // intr. y tr. Cesar en una instrucción sumarial.
SOBRESEIMIENTO m. Acción y efecto de sobreseer.
SOBRESUELDO m. Retribución que se añade al sueldo fijo.
SOBRETODO m. Prenda de vestir que se lleva sobre el traje ordinario.
SOBREVENIR intr. Acaecer una cosa además o después de otra. // Venir improvisadamente.
SOBREVIVIR intr. Vivir uno más que otro, o después de un determinado suceso o plazo.
SOBRIEDAD f. Calidad de sobrio.
SOBRINO, NA m. y f. Respecto de una persona, hijo o hija de su hermano o hermana, o de su primo o prima.
SOBRIO, BRIA adj. Templado, moderado, esp. en comer y beber.
SOCAIRE m. Abrigo que ofrece una cosa en su lado opuesto a aquel donde sopla el viento.
SOCARRÓN, NA adj. y s. El que obra con socarronería.
SOCARRONERÍA f. Astucia o disimulo.
SOCAVAR tr. Excavar por debajo alguna cosa, dejándola en falso.
SOCAVÓN m. Cueva u hoyo.
SOCIABLE adj. Naturalmente inclinado a la sociedad.
SOCIAL adj. Perten. o rel. a la sociedad y a las distintas clases que la componen. // Perten. o rel. a una compañía o sociedad.
SOCIALISMO m. Conjunto de doctrinas que preconizan la supresión de las clases sociales y una distribución más igualitaria de la riqueza, mediante la hegemonía de las clases trabajadoras y la colectivización de los medios de producción.
SOCIALIZAR tr. Transferir al Estado, u otro órgano colectivo, las propiedades, industrias, etc.., particulares.
SOCIEDAD f. Reunión de personas, familias, pueblos o naciones. // Agrupación de individuos con el fin de cumplir, mediante la mutua cooperación, todos o algunos de los fines de la vida.
SOCIETARIO, RIA adj. Perten. o rel. a las asociaciones.
SOCIO, CIA m. y f. Persona asociada con otra u otras para algún fin. // Individuo de una sociedad.
SOCIOLOGÍA f. Ciencia que trata de las condiciones de existencia y desenvolvimiento de las sociedades humanas.
SOCIÓLOGO, GA m. y f. Persona que profesa la sociología.
SOCORRER tr. Ayudar en un peligro o necesidad.
SOCORRISMO m. Organización y adiestramiento para prestar socorro en caso de accidente.
SOCORRO m. Acción y efecto de socorrer. // Dinero, alimento u otra cosa con que se socorre.
SOCRÁTICO, CA adj. y s. Que sigue la doctrina de Sócrates. // adj. Perten. a ella.
SODIO m. Metal de aspecto argentino, blando, muy ligero, y que descompone el agua a temperatura ordinaria.
SODOMÍA f. Concúbito entre varones, o contra el orden natural.
SOEZ adj. Bajo, grosero.
SOFÁ m. Asiento cómodo para dos o más personas, que tiene respaldo y brazos.
SOFISMA m. Razón o argumento aparente con que se quiere defender lo que es falso.
SOFISTA adj. y s. Que se vale de sofismas.
SOFISTICAR tr. Adulterar, falsificar son sofismas.
SOFLAMA f. Llama tenue o reverberación del fuego. // Bochorno o ardor que suele subir al rostro. // fig. Expresion artificiosa, discurso, con que uno intenta engañar.
SOFOCAR tr. Ahogar, impedir la respiración. // Apagar, dominar, extinguir. // tr. y r. fig. Avergonzar, abochornar.
SOFOCO m. Efecto de sofocar o sofocarse. // fig. Grave disgusto.
SOFOCÓN m. fam. Desazón, disgusto que sofoca.
SOFREÍR tr. Freir un poco una cosa.
SOGA f. Cuerda gruesa de esparto.
SOJA f. *Bot.* Planta leguminosa china. Tiene propiedades forrajeras y alimenticias, y de sus semillas se extrae aceite.
SOJUZGAR tr. Sujetar, dominar.
SOL m. Astro luminoso, centro de nuestro sistema planetario. // fig. Luz y calor de este astro. // Unidad monetaria de Perú. // *Mús.* Quinta voz de la escala musical.
SOLANA f. Vertiente expuesta al sol y opuesta a la vertiente contraria.
SOLANÁCEAS f. pl. *Bot.* Fam. de plantas dicotiledóneas, de fruto en cápsula o baya con numerosas semillas. Las hay tóxicas, comestibles, y con propiedades medicinales.
SOLANO m. Viento que sopla de donde nace el sol.
SOLAPA f. Parte del vestido correspondiente al pecho, y que suele ir doblada hacia afuera.
SOLAPADO, DA adj. fig. Díc. de la persona que oculta maliciosa y cautelosamente sus pensamientos.
SOLAPAR tr. Poner solapas a los vestidos. // Cubrir en parte una cosa a otra. // fig. Ocultar cautelosamente la intención.
SOLAR adj. Perten. al Sol.
SOLAR m. Casa, descendencia, linaje. // Porción de terreno destinado a la edificación.
SOLARIEGO, GA adj. y s. Perten. al solar de antigüedad y nobleza.
SOLAZ m. Consuelo, placer, esparcimiento.

SOLDADA f. Sueldo, salario. // Haber del soldado.
SOLDADESCA f. Ejercicio y profesión de soldado. // Conjunto de soldados. // Tropa indisciplinada.
SOLDADO m. El que sirve en la milicia. // Militar sin graduación.
SOLDADURA f. Acción y efecto de soldar, esp. los metales.

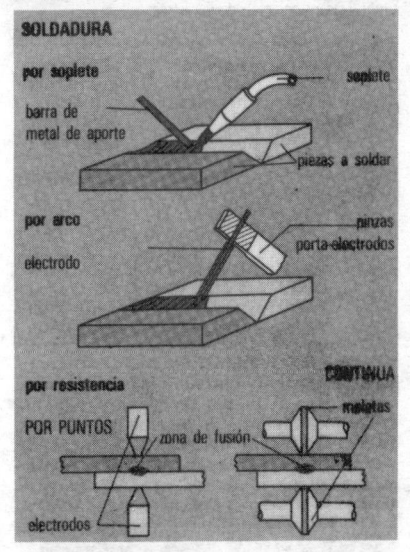

SOLDADURA por soplete — barra de metal de aporte — soplete — piezas a soldar — por arco — electrodo — pinzas porta-electrodos — por resistencia — CONTINUA — POR PUNTOS — zona de fusión — aletas — electrodos

SOLDAR tr. Pegar y unir sólidamente dos cosas. // fig. Enmendar un desacierto con acciones o palabras.
SOLEAR tr. y r. Tener al sol una cosa.
SOLECISMO m. Falta de sintaxis; error cometido contra la pureza de un idioma.
SOLEDAD f. Carencia de compañía. // Lugar desierto. // Pesar y melancolía que se sienten.
SOLEMNE adj. Celebrado o hecho públicamente con pompa extraordinaria. // Formal, grave, válido. // Grave, majestuoso.
SOLEMNIDAD f. Calidad de solemne. // Acto o ceremonia solemne. // Festividad eclesiástica.
SOLEMNIZAR tr. Festejar o celebrar de manera solemne un suceso.
SÓLEO m. *Anat.* Músculo de la pantorrilla.
SOLER intr. Tener costumbre. // Ser frecuente una cosa.
SOLERA f. Piedra plana puesta en el suelo para sostener pies derechos u otras cosas. // fig. Carácter tradicional de las cosas, costumbres, etcétera.
SOLFA f. Arte de solfear. // Conjunto de signos con que se escribe la música. // fig. y fam. Zurra de golpes.
SOLFEAR tr. Cantar marcando el compás y pronunciando los nombres de las notas.
SOLFEO m. Acción y efecto de solfear.
SOLICITAR tr. Pretender o buscar una cosa con diligencia. // Gestionar los negocios propios o ajenos.
// Requerir de amores a una persona.
SOLÍCITO, TA adj. Diligente, cuidadoso.
SOLICITUD f. Diligencia cuidadosa. // Memorial en que se solicita algo.
SOLIDARIDAD f. Modo de derecho u obligación en común. // Adhesión a la causa de otros.
SOLIDARIO, RIA adj. Apl. a las obligaciones contraidas en común y a las personas que las contraen. // Adherido o asociado a la causa de otro.
SOLIDARIZAR tr. y r. Hacer a una persona o cosa solidaria con otra.
SOLIDEZ f. Calidad de sólido.
SOLIDIFICACIÓN f. Paso del estado líquido al sólido.
SOLIDIFICAR tr. y r. Hacer sólido un fluido.
SÓLIDO, DA adj. y s. Firme, macizo, denso. // fig. Establecido con razones fundamentales y verdaderas.
SOLILOQUIO m. Monólogo.
SOLÍPEDOS m. pl. *Zool.* Mamíferos ungulados de la fam. équidos, con un solo dedo en cada extremidad.
SOLISTA com. Persona que ejecuta un solo de una pieza musical.
SOLITARIO, RIA adj. Desamparado, desierto. // Solo, sin compañía. // adj. y s. que ama la soledad o vive en ella. // m. Diamante grueso que se engasta solo en una joya. // Juego que ejecuta una sola persona.
SOLIVIANTAR tr. y r. Incitar el ánimo de una persona a la rebeldía.
SOLO, LA adj. Unico en su especie. // Que está sin otra cosa. // Sin compañía. // *Mús.* Composición o parte de ella que ejecuta una sola persona.
SÓLO adv. m. Unicamente, solamente.
SOLOMILLO m. En los animales de matadero, carne que hay entre las costillas y el lomo.
SOLSTICIO m. Epoca en que el Sol se halla en uno de los dos trópicos.
SOLTAR tr. Desatar. // tr. y r. Dejar ir o dar libertad. // Desasir lo sujeto. // Dar salida a lo que estaba detenido o confinado. // r. fig. Adquirir agilidad en la ejecución de las cosas. // Empezar a hacer algunas cosas.
SOLTERÍA f. Calidad de soltero.
SOLTERO, RA adj. Que no está casado, célibe. // Suelto o libre.
SOLTURA f. Acción y efecto de soltar. // Agilidad, prontitud, gracia y facilidad.
SOLUBILIDAD f. Calidad de soluble.
SOLUBLE adj. Que se puede disolver o desleir. // fig. Que se puede resolver.
SOLUCIÓN f. Acción y efecto de disolver. // Acción y efecto de resolver una duda o dificultad. // En el drama épico, desenlace. // Desenlace de un proceso, negocio, etc. // Líquido en que se halla disuelta cualquier sustancia.
SOLUCIONAR tr. Resolver un asunto.
SOLVENCIA f. Acción y efecto de solventar. // Calidad de solvente.
SOLVENTAR tr. Dar solución a un asunto.

SOLVENTE adj. Desempeñado de deudas. // Capaz de satisfacerlas. // Capaz de cumplir obligación, cargo, etc.sollozar intr. Llorar con movimientos convulsivos.
SOLLOZO m. Acción y efecto de sollozar.
SOMATÉN m. Institución catalana consistente en la movilización general de los vecinos de un lugar para perseguir a los delincuentes.
SOMÁTICO, CA adj. Perten. o rel. al cuerpo.
SOMBRA f. Oscuridad, más o menos completa. // Proyección oscura que un cuerpo lanza en el espacio. // fig. Mácula, defecto.
SOMBREADO m. Acción y efecto de sombrear una pintura.
SOMBREAR tr. Dar o producir sombra. // Poner sombra en una pintura o dibujo.
SOMBRERO m. Prenda de vestir, que sirve para cubrir la cabeza.
SOMBRILLA f. Quitasol.
SOMBRÍO, A adj. Díc. del lugar oscuro, en que frecuentemente hay sombra. // fig. Tétrico, melancólico.
SOMERO, RA adj. Casi encima o muy inmediato a la superficie. // fig. Ligero, superficial.
SOMETER tr. y r. Sujetar, conquistar a un pueblo, provincia, etc. // Subordinar la voluntad a la de otra persona. // tr. Proponer a la consideración de uno un proyecto, idea, etc.
SOMIER m. Bastidor con tela metálica elástica, que se usa como colchón de muelles.
SOMNÍFERO, RA adj Que da o causa sueño.
SOMNOLENCIA f. Pesadez motivada por el sueño. // Gana de dormir. // fig. Pereza.
SON m. Sonido agradable al oído. // fig. Noticia, fama. // Pretexto. // Tenor, modo o manera.
SONADO, DA adj. Famoso.
SONAJERO m. Juguete con sonajas y cascabeles.
SONAMBULISMO m. Med. Deambulación durante el sueño.
SONÁMBULO, LA adj. y s. Díc. del que padece sonambulismo.
SONAR intr. Hacer ruido una cosa. // Tener una letra valor fónico. // Mencionarse, citarse. // fam. Ofrecerse vagamente al recuerdo alguna cosa oída anteriormente. // intr. y r. Limpiar las narices con una espiración violenta.
SONATA f. Composición de música instrumental en varios tiempos.
SONDA f. Acción y efecto de sondar. // Cuerda con un peso de plomo, que sirve para medir la profundidad de las aguas y explorar el fondo. // *Cir.* Instrumento para explorar conductos, heridas, etc.
SONDAR tr. Echar la sonda al agua. // fig. Inquirir con cautela la intención de uno, o las circunstancias de una cosa. // Cir. Introducir la sonda en alguna parte del cuerpo.
SONDEAR tr. Sondar.

SONDEO m. Acción y efecto de sondar.
SONETO m. Composición poética que consta de catorce versos endecasílabos distribuidos en dos cuartetos y dos tercetos.
SÓNICO, CA adj. Rel. a la velocidad del sonido.
SONIDO m. Sensación producida en el órgano del oído por el movimiento vibratorio de los cuerpos. // Valor y pronunciación de las letras.

SONIDO		RUIDO NORMAL	
El nivel sonoro se expresa en decibelios (dB); compara el nivel de presión acústica p del sonido con la presión de referencia de $2 \cdot 10^{-5}$ pascales. Nivel sonoro: $20 \log_{10} \dfrac{p}{2.10} - 5$		50	oficina
		60	conversación normal
		MUY RUIDOSO	
		80	aglomeración de tráfico en una calle
nivel sonido (dB)	fuente de sonido y SENSACIÓN AUDITIVA	**DIFÍCILMENTE SOPORTABLE**	
		100	chapistería
CALMA		110	claxon de un automóvil a 1 m de distancia
0	umbral de audición		
10	rumor de hojas	120	martillo neumático
		INSOPORTABLE	
30	dormitorio	140	reactor de un avión

SONORIDAD f. Medida de la sensación sonora producida por un sonido en el oído humano.
SONORO, RA adj. Que suena o puede sonar. // Que hace que el sonido se oiga bien. // *Ling.* Díc. del sonido que se produce con vibración de las cuerdas vocales.
SONREÍR intr. y r. Reírse levemente y sin ruido. // fig. Ofrecer las cosas un aspecto alegre.
SONRISA f. Acción de sonreírse.
SONROJAR tr. y r. Hacer salir los colores del rostro, por vergüenza.
SONROJO m. Acción y efecto de sonrojar o sonrojarse.
SONROSAR tr. y r. Dar, poner o causar color como de rosa.
SONSACAR tr. Sacar arteramente algo por debajo del sitio en que está. // fig. Procurar con maña que uno diga lo que sabe y reserva.
SOÑADOR, RA adj. y s. Que sueña mucho. // fig. Que discurre fantásticamente.
SOÑAR tr. e intr. Representarse en la fantasía sucesos mientras dormimos. // fig. Discurrir fantásticamente, dar por cierto lo que no lo es. // intr. fig. Anhelar una

cosa.
SOÑOLENCIA f. Propensión al sueño.
SOÑOLIENTO, TA adj. Acometido del sueño o muy inclinado a él. // fig. Perezoso.
SOPA f. Pedazo de pan empapado en cualquier líquido. // Plato que se hace cociendo algo en caldo.
SOPESAR tr. Levantar una cosa como para tantear el peso que tiene.
SOPETÓN m. Golpe fuerte y repentino dado con la mano.
SOPLAR intr. y tr. Despedir aire con violencia por la boca. // intr. Hacer que artificios adecuados arrojen al aire que han recibido. // Correr el viento. // tr. fam. Inspirar o sugerir cosas. // Delatar.
SOPLETE m. Dispositivo constituido por un tubo que aplica una corriente gaseosa a una llama para dirigirla sobre determinados objetos.
SOPLIDO m. Acción y efecto de soplar.
SOPLO m. Acción y efecto de soplar. // fig. y fam. Brevísimo tiempo. // Delación.
SOPLÓN, NA adj. y s. fam. Díc. de la persona que acusa en secreto.
SOPOR m. Modorra persistente. // fig. Adormecimiento, somonolencia.
SOPORÍFERO, RA adj. y s. Que inclina al sueño; propio para causarlo.
SOPORTAL m. Espacio cubierto que en algunas casas precede a la entrada principal.
SOPORTAR tr. Sostener o llevar sobre sí una carga o peso. // fig. Sufrir, tolerar.
SOPORTE m. Apoyo o sostén.
SOPRANO m. La más aguda de las voces humanas, tiple.
SOR f. Hermana religiosa.
SORBER tr. Beber aspirando. // fig. Absorber, tragar. // Apoderarse el ánimo con avidez de algo.
SORBETE m. Refresco de zumo de frutas.
SORBO m. Acción y efecto de sorber. // Porción de líquido que se puede tomar de una vez en la boca.
SORDERA f. Ausencia total o parcial del sentido del oído.
SORDIDEZ f. Calidad de sórdido.
SÓRDIDO, DA adj. Sucio. // fig. Indecente o escandaloso. // Mezquino, avariento.
SORDINA f. Pieza que, aplicada a un instrumento musical, atenúa su sonoridad.
SORDO, DA adj. y s. Que no oye, o no oye bien. // adj. Aplicado a cosas, sin ruido. // Que suena poco. // fig. Insensible al dolor ajeno.
SORDOMUDO, DA adj. y s. Privado por sordera nativa de la facultad de hablar.
SORNA f. Lentitud, calma. // fig. Disimulo, bellaquería.
SORO m. *Bot.* Conjunto de esporangios, que forman pequeñas manchas en el envés de los helechos.
SORPRENDER tr. Coger desprevenido. // Descubrir lo que otro ocultaba o disimulaba.

SORPRESA f. Acción y efecto de sorprenderse. // Cosa que da motivo para que alguien se sorprenda.
SORTEAR tr. Someter a personas o cosas a la decisión de la suerte. // fig. Eludir un compromiso o dificultad.
SORTEO m. Acción de sortear.
SORTIJA f. Anillo para los dedos de las manos. // Anilla. // Rizo del cabello en figura de anillo.
SORTILEGIO m. Adivinación que se hace por suertes supersticiosas.
SOS m. Señal de socorro internacional.
SOSA f. Oxido de sodio.
SOSEGADO, DA adj. Quieto, pacífico.
SOSEGAR tr. y r. Aplacar, pacificar, aquietar.
SOSERÍA f. Insulsez. // Dicho o hecho insulso y sin gracia.
SOSIA m. Persona que tiene gran semejanza con otra, hasta el punto de poder ser confundida con ella.
SOSIEGO m. Quietud, tranquilidad.
SOSLAYAR tr. Pasar de largo, dejando de lado alguna dificultad.
SOSO, SA adj. Que no tiene sal, o tiene poca. // fig. Díc. de la persona, acción o palabra que carecen de gracia y viveza.
SOSPECHA f. Acción y efecto de sospechar.
SOSPECHAR tr. Aprehender o imaginar una cosa por conjeturas. // intr. Desconfiar, dudar.
SOSPECHOSO, SA adj. Que da motivo para sospechar. // m. Individuo cuya conducta inspira sospechas.
SOSTENER tr. y r. Sustentar, mantener firme una cosa. // Sustentar o defender una proposición. // fig. Sufrir, tolerar. // Prestar apoyo. // Dar a uno lo necesario para su manutención.
SOSTENIDO m. Nota musical de entonación más alta que su sonido natrual en un semitono. // Signo que representa dicha alteración.
SOTA f. Carta décima de cada palo de la baraja española.
SOTANA f. Vestidura talar de los eclesiásticos.
SÓTANO m. Pieza subterránea, entre los cimientos de un edificio.
SOTAVENTO m. Costado de la nave opuesto al barlovento. // Parte que cae hacia aquel lado.
SOTERRAR tr. Enterrar. // fig. Esconder una cosa de modo que no aparezca.
SOTO m. Sitio que en las riberas está poblado de árboles y arbustos.
SOVIET m. Institución política básica del régimen comunista de la URSS.
SOVIÉTICO, CA adj. Perten. o rel. al soviet.
STATUS m. Posición social que una persona ocupa dentro de un grupo social.
STOCK m. Existencias de género, provisión.
SU, SUS Pron. posesivo de tercera persona.
SUAVE adj. Liso y blando al tacto. // fig. Tranquilo, manso.

SUAVIDAD f. Calidad de manso.

SUAVIZAR tr. y r. Hacer suave.

SUB- Prep. insep. que significa generalte. "debajo". A veces cambia su forma por la de *so, son, sor, sos, su* o *sus.*

SUBAFLUENTE m. Rio o arroyo que desagua en un afluente.

SUBALTERNO, NA adj. Inferior, o que está debajo de una persona o cosa. // m.Empleado de categoría inferior.

SUBARRENDAR tr. Dar o tomar en arriendo una cosa de otro arrendatario de la misma.

SUBASTA f. Venta pública de bienes que se hace al mejor postor.

SUBASTAR tr. Vender o contratar en públicas subasta.

SUBCONSCIENCIA f. Estado inferior de la conciencia psicológica en el que, por la poca duración de las percepciones, no se da cuenta de éstas el sujeto.

SUBCONSCIENTE adj. Rel. a la subconsciencia, o que no llega a ser consciente.

SUBCUTÁNEO, A adj. Que está o se hace inmediatamente debajo de la piel.

SÚBDITO, TA adj. y s. Sujeto a la autoridad de un superior, con obligacilón de obedecerle.

SUBDIVIDIR tr. y r. dividir una parte señalada por una división anterior.

SÚBER m.*Bot.* Tejido tegumentario secundario que protege el vegetal contra el medio ambiente.

SUBEROSO, SA adj. Parecido al corcho.

SUBESTIMAR tr. Estimar una cosa por debajo de su valor.

SUBIDA f. Acción y efecto de subir o subirse. // Lugar en declive, que va subiendo.

SUBIDO,DA adj. Díc. de lo último, más fino y acendrado de su especie. // Díc. del color o del olor muy fuertes. // Muy elevado.

SUBIR intr. Pasar de un sitio o lugar a otro superior o más alto. // Montar. // Crecer en altura algunas cosas. // Importar una cuenta. //fig. Ascender en dignidad o empleo.

SÚBITO, TA adj. Improvisto, repentino. // Precipitado, impetuoso, en las obras o palabras.

SUBJETIVIDAD f. Calidad de subjetivo.

SUBJETIVISMO m. Doctrina según la cual todo objeto de conocimiento resulta creación del sujeto.

SUBJETIVO, VA adj. Perten. o rel. al sujeto. // Rel. a nuestro modo de pensar o sentir, y no al objeto en sí mismo.

SUBJUNTIVO adj. y s. Díc. del modo del verbo que se presenta fundamentalmente como el modo de la irrealidad, y expresa deseo, duda, posibilidad, etc.

SUBLEVAR tr. y r. Alzar en sedición o motín. // tr. fig. Excitar indignación, protesta, etc.

SUBLIMACIÓN f. Acción y efecto de sublimar. //Fis. Paso directo de un cuerpo del estado sólido al gaseoso por la acción del calor.

SUBLIMAR tr. Engrandecer, exaltar, ensalzar.

SUBLIME adj. Excelso, eminente.

SUBMARINO, NA adj.Que está o se efectúa bajo la superficie del mar.

SUBMARINO m. Buque para navegar bajo el agua.

SUBORDINACIÓN f. Sujeción a la orden, mando o dominio de uno.

SUBORDINADO, DA adj. y s. Díc. de la persona sujeta a otra.

SUBORDINAR tr. y r. Sujetar personas o cosas a la dependencia de otras. // tr. Clasificar algunas cosas como inferiores en orden respecto de otras. // Gram. Regir un elemento gramatical a otro de categoría diferente.

SUBRAYAR tr. Señalar lo escrito con una raya por debajo. // fig. Pronunciar con énfasis las palabras.

SUBREPCIÓN f. Acción oculta y a escondidas.

SUBREPTICIO, CIA adj. Que se pretende u obtiene con subrepción. // Que se hace o toma ocultamente.

SUBROGAR tr. y r. Sustituir, poner una persona o cosa en lugar de otra.

SUBSANAR tr. Disculpar un desacierto o delito. // Remediar un defecto, o resarcir un daño.

SUBSEGUIR intr. y r. Seguir una cosa inmediatamente a otra.

SUBSIDIARIO, RIA adj. Que se da o se manda en subsidio de uno.

SUBSIDIO m. Ayuda o auxilio extraordinario. // Contribución impuesta al comercio y a la industria.

SUBSISTENCIA f. Permanencia y conservación de las cosas. // Conjunto de medios necesarios para el sustento de la vida humana.

SUBSISTIR intr. Permanecer, durar. // Mantener la vida.

SUBSUELO m. Terreno que está debajo de una capa de tierra. // Parte profunda del terreno, donde las leyes consideran estatuido el dominio público.

SUBTERFUGIO m. Excusa artificiosa.

SUBTERRÁNEO, A adj. Que está debajo de tierra. // m. Cualquier lugar o espacio que está debajo de tierra.

SUBTROPICAL adj. Que está cerca del trópico, pero en una latitud más elevada.

SUBURBANO, NA adj. y s.Apl. al edificio, terreno o campo próximo a la ciudad. // m. Habitante de un suburbio.

SUBURBIO m. Barrio, arrabal inmediato a la ciudad.

SUBVENCIÓN f. Acción y efecto de subvenir. // Cantidad con que el Estado, una entidad, etc., contribuye a una cosa.

SUBVENCIONAR tr. Favorecer con una subvención.

SUBVENIR intr. Auxiliar, amparar.

SUBVERSIÓN f. Acción y efecto de subvertir o subvertirse.

SUBVERSIVO, VA adj. Capaz de subvertir o subvertirse.

SUBVERTIR tr. Trastornar, revolver.

SUBYACENTE adj.Que yace o está debajo de otra

cosa.
SUBYUGAR tr. y r. Avasallar, sojuzgar, dominar.
SUCCIÓN f. Acción de chupar.
SUCEDÁNEO, A adj. y s. m. Díc. de la sustancia que, por tener propiedades parecidas a las de otra, puede reemplazarla.
SUCEDER intr. Entrar una persona o cosa en sustitución de otra, o seguirse a ella. // Entrar como heredero en la posesión de los bienes de un difunto. // impers. Acaecer un hecho, ocurrir.
SUCESIÓN f. Acción y efecto de suceder.
SUCESIVO, VA adj. Díc. de lo que sucede o se sigue a otra cosa.
SUCESO m. Cosa que sucede, esp. cuando es de alguna importancia. // Transcurso del tiempo.
SUCESOR, RA adj. y s. Que sucede a uno o sobreviene en su lugar.
SUCESORIO, RIA adj. Perten. o rel. a la sucesión.
SUCIEDAD f. Calidad de sucio. // Porquería.
SUCINTO, TA adj. Breve, compendioso.
SUCIO, CIA adj. Que tiene manchas o impurezas. // fig. Deshonesto u obsceno. // Díc. del color confuso y turbio.
SÚCUBO m. Díc. del demonio que, bajo apariencia de mujer, tiene relación carnal con un hombre.
SUCULENTO, TA adj. Jugoso, sustancioso, muy nutritivo.
SUCUMBIR intr. Ceder, rendirse, someterse. // Morir.
SUCURSAL adj. y s. f. Díc. del establecimiento filial de otro.
SUD- SUR. Es la forma usada en las voces compuestas.
SUDACIÓN f. Exudación. // Exhalación de sudor.
SUDAR intr. y tr. Exhalar el sudor. // fig. Destilar los árboles, plantas y frutos algunas gotas de su jugo. // Rezumar humedad algunas cosas. // fig. y fam. Trabajar con fatiga y desvelo.
SUDARIO m. Lienzo en que se envuelve un cadáver.
SUDESTE m. Punto del horizonte entre el sur y el este.
SUDOESTE m. Punto del horizonte entre el sur y el oeste.
SUDOR m. Solución diluida de cloruro sódico, que sale de las glándulas sudoríparas de la piel. // fig. y fam. Trabajo y fatiga.
SUDORÍFICO, CA adj. y s. m. Apl. al medicamento que hace sudar.
SUDORÍPARO, RA adj. *Anat.* Díc. de la glándula que segrega sudor.
SUDOROSO, SA adj. Que está sudando mucho. // Propenso a sudar.
SUEGRA f. Madre del marido respecto de la mujer, o de la mujer respecto del marido.
SUEGRO m. Padre del marido respecto de la mujer, o de la mujer respecto del marido.
SUELA f. Parte del calzado que toca al suelo.
SUELDO m. Salario.

SUELO m. Superficie de la tierra. // Solar de un edificio. // Piso. // fig. Tierra o mundo.
SUELTO, TA adj. Ligero, veloz. // Disgregado, disperso. // Expedito, hábil en la ejecución de algo. // Libre, atrevido y poco sujeto. // Separado, que no hace juego.
SUEÑO m. Acto de dormir. // Acto de representarse en la fantasía de uno, mientras duerme, sucesos o cosas. // Estos mismos sucesos. // fig. Cosa fantástica o sin fundamento.
SUERO m. Fracción de plasma que permanece líquida después de la coagulación de la sangre.
SUEROTERAPIA f. *Med.* Empleo terapéutico de sueros que contienen determinados anticuerpos.
SUERTE f. Encadenamiento fortuito o casual de los sucesos. // Casualidad a que se fía la resolución de una cosa. // Estado, condición. // Género o especie de una cosa.
SUEVOS m. pl. Pueblo germano que en el siglo V invadió la Galia y parte de España.
SUFICIENCIA f. Capacidad, aptitud. // fig. Presunción.
SUFICIENTE adj. Bastante para lo que se necesita. // Apto o idóneo. // fig. Pedante.
SUFIJO, JA adj. y s. *Ling.* Díc. del afijo colocado al final de las palabras.
SUFRAGÁNEO, A adj. Que depende de la autoridad de alguno.
SUFRAGAR tr. Ayudar o favorecer. // Costear. // intr. Votar.
SUFRAGIO m. Ayudar, favor o socorro. // Sistema electoral para la provisión de cargos.
SUFRAGISTA adj. y s. Partidario del voto femenino.
SUFRIDO, DA adj. Que sufre con resignación. // Apl. al color que disimula lo sucio.
SUFRIMIENTO m. Paciencia, tolerancia con que se sufre una cosa. // Padecimiento, dolor.
SUFRIR tr. Sentir físicamente daño, enfermedad o castigo. // Sentir un daño moral. // Sostener, resistir. // Aguantar, tolerar.
SUGERENCIA f. Idea que se sugiere.
SUGERIR tr. Hacer entrar en el ánimo de alguno una idea. y sugestión f. Acción de sugerir. // Especie sugerida. // Acción y efecto de sugestionar.
SUGESTIONAR tr. Inspirar a una persona hipnotizada palabras o actos involuntarios. // Dominar la voluntad de una persona.
SUICIDA com. y adj. Persona que se suicida.
SUICIDARSE r. Quitarse voluntariamente la vida.
SUICIDIO m. Acción y efecto de suicidarse.
SUIDOS m. pl. *Zool.* Fam. de mamíferos cuyo tipo es el cerdo.
SUJECIÓN f. Acción de sujetar o sujetarse.
SUJETAR tr. y r. Someter al dominio de alguno. // tr. Afirmar o contener una cosa con fuerza.
SUJETO, TA adj. Expuesto o propenso a una cosa. // m. Materia sobre la cual se habla o escribe. //

Persona innominada. // Gram. Aquello de que el verbo afirma o niega algo.

SULFAMIDA f. Nombre común de varios derivados de la sulfanilamida, que tienen acción antibacteriana.

SULFATAR tr. Impregnar, rociar o bañar con un sulfato alguna cosa.

SULFATOS m. pl. *Quím.* Sales o ésteres del ácido sulfuroso. Son solubles en agua.

SULFITOS m. pl. *Quím.* Sales o ésteres del ácido sulfuroso.

SULFURAR tr. Combinar un cuerpo con el azufre. // tr. y r. fig. Irritar, encolerizar.

SULFURO m. *Quím.* Cuerpo que resulta de la combinación del azufre con un metal o un metaloide.

SULTÁN m. Emperador de los turcos. // Príncipe o gobernador mahometano.

SULTANA f. Mujer del sultán.

SULTANATO m. Dignidad de sultán.

SUMA f. Agregado de muchas cosas, y más comúnmente el dinero. // Acción de sumar. // Recopilación de todas las partes de una ciencia o facultad.

SUMANDO m. *Mat.* Cada una de las cantidades parciales que han de añadirse unas a otras para constituir la suma.

SUMARIO, RIA adj. Reducido a compendio; breve, sucinto. // m. Resumen, compendio.

SUMARÍSIMO, MA adj. *Der.* Díc. de cierta clase de juicios, en que la ley señala una tramitación brevísima.

SUMERGIBLE adj. Que se puede sumergir. // m. Buque sumergible.

SUMERGIR tr. y r. Meter una cosa debajo del agua o de otro líquido. // fig. Abismar, hundir.

SUMERSIÓN f. Acción y efecto de sumergir o sumergirse.

SUMIDERO m. Conducto o canal por donde se sumen las aguas.

SUMINISTRAR tr. Proveer a uno de algo que necesita.

SUMINISTRO m. Acción y efecto de suministrar. // Provisión de víveres o utensilios.

SUMIR tr. y r. Hundir o meter debajo de la tierra o del agua. // fig. Hundir, abismar.

SUMISIÓN f. Acción y efecto de someter o someterse. // Acatamiento, subordinación.

SUMISO, SA adj. Obediente, subordinado. // Rendido, subyugado.

SUMO, MA adj. Supremo, que no tiene superior. // fig. Enorme.

SUNTUARIO, RIA adj. Perten. o rel. al lujo.

SUNTUOSIDAD f. Calidad de suntuoso.

SUNTUOSO, SA adj. Magnífico, grande y costoso. // Díc. de la persona magnífica en su gasto y porte.

SUPEDITAR tr. Sujetar, oprimir con rigor. // Sojuzgar, avasallar.

SUPER- Prep. insep. que significa sobre, y denota preeminencia, superioridad, abundancia, exceso.

SUPERAR tr. Exceder, vencer.

SUPERCHERÍA f. Engaño, fraude.

SUPERESTRUCTURA f. Parte de una construcción que está por encima del nivel del suelo.

SUPERFICIAL adj. Perten. o rel. a la superficie. // Que está o se queda en ella. // fig. Aparente, sin sustancia. // Frívolo.

SUPERFICIE f. Límite o término de un cuerpo, que lo separa y distingue de lo que no es él. // *Geom.* Extensión en que sólo se consideran dos dimensiones: longitud y latitud.

SUPERFLUIDAD f. Calidad de superfluo. // Cosa superflua.

SUPERFLUO, FLUA adj. No es necesario, que está de más.

SUPERFOSFATO m. *Quím.* Fosfato ácido de cal, que se emplea como abono.

SUPERHOMBRE m. Tipo de hombre muy superior a los demás.

SUPERIOR adj. Díc. de lo que está más alto respecto de otra cosa. // fig. Díc. de lo más excelente y digno, respecto de otras cosas. // Excelente.

SUPERIOR, RA m. y f. Persona que manda, gobierna o dirige una comunidad.

SUPERIORIDAD f. Preeminencia o ventaja en una persona o cosa respecto de otra.

SUPERLATIVO, VA adj. Muy grande y excelente en su línea. // *Gram.* Grado máximo de signficación de un adjetivo.

SUPERMERCADO m. Tienda de comestibles en que el cliente se sirve a si mismo y paga a la salida.

SUPERPONER tr. Sobreponer.

SUPERPOSICIÓN f. Acción y efecto de superponer o superponerse.

SUPERSÓNICO, CA adj. Díc. de la velocidad superior a la del sonido, y esp. de los aviones que la alcanzan.

SUPERSTICIÓN f. Creencia extraña a la fe religiosa, y contraria a la razón.

SUPERSTICIOSO, SA adj. Perten. o rel. a la superstición. // adj. y s. Persona que cree en ella.

SUPERVIVENCIA f. Acción y efecto de sobrevivir.

SUPERVIVIENTE adj. y s. Que sobrevive.

SUPINACIÓN f. Posición de una persona tendida sobre el dorso.

SUPINO, NA adj. Que está tendido sobre el dorso. // Referente a la supinación. // Necio, tonto.

SUPLANTAR tr. Falsificar un escrito con palabras que alteren el sentido. // Ocupar con malas artes el lugar de otro.

SUPLEMENTARIO, RIA adj. Que sirve para supllir una cosa o complementarla.

SUPLEMENTO m. Acción y efecto de suplir. // Complemento.

SUPLENCIA f. Actuaciónd el suplente o sustituto.

SUPLENTE adj. y s. Que suple.

SÚPLICA f. Acción y efecto de suplicar. // Escrito en que se suplica

SUPLICAR tr. Rogar, pedir con humildad. // Der. Recurir contra la sentencia del tribunal superior ante el mismo.
SUPLICIO m. Lesión corporal, o muerte, infligida como castigo. // fig. Grave dolor físico o moral.
SUPLIR tr. Cumplir o integrar lo que falta en una cosa. // Ponerse en lugar de uno para hacer sus veces.
SUPONER tr. Dar por sentada una cosa. // Fingir una cosa. // Traer consigo, importar.
SUPOSICIÓN f. Acción y efecto de suponer. // Lo que se supone.
SUPOSITORIO m. Sustancia medicinal preparada para ser introducida en el recto.
SUPRA- Adv. lat. que se une como prefijo a algunas voces, con la significación de sobre, arriba.
SUPRARRENAL adj. *Anat.* Sit. encima de los riñones.

el arado. // Señal que deja una cosa que pasa sobre otra. // Arruga en el rostro o en otra parte del cuerpo.
SUREÑO, ÑA adj. Perten. o rel. al sur. // Que está situado en la parte sur de un país.
SURESTE m. Sudeste.
SURGIR intr. Brotar el agua. // Dar fondo la nave. // fig. Alzarse, manifestarse, brotar.
SURTIDO, DA adj. y s. Apl. al artículo de comercio que se ofrece como mezcla de diversas clases. // m. Acción y efecto de surtir o surtirse.
SURTIDOR, RA adj. y s. Que surte y provee. // m. Chorro de agua que brota o sale, esp. hacia arriba.
SURTIR tr. y r. Proveer a uno de alguna cosa. // intr. Brotar, saltar el agua, esp. hacia arriba.
SUSCEPTIBILIDAD f. Calidad de susceptible.
SUSCEPTIBLE adj. Capaz de recibir modificación o

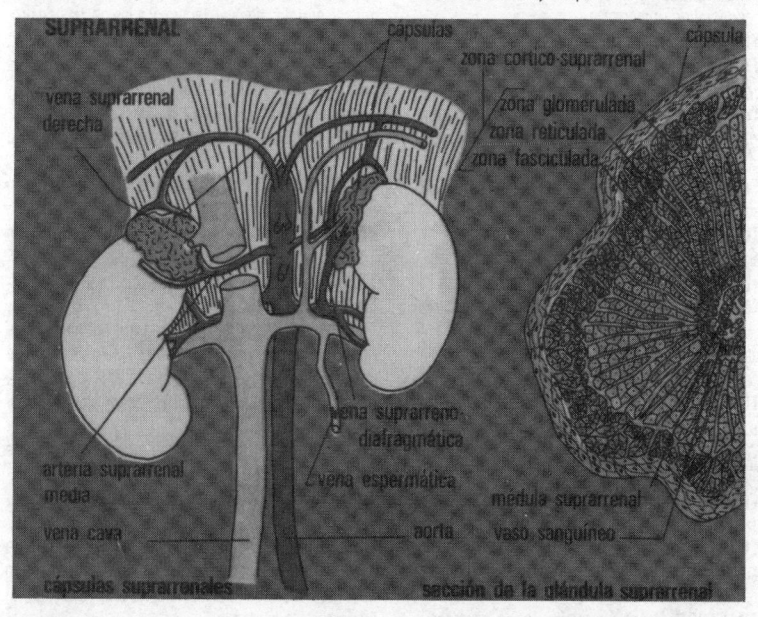

SUPREMACÍA f. Grado supremo en cualquier línea. // Preeminencia.
SUPREMO, MA adj. Sumo, altísimo. // Que no tiene superior en su línea. // Refiriéndose al tiempo, último.
SUPRESIÓN f. Acción y efecto de suprimir.
SUPRIMIR tr. Hacer cesar, hacer desaparecer. // Omitir, callar.
SUPUESTO m. Suposición, hipótesis.
SUPURAR m. Formar o echar pués.
SUR m. Punto cardinal del horizonte, diametralmente opuesto al norte. // Viento que sopla de esta parte.
SURA m. Capítulo del Alcorán.
SURCAR tr. Hacer surcos en la tierra al ararla. // fig. Ir por un fluido cortándolo.
SURCO m. Hendedura que se hace en la tierra con

impresión. // Quisquilloso, irritable.
SUSCITAR tr. ALevantar, promover.
SUSCRIBIR tr. Firmar el final de un escrito. // fig. Convenir con el dictamen de uno. // tr. y r. Abonarse para recibir una publicación.
SUSCRIPCIÓN f. Acción y efecto de suscribir o suscribirse.
SUSODICHO, CHA adj. Dicho arriba.
SUSPENDER tr. Levantar, colgar o detener una cosa en alto. // tr. y r. Detener por algún tiempo una acción u obra. // tr. fig. Causar admiración. // Privar temporalmente a uno del sueldo o empleo que tiene. // Negar la aprobación a un examinando hasta nuevo examen.
SUSPENSIÓN f. Acción y efecto de suspender o

suspenderse. // En los carruajes, cada una de las ballestas y correas destinadas a suspender la caja del coche.
SUSPENSO, SA adj. Admirado, perplejo. // m. Nota de haber sido suspendido en un examen.
SUSPICACIA f. Calidad de suspicaz. // Idea surgerida por la sospecha.
SUSPICAZ adj. Propenso a concebir sospechas.
SUSPIRADO, DA adj. fig. Deseado con ansia.
SUSPIRAR intr. Dar suspiros.
SUSPIRO m. Aspiración fuerte y prolongada seguida de una espiración. Suele denotar queja, pena, etc.
SUSTANCIA f. Ser, esencia, naturaleza de las cosas. // Parte nutritiva de los alimentos. // fig. y fam. Juicio, madurez.
SUSTANCIAL adj. Perten. o rel. a la sustancia. // Díc. de lo esencial de una cosa.
SUSTANCIAR tr. Compendiar, extractar.
SUSTANCIOSO, SA adj. Que tiene valor o estimación. // Que tiene virtud nutritiva.
SUSTANTIVAR tr. *Gram.* Dar valor y significación de nombre sustantivo a otra parte de la oración, y aun a locuciones enteras.
SUSTANTIVO, VA adj. Que tiene existencia real, independiente, individual. // m. Nombre sustantivo.
SUSTENTACIÓN f. Acción y efecto de sustentar. // Sustentáculo.
SUSTENTÁCULO m. Apoyo o sostén de una cosa.
SUSTENTAR tr. Proveer a uno del alimento necesario. // Conservar una cosa en su ser o estado. // Sotener una cosa para que no se caiga o se tuerza. // Defender o sostener determinada opinión.
SUSTENTO m. Mantenimiento, alimento. // Sostén o apoyo.
SUSTITUIR tr. Poner a una persona o cosa en lugar de otra.
SUSTITUTO, TA m. y f. Persona que hace las veces de otra.
SUSTO m. Impresión repentina de sorpresa, miedo o pavor. // fig. Preocupación vehemente por alguna adversidad que se teme.
SUSTRACCIÓN f. Acción y efecto de sustraer o sustraerse.
SUSTRAENDO m. *Mat.* Cantidad que ha de restarse de otra.
SUSTRAER tr. Apartar, separar, extraer. // Hurtar, robar. // r. Separarse de lo que es obligación, o de otra cosa. // *Mat.* restar.
SUSURRAR intr. Hablar quedo, produciendo un murmullo. // fig. Moverse con ruido suave el aire, el agua, etcétera.
SUSURRO m. Ruido suave y remiso.
SUTIL adj. Delgado, delicado, tenue. // Agudo, perspicaz, ingenioso.sutileza f. Calidad de sutil.
SUTILIZAR tr. Adelgazar, atenuar. // fig. Discurrir ingeniosamente.
SUTURA f. Linea sinuosa que forma la unión de ciertos huesos del cráneo. // *Cir.* Costura con que se reúnen los labios de una herida.
SUYO, SUYA, SUYOS, SUYAS Pron. posesivo de tercera persona en género m. y f., y ambos números singular y plural.

T

T f. Vigésima tercera letra del abecedario español, y decimonona de sus consonantes. Su nombre es te.
TABA f. Astrágalo, hueso del pie.
TABACO m. Planta solanácea, originaria de América. // Hoja de esta planta, curada y preparada para sus diversos usos.
TÁBANO m. *Zool.* Insecto díptero, parecido a una mosca grande; ataca al ganado y a las bestias de tiro.
TABAQUERÍA f. Puesto o tienda donde se vende tabaco.
TABARDO m. Prenda de abrigo ancha y larga.
TABARRA f. Todo lo que cansa o hastía.
TABERNA f. Tienda donde se vende por menor vino y otras bebidas espiritosas.
TABERNÁCULO m. Lugar donde los hebreos tenían colocada el arca del Testamento.
TABERNARIO, RIA adj. Propio de la taberna y de los que la frecuentan. // fig. Bajo, grosero, vil.
TABICAR tr. Cerrar con tabique una cosa.
TABIQUE m. Pared delgada.
TABLA f. Pieza plana, más larga que ancha, y cuyas dos caras son paralelas entre sí. // Cara más ancha de un madero. // Pliegue ancho y plano de la ropa. // Lista o catálogo de cosas puestas en determinado orden. // pl. el escenario del teatro.
TABLADO m. Suelo de tablas formado en alto sobre un armazón.
TABLEAR tr. Dividir un madero en tablas. // Hacer tablas en la tela.
TABLERO m. Díc. del madero a propósito para hacer tablas serrándolo. // Tabla cuadrada con cuadritos de dos colores alternados, para jugar al ajedrez, a las damas, etc.
TABLÓN m. Tabla gruesa.
TABÚ m. Prohibición de carácter mágico-religioso.
TABULAR adj. Que tiene forma de tabla.
TABURETE m. Asiento sin brazos ni respaldo.
TACAÑERÍA f. Calidad de tacaño.
TACAÑO adj. y s. Miserable, ruin, mezquino.
TÁCITO, TA adj. Callado, silencioso. // Que no expresa formalmente, sino que se supone e infiere.
TACITURNO, NA adj. Callado, silencioso, que le molesta hablar. // fig. Triste, melancólico.
TACO m. Pedazo de madero, o de otra materia, corto y grueso. // Palabrota, expresión malsonante o grosera. // fam. Embrollo.
TACÓN m. Pieza que va exteriormente unida a la suela del calzado en la parte que corresponde al talón.

T f. Vigésima tercera letra del abecedario español, y decimonona de sus consonantes. Su nombre es te.
TABA f. Astrágalo, hueso del pie.
TABACO m. Planta solanácea, originaria de América. // Hoja de esta planta, curada y preparada para sus diversos usos.
TÁBANO m. *Zool.* Insecto díptero, parecido a una mosca grande; ataca al ganado y a las bestias de tiro.
TABAQUERÍA f. Puesto o tienda donde se vende tabaco.
TABARDO m. Prenda de abrigo ancha y larga.
TABARRA f. Todo lo que cansa o hastía.
TABERNA f. Tienda donde se vende por menor vino y otras bebidas espiritosas.
TABERNÁCULO m. Lugar donde los hebreos tenían colocada el arca del Testamento.
TABERNARIO, RIA adj. Propio de la taberna y de los que la frecuentan. // fig. Bajo, grosero, vil.
TABICAR tr. Cerrar con tabique una cosa.
TABIQUE m. Pared delgada.
TABLA f. Pieza plana, más larga que ancha, y cuyas dos caras son paralelas entre sí. // Cara más ancha de un madero. // Pliegue ancho y plano de la ropa. // Lista o catálogo de cosas puestas en determinado orden. // pl. el escenario del teatro.
TABLADO m. Suelo de tablas formado en alto sobre un armazón.
TABLEAR tr. Dividir un madero en tablas. // Hacer tablas en la tela.
TABLERO m. Díc. del madero a propósito para hacer tablas serrándolo. // Tabla cuadrada con cuadritos de dos colores alternados, para jugar al ajedrez, a las damas, etc.
TABLÓN m. Tabla gruesa.
TABÚ m. Prohibición de carácter mágico-religioso.
TABULAR adj. Que tiene forma de tabla.
TABURETE m. Asiento sin brazos ni respaldo.
TACAÑERÍA f. Calidad de tacaño.
TACAÑO adj. y s. Miserable, ruin, mezquino.
TÁCITO, TA adj. Callado, silencioso. // Que no expresa formalmente, sino que se supone e infiere.
TACITURNO, NA adj. Callado, silencioso, que le molesta hablar. // fig. Triste, melancólico.
TACO m. Pedazo de madero, o de otra materia, corto y grueso. // Palabrota, expresión malsonante o grosera. // fam. Embrollo.
TACÓN m. Pieza que va exteriormente unida a la suela del calzado en la parte que corresponde al talón.
TACONEAR intr. Pisar haciendo fuerza y ruido con el tacón.
TÁCTICA f. Arte que enseña a poner en orden las cosas. // fig. Sistema que se emplea hábilmente para conseguir un fin.
TÁCTICO, CA adj. Perten. o rel. a la táctica. // m. El que sabe o practica la táctica.
TÁCTIL adj. Referente al tacto.
TACTO m. Sentido corporal, mediante el cual se aprecian las sensaciones de contacto, de presión, de calor y de frío. // Acción de tocar o palpar. // fig. Tino, acierto.
TACHA f. Falta o defecto.
TACHAR tr. Poner en una cosa falta o tacha. // Borrar lo escrito. // fig. Culpar, censurar.
TACHÓN m. Raya que se hace sobre lo escrito para borrarlo.
TACHÓN m. Tachuela grande, de cabeza dorada o plateada.
TACHONAR tr. Adornar una cosa sobreponiéndole tachones.
TACHUELA f. Clavo corto y de cabeza grande.
TAFETÁN m. Tela delgada de seda, muy tupida.
TAFILETE m. Cuero delgado de cabra, bruñido y lustroso.
TAGALO, LA adj. y s. Díc. del individuo de una raza indígena de Filipinas.
TAHALÍ Tira de cuero u otra materia, para llevar colgada del hombro la espada.
TAHONA f. Molino de harina cuya rueda se mueve con caballería. // Panadería.
TAHUR, RA adj. y s. Jugador. // Jugador fullero.
TAIFA f. Bandería, parcialidad. // fig. y fam. Reunión de personas de mala vida.
TAIGA f. Bot. Bosque boreal propio de países continentales con invierno crudos.
TAIMADO, DA adj. y s. Bellaco, astuto, disimulado.
TAJADA f. Porción cortada de una cosa, esp. comestible.
TAJANTE adj. fig. Concluyente, terminante.
TAJAR tr. Dividir una cosa en dos o más partes con instrumento cortante.
TAJO m. Corte profundo. // Tarea. // Filo o corte.
TAL adj. Apl. en correlación con cual, como, etc., para establecer una comparación con otras cosas. // Igual, semejante. // Tanto o tan grande.
TALA f. Acción y efecto de talar.
TALADRAR tr. Horadar una cosa con taladro u otro instrumento semejante. // fig. Herir los oídos algún sonido agudo.
TALADRO m. Instrumento agudo o cortante con que se agujerea la madera u otra cosa.
TÁLAMO m. Lecho conyugal.
TALANTE m. Modo de ejecutar una cosa. // Semblante o disposición personal; estado o calidad de las cosas. // Voluntad, deseo.
TALAR adj. Díc. de la vestidura que llega hasta los talones.
TALAR tr. Cortar por el pie masas de árboles para dejar rasa la tierra.
TALASOCRACIA f. Dominio de los mares; poderío naval.
TALAYO m. Monumento megalítico característico de las Baleares, parecido a una torre de poca altura.
TALCO m. Silicato de magnesio, de color blanco, grisáceo o verde, blando e infusible.

TALEGA f. Saco o bolsa ancha y corta. //Lo que se lleva en ella.
TALEGO m. Saco largo y angosto, de lienzo basto.
TALENTO m. fig. Dotes intelectuales que resplandecen en una persona.
TALIO m. Metal poco común, parecido al plomo; símbolo **ti**.
TALIÓN m. Pena que consiste en hacer sufrir al delincuente un daño igual al que causó.
TALISMÁN m. Carácter, figura o imagen a la cual se atribuyen virtudes portentosas.
TALMUD m. Recopilación de la tradición oral judía.
TALO m. *Bot.* Aparato vegetativo de los hongos, algas y otrs vegetales inferiores.
TALOFITOS f. pl. *Bot.* Plantas de estructura sencilla, cuyo cuerpo vegetativo es el talo.
TALÓN m. Calcañar. // Parte del calzado que cubre el calcañar. // Resguardo o libranza que se separa de la matriz.
TALONARIO, RIA adj. y s. m. Díc. del documento que se corta de un libro quedando en él una parte de cada hoja. // El propio libro.
TALUD m. *Geol.* Inclinación del paramento de un terreno.
TALLA f. Obra de escultura, esp. en madera. // Estatura o altura del hombre // fig. Altura moral o intelectual.
TALLAR adj. Que Puede ser talado o cortado.
TALLAR tr. Hacer obras de talla o escultura. // Labrar piedras preciosas. // Medir la estatura de una persona.
TALLARINES m. pl. Tiras estrechas y largas de pasta de macarrones.
TALLE m. Proporción del cuerpo humano. // Cintura. // Forma que se da al vestido para ajustarlo al cuerpo, y esp. la parte que corresponde a la cintura.
TALLER m. Lugar en que se trabaja una obra de manos.
TALLO m. *Bot.* Organo vegetal de sostén y nutrición de las plantas superiores, en el que están insertadas hojas y ramas.
TAMAÑO, ÑA adj. comp. Tan grande o tan pequeño. // adj. sup. Muy grande o muy pequeño. // m. Mayor o menor volumen de dimensión de una cosa.
TAMARINDO m. *Bot.* Arbol de la fam. leguminosas, cuyo fruto, pulposo y ácido, se usa en medicina como laxante.
TAMBALEAR intr. y r. Menearse una cosa a uno y otro lado.
TAMBIÉN adv. y m. Se usa para afirmar la igualdad, semejanza, conformidad o relación de una cosa con otra ya nombrada. // Tanto o así.
TAMBOR m. Instrumento músico de percusión, de forma cilíndrica, hueco, cubierto por sus dos bases con piel estirada. // Aro de madera sobre el cual se tiende una tela para bordarla. // *Arq.* Muro cilíndrico que sirve de base a una cúpula.
TAMBORIL m. Tambor pequeño que se toca con un solo palillo.
TAMIZ m. Cedazo muy tupido.
TAMIZ tr. Pasar una cosa por tamiz.
TAMPOCO adv. neg. con que se niega una cosa después de haberse negado otra.
TAMPÓN m. Almohadilla empapada en tinta que se emplea para entintar sellos, estampillas, etc.
TAN adv. c. Apócope de tanto; en correspondencia con *como* o *cuan*, denota equivalencia o igualdad.
TANDA f. Turno. // Cada uno de los grupos en que se dividen las personas o las bestias.
TÁNDEM m. Bicicleta para dos personas.
TANGENTE adj. y s. f. Que toca.
TANGIBLE adj. Que se puede tocar. // fig. Que se puede percibir de manera precisa.
TANGO m. Baile de origen argentino, de compás lento.

Carlos **Gardel**

TÁNICO, CA adj. Que contiene tanino.
TANINO m. Sustancia astringente que se encuentra en algunas plantas. Es tóxico, y se utiliza para curtir el cuero y en la fabricación de tintas.
TANQUE m. Carro de combate blindado, provisto de cadenas orugas, de un cañón montado, etc. // Depósito de agua transportable.

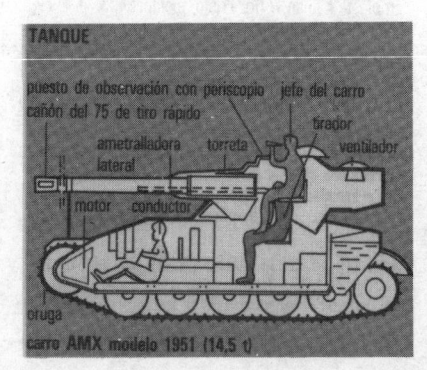

TANQUE
puesto de observación con periscopio — jefe del carro
cañón del 75 de tiro rápido — tirador
ametralladora — torreta — ventilador
lateral
motor — conductor
oruga
carro AMX modelo 1951 (14,5 t)

TÁNTALO m. Metal poco común, de color gris, y muy elevado punto de fusión; símbolo *Ta*.

TANTEAR tr. Medir o parangonar una cosa con otra para ver si viene bien. // Examinar con cuidado a una persona o cosa, o la intención de uno sobre un asunto.

TANTEO m. Acción y efecto de tantear o tantearse. // Número de tantos que se ganan en el juego.

TANTO, TA adj. Apl. a cantidad o número indeterminado, como correlativo cuanto. // Tan grande o muy grande. // m. Cantidad determinada de una cosa. // Unidad de cuenta en muchos juegos. // adv. m. De tal modo o en tal grado. // adv. c. Hasta tal punto; tal cantidad.

TAÑER tr. Tocar un instrumento músico. // Hacer llamada con campanas u otro medio.

TAÑIDO m. Son que se toca en un instrumento. // Sonido de la casa tocada.

TAO m. Término taoísta que se interpreta como principio absoluto del cosmos.

TAOÍSMO m. Antigua religión originada en China.

TAOISTA com. Persona que profesa el taoísmo.

TAPA f. Pieza que cierra por la parte superior las cajas, o cosas semejantes. // Capa de suela del tacón. // Compuerta de una presa.

TAPADERA f. Pieza que se ajusta a la boca de una cavidad para cubrirla.

TAPAR tr. Cubrir o cerrar lo que está descubierto o abierto. // tr. y r. Abrigar con la ropa u otra defensa. // tr. fig. Encubrir, ocultar o callar un defecto.

TAPETE m. Alfombra pequeña. // Cubierta para mesas y otros muebles.

TAPIA f. Trozo de pared que de una sola vez se hace con tierra amasada y apisonada en una horma. // Muro de cerca.

TAPIAR tr. Cerrar con tapias. // fig. Cerrar un hueco en un muro o tabique.

TAPICERO, RA m. y f. Persona que teje tapices o los compone.

TAPIOCA f. Fécula blanca y granulada que se saca de la raíz de la mandioca.

TAPIR m. *Zool.* Mamífero paquidermo parecido al jabalí.

TAPIZ m. Paño grande con dibujos tejidos.

TAPIZADO m. Acción y efecto de tapizar.

TAPIZAR tr. Cubrir, forrar con tela los muebles o las paredes.

TAPÓN m. Pieza de corcho, cristal, etc., con que se tapan botellas, frascos y otras vasijas.

TAPONAR tr. Cerrar con tapón un orificio cualquiera.

TAPUJO m. fig. y fam. Disimulo con que se disfraza la verdad.

TAQUICARDIA f. *Med.* Aceleración del ritmo de los latidos cardíacos.

TAQUIGRAFÍA f. Arte de escribir tan de prisa como se habla, por medio de signos y abreviaturas.

TAQUIGRAFIAR tr. Escribir taquigráficamente.

TAQUILLA f. Armario para guardar papeles. // Casillero para los billetes de teatro, ferrocarril, etc. // Por ext., despacho de billetes, y lo que en él se recauda.

TAQUIMECANOGRAFÍA f. Arte del taquimecanógrafo.

TAQUIMECANÓGRAFO, fa m. y f. Persona versada en taquigrafía y mecanografía.

TAQUÍMETRO m. Instrumento semejante al teodolito, que sirve para medir a un tiempo distancias y ángulos.

TARA f. Parte de peso que se rebaja en las mercancías por razón de los embalajes en que están incluidas. // Defecto, imperfección.

TARACEA f. Embutido hecho con pedazos menudos de madera, concha, metales, etc.

TARADO, DA adj. Que padece tara.

TARAMBANA com. y adj. fam. Persona alocada.

TARANTELA f. Baile napolitano de movimiento muy vivo.

TARÁNTULA f. *Zool.* Araña grande, común en el sur de Europa. Su picadura produce inflamación.

TARAR tr. Señalar la tara.

TARAREAR tr. Cantar sin articular palabras.

TARASCAR tr. Morder.

TARDANZA f. Demora, pausa.

TARDAR intr. y r. Detenerse, no llegar oportunamente, retrasar la ejecución de una cosa. // intr. Emplear tiempo en hacer las cosas.

TARDE f. Tiempo que hay desde mediodía hasta el anochecer. // adv. t. A hora avanzada, del día o de la noche. // Fuera de tiempo considerado oportuno.

TARDÍO, A adj. Que tarda en madurar algún tiempo más del regular. // Que sucede después del tiempo oportuno.

TAREA f. Cualquier obra o trabajo. // Trabajo que debe hacerse en tiempo limitado.

TARIFA f. Tabla de los precios, derechos o impuestos.

TARIFAR tr. Señalar o aplicar una tarifa.

TARIMA f. Entablado movible.

TARJETA f. Pedazo de cartulina con el nombre, título o cargo de una o más personas.

TARRO m. Recipiente de vidrio o porcelana, gralte. cilíndrico y más alto que ancho.

TARSO m. *Anat.* Parte posterior del pie, compuesta de siete huesos estrechamente unidos.

TARTA f. Pastel grande, de forma gralte. redonda.

TARTAMUDEAR intr. Hablar con pronunciación entrecortada y repitiendo las sílabas.

TARTAMUDEZ f. Trastorno de la palabra consistente en la dificultad de emisión y en la repetición involuntaria de algunas sílabas.

TARTAMUDO, DA adj. y s. Que tartamudea.

TARTÁN m. Tela de lana con cuadros cruzados de diferentes colores.

TARTANA f. Embarcación menor, de vela latina y con un solo palo. // Carruaje con cubierta abovedada y

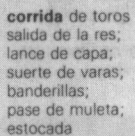

corrida de toros
salida de la res;
lance de capa;
suerte de varas;
banderillas;
pase de muleta;
estocada

Manolete, por Vázquez Díaz

FIGURAS HISTÓRICAS DEL TOREO

Francisco Romero	¿1700-1770?
Joaquín Rodríguez «Costillares»	¿1746-1798?
José Delgado «Pepe-Hillo»	1754-1801
Pedro Romero	1754-1839
Francisco Montes «Paquiro»	1805-1851
Francisco Arjona «Cúchares»	1818-1868
José Redondo «El Chiclanero»	1819-1853
Cayetano Sanz	1821-1891
Antonio Sánchez «El Tato»	1831-1895
Rafael Molina «Lagartijo»	1841-1900
Fernando Gómez «El Gallo»	1847-1897
Rafael Guerra «Guerrita»	1862-1941
Rafael Gómez «El Gallo»	1882-1960
Rodolfo Gaona	1888-1975
José Gómez «Joselito»	1895-1920
Juan Belmonte	1892-1962
Marcial Lalanda	1903
Fermín Espinosa «Armillita Chico»	1911-1978
Domingo Ortega	1908
Manuel Rodríguez «Manolete»	1917-1947
Pepe Luis Vázquez	1922
Carlos Arruza	1920-1966
Antonio Ordóñez	1932

asientos laterales.

TÁRTAROS m. pl. Nombre aplicado a los mongoles a partir del s. XIII.

TARTERA f. Tortera. //Fiambrera.

TARUGO m. Pedazo de madera corto y grueso. // Pedazo de pan irregular. // Zoquete.

TAS m. Yunque pequeño y cuadrado, usado por plateros, plomeros, etcétera.

TASA f. Acción y efecto de tasar. // Precio fijado por la autoridad para las cosas vendibles. // Medida.

TASACIÓN f. Fijación de ciertos precios por el Estado.

TASAR tr. Poner tasa a las cosas vendibles. // Graduar el valor de las cosas. // Regular lo que cada uno merece por su trabajo.

TASCA f. Garito de mala fama. // Taberna.

TATARABUELO, LA m. y f. Tercer abuelo.

TATAREAR tr. Tararear.

TATO, TA adj. Tartamudo que vuelve la c y la s en t.

TATUAJE m. Acción y efecto de tatuar o tatuarse.

TATUAR tr. y r. Grabar dibujos en la piel humana, introduciendo materias colorantes bajo la epidermis.

TAULA f. Monumento megalítico baleárico, que consta de dos piedras en forma de T.

TAUMATURGO, GA m. y f. Persona admirable en sus obras; autor de cosas prodigiosas.

TAURINO, NA adj. Perten. o rel. al toro, o a las corridas de toros.

TAURO m. Segundo signo del Zodiaco.

TAUROMAQUIA f. Arte de lidiar toros.

TAUTOLOGÍA f. Repetición de un mismo pensamiento expresado de distintas maneras.

TAXATIVO adj. Que limita y reduce un caso a determinada circunstancia.

TAXI m. Abreviatura de taxímetro.

TAXIDERMIA f. Arte de disecar los animales muertos para conservarlos con apariencia de vivos.

TAXÍMETRO m. Coche de alquiler y aparato de que va provisto, que marca la distancia recorrida y la cantidad devengada.

TAXISTA com. Persona que conduce un taxímetro.

TAXONOMÍA f. *Biol.* Estudio de la clasificación de los organismos según sus semejanzas y diferencias.

TAZA f. Vasija pequeña, con asa, usada para tomar líquidos. // Lo que cabe en ella.

TE Dativo o acusativo del pron. pers. de segunda persona.

TÉ m. *Bot.* Arbusto oriundo de Extremo Oriente, cuyas hojas se usan para hacer una infusión.

TEA f. Astilla de madera muy impregnada en resina, y que, encendida, sirve para dar luz.

TEATRAL adj. Perten. o rel. al teatro.

TEATRO m. Edificio o sitio destinado a la representación de obras dramáticas. // Escenario o escena. / / Conjunto de todas las producciones dramáticas de un pueblo, de una época o de un autor. // fig. Literatura dramática.

TECLA f. Pieza de formas variadas usada para accionar ciertos mecanismos al ser pulsada con los dedos.

TECLADO m. Conjunto ordenado de teclas de un instrumento.

TECLEAR intr. Mover teclas. // tr. fig. y fam. Intentar diversos caminos y medios para la consecución de algún fin.

TÉCNICA f. Conjunto de procedimientos de que se sirve una ciencia o arte. // Pericia o habilidad para usar de esos procedimientos.

TECNICISMO m. Calidad de técnico. // Voz técnica, empleada en el lenguaje de un arte, un oficio, etc.

TÉCNICO, CA adj. Perten. o rel. a las aplicaciones de las ciencias y las artes. // m. El que está versado en una ciencia o un arte.

TECNICOLOR m. Marca con que fue registrada una técnica de cinematografía en color.

TECNOLOGÍA f. Conjunto de los conocimientos propios de un oficio mecánico o un arte industrial. // Tratado de los términos técnicos.

TECTÓNICA f. Parte de la geología que estudia las dislocaciones de la corteza terrestre y los procesos desencadenantes.

TECHO m. Parte superior de un edificio, que lo cubre y cierra.

TECHUMBRE f. Conjunto de la estructura y elementos de cierre de los techos.

TEDIO m. Fastidio, aburrimiento.

TEGUMENTO m. Tejido de revestimiento de algunas parates de las plantas y animales.

TEISMO m. Creencia en un Dios personal y creador, que suele revelarse al hombre.

TEISTA adj. y s. Que profesa el teismo.

TEJA f. Pieza de barro cocido para cubrir por fuera los techos.

TEJADO m. Parte superior de un edificio, cubierta gralte. de tejas.

TEJAR tr. Cubrir de tejas los edificios.

TEJEMANEJE m. Fam. Agilidad con que se hace una cosa. // Enredo pra algún asunto turbio.

TEJER tr. Formar en el telar la tela con la trama y la urdimbre. // Entrelazar hilos, espartos, etc., para formar trencillas, esteras, o cosas parecidas. // Formar ciertos animales sus telas y capullos. // fig. Discurrir, maquinar.

TEJIDO m. Textura de una tela. // Cosa tejida. // *Biol.* Cada uno de los diversos agregados de elementos anatómicos que forman las partes sólidas de los cuerpos organizados.

TEJO m. Pedazo de teja o cosa semejante que sirve para jugar.

TEJÓN m. *Zool.* Mamífero carnícero de pelo largo, que habita en madrigueras profundas.

TELA f. Obra hecha de muchos hilos entrecruzados, que forman como una hoja o lámina. // Tejido que forman la araña y otros animales.

TELAR m. Máquina para tejer.

TELARAÑA f. *Zool.* Tela que fabrica la araña.
TELE- Forma prefija derivada del griego *tele*, lejos.
TELECOMUNICACIÓN f. Sistema de comunicación telegráfica, telefónica o otro sistema a larga distancia.
TELEFÉRICO m. Sistema de transporte en el cual los vehículos van suspendidos de cables aéreos.
TELEFONEAR tr. Dirigir comunicaciones por medio del teléfono.
TELEFONÍA f. Transmisión de sonidos a distancia. // Ciencia, técnica del teléfono.
TELEFÓNICO adj. Rel. al teléfono o a la telefonía.
TELÉFONO m. Conjunto de aparatos e hilos conductores con los cuales se transmiten a distancia los sonidos, por acción de la electricidad.
TELEFOTOGRAFÍA f. Fotografía de objetos alejados, mediante objetivos de gran distancia focal o teleobjetivos.
TELEGRAFÍA f. Transmisión a distancia de noticias o imágenes por conductores o cables, sin hilos, utilizando sonidos y caracteres escritos.

ALFABETO MORSE

LETRAS

a .—		n —.	
b —...		ñ —.——.	
c —.—.		o ———	
d —..		p .——.	
e .		q ——.—	
é ..—..		r .—.	
f ..—.		s ...	
g ——.		t —	
h		u ..—	
i ..		v ...—	
j .———		w .——	
k —.—		x —..—	
l .—..		y —.——	
m ——		z ——..	

CIFRAS

1 .————	6 —....
2 ..———	7 ——...
3 ...——	8 ———..
4 ....—	9 ————.
5	0 —————

• **morse** n.m. TELECOM Sistema de telegrafía inventado por Morse.

TELEGRAFIAR tr. Comunicar por medio del telégrafo.
TELEGRÁFICO, CA adj. Rel. al telégrafo o a la telegrafía.
TELÉGRAFO m. Aparato o sistema para comunicar señales a distancia por transmisión eléctrica.
TELEGRAMA m. Despacho telegráfico.
TELEMETRÍA f. Arte de medir distancias entre objetos lejanos.
TELÉMETRO m. Aparato usado para medir distancias entre dos puntos cuando uno de ellos es inaccesible.
TELEOBJETIVO m. Objetivo para fotografías a distancia.
TELEOLOGÍA f. Doctrina filosófica que establece la existencia de causas finales.
TELEÓSTEOS m. pl. *Zool.* Peces con esqueleto completo.
TELEPATÍA f. Percepción de un fenómeno ocurrido fuera del alcance de los sentidos.
TELESCOPIO m. Instrumento óptico para la observación de cuerpos celestes.
TELETIPO m. Aparato telegráfico de teclado, cuyo receptor imprime el mensaje en caracteres tipográficos.
TELEVISIÓN f. Transmisión de imágenes a larga distancia por medio de ondas de radiodifusión.
TELEVISOR m. Aparato receptor de televisión.
TELÓN m. Lienzo grande pintado que se pone en el escenario de un teatro, de modo que pueda subirse y bajarse.
TELÚRICO adj. Perten. o rel. a la Tierra, como planeta.
TELURIO m. Metaloide análogo al selenio; símbolo Te.
TEMA m. Proposición o texto que se toma por asunto o materia de un discurso. // Este mismo asunto o materia.
TEMÁTICA f. Conjunto de los temas parciales contenidos en un asunto general.
TEMÁTICO, CA adj. Que se dispone o ejecuta según el tema.
TEMBLAR intr. Agitarse con movimiento frecuente e involuntario. // Moverse o vacilar un cuerpo de modo semejante. // fig. Tener miedo.
TEMBLEQUEAR intr. fam. Temblar con frecuencia. // Afectar temblor.
TEMBLOR m. Movimientos involuntarios, rítmicos y oscilantes, del cuerpo o de alguna parte de él.
TEMER tr. Tener a una persona o cosa por objeto de temor. // Recelar un daño. // Sospechar. // intr. Sentir temor.
TEMERARIO adj. Imprudente. // Que se dice, hace o piensa sin fundamento, razón o motivo.
TEMERIDAD f. Calidad de temerario. // Acción temeraria. // Juicio temerario.
TEMEROSO adj. Medroso, cobarde. // Que recela un daño.
TEMIBLE adj. Digno de ser temido.
TEMOR m. Miedo. // Presunción o sospecha. // Recelo de un daño futuro.
TÉMPANO m. Timbla, instrumento músico. // Pedazo de cualquier cosa dura, extendida o plana.
TEMPERAMENTO m. Estado de la atmósfera. / / Constitución particular de cada individuo, que resulta del predominio fisiológico de un sistema orgánico. // Carácter.
TEMPERANCIA f. Templanza.
TEMPERAR tr. y r. Atemperar.
TEMPERATURA f. Nivel térmico de los cuerpos en relación con la energía cinética de las moléculas que

los forman.
TEMPERIE f. Estado de la atmósfera.
TEMPESTAD f. Perturbación del aire con nubes gruesas de mucha agua, granizo, truenos, rayos y relámpagos. // Perturbación del mar causada por el ímpetu de los vientos. // fig. Agitación de los ánimos.
TEMPESTUOSO, SA adj. Que causa o constituye una tempestad. // Propenso a tempestades.
TEMPLADO adj. Moderado. // Que no está ni frío ni caliente.
TEMPLANZA f. Virtud cardinal que consiste en moderar los apetitos y el uso excesivo de los sentidos. / / Sobriedad y continencia. // Benignidad del clima de un país.
TEMPLAR tr. Moderar o suavizar la fuerza de una cosa. // Quitar el frío de una cosa, calentarla ligeramente. // Dar el temple a un metal, cristal, etc. // Poner en tensión moderada una cosa. // fig. Sosegar la cólera o enojo de una persona. // Afinar un instrumento musical.
TEMPLE m. Temperie. // Grado mayor o menor de calor. // Punto de dureza o elasticidad que se da a un metal, al cristal, etc. // fig. Arrojo, valor.
TEMPLETE m. Armazón pequeña, en figura de templo. // Pabellón o quiosco.
TEMPLO m. Edificio o lugar destinado pública y exclusivamente a un culto.
TEMPORADA f. Espacio de tiempo que se considera formando un conjunto. // Tiempo durante el cual se realiza habitualmente una cosa.
TEMPORAL adj. Perten. al tiempo. // Que dura por algún tiempo. // Secular, profano. // Que pasa con el tiempo. // m. Tempestad. // Tiempo de lluvia persistente.
TEMPORAL adj. *Anat.* Perten. o rel. a las sienes.

TEMPORALIDAD f. Calidad de temporal o secular.
TEMPORERO adj. y s. Díc. de la persona que ejerce temporalmente un oficio o empleo.
TEMPRANO adj. Adelantado, que es antes del tiempo ordinario. // adv. t. En las primeras horas del día o de la noche.
TENACIDAD c f. Calidad de tenaz.
TENAZ adj. Que opone mucha resistencia a desprenderse, romperse o deformarse. // fig. Firme, pertinaz en un propósito.
TENAZA f. Instrumento de metal, compuesto de dos brazos trabados por un clavillo que permite abrirlos y cerrarlos.
TENCA f. *Zool.* Pez de agua dulce, malacopterigio abdominal, de carne blanca y sabrosa.
TENDENCIA f. Propensión o inclinación o hacia determinados fines.
TENDENCIOSO adj. Que manifiesta o incluye tendencia hacia determinados fines.
TENDENTE adj. Que tiende a algún fin.
TENDER tr. Esparcir por el suelo una cosa. // Extender al aire o al sol la ropa mojada, para que se seque. // Propender a algún fin. // Alargar o extender. // r. Echarse, tumbarse a la larga.
TENDER m. Vagón enganchado a la locomotora, que lleva el combustible y agua para alimentarla.
TENDERETE m. Puesto de venta por menor, instalado al aire libre.
TENDERO, RA m. y f. Persona que tiene tienda. // Persona que vende por menor.
TENDIDO, DA adj. Apl. al galope del caballo cuando éste se tiende. // m. Acción de tender. // Gradería.
TENDÓN m. Haz de fibras que une por lo común los músculos a los huesos.
TENEBROSO, SA adj. Oscuro, cubierto de tinieblas.

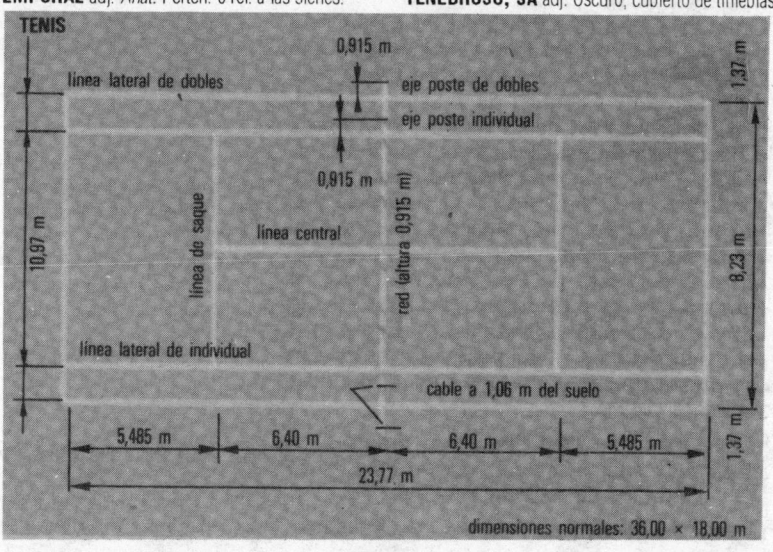

TENIS

línea lateral de dobles
0,915 m
eje poste de dobles
1,37 m
eje poste individual
0,915 m
línea de saque
línea central
red (altura 0,915 m)
10,97 m
8,23 m
línea lateral de individual
cable a 1,06 m del suelo
5,485 m | 6,40 m | 6,40 m | 5,485 m
1,37 m
23,77 m
dimensiones normales: 36,00 × 18,00 m

TENEDOR m. El que tiene una cosa. // El que posee legítimamente una letra de cambio u otro valor endosable. // Utensilio de mesa, de tres o cuatro púas.
TENEDURÍA f. Cargo y oficina del tenedor de libros.
TENENCIA f. Ocupación y posesión de una cosa. // Cargo de teniente, y oficina en que lo ejerce.
TENER tr. Asir o mantener asida una cosa. // Poseer, gozar. // Contener o comprender en sí. // tr. y r. Mantener o sostener. // Juzgar, reputar, estimar. U. gralte. junto con las preps. a, por y en. // r. Asegurarse uno para no caer.
TENERÍA f. Curtiduría.
TENIA f. Zool. Gusano platelminto, en forma de cinta y de color blanco. Consta de innumerables anillos, y vive parásito en el intestino de los vertebrados.

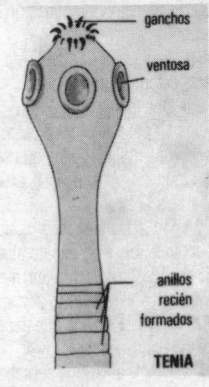

TENIENTE m. Mil. Oficial inmediatamente inferior al capitán.
TENIS m. Juego al aire libre que consiste enlanzar una pelota por medio de una raqueta de una parte a otra del terreno.
TENOR m. Cantante que posee la más aguda de las voces masculinas.
TENORIO m. Galanteador audaz.
TENSAR tr. Poner tensa una cosa.
TENSIÓN f. Estado de un cuerpo, estirado por la acción de fuerzas que lo solicitan. // Grado de energía eléctrica que se manifiesta en un cuerpo. // Fig. emoción, angustia.
TENSO, SA adj. Que se halla en estado de tensión.
TENSOR, RA adj. y s. Que tensa, origina tensión o está dispuesto para producirla.
TENTACIÓN f. Instigación que induce a una cosa mala. // Impulso repentino que excita a hacer algo.
TENTÁCULO m. Apéndice móvil desprovisto de esqueleto, propio de diversos invertebrados.
TENTAR tr. y r. Palpar o tocar una cosa. // Examinar por medio del tacto lo que no se puede ver. // Inducir o estimular. // Intentar, procurar. Examinar, probar.
TENTATIVA f. Acción con que se intenta, prueba o tantea una cosa.
TENTEMPIÉ m. fam. Refrigerio.

TENTETIESO m. Juguete que movido queda siempre derecho.
TENUE adj. Delicado, delgado. // Dicho del estilo, sencillo.
TEÑIR tr. y r. Dar a una cosa un color distinto del que tenía.
TEO- Forma prefija del griego theos, diso.
TEOCRACIA f. Gobierno ejercido directamente por Dios. // Gobierno en que el poder supremo está sometido a los sacerdotes.
TEOCRÁTICO adj. Perten. o rel. a la teocracia.
TEODICEA f. Teología natural.
TEODOLITO m. Instrumento de precisión para medir ángulos en sus planos respectivos.
TEOFANÍA f. Mit. Fiestas primaverales de Delfos, en honor de Apolo.
TEOGONÍA f. Genealogía de los dioses.
TEOLOGAL adj. Perten. o rel. a la teología.
TEOLOGÍA f. Ciencia que trata de Dios y de sus atributos y perfecciones.
TEOLÓGICO adj. Perten. o rel. a la teología.
TEÓLOGO, GA m. y f. Persona que profesa la teología, o tiene en ella especiales conocimientos.
TEOREMA m. Proposición que afirma una verdad demostrable.
TEORÍA f. Conocimiento especulativo considerado con independencia de toda aplicación. // Hipótesis, proposición.
TEÓRICO adj. Perten. a la teoría. // Que conoce las cosas o las considera sólo especulativamente.
TEORIZAR tr. Tratar un asunto sólo en teoría.
TEOSOFÍA f. Tendencia mística en la que se mezclan eclécticamente creencias religiosas, filosóficas y ocultistas.
TEQUILA f. Aguardiente mexicano, destilado del maguey.
TERPEÚTICA f. Parte de la medicina que tiene por objeto el tratamiento de las enfermedades.
TERAPEÚTICO, CA adj. Perten. o rel. a la terapéutica.
TERAPIA f. Terapèutica.
TERATOLOGÍA f. Med. Estudio de las deformidades congénitas, y esp. de las monstruosidades.
TERBIO m. Metal muy raro, difícil de separar, de símbolo Tb.
TERCER adj. Apócope de tercero. U.siempre antepuesto al sustantivo.
TERCERO, RA adj. y s.Que sigue inmediatamente en orden al o a lo segundo.
TERCETO m. Combinación métrica de tres versos endecasílabos. // Mús. Composición para tres voces o instrumentos.
TERCIA f. Tercera parte de un todo.
TERCIANA f.Met. Fiebre que recurre cada 48 horas aprox.
TERCIAR tr. Poner una cosa atravesada al sesgo. //Dividir una cosa en tres partes. // Equilibrar la carga

repartiéndola a los dos lados de la acémila. // Venir bien una cosa. // intr. Mediar para componer algún ajuste o discordia.

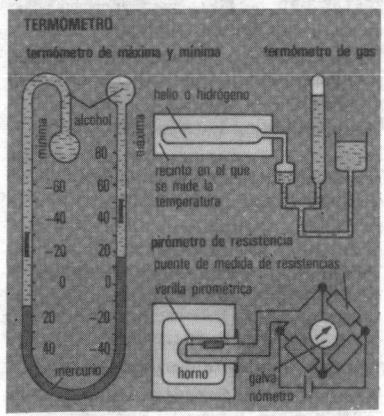

TERMÓMETRO
termómetro de máxima y mínima — termómetro de gas
helio o hidrógeno
alcohol
mínima máxima
recinto en el que se mide la temperatura
pirómetro de resistencia
puente de medida de resistencias
varilla pirométrica
mercurio horno galvanómetro

TERCIARIO, RIA adj. Tercero en orden o grado.
TERCIO, CIA adj.Tercero. // m. Cada una de las tres partes iguales en que se divide un todo.
TERCIOPELO m. Tejido que presenta una superficie pilosa en una cara, siendo por lo general rasa la otra.
TERCO, CA adj. Pertinaz, obstinado. // fig. Díc. de lo que es bronco o difícil de labrar.
TEREBINTÁCEAS f. pi.*Bot.* Fam. de plantas dicotiledóneas, árboles, arbustos o matas, de corteza resinosa, cuyo tipo es el terebinto.
TERBINTO m.*Bot.* Arbusto de la fam. terebintáceas; su leño exuda una taremintina blanca y perfumada.
TERGIVERSAR tr. Deformar las razones o argumentos, o las relaciones de los hechos y sus circunstancias.
TERMAL adj. Perten. o rel. a las termas o caldas.
TERMAS f. pl. Baños de aguas minerales calientes. // Baños públicos de los ant. romanos.
TERMES m. *Zool.* Nombre de los insectos arquípteros lucífugos que viven bajo tierra en sociedades. Sus nidos forman verdaderos montículos.
TÉRMICO, CA adj. Perten. o rel. a la calentura.
TERMINACIÓN f. Acción y efecto de terminar o terminarse.
TERMINAL adj. y s. Final, último que pone término a una cosa.
TERMINANTE adj.Claro, precios, concluyente.
TÉRMINO m. Ultimo punto hasta donde llega una cosa; límite, fin. // Territorio sometido a un ayuntamiento. // *Mat.* Cada una de las cantidades que componen un polinomio o forman una razón, una progresión o un quebrado.
TERMINOLOGÍA f. Conjunto de términos o vocablos propios de determinada profesión, materia, etc.
TERMITA f. Mezcla de limaduras de aluminio y de óxidos de diferentes metales, que por inflamación

producen temperaturas elevadísimas.
TERMITERO m. *Zool.* Nido de termes.
TERMO- Forma prefija derivada del griego therme, calor.
TERMODINÁMICA f. Parte de la física que se ocupa de las relaciones entre el calor y el trabajo mecánico u otras formas de energía.
TERMOELECTRICIDAD f. Energía eléctrica producida por el calor.
TERMOLOGÍA f.Parte de la física que trata de los fenómenos en que interviene el calor.
TERMÓMETRO m. Instrumento utilizado para medir la temperatura.
TERMONUCLEAR adj. Perten. o rel. al calor producido por la fisión del átomo.
TERNA f. Conjunto de tres personas propuestas para un cargo o empleo.
TERNARIO, RIA adj. Compuesto de tres elementos, unidades o guarismos.
TERNERA f. Cría hembra de la vaca. // Carne de ternera o de ternero.
TERNERO m. Cría macho de la vaca.
TERNO m. Conjunto de tres cosas de una misma especie.
TERNURA f. Calidad de tierno. // Requiebro, dicho lisonjero.
TERQUEDAD f. Calidad de terco. // Porfía, disputa obstinada.
TERRACOTA a f. Escultura de barro cocido.

terracota de **Catal Höyük**(diosa madre dando a luz
TERRADO m. Azotea.
TERRAMICINA f. *Farm.* Antibiótico efectivo contra numerosos microorganismos patógenos.
TERRAPLÉN m. Macizo de tierra con que se rellena un hueco, o que se levanta para hacer una defensa o un camino.

TERRÁQUEO adj. Compuesto de tierra y agua. Apl. únicamente a la esfera terrestre.
TERRATENIENTE com. Dueño o poseedor de tierra o hacienda.
TERRAZA f. Cubierta plana y practicable de un edificio. // Terreno acotado delante de un local público, para estar al aire libre.
TERREMOTO m. Seísmo.
TERRENAL adj. Perten. a la tierra, en contraposición a lo del cielo.
TERRENO, NA adj. Perten. o rel. a la Tierra. // m. Sitio o espacio de tierra. // fig. Orden de materias o ideas de que se trata.
TERRERO, RA adj. Perten. o rel. a la tierra. // Apl. al vuelo rastrero de ciertas aves. // m. Depósito de tierras acumuladas por la acción de las aguas.
TERRESTRE adj. Perten. o rel. a la tierra.
TERRIBLE adj. Que causa terror. // Duro de genio o condición. // Desmesurado, extraordinario.
TERRÍCOLA com. Habitante de la Tierra.
TERRÍFICO, CA adj. Que amedrenta.
TERRITORIO m. Porción de la superficie terrestre perten. a una nación, región, provincia, etc. // Término que comprende una jurisdicción.
TERRÓN m. Masa pequeña y suelta de tierra compacta, o de otras sustancias.
TERROR m. Miedo, espanto, pavor.
TERRORÍFICO, CA adj. Que infunde terror.
TERRORISMO m. Dominación por el terror. // Sucesión de actos violentos ejecutados para infundir terror.
TERROSO, SA adj. Que participa de la naturaleza y propiedades de la tierra.
TERRUÑO m. Trozo de tierra. // Comarca, esp. el país natal.
TERSO, SA adj. Limpio, claro, brillante. // Liso, sin arrugas.
TERSURA f. Calidad de terso.
TERTULIA f. Reunión de personas que se juntan habitualmente pra conversar o recrearse.
TESIS f. Proposición que se mantiene por razonamientos. // Disertación escrita que presenta a la universidad el aspirante al título de doctor.
TESITURA f. *Mús*. Altura propia de cada voz o instrumento. // fig. Disposición del ánimo.
TESÓN m. Firmeza, constancia.
TESONERÍA f. Terquedad, pertinacia.
TESORERÍA f. Cargo u oficio de tesorero, y oficina en que despacha.
TESORERO m. y f. Persona encargada de custodiar y distribuir los caudales de una dependencia pública o particular.
TESORO m. Cantidad de dinero, valores u objetos preciosos, reunida y guardada. // Erario de la nación. // Abundancia de dinero guardado. // Persona o cosa, o conjunto de ellas, de calidad excelente.
TEST m. Prueba, experimento.

TESTA f. Cabeza. // Frente, cara o parte anterior de algunas cosas.
TESTADOR, RA m. y f. Persona que hace testamento.
TESTAFERRO m. El que presta su nombre en un contrato o negocio que es de otra persona.
TESTAMENTARIA f. Ejecución de lo dispuesto en el testamento. Conjunto de documentos que atañen a la ejecución de lo dispuesto en el testamento.
TESTAMENTARIO, RIA adj. Peprten. o rel. al testamento.
TESTAMENTO m. Declaración que hace una persona, disponiendo de bienes y de asuntos que le atañen para después de su muerte. // Documento donde consta la voluntad del testador.
TESTAR intr. Hacer testamento. // tr. Tachar, borrar.
TESTARUDEZ f. Calidad de testarudo. // Acción propia del testarudo.
TESTARUDO, DA adj. Porfiado, terco.
TESTERA f. Frente o fachada principal de una cosa. // Parte anterior y superior de la cabeza del animal.
TESTICULAR adj. Perten. o rel. a los testículos.
TESTÍCULO m. *Anat*. Cada una de las dos glándulas masculinas generadoras de los espermatozoides.
TESTIFICAR tr. Afirmar o probar de oficio una cosa. // Deponer como testigo en algún acto judicial. // fig. Certificar, declarar con seguridad la verdad de una cosa.
TESTIGO com. Persona que da testimonio de una cosa. // Persona que presencia una cosa. // m. Cualquier cosa, por la cual se infiere la verdad de un hecho.
TESTIMONIAL adj. Que hace fe y verdadero testimonio.
TESTIMONIAR tr. Atestiguar, servir de testigo para alguna cosa.
TESTIMONIO m. Atestación o aseveración de una cosa. // Instrumento autorizado por escribano o notario. // Prueba y justificación de la verdad de una cosa.
TESTUZ amb. En algunos animales, frente.
TETA f. Cada uno de los órganos glandulosos y salientes que los mamíferos tienen, y sirven en las hembras para la secreción de la leche. // pezón.
TÉTANOS m. *Med*. Enfermedad infecciosa, con dolorosos espamos musculares. El bacilo tetánico se halla en la tierra, polvo, y en excrementos de animales.
TETERA f. Vasija para hacer y servir el té.
TETILLA f. Cada una de las tetas de los machos en los mamíferos.
TETRAEDRO m. Geom. Poliedro cuyas cuatro caras

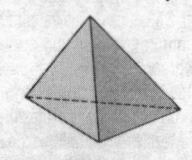

TETRAEDRO

son triángulos equiláteros.
TETRAGONA adj. Que tiene forma cuadrangular.
TETRALOGÍA f. Conjunto de cuatro obras literarias o líricas.
TETRARCA m. Señor de la cuarta parte de un reino o provincia.
TETRARQUÍA f. Dignidad de tetrarca. // Territorio de su jurisdicción.
TETRASÍLABO adj. De cuatro sílabas.
TETRÁSTROFO adj. Díc. de la composición de cuatro estrofas.
TÉTRICO adj. Triste, muy serio, grave y melancólico.
TEÚRGIA f. Especie de magia ant., para comunicarse con los dioses.
TEÚRGO m. Mago dedicado a la teúrgia.
TEUTONES m. pl. Pueblo germano ant. del norte de Europa.
TEXTIL adj. y s. Díc. de la materia capaz de reducirse a hilos y ser tejida.
TEXTO m. Lo dicho o escrito por un autor, o en una ley. // Pasaje citado de una obra literaria. // Por anton., sentencia de la Biblia. // Todo lo que se dice en el cuerpo de la obra escrita.
TEXTUAL adj. Conforme con el texto o propio de él.
TEXTURA f. Disposición de los hilos en una tela. // Operación de tejer. // Disposición que tienen entre sí las partículas de un cuerpo.
TEZ f. Superficie. Díc. esp. de la del rostro humano.
TIA f. Respecto de una persona, hermana o prima de su padre o madre. // fam. Mujer rústica y grosera.
TIARA f. Mitra alta usada por el papa como insignia de su autoridad.
TIBIA f. *Anat.* Hueso principal y anterior de la pierna.
TIBIO, A adj. Templado, entre caliente y frío. // fig. Flojo, descuidado, indiferente.
TIBURÓN m. *Zool.* Pez carnívoro de la fam. selacios. Posee aberturas branquiales a los lados del cuello, y cuerpo fusiforme. Es muy largo, fuerte y voraz.
TIC m. Movimiento convulsivo rápido y repetido.
TIEMPO m. Duración de las cosas sujetas a mudanza. // Parte de esta duración. // Época durante la cual vive una persona, o sucede algo. // Estación del año. // Edad. // Ocasión o coyuntura de hacer algo. // Estado atmosférico.
TIENDA f. Armazón de palos hincados en tierra y cubierta con telas o pieles, que sirve de alojamiento. // Casa o puesto donde se venden al público artículos de comercio menor.
TIENTA f. Prueba que se hace para apreciar la bravura de los becerros.
TIENTO m. Ejercicio del sentido del tacto. // Puso, seguridad en la mano. // fig. Miramiento y cordura.
TIERNO, NA adj. Blando, delilcado, flexible. // fig. Reciente, de poco tiempo. // Cariñoso, afable.
TIERRA f. Planeta en que habitamos. // Materia inorgánica desmenuzable, de que principalmente se compone el suelo natural. // Suelo o piso. // Terreno dedicado a cultivo o propio para ello. // Patria. // País, región.
TIESO, SA adj. Duro, rígido. // Tenso, tirante. // fig. Valiente, animoso. // Serio y circunspecto con afectación.
TIESTO m. Vaso de barro que sirve para criar plantas.
TIFÁCEAS f. pl. *Bot.* Fam. de plantas monocotiledóneas acuáticas, como la espadaña.
TIFÓN m. Huracán en el mar de la China. // Tromba marina.
TIFUS m. *Med.* Enfermedad infeccionsa, con alta fiebre, delirio o postración, y aparición de manchas punteadas en la piel.
TIGRE m. *Zool.* Mamífero carnicero félido, muy feroz, algo mayor que el león, y con el pelaje amarillento rayado de negro en el lomo y cola.

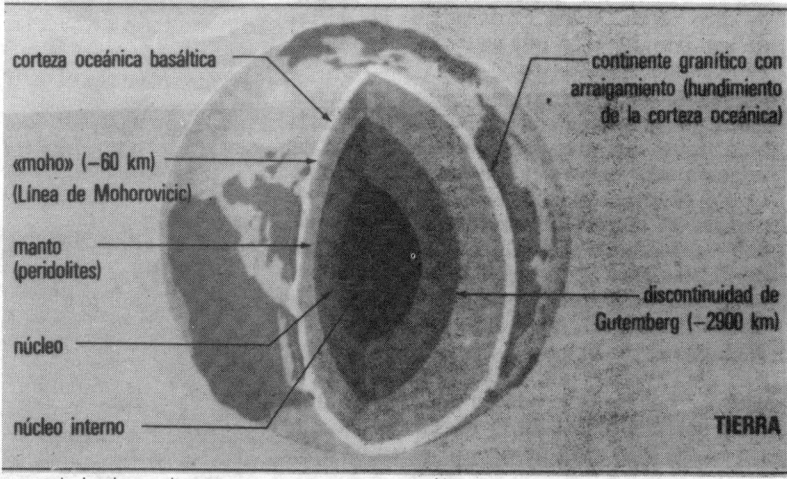

corteza oceánica basáltica
continente granítico con arraigamiento (hundimiento de la corteza oceánica)
«moho» (–60 km) (Línea de Mohorovicic)
manto (peridolites)
discontinuidad de Gutemberg (–2900 km)
núcleo
núcleo interno

TIERRA

TIMÓN

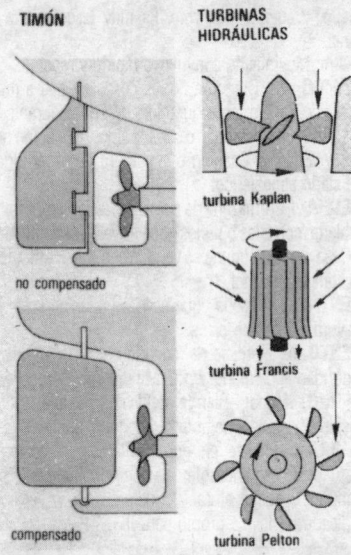

TURBINAS HIDRÁULICAS

turbina Kaplan

no compensado

turbina Francis

compensado

turbina Pelton

TIJERA f. Instrumento pra cortar, compuesto de dos hojas de acero, con un solo filo, las cuales giran alrededor de un solo eje que las traba. U. Más en pl.
TIJERETAS f. pl. *Zool.* Insectos ortópteros. Su abdomen termina en unos apéndices parecidos a unas tijeras.
TILA f. Tilo. // Flor del tilo. // Tisana antiespasmódica que se hace con ella.
TILDAR tr. Poner tilde a las letras. // fig. Señalar con alguna nota denigrativa a una persona.
TILDE amb. Rasgo que se pone sobre algunas abreviaturas, sobre la ñ, sobre la vocal que debe llevar acento gráfico, etc. // fig. Tacha, defecto. // f. Cosa mínima.
TILIÁCEAS f. pl. *Bot.* Fam. de plantas dicotiledóneas (árboles, arbustos o hierbas), cuyo tipo es el tilo.
TILÍN m. Sonido de la campanilla.
TILO m. Bot. Arbol de la fam. tiliáceas, de inflorescencias olorosas usadas en medicina.
TIMADOR, RA m. y f. Persona que tima.
TIMAR tr. Quitar o hurtar con engaño. // Engañar con promesas.
TIMBAL m. Especie de tambor de un solo parche, con caja metálica en forma de media esfera.
TIMBRAR tr. Poner el timbre en el escudo de armas. // Estampar un timbre, sello o membrete.
TIMBRAZO m. Toque fuerte de un timbre.
TIMBRE m. Sello, y esp. el que se estampa en seco. // Aparato de llamada o de aviso. // Modo propio y característico de sonar un instrumento músico, o la voz de una persona.
TIMELÁCEAS f. pl. *Bot.* Fam. de plantas dicotiledóneas, arbustos y hierbas, cuyo tipo es la adelfilla.
TIMIDEZ f. Calidad de tímido.

TÍMIDO, DA adj. Temeroso, medroso y corto de ánimo.
TIMO m. fam. Acción y efecto de timar.
TIMO m. *Anat.* Glándula situada detrás del esternón.
TIMÓN m. *Mar.* Plancha móvil de madera o hierro colocada en la quilla y articulada verticalmente sobre goznes, que sirve para gobernar el buque. // Por ext., díc. también de piezas similes de otros aparatos.
TIMONEL m. El que gobierna el timón de la nave.
TIMORATO, TA adj. Piadoso. // Tímido, indeciso, encogido.
TÍMPANO m. Timbal. // *Anat.* Membrana que separa el conducto auditivo externo del oído medio. // *Arq.* Espacio triangular que queda entre las dos cornisas inclinadas de un frontón.
TINA f. Tinaja. // Vasija de madera, de forma de media cuba.
TINAJA f. Vasija grande, mucho más ancha por el medio que por el fondo y por la boca.
TINGLADO m. cobertizo. // fig. Artificio, enredo, maquinación.
TINIEBLA f. Falta de luz. // pl. fig. Suma ignorancia y confusión.
TINO m. Facilidad de acertar a tientas con las cosas que se buscan. // Acierto y destreza para dar en el blanco. // fig. Juicio y cordura para el gobierno de un negocio.
TINTA f. Color con que pinta o se tiñe una cosa. // Líquido que se emplea para escribir. // Acción y efecto de teñir. // pl. Matices de color. // *Zool.* Líquido negro que segregan los moluscos cefalópodos.
TINTAR tr. Dar a una cosa color distinto del que tenía.
TINTE m. Acción y efecto de teñir. // Color con que se tiñe. // tintorería.
TINTÓREO adj. Díc. de las plantas u otras sustancias colorantes.
TINTORERÍA f. Taller o tienda donde se tiñe.
TINTURA f. Acción y efecto de teñir. // Sustancia con que se tiñe. // Afeite en el rostro.
TIÑA f. *Med.* Enfermedad contagiosa de la piel, originada por un parásito vegetal que produce la caída del cabello.
TIÑOSO, SA adj. Que padece tiña. // fig. y fam. Miserable, ruin.
TÍO m. Respecto de una persona, hermano o primo de su padre o madre.
TIOVIVO m. Recreo de feria que consiste en varios asientos colocados en un círculo giratorio.
TÍPICO, CA adj. Que incluye en sí la representación de otra cosa.
TIPIFICAR tr. Ajustar varias cosas semejantes a un tipo o norma común.
TIPLE m. La más aguda de las voces humanas, propia esp. de mujeres y niños.
TIPO m. Modelo, ejemplar. // Símbolo representativo de cosa figurada. // Figura o talle de una persona.

// Clase, índole de las cosas. // Letra de imprenta. // Cada uno de los grandes grupos laxonómicos en que se dividen los reinos animal y vegetal.
TIPOGRAFÍA f. Imprenta, arte de imprimir y lugar donde se imprime.
TIPÓGRAFO m. y f. Operario que profesa la tipografía.
TIPOLOGÍA f. Ciencia que estudia los distintos tipos raciales en que se divide la especie humana.
TIRA f. Pedazo largo y angosto de tela, papel, u otra cosa delgada.
TIRABUZÓN m. Sacacorchos. // fig. Rizo de cabello, largo y pendiente en espiral.
TIRADA f. Acción de tirar. // Distancia que hay de un lugar a otro, o de un tiempo a otro. // Serie de cosas que se dicen o escriben de un tirón. // Acción y efecto de imprimir. // Número de ejemplares de que consta una edición.
TIRALÍNEAS m. Instrumento de metal que sirve para trazar líneas de tinta.
TIRANÍA f. Gobierno ejercido por un tirano. // fig. Abuso de poder o fuerza. // Dominio excesivo que un afecto o pasión ejerce sobre la voluntad.
TIRANIZAR tr. Gobernar un tirano algún Estado. // fig. Díc. del que abusa de su poder o fuerza en cualquier materia.
TIRANTE adj. Tenso. // fig. Díc. de las relaciones de amistad próximas a romperse.
TIRANTEZ f. Calidad de tirante.
TIRAR tr. Despedir de la mano una cosa. // Arrojar, lanzar en dirección determinada. // Derribar. // Estirar o extender. // Hacer líneas o rayas. // fig. Malgastar. //Imprimir. // tr. e intr. Disparar la carga de un arma de fuego. // intr. Atraer por virtud natural. // fig. Tender, inclinarse. // r. Abalanzarse. // Dejarse caer.
TIRITAR intr. Temblar de frío.
TIRO m. Acción y efecto de tirar. // Disparo de un arma de fuego. // Alcance de cualquier arma arrojadiza. // Conjunto de caballerías que tiran de un carruaje. // Corriente de aire que produce el fuego de un hogar.
TIROIDES f. Anat. Glándula de secreción interna localizada en la parte anterosuperior de la tráquea.
TIRÓN m. Acción y efecto de tirar con violencia, de golpe. // Acción y efecto de estirar o aumentar de golpe de tamaño.
TIROTEAR tr. Repetir los tiros de fusil de una parte a otra.
TIRRIA f. fam. Odio, ojeriza.
TISANA f. Bebida medicinal que resulta del cocimiento ligero de una o varias hierbas.
TÍSICO, CA adj. y s. Que padece de tisis. // adj. Perten. a la tisis.
TISIS f. Med. Tuberculosis pulmonar.
TITÁNICO, CA adj. fig. Desmesurado, excesivo.
TITANIO m. Quim. Metal pulverulento de color gris.
TÍTERE m. Figurilla que se mueve con alguna cuerda o artificio. // fig. y fam. Sujeto ridículo.
TITÍ m. Mamífero cuadrumano, pequeño, tímido y fácil de domesticar.
TITILAR intr. Agitarse con ligero temblor alguna parte del organismo animal. Centellear un cuerpo luminoso.
TITUBEAR intr. Oscilar, perdiendo la estabilidad. // Tartamudear.
TITULAR adj. Que tiene algún título por el cual se denomina. // Que da su propio nombre por título a otra cosa. // adj. y s. Díc. del que ejerce oficio o profesión con cometido especial.
TITULAR tr. Poner título, nombre o inscripción a una cosa. // intr. Obtener una persona título nobiliario.
TÍTULO m. Palabra o frase con que se da a conocer el asunto de una obra escrita o impresa. // Renombre con que se conoce a una persona. // Dignidad nobiliaria. // Subdivisión de una ley, reglamento, etc. // Documento cuya posesión condiciona jurídicamente al ejercicio de un derecho.
TIZA f. Arcilla blanca para escribir en los encerados.
TIZNADURA f. Acción y efecto de tiznar.
TIZNAR tr. y r. Manchar con tizne, hollín u otra materia semejante. // Por ext., manchar a manera de tizne con sustancia de otro color.
TIZONA f. fig. y fam. Espada, arma.
TOALLA f. Lienzo para secarse las manos y la cara.
TOBERA f. Abertura tubular por donde entra el aire en un horno o en una forja.
TOBILLO m. Anat. Articulación entre el pie y la pierna, compuesta de siete huesos.
TOBOGÁN m. Especie de trineo sobre patines para deslizarse por planos inclinados. // Pista en declive para deslizarse por ella.
TOCA f. Prenda de lienzo blanco que usan las monjas para cubrir la cabeza.
TOCADO m. Prenda con que se cubre la cabeza. // Peinado y adorno de la cabeza, en las mujeres.
TOCANTE adj. Que toca.
TOCAR tr. y r. Ejercitar el sentido del tacto. // tr. e intr. Hacer sonar según arte cualquier instrumento. // tr. Llegar a una cosa con una parte del cuerpo. // intr. Caer en suerte una cosa.
TOCATA f. Mús. Composición musical escrita gralte. para instrumentos de teclado.
TOCAYO, YA m. y f. Respecto de una persona otra que tiene su mismo nombre.
TOCINO m. Carne grasa del puerco y esp. la salada.
TOCOLOGÍA f. Med. Obstetricia.
TOCÓN m. Parte del tronco de un árbol que queda unida a la raíz cuando lo cortan por el pie.
TOCHO, TOCHA adj. Tosco, inculto. // m. Lingote de hierro.
TODAVÍA adv. t. Hasta un momento determinado desde tiempo anterior. // adv. m. Con todo eso, sin embargo. // Denota encarecimiento o ponderación.
TODO, DA adj. Díc. de lo que se toma o comprende entera y cabalmente, según sus partes, en la entidad o en el número. // En pl., equivale a veces a cada. // m.

Cosa integra.
TODOPODEROSO adj. Que todo lo puede. // n. p. m. Por anton., Dios.
TOGA f. Prenda exterior del traje nacional de los ant. romanos. // Traje exterior que usan los magistrados, catedráticos, etc.
TOISÓN m. Orden de caballería instituida por Felipe el Bueno. // Insignia de esta orden.
TOLDO m. Cubierta de tela, que se tiende para hacer sombra.
TOLERANCIA f. Acción y efecto de tolerar. // Respeto y consideración hacia las opiniones ajenas.
TOLERAR tr. Sufrir, llevar con paciencia. // Permitir algo que no se tiene por lícito, sin aprobarlo expresamente.
TOLTECAS m. pl. Pueblo indio de raza chikeca, que dominó en la meseta mexicana en los s. X a XII.
TOLVA f. Caja abierta por debajo, dentro de la cual se echan granos u otros cuerpos para que caigan poco a poco.
TOLVANERA f. Remolino de polvo.
TOMA f. Acción de tomar o recibir una cosa. // Conquista, asalto de una plaza o ciudad. // Orificio de salida de un depósito de agua. // Lugar por donde se deriva una corriente de fluido o electricidad.
TOMAR tr. Coger o asir algo. // Recibir, aceptar. // Ocupar o adquirir por la fuerza. // Contraer, o adquirir. // Alquilar. // Ocupar un sitio cualquiera para cerrar el paso. // Elegir entre varias cosas. // Comer o beber.
TOMATE m. *Agr.* Fruto de la tomatera.
TOMATERA f. *Agr.* Planta anual de la fam. solanáceas originaria de América, que se cultiva por su fruto, que es el tomate.
TÓMBOLA f. Rifa de objetos gralte. con fines benéficos.
TÓMBOLO m. Brazo de arena que comunica una isla con la costa o con otra isla.
TOMILLO m. Planta fructicosa, perenne, de las labiadas, muy olorosa.
TOMISMO m. *Fil.* Sistema escolástico contenido en las obras de Tomás de Aquino.
TOMO m. Cada una de las partes en que suelen dividirse las obras impresas de cierta extensión.
TONADA f. Composición para cantarse. // Música de esta canción.
TONADILLA f. Tonada alegre y ligera.
TONALIDAD f. *Mús.* Sistema de sonidos que sirve de fundamento a una composición musical.
TONEL m. Cuba grande en que se echa el vino u otro líquido.
TONELADA f. Unidad de peso que equivale a 1000 Kgs.
TONELAJE m. Cabida de una embarcación.
TÓNICO, CA adj. *Farm.* Que entona. // *Ling.* Apl. a la vocal o sílaba de una palabra en que se carga la pronunciación.

TONO m. Mayor o menor elevación del sonido. Inflexión de la voz y modo particular de decir una cosa. // Carácter del estilo de una obra literaria. // Energía, vigor, fuerza. // Mús. Tonalidad.
TOPACIO m. Mineral. Piedra de joyería, transparente, amarilla, compuesta de sílice, alúmina y fluor.
TOPAR tr. Chocar una cosa con otra. // fig. Tropezar en algo. // intr. y r. Hallar casualmente. // tr. e intr. Encontrar lo que se andaba buscando.
TOPE m. Parte por donde una cosa se puede topar con otra. // Pieza que sirve para limitar o detener los movimientos de otra. // Tropiezo, estorbo.
TÓPICO, CA adj. Perten. a determinado lugar. // Perten. o rel. al lugar común. // m. Expresión trivial. // *Farm.* adj. y s. Medicamento de uso externo.
TOPO m. *Zool.* Mamífero pequeño insectívoro, que vive bajo tierra en galerías que socava con las uñas.
TOPOGRAFÍA f. Arte de describir y delinear detalladamente la superficie de un terreno.
TOPONIMIA f. Estudio del origen y significación de los nombres propios del lugar.
TOQUE m. Acción de tocar una cosa. // Tañido con que se anuncia algo. // fig. Punto esencial en que estriba algo. // Llamamiento, advertencia.
TORA f. Libro de la ley de los judíos.
TORÁCICO, CA adj. y s. Perten. a rel. al tórax.
TÓRAX m. *Anat.* Porción del tronco de los vertebrados comprendida entre el cuello y el abdomen.
TORBELLINO m. Remolino de viento. // fig. Abundancia de las cosas que ocurren a un mismo tiempo. // fig. y fam. Persona vivaz y activa.
TORCEDURA f. Acción y efecto de torcer o torcerse. *Med.* Distensión de las partes blandas que rodean una articulación.
TORCER tr. y r. Dar vueltas a una cosa sobre sí misma. // Encorvar, doblar algo. // tr., r. e intr. Desviar una cosa de la dirección que llevaba. // tr. y r. fig. Mudar la voluntad o el dictamen de alguno. // r. fig. Dificultarse y frustrarse un negocio.
TORCIDO, DA adj. Que no es recto. // fig. Que no obra con rectitud. // m. Hembra gruesa y fuerte de seda torcida.
TORDO, DA adj. y s. Díc. de la caballería que tiene el pelo mezclado de negro y blanco. // m. Pájaro de color gris aceitunado, común en España, y que se alimenta de insectos y de frutos, principalmente de aceitunas.
TOREAR intr. y tr. Lidiar los toros en la plaza. // tr. fig. Hacer burla de alguien con cierto disimulo. // Molestar a uno.
TOREO m. Arte de torear o lidiar los toros.
TORERO, RA adj. fam. Perten. o rel. al toreo. // m. y f. Persona que torea en las plazas.
TORMENTA f. Tempestad.
TORMENTO m. Acción y efecto de atormentar o atormentarse. // Dolor físico. // Dolor corporal que se causaba al reo para obligarle a declarar. // fig. Con-

goja, angustia. // Sujeto que la ocasiona.
TORNADIZO, ZA adj. y s. Que varía fácilmente.
TORNADO m. Tromba de aire o ciclón breve, pero devastador.
TORNAR tr. Devolver, restituir. // intr. Regresar. // Recobrar el conocimiento uno.
TORNASOL m. *Bot.* Girasol. // Materia colorante azul, que sirve de reactivo pra reconocer los ácidos, que la tornan roja. // Reflejo o viso de la luz en materias tersas.
TORNEAR tr. Labrar o redondear una cosa al torno. // intr. fig. Dar vueltas con la imaginación.
TORNEO m. Combate a caballo.
TORNERO m. Artífice que hace obras al torno. // El que hace tornos.
TORNILLO m. Cilindro, gralte. metálico roscado, y que entra en una tuerca. // Clavo con resalto en hélice.
TORNIQUETE m. Palanca angular de hierro que mueve el tirador de la campana. // Instrumento quirúrgico para contener la hemorragia.
TORNO m. Máquina simple que trabaja por arranque de virutas y es capaz de transformar un sólido en una pieza bien definida haciéndolo girar en torno a su eje y arrancándole el material periféricamente.
TORO m. *Zool.* Mamífero rumiante, de metro y medio de altura hasta la cruz, con cabeza gruesa armada de dos cuernos.
TORONJIL m. *Bot.* Planta vivaz de la fam. labiadas. Contiene aceites esenciales que se utilizan en medicina popular.
TORPE adj. Lento, tardo, pesado. // Desmañado.
TORPEDEAR tr. Lanzar torpedos. // fig. Hacer fracasar un asunto o proyecto.
TORPEDO m. Máquina de guerra para echar a pique, mediante su explosión, al buque que choca con ella.
TORPEZA f. Calidad de torpe. Acción o dicho torpe.
TORRE f. Edificio sólido y elevado de forma cilíndrica o prismática., erigido como defensa, atalaya, adorno, etc. // Pieza del juego de ajedrez, en forma de torre.
TORREJÓN m. Torre pequeña o mal formada.
TORRENTE m. Corriente impetuosa de aguas.
TORREÓN m. Torre grande, para defensa de una plaza o castillo.
TORSIÓN f. Acción y efecto de torcer o torcerse.
TORSO m. Tronco del cuerpo humano. // Estatua falta de cabeza, brazos y piernas.
TORTAZO m. fig. y fam. Bofetada en la cara.
TORTÍCULIS f. *Med.* Dolor de los músculos del cuello que obliga a tener a éste torcido.
TORTILLA f. Fritada de huevo batido, en la cual se incluye a veces algún otro manjar.
TÓRTOLA f. *Zool.* Ave parecida a la paloma común, pero más pequeña.
TORTUGA f. *Zool.* Reptil quelonio, provisto de un caparazón protector de placas óseas. Tiene mandíbulas sin dientes, cubiertas por un pico córneo.

TORTUOSIDAD f. Calidad de tortuoso.
TORTUOSO, SA adj. Que tiene vueltas y rodeos. // fig. Solapado, cauteloso.
TORTURA f. Curvatura, inclinación. // Acción de torturar o atormentar. // fig. Dolor o angustia grandes.
TORVO, VA adj. Fiero, espantoso y terrible a la vista.
TOS f. *Med.* Expiración brusca y ruidosa del aire contenido en los pulmones.
TOSCO, CA adj. Grosero, basto. // adj. y s. fig. Inculto, sin enseñanza.
TOSER intr. Tener y padecer tos.
TOSQUEDAD f. Calidad de tosco.
TOSTADA f. Rebanada de pan tostada que se unta con manteca, miel, etc. // fig. Lata, barra.
TOSTADO, DA adj. Díc. del color subido y oscuro. // m. Acción y efecto de tostar.
TOSTAR tr. y r. Poner una cosa a la lumbre para que se vaya desecando, sin quemarse. // fig. Calentar demasiado. // Curtir el sol o el viento la piel del cuerpo.
TOTAL adj. General, universal y que lo comprende todo en su especie. // adv. En suma, en resumen, en conclusión.
TOTALIDAD f. Calidad de total. // Todo, cosa íntegra. // Conjunto de todas las cosas o personas que forman una especie.
TOTALITARIO adj. Díc. del régimen político que concentra todo el poder en el Estado.
TOTALITARISMO m. Sistema de gobierno totalitario.
TÓTEM m. *Etnol.* Animal, vegetal u objeto al que los pueblos primitivos se creen ligados por un lazo religioso o por una especie de parentesco.
TOTEMISMO m. sistema de relaciones sociales y religiosas y culturales derivadas de la creencia en un tótem.
TOXICIDAD f. Calidad de tóxico.
TÓXICO, CA adj. Apl. a las sustancias venenosas.
TOXICOLOGÍA f. Parte de la medicina que trata de los venenos.
TOXICOMANÍA f. *Med.* Estado de intoxicación periódica o crónica causado por el consumo reiterado de una droga.
TOXINA f. Sustancia elaborada por los seres vivos, en esp. por los microbios, y que obra como veneno.
TOZUDEZ f. Calidad de testarudo.
TRABA f. Acción y efecto de trabar o triscar. // Instrumento con que se junta, une y sujeta una cosa con otra. // fig. Impedimento, estorbo.
TRABAJADOR, RA adj. Que trabaja. // Muy aplicado al trabajo. // m. y f. Jornalero, obrero.
TRABAJAR intr. Ocuparse en cualquier ejercicio, obra o ministerio. // Aplicarse uno con desvelo a la ejecución de algo.
TRABAJO m. Acción y efecto de trabajar. // Obra. // fig. Penalidad, molestia. // pl. fig. Estrechez, pobreza. // Esfuerzo humano aplicado a la producción de riqueza.
TRABAJOSO, SA adj. Que da, cuesta o causa mucho

trabajo. // Que padece trabajo o miseria.
TRABALENGUAS m. Palabras o locución difícil de pronunciar.
TRABAR tr. Juntar o unir una cosa con otra para mayor fuerza o resistencia. // fig. Comenzar una batalla, conversación, etc. // Enlazar, conformar.
TRABAZÓN f. Enlace de dos o más cosas. // Espesor o consistencia que se da a un líquido o masa. // fig. Conexión de una cosa con otra.
TRABUCO m. Catapulta. // Arma de fuego más corta y de mayor calibre que la escopeta ordinaria.
TRACA f. Serie de petardos colocados a lo largo de una cuerda y que estallan sucesivamente.
TRACCIÓN f. Acción y efecto de tirar de alguna cosa para moverla o arrastrarla.
TRACTOR m. Vehículo automóvil adecuado para grandes esfuerzos de arrastre.
TRADICIÓN f. Transmisión de noticias, doctrinas, costumbres, etc., hecha de unas generaciones a otras.
TRADICIONAL adj. Perten. o rel. a la tradición.
TRADICIONALISMO m. Sistema político que consiste en mantener o restablecer las instituciones antiguas en el régimen de la nación y en la organización social.
TRADUCCIÓN f. Acción y efecto de traducir. // Obra del traductor. // Sentido o interpretación que se da a un texto o escrito.
TRADUCIR tr. Expresar en una lengua lo que está escrito o se ha expresado en otra. // Convertir, trocar. // fig. Explicar, interpretar.
TRADUCTOR, RA adj. y s. Que traduce una obra o escrito.
TRAER tr. Conducir o trasladar una cosa al lugar donde se habla. // Atraer o tirar hacia sí. // Causar, acarrear. // Vestir, tener puesta una cosa.
TRAFICAR intr. Comerciar, negociar. // Correr mundo.
TRÁFICO m. Acción de traficar. // Tránsito de personas y circulación de vehículos por calles, carreteras, etcétera.
TRAGALUZ m. Ventana abierta en un techo o en la parte superior de una pared.
TRAGAR tr. Hacer que una cosa pase de la boca al estómago. // fig. Comer vorazmente. // tr. y r. fig. Abismar la tierra o las aguas lo que está en su superficie. // Dar fácilmente crédito a las cosas. // fig. Absorber, gastar.
TRAGEDIA f. Obra dramática de asunto terrible y desenlace funesto. // Género trágico. // fig. Suceso fatal o infausto.
TRÁGICO, CA adj. Perten. o rel. a la tragedia. // fig. Infausto, muy desgraciado. // adj. y s. Díc. del autor de tragedias. // Apl. al actor que representa papeles trágicos.
TRAGICOMEDIA f. Poema dramático que tiene al par condiciones propias de los géneros trágico y cómico. // fig. Suceso que mueve a risa y a piedad.

TRAGO m. Porción de líquido, que se bebe de una vez. // fig. y fam. Adversidad, infortunio.
TRAICIÓN f. Delito que se comete quebrantando la fidelidad o lealtad que se debe guardar.
TRAICIONAR tr. Hacer traición a una persona o cosa.
TRAIDOR, RA adj. y s. Que comete traición. // Que implica o denota traición o falsía.
TRAJE m. Vestido peculiar de una clase de personas o de los naturales de un país. // Vestido completo de una persona.
TRAJÍN m. Acción de trajinar.
TRAJINAR intr. Andar de un sitio a otro con cualquier ocupación.
TRAMA f. Conjunto de hilos que, cruzados y enlazados con los de la urdimbre, forman una tela. // Confabulación. // Disposición interna de un asunto u otra cosa, y en especial el enredo de una obra dramática o novelesca.
TRAMAR tr. Atravesar los hilos de la trama por entre los de la urdimbre pra tejer alguna tela. // fig. Preparar con astucia un enredo o traición.
TRAMITAR tr. Hacer pasar un negocio por los trámites debidos.
TRÁMITE m. Paso de una parte a otra, o de una cosa a otra. // Cada uno de los estados y diligencias que exige un negocio.
TRAMO m. Trozo de terreno o de suelo limitado de alguna manera. // Parte de una escalera, comprendida entre dos mesetas.
TRAMONTANA f. Viento del norte.
TRAMOYA f. Máquina para figurar en el teatro transformaciones. // fig. Enredo dispuesto con ingenio.
TRAMPA f. Artificio pra cazar. // Puerta en el suelo. // fig. Ardid para burlar a alguno. // Deuda cuyo pago se demora.
TRAMPEAR intr. fam. Arbitrar medios lícitos para ganarse la vida.
TRAMPERO m. El que pone trampas para cazar.
TRAMPOLÍN m. Plano inclinado y elástico que presta impulso para saltar. // fig. Persona o cosa de que uno se aprovecha pra conseguir algo.
TRAMPOSO, SA adj. y s. Embustero, mal pagador. // Que hace trampas en el juego.
TRANCA f. Palo grueso con que se aseguran puertas y ventanas cerradas. // fam. Borrachera.
TRANCAZO m. fig. y fam. Gripe.
TRANCE m. Momento crítico y decisivo.
TRANQUILIDAD f. Calidad de tranquilo.
TRANQUILIZAR tr. y r. Poner tranquila a una persona o cosa.
TRANQUILO, LA adj. Quieto, sosegado.
TRANS- Prep. insep. que significa al través, del otro lado, etc.
TRANSACCIÓN f. Acción y efecto de transigir. // Por ext., trato, convenio.
TRANSATLÁNTICO, CA o **TRASATLÁNTICO, CA** adj. Díc. de las regiones situadas al otro lado del

Atlántico. // m. Buque destinado a hacer la travesía del Atlántico o de otro océano.

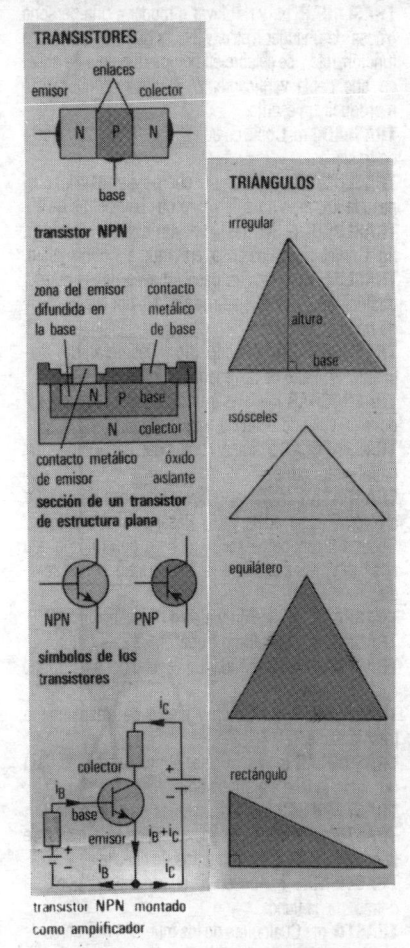

TRANSISTORES

transistor NPN

sección de un transistor de estructura plana

símbolos de los transistores

transistor NPN montado como amplificador

TRIÁNGULOS

irregular

isósceles

equilátero

rectángulo

TRANSBORDAR tr. y r. Trasladar efectos o personas de una embarcación a otra. // tr. Trasladar personas o efectos de unos carruajes a otros.
TRANSCRIBIR tr. Escribir en una parte lo escrito en otra. // Escribir con un sistema de caracteres lo que está escrito en otro.
TRANSCRIPCIÓN f. Acción y efecto de transcribir.
TRANSCURRIR intr. Pasar, correr.
TRANSEÚNTE adj. y s. Que transita o pasa por un lugar. // Que está de paso. // adj. Transitorio.
TRANSFERENCIA f. Acción y efecto de transferir.
TRANSFERIR tr. Llevar una cosa dede un lugar a otro. // Retardar o suspender la ejecución de una cosa. // Extender o trasladar el sentido de una voz a que signifique figuradamente otra cosa distinta. // Ceder o renunciar en otro el derecho que se tiene sobre algo.
TRANSFIGURAR tr. y r. Hacer cambiar de figura a una persona o cosa.
TRANSFORMAR tr. y r. Hacer cambiar de forma a una persona o cosa. // Transmutar una cosa en otra. // fig. Hacer mudar de porte o de costumbres a una persona.
TRANSFORMISMO m. Doctrina biológica que admite la transformación de las especies una en otra.
TRANSFUGA com. Persona que pasa huyendo de una parte a otra. // fig. Persona que pasa de un partido a otro.
TRANSFUNDIR tr. Hacer pasar un liquido de un recipiente a otro. // tr. y r. Comunicar algo a diversas personas sucesivamente.
TRANSFUSIÓN f. Acción y efecto de transfundir o transfundirse.
TRANSGEDIR tr. Quebrantar, violar un precepto, ley o estatuto.
TRANSGRESIÓN f. Acción y efecto de transgredir.
TRANSICIÓN f. Acción y efecto de pasar de un estado a otro. // Modo de pasar de un razonamiento a otro.
TRANSIDO, DA adj. fig. Fatigado o consumido de alguna penalidad.
TRANSIGENCIA f. Condición de transigente. // Lo que se hace o consiente transigiendo.
TRANSIGIR intr. y tr. Consentir en parte con lo que se cree justo, razonable o verdadero. // tr. Ajustar algún punto dudoso o litigioso.
TRANSISTOR m. Amplificador de cristal empleado para sustituir las válvulas en los receptores de radio.
TRANSITAR intr. Ir o pasar de un punto a otro por vías o parajes públicos.
TRANSITIVO, VA adj. Que pasa y se transfiere de uno en otro.
TRÁNSITO m. Acción de transitar. // Sitio por donde se pasa de un lugar a otro. // Paso de un estado o empleo a otro.
TRANSITORIO, RIA adj. Pasajero, temporal. // Caduco, fugaz.
TRANSMIGRAR intr. Pasar a otro país para vivir en él. // Pasar un alma de cuerpo a otro.
TRANSMISIÓN f. Acción y efecto de transmitir.
TRANSMITIR tr. Trasladar, transferir. // Der. Ceder o dejar a otro uon derecho u otra cosa.
TRANSMUTAR tr. y r. Convertir, mudar una cosa en otra.
TRANSPARENCIA f. Calidad de transparente.
TRANSPARENTARSE r. Dejarse ver la luz u otra cosa cualquiera a través de un cuerpo transparente. // Ser transparente un cuerpo.
TRANSPARENTE adj. Díc. del cuerpo a través del cual pueden verse los objetos distintamente. // Traslúcido.
TRANSPIRAR intr. y r. Pasar los humores al exterior del cuerpo a través del tegumento. // intr. fig. Sudar.
TRANSPONER tr. y r. Poner a una persona o cosa más

allá, en lugar diferente del que ocupaba. // Quedarse uno algo dormido.
TRANSPORTAR tr. Llevar una cosa de un lugar a otro. // Llevar de una parte a otra por el precio convenido. // r. fig. Enajenarse de la razón o del sentido, por pasión, éxtasis o accidente.
TRANSPORTE m. Acción y efecto de transportar.
TRANSPOSICIÓN f. Acción y efecto de transponer o transponerse.
TRANSVASAR tr. Mudar un líquido de una vasija a otra, o las aguas de un río al cauce de otro.
TRANSVERSAL adj. Que atraviesa de un lado a otro. // Que se desvía de la dirección principal o recta.
TRANSVERSO, SA adj. Colocado o dirigido a través.
TRANVÍA m. Ferrocarril establecido en una calle o camino carretero.
TRAPECIO m. Palo horizontal suspendido de dos cuerdas por sus extremos y que sirve para ejercicios gimnásticos. // *Geom.* Cuadrilátero que tiene paralelos solamente dos de sus lados, denominados base.
TRAPENSE adj. y s. Díc. del religioso cisterciense reformado de Ntra. Sra. de la Trapa.
TRAPERO, RA m. y f. El que compra y vende trapos y otros objetos usados.
TRAPEZOIDE m. *Geom.* Cuadrilátero que no tiene ningún lado paralelo a otro.
TRAPO m. Pedazo de tela desechado por viejo. // Vela de una embarcación. // pl. fam. Prendas de vestir, esp. de la mujer.
TRÁQUEA f. *Anat.* Conducto cilíndrico situado a lo largo y delante del esófago, por el cual penetra el aire a los pulmones.
TRAQUEOTOMÍA f. *Cir.* Incisión practicada en la tráquea para evitar la asfixia del enfermo.
TRAQUETEAR intr. Hacer ruido o estruendo. // tr. Mover o agitar una cosa de una parte a otra.
TRAQUETEO m. Movimiento de una persona o cosa que se golpea al transportarla de un punto a otro.
TRAS prep. Después de, a continuación de. // fig. En busca o seguimiento de. // Detrás de, en situación posterior. // Fuera de esto, además.
TRASCENDENCIA f. Penetración, perspicacia. // Resultado, consecuencia importante.
TRASCENDENTAL adj. Que se comunica o extiende a otras cosas. // fig. Que es de mucha importancia.
TRASCENDER intr. Exhalar olor vivo y penetrante. // Empezar a ser conocido algo que estaba oculto. // Comunicarse los efectos de unas cosas a otras, produciendo consecuencias.
TRASEGAR tr. Mudar las cosas de un lugar a otro.
TRASERO adj. Que está, se queda o viene detrás. // m. Parte posterior del animal.
TRASHUMANCIA f. Traslado temporal del ganado.
TRASHUMAR intr. Pasar el ganado con sus conductores desde las dehesas de invierno a las de verano, y viceversa.
TRASIEGO m. Acción y efecto de trasegar.

TRASLACIÓN f. Acción y efecto de trasladar de un lugar a una persona o cosa.
TRASLADAR tr. y r. Llevar o mudar a una persona o cosa de un lugar a otro. // Hacer que una junta, una función, etc., se celebre en tiempo diferente de aquel en que debía verificarse. // Traducir. // Copiar o reproducir un escrito.
TRASLADO m. Copia de un escrito. // Acción y efecto de trasladar.
TRASLÚCIDO adj. Díc. del cuerpo a través del cual pasa la luz, pero no deja ver lo que hay detrás de él.
TRASLUCIR r. Ser traslúcido un cuerpo. // r. y tr. fig. Conjeturarse una cosa, en virtud a algún indicio.
TRASLUZ m. Luz que pasa a través de un cuerpo traslúcido. // Luz reflejada de soslayo por la superficie de un cuerpo.
TRASNOCHADO, DA adj. fig. Desmejorado, macilento. // Falto de novedad y oportunidad.
TRASNOCHAR intr. Pasar uno la noche, o gran parte de ella, velando o sin dormir.
TRASPAPELAR tr. intr. y r. Extraviar, desaparecer un papel entre otros.
TRASPASAR tr. Pasar o llevar una cosa de un sitio a otro. // Pasar adelante. // Pasar a la otra parte. // Ceder a favor de otro el derecho o dominio de una cosa. // Volver a pasar por el mismo sitio. // Transgredir.
TRASPASO m. Acción y efecto de traspasar.
TRASPIÉ m. Resbalón o tropezón. // Zancadilla.
TRASPLANTAR tr. Mudar un vegetal del sitio donde está plantado a otro.
TRASPLANTE m. Acción y efecto de trasplantar o trasplantarse.
TRASQUILAR tr. y r. Cortar el pelo a trechos, sin orden, o la lana a algunos animales.
TRASTABILLAR intr. Dar traspiés o tropezones.
TRASTE m. Resalte colocado a trechos en el mástil de la guitarra y otros instrumentos de cuerda.
TRASTIENDA f. Aposento, cuarto o pieza que está detrás de la tienda.
TRASTO m. Cualquiera de los muebles o enseres de una casa. // Mueble inútil. // fig. y fam. Persona inútil.
TRASTOCAR tr. Trastornar, revolver. // Perturbarse la razón.
TRASTORNAR tr. Volver una cosa de abajo a arriba o de un lado a otro. // fig. Inquietar, perturbar, causar disturbios. // tr. y r. Volver loco a uno.
TRASTORNO m. Acción y efecto de trastornar o trastornarse.
TRASUNTO m. Copia que se saca del original. // Imitación exacta de una cosa.
TRASVASAR tr. Transvasar.
TRASVASE m. Acción y efecto de trasvasar.
TRATA f. Comercio que tiene por objeto seres humanos.
TRATADISTA m. Autor que escribe tratados sobre una materia determinada.

TRATAMIENTO m. Acción y efecto de tratar o tratarse. // Título de cortesía. // Sistema que se emplea para curar enfermos.

TRATANTE m. El que se dedica a comprar géneros o animales para revenderlos.

TRATAR tr. Manejar una cosa, usar materialmente de ella. // Gestionar o disponer un negocio. // Tener relaciones amorosas. Con la prep. con, ú. también con intr. y r.

TRATO m. Acción y efecto de tratar o tratarse. // Tratado. // Tratamiento.

TRAUMATISMO m. *Med.* Lesión de los tejidos por agentes mecánicos, generalmente externos.

TRAUMATOLOGÍA f. *Med.* Parte de la medicina que se ocupa de los traumatismos y su tratamiento.

TRAVÉS m. Inclinación o torcimiento de una cosa hacia algún lado. // fig. Desgracia, fatalidad.

TRAVESAÑO m. Pieza de madera o hierro que atraviesa de una parte a otra.

TRAVESÍA f. Camino transversal entre calles principales. // Distancia entre dos puntos de tierra o de mar. // Viaje por mar.

TRAVESURA f. fig. Acción culpable, hecha con destreza e ingenio.

TRAVIESA f. Cada uno de los maderos que se atraviesan en una vía férrea para asentar sobre ellos los raíles.

TRAVIESO, SA adj. Atravesado. // fig. Sutil, sagaz. / / Inquieto, revoltoso.

TRAYECTO m. Espacio que se recorre o puede recorrerse de un punto a otro. // Acción de recorrerlo.

TRAYECTORIA f. Línea descrita en el espacio por un punto que se mueve. // Curso que sigue el cuerpo de un huracán o tormenta giratoria.

TRAZA f. Planta o diseño de una obra. // fig. Invención, arbitrio, recurso. // Modo o figura de una persona o cosa.

TRAZAR tr. Hacer trazos. // Diseñar la traza para la realización de una obra. // fig. Discurrir y disponer los medios oportunos para el logro de una cosa. // Describir, dibujar.

TRAZO m. Delineación con que se forma el diseño o planta de cualquier cosa. // Línea, raya.

TRÉBOL m. *Bot.* Planta herbácea anual de la fam. leguminosas, de hojas casi redondas, pecioladas de tres en tres. Es planta forrajera.

TRECHO m. Espacio, distancia de lugar o tiempo.

TREFILADO m. Proceso consistente en estirar los metales en alambres o hilos.

TREGUA f. Cesación de hostilidades, por determinado tiempo, entre los enemigos. // fig. Intermisión, descanso.

TREMEBUNDO, DA adj. Espantable, horrendo.

TREMENDO, DA adj. Terrible y formidable. // Digno de respeto. // fig. y fam. Muy grande.

TREMENTINA f. Quim. Resina semifluida que exudan los pinos, abetos, alerces y terebintos.

TREMOLAR tr. e intr. Enarbolar los pendones, banderas, etc., batiéndolos en el aire.

TRÉMULO, LA adj. Que tiembla. // Apl. a cosas que tienen un movimiento semejante al temblor.

TREN m. Conjunto de instrumentos, máquinas y útiles que se emplean para una misma operación o servicio. // Lujo en lo perten. a la persona o cosa. // Ferr. Serie de vagones arrastrados por una locomotora.

TRENZA f. Conjunto de tres o más ramales que se entretejen.

TRENZAR tr. Entretejer unos ramales cruzándolos alternativamente.

TREPANACIÓN f. *Cir.* Acción y efecto de trepanar.

TRÉPANO m. Cir. Instrumento que se usa para trepanar.

TREPANAR tr. Cir. Horadar el cráneo con el trépano.

TREPAR intr. y tr. Subir a un lugar alto, ayudándose de los pies y las manos. // intr. Crecer las plantas agarrándose a los árboles u otros objetos.

TREPIDAR intr. Temblar fuertemente. // Vacilar, dudar.

TRESILLO m. Juego de naipes carteado que se juega entre tres personas. // Conjunto de un sofá y dos butacas.

TRETA f. Artificio ingenioso para conseguir algún intento.

TRÍADA f. Trinidad, conjunto de tres.

TRIANGULAR adj. De figura de triángulo o semejante a él.

TRIÁNGULO m. Figura geométrica limitada por tres segmentos rectilíneos denominados lados, que se cortan en tres puntos llamados *vértices*.

TRIÁSICO m. Primer período de la era secundaria, durante el cual aparecen los primeros mamíferos y anfibios.

TRIBAL adj. Perten. o rel. a la tribu.

TRIBU f. Cada una de las agrupaciones en que se dividen algunos pueblos antiguos. // Conjunto de familias nómadas que obedecen a un jefe.

TRIBULACIÓN f. Congoja, aflicción. // Persecución, adversidad.

TRIBUNA f. Especie de púlpito desde el cual se lee o perora en las asambleas. // Localidadl preferente en un campo de deporte. // fig. Conjunto de oradores políticos de un país, de una época,etc.tribunal m. Lugar destinado a los jueces para administrar justicia. // Conjunto de personas ante el cual se efectúan exámenes, oposiciones, etc. // Ministro o ministros que administran justicia.

TRIBUNO m. Cada uno de los magistrados que elegía el pueblo romano con derecho a veto a las resoluciones del Senado. //fig. Orador político de elocuencia fogosa.

TRIBUTAR tr. Entregar el súbdito al Estado para las cargas públicas, cierta cantidad en dinero. // fig. Dar muestras de obsequio, veneración, etcétera.

TRIBUTARIO, RIA adj. Perten. o rel. al tributo. // adj. y s. Que paga tributo o está obligado a pagarlo.
TRIBUTO m. Lo que se tributa. // Carga u obligación de tributar. // fig. Cualquier carga continua.
TRÍCEPS adj. y s. *Anat.* Díc. del músculo que tiene tres porciones o cabezas.
TRICORNIO adj. Que tiene tres cuernos.
TRICROMÍA f. Procedimiento fotográfico o de impresión en color, por superposición de los tres colores fundamentales: rojo, amarillo y azul.
TRIDENTE adj. De tres dientes. // m. Cetro de forma de arpón, que tienen en la mano las figuras de Neptuno.
TRIEDRO adj. y s. Geom. Angulo poliedro de tres caras.
TRIENAL adj. Que sucede o se repite cada trienio. // Que dura un trienio.
TRIGLIFO m. Miembro arquitectónico saliente, de forma rectangular, surcado por tres canales verticales.
TRIGO m. *Bot.* Planta anual de la fam. gramíneas, con espigas de cuyos granos se saca, por trituración, la harina con la que se hace el pan.
TRIGONOMETRIA f. Parte de las matemáticas, que trata del cálculo de los elementos de los triángulos.
TRIGUEÑO, ÑA adj. De color de trigo.
TRILINGÜE adj. Que tiene tres lenguas. // Que habla tres lenguas. // Escrito en tres lenguas.
TRILOBITES m. Artrópodos marinos fósiles del Paleozoico inferior.
TRILOBULADO, DA adj. Que tiene tres lóbulos.
TRILOGÍA f. Conjunto de tres obras trágicas de un mismo autor. // Conjunto de tres obras dramáticas que tienen entre sí cierto enlace.
TRILLA f. Acción de trillar. // Tiempo en que se trilla.
TRILLAR tr. Quebrantar la mies y separar el grano de la paja. // fig. y fam. Frecuentar una cosa continuamente. // fig. Maltratar.
TRIMESTRAL adj. Que sucede o se repite cada trimestre. // Que dura un trimestre.
TRIMESTRE adj. Trimestral. // m. Espacio de tres meses.
TRINAR intr. Hacer trinos. // fig. y fam. Rabiar, impacientarse.
TRINCA f. Junta de tres cosas de una misma clase.
TRINCAR tr. Partir en trozos.
TRINCAR tr. Atar fuertemente. // Sujetar a uno con los brazos o las manos como agarrándole.
TRINCHAR tr. Partir en trozos la vianda para servirla.
TRINCHERA f. *Mil.* Excavación para defensa hecha en tierra y que cubre el cuerpo del soldado.
TRINEO m. Vehículo sin ruedas para ir o caminar sobre el hielo y la nieve.
TRINIDAD f. Término con que el cristianismo designa el misterio de la unidad de Dios en tres personas.
TRINITARIA f. *Bot.* Planta herbácea anual, de la fam. violáceas, con flores de tres colores, como el pensamiento.

TRINO, NA adj. y s. Que contiene en sí tres cosas distintas. // *Mús.* Díc. de la sucesión alternada y rápida de dos notas de igual duración.
TRINOMIO m. Expresión algebraica que consta de tres términos.
TRINQUETE m. *Mar.* Palo inmediato a la proa. // Verga mayor que se cruza sobre el palo de proa. // Vela que se larga en ella.
TRÍO m. *Mús.* Terceto.
TRIPA f. Conjunto de intestinos o parte de intestino; conducto membranoso que forma parte del aparato digestivo. // Vientre, y en especial el elevado. // Panza de una vasija.
TRIPANOSOMA m. Infusorio que vive parásito en la sangre y produce la enfermedad del sueño.
TRIPARTITO, TA adj. Dividido en tres partes, órdenes o clases.
TRIPLE adj. y s. m. Díc. del número que contiene a otro tres veces exactamente.
TRIPLICAR tr. y r. Multiplicar por tres. // tr. Hacer tres veces una misma cosa.
TRÍPODE amb. Mesa, banquillo, etc., de tres pies.
TRÍPTICO m. Tablita de escribir dividida en tres hojas. // Pintura, grabado, o relieve distribuido en tres hojas.

TRÍPTICO primitivo flamenco, anónimo

TRIPTONGO m. *Ling.* Conjunto de tres vocales que forman una sola sílaba.
TRIPULACIÓN f. Conjunto de personas a cuyo cargo está el manejo y servicio de una embarcación o aeronave.
TRIPULANTE m. Persona que forma parte de una tripulación.
TRIPULAR tr. Dotar de tripulación a un barco o a un aparato de locomoción aérea.
TRIQUINA f. *Zool.* Gusano nematelminto, parásito del hombre, cerdo, etc. La infección provoca en el hombre grave enfermedad que le puede acarrear la muerte. Se transmite por vía digestiva.
TRIQUINOSIS f. *Med.* Enfermedad ocasionada por la triquina.
TRIQUIÑUELA f. fam. Rodeo, efugio.
TIRREME m. Embarcación de tres órdenes de remos, que usaron los antiguos.
TRIS m. Leve sonido de una cosa delicada al quebrarse. // fig. y fam. Poca cosa, casi nada.

TRISTE adj. Afligido, apesumbrado. // De carácter melancólico. // Que denota pesadumbre. // Funesto, deplorable. / Doloroso, enojoso.

TRITÓN m. *Zool.* Anfibio urodelo de la fam. salamándridos, de cola comprimida, con una especie de cresta a lo largo del lomo.

TRITURAR tr. Moler, desmenuzar. // Mascar. // Rebatir y censurar aquello que se examina.

TRIUNFAL adj. Perten. al triunfo.

TRIUNFAR intr. Quedar victorioso.

TRIUNFO m. Victoria. // fig. Exito feliz en un empeño dificultoso.

TRIUNVIRATO m. Magistratura romana integrada por tres varones.

TRIUNVIRO m. Cada uno de los tres magistrados romanos encargados del gobierno y administración de la república.

TRIVIAL adj. fig. Vulgarizado y sabido de todos. // Que no sobresale de lo ordinario y común.

TRIZA f. Pedazo pequeño o partícula dividida de un cuerpo.

TROCAR tr. Permutar una cosa por otra. // Mudar, alterar. // Equivocar. // Cambiarse enteramente una cosa.

TROCEAR tr. Dividir en trozos.

TROFEO m. Monumento, insignia de una victoria. // Despojo obtenido en la guerra. // fig. Victoria, triunfo.

TROGLODITA adj. y s. Que habita en las cavernas. // fig. Díc. del hombre bárbaro y cruel. // Muy comedor.

TROIKA f. Trineo o carruaje tirado por tres caballos.

TROMBA f. Columna de agua que tiene un movimiento giratorio por efecto de un torbellino.

TROMBO m. *Med.* Coágulo sanguíneo en el interior de una vena.

TROMBÓN m. Instrumento músico de metal, especie de trompeta grande.

TROMBOSIS f. *Med.* Formación de coágulos en los vasos sanguíneos o en el corazón.

TROMPA f. Instrumento músico de viento, de metal, formado por un tubo cónico enrollado que termina en un pabellón amplio. // *Zool.* En algunos animales prolongación de la nariz o de la boca en forma de tubo. // En ciertos insectos aparato chupador contráctil. / /fig. y fam. Borrachera.

TROMPETA f. Instrumento músico metálico de viento de sonido penetrante.

TRONAR impers. Sonar truenos. // intr. Despedir o causar ruuido un estampido.

TRONCO m. Cuerpo truncado. // Tallo fuerte y macizo de las plantas. // Cuerpo huomano o de cualquier animal, prescindiendo de la cabeza y las extremidades. // fig. Ascendiente común de dos o más ramas o familias.

TRONCHAR tr. y r. Romper con violencia un vegetal, por su tronco, tallo o ramas.

TRONCHO m. Tallo de las hortalizas.

TRONERA f. Abertura en el costado de un buque, en el parapeto de una muralla, etc., para disparar cañones. // Ventana pequeña y angosta.

TRONO m. Asiento con gradas y dosel, de que usan los monarcas y otras personas de alta dignidad. // fig. Dignidad de rey o soberano.

TROPA f. Turba, muchedumbre de gentes. // Gente militar, a distinción del paisainaje. // En general, fuerzas militares.

TROPEL m. Movimiento acelerado y ruidoso de varias personas o cosas. // Prisa, aceleramiento confuso y desordenado. // Montón de cosas en desorden.

TROPELÍA f. Hecho violento ilegal. // Vejación, atropello.

TROPEZAR intr. Dar con los pies en un estorbo. Encontrar una cosa un estorbo que le impide avanzar. // fig. Deslizarse en alguna culpa. // Reñir con uno u oponerse a su dictamen.

TROPICAL adj. Perten. o rel. a los trópicos.

TRÓPICO m. Cada uno de los dos circulos menores de la esfera celeste, paralelos al ecuador, del que distan 23° o 27°.

TROPIEZO m. Aquello en que se tropieza. // Lo que sirve de estorbo o impedimento. // fig. Falta, culpa.

TROPISMO m. *Biol.* Tendencia de un organismo a moverse obedeciendo a ciertos estímulos exteriores.

TROPO m. *Ling.* Figura retórica por la cual se emplea una palabra en un sentido distinto del que les propio.

TROPOSFERA f. Zona inferior de la atmósfera, hasta 12 Km, en la cual se desarrollan los fenómenos meteorológicos aéreos, acuosos y algunos eléctricos.

TROQUEL m. Molde empleado en la acuñación de monedas, medallas, etc.

TROQUELAR tr. Imprimir y sellar una pieza de metal por medio del troquel. // Acuñar.

TROTAR intr. Ir el caballo al trote.

TROTE m. Modo de caminar acelerado, natural de todas las caballerías.

TROVA f. Composición métrica escrita geralte. para canto.

TROVADOR, RA adj. y s. Que trova. // m. Poeta provenzal de la Edad Media.

TROZO m. Pedazo de una cosa que se considera aparte del resto.

TRUCO m. apariencia engañosa hecha con arte.

TRUCULENTO, TA adj. Cruel, atroz.

TRUCHA f. *Zool.* Pez malacopterigio de la fam. salmónidos, muy voraz; vive en lagos y rios limpios de las montañas. Su carne es muy apreciada.

TRUENO m. Estampido que acompaña a un relámpago.

TRUEQUE m. Acción y efecto de trocar o trocarse.

TRUFA f. *Bot.* Hongo ascomiceto con aspecto de tubérculo, que vive saprofito en el mantillo de los bosques. Es comestible.

TRUHÁN, NA adj. y s. Díc. de la persona sin vergüenza, que vive de engaños y estafas.

TRUNCAR tr. Cortar una parte de alguna cosa. // fig. Dejar imperfecto el sentido de lo que se escribe o se lee. // Interrumpir una acción.

TRUST m. Asociación de grandes empresas fabricantes de un determinado producto, para dominar el mercado y eliminar la competencia de las pequeñas empresas.

TSETSÉ f. *Zool.* Mosca africana que inocula el tripanosoma de la enfermedad del sueño.

TÚ Nominativo y vocativo del pron. pers. de segunda pers. en gén. m. o f. y núm. sing.

TU, TUS pron. poses. Apócope de *tuyo, tuya, tuyos, tuyas.* No se emplea sino antepuesto al nombre.

TUBERCULINA f. *Bioquim.* Producto de cultivo de bacilos de Koch, usado en el diagnóstico y tratamiento de la tuberculosis.

TUBÉRCULO m. *Bot.* Parte de un tallo subterráneo o de una raíz, que engruesa considerablemente y acumula una gran cantidad de sustancias de reserva, como en la patata y el boniato.

TUBERCULOSIS f. *Med.* Enfermedad infecciosa del hombre y de los animales debido al bacilo descubierto por Koch.

TUBERCULOSO, SA adj. j Perten. o rel. al tubérculo. // adj. y s. Que padece tuberculosis.

TUBERÍA f. Conducto formado de tubos por donde se lleva el agua, los gases combustibles, etc.

TUBO m. Pieza hueca, gralte. cilíndrica, y abierta por sus extremos.

TUBULAR adj. Perten. al tubo; que tiene su figura o está formada de tubos.

TUDESCO, CA adj. y s. Natural de cierta región de Alemania. // adj. y s. Por ext., alemán.

TUERCA f. Pieza con un hueco helicoidal que ajusta en el filete de un tornillo.

TUERTO, TA adj. y s. Falto de la vista en un ojo. // m. Agravio.

TUÉTANO m. Sustancia blanca contenida dentro de los huesos. // Parte inferior de una raíz o tallo de una planta.

TUFO m. Emanación gaseosa de las fermentaciones y de las combustiones imperfectas. // fam. Olor molesto. // Soberbia, vanidad.

TUL m. Tejido delgado y transparente de mallas poligonales.

TULIPÁN m. *Bot.* Planta liliácea bulbosa y vivaz. Su flor es acampanada, de hermosos colores.

TULLIDO, DA adj. y s. Que ha perdido el movimiento del cuerpo o de alguno de sus miembros.

TULLIR tr. Hacer que uno quede tullido. // r. Perder uno el uso y movimiento de su cuerpo o de parte de él.

TUMBA f. Sepulcro, sepultura.

TUMBAR tr. Hacer caer o derribar a una persona o cosa. // intr. Caer, rodar por tierra. // fam. Echarse a dormir.

TUMEFACCIÓN f. Med. Hinchazón.

TUMEFACTO, TA adj. Túmido, hinchado.

TUMOR m. *Med.* Abultamiento anormal de un órgano por proliferación de los tejidos con crecimiento progresivo.

TÚMULO m. Sepulcro levantado de la tierra. // Montecillo artificial con que se cubre una sepultura. // Armazón de madera, que se erige para celebrar las exequias.

TUMULTO m. Motín, alboroto producido por una multitud.

TUNA f. Vida holgazana, libre y vagabunda. // Grupo de estudiantes que forman un conjunto musical.

TUNANTE adj. y s. Pícaro, bribón.

TUNDA f. fam. Acción y efecto de fundir a uno a golpes.

TUNDIR tr. fig. y fam. Castigar con golpes, palos o azotes.

TUNDRA f. Pradera casi esteparia, carente de árboles, característica de las regiones árticas y subárticas.

TÚNEL m. Paso subterráneo abierto artificialmente para establecer una comunicación.

TÚNICA f. Vestidura sin mangas, que usaban los antiguos. // Vestidura exterior, amplia y larga.

TUNO, NA adj. Tunante.

TUPÉ m. Cabello que cae sobre la frente.

TUPIDO, DA adj. Espeso.

TURBA f. Combustible terroso, resultante de la descomposición de restos vegetales acumulados en lugares pantanosos.

TURBA f. Muchedumbre de gente confusa y desordenada.

TURBACIÓN f. Acción y efecto de turbar o turbarse. // Confusión, desorden.

TURBANTE m. Tocado oriental, que consiste en una larga faja de tela rodeada a la cabeza.

TURBAR tr. y r. Alterar. // Enturbiar. // fig. Aturdir a uno.

TURBERA f. Yacimiento de turba.

TURBIDEZ f. Turbiedad.

TURBIEDAD f. Calidad de turbio.

TURBINA f. Máquina que transforma la energía cinética de un fluido en fuerza motriz rotativa.

TURBIO, BIA adj. Mezclado o alterado por una cosa que oscurece o quita transparencia. // fig. Revuelto, turbulento. // Confuso.

TURBIÓN m. Aguacero con viento fuerte, repentino y de poca duración.

TURBORREACTOR m. Turbina de gas que actúa como elemento propulsor en los aviones a reacción.

TURBULENCIA f. Turbiedad de las cosas claras y transparentes. // fig. Confusión, perturbación.

TURBULENTO, TA adj. Turbio. // fig. Confuso, alborotado.

TURCA f. fam. Borrachera.

TURCO, CA adj. y s., Natural de Turquía. // adj. Perten. a esta nación. // m. Lengua turca.

TURGENCIA f. Cualidad de turgente.

TURGENTE m. Abultado, elevado.
TURIFERARIO m. El que lleva el incensario.
TURISMO m. Práctica de viajar por diversos paises para distracción y recreo.
TURISTA com. Persona que hace turismo.
TURMALINA f. Borosilicato de aluminio con hierro, manganeso y metales alcalinos. Algunas variedades son piedras preciosas.
TURNAR intr. Alternar ordenamente con otras personas en un cargo o trabajo.
TURNO m. Orden o alternativa que se observa entre varias personas.
TURÓN m. *Zool.* Mamífero nocturno, de la fam. mustélidos, parecido al hurón. Despide un olor fétido.
TURQUESA f. Fosfato de hierro, aluminio y cobre. Es piedra semipreciosa, de color azul pálido o verde pardusco, con brillo céreo.
TURULATO, TA adj. Fam. Alelado, estupefacto.
TUSÓN m. Vellón de la oveja o del carnero.
TUTEAR tr. Hablar a uno empleando el pron. de segunda persona.
TUTELA f. Autoridad y cargo de tutor. // fig. Protección, defensa, amparo.
TUTELAR adj. Que guía, ampara, protege o defiende.
TUTOR, RA m. y f. Persona encargada de cuidar una persona de capacidad civil incompleta y de administrar sus bienes. // fig. Protector o director en cualquier linea.
TUTORIA f. Autoridad del tutor.
TUYO, TUYA, TUYOS, TUYAS Pron. posesivo de segunda pers., en género m. y f. y ambos números sing. y plural.

U

U f. Vigésima cuarta letra del abecedario español, última de sus vocales; su sonido es débil.
U Conj. Disyuntiva usada en vez de o para evitar el hiato.
UBÉRRIMO, MA adj. sup. Muy abundante y fértil.
UBICACIÓN f. Acción y efecto de ubicar o ubicarse.
UBICUIDAD f. Calidad de ubicuo.
UBICUO, A adj. Que está presente a un mismo tiempo en todas partes.
UBRE f. Cada una de las tetas de la hembra, en los mamíferos.
UFANARSE r. Engreírse, jactarse.
UFANO, A adj. Presuntuoso. // fig. Satisfechoo, alegre, contento.
UJIER m. Portero de estarados de un palacio o tribunal. // Empleo subalterno de algunos tribunales.
ULANO m. Soldado de caballería ligera armado de lanza, en los ejércitos austriaco, alemán y ruso.
ÚLCERA f. *Med.* Lesión en la piel o en una mucosa que provoca la destrucción gradual de los tejidos.
ULCERAR tr. y r. Causar úlcera.

ULCEROSO, SA adj. Que tiene úlceras.
ULMÁCEAS f. pl. *Bot.* Fam. de árboles o arbustos dicotiledóneos, cuyo tipo es el olmo.
ULTERIOR adj., Que está de la parte de allá de un sitio o territorio. // Que se dice, sucede o se ejecuta después de otra cosa.
ULTIMAR tr. Acabar, finalizar algo. // Rematar.
ULTIMÁTUM m. En el lenguaje diplomático, resolución terminante comunicada por escrito. // fam. Resolución definitiva.
ÚLTIMO, MA adj. Apl. a lo que en su línea no tiene otra cosa tras de sí. // Díc. de lo que en una serie está en el lugar postrero.
ULTRA adv. Además de. // U. como prefijo que significa más allá, al otro lado de.
ULTRAJAR tr. Ajar o injuriar. // Despreciar.
ULTRAJE m. Injuria, desprecio.
ULTRAMAR m. País o sitio que está de la otra parte del mar, considerado desde el punto en que se habla.
ULTRAMARINO, NA adj. Que está o se considera del otro lado del mar.
ULTRAMONTANISMO m. Denominación aplicada a partir del s. XVII a todos los movimientos de adhesión al papado.
ULTRAMONTANO, NA adj. Que está más allá o de la otra parte de los montes. // Perten. o rel. a la doctrina ultramontanista.
ULTRASONIDO m. Onda sonora que por su elevada frecuencia no puede ser percibida por el oído humano.
ULTRATUMBA adj. Más allá de la tumba.
ULTRAVIOLETA adj. Fís. Perten. o rel. a la parte invisible del espectro solar que se extiende a continuación del color violeta.
ULULAR intr. Dar gritos o alaridos.
UMBELA f. *Bot.* Inflorescencia en la que los pedúnculos arrancan de un mismo punto y se elevan a igual altura.
UMBELÍFERAS f. pl. *Bot.* Fam. de plantas dicotiledóneas, con flores en umbela, como el anís, apio, hinojo, perejil, etc. Muchas son comestibles, y otras tienen propiedades medicinales.
UMBILICAL adj. Perten. al ombligo.
UMBRAL m. Parte inferior o escalón en la puerta o entrada de una casa. // fig. Principio o entrada de cualquier cosa.
UMBRETA f. *Zool.* Parte del cuerpo de la medusa que presenta forma de sombrilla.
UMBRÍA f. Parte de un terreno y, en especial, la ladera de un monte poco expuesta al sol por estar orientada al norte.
UMBRÍO, A adj. Díc. del lugar donde da poco sol.
UN, UNA Articulo indet. en género m. y f. // Adj. Uno.
UNÁNIME adj. Díc. del conjunto de las personas que convienen en un mismo parecer, dictamen, etc.
UNANIMIDAD f. Calidad de unánime.
UNCIÓN f. Acción de ungir. // Devoción con que se expone una idea, se realiza una obra, etc.

UNCIR tr. Atar un animal al yugo.
UNDÉCIMO, MA adj. Que sigue inmediatamente en orden al o a lo décimo.
UNGIR tr. Untar una cosa con aceite u otra materia pingüe, extendiéndola superficialmente.
UNGÜENTO m. Todo aquello que sirve para ungir o untar.
UNGUICULADO, DA adj. y s. Que tiene los dedos terminados por uñas.
UNGULADOS m. pl. *Zool.* Mamíferos cuya última falange está revestida de una uña o casco, como los caballos, elefantes, etc.
UNGULAR adj. Que pertenece o se refiere a la uña.
UNICELULAR adj. Que consta de una sola célula.
UNICIDAD f. Calidad de único.
ÚNICO, CA adj. Solo y sin otro de su especie. // fig. Extraordinario, excelente.
UNICORNIO m. Animal fabuloso con cuerpo de caballo y un cuerno recto en mitad de la frente.
UNIDAD f. Propiedad de aquello que forma un todo indivisible. // Unión o conformidad. // El número entero más pequeño.// Grupo que puede obrar independientemente.
UNIFICAR tr. y r. Hacer de muchas cosas una o un todo.
UNIFORME adj. Díc. de dos o mas cosas que tienen la misma forma. // m. Vestido peculiar y distintivo que usan los individuos perten. a un mismo cuerpo o colegio.
UNIFORMIDAD f. Calidad de uniforme.
UNIGÉNITO, TA adj. Apl. al hijo único. // m. Por anto., Jesucristo.
UNILATERAL adj. Que se refiere a una parte o a un aspecto de alguna cosa.
UNIÓN f. Acción y efecto de unir o unirse. // Conformidad de una cosa con otra. // Alianza, confederación, asociación. // Inmediatación de una cosa a otra.
UNIPERSONAL adj. Que consta de una sola persona. // Que corresponde o pertenece a una sola persona.
UNIR tr. Juntar dos o más cosas entre sí, haciendo de ellas un todo. // Mezclar, trabar. // Atar una cosa con otra. // tr. y r.Casar. // tr.fig. Concordar, juntar las voluntades o pareceres.
UNISEXUAL adj. De un solo sexo. Apl. esp. a las plantas.
UNISONANCIA f. Concurrencia de dos o más voces o instrumentos en un mismo tono de música.
UNÍSONO, NA adj. Que tiene el mismo tono o sonido que otra cosa.
UNITARIO, RIA adj. y s. Partidario de la unidad en materias políticas. // adj. Que propende a la unidad o la conserva.
UNIVALVO, VA adj. Díc. de la concha de una sola pieza.
UNIVERSAL adj. Que comprende o es común a todos en su especie. // Que pertenece o se extiende a todo el mundo, a todos los tiempos.

UNIVERSALIDAD f. Calidad de universal.
UNIVERSALIZAR tr. Hacer universal una cosa, generalizar mucho.
UNIVERSIDAD f. Instituto público o privado donde se cursan ciertas facultades, y se confieren los grados correspondientes.
UNIVERSITARIO, RIA adj. Perten. o rel. a la universidad.
UNIVERSO, SA adj. Universal. // m. Conjunto de las cosas creadas, mundo.
UNÍVOCO, CA adj. y s. Díc. de lo que tiene igual naturaleza o valor que otra cosa. // Fil.Apl. a los conceptos que poseen idéntico sentido al aplicarse a diferentes sujetos.
UNO, UNA adj. Que no está dividido en sí mismo. // Idéntico. // Solo, sin otra especie. // pl. Algunos. // m. Unidad. // Signo con que se expresa la unidad. // Individuo de cualquier especie.
UNTAR tr. Aplicar y extender superficialmente una materia pingüe sobre una cosa. // fig. y fam. Sobornar a uno con dones o dinero. algo de las cosas que se manejan, esp. dinero.
UNTO m. Materia pingüe a propósito para untar. // Gordura inferior del cuerpo animal. // Todo lo que sirve parauntar.
UNTUOSO, SA adj. Graso, pingüe.
UNTURA f. Acción y efecto de untar o untarse. // Materia con que se unta.
UÑA f.*Anat.* Placa córnea que crece en la punta de los dedos de los mamíferos.
UÑERO m. Inflamación en la raiz de la uña.
UPAR tr. Levantar, aupar.
URANIO m. Metal muy denso, de color parecido al niquel, y fusible solo a elevadísimas temperaturas.
URBANIDAD f. Cortesía, atención y buen modo.
URBANISMO m. Ciencia que estudia la creación, desarrollo y reforma de los núcleos urbanos.
URBANÍSTICO, CA adj. Perten. o rel. al urbanismo.
URBANIZACIÓN f. Acción y efecto de urbanizar. // Zona urbanizada.
URBANIZAR tr. y r. Hacer urbano y sociable a uno. // r. Convertir en poblado una porción de terreno o prepararlo para ello.
URBANO, NA adj. Perten. a la ciudad. // fig. Cortés, atento. // m. Individuo de la milicia urbana.
URBE f. Ciudad, esp. la muy populosa.
URDIMBRE f.Conjunto de hilos paralelos, entre los que pasa la trama para formar la tela.
URDIR tr. Preparar los hilos en la devanadera para pasarlos al telar. // fig. Maquinar y disponer cautelosamente una cosa.
UREA f. Sustancia nitrogenada muy soluble, que se encuentra en la orina.
UREMIA f. *Med.* Acumulación, en la sangre y en los tejidos, de sustancias tóxicas que normalmente se eliminan por la orina.
URÉTER m. *Anat.* Cada uno de los conductos que se

extienden desde la pelvis renales hasta la vejiga.
URETA f. *Anat.* Conducto que va de la vejiga urinaria al exterior.
URGENCIA f. Calidad de urgente.
URGENTE adj. Apremiante, que ha de ejecutarse con prontitud.
URINARIO, RIA adj. Perten. o rel. a la orina. // m. Lugar destinado para orinar.
URNA f. Vaso o caja que ant. servía para guardar dinero, los restos o las cenizas de los cadáveres, etc. // Arquita para depositar las cédulas o números en los sorteos y en las votaciones secretas.
URODELOS m. pl. *Zool.* Anfibios con cola que comprende tritones, salambandras y formas afines.
UROGALLO m. *Zool.* Ave de la fam. gallináceas, semejante al pavo. Se encuentra en los grandes bosques del centro y norte de Europa, Pirineos, sierras cantábricas, etc. urología f. *Med.* Parte de la medicina que se ocupa de las enfermedades del aparato urinario.
URRACA f. *Zool.* Pájaro córvido de plumaje negro irisado en el cuerpo y blanco en el vientre. Suele llevar a su nido pequeños objetos brillantes.

urracas

ÚRSIDOS m. pl. *Zool.* Fam. de mamíferos plantígrados carnívoros, de cabeza prolongda y cola corta; su tipo es el oso.
URTICÁCEAS f. pl. *Bot.* Fam. de plantas dicotiledóneas hermáceas, arbustivas y arbóreas, de hojas sencillas provistas de pelos urticantes.
URTICANTE adj. Que produce comezón semej. a las picaduras de ortiga.
URTICARIA f. *Med.* Erupción de carácter cutáneo consistente en la aparición de ronchas blancas o rojizas acompañada de prurito o comezón.
USADO, DA adj. Gastado por el uso.
USANZA f. Ejercicio o práctica de una cosa. // Costumbre, moda.
USAR tr. Hacer servir una cosa para algo. // Disfrutar uno alguna cosa. // Ejecutar algo por costumbre.
USÍA com. Síncope de usiría, vuestra señoría.
USO m. Acción y efecto de usar. // Ejercicio o práctica general de una cosa. // Empleo continuado y habitual de una persona o cosa.
USTED com. Voz de tratamiento cortés y familiar.
USUAL adj. Que común o frecuentemente se usa o se paractica.
USUARIO, RIA adj. y s. Que usa ordinariamente una cosa.
USUFRUCTO m. Derecho de disfrutar de un bien ajeno, con la obligación de conrsevarlo.
USUFRUCTUAR tr. Tener el usufructo de una cosa. // intr. Fructificar.
USUFRUCTUARIO, RIA adj. y s. Díc. de la persona que posee y disfruta una cosa.
USURA f. Interés que lleva por el dinero o el género en el contrato. // Interés excesivo en un préstamo.
USURERO, RA m. y f. Persona que presta con usura o interés excesivo.
USURPACIÓN f. Acción y efecto de usurpar.
USURPAR tr. Quitar a uno lo que es suyo. // Arrogarse la dignidad, empleo u oficio de otro.
UTENSILIO m. Lo que sirve para el uso manual y frecuente. // Herramienta o instrumento de un oficio o arte.
UTERINO, NA adj. Perten. al útero.
ÚTERO m. *Anat.* Matriz, órgano hueco y musculoso donde se efectúa la gestación; desemboca en la vagina.
ÚTIL adj. Que trae o produce provecho. // Que puede servir y aprovechar en alguna línea. // m. Utilidad.
UTILIDAD f. Calidad de util. // Provecho que se saca de una cosa.
UTILITARIO, RIA adj. Que sólo propende a conseguir lo útil.
UTILIZAR tr. y r. Aprovecharse de una cosa.
UTILLAJE m. Conjunto de útiles, maquinas, etc., necesarios para el desenvolvimiento normal de una industria.
UTOPÍA f. Plan, proyecto, doctrina o sistema ideal, pero irrealizable.
UTÓPICO, CA adj. Perten. o rel. a la utopía.
UVA f. Fruto de la vid; es una especie de baya jugosa en racimos, de coloración diversa.
ÚVULA f. *Anat.* Lóbulo carnoso que pende de la parte media y posterior del velo del paladar.

V

V f. Vigésima quinta letra del abecedario español, y vigésima de sus consonantes. Su nombre es *ve* o *uve*.
VACA f. Hembra del toro.
VACACIÓN f. Suspensión de los negocios o estudios por algún tiempo. // Tiempo que dura esta cesación. // Acción de vacar un empleo.
VACANTE adj. y s. f. Apl. al cargo, empleo o dignidad que está sin proveer.
VACAR intr. Cesar uno por algún tiempo en sus habituales ocupaciones. // Quedar un empleo, cargo

o dignidad sin persona que lo desempeñe o posea.

VACIADO m. Acción de vaciar en un molde un objeto de metal, yeso, etcétera.

VACIAR tr. y r. Dejar vacío algo. // Sacar o arrojar el contenido de una vasija u otra cosa. // tr. Formar un objeto echando en un molde hueco metal derretido u otra materia blanda. // Formar un hueco en alguna cosa. // intr. Hablando de los ríos o corrientes, desaguar.

VACILACIÓN f. Acción y efecto de vacilar. // fig. Irresolución.

VACILAR intr. Estar poco firme una cosa, tener riesgo de caer o arruinarse. // fig. Titubear.

VACÍO, A adj. Falto de contenido, no ocupado. // Hueco. // fig. Vano, presentuoso. // m. Concavidad de algunas cosas. // Vacante de algún empleo o cargo. // fig. Falta de alguna cosa, o persona que se echa de menos.

VACUIDAD f. Calidad de vacuo.

VACUNA f. *Med.* Cualquier virus que convenientemente preparado se inocula a persona o animal para preservarlos de una enfermedad determinada.

VACUNAR tr. *Med.* Aplicar una vacuna a una persona.

VACUNO, NA adj. Perten. al ganado bovino. // De cuero de vaca.

VACUO, CUA adj. Vacío. // Vacante. // m. Hueco.

VACUOLA f. *Biol.* Vesícula o cavidad del protoplasma celular que contiene sustancias líquidas segregadas por éste.

VADEABLE adj. Dic. de cualquier corriente de agua, que se puede vadear.

VADEAR tr. Pasar un río por un sitio donde se pueda hacer pie. // fig. Vencer una gran dificultad.

VADEMÉCUM m. Libro que uno suele llevar consigo. // Cartapacio.

VADO m. Paraje poco profundo de un río que permite el paso a pie, a caballo o en carruaje.

VAGABUNDEAR intr. Andar vagabundo.

VAGABUNDO, DA adj. Que anda errante de una parte a otra. // adj. y s. Holgazán u ocioso.

VAGANCIA f. Acción de vagar o estar sin oficio u ocupación.

VAGAR m. Tiempo libre para hacer una cosa.

VAGAR intr. Andar de un lado para otro sin propósito determinado. // Andar por un sitio sin hallar camino o lo que se busca. // Holgar.

VAGIDO m. Gemido del recién nacido.

VAGINA f. *Anat.* Conducto que se extiende desde la vulva al útero en las hembras de los mamíferos.

VAGINAL adj. Perten. a la vagina.

VAGO, GA adj. y s. Vacío y desocupado. Apl. al hombre perezoso y ocioso.

VAGO, GA adj. Que anda de una parte a otra. // Apl. al las cosas de sentido o uso indeterminado.l Indeciso, indeterminado.

VAGÓN m. Cada una de las unidades que componen un ferrocarril.

VAGONETA f. Vagón pequeño descubierto para transporte.

VAGUADA f. Línea que marca la parte más honda de un valle, por donde van las aguas.

VAGUEDAD f. Calidad de vago.// Expresión o frase vaga.

VAHÍDO m. Desvanecimiento

VAHO m. Vapor que despiden los cuerpos en determinadas condiciones.

VAINA f. Funda en que se encierran y guardan algunas armas o instrumentos de metal. //Cáscara larga en que están encerradas algunas simientes.

VAINILLA f. *Bot.* Planta vivaz de la fam. orquidáceas, de tallos sarmentosos y fruto capsular muy aromático, usado como condimento.

VAIVÉN m. Movimiento alternativo de un cuerpo.// fig. Variedad inestable o inconstancia de las cosas.

VAJILLA f. Conjunto de platos, vasos, etc., para el servicio de la mesa.

VALE m. Papel en que se reconoce una deuda.// Nota firmada, a modo de recibo, que se da al que ha de entregar una cosa.

VALENCIA f. *Quím.* Capacidad de combinación de un elemento; es decir, el número de átomos de hidrógeno o de cloro con que se combina un átomo del elemento.

VALENTÍA f. Calidad de valiente. // Hazaña heroica. // Gallardía. // Acción valiente.

VALENTONADA f. fam. Jactancia o exageración del propio valor.

VALER tr. Amparar, proteger.//Fructificar o producir. // Sumar o importar. // Tener las cosas un precio determinado para la compra o la venta.// Equivaler.// Ser una cosa eficaz o útil. // Prevalecer // r. Usar de una cosa, servirse útilmente de ella. // m. Valor.

VALERIANA f. *Bot.* Planta herbácea vivaz (fam. valerianáceas), de fruto seco con una sola semilla y rizoma aromático, usado en medicina como antiespasmódico.

VALEROSO, SA adj. Eficaz.// Que tiene valentía.

VALETUDINARIO, RIA adj. y s. Enfermizo, delicado

VALÍA f. Estimación, valor o aprecio de una cosa. // Valimiento.

VALIDAR tr. Dar fuerza o firmeza a una cosa; hacerla válida.

VALIDEZ f. Calidad de válido.

VALIDO m. El que disfruta de la privanza de un poderoso.

VÁLIDO, DA adj. Firme, que tiene fuerza legal o jurídica. // Robusto, fuerte.

VALIENTE adj. y s. Esforzado, animoso y de valor. // Eficaz y activo. // Grande, excesivo.

VALIJA f. Maleta.// Saco cerrado con llave, donde llevan la correspondencia de los correos.

VALIOSO, SA adj. Que tiene mucha estimación o poder.

VALÓN, NA adj. y s. Natural del territorio comprendido entre el Escalda y el Lys. // m. Idioma hablado por los valones.

VALOR m. Cualidad de las cosas que valen. // Alcance de la significación o importancia de una cosa. // Cualidad del ánimo // Firmeza de algún acto. // Cantidad de dinero en que se aprecia una cosa. // pl. Títulos representativos de participación en operaciones mercantiles.

VALORACIÓN f. Acción y efecto de valorar.

VALORAR tr. Señalar precio de una cosa. // Estimar el valor de una persona o cosa.

VALORIZAR tr. Valorar, evaluar. // Aumentar el valor de una cosa.

VALS m. Baile de origen alemán. // Música de este baile.

VALUACIÓN f. Evaluación.

VALUAR tr. Evaluar.

VALVA f. *Zool.* Cada una de las piezas que constituyen la concha de los moluscos lamelibranquios.

VÁLVULA f. Mecanismo de cierre o control del flujo de un gas o líquido en un conducto o máquina. // *Anat.* Pliegue de membrana que evita el retroceso de los líquidos circulantes por lo vasos del cuerpo animal.

VALVULAR adj. Perten. o rel. a las válvulas.

VALLA f. Vallado.

VALLADAR o **VALLAR** m. Vallado.

VALLADO m. Cerco para defensa de un sitio e impedir la entrada en él.

VALLAR tr. Cercar con vallado.

VALLE m. Llanura de tierra entre montes y alturas. // Cuenca de un río.

VAMPIRESA f. Mujer coqueta, de gran atractivo.

VAMPIRO m. Espectro o cadáver que según creencia popular, por las noches va a chupar la sangre de los vivos. // *Zool.* m. pl. Mamíferos quirópteros que se alimentan de insectos y chupan la sangre de personas y animales dormidos.

VANAGLORIA f. Jactancia del propio valer u obrar.

VANAGLORIARSE r. Jactarse de su propio valer u obrar.

VANDALISMO m. Devastación propia de los antiguos vándalos.

VÁNDALO, LA adj. y s. Díc. del individuo perten. a un pueblo de la ant. Germania. // m. fig. El que comete acciones propias de gente inculta y forajida.

VANGUARDIA f. Parte de una fuerza armada que va delante del cuerpo principal.

VANIDAD f. Calidad de vano. // Fausto, ostentación. // Palabra vana.

VANIDOSO, SA adj. Que tiene vanidad y la muestra.

VANO, NA adj. Falto de realidad o entidad. // Hueco, vacío. // Inútil, infructuoso. // Arrogante, presuntuoso.

VAPOR m. Gas en que se convierte un líquido o un sólido por la absorción de calor.

VAPORIZACIÓN f. Paso de un cuerpo del estado líquido al de vapor.

VAPORIZAR tr. y r. Convertir un líquido en vapor, por la acción del calor.

VAPOROSO, SA adj. Que arroja de si vapores o los ocasiona. // fig. Tenue, ligero.

VAPULAR o **VAPULEAR** tr. y r. Azotar o golpear a uno.

VAQUERO, RA adj. Propio de los pastores de ganado bovino. // m. y f. Pastor o pastora de reses vacunas.

VARA f. Palo largo y delgado. // Bastón que se usa para insignia de autoridad.

VARADERO m. Lugar donde varan las embarcaciones para resguardarse.

VARAR intr. Encallar la embarcación. // tr. Sacar a la playa y poner en seco una embarcación.

VAREAR tr. Derribar con una vara los frutos de algunos árboles. // Dar golpes con vara o palo.

VÁRGANO m. Cada uno de los palos dispuestos para construir una empalizada.

VARIABILIDAD f. Calidad de variable.

VARIABLE adj. Que varia o puede variar. // Inestable, inconstante.

VARIACIÓN f. Acción y efecto de variar.

VARIANTE adj. Que varía. // f. Variedad o diferencia de lección que hay en los ejemplares o copias de un códice o libro.

VARIAR tr. Hacer que una cosa sea diferente en algo de lo que antes era. // Dar variedad. // intr. Cambiar una cosa de forma, propiedad o estado. // Ser una cosa diferente de otra.

VARICELA f. *Med.* Enfermedad caracterizada por una erupción cutánea parecida a la de la viruela benigna.

VARICOSO, SA adj. Perten. o rel. a las varices. // adj. y s. Que tiene varices.

VARIEDAD f. Calidad de vario. // Conjunto de cosas diversas. // Inconstancia, inestabilidad de las cosas. // Mudanza o alteración.

VARILLA f. Vara larga y delgada. // Cada una de las tiras que forman la armazón del abanico.

VARIOPINTO, TA adj. Que ofrece diversidad de colores.

VARIZ f. *Med.* Dilatación de una vena por acumulación de sangre en ella.

VARÓN m. Persona del sexo masculino. // Hombre que ha llegado a la edad viril.

VARONÍA f. Calidad de descendiente de varón en varón.

VARONIL adj. Perten. o rel. al varón. // Valeroso, firme.

VASALLAJE m. Condición de vasallo y tributo que éste debía satisfacer.

VASALLO, LLA m. y f. Individuo sujeto a la obligación de fidelidad, armas y tributo a un señor a cambio de un feudo. // Súbdito.

VASCO, CA adj. y s. Natural de las Vascongadas. // m. Lengua vasca.

VASCUENCE adj. y s. m. Vasco

VASCULAR adj. Que tiene vasos que conducen líquido, o rel. a ellos.

VASCULARIZACIÓN f. Formación anormal o excesiva de vasos sanguíneos.
VASELINA f. Sustancia grasa, traslúcida y semisólida de color amarillento, obtenida a partir del petróleo.
VASIJA f. Receptáculo apto para depósito de líquidos.
VASO m. Vasija para líquidos, esp. la que sirve para beber. // Cantidad de líquido que cabe en él. // Anat. Cualquiera de los conductos por donde circulan los fluidos en los sere orgánicos.
VASOCONSTRICCIÓN f. Estrechamiento de los vasos sanguíneos.
VÁSTAGO m. Renuevo o ramo tierno que brota del árbol o planta. // fig. Persona descendiente de otra.
VASTEDAD f. Dilatación, anchura de una cosa.
VASTO,TA adj. y s. Dilatado, muy extendido o muy grande.
VATE m. Adivino. // Poeta.
VATICANO,NA adj. Perten. o rel. al Vaticano. // Concerniente al papa o a la corte pontificia. // m. fig. Corte pontificia.
VATICINAR tr. Adivinar, profetizar.
VATICINIO m. Predicción, adivinación, pronóstico.
VATIO m. Cantidad de trabajo eléctrico, equivalente a un julio por segundo.
VECINAL adj. Perten. al vecindario o a los vecinos de un pueblo.
VECINDAD f. Calidad de vecino. // Conjunto de las personas que viven en una misma casa o barrio. // Vecindario. // Cercanías de un sitio.
VECINDARIO m. Conjunto de los vecinos. // Lista o padrón de los vecinos de un pueblo. // Calidad de vecino.
VECINO, NA adj. y s. Que habita con otros en un mismo pueblo, barrio o casa. // Que ha ganado los derechos propios de la vecindad. // fig. Cercano, próximo.
VECTOR adj. y s. m. Mat. Segmento de recta de magnitud, sentido y dirección determinados.
VEDA f. Acción y efecto de vedar. // Espacio de tiempo en que está vedado cazar o pescar.
VEDADO m. Campo o sitio acotado o cerrado por ley u ordenanza.
VEDAR tr. Prohibir por ley o mandato. // Impedir, estorbar.
VEDAS m. pl. Libros sagrados primitivos de la India.
VEGA f. Parte de tierra baja, llana y fértil.
VEGETACIÓN f. Fisonomía del manto vegetal de una región.
VEGETAL m. Ser orgánico, viviente, que no cambia de lugar por impulso voluntario.
VEGETAR intr. y r. Germinar, nutrirse, crecer y aumentarse las plantas. // fig. Vivir maquinalmente una persona con vida meramente orgánica. // Disfrutar voluntariamente vida tranquila, exenta de trabajo.
VEGETARIANO,NA adj. y s. Díc. de la persona que se alimenta exclusivamente de vegetales. // adj. Perten. a este régimen alimentario.

VEGETATIVO, VA adj. Rel. a las funciones involuntarias del cuerpo y, esp. al sistema nervioso parasimpático.
VEGUER m. Funcionario judicial y militar de Cataluña.
VEHEMENCIA f. Calidad de vehemente.
VEHEMENTE adj. Que obra o se mueve con ímpetu y violencia. // Apl. también a las personas que sienten o se expresan de este modo.
VEHÍCULO m. Artefacto que sirve para transportar personas o cosas. // fig. Lo que sirve para conducir o transmitir fácilmente una cosa, como el sonido, los contagios, etc.
VEJACIÓN f. Acción y efecto de vejar.
VEJAMEN m. Vejación.
VEJAR tr. Maltratar, perseguir a uno.
VEJEZ f. Calidad de viejo. // Edad senil, senectud.
VEJIGA f. Anat. Saco en que se almacena la orina segregada por los riñones.
VELA f. Acción y efecto de velar // Tiempo que se vela. // Cilindro de cera, sebo, etc., con pabilo en el eje para que pueda encenderse y dar luz.
VELA f. Mar. Conjunto de piezas de lona, que se amarran a las vergas para recibir el viento que impele la nave.
VELADA f. Acción y efecto de velar. // Reunión nocturna de varias personas para solazarse de algún modo.
VELADOR, RA adj. y s. Que vela. // m. Candelero.
VELAMEN m. Conjunto de velas de una embarcación.
VELAR adj. Que vela u oscurece // Perten. o rel. al velo del paladar.
VELAR tr. y r. Cubrir con velo. // tr. fig. Ocultar a medias una cosa.
VELAR intr. Estar sin dormir el tiempo destinado para el sueño. // fig. Cuidar solícitamente de una cosa. // tr. Hacer guardia por la noche. Asistir de noche a un enfermo o a un difunto.
VELATORIO m. Acto de velar a un difunto.
VELEIDAD f. Voluntad antojadiza. // Inconstancia, ligereza.
VELEIDOSO, SA adj. Inconstante, mudable.
VELERO, RA adj. y s. Díc. de la embarcación muy ligera o que navega mucho. // Buque de vela.
VELETA f. Pieza giratoria en lo alto de un edificio, que sirve para indicar la dirección del viento.// com. fig. Persona inconstante.
VELO m. Cortina o tela que cubre una cosa. // Tela delgada con la cual suelen cubrirse las mujeres la cabeza y el rostro. // Humeral. // fig. Lo que encubre el conocimiento de una cosa. // Confusión u oscuridad del entendimiento.
VELOCIDAD f. Relación entre el espacio recorrido y el tiempo empleado en recorrerlo.
VELOCÍPEDO m. Vehículo de hierro con dos o con tres ruedas, y que mueve por medio de pedales el que va montado en él.

VELÓDROMO m. Lugar para carreras de bicicleta.
VELORIO m. Reunión para esparcimiento celebrada durante las noches en las casas de los pueblos.
VELOZ adj. Acelerado y pronto en el movimiento. // Agil y pronto en lo que se ejecuta o discurre.
VELLO m. Pelo que sale más corto y suave que el de la cabeza y de la barba. // *Bot*. Pelusilla que recubre algunos frutos y plantas.
VELLÓN m. Toda la lana de un carnero u oveja. // Guedeja de lana.
VELLÓN m. Liga de plata y cobre con que se labró la moneda ant.
VELLOSIDAD f. Abundancia de vello.
VENA f. *Anat*. Cualquiera de los vasos sanguíneos que llevan la sangre al corazón. // Filón metálico. // Conducto natural del agua en las entrañas de la tierra. // Nervio de una hoja. // fig. Inspiración poética.
VENABLO m. Dardo o lanza corta arrojadiza.
VENADO m. Ciervo. // Res de caza mayor, particularmente oso, jabalí o ciervo.
VENAL adj. Perten. o rel. a las venas.
VENCEJO m. *Zool*. Pájaro fisirrostro insectívoro de alas curvadas, cola larga y ahorquillada.
VENCER tr. Rendir al enemigo, derrotarle. // Aventajarse en algo a otro. // Superar las dificultades. // Ser uno rendido o dominado por causas físicas o morales. // intr. Cumplirse un plazo. // intr. y r. Refrenar las pasiones.
VENCIDA f. Acto de vencer o de ser vencido.
VENCIMIENTO m. Acto de vencer o de ser vencido. // Cumplimiento del plazo de una deuda, etc.
VENDA f. Tira graite, de hilo, para sujetar los apósitos o para envolver un miembro.
VENDAJE m. Ligadura hecha con vendas.
VENDAR tr. Atar, ligar o cubrir con la venda.
VENDAVAL m. Viento fuerte que sopla del Sur, con tendencia al Oeste. // Por ext., cualquier viento duro.
VENDER tr. Entregar algo a cambio de un precio. // Ofrecer mercaderías al público para que las compre. // Delatar. // r. Dejarse sobornar. // fig. Descubrir algo que se quiere tener oculto.
VENDETTA f. Venganza sanguinaria.
VENDIMIA f. Recolección de la uva.
VENDIMIAR tr. Recoger el fruto de las viñas.
VENENO m. Cualquier sustancia que, introducida en el cuerpo o aplicada a él ocasiona la muerte o graves trastornos.
VENENOSO, SA adj. Que incluye veneno.
VENERABLE adj. Digno de veneración.
VENERACIÓN f. Acción y efecto de venerar.
VENERAR r. Respetar en sumo grado a una persona. // Dar culto a Dios, a los santos o a las cosas sagradas.
VENÉREO, A adj. y s. Mal contagioso que ordinariamente se contrae por el trato carnal.
VENERO m. Manantial de agua. // Raya o linea horaria en los relojes de sol. // fig. Origen de donde procede una cosa.

VENGANZA f. Satisfacción que se toma del agravio o daño recibidos.
VENGAR tr. y r. Tomar satisfacción de un agravio o daño.
VENIA f. Perdón de la ofensa o culpa. // Licencia o permiso para ejecutar una cosa.
VENIAL adj. Dic. de lo que se opone levemente a la ley o precepto, y por eso es de fácil remisión.
VENIDA f. Acción de venir. // Regreso.
VENIR intr. Trasladarse una persona o cosa de allá hacia acá. // Llegar una persona o cosa a donde está el que habla. // Ajustarse, acomodarse una cosa con otra u otra. // Proceder una cosa de otra. // Suceder, sobrevenir.
VENOSO, SA. adj. Que tiene venas. // Perten. o rel. a la vena.
VENTA f. Acción y efecto de vender. // Posada.
VENTAJA f. Superioridad o mejoría de una persona o cosa respecto de otra.
VENTANA f. Abertura que se deja en una pared para dar luz y ventilación. // Hoja u hojas de madera y de cristales con que se cierra esa abertura. // Cada uno de los orificios de la nariz.
VENTANAL m. Ventana grande.
VENTEAR impers. Soplar el viento o hacer aire fuerte. // tr. Tomar algunos animales el viento con el olfato. // Sacar una cosa al viento para airearla.
VENTILACIÓN f. Acción y efecto de ventilar o ventilarse. // Abertura que sirve para ventilar un aposento.
VENTILAR tr. y r. Hacer penetrar el aire en algún sitio. // tr. Exponer una cosa al viento. // fig. Dilucidar o examinar una cuestión.
VENTISCA f. Borrasca de viento y nieve.
VENTISQUERO m. Ventisca. // Sitio en las alturas de los montes donde se conserva la nieve y el hielo.
VENTOSA f. *Zool*. Organo cóncavo que poseen algunos animales y que, al contraerse les permite adherirse a los objetos.
VENTOSIDAD. f. Calidad de ventoso o flatulento. // Gases intestinales encerrados o comprimidos en el cuerpo.
VENTRAL adj. Perten. al vientre.
VENTRÍCULO m. *Anat*. Una de las cavidades del corazón. // Cavidad localizada en el interior del cerebro de los vertebrados.
VENTRÍLOCUO, CUA adj. y s. Dic. del que tiene el arte de modificar su voz de manera que parezca venir de lejos.
VENTURA f. Felicidad. // Contingencia o casualidad.
VENTUROSO, SA adj. Que tiene buena suerte. // Borrascoso.
VENUS m. Segundo planeta del sistema solar.
VER m. Sentido de la vista. // Apariencia de ver las cosas.
VER tr. Percibir por los ojos la forma y color de los objetos. // Observar, considerar, examinar. // Visitar a una persona. // Experimentar. // Conocer, juzgar.

// r. Estar en un sitio o lance.
VERA f. Orilla.
VERACIDAD f. Calidad de veraz.

imagen electromagnética de **Venus** *tomada a 66.000 km.*

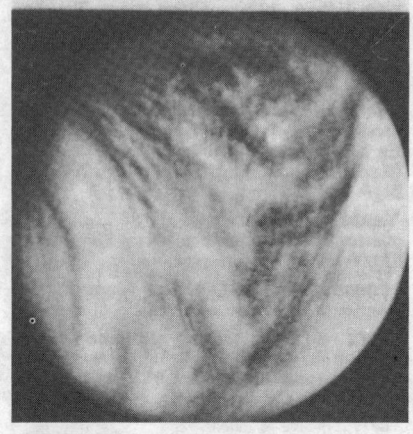

VERANEANTE adj. y s. Que veranea.
VERANEAR intr. Tener o pasar el verano en alguna parte.
VERANEO m. Acción y efecto de veranear.
VERANIEGO, GA adj. Perten. o rel. al verano.
VERANO m. Estío. // Epoca, la más calurosa del año, que en el hemisferio septentrional comprende los meses de junio, julio y agosto, y en el austral los de diciembre, enero y febrero.
VERAZ adj. Que dice o profesa siempre la verdad.
VERBAL adj. Díc. de lo que se refiere a la palabra, o se sirve de ella. // Que se hace o estipula sólo de palabra. // *Gram.* Perten. al verbo.
VERBALISMO m. Propensión a fundar el razonamiento más en las palabras que en los conceptos.
VERBENA f. Fiesta popular nocturna.
VERBENA f. *Bot.* Planta herbácea anual de la fam. verbenáceas. Fue planta sagrada de los celtas.
VERBENÁCEAS f. pl. *Bot.* Fam. de plantas dicotiledóneas, hierbas, arbustos y árboles cuyo tipo es la verbena.
VERBIGRACIA expr. Por ejemplo.
VERBO m. Segunda persona de la Santísima Trinidad. // Palabra. // *Ling.* Parte de la oración que designa estado, acción o pasión, casi siempre con expresión de tiempo y persona.
VERBORREA f. fam. Verbosidad excesiva.
VERBOSIDAD f. Abundancia o copia de palabras en la evolución.
VERDAD f. Conformidad de las cosas con el concepto que de ellas forma la mente. // Conformidad de lo que se dice con lo que se siente o piensa. // Existencia real de una cosa. // *Fil.* Juicio o proposición evidente.
VERDADERO, RA adj. Que contiene verdad. // Real y efectivo. // Ingénuo, sincero. // Veraz.
VERDE adj. y s. De color semejante al de la hierba fresca, la esmeralda, etc. // adj. No seco, no maduro. // fig. Libre, obsceno. // *Fis.* Cuarto color del espectro situado entre el azul y el amarillo
VERDERÓN m. *Zool.* Ave canora de tamaño y forma del gorrión, pero con plumaje verde.
VERDÍN m. *Bot.* Capa de algas verdes que se crían en algas estancadas o de circulación lenta.// *Quim.* Cardenillo .
VERDOR m. Color verde vivo de las plantas .// Color verde. // fig. Vigor,lozanía.
VERDOSO, SA adj. Que tira a verde.
VERDUGO m. Vástago de árbol.// Azote de materia flexible. // Ministro de justicia que ejecuta las penas de muerte
VERDULERÍA f. Tienda o puesto de verduras.
VERDURA f. Verdor.// Hortalizas en general .
VEREDA f. Camino angosto,formado por el tránsito de peatones y ganados.// Via pastoril para los ganados transhumantes.
VEREDICTO m. Sentencia pronunciada por un jurado sobre un hecho sometido a su conocimiento.
VERGA f. Miembro genital de los mamíferos. // Arco de acero de la ballesta .// Palo delgado .// *Mar.* Percha en la que se asegura una vela.
VERGAJO m. Verga de toro,que despues de cortada ,seca y retorcida,se usa como látigo.
VERGEL m. Huerto con variedad de flores y árboles frutales.
VERGONZANTE adj. Que tiene vergüenza .
VERGONZOSO, SA adj. Que causa vergüenza.// adj. y s. Que se avergüenza con facilidad.
VERGÜENZA f. Turbación del ánimo ,por alguna falta cometida ,o por alguna acción deshonrosa y humillante, propia o ajena.
VERICUETO m. Lugar escabroso,por donde no se puede andar fácilmente.
VERÍDICO, CA adj. Que dice verdad. Apl. a lo que la incluye.
VERIFICAR tr. Probar que una cosa que se dudaba es verdadera.// tr. y r. Realizar,efectuar.// r. Salir cierto lo que se dijo o pronosticó.
VERJA f. Enrejado que sirve de puerta ,ventana o cerca.
VERME m. *Zool.* Gusano,esp. lombriz intestinal.
VERMICIDA adj. Apl. a las sustancias susceptibles de destruir los gusanos o lombrices.
VERMICULAR adj. Que tiene vermes. // Que se parece a los gusanos o participa de sus cualidades.
VERMIFORME adj. De figura de gusano.
VERNÁCULO, LA adj. Nativo,de nuestra casa o país.
VERNAL adj. Perten. a la primavera.
VERÓNICA f. *Bot.* Planta vivaz de la fam. escrulariáceas. // Suerte de capa que en tauromaquia se ejecuta con las dos manos.
VEROSÍMIL adj. Que tiene apariencia de verdadero .

// Creíble.
VEROSIMILITUD f. Calidad de verosímil.
VERRACO m. *Zool.* Macho porcino reproductor.// pl. Esculturas de piedra que representan animales.
VERRUGA f. Excrecencia cutánea.
VERRUGOSO, SA adj. Que tiene muchas verrugas.
VERSADO, DA adj. Ejercitada, instruido.
VERSAL o **VERSALITA** adj. Díc. de la letra mayúscula de igual tamaño que la minúscula.
VERSAR intr. Dar vueltas alrededor.// Con la prep. *sobre, tratar* de tal o cual materia un libro, discurso, etc. // r. Hacerse uno práctico o perito de una cosa.
VERSÁTIL adj. Que se vuelve o se puede volver fácilmente.// fig. De genio y caracter voluble.
VERSATILIDAD f. Calidad de versátil.
VERSÍCULO m. Cada una de las breves divisiones de los capítulos de ciertos libros, y esp. de la Biblia.
VERSIFICACIÓN f. Arte de componer versos.
VERSIFICAR intr. Hacer o componer versos. // tr. Poner en verso.
VERSIÓN f. Traducción de una lengua a otra.// Modo que tiene cada uno de referir a un mismo suceso.
VERSO m. Palabra o conjunto de palabras sujetas a cierta medida y cadencia. // U. también en sentido colectivo por contra posición a prosa.
VÉRTEBRA f. *Anat.* Cada uno de los huesos cortos, articulados entre sí, que forman la columna vertebral.

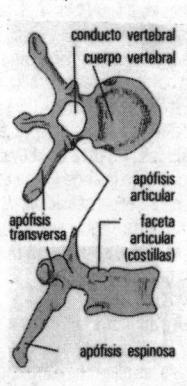

VÉRTEBRAS

VERTEBRADO, DA adj. Que tiene vértebras.// *Zool* m. pl. Animales que tienen esqueleto con columna vertebral.
VERTEBRAL adj. Rel. al las vértebras, o compuesto de ellas.
VERTEDERO m. Sitio o paraje adonde o por donde se vierte algo.
VERTER tr. y r. Derramar o vaciar líquidos o cosas menudas. // Inclinar una vasija o volverla boca abajo para vaciar su contenido.// tr. Traducir.
VERTICAL adj. y s. *Geom.* Apl. a la recta o plano perpendicular al del horizonte.
VERTICALIDAD f. Calidad de vertical.

VÉRTICE m. En un ángulo, punto en que se reúnen sus dos lados, si es plano, o sus caras, cuando es sólido.
VERTICILO m. *Bot.* Conjunto de tres o màs hojas, ramos, y órganos florales, dispuestos en un mismo plano alrededor de un eje.
VERTIENTE f. Pendiente de un relieve por donde corre el agua.
VERTIGINOSO, SA adj. Perten. o rel. al vértigo. // Que causa vértigo. // Que padece vértigos.
VÉRTIGO m. *Med.* Trastorno nervioso que produce al enfermo la sensación de que él o los objetos están animados de movimiento giratorio u oscilatorio. // Turbación del juicio repentina y pasajera.
VESANÍA f. Locura, furia.
VESICAL adj. *Anat.* Perten. o rel. a la vejiga de la orina.
VESÍCULA f. *Med.* Ampolla pequeña en la epidermis, gralte, llena de líquido seroso. // *Anat.* Cavidad membranosa que contiene algún fluido.
VESICULAR adj. De forma de vesícula. // Rel. a la vesícula.
VESPERTINO, NA adj. Perten. o rel. a la tarde. // m. Diario que se publica por la tarde.
VESTALES f. pl. Sacerdotistas de Vesta destinadas a mantener el fuego sagrado en la ant. Roma.
VESTÍBULO m. Atrio o portal que está a la entrada de un edificio. // Cavidad irregular del oído interno.
VESTIDO m. Prenda que se coloca en el cuerpo para cubrirlo o adornarlo. // Conjunto de piezas que sirven para este uso.
VESTIDURA f. Vestido.
VESTIGIO m. Huella. // Memoria que queda de algo ant. o pasado. // fig. Señal que queda de una cosa.
VESTIMENTA f. Vestido
VESTIR tr. Cubrir o adornar el cuerpo con el vestido. // Guardar o cubrir una cosa con otra. // fig. Exornar una especie con galas retóricas.
VESTUARIO m. Conjunto de las piezas que sirven para vestir. // En los teatros, campos de deportes, talleres, etc., local destinado a cambiarse de ropa.
VETA f. Faja o lista de una materia que por su calidad, color, etc., se distingue de la masa en que se halla interpuesta.//Filón metálico.//fig. y fam. Aptitud para una ciencia o arte.
VETAR tr. Poner el veto a una proposición, acuerdo o medida.
VETERANÍA f. Calidad de veterano.
VETERANO, NA adj. y s. Antiguo y experimentado en una profesión u oficio. Apl. esp. a los militares con muchos años de servicio.
VETERINARIA f. Ciencia que trata de la prevención, cura o alivio de las enfermedades y lesiones que afectan a los animales.
VETERINARIO, RIA adj. Perten. o rel. a la veterinaria. // m. El que profesa la veterinaria.
VETO m. Derecho que posee una persona u organismo para impedir o vedar una acción.

VETUSTEZ f. Calidad de vetusto.
VETUSTO, TA adj. Muy antiguo o de mucha edad.
VEZ f. Alternación de las cosas por turno. // Tiempo u ocasión de hacer una cosa por turno u orden. // pl. Actuación de una persona por delegación de otra en sustitución de ella.
VÍA f. Camino por el que se transita. // Raíl del ferrocarril. // fig. Conducto, procedimiento para hacer o conseguir una cosa.
VIABILIDAD f. Calidad de viable.
VIABLE adj. Que puede vivir. // fig. Díc. de lo que tiene probabilidades de llevarse a cabo.
VIADUCTO m. Obra a manera de puente, para el paso de un camino sobre una hondonada.
VIAJAR intr. Acción de trasladarse de un lugar a otro, gralte. distante, por cualquier medio de locomoción.
VIAJE m. Acción y efecto de viajar. // Jornada que se hace de una parte a otra. // Ida a cualquier parte.
VIAJERO, RA adj. Que viaja. // m. y f. Persona que hace un viaje.
VIANDA f. Comida de los racionales. // Comida que se sirve a la mesa.
VIANDANTE com. Persona que hace viaje o anda camino. // Persona que anda errante por los caminos.
VIÁTICO m. Prevención de lo necesario para un viaje. // Sacramento de la Eucaristía, que se administra a los enfermos que están en peligro de muerte.
VÍBORA f. *Zool.* Serpiente venenosa de la fam. vipéridos.

víbora **áspid** (Vipera aspis)

VIBRACIÓN f. Acción y efecto de vibrar. // Cada movimiento vibratorio, o doble oscilación de las moléculas o del cuerpo vibrante.
VIBRANTE adj. Que vibra. // *Ling.* Apl. a la consonante cuyo sonido se produce por la repetición de un movimiento de apertura y cierre del canal bucal.
VIBRAR tr. Dar un movimiento trémulo a una cosa larga, delgada y elástica. // Por ext. tener un sonido trémulo la voz. // fig. Conmoverse. // intr. Moverse algo entre dos posiciones próximas, con movimiento alternativo y rápido.
VIBRÁTIL adj. Capaz de vibrar.
VICARÍA f. Oficio o dignidad de vicario. // Oficina en que despacha el vicario.

VICARIO, RIA adj. y s. Que tiene las veces y poder de otro, o le sustituye.
VICEALMIRANTE m. Oficial general de la armada, inmediatamente inferior al almirante.
VICEPRESIDENTE, TA m. y f. Persona que se encuentra facultada para hacer las veces de presidente.
VICEVERSA adv. m. Al contrario, por lo contrario cambiadas dos cosas recíprocamente. //m. Cosa, dicho o acción al revés de lo que lógicamente debe ser o suceder.
VICIAR tr. y r. Dañar o corromper física o moralmente. // Corromper las buenas costumbres. // r. Entregarse uno a los vicios. // Aficionarse a algo con exceso.
VICIO m. Mala calidad o defecto en las cosas. // Falta de rectitud moral en las acciones. // Hábito de obrar mal. // Demasiado apetito de una cosa.
VICIOSO, SA adj. y s. Entregado a los vicios. // adj. Que tiene o causa vicio o defecto.
VICISITUD f. Orden sucesivo o alternativo de una cosa. // inconstantcia de la suerte.
VÍCTIMA f. Persona o animal destinados al sacrificio. // fig. Persona que padece daño por culpa ajena o por causa fortuita.
VICTORIA f. Acción de vencer o ganar en una guerra, lucha, etc.
VICTORIOSO, SA adj. y s. Que ha conseguido una victoria en cualquier línea. // adj. Apl. también a las acciones con que se consigue.
VICUÑA f. *Zool.* Mamífero rumiante camélido, similar a la llama, y de cuerpo cubierto de pelo largo y fino.
VID f. *Bot.* Planta vivaz y trepadora de la fam. ampelídeas, con tronco retorcido, y hojas con cinco lóbulos puntiagudos,. Su fruto es la uva.
VIDA f. Actividad funcional de los seres orgánicos, indispensable para su conservación. // Espacio de tiempo que transcurre desde el nacimiento de un animal o un vegetal hasta su muerte. // Duración de las cosas. // Modo de vivir.
VIDENTE m. Profeta.
VIDRIADO, DA adj. Vidrioso.// m. Barro o loza con barniz vítreo. // Este barniz.
VIDRIAR tr. Dar a las piezas de barro o loza un barniz que, fundido al horno, toma la transparencia y el lustre del vidrio. // r. Ponerse vidriosa alguna cosa.
VIDRIERA f. Bastidor com vidrio, con que se cierran puertas y ventanas.
VIDRIO m. Sustancia dura, frágil, transparente, formada por la combinación de la sílice con potasa o sosa y pequeñas cantidades de otras bases. // Cualquier pieza o vaso de vidrio.
VIDRIOSO, SA adj. Que fácilmente se quiebra o salta, como el vidrio. // fig. Apl. al piso muy resbaladizo.
VIEJO, JA adj. y s. Díc. de la persona o animal de mucha edad. // adj. Antiguo, o del tiempo pasado. // Que no es reciente ni nuevo. // Estropeado por el uso.
VIENTO m. Corriente de aire producida en la

atmósfera por causas naturales. // Aire atmosférico. // fig. Ventosidad.

VIENTRE m. *Anat.* Cavidad del cuerpo en la que están contenidos los intestinos y otras vísceras contenidas en dicha cavidad. // Conjunto de las vísceras contenidas en dicha cavidad. // Región exterior del cuerpo, correspondiente al abdomen. // Feto o preñado. // Panza de una cosa. // fig. Cavidad grande e interior de una cosa.

VIGA f. Madero largo y grueso para formar techos y sostener las fábricas. // Barra de hierro de igual uso que la viga.

VIGENCIA f. Calidad de vigente.

VIGENTE adj. Apl. a las leyes, costumbres, etc., que están en vigor.

VIGÉSIMO, MA adj. Que sigue inmediatamente en orden al o a lo decimonono.

VIGÍA f. Atalaya. // f. y s. m. Persona destinada a atalayar el mar o la campiña.

VIGILANCIA f. Cuidado y atención exacta en las cosas que están a cargo de cada uno. // Servicio ordenado y dispuesto para vigilar.

VIGILAR intr. y tr. Velar sobre una persona o cosa, o atender cuidadosamente a ella.

VIGILIA f. Acción de estar despierto o en vela. // Víspera. // Falta de sueño o dificultad de dormirse. // Comida con abstinencia de carne.

VIGOR m. Fuerza. // Viveza o eficacia de las acciones. // Fuerza de obligar en las leyes u ordenanzas o duración de las costumbres o estilos.

VIGORIZAR tr. y r. Dar vigor. // fig. Animar, esforzar.

VIGOROSO, SA adj. Que tiene vigor.

VIHUELA f. *Mús.* Nombre que se aplica a distintos instrumentos hispánicos de cuerda.

VIL adj. Bajo o despreciable. // Torpe, infame. // adj. y s. Apl. a la persona desleal.

VILEZA f. Calidad de vil. // Acción o expresión indigna o infame.

VILIPENDIAR tr. Despreciar alguna cosa, o tratar a uno con vilipendio.

VILIPENDIO m. Desprecio, denigración de una persona o cosa.

VILLA f. Casa de recreo sit. aisladamente en el campo. // Población que tiene algunos privilegios. // Corporación municipal.

VILLANCICO m. Composición poética popular con estribillo, que se canta en Navidad y otras festividades.

VILLANÍA f. Bajeza de nacimiento, condición o estado. // fig. Acción ruin.

VILLANO, NA adj. y s. Vecino del estado llano en una villa o aldea, a distinción del noble. // adj. fig. Rústico o descortés. // Ruín, indigno.

VILLORRIO m. despect. Población pequeña y poco urbanizada.

VINAGRE m. Líquido agrio y astringente, producido por la fermentación ácida del vino.

VINAGRERA f. Vasija destinada a contener vinagre para el uso diario.

VINAGRETA f. Salsa compuesta de aceite, cebolla y vinagre.

VINCULAR tr. Sujetar o gravar los bienes a vínculo, para perpetuarlos en empleo o familia determinados por el fundador. // fig. Atar o fundir una cosa en otra. // tr. y r. fig. Perpetuar o continuar algo.

VÍNCULO m. Unión o atadura de una persona o cosa con otra.

VINDICACIÓN f. Acción y efecto de vindicar o vindicarse.

VINDICAR tr. y r. Vengar. // Defender al que se halla injuriado o calumniado.

VINÍCOLA adj. Rel. a la fabricación del vino.

VINICULTURA f. Elaboración de vinos.

VINO m. Licor alcohólico que se hace del zumo de las uvas fermentado.

VIÑA f. Terreno plantado de muchas vides.

VIÑEDO m. Viña.

VIÑETA. f. Dibujo o estampita que se pone para adorno en el principio o el fin de los libros o capítulos.

VIOLA f. *Mús.* Instrumento de cuerda de la fam. del violín, de tamaño un poco mayor que éste.

VIOLÁCEAS f. pl. *Bot.* Fam. de plantas dicotiledóneas, hierbas, matas o arbustos, cuyo tipo es la violeta.

VIOLACIÓN f. Acción y efecto de violar.

VIOLAR tr. Infringir una ley o precepto. // Tener acceso carnal con una mujer por fuerza. // Profanar un lugar sagrado. // fig. Ajar una cosa.

VIOLENCIA f. Calidad de violento. // Acción y efecto de violentar o violentarse. // fig. Acción violenta. // Acción de violar a una mujer.

VIOLENTAR tr. Aplicar medios violentos a cosas o personas para vencer su resistencia. // fig. Tergiversar lo dicho o escrito.

VIOLENTO, TA adj. Que está fuera de su natural estado, situación o modo. // Que obra con ímpetu y fuerza. Díc. también de las mismas acciones. // Díc. de lo que hace uno contra su gusto. // fig. Apl. al que se deja llevar fácilmente de la ira.

VIOLETA f. *Bot.* Planta vivaz de la fam. violáceas, con flores de color morado claro. // Flor de esta planta. // adj. y s. m. Díc de lo que es de color morado claro.

VIOLÍN m. Instrumento músico de cuerda, que se tañe frotándolo con un arco. Es el más agudo de los instrumentos de arco.

VIOLINISTA com. Persona que profesa el arte de tocar el violín.

VIOLÓN m. Contrabajo, instrumento de cuerda.

VIOLONCELO m. Violonchelo.

VIOLONCHELO m. Instrumento músico de cuerda de la fam. del violín.

VIPERINO, NA adj. Perten. a la víbora. // fig. Que tiene sus propiedades.

VIRAJE m. Acción y efecto de virar

VIRAR tr. e intr. *Mar.* Cambiar de rumbo o de bordada. // tr. Dar vueltas al cabrestante para levar las anclas o suspender pesos. // intr. Mudar de dirección en la marcha de un automóvil u otro vehículo semejante.

VIRGEN com. y adj. Persona que no ha tenido unión sexual. // adj. Díc. de la tierra que no ha sido arada o cultivada. // Por anton., María, madre de Cristo.

VIRGINAL adj. Perten. a la virgen. // fig. Puro, inmaculado.

VIRGINIDAD f. Entereza corporal de la persona que no ha tenido comercio carnal.

VÍRGULA f. Vara pequeña. // Rayita o línea muy delgada.

VIRIL adj. Perten. o rel. al varón, varonil.

VIRILIDAD f. Calidad de viril. // Edad viril.

VIROLA f. Abrazadera metálica que se pone en algunos instrumentos por remate o por adorno.

VIROLOGÍA f. Parte de la microbiología que tiene por objeto el estudio de los virus.

VIRREINA f. Mujer del virrey. // La que gobierna como virrey.

VIRREINATO m. Dignidad o cargo de virrey.// Tiempo que dura el cargo de virrey. // Territorio de jurisdicción.

VIRREY m. El que con este título gobierna en nombre y con autoridad de rey.

VIRTUAL adj. Que tiene virtud para producir un efecto, aunque no lo produce de presente. //Implícito, tácito.// *Fís.* Que tiene existencia aparente y no real.

VIRTUD f. Capacidad de las cosas para producir sus efectos. // Fuerza, vigor o valor. // Poder o potestad de obrar. // Integridad de ánimo o bondad de vida. // Opción virtuosa o recto modo de proceder.

VIRTUOSO, SA adj. y s. Que se ejercita en la virtud y obra según ella. // Díc. del artista que domina de modo extraordinario la técnica de su instrumento.

VIRUELA f. *Med.* Enfermedad aguda, contagiosa, con erupción de pústulas o granos en la piel.

VIRULENCIA f. Calidad de virulento.

VIRULENTO adj. Ponzoñoso, maligno.// Que tiene pus o está infectado. // fig. Díc del escrito o discurso mordaz y sañudo.

VIRUS m. Germen de varias enfermedades, principalmente contagiosas.

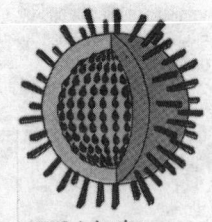

VIRUS de la gripe

VIRUTA f. Hoja delgada que se saca con el cepillo al labrar la madera o los metales.

VISADO m. Acción y efecto de visar la autoridad un documento.

VISAJE m. Expresión del rostro según los diversos afectos del ánimo.

VISAR tr. Reconocer o examinar un instrumento, certificación, etc., poniéndole el visto bueno.

VÍSCERA f. *Anat.* Entraña del hombre o de los animales.

VISCERAL adj. Perten. o rel. a las vísceras.

VISCOSIDAD f. Calidad de viscoso. // Materia viscosa.

VISCOSO, SA . adj. Pegajoso, glutinoso.

VISERA f. Parte de ala que tienen por delante las gorras y otras prendas semejantes.

VISIBILIDAD f. Calidad de visible.

VISIBLE adj. Que se puede ver. //Tan cierto y evidente que no admite duda.

VISIGODO, DA adj. y s. Díc. del individuo de una parte del pueblo godo que fundó un reino en España.

VISIGÓTICO adj. Perten. o rel. a los visigodos.

VISILLO m. Cortina pequeña.

VISIÓN f. Acción y efecto de ver. // Objeto de la vista. // Producto de la fantasía o imaginación.

VISIONARIO adj. y s. Díc. del que, en fuerza de su fantasía exaltada, se figura y cree cosas quiméricas.

VISIR m. Título que en los paises musulmanes se otorgaba a los altos dignatarios.

VISITA f. Acción de visitar. // Persona que visita. // Acto durante el cual el médico reconoce al enfermo

VISITAR tr. Ir a ver a uno a su casa.// Ir el médico a casa del enfermo para asistirle. // Acudir con frecuencia a un paraje con objeto determinado.// Ir a algún lugar para conocerlo.

VISLUMBRAR tr. Ver un objeto tenue o confusamente por la distancia o falta de luz. // fig. Conjeturar por leves indicios una cosa inmaterial.

VISO m. Destello que despiden algunas cosas heridas por una luz. // Forro de color o prenda de vestido que se coloca debajo de una tela clara para que por ella se transparente.// fig. Apariencia de las cosas.

VISÓN m. *Zool.* Mamífero carnicero semejante a la marta. // Piel curtida de este animal.

VISOR m. Prisma o sistema óptico que llevan ciertos aparatos fotográficos de mano, y sirve para enfocar rápidamente.

VÍSPERA f. Día que antecede inmediatamente a otro. // Fig. Cualquier cosa que antecede a otra, y en cierto modo la ocasiona.

VISTA f. Sentido corporal con que se ven los colores y formas de las cosas. // Acción y efecto de ver. // Paisaje que se descubre desde un punto. // Ojo humano. // Conjunto de ambos ojos. // Encuentro o concurrencia en que uno se ve con otro.// Visión o aparición.

VISTAZO m. Ojeada.

VISTOSO, SA . adj. Que atrae mucho la atención.

VISUAL adj. Perten. a la vista como medio para ver. // f. Línea recta que se considera tirada desde el ojo del

410

espectador hasta el objeto.
VISUALIZAR tr. Visibilizar. // Representar mediante imágenes ópticas fenómenos de otro carácter.
VITALICIO,CIA adj. Que dura desde que se obtiene hasta el fin de la vida. // m. Póliza de seguros sobre la vida.
VITALIDAD f. Calidad de tener vida. // Actividad de las facultades vitales.
VITALISMO m. Doctrina que explica la vida y las funciones de los seres vivos como el producto de una fuerza o principio vital distinto de las fuerzas químicas y físicas.
VITAMINA f. Sustancia orgánica que los organismos han de obtener del medio en que viven, y que son indispensables para la salud.
VITAMÍNICO,CA adj. Perten. o rel. a las vitaminas.
VITELA f. Piel de vaca o ternera, adobada y muy pulida.
VITELO m. Citoplasma del huevo de los animales.
VITICULTURA f. Arte de cultivar la vid.
VITOLA f. Plantilla para calibrar balas de cañón o de fusil. // Anilla de cigarros puros.
VITOREAR tr. Aplaudir o aclamar con vítores.
VÍTREO,A adj. Hecho de vidrio, o que tiene sus propiedades. I Parecido al vidrio.
VITRIFICACIÓN f. Acción y efecto de vitrificar o vitrificarse.
VITRIFICAR tr. y r. Convertir en vidrio una sustancia.
VITRINA f. Escaparate, armario o caja con puertas o tapas de cristales.
VITRIOLO m. *Quim*. Acido sulfúrico comercial.
VITUALLA f. Conjunto de cosas necesarias para la comida, esp. en los ejércitos. // Fam. abundancia de comida, esp. de verdura.
VITUPERAR tr. Decir mal de una persona o cosa.
VITUPERIO m. Oprobio que se dice a uno. // Acción o circunstancia que causa afrenta o deshonra.
VIUDEDAD f. Cantidad anual de dinero que se asigna a las viudas.
VIUDEZ f. Estado de viudo o viuda.
VIUDO,DA adj. y s. Díc. de la persona a quien se le ha muerto su cónyuge y no ha vuelto a casarse.
VIVACIDAD f. Calidad de vivaz. // Esplendor y lustre de algunas cosas.
VIVAR m. Paraje donde crían los conejos. // Vívero de peces.
VIVARACHO,CHA adj. fam. Muy vivo de genio; travieso y alegre.
VIVAZ adj. Que vive mucho tiempo. // Eficaz, vigoroso. // Agudo, perspicaz. // *Bot*. Díc. de la planta que vive más de dos años.
VIVENCIA . f. Hecho de experiencia que, con participación consciente o inconsciente del sujeto, se incorpora a su personalidad.
VIVERO m. Terreno donde se trasplantan, desde la almáciga, los arbolillos. // Lugar donde se crían peces, crustáceos y moluscos.

VIVEZA f. Prontitud en las acciones, o agilidad en la ejecución. // Agudeza o perspicacia de ingenio.
VÍVIDO,DA adj. poét. Eficaz, vigoroso. // De ingenio agudo.
VIVIENDA f. Morada, habitación. // Género de vida o modo de vivir.
VIVIFICAR tr. Dar vida. // Confortar o refrigerar.
VIVÍPARO,RA adj. y s. Apl. a los animales que paren vivos los hijos.
VIVIR m. Conjunto de los recursos o medios de vida y sustancia.
VIVIR intr. Tener vida. // Durar con vidad. // Durar las cosas. // Pasar y mantener la vida. // intr. y tr. Habitar.
VIVISECCIÓN f. Disección de los animales vivos con finalidad científica.
VIVO,VA adj. y s. Que tiene vida. // Intenso, fuerte. // Ingenioso, astuto, perspicaz. // Poco considerado en las expresiones o acciones. // Diligente, ágil. // Muy expresivo.
VIZCONDE m. Funcionario designado por el conde para sustituirle durante sus ausencias.
VOCABLO m. Palabra, sonido o sonidos articulados que expresan una idea, y representación gráfica de estos sonidos.
VOCABULARIO m. Conjunto de palabras de un idioma. // Libro en que se contiene. // Conjunto de palabras que se usa esp. en determinada materia
VOCACIÓN f. Advocación. // fam. Inclinación a cualquier estado, profesión o carrera.
VOCACIONAL adj. Perten. o rel. a la vocación.
VOCAL adj. Perten. a la voz. // adj. y s. Sonido producido en cualquier lengua por la vibración de las cuerdas vocales.
VOCALIZAR intr. Ejecutar los ejercicios de vocalización, para aprender a cantar.
VOCATIVO m. *Ling*. Caso de la declinación que sirve sólo para invocar, llamar o nombrar.
VOCEAR intr. Dar voces o gritos. // tr. Publicar con voces una cosa. // Aclamar con voces.
VOCERÍO m. Confusión de voces altas y desentonadas.
VOCIFERAR tr. Publicar ligera y jactanciosamente una cosa. // intr. Vocear.
VOCINGLERO,RA adj. y s. Que da muchas voces o habla muy recio. // Que habla mucho y vanamente.
VODKA f. Especie de aguardiente que se consume mucho en Rusia.
VOLADIZO adj. y s. m. Que vuela o sale de lo macizo en las paredes o edificios.
VOLADOR,RA adj. Que vuela. // Díc. de lo que está pendiente, de manera que el aire lo pueda mover.
VOLADURA f. Acción y efecto de volar por el aire y hacer saltar con violencia algo.
VOLANTE adj. Que va o se lleva de una parte a otra sin sitio o asiento fijo. // m. Guarnición con que se adornan prendas de vestir o de tapicería. // Pieza de los automóviles, que sirve para accionar la dirección

con la mano.
VOLAR intr. Ir o moverse por el aire, sosteniéndose con las alas. // fig. Elevarse en el aire y moverse de un punto a otro en un aparato de aviación. // fig. Caminar con prisa. // Ir por el aire una cosa con violencia. // Propagarse con celeridad una noticia entre muchos. // tr. fig. Hacer saltar con violencia en el aire algo.
VOLATERÍA f. Caza de aves que se hace con otras enseñadas a este efecto. // Conjunto de diversas aves.
VOLÁTIL adj. y s. Que vuela o puede volar. adj. fig.

VOLTERETA f. Vuelta ligera dada en el aire.
VOLTÍMETRO m. Aparato para medir la diferencia de potencial eléctrico entre dos puntos de un circuito.
VOLTIO m. Cantidad de fuerza electromotríz que, aplicada a un conductor cuya resistencia sea de un ohmio, produce una corriente de un amperio.
VOLUBLE adj. Que fácilmente se puede volver alrededor. // fig. Versátil.
VOLUMEN m. *Geom.* Espacio ocupado por un cuerpo. // Cuerpo material de un libro encuadernado.

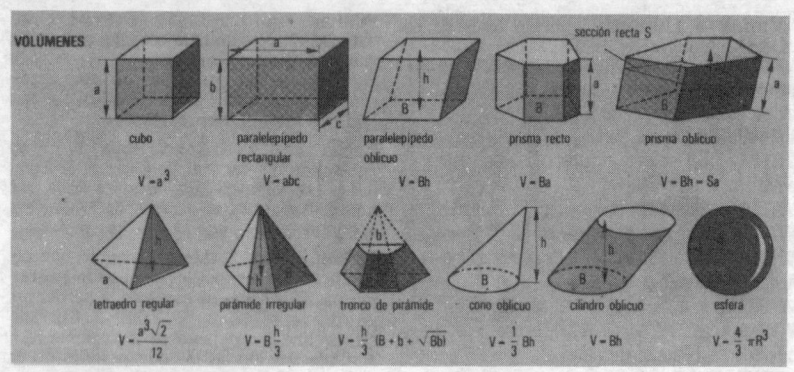

VOLÚMENES

cubo	paralelepípedo rectangular	paralelepípedo oblicuo	prisma recto	prisma oblicuo
$V = a^3$	$V = abc$	$V = Bh$	$V = Ba$	$V = Bh = Sa$

tetraedro regular	pirámide irregular	tronco de pirámide	cono oblicuo	cilindro oblicuo	esfera
$V = \dfrac{a^3\sqrt{2}}{12}$	$V = B\dfrac{h}{3}$	$V = \dfrac{h}{3}(B + b + \sqrt{Bb})$	$V = \dfrac{1}{3}Bh$	$V = Bh$	$V = \dfrac{4}{3}\pi R^3$

Mudable, inconstante. // *Quím.* Díc. de la sustacia que se volatiliza con facilidad.
VOLATILIZAR tr. Transformar un cuerpo sólido o líquido en vapor o gas. // r. Exhalarse o disiparse una sustacia o cuerpo.
VOLATINERO,RA m. y f. Persona que con habilidad anda y voltea por el aire sobre una cuerda o alambre.
VOLCÁN m. Abertura de la corteza terrestre, por donde salen al exterior materiales fundidos y gases procedentes del interior de la Tierra. // fig. El mucho fuego, o la violencia del ardor. // Cualquier pasión ardiente.
VOLCAR tr. e intr. Torcer o trastornar una cosa, de modo que caiga o se vierta lo contenido en ella.
VOLEAR tr. Herir una cosa en el aire para impulsarla. // Sembrar a voleo.
VOLEO m. Golpe dado en el aire a una cosa antes que caiga al suelo.
VOLFRAMIO m. *Quím.* Metal de color gris de acero, muy duro, y difícilmente fusible.
VOLICIÓN f. Acto de la voluntad.
VOLITIVO,VA adj. Apl. a los actos y fenómenos de la voluntad.
VOLTAJE m. Conjunto de voltios que actúan en un aparato o sistema eléctrico.
VOLTÁMETRO m. Aparato destinado a demostrar la descomposición del agua por la corriente eléctrica.
VOLTEAR tr. Dar vueltas a una persona o cosa. // Poner una cosa al revés de como estaba. // Trastocar. // intr. Dar vueltas una persona o cosa.
VOLEO m. Acción y efecto de voltear.

VOLUMINOSO,SA adj. Que tiene mucho volumen o bulto.
VOLUNTAD f. Potencia del alma que mueve a hacer o no hacer una cosa. // Acto con que la potencia volitiva admite o rehúye una cosa. // Libre albedrío. // Intención. // Deseo de algo. // Mandato de una persona.
VOLUNTARIEDAD f. Calidad de voluntario.
VOLUNTARIO,RIA adj. Díc. del acto que nace de la voluntad, y no por fuerza o necesidad extrañas a aquélla. // Que obra por capricho. // m. y f. Persona que se presta a hacer algo por propia voluntad.
VOLUNTARIOSO,SA adj. Que hace con voluntad y gusto una cosa.
VOLUPTUOSIDAD f. Complacencia en los deleites sensuales.
VOLUTA f. Cosa que tiene forma de espiral.
VOLVER tr. Dar vuelta o vueltas a una cosa. // Corresponder, pagar, retribuir. // Dirigir, encaminar una cosa a otra. // Devolver, restituir. // Poner a una persona o cosa en el estado que antes tenía. // intr. y r. Regresar al punto de partida. // r. Girar la cabeza, el dorso o todo el cuerpo, para mirar lo que está a la espalda.
VÓMER m. *Anat.* Hueso impar de la cabeza, que contribuye a formar el tabique medio de la nariz.
VÓMICO,CA adj. Que motiva o causa vómito.
VOMITAR tr. Arrojar violentamente por la boca lo contenido en el estómago. // fig. Arrojar de sí violentamente una cosa algo que tiene dentro.
VOMITIVO,VA adj. Díc. de aquella sustancia que provoca el vómito. // Emético.
VÓMITO m. Acción de vomitar.// Lo que se vomita.

VORACIDAD f. Calidad de voraz.
VORÁGINE f. Remolino impetuoso que hacen en algunos parajes las aguas.
VORAZ adj. Apl. al animal muy comedor, y al hombre que come con mucha ansia. // fig. Que destruye o consume rápidamente.
VÓRTICE m. Torbellino, remolino. // Centro de un ciclón.
VOS Cualquiera de los casos del pron. pers. de segunda pers. en género m. y f. y núm. sing. y pl., cuando esta voz se emplea como tratamiento.
VOSOTROS, AS Nominativos m. y f. del pron. pers. de segunda pers. en número pl.
VOTACIÓN f. Acción y efecto de votar. // Conjunto de votos emitidos.
VOTAR intr. y tr. Hacer voto a Dios. // Dar uno su voto, o decir su dictamen, en una reunión o cuerpo deliberante. // tr. Aprobar por votación.
VOTO m. Cualquiera de los prometimientos propios del estado religioso. // Parecer o dictamen que se da a una junta en orden a la decisión de un punto o elección de un sujeto. // Dictamen o parecer dado sobre una materia. // Juramento en demostración de ira.
VOZ f. Sonido que el aire expelido de los pulmones produce al salir de la laringe, haciendo que vibren las cuerdas vocales.// Grito. // Vocablo. // fig. Músico que canta. // Facultad de hablar aunque no de votar, en una asamblea.
VOZARRÓN m. Voz muy fuerte y gruesa.
VUELO m. Acción de volar. // Espacio que se recorre volando sin posarse. // Aplitud o extensión de una vestidura en la parte que no se ajusta al cuerpo.
VUELTA f. Movimiento de una cosa alrededor de un punto, o girando sobre sí misma. // Cada una de las circunvoluciones de una cosa alrededor de otra. // Regreso. // Devolución de una cosa a quien la tenía o poseía. // Repetición de una cosa. // Dinero sobrante de un pago efectuado con una cantidad superior a la debida.
VUESTRO, TRA, TROS, TRAS Pron. posesivo de segunda pers. en número pl.
VULCANIZACIÓN f. Acción y efecto de vulcanizar.
VULCANIZAR tr. Combinar azufre con la goma elástica para que ésta conserve su elasticidad en frío y en caliente.
VULGAR adj. Perten. al vulgo. // Común o general, por contraposición a especial o técnico. // Apl. a las lenguas que se hablan actualmente, en contraposición a las lenguas sabias. // Ordinario, corriente.
VULGARIDAD f. Calidad de vulgar. // Dicho o hecho vulgar.
VULGARISMO m. *Ling.* Dicho o frase esp. usada por el vulgo.
VULGARIZAR tr. y r. Hacer vulgar una cosa. // Exponer una ciencia o una materia técnica cualquiera, en forma asequible al vulgo.

VULGO m. El común de la gente popular. // Conjunto de las personas que en cada materia no conocen más que la parte superficial.
VULNERABLE adj. Que puede ser herido o recibir lesión, física o moralmente.
VULNERAR tr. Transgredir, quebrantar, violar una ley o precepto. // fig. Dañar, perjudicar.
VULVA f. *Anat.* Parte que rodea y constituye la abertura exterior de la vagina.

W

W f. Vigésima sexta letra del abecedario español, y vigésima primera de sus consonantes. Su nombre es *uve* doble.
WAT m. Denominación internacional de vatio.
WATERCLOSET m. Excusado, retrete.
WOLFRAMIO m. Volframio.

X

X f. Vigésima séptima letra del abecedario español, y vigésima segunda de sus consonantes. Su nombre es *equis*.
XENOFOBIA f. Odio a los extranjeros.
XENÓN m. *Quim.* Cuerpo simple que en estado de gas se encuentra en el aire atmosférico.
XERÓFILO, LA adj. *Bot.* Díc. de la planta que prospera mejor en un medio seco.
XERÓFITO, TA adj. Xerófilo.
XIFOIDES adj. y s. *Anat.* Díc. del cartílago en que termina el esternón.
XILÓFAGO, GA adj. *Zool.* Que come madera.
XILÓFONO m. Instrumento musical de percusión, compuesto de una serie de varillas o láminas de madera de diversa longitud, que se tocan con dos macillos.
XILOGRAFÍA f. Impresión tipográfica hecha con planchas de madera previamente grabadas.

Y

Y f. Vigésima octava letra del abecedario español, y vigésima tercera de sus consonantes. Su nombre es *y griega* o *ye*.
YA Adv. t. con que se denota el tiempo pasado. // En el tiempo presente, haciendo relación al pasado. // En tiempo u ocasión futura. // Finalmente, o últimamente.
YACER intr. Estar echada o tendida una persona. // Estar un cadáver en la fosa. // Existir o estar, real o figuradamente, una persona o cosa en algún lugar. // Tener trato carnal con una persona.
YACIMIENTO m. Sitio donde se halla naturalmente una roca, un mineral o un fósil.

YAK n.m. Mamífero bóvido de las estepas desérticas de Asia central (a más de 5.000 m de altitud).
YAMBO m. Pie de la poesía griega y latina, base del verso yámbico.

XILOGRAFÍA

el aguador, xilografía catalana del s. XVIII

YANQUI adj. y s. Natural de Nueva Inglaterra, en los EE.UU. y, por ext., habitante de esta nación.
YAQUIS m. pl. Tribu americana que vive en el Estado de Sonora, al NE de México.
YATE m. *Mar.* Barco ligero, a vela o motor, para recreo.
YEGUA f. Hembra del caballo.
YEÍSMO m. *Ling.* Fenómeno que consiste en pronunciar la ll como y.
YELMO m. Parte de la armadura ant. que resguardaba la cabeza y el rostro.
YEMA f. *Bot.* Rudimento de brote que originará una rama, una flor, o varias hojas. // Masa central amarilla del huevo de ave. // En el dedo, parte carnosa de su punta, opuesta a la uña.
YEN m. Unidad monetaria del Japón.
YERMO, MA adj. y s. Inhabitado. // Incultivado. // m. Terreno inhabitado.
YERNO m. Respecto de una persona, marido de su hija.
YERRO m. Falta o delito cometido por ignorancia o malicia. // Error por descuido o inadvertencia.
YESCA f. Materia muy seca y preparada de suerte que cualquier chispa prenda en ella. // fig. Incentivo de cualquier pasión o afecto.
YESERÍA f. Fábrica de yeso. // Tienda o sitio en que se vende yeso. // Obra hecha de yeso.
YESO m. Sulfato cálcico hidratado; se presenta en cristales, en agregados y masas espáticas; ofrece variedad de colores, se esfolia con facilidad, es blando y puede rayarse con la uña.

YEYUNO m. *Anat.* Sección del intestino delgado desde el duodeno al íleon.
YO Nominativo del pron. pres. de primera pers. en género m. o f. y número singular. // *Fil.* m. Sujeto pensante y consciente de las propias modificaciones, frente al mundo exterior.
YODO m. *Quím.* Elemento no metálico que se encuentra en el agua de mar, en las sustancias orgánicas, y acompañando al bromo y al cloro.
YODUROS m. pl. *Quím.* Cuerpos resultantes de la combinación del yodo con un radical simple o compuesto.
YOGA n.m. Doctrina y sistema ascético de los adeptos al brahmanismo, mediante los cuales pretenden éstos conseguir la perfección espiritual y la unión beatífica.
YOGUR m. Leche cuajada sometida a la acción del fermento láctico.
YUGO m. Instrumento de madera al cual, formando yunta, se uncen las mulas o los bueyes.
YUNQUE m. Prisma de hierro acerado a propósito para trabajar en él a martillo los metales. // *Anat.* Uno de los huesecillos del oído interno.
YUNTA f. Par de animales que sirven en la labor del campo o en los acarreos.
YUTE m. *Bot.* Materia obtenida de la corteza interior de algunas plantas tiliáceas de la India. Se usa en la fabricación de cuerdas, sacos, etc.
YUXTA- Forma prefija del latín iuxta, al lado de, cerca de.
YUXTAPONER tr. y r. Poner una cosa junto a otra, o inmediata a ella.
YUXTAPOSICIÓN f. Acción y efecto de yuxtaponer o yuxtaponerse.

Z

Z f. Vigésima novena y última letra del abecedario español, y vigésima cuarta de sus consonantes. Su nombre es *zeda* o *zeta*.
ZAFAR tr. y r. Quitar los estorbos de una cosa. // r. Escaparse o esconderse para evitar un encuentro o riesgo. // fig. Excusarse de hacer algo.
ZAFARRANCHO m. Acción y efecto de desembarazar una parte de la embarcación, disponiéndola para determinada faena.
ZAFIRO m. Corindón cristalizado de color azul, muy apreciado en joyería.
ZAFRA f. Cosecha de caña de azúcar. // Fabricación del azúcar de caña y, por ext., del de remolacha.
ZAGA f. Parte posterior trasera de una cosa. // El postrero en el juego.
ZAGAL m. Muchacho que ha llegado a la adolescencia. // Pastor mozo, subordinado al rabadán.
ZAGALA f. Muchacha soltera, pastora joven.
ZAGUÁN m. Pieza cubierta que sirve de vestíbulo en la entrada de una casa.

ZAGUERO, RA adj. Que va, se queda o está atrás.
ZAHERIR tr. Mortificar a uno con represión maligna.
ZAHONDAR tr. Ahondar la tierra. // intr. Hundirse los pies en ella.

Los **zancos**, por Goya (M. del Prado)

ZAHORÍ m. Persona a quien el vulgo atribuye la facultad de ver lo que está oculto, aunque sea debajo de la tierra. I fig. Persona perspicaz y escudriñadora.
ZAÍNO, NA adj. Traidor, falso.
ZAÍNO, NA adj. Díc. del caballo o yegua castaño oscuro que no tiene otro color. // En el ganado vacuno, el de color negro.
ZALAGARDA f. Emboscada para coger descuidado al enemigo. // Escaramuza.
ZALAMERÍA f. Demostración de cariño afectada y empalagosa.
ZALAMERO, RA adj. y s. Que hace zalamerías.
ZAMARRA f. Prenda de vestir, rústica, hecha de piel con su lana o pelo. // Piel de carnero.
ZAMBO, BA adj. y s. Díc. de la persona que tiene juntas las rodillas y separadas las piernas hacia afuera. // Díc. en America del hijo de negro e india, o al contrario.
ZAMBOMBA f. Instrumento rústico que produce un sonido fuerte y monótono.
ZAMBRA f. Especie de barco que usaban los moros.
ZAMBULLIR tr. y r. Meter debajo del agua con ímpetu o de golpe. // r. fig. Esconderse en alguna parte.
ZAMPAR tr. Comer apresurada y excesivamente. // r. Meterse de golpe en una parte.
ZAMPOÑA f. Instrumento rústico, a modo de flauta, o compuesto de muchas flautas.
ZANAHORIA f. Bot. Planta herbácea anual de la fam. umbelíferas, de tallos estriados y raíz fusiforme, amarilla o rojiza, comestible.
ZANCADA f. Paso largo.
ZANCADILLA f. Acción de cruzar uno su pierna por detrás de la de otro para derribarlo. // fig. y fam. Engaño, trampa.
ZANCO m. Cada uno de dos palos altos y dispuestos con sendas horquillas, en que se afirman y atan los pies.
ZANCUDAS f. pl. Zool. Aves gralte. de ribera o pantano, que tienen muy desarrollados los tarsos, el cuello y el pico.
ZÁNGANA f. Mujer floja y torpe.
ZANGANEAR intr. fam. Andar vagando de una parte a otra sin trabajar.
ZÁNGANO m. Macho de la abeja reina. // fig. y fam. Hombre holgazán.
ZANJA f. Excavación larga y angosta que se hace en la tierra.// Arroyada producida por el agua corriente.
ZANJAR tr. Abrir zanjas. // Resolver de modo expedito un asunto.
ZAPA f. Pala herrada con un corte acerado, que usan los zapadores o gastadores.
ZAPADOR m. Soldado destinado a trabajar con la zapa.
ZAPAR intr. Trabajar con la zapa.
ZAPATA f. Pieza que, sit. sobre el plato de las ruedas de un automóvil, frena el movimiento de éstas.
ZAPATEAR tr. Golpear con el zapato. // Dar golpes en el suelo con los pies calzados.
ZAPATERÍA f. Taller donde se hacen zapatos. // Tienda donde se venden.
ZAPATILLA f. Zapato ligero y de suela muy delgada. // Zapato de comodidad o abrigo para estar en casa.
ZAPATO m. Calzado que no pasa del tobillo, con la parte inferior de suela.
ZAR m. Título que se daba al emperador de Rusia y al soberano de Bulgaria.
ZARANDA f. Cribo, criba. // Cedazo rectangular con fondo de red que se emplea en los lagares. // Pasador de metal para colar la jalea.
ZARANDAJA f. fam. Cosa menuda sin valor.
ZARANDEAR tr. fig. Ajetrear.
ZARCEAR tr. Limpiar los conductos de unas zarzas largas.
ZARCILLO m. Bot. Hoja o brote en forma de filamento que sirve a ciertas plantas para trepar, como la vid.
ZARINA f. Esposa del zar. // Empeatriz de Rusia.
ZARPA f. Acción de zarpar. // Mano con dedos y uñas en ciertos animales.
ZARPADA f. Golpe dado con la zarpa.
ZARPAR tr. e intr. Mar. Levantar las anclas para salir del fondeadero.
ZARPAZO m. Zarpada. // Golpazo.
ZARRAPASTROSO, SA adj. y s. fam. Desaseado,

andrajoso.
ZARZA f. *Bot.* Arbusto de la fam. rosáceas, con tallos sarmentosos, provistos de aguijones fuertes y ganchosos. Su fruto es la zarzamora.
ZARZAL m. Sitio poblado de zarzas.
ZARZAMORA f. *Bot.* Fruto de la zarza.
ZARZUELA f. Obra dramática y musical.
ZIGOTO m. *Biol.* Célula formada por la unión de dos gametos.
ZIGURAT m. Edificio sagrado de Mesopotamia en forma de pirámide escalonada.
ZIGZAG m. Serie de líneas que forman alternativamente ángulos entrantes y salientes.
ZINC m. Cinc.
ZÓCALO m. Cuerpo inferior de un edificio para levantar los basamentos a un mismo nivel. // Friso. // Elemento inferior del pedestal.
ZODIACAL adj. Perten. o rel. al Zodíaco.
ZODÍACO m. Zona de la esfera celeste en la cual se mueven los planetas terrestres excepto Plutón.
ZONA f. Lista o faja. // Extensión de terreno que tiene forma de zanja. // Extensión considerable de terreno cuyos límites están determinados por razones administrativas, políticas, etc.
ZOO m. Parque zoológico.
ZOO- Forma prefija del griego zoon, animal.
ZOÓFAGO, GA adj. y s. Que se alimenta de materias animales.
ZOOLOGÍA f. Parte de la Biología que se ocupa del estudio de los animales.
ZOOLÓGICO, CA adj. Perten. o rel. a la zoología.
ZOPENCO, CA adj. y s. fam. Tonto y abrutado.
ZORRA f. *Zool.* Mamífero carnicero de la fam. cánidos, de pelo largo, hocico afilado y cola gruesa. Habita en madrigueras y se alimenta de aves de corral y de pequeños mamíferos.

ZORRO m. *Zool.* Macho de la zorra.
ZOTE adj. y s. Ignorante, torpe.
ZOZOBRA f. Acción y efecto de zozobrar. // fig. Inquietud, congoja.
ZOZOBRAR intr. Peligrar la embarcación por la fuerza y contraste de los vientos. // fig. Fracasar un negocio, un propósito, etc. // intr. y r. Irse a pique.
ZUECO m. Zapato de madera de una pieza.
ZULÚ adj. y s. Díc. del individuo de cierto pueblo de raza negra que habita en el África austral.
ZUMBA f. Cencerro grande. // fig. Burla.
ZUMBAR intr. Hacer una cosa ruido o sonido continuado y bronco. // tr. fam. Dar, atizar golpes.
ZUMBIDO m. Acción y efecto de zumbar. // fam. Golpe que se da a uno.
ZUMBÓN, NA adj. y s. fig. y fam. Que tiene el genio festivo.
ZUMO m. Líquido de las hierbas, flores, frutas u otras cosas semejantes, que se saca exprimiéndolas. // fig. Utilidad y provecho que se saca de una cosa.
ZUPIA f. Poso del vino. // Vino turbio.
ZURCIDO m. Unión o costura de las cosas zurcidas.
ZURCIR tr. Coser la rotura de una tela, de modo que la unión resulte disimulada. // Suplir con puntadas muy juntas los hilos que faltan en un agujero de un tejido.
ZURDO, DA adj. y s. Que usa de la mano izquierda con preferencia a la derecha.
ZURRA f. Acción de zurrar las pieles. // fig. y fam. Castigo de azotes o golpes.
ZURRIAGO m. Látigo con que se castiga o zurra.
ZURRÓN m. Bolsa grande de pellejo que usan los pastores. // Cualquier bolsa de cuero.
ZUTANO, NA m. y f. fam. Vocablos usados como complemento, y a veces en contraposición de fulano y mengano.

perros
1. caniche negro;
2. galgo afgano;
3. San Bernardo;
4. chow-chow;
5. teckel de pelo largo;
6. pastor alsaciano;
7. samoyedo;
8. terrier escocés;

1	2
3	4
5	7
6	8

razas humanas

estudiante de música en Nanking (China);

mujer con el traje regional (Setesdal, Noruega);

piel roja;

muchacha de Ankola (Mysore, India);

joven boran (Kenia);

bailarín (islas Fidji)

SUPLEMENTOS

420- EL CÓNDOR
421- Tabla de MITOLOGÍA
422- ESTADOS MIEMBROS DE LA O.N.U.
423- MONEDAS DEL MUNDO
424- Tabla de PESOS Y MEDIDAS
424- Tabla de TEMPERATURAS
425- Tabla de algunas DENSIDADES RELATIVAS
426- SÍMBOLOS LÓGICOS Y SÍMBOLOS DE LA
      TEORÍA DE CONJUNTOS
426- SÍMBOLOS DE FUNCIONES TRIGONOMÉTRICAS
426- OTROS SÍMBOLOS DE FUNCIONES
427- OPERACIONES ARITMÉTICAS
427- IGUALDADES, IDENTIDADES, ECUACIONES,
      DESIGUALDADES, INECUACIONES
427- OTROS SÍMBOLOS ALGEBRAICOS
428- ELEMENTOS QUÍMICOS
428- Lista de los ELEMENTOS NATURALES
      Y ARTIFICIALES

NADIE VUELA MÁS ALTO QUE EL CÓNDOR

La palabra CÓNDOR proviene del quechua *cúntur*, y es el nombre vulgar del ave de rapiña de la familia de las catártidas denominada *Sarcorhamphus gryphus*.

Ave de gran tamaño, alcanza más de un metro de altura y tres de envergadura. Tiene el pico robusto y ganchudo. Su plumaje es negro con un collar blanco; también la espalda y la mitad de sus grandes alas son de color blanco; la cabeza y el cuello aparecen desnudos de todo plumaje.

Habita en bandadas en las cimas de la cordillera de los Andes. No construye nidos, sino que pone su único huevo en los inaccesibles riscos. Vuela a gran altura, pero su vista prodigiosa le permite ver su presa con facilidad incluso a grandes distancias. Su alimentación consiste exclusivamente en carne de caza (roba las reses recién nacidas y ataca a las aves guaneras) o en restos de animales que halla muertos en la cordillera.

ESTADOS MIEMBROS DE LA ORGANIZACIÓN DE LAS NACIONES UNIDAS

Estados miembros	Fecha de admisión	Estados miembros	Fecha de admisión	Estados miembros	Fecha de admisión
AFGANISTÁN	19 NOV. 1946	GUATEMALA	21 NOV. 1945	PAISES BAJOS	10 DIC. 1945
ALBANIA	14 DIC. 1955	GUINEA	12 DIC. 1958	PAKISTÁN	30 SEPT. 1947
ALEMANIA (RDA)	18 SEPT. 1973	GUINEA-BISSAU	17 SEPT. 1974	PANAMÁ	13 NOV. 1945
ALEMANIA (RFA)	18 SEPT. 1973	GUINEA ECUATORIAL	12 NOV. 1968	PAPÚA	
ALTO VOLTA	20 SEPT. 1970	GUYANA	20 SEPT. 1966	NUEVA GUINEA	10 OCT. 1975
ANGOLA	1 DIC. 1976			PARAGUAY	24 OCT. 1945
ANTIGUA Y BARBUDA	11 NOV. 1981			PERÚ	31 OCT. 1945
ARABIA SAUDÍ	24 OCT. 1945			POLONIA	24 OCT. 1945
ARGELIA	8 DIC. 1962			PORTUGAL	14 DIC. 1955
ARGENTINA	24 OCT. 1945				
AUSTRALIA	1 NOV. 1945	HAITÍ	24 OCT. 1945		
AUSTRIA	14 DIC. 1955	HONDURAS	17 DIC. 1945		
		HUNGRÍA	14 DIC. 1955		
				QATAR	21 SEPT. 1971
BAHAMAS	18 SEPT. 1973				
BAHREIN	21 SEPT. 1971				
BANGLADESH	17 SEPT. 1974	INDIA	30 OCT. 1945	REINO UNIDO	24 OCT. 1945
BARBADOS	9 DIC. 1966	INDONESIA	28 SEPT. 1950	RUANDA	18 SEPT. 1962
BÉLGICA	27 DIC. 1945	IRAK	21 DIC. 1945	RUMANIA	14 DIC. 1955
BELICE	25 SEPT. 1981	IRÁN	24 OCT. 1945		
BENÍN	20 SEPT. 1960	IRLANDA	14 DIC. 1955		
BHUTÁN	21 SEPT. 1971	ISLANDIA	19 DIC. 1946		
BIELORRUSIA	24 OCT. 1945	ISRAEL	11 MAYO 1949		
BIRMANIA	19 ABR. 1948	ITALIA	14 DIC. 1955	SALOMÓN (islas)	19 SEPT. 1978
BOLIVIA	14 NOV. 1945			SAMOA OCCIDENTAL	15 DIC. 1976
BOTSWANA	17 OCT. 1966			SAN VICENTE	
BRASIL	24 OCT. 1945			Y GRANADINAS	16 SEPT. 1980
BULGARIA	14 DIC. 1955			SANTA LUCÍA	18 SEPT. 1979
BURUNDI	18 SEPT. 1962	JAMAICA	18 SEPT. 1962	SAO TOMÉ	
		JAPÓN	18 DIC. 1956	Y PRÍNCIPE	16 SEPT. 1975
		JORDANIA	14 DIC. 1955	SENEGAMBIA	11 ENE. 1982
CABO VERDE (islas de)	16 SEPT. 1975			SEYCHELLES	21 SEPT. 1976
CAMERÚN	20 SEPT. 1960			SIERRA LEONA	27 SEPT. 1961
CANADÁ	9 NOV. 1945			SINGAPUR	21 SEPT. 1965
CENTROAFRICANA				SIRIA	24 OCT. 1945
(República)	20 SEPT. 1960			SOMALIA	20 SEPT. 1960
COLOMBIA	5 NOV. 1945	KAMPUCHEA	14 DIC. 1955	SRI LANKA	14 DIC. 1955
COMORÉS	12 NOV. 1975	KENYA	16 DIC. 1963	SUDÁFRICA	7 NOV. 1945
CONGO	20 SEPT. 1960	KUWAIT	14 MAYO 1963	SUDÁN	12 NOV. 1956
COSTA DE MARFIL	20 SEPT. 1960			SUECIA	19 NOV. 1946
COSTA RICA	2 NOV. 1945			SURINAM	4 DIC. 1975
CUBA	24 OCT. 1945			SWAZILANDIA	24 SEPT. 1968
		LAOS	14 DIC. 1955		
CHAD	20 SEPT. 1960	LESOTHO	17 OCT. 1966		
CHECOSLOVAQUIA	24 OCT. 1945	LÍBANO	24 OCT. 1945		
CHILE	24 OCT. 1945	LIBERIA	2 NOV. 1945	TAILANDIA	16 DIC. 1946
CHINA	5 OCT. 1971	LIBIA	14 DIC. 1955	TANZANIA	14 DIC. 1961
CHIPRE	20 SEPT. 1960	LUXEMBURGO	24 OCT. 1945	TOGO	20 SEPT. 1960
				TRINIDAD	
				Y TOBAGO	18 SEPT. 1962
DINAMARCA	24 OCT. 1945			TÚNEZ	12 NOV. 1956
DJIBOUTI	20 SEPT. 1977			TURQUÍA	24 OCT. 1945
DOMINICA		MADAGASCAR	20 SEPT. 1960		
(isla de la)	18 DIC. 1978	MALAWI	1 DIC. 1964		
DOMINICANA		MALAYSIA	17 SEPT. 1957		
(República)	24 OCT. 1945	MALDIVAS	21 SEPT. 1965		
		MALÍ	28 SEPT. 1960		
		MALTA	1 DIC. 1964	UCRANIA	24 OCT. 1945
		MARRUECOS	12 NOV. 1956	UGANDA	25 OCT. 1962
ECUADOR	21 DIC. 1945	MAURICIO	24 ABR. 1968	URSS	24 OCT. 1945
EGIPTO	24 OCT. 1945	MAURITANIA	27 OCT. 1961	URUGUAY	18 DIC. 1945
EL SALVADOR	24 OCT. 1945	MÉXICO	7 NOV. 1945		
EMIRATOS		MONGOLIA	27 OCT. 1961		
ÁRABES UNIDOS	9 DIC. 1971	MOZAMBIQUE	16 SEPT. 1975		
ESPAÑA	14 DIC. 1955			VANUATU	15 SEPT. 1981
ESTADOS UNIDOS				VENEZUELA	15 NOV. 1945
DE AMÉRICA	24 OCT. 1945			VIETNAM	20 SEPT. 1977
ETIOPÍA	13 NOV. 1945				
		NEPAL	14 DIC. 1955		
		NICARAGUA	24 OCT. 1945		
		NÍGER	20 SEPT. 1960	YEMEN	
FIDJI	13 OCT. 1970	NIGERIA	7 OCT. 1960	(República de)	30 SEPT. 1947
FILIPINAS	24 OCT. 1945	NORUEGA	27 NOV. 1945	YEMEN	
FINLANDIA	14 DIC. 1955	NUEVA		(Rep. Dem. Pop. de)	14 DIC. 1967
FRANCIA	24 OCT. 1945	ZELANDA	24 OCT. 1945	YUGOSLAVIA	24 OCT. 1945
GABÓN	20 SEPT. 1960				
GHANA	8 MAR. 1957			ZAIRE	20 SEPT. 1960
GRANADA	17 SEPT. 1974			ZAMBIA	1 DIC. 1964
GRECIA	25 OCT. 1945	OMÁN	7 OCT. 1971	ZIMBABWE	25 AGO. 1980

MITOLOGÍA

Grandes divinidades helénicas y sus correspondientes latinas

divinidades helénicas		divinidades itálicas y latinas
Anfitrite	diosa del mar	Anfitrite
Afrodita	diosa de la belleza y del amor	Venus
Apolo o Febo	dios de la luz, la adivinación, la música y la poesía, protector de las musas (Muságeta)	Apolo o Febo
Ares	dios de la guerra	Marte
Artemisa	diosa de la caza	Diana
Asclepio	dios de la medicina	Esculapio
Atenea	diosa de la inteligencia, la razón, las artes, la literatura y la industria	Minerva
Cronos	Titán, padre de Zeus	Saturno
Cibeles	diosa de las fuerzas reproductoras de la naturaleza (divinidad de origen frigio)	Cibeles
Deméter	diosa de la tierra cultivada	Ceres
Dionisos	dios de la viña, del vino y del delirio extático	Liber, Baco
Enió	diosa de la guerra	Belona
Eos	diosa de la aurora	Aurora
Eris	diosa madre de todas las plagas	Discordia
Eros	divinidad primordial de la reproducción de las especies, después dios del amor	Cupido
Fama o Feme	diosa alegórica, mensajera de Zeus	Fama o Rumor
Gea o Ge	diosa que personifica la tierra en vías de formación, antepasado materno de los dioses y monstruos	Tellus
Hades o Plutón	dios de los infiernos, que reina sobre los muertos	Plutón, Dis Pater
Hebe	diosa de la juventud	Juventus
Hefaistos	dios del fuego y de las forjas	Vulcano
Hera	diosa del matrimonio, protectora de las mujeres casadas	Juno
Hermes	dios mensajero de los Olímpicos, guía de los viajeros, conductor de las almas de los muertos (Psicopompo), protector de los comerciantes, ladrones y oradores	Mercurio
Hestia	diosa del hogar doméstico	Vesta
Higía o Higiea	diosa de la salud	Salus
Ino o Leucotea	diosa marina benefactora	Mater Matuta
Iris	diosa mensajera de los Olímpicos, que personifica el arco iris	Iris
Leto o Letona	diosa, madre de Apolo y de Artemisa (asociada al culto de sus hijos)	Latona
Pan	dios de los pastores de Arcadia, divinidad de la fecundidad, después encarnación del universo	Fauno, Silvano
Perséfone o Coré	diosa de los infiernos	Proserpina
Poseidón	dios de los mares, del elemento líquido y de los temblores de la tierra	Neptuno
Príapo	dios protector de los vergeles y viñedos, personificación de la virilidad	Príapo
Rea	Titánida, madre de Zeus	Rea, Cibeles
Sátiros	semidioses campestres y forestales asociados al culto de Dionisos; ya ancianos, se les denomina Silenos	Faunos
Selene	diosa de la Luna	Luna
Sileno	padre adoptivo de Dionisos	Sileno
Thanatos	genio de la muerte o mensajero de la muerte	Orco
Zeus	divinidad suprema del panteón de los Ancianos, dios de los fenómenos físicos, (rayo, lluvia, ciclo de las estaciones), después ordenador e inteligencia del mundo	Júpiter

MONEDAS

MONEDAS	SÍMBOLOS	PAÍSES	MONEDAS	SÍMBOLOS	PAÍSES
AFGANI	(AF)	AFGANISTÁN	KINA		PAPÚA NUEVA GUINEA
AUSTRAL		ARGENTINA	KIP	(K)	LAOS
			KWACHA	(MK)	MALAWI
BATH	(B)	TAILANDIA		(K)	ZAMBIA
BALBOA	(B)	PANAMA	KWANZA		ANGOLA
BIRR		ETIOPIA	KYAT	(K)	BIRMANIA
BOLÍVAR	(BO)	VENEZUELA			
			LEK	(L)	ALBANIA
CEDI	(NC)	GHANA	LEMPIRA	(L)	HONDURAS
COLÓN	(C)	COSTA RICA	LEONE	(LE)	SIERRA LEONA
	(C)	EL SALVADOR	LEU		RUMANIA
CÓRDOBA	(C$)	NICARAGUA	LEV	(LW)	BULGARIA
CORONA	(KCS)	CHECOSLOVAQUIA	LIBRA	(£C)	CHIPRE
	(DKR)	DINAMARCA		(£E)	EGIPTO
	(KIS)	ISLANDIA		(£IF)	FALKLAND (ISLAS)
	(KRN)	NORUEGA		(£GIB)	GIBRALTAR
	(KRS)	SUECIA		(£)	GRAN BRETAÑA
CRUZADO	(NCR$)	BRASIL		(£IR)	IRLANDA
				(£L)	LÍBANO
DINAR	(DA)	ARGELIA		(£M)	MALTA
	(DB)	BAHREIN		(£S)	SIRIA
	(ID)	IRAK		(£SD)	SUDÁN
	(DJ)	JORDANIA		(£TQ)	TURQUÍA
	(KD)	KUWAIT	LILANGENI		SWAZILANDIA
	(LD)	LIBIA	LIRA	(L)	ITALIA
	(DTu)	TÚNEZ			
	(DY)	YEMEN (REP. DEM. POP. DE)	MALOTI		LESOTHO
	(DIN)	YUGOSLAVIA	MARCO	(DMDR)	RDA
DIRHAM		EMIRATOS ÁRABES UNIDOS		(DM)	RFA
	(DH)	MARRUECOS	MARCO FINLANDÉS (MARIKKA)	(MF)	FINLANDIA
DÓLAR	($A)	AUSTRALIA	NAIRA		NIGERIA
	($BAH)	BAHAMAS	NGULTRUM		BHUTÁN
	(EC$)	BARBADOS			
	(B$)	BELICE	PA'ANGA	(T$)	TONGA
	($BD)	BERMUDAS	PATACA	(MK)	MACAO
	($CAN)	CANADÁ	PESETA	(PTA)	ANDORRA
	($US)	ESTADOS UNIDOS DE AMÉRICA		(PTA)	ESPAÑA
	($F)	FIDJI	PESO	($B)	BOLIVIA
	(SEC)	GRANADA		($COL)	COLOMBIA
	($G)	GUYANA		($CU)	CUBA
	($HK)	HONG KONG		($)	CHILE
	($J)	JAMAICA		($RD)	DOMINICANA (REPÚBLICA)
	($)	LIBERIA		(P)	FILIPINAS
	($A)	NAURU			GUINEA-BISSAU
	(NZ$)	NUEVA ZELANDA		($MÉX)	MÉXICO
		PUERTO RICO		($UR)	URUGUAY
	(EC$)	SANTA LUCÍA	PULA	(P)	BOTSWANA
	(S$)	SINGAPUR			
	(NTS$)	TAIWÁN	QUETZAL	(Q)	GUATEMALA
	(TT$)	TRINIDAD Y TOBAGO			
	($A)	TUVALU	RAND	(R)	SUDÁFRICA
	(R$)	ZIMBABWE		(R)	TRANSKEI
DONG		VIETNAM	RIAL	(RL)	IRÁN
DRACMA	(DR)	GRECIA		(RL)	OMAN
			RIEL	(CR)	KAMPUCHEA
EKUELE		GUINEA ECUATORIAL	RINGGIT		MALAYSIA
ESCUDO	(ESC CV)	CABO VERDE (ISLAS DE)	RIYAL	(SRLS)	ARABIA SAUDÍ
	(ESC)	MOZAMBIQUE		(QR)	QATAR
	(ESC)	PORTUGAL		(RIY)	YEMEN (REPÚBLICA DE)
FLORÍN	(ANTF)	ANTILLAS NEERLANDESAS	RUBLO	(RBL)	URSS
	(FL)	PAÍSES BAJOS	RUPIA	(RS)	INDIA
	(FL)	SURINAM		(RP)	INDONESIA
FORINT	(FOR)	HUNGRÍA			MALDIVAS
FRANCO	(F)	ANDORRA		(RS)	MAURICIO (ISLAS)
	(FB)	BÉLGICA		(NRS)	NEPAL
	(FBU)	BURUNDI		(PRO)	PAKISTÁN
	(FD)	DJIBOUTI			SEYCHELLES
	(F)	FRANCIA			SRI LANKA
	(FS)	LIECHTENSTEIN			
	(F)	LUXEMBURGO	SCHILLING	(SCH)	AUSTRIA
	(FMG)	MADAGASCAR	SHEKEL		ISRAEL
	(FM)	MALI	SHILLING	(KSH)	KENYA
	(F)	MÓNACO (PRINCIPADO DE)		(SO SH)	SOMALIA
	(FR)	RUANDA		(T SH)	TANZANIA
	(FS)	SUIZA		(USH)	UGANDA
	(FNH)	VANUATU	SILY	(S)	GUINEA
FRANCO CFA	(FCFA)	ALTO VOLTA	SUCRE	(S)	ECUADOR
	(FCFA)	BENÍN			
	(FCFA)	CAMERÚN	TAKA	(TK)	BANGLADESH
	(FCFA)	CENTROAFRICANA (REPÚBLICA)	TALA		SAMOA OCCIDENTAL
	(FCFA)	COMORES	TUGHRIK		MONGOLIA
	(FCFA)	CONGO			
	(FCFA)	COSTA DE MARFIL	UGUIYA	(UM)	MAURITANIA
	(FCFA)	CHAD			
	(FCFA)	GABÓN	WON	W	COREA (REPÚBLICA DE)
	(FCFA)	NIGER		W	COREA (REP. DEM. POP. DE)
	(FCFP)	TOGO			
FRANCO CFP	(FCFP)	NUEVA CALEDONIA	YEN	(Y)	JAPÓN
	(F)	POLINESIA FRANCESA	YUAN	(RMBY)	CHINA (REP. POP. DE)
GOURDE	(G)	HAITÍ	ZAIRE	(Z)	ZAIRE
GUARANÍ	(G)	PARAGUAY	ZLOTY	(ZL)	POLONIA
INTI		PERÚ			

PESOS Y MEDIDAS

Para convertir	en	multiplíquese por
acres	hectáreas	0,4047
acres	metros cuadrados	4046,9
acres-pies	metros cúbicos	1233,5315
atmósferas	cm de merc.	76,0
atmósferas	kg por cm^2	1,0333
barriles	metros cúbicos	0,11293
bushels	hectolitros	0,3524
bushels	metros cúbicos	0,03524
caballos de fuerza (metr.)	caballos de fuerza (ing.)	0,9863
caballos de fuerza (ing.)	caballos de fuerza (metr.)	1,014
caballos de fuerza (ing.)	kg -calorías por minuto	10,68
caballos de fuerza (ing.)	kilovatios	0,7457
centilitros	onzas fl. (EE.UU)	0,3382
centilitros	pulgadas cúbicas	0,6103
centímetros	pulgadas	0,3937
cm de mercurio	atmósferas	0,01316
cm de mercurio	kg por metro cúbico	136,0
cm por segundo	pies por segundo	0,03281
cm cuadrados	pulgadas cuadradas	0,1550
cm cúbicos	pulgadas cúbicas	0,0610
dracmas	centímetros cúbicos	3,6967
emes, picas	milímetros	4,233
ergios	gramos-calorías	0,000000024
galones (ing.)	litros	4,5459
galones (EE.UU.)	litros	3,7854
galones (EE.UU.)	metros cúbicos	0,003785
galones por min.	litros por seg.	0,06308
grados	segundos	3600,0
gramos	granos	15,4224
gramos	onzas	0,0353
gramos por cm^2	libras por pie cuad.	2,0481
gramos por cm^3	libras por pie cúbico	62,43
gramos por litro	libras por pie cúbico	0,062427
gramos-calorías	libras-pies	3,0880
granos	gramos	0,0648
hectáreas	acres	2,4710
hectolitros	bushels	2,8378
kilogramos	libras (av.)	2,2046
kilogramos	libras troy	2,6792
kilogramos por cm^2	atmósferas	0,9678
kilogramos por cm^2	lbs. por pulg. cuadr.	14,22
kilómetros	millas	0,6214
kilómetros	millas náut.	0,5396
kilómetros cuadr.	millas cuadradas	0,3861
km por hora	cm por seg.	27,78
km por hora	pies por seg.	0,9113
kilovatios	cab. de f. (ing.)	1,341
libras (av.)	kilogramos	0,4536

para convertir	en	multiplíquese por
libras troy	kilogramos	0,3732
litros	galones americanos	0,2642
litros	pintas (áridos)	1,8162
litros	pintas (líq.)	2,1134
litros	quarts (áridos)	0,9081
litros	quarts (líq.)	1,0567
metros	pies	3,2808
metros	yardas	1,0936
metros cuadrados	pies cuadrados	10,7639
metros cuadrados	yardas cuadradas	1,1960
metros cúbicos	pies cúbicos	35,3147
metros cúbicos	yardas cúbicas	1,3080
$metros^3$	bushels (áridos)	28,38
$metros^3$	gals. (EE.UU.)	264,2
metros por segundo	pies por segundo	3,281
milímetros	pulgadas	0,0394
millas	kilómetros	1,6093
millas (náuticas)	kilómetros	1,853
millas por hora	cm por segundo	44,70
millas por hora	kilómetros por minuto	0,02682
$millas^2$	kilómetros cuadrados	2,590
minutos (ángulo)	grados	0,01667
nudos	kilómetros por hora	1,8532
onzas	gramos	28,3495
pecs (ingl.)	litros	0,091901
pecs (EE.UU)	litros	8,809582
pies	metros	0,3048
pies cuadrados	metros cuadrados	0,0929
pies cúbicos	metros cúbicos	0,0283
$pies^3$	litros	28,32
$pies^3$ por min.	l por seg.	0,4730
pies por seg.	km por hora	1,097
pies por seg.	m por min.	18,29
pulgadas	milímetros	25,4001
pulgadas	centímetros	2,5400
pulgadas cuadradas	cm cuadrado	6,4516
pulgadas cúbicas	cm cúbicos	16,3872
pulgadas cúbicas	centilitros	1,639
pintas (áridos)	litros	0,5506
pintas (áridos)	cm cuadrados	550,704
pintas (líq.)	litros	0,4732
rods	metros	5,029
t cortas	t (métr.)	0,9072
t largas	t (métr.)	1,016
t métricas	t cortas	1,1023
t métricas	t largas	0,9842
yardas	metros	0,9144
yardas cuadradas	metros cuadrados	0,8361
yardas cúbicas	metros cúbicos	0,7646
yardas cúbicas	litros	764,6
yardas cúb. por min.	l por seg.	12,74

TEMPERATURAS

Las cifras **en negrita** representan las temperaturas en grados centígrados o Fahrenheit a convertir. Para convertir temperaturas Fahrenheit a centígrados (escala Celsius), léase el equivalente en la columna de la izquierda, y para convertir grados centígrados a Fahrenheit léase el equivalente en la columna de la derecha.

Temperaturas que no figuran en la tabla comparativa
Para convertir temperaturas Fahrenheit a centígrados, réstense 32 grados y multiplíquense por 5/9. Para convertir grados centígrados a Fahrenheit multiplíquense por 9/5 y añádanse 32 grados.

Celsius		Fahrenheit	Celsius		Fahrenheit	Celsius		Fahrenheit
— 273,2	— 459,7		— 17,8	0	32	35,0	95	203
— 184	— 300		— 12,2	10	50	36,7	98	208,4
— 169	— 273	— 459,4	— 6,67	20	68	37,8	100	212
— 157	— 250	— 418	— 1,11	30	86	43	110	230
— 129	— 200	— 328	4,44	40	104	49	120	248
— 101	— 150	— 238	10,0	50	122	54	130	266
— 73,3	— 100	— 148	15,6	60	140	60	140	284
— 45,6	— 50	— 58	21,1	70	158	66	150	302
— 40,0	— 40	— 40	23,9	75	167	93	200	392
— 34,4	— 30	— 22	26,7	80	176	121	250	482
— 28,9	— 20	— 4	29,4	85	185	149	300	572
— 23,3	— 10	14	32,2	90	194			

TABLA DE ALGUNAS DENSIDADES RELATIVAS

I CUERPOS SIMPLES
Sólidos y líquidos a 20°C clasificados por orden de densidad creciente

a) Metales
Litio	0,53
Potasio	0,86
Sodio	0,97
Calcio	1,55
Magnesio	1,74
Aluminio	2,70
Bario	3,60
Titanio	4,50
Cromo	6,92
Zinc	7,15
Manganeso	7,30
Etano	7,30
Hierro	7,86
Cadmio	8,64
Níquel	8,80
Cobalto	8,90
Cobre	8,92
Bismuto	9,80
Molibdeno	10,20
Plata	10,50
Plomo	11,34
Mercurio	13,55
Uranio	19
Tungsteno	19,30
Oro	19,30
Platino	21,40
Iridio	22,40

b) No metales
Fósforo blanco	1,83
Azufre	2,07
Carbono grafito	2,25
Fósforo rojo	2,34
Carbono diamante	3,51
Yodo	4,94
Arsénico cristalizado	5,73
Antimonio	6,67

II. LIQUIDOS DIVERSOS
Amoniaco a 28 °B	0,63
Nafta	0,70
Éter	0,71
Alcohol absoluto	0,79
Acetona	0,79
Benceno	0,86
Esenc. de Trementina	0,88
Aceite de oliva	0,92
Vino	0,99
Agua destilada	1,00
Anilina	1,02
Agua de mar	1,03
Leche	1,03
Ácido acético	1,05
Sulfuro de carbono	1,26
Glicerina	1,26
Agua oxigenada	1,46
Tetracloruro de carb.	1,60
Acido sulfúrico a 60 °B	1,84

III. SÓLIDOS DIVERSOS
Hielo a 0 °C	0,92
Mantequilla	0,94
Cera	0,96
Caucho	0,91
Asfalto	1,06
Cuerpo humano	1,07
Goma	1,30
Hulla	1,20-1,50
Antracita	1,30-1,80
Almidón	1,50
Salitre	1,92
Cloruro de sodio	2,16
Vidrio ordinario	2,60
Cal	3,15
Cristal	3,35
Flintglas pesado	4,70
Minio	9,10
Tierra vegetal	1,25

IV. ALEACIONES
Hierro colado gris	6,70-7,10
Hie. colado blanco	7,40-7,80
Latón	7,30-8,40
Bronce-aluminio	7,70
Acero	7,80
Plata alemana	8,30-8,60
Bronce	8,40-9,20

V. MADERAS
Corcho (alcornoque)	0,24
Álamo	0,39
Abeto	0,45
Cedro	0,49
Roble	0,61
Plátano	0,65
Caoba	0,70
Pino	0,74
Haya	0,80
Fresno	0,84
Teca	0,86
Boj francés	0,91
Encina	0,98
Ébano	1,15
Roble (corazón)	1,17
Boj holandés	1,32

VI TIERRAS, MINERALES
Piedra pómez (media)	0,91
Tierra cocida	1,22
Tierra vegetal	1,25
Yeso	1,25
Arena fina seca	1,41
Grava	1,43
Ladrillo	1,50
Marga	1,60
Arcilla	1,70
Sal gema	2,17
Caolín	2,26
Piedra de moler	2,50
Porcelana	2,50
Arenisca	2,60
Cuarzo	2,65
Calcáreas	2,60-2,70
Granito	2,60-2,70
Calcita	2,71
Mármoles	2,65-2,75
Pizarras	2,70-2,90
Esmeralda	2,75
Basalto	2,70-3,00
Mica	2,70-3,20
Dolomita	2,85
Topacio	3,50
Rubíes, zafiro	3,95
Blenda	4,00
Magnetita	5,10
Pirita	5,10
Hematita	5,20
Galena	7,45
Ginabrio	8,10

VII. DENSIDAD RELATIVA DE LOS GASES
(en relación con el aire)

Hidrógeno	H_2 0,069
Helio	He 0,139
Metano	CH_4 0,554
Amoniaco	NH_3 0,596
Neón	Ne 0,696
Acetileno	C_2C 0,900
Oxido de carbono	CO 0,967
Azote	N_2 0,967
Aire	1
Oxigeno	O_2 1,105
Sulfuro de hidróg.	H_2S 1,19
Argón	A 1,38
Gas carbónico	CO_2 1,53
Ozono	O_3 1,105
Dioxido de azufre	SO_2 2,26
Cloro	CL_2 2,45
Hidru. de arsénico	AsH_3 2,69
Criptón	Kr 2,82
Fosgeno	$COCL_2$ 3,46
Fluoruro de silicio	SiF_4 3,62
Xenón	Xe 4,42
Radón	Rn 7,53

SÍMBOLO	DESIGNACIÓN	EJEMPLO	ENUNCIADO DEL EJEMPLO	OBSERVACIONES
| |				

4. SÍMBOLOS LÓGICOS Y SÍMBOLOS DE LA TEORÍA DE CONJUNTOS

SÍMBOLO	DESIGNACIÓN	EJEMPLO	ENUNCIADO DEL EJEMPLO	OBSERVACIONES
ㄱ	no	ㄱR	no R	negación de la relación R (p.ej.: si R es la relación «es un número primo», 4 ㄱR significa «4 no es un número primo»)
⇒	implica	A ⇒ B	A implica B	la relación A determina la relación B
⇔	coimplica	A ⇔ B	A implica B y a la inversa	A es lógicamente equivalente a B
∪	unión	A ∪ B	A unión B	unión de los conjuntos A y B
∩	intersección	A ∩ B	A intersección B	intersección de los conjuntos A y B
C	complementario	$C_E A$	complementario de A en E	$A \cap C_E A$ es el conjunto vacío
Ø	conjunto vacío	$A \cap C_E A = \emptyset$	A intersección del complementario de A equivale al conjunto vacío	el conjunto vacío no consta de ningún elemento
∀	para todo	∀ x	para todo x	∀ recibe el nombre de cuantificador universal
∃	existe	∃ b	existe b	∃ recibe el nombre de cuantificador existencial
⊂	incluido en	E ⊂ F	E está incluido en F	el conjunto E forma parte del conjunto F
⊄	no incluido en	F ⊄ E	F no está incluido en E	el conjunto E no forma parte del conjunto F
∈	pertenece a	x ∈ E	x pertenece a E	el elemento x pertenece al conjunto E
∉	no pertenece a	y ∉ E	y no pertenece a E	el elemento y no pertenece a E
{ }	llaves	E = {a,b,c}	el conjunto E consta únicamente de los elementos a, b y c	
T ó ⊥	te ó anti-te	x T y ó x ⊥ y	los símbolos T y ⊥ indican una ley de composición interna; si esta ley es la suma, p. ej. se sustituye T ó ⊥ por +	
○	círculo	f ○ g	f círculo g	el símbolo ○ permite definir las aplicaciones compuestas: p. ej., si f y g son dos funciones de x, f ○ g = f(g (x))
•	asterisco	a • b	a asterisco b	el símbolo • designa generalmente a una ley multiplicativa
		E •	E asterisco	el símbolo • indica que el conjunto está desprovisto del elemento neutro para la suma (el cero, por lo general)

5. SÍMBOLOS DE FUNCIONES TRIGONOMÉTRICAS

SÍMBOLO	DESIGNACIÓN	EJEMPLO	ENUNCIADO DEL EJEMPLO	OBSERVACIONES
sen cos tg	seno coseno tangente	$sen^2 \alpha + cos^2 \alpha = 1$ $tag\ \alpha = \frac{sen\ \alpha}{cos\ \alpha}$	seno al cuadrado de alfa más coseno al cuadrado de alfa es igual a uno tangente de alfa igual a seno de alfa partido por coseno de alfa	en un triángulo rectángulo, el seno de un ángulo es la relación entre su lado opuesto y la hipotenusa el coseno de un ángulo es la relación entre su lado adyacente y la hipotenusa
arc sen arc cos arc tg	arco seno arco coseno arco tangente	arco seno 0,5 arco coseno 1 = 0 arco tangente 1 = $\frac{\pi}{4}$	arco seno cero cinco arco coseno uno igual a cero arco tangente uno igual a pi partido por 4	arco cuyo seno es igual a 0,5 (arc sen 0,5=30° ó 150°) arco cuyo coseno es igual a 0 arco cuya tangente es igual a 1

6. OTROS SÍMBOLOS DE FUNCIONES

SÍMBOLO	DESIGNACIÓN	EJEMPLO	ENUNCIADO DEL EJEMPLO	OBSERVACIONES
	función de	y = f(x)	y igual a f de x	y es una función de x (en su ámbito de definición. a todo valor de x le corresponde uno de y)
log_n lg ln	logaritmo de base n logaritmo decimal logaritmo neperiano	$log_6 x$ log x ln 7,4	logaritmo de base 6 de x logaritmo decimal de x logaritmo neperiano de 7,4	antes se decía logaritmo vulgar lg 100 = log_{10} 100=2 antes se decía logaritmo natural ln 7,4 = log_e 7,4≈2
e^x	exponencial	$e^{3,5}$	e elevado a 3,5	e es la base de los logaritmos neperianos; e ≈ 2,71828
a^x	potencia	$a^{5,2}$	a elevado a 5,2	$a^{log_a x} = x$
	derivada	f' (x) f'' (x)	f prima de x f segunda de x	derivada primera de la función f (x) derivada segunda de la función f(x)
∫	integral	∫ f (x) dx	suma de f de x, dx	integral de la función f(x)
∂	derivada parcial	$\frac{\partial f(x,y)}{\partial x}$	∂ de f(x,y) partido por ∂x	derivada de la función f (x,y) calculada en relación a la variable x
d	diferencial	df(x,y)	diferencial de f (x,y)	se calcula a partir de las derivadas parciales.

SÍMBOLO	DESIGNACIÓN	EJEMPLO	ENUNCIADO DEL EJEMPLO	OBSERVACIONES

1. OPERACIONES ARITMÉTICAS

SÍMBOLO	DESIGNACIÓN	EJEMPLO	ENUNCIADO DEL EJEMPLO	OBSERVACIONES
$+$	más	$a + 3$ $a = +3$	a más tres a igual a más tres	3 se suma al valor de a El signo + indica un valor positivo
$-$	menos	$a - 3$ $a = -3$	a menos tres a igual a menos tres	3 se sustrae del valor de a El signo − indica un valor negativo
$\times$ o $\cdot$	multiplicado por	5×4 $a \cdot b$ o ab $8 \cdot 10^6$ $8 \cdot 10^{-6}$	cinco por cuatro a por b 8 por 10 elevado a la sexta potencia u.8 por 10 elevado a seis 8 por 10 elevado a menos 6	× sólo se utiliza entre dos cifras En álgebra el punto se suele omitir $8 \cdot 10^6 = 8 \times 1\,000\,000 = 8\,000\,000$ $8 \cdot 10^{-6} = 8 \times 0,000\,001 = 0,000\,008$
/ ó : ó —	dividido por partido por entre	a/b $a:b$ $\dfrac{a}{b}$	a dividido por b a entre b a partido por b	$a/b = a:b = \dfrac{a}{b}$ El numerador a está dividido por el denominador b
$\pm$	más, menos	$a = \pm 10$	a igual a más, menos 10	El valor de a es igual a $+10$ ó -10

2. IGUALDADES, IDENTIDADES, ECUACIONES, DESIGUALDADES, INECUACIONES

SÍMBOLO	DESIGNACIÓN	EJEMPLO	ENUNCIADO DEL EJEMPLO	OBSERVACIONES
$=$	igual	$x = 10$ $y = 3x + 5$	x igual a 10 (igualdad) y igual a 3x + 5 (ecuación)	el signo = separa cifras o expresiones del mismo valor conociendo el valor de x se puede calcular y
$\equiv$	idéntico a	$(a+b)^2 \equiv a^2+2ab+b^2$	cualesquiera que sean los valores de a y b, $(a+b)^2$ es igual a $a^2 + 2ab + b^2$	
$\neq$	distinto de	$x \neq 10$ $3x - 8 \neq 6$	x es distinto a 10 (desigualdad) 3x − 8 es distinto a 6 (inecuación)	el valor de x no equivale a 10
$\approx$	aproximadamente igual a	$\operatorname{sen}\alpha \approx \alpha$	el seno de alfa es aproximadamente igual a alfa	la relación varía para los valores más débiles de α
$\leq$	menor o igual	$3x \leq 10$	3x es igual o menor que 10 (desigualdad)	
$<$	menor que	$y < 2x + 7$	y es menor que 2x + 7 (inecuación)	
$\geq$	mayor o igual que	$3 \geq 3x + 5$	3 es mayor o igual que 3x + 5	
$>$	mayor que	$a + b > c^2$	a + b es mayor que c^2	
$\mid$	divide	$a \mid b$	a divide a b	b es un múltiplo de a (p. ej. la relación 5 | 15 es verdadera)

3. OTROS SÍMBOLOS ALGEBRAICOS

SÍMBOLO	DESIGNACIÓN	EJEMPLO	ENUNCIADO DEL EJEMPLO	OBSERVACIONES
n en exponente	potencia	x^2 x^3 x^n x^{-n} $x^{1/n}$	x al cuadrado, x con exponente dos, x elevado a la segunda potencia x al cubo, x con exponente 3, etc. x elevado a n x elevado a menos n x elevado a uno partido por n	2 es el exponente de x $x^2 = x \cdot x$ $x^3 = x \cdot x \cdot x$ $x^n = x \cdot x \ldots x \cdot (n-1\text{ multiplicaciones})$ $x^{-n} = 1/x^n$ $x^{1/n}$ a la potencia n igual a x
$\sqrt{}$	raíz	$\sqrt{5}$ ó $\sqrt{5}$ $\sqrt[3]{5}$ $\sqrt[n]{5}$	raíz cuadrada de 5 o raíz de 5 raíz cúbica de 5 raíz enésima de 5	$\sqrt{5} = 5^{1/2} \approx 2,236$; $\sqrt{5} \times \sqrt{5} = 5$ $\sqrt[3]{5} = 5^{1/3} \approx 1,710$; $\sqrt[3]{5} \times \sqrt[3]{5} \times \sqrt[3]{5} = 5$ $\sqrt[n]{5} = 5^{1/n}$; $\sqrt[n]{5} \times \sqrt[n]{5} \times \ldots \times \sqrt[n]{5} = (n-1\text{ multiplicaciones})$
( )	paréntesis	$(a+b)/(c+d)$	a+b partido por c+d	la expresión a+b se divide por la expresión c+d cada pareja de paréntesis aísla una expresión
$\mid \; \mid$	valor absoluto	$\lvert -15 \rvert$ $\lvert 3x + 7 \rvert$	valor absoluto de −15 valor absoluto de 3x+7	$\lvert -15 \rvert = \lvert 15 \rvert = 15$ $\lvert 3+7 \rvert \geq 0$ cualquiera que sea el valor de x $\lvert 3x + 7 \rvert = 3x + 7$ si $3x + 7 \geq 0$ $\lvert 3x + 7 \rvert = -(3x+7)$ si $3x + 7 < 0$
$!$	factorial	$5!$	factorial 5	$5! = 1 \times 2 \times 3 \times 4 \times 5 = 120$ n! es el producto de los n primeros enteros (excluido el 0)

Todos los cuerpos naturales que existen en la superficie de la tierra son el resultado de combinaciones de elementos naturales, que suman 90, reunidos (junto con los artificiales) en la tabla adjunta, que recibe el nombre de tabla periódica de los elementos.

En 1869, el ruso Mendeleiev propuso una clasificación basada en los «pesos atómicos» crecientes, pero colocando unos debajo de otros los que poseen propiedades químicas idénticas. La tabla periódica de los elementos que ofrecemos aquí deriva de la de Mendeleiev. Los elementos están clasificados por su número atómico Z creciente. Z es la cantidad de protones que hay en el núcleo atómico.

Desde los tiempos de Mendeleiev, se han creado elementos artificiales, de manera que en la actualidad se cuentan 106 elementos. Los 16 elementos artificiales son el tecnecio (Z = 43), el prometio (Z = 61) y los transuránicos, cuyo número atómico Z es igual o superior a 93.

La tabla consta de siete períodos, representados horizontalmente y numerados del I al VII. Cada período corresponde a la cantidad de capas de electrones que poseen los elementos que lo forman. Así, el primer período (I) de la tabla periódica está reservado a los elementos que sólo poseen una capa de electrones; consta del hidrógeno (H) y del helio (He); los que siguen (II y III) contienen a los que poseen dos (II) y tres (III) capas de electrones, y así sucesivamente.

Las propiedades químicas de los elementos están estrechamente relacionadas con la configuración electrónica de sus átomos. La periodicidad de las propiedades químicas viene dada también por la similitud de las configuraciones electrónicas externas de los elementos: en las diversas columnas (verticales) figura la cantidad de electrones de la capa periférica externa de los elementos, que es la que posee más energía; el número romano que los designa indica dicha cifra. Así, todos los elementos de la primera columna (A I) poseen un solo electrón periférico; con excepción del hidrógeno, se trata de metales alcalinos (litio, Li; sodio, Na, etc.); pueden perder fácilmente ese electrón en el transcurso de las reacciones químicas, por lo que son muy reactivos. La segunda columna (A II) contiene los metales alcalino-térreos, que poseen dos electrones en la capa periférica (berilio, Be; manganeso, Mg, etc.). A continuación, se rompe la regularidad de la tabla en la zona (columnas A III a B II) que abarca a los elementos conocidos como metales de transición. En esta zona, el número de cada columna no corresponde al de electrones periféricos (el cual puede ser uno y a veces dos).

Proviene de la antigua forma, llamada «corta», de la tabla periódica, en la que estaban juntas las columnas A I y B I, la A II y la B II, etc. Otra anomalía la presenta la casilla del lantano (La; Z = 57), que comprende a este elemento y a todas las tierras raras, así como la del uranio (U; Z = 92), que abarca a dicho elemento y a todos los transuránicos. La tabla vuelve a recuperar su regularidad de la columna B III a la B VII.

En la parte derecha de la tabla, una columna denominada O agrupa a los elementos particularmente estables por estar repletos de capas electrónicas. Su capa externa consta de ocho electrones; se trata de los gases raros, también llamados inertes, ya que no pueden llegar a estado de excitación. La penúltima columna (B VII) reúne los elementos que presentan siete electrones periféricos; son los halógenos. Todo halógeno tiene tendencia a ganar un electrón para adquirir una estructura electrónica estable semejante a la de los gases raros que le siguen en la tabla. En la naturaleza, se encuentran en estado de combinaciones gaseosas numerosos elementos de la derecha de la tabla, que reciben el nombre de no metales. Cuando se sigue un período de derecha a izquierda, las características metálicas se van acentuando. Hay elementos (a los que a veces se denomina metaloides o semi-metales) que se encuentran en la transición entre metales y no metales.

Una configuración atómica de número atómico Z dado puede presentar átomos que posean masas atómicas distintas: son los isótopos de un elemento considerado. Hemos indicado la cantidad que posee cada elemento en la lista situada debajo de la tabla. Estos isótopos tienen masas diferentes ya que sus núcleos no contienen la misma cantidad de neutrones.

ELEMENTOS QUÍMICOS

M = masa atómica;

Referencia $\frac{12}{6}$ C = 12

(*) Las cantidades entre paréntesis se refieren a la masa del isótopo más estable.
(**) Nombre propuesto sin estar todavía homologado.

LISTA DE LOS ELEMENTOS NATURALES Y ARTIFICIALES

NOMBRE	SÍMBOLO	Z	M	CANTIDAD TOTAL DE ISÓTOPOS CONOCIDOS
Actinio	Ac	89	(227)*	12
Aluminio	Al	13	26,981	7
Americio	Am	95	(2,43)	13
Antimonio	Sb	51	121,75	21
Argón	Ar	18	39,948	11
Arsénico	As	33	74,922	14
Astato	At	85	(210)	22
Azufre	S	16	32,064	11
Bario	Ba	56	137,34	26
Berilio	Be	4	9,012	6
Berkelio	Bk	97	(247)	11
Bismuto	Bi	83	208,981	25
Boro	B	5	10,811	7
Bromo	Br	35	79,904	17
Cadmio	Cd	48	112,41	23
Calcio	Ca	20	40,08	17
Californio	Cf	98	(251)	11
Carbono	C	6	12,011	8
Cerio	Ce	58	140,12	18
Cesio	Cs	55	132,905	22
Cinc	Zn	30	65,38	18
Circonio	Zr	40	91,22	17
Cloro	Cl	17	35,453	11
Cobalto	Co	27	58,933	11
Cobre	Cu	29	63,55	13
Cromo	Cr	24	51,996	13
Curio	Cm	96	(247)	12
Disprosio	Dy	66	162,50	21
Einstenio	Es	99	(254)	9
Erbio	Er	68	167,26	19
Escandio	Sc	21	44,956	12
Estaño	Sn	50	118,69	33
Estroncio	Sr	38	87,62	20
Europio	Eu	63	151,95	18
Fermio	Fm	100	(257)	9
Flúor	F	9	18,998	6
Fósforo	P	15	30,974	8
Francio	Fr	87	(223)	9
Gadolinio	Gd	64	157,25	21
Galio	Ga	31	69,72	9
Germanio	Ge	32	72,59	18
Hafnio	Hf	72	178,49	17
Hahnio*	Ha	105	(262)	—
Helio	He	2	4,003	6
Hidrógeno	H	1	1,008	5
Hierro	Fe	26	55,847	14
Holmio	Ho	67	164,930	10
Indio	In	49	114,82	16
Interbio	Yb	70	173,04	23
Itrio	Y	39	88,906	15
Iridio	Ir	77	192,22	16
Kriptón	Kr	36	83,80	27
Kurchatovio**	Ku	104	(261)	—
Lantano	la	57	138,91	16

NOMBRE	SÍMBOLO	Z	M	CANTIDAD TOTAL DE ISÓTOPOS CONOCIDOS
Lawrencio	Lr	103	(260)	
Litio	Li	3	6,939	7
Lutecio	Lu	71	174,97	12
Magnesio	Mg	12	24,305	9
Manganeso	Mn	25	54,938	9
Mendelevio	Md	101	(258)	7
Mercurio	Hg	80	200,59	26
Molibdeno	Mo	42	95,94	21
Neodimio	Nd	60	144,24	21
Neón	Ne	10	20,17	10
Neptunio	Np	93	(237,048)	14 ó 15
Niobio	Nb	41	92,906	12
Níquel	Ni	28	58,71	16
Nitrógeno	N	7	14,007	8
Nobelio	No	102	(259)	1
Oro	Au	79	196,967	14
Osmio	Os	76	190,2	20
Oxígeno	O	8	15,999	9
Paladio	Pd	46	106,4	22
Plata	Ag	47	107,868	16
Platino	Pt	78	195,09	19
Plomo	Pb	82	207,19	25
Plutonio	Pu	94	(244)	15 ó 16
Polonio	Po	84	(209)	29
Potasio	K	19	39,102	11
Praseodimio	Pr	59	140,908	12
Prometio	Pm	61	(145)	9
Protactinio	Pa	91	(231)	17
Radio	Ra	88	(226,025)	17
Radón	Rn	86	(222)	19
Renio	Re	75	186,2	13
Rodio	Rh	45	102,906	14
Rubidio	Rb	37	85,47	19
Rutenio	Ru	44	101,07	23
Samario	Sm	62	150,35	21
Selenio	Se	34	78,96	20
Silicio	Si	14	28,086	10
Sodio	Na	11	22,990	7
Talio	Tl	81	204,37	22
Tántalo	Ta	73	180,947	13
Tecnecio	Tc	43	(98,906)	13
Telurio	Te	52	127,60	27
Terbio	Tb	65	158,925	10
Titanio	Ti	22	47,90	9
Torio	Th	90	232,038	19
Tulio	Tm	69	168,934	10
Uranio	U	92	238,03	17
Vanadio	V	23	50,941	12
Volframio	W	74	183,85	18
Xenón	Xe	54	131,30	32
Yodo	I	53	126,904	22

DICCIONARIO
DE
SINÓNIMOS

CON MÁS DE
100.000 EQUIVALENCIAS
DE LAS
DIEZ MIL PALABRAS
DE USO MÁS FRECUENTE

DICCIONARIO DE SINÓNIMOS

CON MÁS DE 100.000 EQUIVALENCIAS DE LAS 10.000 PALABRAS DE USO MÁS FRECUENTE

«CÓNDOR»

Publicado por EDITORIAL ANDRADE
Luis Sagnier, 74 - 08032 BARCELONA (España)

Director: NATANIEL ANDRADE URRA
Director Técnico: ANTONIO VERA RAMÍREZ
Redacción: SILVIA MARTÍNEZ COLLINS

© EDITORIAL ANDRADE, 1989
ISBN 84-87418-00-7
Dep. Legal B 33560-89

Impreso en Industrias Gráficas ALPES, S.A.
Avda. Josep Tarradellas, 63 - Local 6 y 7
08901 L'HOSPITALET DE LLOBREGAT (Barcelona)
ESPAÑA

La presentación y composición tipográfica son propiedad registrada de la Editorial para su colección Libros Cóndor, asimismo registrada.

PRESENTACIÓN

Huelga decir que un Diccionario de Sinónimos es aquel en el cual se recogen la mayor cantidad posible de éstos ordenados alfabéticamente.

El uso de los sinónimos en nuestras conversaciones y escritos nos proporciona ilimitados recursos para conseguir una expresión de gran estilo y elegancia, lo que no sólo nos faculta para eludir la cacofonía, sino que nos permite poner de manifiesto la riqueza de nuestra cultura idiomática, que suele ser extensiva a la general. El conocimiento de los sinónimos es también un recurso mnemotécnico que nos evita en muchas ocasiones quedar atascados en explicaciones o conversaciones de nuestro máximo interés.

Un modo de desarrollar nuestra capacidad de expresión consiste en realizar ejercicios con diferentes frases, cambiando la mayor cantidad posible de palabras y cada una de éstas la mayor cantidad posible de veces. Podemos empezar por este mismo escrito de presentación, y no tardando mucho habremos adquirido los conocimientos y la habilidad suficiente para obtener todo el provecho y beneficio posible de nuestro idioma.

SINONIMIA (Del latín *synonymia*, y éste del griego *synonymia*.) f. Circunstancia de ser sinónimos dos o más vocablos // *Ret*. Figura que consiste en usar adrede voces sinónimas o de significación semejante, para amplificar o reforzar la expresión de un concepto.

SINÓNIMO, MA (Del latín *synonymus*, y éste del griego *synónymos*; de *syn*, con, y *ónoma*, nombre) adj. Dícese de los vocablos y expresiones que tienen una misma o muy parecida significación.

SINÓNIMOS DE SINÓNIMO:
                  afín
                  análogo
                  asimilado
                  coincidente
                  congénere
                  equivalente
                  exacto
                  gemelo
                  hermano
                  homogéneo
                  homónimo
                  ídem
                  idéntico
                  imitado
                  literal
                  mismo
                  monótono
                  onomatopéyico
                  parecido
                  parejo
                  parigual
                  simétrico
                  similar
                  textual
                  unánime
                  uniforme
                  unívoco
                  uno
                  .
                  .
                  .

A

ABACERÍA Almacén, tienda, despensa, proveeduría.
ABAD Prior, prelado, superior, rector, custodio, guardián, prepósito, provincial, regente, asistente.
ABADÍA Convento, monasterio, colegiata, residencia, noviciado, beaterio, cartuja, priorato.
ABAJO Bajo, debajo, atrás, de cruces, inferiormente.
ABALANZAR Arrojar, equilibrar, igualar, lanzar, impulsar, atacar.
ABALANZARSE Lanzarse, precipitarse, acometer, arremeter, embestir, desplomarse, arrojarse, adelantar, avanzar, atacar, cerrar.
ABALAR Agitar, zarandear, sacudir, tremolar, aballar, esponjar, llevar, ahuecar, mover.
ABANDERADO Portaguión, portaestandarte, signífero, confalonier.
ABANDERAR Acoger, cobijar, apadrinar, nacionalizar, proteger.
ABANDERAMIENTO Alistamiento, enganche, embanderamiento.
ABANDONADO Desamparado, desvalido, desatendido, solo. l Dejado, perezoso, apático, indolente, descuidado, desidioso, desastrado, desaliñado, sucio.
ABANDONAR Desatender, desamparar, descuidar, desasistir, deshabitar, desistir, ceder, dejar, relegar, arrinconar.
ABANDONARSE Plegarse, avenirse, abatirse, rendirse, darse, entregarse.
ABANDONO Desamparo. l Defección. l Descuido, negligencia, desatención, incuria, incumplimiento, dejación, laxitud, desidia, indolencia, indiferencia, desaseo.
ABANICO Aventador, abano, abanillo, pericón, paypay, soplillo, céfiro.
ABANTO Aturdido, torpe, espantadizo.
ABARAJAR Coger, asir, agarrar.
ABARATAR Desencarecer, desvalorar, malvender, rebajar, desestimar, desapreciar.
ABARRAGANARSE Liarse, amancebarse, juntarse, entenderse.
ABARROTAR Sobrecargar, embalumar, amazacotar, colmar, plagar, atestar, llenar, aglomerar, sobreabundar. l Apretar con barrotes.
ABASTECER Avituallar, proveer, suministrar, surtir, equipar, bastimentar, aprovisionar.
ABASTECIMIENTO Aprovisionamiento, avituallamiento, provisión, proveimiento, abastamiento, surtimiento, abasto, suministro, proveeduría.
ABASTECEDOR Proveedor, almacenista, suministrador.
ABATATARSE Azorarse, encogerse, acobardarse, apocarse, intimidarse, bolearse, cortarse, turbarse, desanimarse.
ABATIDO Desanimado, decaído, postrado, abyecto, despreciable, bajo, ofendido, derrumbado, humillado, maltratado, extenuado, desalentado, aplanado, lánguido.
ABATIMIENTO Apocamiento, extenuación, decaimiento, descorazonamiento, humillación, debilidad, sumisión, rendimiento, confusión, postración, aniquilamiento, desaliento, languidez, agobiamiento.
ABATIR Rebajar, confundir, postrar, sojuzgar, derribar, derrocar, hundir, arruinar, tumbar, humillar, envilecer, rebajar, desbaratar, achicar.
ABATIRSE Humillarse, agotarse, aplanarse, desanimarse, bajar, descender, postrarse, debilitarse, desalentarse, extenuarse, envilecerse, decaer.
ABDICACIÓN Renunciación, dimisión, dejación, abandono, cesión, resignación.
ABDICAR Dimitir, ceder, dejar, desistir, renunciar, abandonar.
ABDOMEN Barriga, panza, baltra, bandullo, vientre, tripa.
ABECEDARIO Silabario, abecé, alfabeto, catón, cartilla, cristus.
ABEJAR Colmenar, enjambradero, banquera, abejera.
ABELLACARSE Degradarse, envilecerse, acanallarse, rebajarse.
ABERRACIÓN Desacierto, equivocación, desvío, confusión, inexactitud, errata, yerro, pifia, engaño, descarrío.
ABERTURA Hendidura, abrimiento, boquete, resquicio, raja, rendija, mirilla, taladro, descerrajadura, fisura, agujero, grieta, quebradura.
ABIERTAMENTE Francamente, manifiestamente, claramente, sinceramente, paladinamente, palmariamente, patentemente, sin reservas.
ABIERTO Cuarteado, agrietado, roto, entornado, incircunscrito, franco, quebrado, rajado, descercado, hendido.
ABIGARRADO Estridente, confuso, alterado, heterogéneo, enredado, desconcertado, chillón.
ABIGARRAR Descomponer, turbar, intrincar, entremezclar, enmarañar, confundir, desarreglar, pintorrear.
ABIGEATO Cuatrerismo.
ABISMADO Sumido, simado, hundido, sumergido, absorto, ensimismado, embebecido, meditabundo, pensante, enigmático, recóndito.
ABISMAR Sumergir, hundir, abatir, ocultar, esconder, sumir, confundir.
ABISMO Precipicio, sima, barranco, despeñadero, sumidero, cantil, vacío, derrocadero, profundidad, hondura.
ABJURACIÓN Renuncia, apostasía, retractación, conversión.
ABJURAR Renegar, desdecirse, revocar, apostatar, negar, rechazar, retractar, abandonar, renunciar, ceder.
ABLANDAR Reblandecer, molificar, suavizar, dulcificar, mitigar, templar, emblandecer, adulcir, de-

ABL

senfadar, aplacar, domar, lenificar, macerar, laxar, desenojar, desencolerizar, conmover, enternecer.
ABLUCIÓN Purificación, lavatorio, baño, bautismo, lavamanos.
ABNEGACIÓN Altruismo, sacrificio, renunciación, desinterés, generosidad, caridad, holocausto.
ABOBADO Alelado, atontado.
ABOCAR Trasvasar, transfundir, trasegar, ambrocar, aportar.
ABOCARSE Enfrentarse, aproximarse, avistarse.
ABOCETAR Esbozar, pintarrajear, diseñar, rasguñar, tatuar, bosquejar, emborronar.
ABOCHORNAR Avergonzar, sonrojar, sofocar, confundir, causar vergüenza, ruborizar, soflamar.
ABOFETEAR Cruzar el rostro, sopapear, cruzar la cara, mosquetear, pegar, cachetear.
ABOGADO Letrado, jurisconsulto, jurista, legista, picapleitos, buscapleitos, protector, intercesor.
ABOGAR Defender, mediar, interceder, patrocinar, asesorar, proteger, auxiliar.
ABOLENGO Origen, linaje, parentela, alcurnia, prosapia, generación, estirpe, ascendencia, casta, raza, familia.
ABOLICIÓN Abrogación, supresión, derogación, rescisión, invalidez, nulidad, eliminación, anulación.
ABOLIR Derogar, suprimir, borrar, anular, rescindir, revocar, quitar, disolver, retirar, deshacer.
ABOLLADURA Hundimiento, desnivel, concavidad.
ABOMBAR Curvar, redondear, turdar, aturdir, ahuecar, atolondrar.
ABOMINABLE Execrable, vituperable, detestable, odioso, antipático, aborrecible, repugnante, odiable, grimoso.
ABOMINACIÓN Execración, repulsión, odio, ojeriza, encono, aborrecimiento, aversión.
ABOMINAR Aborrecer, detestar, execrar, odiar, condenar, reprobar, maldecir, tediar.
ABONADO Fiable, acreditado, digno de crédito, garantizado, suscrito, inscrito.
ABONAR Estercolar, entarquinar, nitratar. I Ratificar, pagar, satisfacer.
ABONO Estiércol, mantillo, guano, nitrato, tarquín, hormiguero, basura, fertilizante. I Pago, suscripción.
ABORDABLE Afable, sociable, accesible, tratable.
ABORDAR Emprender, atracar, plantear, afrontar, interpelar, acometer.
ABORIGEN Originario, nativo, autóctono, indígena, oriundo, vernáculo.
ABORRASCARSE Encapotarse, lobreguecerse, nublarse, oscurecerse, cubrirse, tempestar, tormentar.
ABORRECER Despreciar, detestar, odiar, execrar, fastidiar, abominar, renegar.
ABORRECIBLE Detestable, aborrecedor, odioso, degollante, despreciable, abominable, desamable.
ABORRECIMIENTO Rencor, aversión, odio, execración, encono. I Aburrimiento, tedio.

ABORTAR Malparir, fracasar, frustrar, malograr, artuñar, amover.
ABORTO Abortamiento, malogro, frustración, monstruo, engendro, feto.
ABOTAGARSE Inflarse, hincharse, hispirse, embotijarse, entontecerse, aborricarse, atontarse, aneciarse.
ABOVEDADO Combado, arqueado, embovedado, cimbrado, corvo, curvo.
ABRASADO Quemado, seco, marchito, agostado.
ABRASAR Incendiar, quemar, prender, inflamar, achicharrar, carbonizar, calcinar, marchitar, impulsar, apasionar.
ABRAZAR Estrechar, rodear, enlazar, incluir, abarcar, adoptar, aceptar.
ABREVADERO Aguada.
ABREVIAR Compendizar, resumir, acortar, reducir, sincopar, sintetizar, extractar, condensar, sustanciar, apresurar.
ABREVIATURA Brevedad, concisión, compendio, signo, tilde, crismón.
ABRIGAR Arropar, amantar, cubrir, cobijar, resguardar, proteger, liar, tapar, amparar, embozar.
ABRIGO Gabán, sobretodo, gabardina, zamarra, pellica, capote, manta, cobertor, edredón, cobija.
ABRILLANTAR Enlustrecer, lustrar, enlucir, pulimentar, tersar, pulir, bruñir, iluminar, esmerar, diamantar, desempañar.
ABRIR Descerrar, destapar, descubrir, extender, separar, deshelar, desabrochar, desenrollar, franquear, desplegar, horadar, desatar, hender, agrietar.
ABROCHAR Cerrar, sujetar, atar, encochetar, abotonar, unir, ajustar.
ABROGAR Anular, abolir, derogar, infirmar, rescindir, dirimir, dejar sin efecto, revocar, invalidar.
ABRONCAR Enfadar, disgustar, fastidiar, molestar, abochonar, avergonzar.
ABROQUELARSE Broquelarse, escudarse, cubrirse, ampararse, defenderse, protegerse.
ABRUMADO Oprimido, agobiado, acongojado, apesadumbrado, incómodo, molesto, fatigado, hastiado, cansado.
ABRUPTO Clivoso, escabroso, quebrado, pendiente, inaccesible, áspero, escarpado, fragoso, salvaje.
ABSCESO Quiste, tumor, vómica, postema, talparia, flemón, furúnculo, forúnculo, ántrax, llaga, úlcera.
ABSOLUCIÓN Perdón, exculpación, gracia, exención, condonación, redención, indulgencia, reivindicación, venia, rehabilitación.
ABSOLUTISMO Despotismo, autocracia, cesarismo, dictadura, oligarquía, tiranía, arbitrariedad, opresión.
ABSOLUTO Autoritario, independiente, ilimitado, tiránico, dominador, intolerante, opresivo, subyugador, dictatorial.
ABSOLVER Perdonar, indultar, amnistiar, dispensar, eximir, libertar, condonar, disculpar.
ABSORBENTE Acaparador.

ABS

ABSORBER Sorber, chupar, aspirar. l Cautivar, atraer, captar.
ABSORCIÓN Absorbimiento, absorbencia, impregnación, permeabilidad, resorción, empapamiento.
ABSORTO Asombrado, atónito, admirado, enajenado, suspenso, extático, maravillado, embebecido, abismado, pasmado, ensimismado.
ABSTEMIO Sobrio, abstinente, frugal, enófobo.
ABSTENCIÓN Inhibición, contención, privación, dejación, desistimiento, dieta, ayuno.
ABSTENERSE Privarse, inhibirse, refrenarse, desentenderse, despreocuparse, renunciar, contenerse.
ABSTINENCIA Dieta, ayuno, inedia, inanición, privación, continencia.
ABSTRACCIÓN Éxtasis, embobamiento, ensimismamiento, enajenamiento, embaucamiento, arrobo.
ABSTRACTO Inconcreto, vago, metafísico, abstruso, indeterminado.
ABSTRAER Excluir, eliminar, disociar, desglosar, desunir. l Arrobarse, ensimismarse, embelesarse, recogerse, extasiarse.
ABSTRAÍDO Absorto, enfrascado, ensimismado, distraído, extasiado, preocupado, meditabundo, enajenado.
ABSTRUSO Recóndito, profundo, ininteligible, incomprensible, difícil, transpuesto, esotérico.
ABSUELTO Indultado, perdonado, libertado, redimido, condonado.
ABSURDO Ilógico, contradictorio, inverosímil, irracional, disparatado, falso, desatinado, desatino, improcedencia, burrada, antinomia.
ABUCHEO Protesta, siseo, murmuración, desaprobación, censura, guasa.
ABUELO Viejo, anciano, ascendiente, antepasado, antecesor.
ABULIA Indolencia, inacción, dejación, insensibilidad, desgana, fastidio, falta de voluntad, indiferencia.
ABÚLICO Indiferente, indolente, apático.
ABULTAR Acrecentar, exagerar, agrandar, engordar, fantasear, aumentar, dilatar, ensanchar, amplificar.
ABUNDANCIA Abundamiento, profusión, riqueza, fertilidad, fecundidad, copiosidad, caudal, suficiencia, exuberancia, demasía.
ABUNDANTE Copioso, colmado, nutrido, fecundo, excesivo, ubérrimo, pululante, prolífico, exuberante, profuso.
ABUNDAR Colmar, bastar, rebosar, multiplicar, plagar.
ABURRIDO Cansado, hastiado, harto, malhumorado, fastidiado, disgustado, incomodado, desganado, molesto.
ABURRIMIENTO Fastidio, cansancio, disgusto, hastío, cansera.
ABURRIR Cansar, fastidiar, hartar, incordiar, impacientar, importunar, agobiar, hastiar, abrumar, encocorar.
ABUSAR Atropellar, violar, excederse, propasarse, aprovecharse.
ABUSIVO Desmedido, abusón, exagerado, tiránico, despótico, injusto.
ABUSO Rebasamiento, exceso, exageración, atropello, extralimitación, engaño, injusticia, incontinencia.
ABYECCIÓN Envilecimiento, deshonor, perversión, mezquindad, servilismo, encanallamiento, infamia.
ABYECTO Bajo, vil, torpe, grosero, plebeyo, infame, despreciable, servil, rastrero, degenerado.
ACABADO Concluido, finalizado. l Esmerado, perfecto, pulido. l Agotado.
ACABAR Concluir, finalizar, terminar, completar, ultimar, consumir, liquidar, clausurar, perfeccionar. l Extinguir, concluirse, apagarse.
ACADÉMICO Referente a las Academias, a los estudios oficiales, escolares, universitarios, purista.
ACAECER Ocurrir, suceder, acontecer, mediar, pasar, advenir.
ACAECIMIENTO Sucedido, acontecimiento, incidencia, ocurrencia, novedad, advenimiento, hecho, caso.
ACALORAMIENTO Encendimiento, ardentía, fervor, enardecimiento, ardor, exaltación, fogosidad, ardimiento.
ACALORAR Encender, calentar, fatigar, fomentar, promover, avivar, excitar, afogarar.
ACALLAR Aplacar, tranquilizar, atenuar, mitigar, templar, moderar, excitar, calmar, sosegar, silenciar.
ACAMPAR Acantonar, abarrancar, alojar, campar, vivaquear.
ACANALAR Linear, estriar, rayar.
ACANTILADO Abrupto, escarpado, escabroso.
ACANTONAR Cantonar, abarrancar, alojarse, vivaquear, localizar, acuartelar.
ACAPARAR Acumular, almacenar, monopolizar, retener, acopiar, estancar.
ACARAMELADO Dulce, melifluo. l Solícito, enamorado con las señoras.
ACARICIAR Halagar, mimar, rozar suavemente, engatuzar, galantear.
ACARREAR Transportar, portar, conducir, trasladar, carretear.
ACARREO Transporte, conducción, porteo, traslación, llevar, carreteo.
ACARTONARSE Momificarse, apergaminarse.
ACASO Eventualidad, azar, caso, capricho, aventura, casualidad, posibilidad, continencia, chiripa.
ACATAMIENTO Rendimiento, obediencia, deferencia, respeto, mesura, pleitesía, observancia.
ACAUDALADO Adinerado, rico, pudiente, poderoso, hacendado, capitalista.
ACAUDALAR Atesorar, acumular, capitalizar, enriquecerse.
ACAUDILLAR Encabezar, mandar, dirigir, ordenar, comandar, capitanear.
ACCEDER Condescender, conceder, permitir, au-

435

ACC

torizar, convenir, asentir, consentir, ceder, aceptar.
ACCESIBLE Condescendiente, avenible, comprensible, inteligible, dúctil, transigente, sencillo, franco.
ACCESO Entrada, ingreso, infiltración, camino, penetración, arrebato.
ACCESORIO Anexo, particularidad, accidental, secundario, complemento, adición, subsiguiente.
ACCIDENTADO Agitado, borrascoso.
ACCIDENTAL Casual, fortuito, impensado, eventual, incidental, extraño, contingente. I Interino, volandero, provisional.
ACCIDENTARSE Desvanecerse, desmayarse.
ACCIDENTALMENTE Circunstancialmente, impensadamente, provisionalmente, casualmente, fortuitamente, interinamente, eventualmente, adventiciamente.
ACCIDENTE Desmayo, vahido, contratiempo, percance, vértigo, peripecia, eventualidad, desgracia, indisposición, síncope.
ACCIÓN Diligencia, esfuerzo, consumación, obra, hecho, ejecución, actividad, operación, acto, intervención, tarea, suceso, postura.
ACECINAR Ahumar.
ACECHAR Espiar, vigilar, avizorar, atalayar, apostarse, asechar, celar.
ACECHO Acechanza, espionaje, acechamiento, espera, atisbo.
ACEDAR Acidular, agriar.
ACEDO Agrio, ácido, áspero, avinagrado.
ACEITE óleo, oleína, oleaza, alpechín. I Lubricante.
ACEITERA Alcuza
ACEITOSO Graso, untuoso, oleaginoso.
ACEITUNA Acebuchina, oliva.
ACELERACIÓN Apresuramiento, apresuración, ligereza, celeridad, presteza, prisa, precipitación, prontitud, rapidez.
ACELERAR Activar, apresurar, aligerar, avivar, abreviar, apremiar, presteza, prisa, apurar.
ACÉMILA Mula, mulo, macho.
ACENDRADO Limpio, purificado, puro, inmaculado, delicado, intenso.
ACENTO Acentuación. I Tónico. I Prosódico, tono, sonsonete, entonación, modulación. I Métrico, voz, canto, lenguaje, tilde, átono, esdrújulo, paroxítono, enclítico.
ACENTUAR Cargar, marcar, subrayar, apoyar, aumentar, abultar, realzar, recalcar, insistir, destacar.
ACEPCIÓN Sentido, significado, significación.
ACEPTABLE Pasable, admisible, tolerable, suficiente, razonable.
ACEPTACIÓN Aprobación, admisión, acogimiento, aplauso, tolerancia, recepción, boga.
ACEPTAR Recibir, admitir, tomar, percibir, acoger, obtener, tolerar, reconocer, acceder, consentir.
ACEQUIA Cequia, canal, cacera, alfagra, azarbe, zanja, agüera.
ACERA Encinado, orilla, vereda, bordillo, escarpa.

ACERADO Recio, resistente, duro, consistente, sólido, incisivo, buído, mordaz, cáustico, agudo.
ACERBO Agrio, desabrido, rudo, cruel, huraño, desapacible, acre, amargo.
ACERCAR Arrimar, yuxtaponer, unir, allegar, aplegar, avecinar, juntar.
ACERO Tizona, espada, florete, filosa, arma blanca. I Ánimo, resolución, coraje, brío, entereza, temple, heroísmo.
ACÉRRIMO Obstinado, vigoroso, tenaz, duro, decidido, férreo, implacable.
ACERTADO Certero, conveniente, atinado, adecuado, apropiado, razonable, oportuno, perfecto.
ACERTAR Adivinar, hallar, descifrar, atinar, encontrar.
ACERTIJO Pasatiempo, rompecabezas, enigma, jeroglífico, crucigrama, charada, criptograma.
ACERVO Caudal.
ACIAGO Desgraciado, infausto, funesto, desdichado, infeliz, malhadado.
ACIBARAR Amargar, apenar, mortificar, disgustar, afligir, apesadumbrar, contristar, fastidiar, desazonar.
ACICALADO Limpio, bruñido, pulimentado, pulcro, atildado, compuesto, aderezado, atusado, maquillado.
ACICALAR Limpiar, alisar, bruñir, pulir, agraciar, aderezar. I Ataviarse, endomingarse, arreglarse.
ACICATE Aguijón, espuela, aliciente, señuelo, incitación, incentivo, estímulo, aguijada.
ACIDEZ Asperillo, acritud, acrimonia, amargura, aspereza, desabrimiento.
ÁCIDO Agrio, acedía, amargor, acritud, acedo, acetoso, acidulado, suche.
ACIERTO Tacto, acertamiento, puntería, tino, destreza, éxito, suerte, tiento, cordura, habilidad, consecución.
ACLAMACIÓN Aplauso, palmas, viva, entusiasmo, lauro, honor, popularidad, aprobación, exaltación, proclamación, ovación.
ACLAMAR Aplaudir, vitorear, palmotear, ensalzar, honorar, ovacionar, proclamar, enaltecer.
ACLARACIÓN Justificación, esclarecimiento, dilucidación, puntualización.
ACLARAR Clarificar, dilucidar, esclarecer, desenvolver, desentrañar, resolver, explicar, dembrollar, desenmarañar.
ACLIMATAR Acostumbrar, habituar, adaptar, arraigar, naturalizar.
ACOBARDAR Atemorizar, amedrentar, acoquinar, achicar, intimidar, amilanar, arredrar, desanimar, cobardear.
ACOGER Aceptar, admitir, refugiar, recoger, ocultar, cobijar, atender, amparar, favorecer, recibir.
ACOGIDA Admisión, recibimiento, hospitalidad, amparo, cobijamiento, protección, albergue.
ACOGIMIENTO Acogida, cobijo, regazo, protección, aceptación, calor, hospitalidad.

ACOGOTAR Derribar, acoquinar, abatir, tumbar, dominar, oprimir, domeñar.
ACÓLITO Monago, monacillo, misago, seise, sacristán, monaguillo.
ACOLCHAR Enguatar.
ACOLLARARSE Casarse.
ACOMETEDOR Arremetedor, atacador, agresor, emprendedor, impetuoso, violento, arrojado.
ACOMETER Atacar, agredir, arremeter, embestir, combatir, envolver, hostigar, abalanzarse.
ACOMETIDA Ataque, arremetida, asalto, agresión, insulto, embestida, embate.
ACOMODADO Rico, pudiente, burgués, hacendado, opulento, adinerado. I Conveniente, apto, coincidente, exacto, adecuado, apropiado.
ACOMODAR Ajustar, adecuar, arreglar, adaptar, disponer, conciliar, aplicar, proveer, amoldar, ordenar.
ACOMODATICIO Transigente, adaptable, dúctil, conformista, contemporizador.
ACOMODO Ocupación, cargo, conveniencia, destino, puesto. I Arreglo, compostura.
ACOMPAÑAMIENTO Cortejo, séquito, comitiva, escolta, caravana, compañía, comparsa.
ACOMPAÑAR Asistir, escoltar, convoyar, conducir. I Añadir, incluir, agregar.
ACOMPASADO Medido, rítmico, compasado, mesurado, arreglado, moderado.
ACONDICIONADO Arreglado.
ACONGOJAR Afligir, angustiar, entristecer, atribular, amusitar, acuitar, contristar, desconsolar.
ACONSEJAR Asesorar, guiar, inspirar, adestrar, sugerir, interpretar.
ACONTECER Ocurrir, acaecer, suceder, pasar, cumplirse.
ACONTECIMIENTO Acaecimiento, evento, suceso, caso, sucedido, hecho, ocurrencia, eventualidad.
ACOPIAR Amontonar, juntar, recoger, recolectar, arrebañar, acaparar, reunir, acumular.
ACOPIO Provisión, acaparamiento, depósito, abundancia, acumulación, cosecha.
ACOPLADO Agregado.
ACOPLAMIENTO Ajuste, entrelazamiento, enlace, unión, conexión, engaste, compenetración, incrustación.
ACOPLAR Encuadrar, embutir, ajustar, ensamblar, enlazar, engastar, unir.
ACOQUINAR Amedrentar, intimidar, desalentar, acobardar, abatir.
ACORAZAR Guarnecer, blindar, reforzar, proteger, revestir, fortificar.
ACORDAR Precisar, determinar, fijar, especificar, convenir, conciliar, resolver, concordar, conformar. I Otorgar. I Pactar. I Afinar.
ACORDARSE Evocar, recordar, rememorar.
ACORDE Concordante, conforme, coincidente, cónsono, entonado, concorde.
ACORDONAR Acotar, alinear, rodear, cercar, sujetar, ceñir, acordelar.
ACORRALAR Encerrar, embardar, circunscribir, arrinconar, aislar, cercar. I Intimidar, amedrentar, acobardar.
ACORTAR Abreviar, reducir, mermar, alcorzar, truncar, cortar, atrochar, achicar, encoger, disminuir.
ACOSAR Arrinconar, perseguir, hostigar, molestar, fatigar, estrechar, atosigar, apremiar, apurar, vejar.
ACOSTARSE Tumbarse, echarse, tenderse. I Encamarse. I Inclinarse, adherirse.
ACOSTUMBRADO Habituado, avezado, aclimatado, familiarizado, tradicional. I Normal, usual, rutinario, baqueteado.
ACOSTUMBRAR Aclimatar, avezar, inclinar, familiarizar, soler, enseñar.
ACOTACIÓN Apuntamiento, nota, anotación.
ACOTAR Jalonar, limitar, mojonar, señalar. I Elegir, escoger. I Glosar, anotar.
ÁCRATA Libertario, anarquista.
ACRE Picante, desabrido, cáustico, acerbo, áspero, irritante.
ACRECENTAR Acrecer, extender, ampliar, engrandecer, enriquecer, aumentar, añadir, agrandar, perfeccionar.
ACREDITADO Reputado, conocido, afamado, famoso, celebrado, popular, bienquisto, garantizado.
ACREDITAR Reputar, enaltecer, popularizar, garantizar, asegurar, abonar, realzar, afamar.
ACREEDOR Merecedor, digno. I Obligacionista, inglés.
ACREMENTE Acerbadamente, desabridamente, ásperamente, secamente.
ACRIBILLAR Agujerear, horadar, perforar, achicharrar, herir. I Cubrir.
ACRIDIO Saltamontes.
ACRIMONIA Aspereza, desabrimiento, acritud.
ACRISOLAR Limpiar, filtrar, depurar, purificar, aquilatar.
ACRÓBATA Equilibrista, titiritero, volatinero, saltimbanqui, funámbulo.
ACTITUD Disposición, postura, posición, talante, continente, aspecto, colocación, situación, ademán.
ACTIVAR Excitar, mover, acelerar, apurar, avivar, aligerar, apresurar.
ACTIVIDAD Prontitud, presteza, eficacia, movimiento, agilidad, celeridad, dinamismo, diligencia, rapidez.
ACTIVO Eficaz, rápido, resuelto, enérgico, solícito, presuroso, ligero, diligente, ágil.
ACTO Hecho, realización, cumplimiento, acción, movimiento. I Asamblea, reunión, junta.
ACTOR Cómico, farandulero, trágico, farsante, comediante, caricato, ejecutante, representante, protagonista.
ACTUACIÓN Acción, procedimiento, diligencia, conducta, función.
ACTUAL Presente, contemporáneo, coetáneo, efec-

ACTIVO, reciente.
ACTUALIDAD Novedad, modernidad, circunstancia, moda, momentaneidad.
ACTUAR Efectuar, ejecutar, realizar, obrar, hacer, trabajar, intervenir, dirigir, proceder, conducirse.
ACTUARIO Escribano.
ACUARIO Pecera.
ACUCIAR Estimular, incitar, excitar, dar prisa, apurar, aguijonear.
ACUCHILLAR Asesinar, apuñalar, herir, hender, cortar.
ACUDIR Presentarse, asistir, visitar, ir, llegar, socorrer. l Recurrir, apelar.
ACUERDO Alianza, resolución, convenio, dictamen, consentimiento, conformidad. l Reunión. l Madurez. l Armonía, unión.
ACUITAR Apenar, acongojar, atribular, afligir.
ACUMULAR Amontonar, acopiar, almacenar, apilar, reunir, agolpar, aglomerar, juntar, acrecentar, hacinar.
ACUNAR Cunar, mecer, arrullar.
ACUÑAR Troquelar, amonedar, sellar, cuñar, broquelar, estampar, emitir.
ACURRUCARSE Agacharse, encogerse.
ACUOSO Agoso, aguanoso, ácueo, acuátil, aguazoso, húmedo.
ACUSACIÓN Inculpación, imputación, recriminación, reproche, censura, delación, chivatazo, denuncia.
ACUSADO Procesado, inculpado, reo, difamado, denigrado.
ACUSÓN Acusete, soplón.
ACUSAR Culpar, reprochar, vituperar, achacar, incriminar, denunciar, imputar, delatar, inculpar. l Notificar, indicar.
ACHACAR Imputar, signar, inculpar, atribuir, endosar, suponer.
ACHACOSO Enfermizo, delicado, enclenque, enfermucho, enteco.
ACHANTARSE Aguantarse, esconderse, emboscarse, disimularse, zafarse.
ACHAQUE Indisposición, desazón, destemple, dolencia, afección, malestar, arrechucho. l Excusa, disculpa. l Vicio, defecto.
ACHATAR Aplanar, agobiar, aplastar.
ACHATARSE Amilanarse, rebajarse, agobiarse.
ACHICAR Amenguar, desvalorar, reducir, abreviar, disminuir, amilanar, intimidar, atemorizar, menguar, empequeñecer.
ACHICHARRAR Abrasar, freír, asar, quemar.
ACHISPARSE Alumbrarse, ahumarse, embriagarse, emborracharse, alegrarse, amonarse.
ACHUCHAR Comprimir, aplastar, chafar, apabullar, apretar, prensar, acorralar, estrujar.
ACHUCHARSE Afiebrarse.
ACHURAR Matar, asesinar.
ADAGIO Proverbio, axioma, aforismo, refrán, sentencia, dicho.

ADALID Jefe, capitán, caudillo, guía, principal, cabecilla.
ADAMADO Afeminado, amaricado, amujerado.
ADÁN Sucio, harapiento, desaseado, desaliñado, apático, desarreglado, puerco, marrano, descuidado, desidioso.
ADAPTACIÓN Conformidad, adecuación, amoldamiento, adaptabilidad, conciliación, acoplamiento, apropiación, acomodo.
ADAPTAR Conformar, acomodar, arreglar, acoplar, hermanar, apropiar, aplicar, ajustar.
ADECUADO Acomodado, apropiado, acondicionado, oportuno, lógico, exacto, ajustado, conveniente, proporcionado.
ADEFAGIA Glotonería, voracidad.
ADEFESIO Extravagancia, despropósito, disparate. l Esperpento, ridículo.
ADELANTADO Prematuro, inmaturo, zorollo, precoz, aventajado, excelente, superior. l Atrevido, imprudente, audaz.
ADELANTAMIENTO Progreso, aumento, anticipación, provecho, mejoramiento, adelanto, perfeccionamiento, acrecentamiento.
ADELANTAR Anticipar, alcanzar, exceder. l Acelerar, apresurar, avanzar, mejorar, progresar, perfeccionar.
ADELANTE Más allá, delante.
ADELANTO Progreso, anticipo, aumento, perfección, evolución, provecho, medro, mejoramiento, ventaja.
ADELGAZAR Enflaquecer, disminuir. l Acortar, empequeñecer, atenuar.
ADEMÁN Actitud, gesto, pronunciación, aspaviento, maneras, gesticulación, mohín, respingo, modales.
ADEMÁS También, asimismo, igualmente, a mayor abundamiento.
ADENTRARSE Introducirse, dentro, meterse.
ADEPTO Adicto, partidario, prosélito, afiliado, correligionario, asociado.
ADEREZAR Ornamentar, componer, adornar, hermosear, ataviar.
ADEREZO Atavío, adorno, ornamento, afeite, aseo. l Arreos, guarnición.
ADEUDAR Deber, tener deudas, endeudarse, entramparse.
ADHERENCIA Coherencia, cohesión enlace, unión, conexión, adhesión.
ADHERENTE Anejo, anexo, pegado, adjunto. l Partidario, adicto.
ADHERIRSE Conglutinarse, pegarse, afiliarse, unirse, aprobar, aceptar.
ADHESIÓN Afiliación, adherencia, unión, contacto, aprobación, solidaridad, partidismo, amistad, asentimiento.
ADICIÓN Anexión, suma, agregación, aumento, añadidura, aditamento, suplemento.
ADICIONAR Agregar, añadir, sumar, aumentar.
ADICTO Dedicado, afinado, apegado. l Partidario, adepto, amigo, afiliado, unido, prosélito, acérrimo.

ADIESTRAR Instruir, enseñar, amaestrar, guiar, aleccionar, ejercitar, enderezar, encaminar.
ADINERADO Hacendado, rico, acaudalado, opulento, pudiente, acomodado, potentado, magnate.
ADIÓS Hasta luego, despedida, abur.
ADIPOSO Gordura, graso, grasoso.
ADITAMENTO Apéndice, complemento, adición, añadidura.
ADIVINANZA Rompecabezas, acertijo, enigma, quisicosa, charada, calambur.
ADIVINAR Predecir, anunciar, pronosticar, profetizar, presagiar, vaticinar, descubrir, atinar, intuir, agorar, augurar.
ADIVINO Vidente, adivinador, quiromántico, zahorí, vaticinador, agorero, augur, cartomántico, vatídico.
ADJETIVO Calificativo, epíteto.
ADJUDICAR Entregar, conferir, otorgar, donar, dar, ceder.
ADJUDICARSE Quedarse, retener, apropiarse, adueñarse.
ADJUNTO Pegado, junto, agregado, incluido, unido, añadido.
ADMINISTRACIÓN Regencia, gerencia, economía, gobierno, dirección, gestión.
ADMINISTRAR Gobernar, regir, dirigir, suministrar, cuidar. I Aplicar, propinar.
ADMIRABLE Admirativo, llamativo, maravilloso, pasmoso, portentoso, prodigioso, sorprendente, sensacional, inusitado, asombroso, extraordinario.
ADMIRACIÓN Asombro, estupor, estupefacción, majestad, entusiasmo, éxtasis, maravilla, sorpresa, pasmo.
ADMIRAR Sorprender, encantar, asombrar, pasmar, aturdir, contemplar.
ADMITIR Acoger, recibir, aceptar, adoptar, incluir, obtener. I Conceder, suponer.
ADMONICIÓN Advertencia, amonestación, regaño, exhortación, consejo, reconvención, reprimenda, apercibimiento.
ADOBAR Componer, preparar, aderezar, adornar, sazonar, salpimentar, condimentar.
ADOBE Ladrillo.
ADOCENADO Ordinario, vulgar, corriente, común, trivial, chabacano.
ADOCTRINAR Aleccionar, instruir, educar.
ADOLECER Padecer, sufrir, penar.
ADOLESCENCIA Pubertad, juventud, mocedad.
ADOLESCENTE Pubescente, joven, muchacho, imberbe, mozo.
ADOPTAR Ahijar, prohijar, resolver, acordar, tomar, admitir, aprobar. I Amparar, proteger, favorecer.
ADOPTIVO Adoptante, prohijador, protegido, adoptado, amparado.
ADOQUÍN Torpe, romo, zote, ignorante.
ADOQUINADO Empedrado, pavimentado, afirmado.
ADOQUINAR Pavimentar, empedrar.
ADORABLE Exquisito, amable, idolatrable, venerable, encantador, perfecto.
ADORAR Idolatrar, amar. I Reverencia, orar, venerar.
ADORMECEDOR Hipnótico, narcotizador, dormitivo, aletargador.
ADORMECER Entretener, acallar, calmar, mitigar, amodorrar.
ADORNAR Engalanar, ornamentar, acicalar, hermosear, exornar, adecentar, ataviar, alindar, embellecer, aderezar, decorar, florear, iluminar.
ADORNO Atavío, ornato, afeite, tocado, aderezo, decorado, realce, pulcritud, compostura, perifollo, orla, oropel.
ADOSAR Aproximar, apoyar, arrimar, acercar, juntar, pegar, unir.
ADQUIRIR Obtener, lograr, alcanzar, conseguir, comprar, ganar.
ADQUISICIÓN Conquista, obtención, acrecencia. I Ganancia, herencia.
ADREDE Deliberadamente, intencionadamente, exprofeso, aposta, de propósito.
ADSCRIBIR Asignar, inscribir, agregar.
ADUANA Fielato, tarafana, alcaicería.
ADUCIR Invocar, citar, argüir, contexturar, documentar, alegar, aportar.
ADUEÑARSE Apoderarse, ocupar, conquistar, ganar, usurpar, apropiarse.
ADULACIÓN Halago, lisonja, zalamería, carantoña, alabanza, servilismo, fingimiento.
ADULADOR Zalamero, adulón, lisonjero, pelotillero, lameculos, tira levitas, servil. I Turiferario.
ADULAR Lisonjear, halagar, mimar, camelar, incensar, roncear.
ADULTERAR Falsificar, engañar, sofisticar, viciar, mixtificar. I Encornudar.
ADULTERIO Infidelidad, amancebamiento, mixtificación.
ADÚLTERO Amancebado, infiel, gurrumino, viciado, corrompido. I Malmaridada.
ADULTO Mayoridad, edad madura, crecido, adolescente. I Persona adulta.
ADUNAR Aunar, juntar, unir.
ADUSTO Arisco, agrio, austero, severo, rígido, esquivo, hosco, seco, melancólico, áspero, retraído.
ADVENEDIZO Intruso, foráneo, arribista, logrero, extraño. I Extranjero.
ADVENIMIENTO Venida, llegada, exaltación. I Aparición, arribo, acaecimiento.
ADVERSARIO Contendiente, contrario, rival, competidor, antagónico, antagonista, contrincante.
ADVERSIDAD Infortunio, desgracia, desventura, fatalidad, desamparo, abandono, decadencia, malaventura, desdicha.
ADVERSO Contrario, enemigo, opuesto, desdichado, desfavorable, hostil, desagradable, impróspero.
ADVERTENCIA Aviso, amonestación, intimidación, prevención, indicación, consejo, precaución, observación.

ADVERTIDO Avisado, despierto, aconsejado, espabilado, prevenido, enseñado, ducho, listo, sagaz.
ADVERTIR Informar, enterar, instruir, noticiar, participar, observar, reparar, orientar, notar, aconsejar, amonestar.
ADYACENTE Próximo, inmediato, cercano, anexo, colindante, contiguo, aledaño, junto.
AERACIÓN Ventilación.
AÉREO Vaporoso, leve, sutil, volátil. I Ilusorio, fantástico, infundado.
AERONAVE Avión, aeroplano, helicóptero, globo, hidroavión, dirigible.
AFABILIDAD Cordialidad, amabilidad, naturalidad, llaneza, sociabilidad, afecto, atención, cortesía, dulzura, sencillez.
AFABLE Sociable, atento, agradable, acogedor, cortés, servicial, afectuoso, sencillo, cordial, amable, tratable.
AFAMADO Acreditado, famoso, célebre, reputado, popular, renombrado, prestigioso, ínclito, ilustre.
AFÁN Anhelo, empeño, codicia, ardor, actividad, voluntad. I Trabajo, congoja.
AFANOSO Trabajoso, ímprobo, trabajador, deseoso, esforzado, penoso, ansioso, anhelante.
AFEAR Manchar, deslustrar, marchitar, deformar, desfigurar, deslucir. I Censurar, vituperar, reprender.
AFECCIÓN Enfermedad, dolencia. I Afecto, amor, cariño, ternura, inclinación, aprecio. I Impresión, alteración.
AFECTACIÓN Extravagancia, presunción, énfasis, pedantería, fingimiento, disimulo, hipocresía, doblez.
AFECTADO Fingido, estudiado, retorcido, rebuscado, aparente, solapado, pedante, presumido, jactancioso. I Destinado.
AFECTAR Disimular, tomar, presumir, fingir. I Afligir. I Destinar, agregar, anexar, imponer.
AFECTIVO Tierno, cariñoso, sensible.
AFECTO Cariño, amistad, cordialidad, inclinación, sentimiento, apego. I Unido, agregado.
AFECTUOSO Cariñoso, queriente, fino, afable, cordial, acogedor, simpático, servicial, amoroso, amistoso, efusivo, tierno.
AFEITAR Rasurar, rapar, desbarbar.
AFEITE Tocado, compostura, aderezo. I Tinte, cosmético, colorete, barniz.
AFEMINADO Amujerado, ahembrado, amaricado, adamado, mariquita, homosexual.
AFERRARSE Agarrarse, afianzarse, amanarse, empeñarse, obstinarse.
AFIANZAR Consolidar, afirmar, asegurar, reforzar, arraigar. I Asir, agarrar, fijar.
AFICIÓN Tendencia, amor, ahínco, eficacia, afecto, apego, inclinación.
AFICIONARSE Inclinarse, prendarse, encapricharse, encariñarse, enamorarse, engolosinarse, arregostarse. I Habituarse, acostumbrarse.
AFIJO Sufijo, prefijo.

AFILAR Amolar, adelgazar, afinar, aguzar, sacar filo.
AFILIADO Asociado, correligionario, partidario, prosélito, secuaz, adicto.
AFILIAR Unir, juntar, incorporar, apandillar, alistar, admitir, prohijar.
AFÍN Cercano, próximo, contiguo, colindante, semejante. I Familiar, allegado, pariente, deudo.
AFINAR Perfeccionar, purificar, pulir, afilar, templar, concertar, entonar, acordar.
AFINCARSE Establecerse, radicarse, avecindarse.
AFINIDAD Analogía, semejanza, similitud. I Simpatía, atracción. I Parentesco.
AFIRMACIÓN Aseveración, aserto, juramento, testificación, confirmación, testimonio, asentimiento.
AFIRMAR Asegurar, atestiguar, asentir, confirmar. I Afianzar, consolidar, fortificar, apuntalar.
AFLAUTADA Chillona, atiplada, aguda.
AFLICCIÓN Pena, tristeza, dolor, desazón, desconsolación, congoja, tribulación, amargura, sentimiento, pesadumbre, condolencia.
AFLIGIDO Triste, apenado, entristecido, atribulado, amargado, doliente, contristado, aflicto.
AFLIGIR Apenar, contristar, entristecer, apesadumbrar, atribular, desconsolar, atormentar, amargar, apesarar, angustiar.
AFLOJAR Desatar, desapretar, relajar. I Flaquear, debilitar, ceder, desmadejar.
AFLORAR Manar, brotar, aparecer, surgir.
AFLUENCIA Abundancia, copiosidad, cantidad. I Muchedumbre, multitud, sinnúmero, sinfín, pluralidad.
AFLUENTE Que afluye, tributario.
AFLUIR Vaciar, verter, desaguar. I Acudir, presentarse, concurrir.
AFONÍA Ronquera, ronquez, carraspera, falta de voz.
AFORAR Calcular, determinar, valuar, apreciar.
AFORISMO Máxima, proverbio, axioma, refrán, precepto, sentencia, dicho.
AFORTUNADO Venturoso, dichoso, feliz, alegre, encantado, propicio. I Rico, bienafortunado, opulento.
AFRENTA Vilipendio, vergüenza, deshonra, ignominia, descrédito, mancha, deshonor, oprobio, ultraje, mácula, baldón, agravio, insulto.
AFRENTAR Deshonrar, degradar, vilipendiar, escarnecer, infamar, oprobiar, denigrar, empañar, humillar.
AFRENTOSO Difamatorio, avergonzante, ofensivo, denigrante, indecoroso, infamativo, deshonroso, injurioso.
AFRODISÍACO Enervante, estimulante, voluptuoso, sensual, excitante.
AFRONTAR Provocar, desafiar, arrostrar.
AFUERAS Cercanías, alrededores, extramuros, contornos, inmediaciones.
AGACHADA Astucia, treta, ardid. I Reverencia, inclinación.
AGACHARSE Inclinarse, agazaparse, acurrucarse, encogerse.

AGA

AGALLA Excrecencia, amígdala. l ánimo esforzado, valentía, esfuerzo, valor.
ÁGAPE Banquete, festín, comida.
AGARRADA Pendencia, riña, altercado, disputa, contienda, pelea.
AGARRADO Mezquino, miserable, avaro, interesado, tacaño, avariento, usurero, sórdido, roñoso, cicatero, apretado.
AGARRAR Asir, tomar, atrapar, aprehender, trabar, coger, pillar, apresar, conseguir, apuñar, atarazar.
AGARROTAR Ajustar, dar garrote, estrangular, oprimir, agobiar, tiranizar, estrujar, apretar.
AGASAJAR Halagar, favorecer, obsequiar, festejar, galantear, homenajear, regalar, mimar, lisonjear.
AGASAJO Cortesía, atención, regalo, obsequio, presente, convite, homenaje, regalar, mimar, lisonjear.
AGAZAPAR Coger, prender, sujetar, apresar, agarrar.
AGAZAPARSE Agacharse, esconderse, emboscarse, ocultarse, acurrucarse.
AGAVE Maguey, pita.
AGENCIA Gestión, oficio, cargo, empleo, administración, sucursal.
AGENCIAR Gestionar, obtener, lograr, procurar, conseguir, alcanzar, adquirir.
AGENDA Memorándum.
AGENESIA Esterilidad, impotencia.
AGENTE Representante, comisionista, delegado, viajante. l Policía, vigilante.
AGIGANTAR Aumentar, acrecentar, agrandar, ampliar, engrandecer, hinchar.
ÁGIL Pronto, expedito, activo, veloz, desembarazado, alígero, diligente, impetuoso, acucioso.
AGILIDAD Rapidez, ligereza, vivacidad, celeridad, presteza, prisa, soltura, diligencia, arranque, prontitud.
AGIO Especulación.
AGITACIÓN Inquietud, revuelo, bullicio, turbación, conmoción, ajetreo, desasosiego, traqueteo, intranquilidad.
AGITADO Intranquilo, trémulo, inquieto, conmovido.
AGITADOR Perturbador, bullicioso, revolucionario, propagandista, sedicioso.
AGITAR Turbar, sacudir, remover, inquietar, perturbar, intranquilizar, travesear, bullir.
AGLOMERAR Amontonar, acumular, juntar, acopiar, cumular, agrupar, hacinar.
AGOBIAR Abrumar, cargar, molestar, aburrir, cansar, importunar, irritar, amolar, acosar, fatigar. l Encorvar.
AGOBIO Molestia, sofocación, fatiga, desazón, abatimiento, opresión, desasosiego, pesadumbre, ajetreo, pesadez.
AGOLPAR Amontonar, aglomerar, apilar, acumular, hacinar, apretujar.
AGONÍA Postrimería, pena, boqueada, término, acabamiento, finamiento, desenlace.
AGONIZANTE Moribundo.
AGONIZAR Extinguirse, acabar, perecer, terminar, expirar, boquear.
AGOSTAR Abrasar, asurar, extinguir, musitar, marchitar, secar, consumir.
AGOTAMIENTO Debilitación, extenuación, acabamiento, aniquilación, desgana.
AGOTAR Apurar, desangrar, acabar, extenuar, aniquilar. l Disipar, desatesorar, consumir.
AGRACIADO Gracioso, donairoso, jacarandoso, ocurrente, festivo, agradable, chispeante, guapo.
AGRACIAR Perdonar, indultar.
AGRADABLE Delicioso, ameno, deleitoso, complaciente, atrayente, afectuoso, encantador, atractivo, seductor, grato, afable, placentero.
AGRADAR Gustar, deleitar, complacer, contentar, satisfacer, alegrar, interesar, fascinar, seducir, cautivar.
AGRADECIDO Reconocido.
AGRADECER Corresponder, reconocer, gratitud, compensar.
AGRADECIMIENTO Lealtad, gratitud, correspondencia, reconocimiento.
AGRADO Complacencia, voluntad, satisfacción, placer, amabilidad, seducción, gracia, contentamiento, simpatía, afabilidad, gusto.
AGRANDAR Ampliar, ensanchar, engrandecer, aumentar, acrecer, multiplicar, dilatar, alargar, agigantar.
AGRARIO Campestre, campesino.
AGRAVAR Gravar, imponer, empeorar, oprimir, dificultar, recargar.
AGRAVIAR Ofender, insultar, vilipendiar, provocar, infamar, deshonrar, humillar, perjudicar, injuriar, ultrajar, denigrar.
AGRAZ Agrazada, agrazón. l Amargura, disgusto, sinsabor.
AGREDIR Acometer, herir, golpear, embestir, atacar, arremeter.
AGREGADO Añadidura. l Adjunto, anexo.
AGREGAR Adicionar, unir, allegar, sumar, yuxtaponer, anexionar, adosar, añadir, juntar, aumentar.
AGRESIÓN Acometida, asalto, ataque, atraco. l Invasión.
AGRESIVO Insolente, provocador, agravioso, mordaz, insultante, vejatorio.
AGRESOR Atacador, pendenciero, provocador, matón, acometedor, asaltador.
AGRESTE Rural, rústico, áspero, inculto, salvaje, agrario, cerril, rudo, grosero.
AGRIAR Avinagrar, asperear, exacerbar, amargar.
AGRICULTOR Labrador, campesino, cortijero, ranchero, campirano, cultivador.
AGRICULTURA Horticultura, selvicultura, floricultura, labranza, laboreo, cultivo, siembra, siega, cosecha.
AGRIETAR Hendir, rajar, resquebrajar, abrir, cuartear.
AGRIO ácido, acidulado, avinagrado, cáustico,

AGR
áspero, desabrido, intolerable, hiriente. I Quebradizo, frágil.
AGRUPACIÓN Reunión, partido, colectividad.
AGRUPAR Apilar, juntar, apiñar, reunir, aglutinar, amontonar, atropar.
AGUA Linfa, lluvia, líquido elemento.
AGUACERO Chubasco, chaparrón, nubada, turbión, lluvacero.
AGUACHIRLE Insubstancial, baladí.
AGUADA Abrevadero, aguaje.
AGUAMANIL Jofaina, palangana, lavamanos, lavatorio.
AGUAMIEL Hidromiel.
AGUANTAR Tolerar, permitir, contener, resistir, sobrellevar, condescender.
AGUANTARSE Contenerse, reprimirse, refrenarse, sostenerse.
AGUANTE Paciencia, sufrimiento, resignación, entereza, flema. I Fortaleza, vigor.
AGUAR Turbar, hidratar, frustrar, atenuar, interrumpir, entorpecer, estropear.
AGUARDAR Esperar, atender, acechar, capotear.
AGUDAMENTE Sutilmente, perspicazmente, oportunamente, ingeniosamente.
AGUDEZA Sutileza, viveza, penetración, perspicacia, destello, ingenio, ocurrencia, donaire, chiste.
AGUDO Penetrante, delgado, puntiagudo, sutil. I Chistoso, ocurrente, vivo.
AGÜERO Presagio, pronóstico, horóscopo, vaticinio, anuncio, oráculo, señal, auspicio, predicción.
AGUERRIDO Belicoso, guerrillero, endurecido, fogueado, batallador, avezado, experimentado, baqueteado.
AGUIJADA Picana.
AGUIJAR Picar, con la aguijada, picanear, aguijonear, incitar, estimular, espolear, pinchar, avispar.
AGUIJÓN Punta, púa, espina, incitación, puya, incentivo, estímulo, aguijadura, punzadura.
AGUINALDO Dádiva, obsequio, recompensa, propina, gratificación, merced, presente, agasajo, ofrenda, donación.
AGUJA Manecilla, brújula, compás. I Rascamoño, onelisco, horquilla.
AGUJEREAR Perforar, horadar, trepanar, abrir, taladrar, ojetear.
AGUJERO Orificio, abertura, horado, boquete, portillo, oquedad, cavidad.
AGUZAR Adelgazar, acicalar, aguijar, despedazar, excitar, estimular, agudo. I Afilar, amolar.
AHERROJAR Encadenar, oprimir, esclavizar.
AHIJAR Adoptar, prohijar, acoger. I Imputar, atribuir.
AHÍNCO Empeño, diligencia, firmeza, tesón, afán, prurito, vehemencia, voluntad, pasión, pujo.
AHÍTO Saciado, harto, apipado, empachado. I Fastidiado, hastiado, aburrido.
AHOGAR Asfixiar, sofocar, extinguir, estrangular, oprimir, sumergir, encharcar, anorcar.
AHOGARSE Afligirse, desconcertarse. I Malograrse.
AHOGO Aprieto, congoja, aflicción, necesidad, opresión, asma, asfixia, agobio, estrechez, bochorno.
AHONDAR Profundizar, cavar, escarbar, excavar. I Sondear, escudriñar, investigar, fiscalizar.
AHORA Hoy día, actualmente, por ahora, ya, en este momento.
AHORCADO Colgado, ajusticiado. I Entrampado.
AHORCAR Suspender, colgar, agarrotar, estrangular, ajusticiar, suspender.
AHORRAR Economizar, reservar, entalegar. I Excusar, evitar.
AHORRO Economía, parsimonia, reserva, conservación, peculio, hucha.
AHUECAR Esponjar, mullir, hinchar. I Pavonearse, engreírse. I Escapar, marchar.
AHUMAR Llenar de humo, ahumear, tiznar, emborrachar, fumar.
AHUYENTAR Espantar, hacer huir, alejar, apartar, conjurar, desechar.
AIRADO Enojado, irritado, encolerizado, furioso, rabioso, furibundo, irascible, frenético. I Vicioso, perverso.
AIRARSE Irritarse, enojarse. I Viciarse, corromperse.
AIRE Viento, ventilación, oreo, atmósfera. I Gallardía, garbo, gentileza, brío. I Canto, música, canción.
AIREAR Ventilar, aventar, orear, ventear.
AIRÓN Prestigioso, renombre. I Adorno.
AIROSO Garboso, esbelto, arrogante, gracioso, bizarro, brioso, majo, apuesto, gallardo, juncal, lucido.
AISLADO Abandonado, solo, separado, apartado, incomunicado, huraño, solitario. I Independiente.
AISLAMIENTO Incomunicación, soledad, reclusión, clausura, apartamiento, abandono, retiro.
AISLAR Cercar, arrinconar, confinar, abandonar, emparedar, retirar, incomunicar, separar, apartar.
AISLARSE Incomunicarse, retirarse, apartarse.
AJAR Maltartar, deslucir, desfigurar, marchitar, deteriorar.
AJENO Impropio, extraño, intruso, forastero, adventicio. I Distante.
AJETREO Trajín, aperreo, agitación, movimiento, agobio, traqueteo.
AJÍ Pimiento.
AJUAR Enseres, mobiliario, moblaje. I Equipo.
AJUSTAR Acomodar, arreglar, componer, armonizar, adecuar, acoplar, adaptar. I Convenir, pactar, reconciliar.
AJUSTARSE Amoldarse, adaptarse, conformarse, acomodarse.
AJUSTICIAR Ejecutar, inmolar, fusilar, ahorcar, agarrotar, guillotinar, colgar, matar.
ALA Alón, aleta, alero, membrana, hilera, costado. I Remo.
ALABANZA Encomio, cumplido, aplauso, ovación, honor, elogio, celebración.

ALA

ALABAR Celebrar, enaltecer, elogiar, encomiar, felicitar, aplaudir, honrar, honorar, ensalzar, ponderar.
ALABARDEROS Claque.
ALABEAR Curvar, pandear, combar, arquillar, torcer, arquear.
ALABEARSE Torcerse, gambearse, combarse, arquearse.
ALAMBICAR Destilar, aquitarar. I Aquilatar, sulizar. I Examinar atentamente.
ALAMBRADO Alambrada, tela metálica, enrejado, obstáculo. I Cercado.
ALAMBRE Filamento, hilo.
ALARDE Presuntuosidad, orgullo, vanidad, postín, ufanía, ostentación, gala, jactancia, petulancia, farol.
ALARDEAR Vanagloriarse, jactarse, alabarse, engreírse, glorificarse, ufanarse, pavonearse.
ALARGAR Prolongar, estirar, alongar, aumentar. I Dilatar, retardar, dar largas.
ALARGARSE Alejarse, desviarse, apartarse, excederse.
ALARMA Temor, intranquilidad, inquietud, sobresalto, rebato, aviso, susto.
ALARMAR Sobresaltar, espantar, asustar, atemorizar, amedrentar, aterrar, desasosegar, inquietar.
ALAS Engreimiento, osadía. I ánimo.
ALBA Amanecida, alborada, madrugada, maitinada, aurora.
ALBACEA Testamentario.
ALBAÑAL Cloaca, alcantarilla.
ALBEDRÍO Arbitrio, voluntad, gusto, decisión, arbitrariedad. I Capricho.
ALBERGAR Alojar, instalar, hospedar, cobijar, amparar, aposentar.
ALBERGUE Alojamiento, hospedaje, cobijamiento, hospedería, acogimiento, venta, posada, mesón, parador, guarida, cubil.
ALBIÓN Inglaterra.
ALBORADA Amanecer, alba, aurora, amanecida, albor, madrugada.
ALBOREAR Amanecer, clarecer, despuntar mañanear, rayar.
ALBORES Comienzo, principios, juventud, infancia.
ALBOROTAR Conmover, alterar, perturbar, inquietar, amotinar, gritar, excitar, trastornar, armarla, Conturbar, embullar.
ALBOROTO Estrépito, vocerío, desorden, tumulto, motín, intranquilidad, asonada, jaleo, disturbio, barahunda, escándalo.
ALBOROZO Alegría, placer, regocijo, gozo, contento, felicidad, júbilo, animación, satisfacción, algazara.
ALCAHUETE Correveidile, alcamonías, encubridor. I Proxeneta. I Comadre, enredadora, celestina, soplona.
ALCALDE Corregidor, presidente del Ayuntamiento.
ALCALOIDE Estupefaciente.
ALCANCE Trascendencia, eficacia.I Persecución, seguimiento.
ALCANCÍA Hucha, cepillo.

ALCANTARILLADO Sumidero, cloaca.
ALCANZAR Conseguir, obtener, lograr, arribar, sacar, emparejar. I Comprender, entender.
ALCAYATA Escarpia.
ALCÁZAR Alcazaba, ciudadela, fortaleza, castillo, fortificación, palacio.
ALCOBA Aposento, cámara, dormitorio, cubículo.
ALCORNOQUE Ignorante, torpe, cretino, zafio.
ALCURNIA Linaje, estirpe, abolengo, generación, genealogía, prosapia, ascendencia, cepa.
ALCUZA Aceitera.
ALDABA Aldabón, llamador, picaporte. I Recomendación, protección, ayudas.
ALDEA Villorrio, aldehuela, aldeorro, burgo, pueblo, localidad, villa.
ALDEANO Labriego, pardal, rústico, lugareño, pueblerino, inculto.
ALEATORIO Incierto, casual, fortuito, eventual.
ALECCIONAR Enseñar, instruir, ilustrar, documentar, amaestrar, aconsejar.
ALEDAÑO Limítrofe, lindante, colindante, anexo, adyacente, contiguo, próximo, confinante, rayano.
ALEGAR Argüir, acreditar, fundamental, aducir, exponer, citar.
ALEGORÍA Figura, símbolo, fábula, ficción, parábola, emblema, leyenda.
ALEGRAR Regocijar, divertir, deleitar, solazar, agradar, complacer, alborozar, holgar. I Avivar.
ALEGRARSE Holgarse, congratularse. I Emborracharse, alumbrarse, achisparse.
ALEGRE Divertido, jovial, festivo, risueño, bromista. I Ajumado, alumbrado, achispado.
ALEGRÍA Regocijo, alborozo, satisfacción, júbilo, placer, diversión, risa, contento, esparcimiento.
ALEJAR Apartar, retirar, separar, rechazar, evitar, alongar. I Conjurar.
ALELADO Pasmado, embobado, estupefacto, chalado, turulato.
ALEMÁN Germano, teutón.
ALENTADOR Reconfortante, estimulante.
ALENTAR Animar, confortar, exhortar, levantar, consolar, envalentonar, espolear. I Respirar.
ALERTA Prevenido, vigilante, atento.
ALETARGAR Amodorrar, adormecer, narcotizar, hipnotizar.
ALEVE Desleal, alevoso, traidor, pérfido, fementido, vil, felón, falso.
ALEVOSÍA Deslealtad, vileza, mala fe, zancadilla, felonía, incumplimiento, perfidia, traición, infidelidad.
ALFABETO Abecé, abecedario.
ALFARERO Ceramista, ollero, lañador, pilero, alfaharero.
ALFEÑIQUE Enclenque, enflaquecido.
ALFILER Agujón, zanca, imperdible.
ALFOMBRA Linóleo, tapiz, tapete, moqueta.
ALFOMBRAR Esterar, tapizar, alcatifar.
ALFORJA Bolsa de acarreo, faltriquera, mochila,

talego, talega, capacho.
ALGARADA Motín, tumulto, gresca, asonada, revuelta.
ALGAZARA Gritería, algarabía, alboroto, correría, vocerío, bullicio.
ÁLGIDO Glacial. I Culminante.
ALGUACIL Esbirro, polizonte, satélite, sayón, corchete.
ALHAJA Joya, aderezo, broche, sortija, collar, dije, adorno. I Buena persona.
ALHAJAR Enjoyar, abrillantar, adornar, embellecer.
ALHARACA Aspaviento.
ALIADO Coligado, socio, compañero, colega, adicto, unido.
ALIANZA Convención, contrato, estipulación, negociación, convenio, conexión, pacto, acuerdo. I Casamiento.
ALIARSE convenirse, asociarse, unirse, ligarse, coligarse.
ALICAÍDO Deprimido, endeble, lento, vacilante, apagado, caído, cansado, desanimado, melancólico, mustio. I Apabullado.
ALICIENTE Incentivo, estímulo, atractivo, encanto, acicate, aguijón.
ALIENADO Loco, demente, perturbado, enajenado, tocado, chiflado, orate.
ALIENAR Arrebatar, enajenar, vender, embargar, malvender.
ALIENTO Esfuerzo, valor, denuedo, empeño, afán, ahínco, vehemencia. I Resuello, hálito, respiración, inhalación.
ALIFAQUE Achaque.
ALIGERAR Abreviar, reducir, acortar, aminorar, atenuar, alentar, tranquilizar, activar. I Templar, calmar, mitigar, aliviar.
ALIJO Contrabando, matute.
ALIMENTAR Sustentar, sostener, fortalecer, proveer, atiborrar, suministrar.
ALIMENTICIO Nutritivo, alimentoso, nutricio, sustancioso, suculento.
ALIMENTO Mantención, comida, sustento, pábulo, manducatoria, nutrimiento, refrigerio, colación, rancho.
ALIÑO Aseo, compostura, limpieza, arreglo, galanura, acicalamiento, pulcritud. I Adobo, condimento, aderezo.
ALISAR Pulir, bruñir, abrillantar, lustrar, limar. I Aplanar, allanar.
ALISTAR Inscribir, empadronar, disponer, matricular, afiliar. I Sentar plaza de militar.
ALIVIAR Mitigar, disminuir, atenuar, aligerar, remediar, ayudar. I Alegrar, distraer, alentar.
ALIVIARSE Reponerse, mejorarse, curarse.
ALIVIO Convalecencia, mejoría, aliviamiento. I Descanso, desahogo. I Confortación, consolación.
ALJIBE Cisterna, pozo, estanque, tanque.
ALMA ánimo, aliento, espíritu, viveza. I Inteligencia, conciencia. I Meollo, substancia, coleto.
ALMACÉN Albacería, tienda, comercio. I Depósito, bodega. I Municiones, pertrechos.
ALMACENAR Reunir, acumular, juntar, acopiar, aglomerar, amontonar, acaparar, allegar, guardar.
ALMADREÑA Zueco.
ALMANAQUE Calendario, registro, repertorio.
ALMIBARAR Endulzar, bañar con almíbar. I Engatuzar, suavizar, camelar, embaucar, carantoñear.
ALMIREZ Mortero.
ALMOHADA Cojín, cabezal, colchoncillo.
ALMONEDA Subasta, tasación, remate, concurso, compraventa, puja.
ALOCADO Impetuoso, aturdido, tarambana, irreflexivo, impulsivo.
ALOCUCIÓN Discurso, arenga, razonamiento, demostración, conferencia, charla, perorata, soflama.
ALOJAR Hospedar, aposentar, albergar. I Acuarelar, acampar, acantonar.
ALONDRA Calandria.
ALQUERÍA Cortijo, finca, granja, casa de labor, quintería, masía, carmen.
ALQUILER Arrendar, locación, arriendo, arrendamiento, inquilinato, renta.
ALREDEDOR Periferia, contorno, perfil, silueta, orla. I Cercanías, inmediaciones, alrededores.
ALTAMENTE Extremadamente, perfectamente, excelentemente.
ALTANERÍA Orgullo, arrogancia, altivez, presunción, fatuidad, envanecimiento, pedantería, jactancia, engreimiento. I Altura.
ALTANERO Soberbio, altivo, insolente, empingorotado, pedante, engreído, vanidoso, fantasioso, fanfarrón, arrogante.
ALTAR Ara, prebisterio, santuario, retablo, tabernáculo, sagrario.
ALTAVOZ Altoparlante.
ALTERACIÓN Mudanza, cambio, perturbación, trastorno. I Sobresalto, irritación, inquietud, disputa.
ALTERAR Perturbar, conturbar, cambiar, conmover. I Enfadar, alborotar.
ALTERCADO Disputa, controversia, polémica, cuestión, querella, porfía, contienda, reyerta, riña, bronca, gresca, alteración, pelotera.
ALTERCAR Discutir, disputar, controvertir, contender, pelear, porfiar.
ALTERNAR Permutar, turnar, cambiar, competir, variar, distribuir.
ALTERNATIVA Opción, disyuntiva, dilema, elección.
ALTEZA Elevación, altura, excelencia, proceridad, excelsitud.
ALTILLO Desván, buhardilla. I Colina.
ALTISONANTE Fastuoso, aparatoso, retumbante, afectado, hinchado, engolado, grandilocuente, campanudo.
ALTITUD Altura, elevación.
ALTIVEZ Soberbia, vanidad, orgullo, altanería, pe-

dantería, presunción, fatuidad, arrogancia, jactancia, desdén, desprecio.
ALTIVO Orgulloso, arrogante, soberbio, desdeñoso, petulante, altanero, fatuo, despreciativo, erguido, postinero.
ALTO Cimero, espigado, elevado, subido, levantado. I Noble, excelente, supremo. I Detención, parada. I Ruidoso.
ALTOZANO Collado, cerro. I Atrio.
ALTRUISMO Filantropía, generosidad, desinterés, desprendimiento, liberalidad, benevolencia, abnegación.
ALTRUISTA Caritativo, filántropo, abnegado.
ALTURA Elevación, altitud, meseta, promontorio, altozano, loma, cumbre. I Proceridad.
ALUCINACIÓN Ofuscamiento, obcecación, confusión, perturbación, alucinamiento, obsesión, manía.
ALUCINAR Cegar, deslumbrar, reducir, embaucar, confundir, fascinar, abobar.
ALUD Avalancha, desprendimiento, derrumbamiento, desplome, torva.
ALUDIR Referirse, insinuar, apuntar, mencionar, personalizar, citar.
ALUMBRAMIENTO Parto.
ALUMBRAR Iluminar, avivar, encender. I Parir, dar a luz. I Enseñar, ilustrar.
ALUMNO Estudiante, colegial, discípulo, educando, seminarista.
ALUNADO Lunático.
ALUSIÓN Cita, mención, personalización, indicación, indirecta, referencia.
ALUSIVO Referente, insinuante, sugeridor, reticente.
ALUVIÓN Anegación, diluvio, tromba, inundación, torrente. I Muchedumbre, multitud, masa.
ALZADO Alborotado, encelado.
ALZAMIENTO Levantamiento, sedición, rebelión, sublevación, motín, trepa, insurgencia, protesta. I Puja.
ALZAR Elevar, levantar, erguir, exaltar, enarbolar, ascender, enaltecer, encumbrar. I Guardar, ocultar.
ALLÁ Al otro lado, lejos, allende.
ALLANAR Igualar, aplanar, nivelar, rasar. I Pacificar, sujetar, aquietar.
ALLANARSE Conformarse, avenirse, amoldarse, someterse, prestarse.
ALLEGADO Deudo, pariente, familiar, vecino, adoptado. I Cercano, próximo.
ALLEGAR Juntar, reunir, recolectar, acaparar, amontonar, aproximar.
AMA dueña, poseedora, señora, patrona, propietaria, ama de llaves. I Nodriza.
AMABILIDAD Afabilidad, benevolencia, cordialidad, sencillez, ternura.
AMABLE Afectuoso, complaciente, afable, afectivo, risueño, cortés, sociable, tierno, atento, agradable, sencillo.
AMADAMADO Afeminado, amaricado, amujerado.

AMADO Querido, dilecto, adorado, idolatrado, caro, bienquisto.
AMADOR Cortejador, galán, amante, tenorio, galanteador.
AMAESTRAR Adiestrar, enseñar, adoctrinar, instruir, entrenar, disciplinar.
AMARGAR Intimidar, amenazar, conminar, bravear. I Ocultarse, esconderse.
AMAINAR Aflojar, flaquear, ceder, calmar, desistir, disminuir.
AMALGAMA Mezcla, combinación, unión.
AMAMANTAR Lactar, dar de mamar, atetar.
AMANCEBAMIENTO Amasiato, concubinato, arrimo, contubernio, abarragamiento.
AMANCEBARSE Juntarse, liarse, amontonarse, amigarse, abarraganarse.
AMANECER Alborada, madrugada, aurora, maitinada, albor, clarear, alborear, despuntar, alborecer, abrir el día.
AMANERADO Relamido, afectado, rebuscado, forzado, redicho, enfático, pretencioso, peripuesto.
AMANERAMIENTO Empaque, énfasis, tiesura, pedantería, afectación, artificio.
AMANSAR Domesticar, desbravar, apaciguar, sosegar, aquietar, tranquilizar, amaestrar, domar.
AMANTAR Abrigar, tapar, cubrir, arropar.
AMANTE Afectuoso, queriente, fino, encelado, amoroso, idólatra, enamorado. I Tierno, cariñoso.
AMAÑAR Arreglar, componer, acomodarse, amoldarse, hecho con maña, mañoso.
AMAR Adorar, idolatrar, afeccionar, querer, apreciar, encapricharse, estimar, bienquerer.
AMARAR Acuatizar, amerizar.
AMARGAR Constristar, atormentar, disgustar, apesadumbrar, afligir, apenar, entristecer.
AMARGO Acíbarado, amargoso, áspero, desabrido. I Doloroso, aflictivo.
AMARGURA Disgusto, tristeza, aflicción, pena, sufrimiento, dolor, tormento, desconsuelo, pesar. I Acidez, amargo.
AMARRA Correa, cuerda, cable. I Protección, apoyo.
AMARRAR Atar, sujetar, ensogar, agarrotar, estacar, asegurar, trincar, encadenar, prisionar, ligar.
AMARRAS Protección. I Cuñas, apoyo, atadero.
AMARTELADO Enamorado, rendido, chiflado.
AMASAR Sobar, bregar, amalgamar. I Atesorar, acumular.
AMAZONA Cazadora, rejoneadora, caballista.
AMBAGES Sutilezas, circunloquios, rodeos, evasiva, ambigüedades, disgresión, perífrasis.
AMBICIÓN Codicia, aspiración, apetencia, anhelo, afán, empeño, avaricia, avidez, acucia.
AMBICIONAR Anhelar, ansiar, apetecer, querer, avariciar, codiciar.
AMBICIOSO ávido, avaricioso, apetecedor, antojadizo, ansioso, codicioso.
AMBIENTE Atmósfera, ámbito, clima, nimbo. I Cir-

AMB

cunstancias, disposición, estado de ánimo, estado de personas o cosas.
AMBIGÜEDAD Doble sentido, antibiología, confusión, equívoco, oscuridad, rodeo, tergiversación, indeterminación.
AMBIGUO Incierto, indeterminado, promiscuo, dudoso, turbio, confuso, equívoco.
ÁMBITO Perímetro, contorno, recinto.
AMBULANTE Trashumante, bohemio, nómada, apátrida, errante, pasajero.
AMEDRENTAR Atemorizar, asustar, arredrar, amilanar, acoquinar, acorralar, espantar, acobardar, intimidar, apocar.
AMÉN A más, además. I Así sea.
AMENAZA conminación, intimidación, advertencia, amago, amonestación, reto, ultimátum, peligro, maldición.
AMENAZAR Conminar, amagar, fanfarronear, bravear.
AMENGUAR Baldonar, afrentar, deshonrar. I Disminuir, menoscabar, menguar, debilitar, restringir.
AMENIDAD Apacibilidad, atractivo, encanto, halago, incentivo, delicia, donaire, gracejo, variedad.
AMENO Grato, agradable, placentero, divertido, sugerente, donoso, deleitoso, ingenioso, entretenido.
AMIGA Querida, concubina, manceba, barragana, coima. I Amistosa.
AMIGABLE Leal, fraterno, inseparable, amistoso, afable.
AMIGO Camarada, partidario, adicto, afecto, encariñado. I Querido, amante.
AMILANAR Amedrentar, atemorizar, acoquinar, achicar, desalentar, arredrar.
AMINORAR Disminuir, reducir, abreviar, adelgazar, amenguar, apocar, mermar, achicar, acortar, atenuar.
AMISTAD Cariño, afición, aprecio, estima adhesión, intimidad, confianza, afinidad. I Favor, merced.
AMISTOSO Inseparable, amigo, amable, incondicional, entrañable.
AMNISTÍA Gracia, olvido, indulto, condonación, rehabilitación, remisión.
AMO Dueño, propietario, patrón, cabeza de familia, señor, poseedor.
AMOBLAR Amueblar, adornar, alhajar.
AMODORRARSE Aletargarse, dormirse, adormilarse, transponerse, adormecerse.
AMOHINARSE Enojarse, irritarse, incomodarse, disgustarse.
AMOLDAR Ajustar, acomodar, vaciar, arreglar, conformar, ahormar.
AMONEDAR Troquelar, acuñar.
AMONESTACIÓN Advertencia, aviso, apercibimiento, regaño, reprimenda, censura, admonición, reproche. I Proclama.
AMONESTAR Prevenir, avisar, apercibir, advertir, regañar, reprender, sugerir, exhortar, recomendar.
AMONTONAR Apiñar, acumular, juntar, aglomerar, reunir, recoger, almacenar, apilar, hacinar, acopiar.
AMONTONARSE Encresparse, enojarse, enfadarse. I Juntarse, amancebarse.
AMOR Cariño, ternura, cordialidad, estimación, pasión, afecto, adoración. I Esmero, escrupulosidad.
AMORATADO Cárdeno, lívido, que tira a morado.
AMOROSO Cariñoso, enamorado, afectuoso, idólatra, amador, tierno. I Suave, agradable, blando.
AMORTAJAR Envolver, poner la mortaja, cubrir.
AMORTIGUAR Moderar, atenuar, templar, suavizar, disminuir, entibiar, aliviar, debilitar, aminorar, mitigar, paliar.
AMORTIZAR Liquidar, recuperar, redimir, cancelar, extinguir.
AMOTINAR Revolucionar, insurreccionar, turbar, inquietar, sublevar.
AMOVIBLE Inestable, inseguro, movedizo.
AMPARADOR Padrino, defensor, protector, fiador, favorecedor, valedor.
AMPARAR Proteger, refugiar, apoyar, acoger, mantener, escudar, patrocinar, favorecer. I Defenderse, guarecerse.
AMPARO Apoyo, ayuda, favor, abrigo, asilo, defensa, acogida, preservación, refugio, protección, égida.
AMPLIAMENTE Extensamente, generosamente, cumplidamente.
AMPLIAR Dilatar, ensanchar, acrecentar, agrandar, engrosar, extender, amplificar, aumentar, desarrollar.
AMPLIFICAR Aumentar, desarrollar, extender, dilatar, agrandar.
AMPLIO Dilatado, vasto, ancho, extenso, holgado, abundante. I Lato.
AMPLITUD Extensión, ampliación, anchura, espaciosidad, vastedad, dilatación.
AMPOLLA Vejiga. I Vinajera.
AMPULOSO Abultado, túmido, enfático, exagerado, ostentoso, aparatoso, retumbante, redundante.
AMPUTAR Cercenar, mutilar, cortar, separar.
AMUEBLAR Adornar, amoblar, ajuar.
AMULETO Mascota, talismán, fetiche, medalla.
AMURALLAR Cercar, murar, almenar, resguardar, proteger, defender.
ANACORETA Ermitaño, solitario, penitente, cenobita, estilita.
ANALES Crónica, historia, narración.
ANALFABETO Inculto, iletrado, ignorante, palurdo, corto.
ANALGÉSICO Calmante.
ANÁLISIS Examen, discusión, exploración, inspección, investigación, disquisición.
ANALIZAR Examinar, estudiar, desmenuzar, considerar, inquirir, descomponer.
ANALOGÍA Similitud, semejanza, parecido, afinidad, correspondencia, símil.
ANÁLOGO Similar, semejante, equivalente, sinónimo, afín, parecido.
ANARQUÍA Desgobierno, desbarajuste, descon-

ANA

cierto, desorden, confusión, apoliticismo, trastorno.
ANARQUISTA Ácrata, libertario.
ANATOMÍA Disección.
ANCA Nalga. I Cuadril. I Cadera.
ANCIANIDAD Senectud, envejecimiento, vejez, vetustez, longevidad.
ANCIANO Viejo, vejestorio, octogenario. I Veterano. I Longevo.
ANCLA Áncora, anclote.
ANCLADO Surto, fondeado.
ANCLAR Ancorar, fondear, aferrar.
ANCHETA Pacotilla.
ANCHO Holgado, amplio, espacioso, vasto, extenso, dilatado. I Satisfecho, orgulloso, ufano.
ANCHURA Extensión, latitud, amplitud.
ANDALUZADA Exageración, fanfarronada.
ANDAMIO Tablado, andamiaje, armazón, esqueleto.
ANDANCIA Epidemia.
ANDANZA Viaje, suceso, lance, peripecia, correría, aventura.
ANDAR Caminar, marchar, ir, transitar, pasar. I Funcionar.
ANDARES Contoneo, manera de proceder, desgaire.
ANDARIEGO Caminante, andador, andarín.
ANDARÍN Andariego, caminador, trotamundos, tragaleguas.
ANDAS Angarillas, parihuelas, litera.
ANDÉN Acera, muelle, plataforma, apeadero, corredor.
ANDORRERO Callejero, andariego.
ANDRAJO Trapo, pingajo, trapajo, guiñapo, harapo, carlanga.
ANDRAJOSO Haraposo, roto, pingajoso, desastrado, desarrapado, zancajoso.
ANDRÓMINA Embuste, enredo, encharcar.
ANÉCDOTA Relato, narración, fábula, historieta, leyenda, pomenor, chascarillo.
ANEGAR Sumergir, inundar, encharcar.
ANEJO Anexo, dependiente, unido, agregado, aledaño, adyacente.
ANÉMICO Depauperado, endeble.
ANESTESIAR Insensibilizar.
ANEXIONAR Unir, anexar, agregar.
ANFIBIO Apodo, batracio.
ANFIBIOLOGÍA Ambigüedad, equívoco, confusión, tergiversación, promiscuidad.
ANFRACTUOSO Tortuoso, sinuoso, desigual.
ANGARILLAS Parihuelas, camilla, andas, jamugas.
ÁNGEL Serafín, espíritu de luz. I Atractivo, simpatía, agrado, encanto.
ANGELICAL Seráfico, candoroso, inmaculado, angélico, puro, inocente, casto.
ANGOSTO Justo, ajustado, estrecho, apretado, ceñido, reducido.
ANGULAR Básico, fundamental.
ÁNGULO Esquina, arista, rincón, recoveco, chaflán, vértice.

ANGURRIA Ansiedad, voracidad, codicia, afán.
ANGUSTIA Afligimiento, tristeza, aflicción, desconsuelo, agobio, ansia, amargura, congoja, zozobra, inquietud.
ANGUSTIAR Acongojar, apenar, intranquilizar, contristar, acuitar, entristecer, mortificar.
ANGUSTIOSO Agobiante, lamentable, triste, penoso, lúgubre, indeciso, deplorable, patético.
ANHELADO Apetecido, deseado, codiciado, ansiado.
ANHELAR Ambicionar, apetecer, aspirar, ansiar, codiciar.
ANHELO Codicia, afán, deseo, apetencia, aspiración, avidez, ardicia.
ANILLA Argolla, anillo, aros.
ANILLO Sortija, aro, cerco, cincho.
ÁNIMA Espíritu, alma.
ANIMACIÓN Actividad, ardor, arrebato, acaloramiento, entusiasmo, bullicio, excitación, movimiento.
ANIMADVERSIÓN Rencor, ojeriza, enemistad, antipatía, animosidad.
ANIMAL Bestia, bicho, fiera. I Grosero, torpe, incapaz, cernícalo, ignorante.
ANIMALADA Barbaridad, estupidez, borricada, necedad.
ANIMAR Confortar, alentar, incitar, desacobardar, reanimar, excitar.
ANIMARSE Atreverse, crecerse, decidirse, encamparse.
ÁNIMO Valor, espíritu, intrepidez, arrojo, aliento, atrevimiento, coraje, entereza, hombría, denuedo.
ANIMOSIDAD Ojeriza, desafecto, aversión, inquina, malquerencia. I Ardor, resolución, ánimo, valor.
ANIMOSO Intrépido, osado, audaz, resuelto, impávido, valeroso, denodado.
ANIQUILAR Desbaratar, arrasar, destruir, demoler, exterminar, deshacer, arruinar, anonadar.
ANIVERSARIO Cumpleaños. I Anual.
ANOCHECER Oscurecer, crepúsculo, atardecer, anochecida.
ANODINO Ineficaz, insignificante, superficial. I Calmante. I Insípido.
ANOMALÍA Rareza, extravagancia, irregularidad, desigualdad, inconsecuencia.
ANÓMALO Anormal, raro, extraño, irregular, inaudito, excepcional, estrambótico, singular, desigual, insólito.
ANONADAR Apocar, disminuir, abatir, aniquilar, destruir, exterminar, humillar, arruinar.
ANÓNIMO Desconocido, incógnito, ignorado, secreto.
ANORMAL Inconcebible, irregular, increíble, inverosímil. I Demente, loco, deforme, tarado.
ANOTACIÓN Apunte, nota, acotación, asiento, registro, observación, acta.
ANOTAR Apuntar, registrar, glosar, matricular, inscribir, asentar.
ANQUILOSARSE Agarrotarse.

ANS

ANSIA Angustia, inquietud, anhelación, ansiedad, afán, deseo, congoja, zozobra.
ANSIAR Apetecer, anhelar, ambicionar, envidiar, pretender, codiciar.
ANSIEDAD Anhelo, ansia. I Inquietud, intranquilidad, impaciencia.
ANSIOSO Ambicioso, codicioso, vehemente. I Glotón.
ANTAGÓNICO Contrario, antónimo, opuesto, rivalidad.
ANTAÑO Antiguamente, tiempos atrás, antes.
ANTECÁMARA Antesala.
ANTECEDENTE Anterior, precedente, precursor. I Referencia, dato, noticia.
ANTECESOR Predecesor, antepuesto, antepasado, ascendiente, mayor, padre.
ANTELACIÓN Anticipación, anterioridad.
ANTEOJOS Gafas, antiparras, gemelos, lentes, impertinentes, quevedos.
ANTEPASADO Ascendiente, precursor, antecesor, procreador, progenitor.
ANTEPONER Adelantar. I Preferir, distinguir.
ANTERIORMENTE Precedentemente, antes, delante, primeramente.
ANTES Anteriormente, por adelantado, de antemano.
ANTESALA Antecámara.
ANTICIPAR Adelantar, preceder, anteponer.
ANTICIPO Anticipación, adelanto, avance.
ANTÍDOTO Contraveneno, antitóxico, preservativo.
ANTIFAZ Careta, mascarilla, carátula, máscara.
ANTIGUAMENTE Remotamente, antaño, antes, otrora.
ANTIGUO Remoto, viejo, añejo, pretérito, añoso, arcaico, pasado.
ANTIPARRAS Gafas, espejuelos, anteojos.
ANTIPATÍA Enemistad, oposición, odio aversión, tirria, repugnancia, ojeriza, rencor, desafecto, desagrado, inquina.
ANTÍTESIS Antagónico, oposición, contrariedad, contraste, antilogía.
ANTITÉTICO Contrario, opuesto.
ANTOJADIZO Caprichoso, inconstante, veleidoso, inconsistente, mudable.
ANTOJARSE Encapricharse, engolosinarse, aficionarse.
ANTOJO Capricho, veleidad, arbitrariedad, inconstancia, fantasía.
ANTOLOGÍA Florilegio, selección, analectas.
ANTRO Gruta, cueva, caverna.
ANTROPÓFAGO Cruel, sanguinario. I Caníbal.
ANUBLAR Nublar, oscurecer, empañar, añublar.
ANUDAR Amarrar, atar, juntar, unir, añudar, ligar.
ANULAR Invalidar, desautorizar, suprimir, revocar, cancelar, deshacer, derogar, abolir. I Postergar, humillar.
ANUNCIAR Noticiar, publicar, notificar, editar, informar, denunciar, difundir, divulgar, propagar, proclamar.
ANUNCIO Noticia, proclama, revelación, pregón, publicidad, prospecto.
ANZUELO Cebo, añagaza, artimaña. I Atractivo, aliciente.
AÑADIR Agregar, incorporar, adicionar, anexionar, aumentar, unir.
AÑEJO Antiguo, viejo.
AÑICOS Trozos, pedazos, trizas.
AÑORANZA Recuerdo, nostalgia, morriña, melancolía.
APABULLAR Aplastar, humillar, chafar, hundir.
APACENTAR Pastar, pacer, alimentar. I Instruir, enseñar, educar.
APACIBLE Agradable, bondadoso, plácido, bonachón, manso, sosegado, dulce, tranquilo, afable.
APACIGUAR Pacificar, reconciliar, contener, sosegar, aplacar, calmar.
APADRINAR Amparar, proteger, patrocinar, prohijar.
APAGAR Sofocar, extinguir, aplacar, rebajar, ahogar, reprimir, disipar.
APALANCAR Tranquear, levantar, palanquear, apoyar, mover.
APALEAR Vapulear, golpear, sacudir. Aventar, remover.
APAÑADO Mañoso, diestro, hábil. I Compuesto, arreglado, ataviado.
APAÑAR Aderezar, asear, arreglar, reparar. I Recoger, asir, coger.
APARADOR Escaparate. I Taller, obrador.
APARATO Apresto, prevención. I Pompa, ostentación. I Apósito, vendaje.
APAREAR Igualar, ajustar. I Unir, juntar.
APARECER Mostrarse, manifestarse, surgir, salir, reaparecer, asomar.
APARENTAR Simular, fingir, disimular, parecer, representar,pretextar.
APARENTE Conveniente, oportuno. I Engañoso, ilusorio, disfrazado, ficticio, disimulado, sofístico.
APARICIÓN Visión, fantasma, espectro. I Presentación, revelación, descubrimiento.
APARIENCIA Aspecto, forma, porte, traza. I Verosimilitud, probabilidad.
APARTADO Retirado, distante, separado, alejado, escondido. I Diferente.
APARTAR Separar, dividir, aislar, expulsar, desterrar. I Disuadir.
APARTARSE Desviarse, alejarse, retirarse.
APARTE Reservadamente, separadamente, a distancia. I Párrafo aparte.
APASIONADO Violento, fanático, partidario, vehemente, febril. I Enamorado.
APASIONAR Excitar, atormentar, afligir, desfogar.
APATÍA Dejadez, indolencia, impasibilidad, desidia, abandono, negligencia, desgana, inactividad, abulia.
APÁTICO Indolente, escéptico, indiferente, insensible, negligente, desidioso, abandonado.

APEAR Medir, deslindar. | Desmontar, bajar, descabalgar. | Disuadir.
APEARSE Bajar, desmontar. Convencerse, avenirse.
APECHUGAR Apencar, admitir, aceptar, aguantar, cargar.
APEDREAR Lapidar, cantear. | Granizar.
APEGO Afecto, afición, amistad, devoción, adhesión, querencia, vocación, inclinación, cariño, simpatía.
APELACIÓN Recurso, consulta, alzada, casación.
APELAR Recurrir, interponer, alzarse.
APELLIDAR Nombrar, llamar, denominar.
APENAR Entristecer, apesadumbrar, angustiar, atribular, desconsolar, melancolizar, afligir, atormentar, mortificar, acongojar.
APENAS Escasamente, penosamente. | Tan pronto como.
APÉNDICE Agregado, añadidura, anexo, adjunto, complemento, rabo, cola, adición, prolongación.
APERCIBIMIENTO Amonestación, advertencia, aviso.
APERCIBIR Amonestar, advertir, emplazar. | Disponer, prevenir, preparar.
APERO Majada. | Recado.
APERTURA Inauguración, comienzo, principio, inicio, primicias.
APESADUMBRAR Afligir, contristar, apenar, acongojar, angustiar, acudir, apesarar, atribular, amargar, desolar, mortificar.
APESTAR Heder. | Corromper, contaminar. | Fastidiar, molestar, cansar.
APESTOSO Hediondo, maloliente, infecto, pestilente. | Inoportuno, molesto.
APETECER Desear, ambicionar, anhelar, codiciar, querer, envidiar.
APETITO Apetencia, necesidad, gazuza, hambre, deseo. | Concupiscencia.
APETITOSO Sabroso, deseable, rico, apetecible, gustoso, deleitable.
APIADARSE Compadecerse, conmoverse, condolerse, dolerse.
APILAR Acumular, acopiar, reunir, juntar, amontonar, hacinar, aglomerar.
APIÑAR Juntar, reunir, apilar, agavillar, aglomerar, agrupar.
APIPARSE Hartarse, atracarse, saciarse, ahitarse.
APLACAR Suavizar, atenuar, calmar, dulcificar, serenar, sosegar, pacificar, amansar, mitigar, moderar.
APLANAMIENTO Abatimiento, desaliento, descaecimiento, postración.
APLANAR Explanar, igualar, allanar, comprimir. | Humillar, abatir, desalentar, debilitar.
APLASTAR Disminuir, comprimir, apachurrar, asentar. | Avergonzar, abrumar, humillar, abatir, apabullar.
APLAUDIR Elogiar, ensalzar, palmotear, exaltar, ovacionar, aclamar.
APLAUSO Palmas, ovación, encomio, aclamación, alabanza, elogio, loa.

APE

APLAZAR Diferir, retardar, demorar, posponer, suspender, postergar.
APLICACIÓN Superposición, ornamentación. | Esmero, cuidado, perseverancia, estudio, asiduidad, diligencia.
APLICADO Sobrepuesto, adaptado, superpuesto. | Cuidadoso, estudioso, esmerado, perseverante, asiduo.
APLICAR Imputar, adaptar, sobreponer. | Perseverar, estudiar, esmerarse.
APLOMO Gravedad, entereza, sensatez, sangre fría, formalidad, mesura.
APOCADO Timorato, pusilánime, corto, tímido, irresoluto. | Vil.
APOCALÍPTICO Espantoso, terrorífico. | Enigmático, misterioso.
APOCAMIENTO Pusilanimidad, irresolución, cobardía, retraimiento, cortedad, timidez. | Abatimiento, bajeza.
APOCARSE Humillarse, amedrentarse, abatirse, acobardarse, rebajarse.
APÓCRIFO Fingido, falso, quimérico, supuesto, mentiroso.
APODERADO Administrador, tutor, representante, encargado, procurador.
APODERARSE Apropiarse, adueñarse, incautarse, arrogarse, usurpar, adjudicarse.
APODO Alias, mote, seudónimo, sobrenombre, remoquete.
APOGEO Esplendor, auge, engrandecimiento, magnificencia.
APOLOGÍA Encomio, elogio, celebración, defensa, justificación, loanza.
APÓLOGO Fábula, historieta, cuento, parábola, alegoría, conseja.
APORREAR Golpear, vapulear. | Atarearse.
APORTAR Llegar, arribar. | Contribuir, conducir. | Ocasionar, causar.
APORTE Participación, aportación.
APOSENTAR Hospedar, alojar, albergar, domiciliar, acomodar.
APOSENTO Cuarto, piso, vivienda, habitación, domicilio, hogar. | Hospedaje, posada.
APOSTA Intencionadamente, adrede, deliberadamente.
APOSTAR Colocar, emboscar, acechar. | Emularse, rivalizar.
APOSTASÍA Abandono, abjuración, retractación, deserción, renuncia.
APÓSTATA Renegado, perjuro, renegador.
APOSTILLA Glosa, acotación, nota.
APÓSTOL Propagandista, misionero, evangelizador, catequista, defensor.
APOSTROFAR Denostar. | Dicterio.
APOTEGMA Sentencia, proverbio, adagio, aforismo.
APOYAR Favorecer, ayudar, patrocinar, proteger, corroborar. | Descansar, descargar, gravitar, asentar.

APO

l Sostener, confirmar.
APOYO Bastón, sostén, asiento, apoyadero, puntal. l Ayuda, defensa, favor, amparo, auxilio, protección.
APRECIABLE Valioso, inestimable, saliente, significativo. l Perceptible.
APRECIADO Estimado, valorado.
APRECIAR Estimar, reputar, distinguir, considerar. l Evaluar, tasar, medir.
APRECIO Honra, crédito, estimación, estima, afecto, cariño. l Valuación.
APREHENDER Agarrar, apresar, capturar, prender, coger, asir.
APREMIANTE Inaplazable, premioso, inexcusable, urgente, perentorio.
APREMIAR Acuciar, atosigar, instar, incitar, apurar, oprimir, obligar.
APREMIO Necesidad, urgencia, apuro, aprieto, exigencia, perentoriedad, premura, atosigamiento.
APRENDER Estudiar, instruirse, educarse, ilustrarse.
APRENDIZ Novato, principiante, marmitón, novel.
APRENDIZAJE Amaestramiento, entrenamiento, noviciado.
APRENSIÓN Miedo, temor, recelo. l Aprehensión. l Repugnancia, reparo.
APRENSIVO Receloso, temeroso, vergonzoso, puntilloso, pusilánime. l Tímido.
APRESAR Prender, detener, encarcelar, atrapar, aprehender, capturar.
APRESTAR Aparejar, prevenir, preparar. l Engomar.
APRESURAR Acelerar, avivar, abreviar, activar, despabilar, apremiar.
APRETADAMENTE Pobremente, miserablemente, reducidamente, ruinmente, mezquinamente, humildemente.
APRETADO Mezquino, miserable, tacaño, agarrado. l Constreñido, comprimido. l Necesitado.
APRETAR Oprimir, estrechar, apretujar, constreñir, condensar. l Afligir, angustiar.
APRETÓN Conflicto, ahogo. l Retortijón.
APRIETO Estrecho, apuro, compromiso, necesidad, apremio, brete, ahogo.
APRISA Con rapidez, prontamente.
APRISCO Majada, boyera, redil, encerradero.
APRISIONAR Apresar, detener, arrestar, recluir, encerrar, prender, atar, encarcelar.
APROBACIÓN Alabanza, aplauso, beneplácito, aceptación, asentimiento, aquiescencia.
APROBAR Aplaudir, asentir, consentir, acreditar, afirmar, ratificar, admitir, calificar.
APRONTAR Preparar, prevenir.
APROPIADO Proporcionado, oportuno, conveniente, acomodado, adecuado.
APROPIARSE Adueñarse, atribuirse, asimilarse, apoderarse, incautarse.
APROVECHABLE Servible, conveniente, fructuoso, redituable, positivo, utilizable, útil, provechoso.
APROVECHADO Aplicado, estudioso, listo, útil. l Laborioso, diligente.
APROVECHAR Utilizar, usar, disfrutar, producir, usufructuar, valer. l Adelantar, progresar.
APROXIMACIÓN Acercamiento, arrimo.
APROXIMAR Acercar, unir, arrimar, juntar.
APTITUD Suficiencia, capacidad, competencia, talento, idoneidad, disposición, habilidad.
APTO Competente, hábil, dispuesto, conveniente, calificado, idóneo, capaz, suficiente.
APUESTO Garboso, arrogante, garrido, gentil, bizarro. l Adornado, ataviado, engalanado.
APUNTALAR Asegurar, sostener, mantener, afirmar.
APUNTAR Asentar, inscribir, anotar, indicar. l Soplar, señalar, sugerir. l Agriarse, avinagrarse. l Remendar, unir, zurcir.
APUNTE Nota, esbozo, apuntación, asiento, registro, borrador. l Pícaro, perillán, golfante.
APUÑALAR Acuchillar, acribillar, herir, estoquear.
APUÑAR Empuñar.
APURADO Pobre, exhausto, necesitado. l Peligroso, angustioso, dificultoso. l Acongojado, afligido. l Esmerado, exacto.
APURAR Reducir, agotar, acabar, consumir. l Apresurar, aligerar, activar, urgir. l Afligir, acongojar.
APURARSE Angustiarse, afligirse. l Apresurarse.
APURO Estrechez, aprieto, escasez, necesidad, compromiso, apremio.
AQUEJAR Afligir, acongojar, fatigar, causar dolor.
AQUELARRE Ruido, confusión.
AQUIESCENCIA Consentimiento, autorización, conformidad, aprobación, beneplácito, avenencia, asenso, anuencia.
AQUIETAR Apaciguar, abonanzar, sosegar, moderar, pacificar, templar.
AQUILATAR Apreciar, verificar, analizar, tasar, contrastar, graduar.
AQUILINO Aguileño.
ARA Altar, retablo, capilla, piedra consagrada.
ARABESCO Filigrana.
ARANCEL Tasa, tarifa, valoración, derechos, impuesto.
ARAÑA Arácnido. l Candelabro.
ARAÑAR Raspar, aruñar, escarbar, rasguñar.
ARAÑAZO Zarpazo, rasguño, aruñazo.
ARAR Labrar, aparar, aperar, cultivar, laborar.
ARBITRAJE Laudo, juicio, arbitramiento, dictamen.
ARBITRAR Juzgar, determinar, laudar. l Discurrir, proponer, procurar.
ARBITRARIEDAD Sinrazón, injusticia, tropelía, atropello, iniquidad, tiranía, ilegalidad, abuso.
ARBITRARIO Albedrío, libertad. l Derechos, gabelas, tributos. l Expediente. l Sentencia, juicio.
ÁRBITRO Mediador, perito, arbitrador, juez, dictaminador, tercero.
ÁRBOL Arbusto, planta. l Palo, asta, mástil.
ARBOLAR Izar, ondear, enarbolar, levantar, subir.
ARCA Arqueta, caja, arcón, cofre, baúl, tumbón.

ARC

ARCAICO Anticuado, vetusto, viejo, antiguo, rancio, añoso, desusado.
ARCANO Recóndito, enigmático, reservado, insondable. I Misterio.
ARCO Anillo, aro, arbotante, curva, bóveda. I Meta, red, valla.
ARCHIVAR Guardar.
ARCHIVO Registro, cartulario, cedulario.
ARDER Quemar, chispear, prender, abrasar, tostar, cocer. I Consumirse.
ARDID Artificio, engaño, treta, artimaña, astucia, añagaza. I Sagaz, astuto, mañoso.
ARDIENTE Candente, hirviente, ardoroso, fervoroso, vehemente, fogoso.
ARDITE Maravedí, comino, bledo, bagatela, pito.
ARDOR Lumbre, calor. I Intrepidez, viveza, entusiasmo, pasión, ansia. I Esfuerzo. I Calentura.
ARDOROSO Vehemente, ardiente, impulsivo, fanático, furioso, arrebatado, enérgico, activo, apasionado, pujante.
ARDUO Complejo, enrevesado, difícil, intrincado, embarazoso, peliagudo.
ÁREA Extensión, superficie.
ARENA Palenque, campo, liza, palestre, pista, ruedo. I Arenal, sablera.
ARENGA Discurso, alocución, proclama, ditirambo.
AREÓPAGO Academia, cenáculo.
ARETE Zarcillo, arracada, pendiente. I Aro, argolla, anillo.
ARGENTADO Plateado.
ARGUCIA Sofisma, sutileza, escapatoria, evasiva, falsedad, añagaza.
ARGÜIR Probar, deducir, alegar, controvertir, porfiar, impugnar, sofisticar, objetar, contradecir.
ARGUMENTO Razonamiento, síntesis, análisis, refutación, ergotismo, señal, alegato, prueba.
ARIDEZ Esterilidad, sequedad. I Insipidez, monotonía.
ÁRIDO Seco, estéril, infecundo, reseco. I Cansado, aburrido, fastidioso.
ARISCO Intratable, hosco, insociable, cerril, gruñón, malhumorado, esquivo, agreste.
ARISTOCRACIA Nobleza, hidalguía, linaje, calidad, infanzonía.
ARISTOCRÁTICO Distinguido, cortés, cumplido, afable, noble, linajudo.
ARMA Espada, lanza, hierro, acero. I Armadura, blasón, escudo.
ARMADA Escuadra, flota, marina de guerra.
ARMADÍA Balsa.
ARMADURA Arnés, celada, caparazón. I Montura, esqueleto, maderaje.
ARMAR Concertar, apercibir, aviar. I Promover, causar. I Sentar, juntar.
ARMARIO Guardarropa, estante, cómoda, alacena, ropero.
ARMAZÓN Armadura, esqueleto, andamio, bastidor, montante.
ARMISTICIO Pacto, tregua, convenio, reconciliación.
ARMONÍA Paz, amistad, concordia. I Cadencia, euritmia, consonancia.
ARMONIOSO Cadencioso, melodioso, sonoro. I Grato, agradable. I Proporcionado.
ARNÉS Armadura.
ARO Anillo, argolla, pulsera, cerco, sortija, cincho. I Arete.
AROMA Perfume, fragancia, olor, esencia.
AROMÁTICO Perfumado, oloroso, fragante, odorífero.
AROMATIZAR Sahumar, perfumar, aromar, embalsamar, almizclar.
ARPÍA Bruja, basilisco, furia.
ARQUEOLÓGICO Anticuado, desusado, tradicional, artístico, remoto.
ARQUETIPO Ejemplar, modelo, ejemplo, dechado.
ARQUITECTO Edificador, alamín, aparejador.
ARRABAL Barrio, cercanías, inmediaciones, alrededores, suburbio.
ARRACADA Aro, zarcillo, pendiente.
ARRAIGAR Enraizar, prender, aclimatar, afianzar. I Establecerse, radicarse, afirmarse.
ARRAMBLAR Arramplar, apoderarse.
ARRANCAR Extirpar, extraer, arrebatar, separar, quitar, sacar, descepar.
ARRANQUE Impulso, ímpetu, arrebato, ira, pujanza, decisión. I Salida, ocurrencia.
ARRAPIEZO Muchacho, rapaz, chico, pequeño. I Guiñapo, harapo.
ARRAS Garantía, prenda, señal. I Monedas, del matrimonio.
ARRASAR Destruir, arruinar, asolar, desvastar. I Allanar, rasa.
ARRASTRADO Miserable, pobre, desgraciado, descamisado. I Bellasco, pícaro, tunante, pillo, charrán.
ARRASTRAR Remolcar, tirar, atraer, jalar. I Persuadir, convencer, obligar, impelar. I Llevar, despeñar.
ARRASTRE Transporte, acarreo. I Influencia, predominio.
ARREAR Atizar, estimular, excitar, fustigar. I Engalanar, enjoyar, adornar, hermosear, ataviar.
ARREBAÑAR Rebañar, coger, juntar.
ARREBATADO Precipitado, impulsivo, fogoso, intemperante, fanático, irreflexivo, alborotado, iracundo. I Colorado, encendido, arrebolado.
ARREBATAR Arrancar. I Maravillar, cautivar, encantar, atraer.
ARREBATO Ira, arranque, furia, frenesí, rabia, coraje, rapto, pronto. I éxtasis, enajenamiento.
ARREBOL Coba, colorete, color rojo.
ARRECIRSE Helarse, congelarse, traspasarse.
ARRECHUCHO Escalofrío, calofrío. I Indisposición.
ARREDILAR Enchiquerar, redilear, encorralar, apris-

ARR

car, amajamar.
ARREDRAR Acobardar, intimidar, asustar, amilanar, acoquinar, atemorizar, amedrentar. I Retraer, apartar.
ARREGLADO Ordenado, metódico, moderado, cuidadoso, disciplinado. I Compuesto, aderezado.
ARREGLAR Ordenar, componer, regular, conciliar, metodizar, reformar, apañar, aviar, conformar.
ARREGLO Conciliación, avenencia, armonía, organización, acomodo, transacción, convenio, compostura, ajuste.
ARREGOSTARSE Engolosinarse, aficionarse.
ARRELLANARSE Acomodarse, repanchingarse, retreparse, repantingarse.
ARREMETER Acometer, agredir, abalanzarse, atacar, embestir. I Chocar, disonar.
ARREMETIDA Embestida, agresión, ataque, empujón, acometida, empellón.
ARRENDAMIENTO Locación, arriendo, alquiler, inquilinato, renta.
ARRENDAR Alquiler. I Atar por las riendas.
ARRENDATARIO Locatario, inquilino, colono.
ARREO Aderezo, atavío, gala, adorno.
ARREOS Arneses, guarniciones, aparejo, atalaje, jaeces, arzón.
ARREPENTIMIENTO Aflicción, remordimiento, enmienda, contricción, dolor, pesar, compunción.
ARREPENTIRSE Lamentar, sentir, apesararse, apesadumbrarse, dolerse.
ARRESTO Detención, encarcelamiento, poner preso.
ARRESTOS Determinación, atrevimiento, osadía, resolución, valentía, bravura, arrojo, coraje, acometividad.
ARRIBA Sobre, encima.
ARRIBAR Venir, llegar, aterrar, allegar.
ARRIENDO Inquilinato, alquiler, arrendamiento.
ARRIESGADO Peligroso, arriscado, comprometido, desigual, imprudente, temerario, audaz. I Incierto, compuesto.
ARRIESGAR Arriscar, aventurar, exponer, comprometer.
ARRIMAR Acercar, juntar, unir, aproximar. I Arrinconar, atizar.
ARRIMARSE Aproximarse, acercarse, unirse, apoyarse, acogerse.
ARRIMO Favor, apoyo, amparo. I Báculo.
ARRINCONAR Estrechar, acorralar, acosar. I Postergar, desechar.
ARRINCONARSE Aislarse, recogerse, retirarse, retraerse.
ARRISCADO Atrevido, resuelto, audaz, arrojado, temerario. I Escarpado, rocoso.
ARRISCAR Exponer, aventurar, arriesgar.
ARROBADO Extasiado, arrebatado, encantado, embelesado, absorto, pasmado, enajenado, turulato, patitieso.
ARROBAMIENTO Arrobo, embeleso, enajenamiento, rapto, embaucamiento.

ARROCINARSE Encamotarse, enamorarse. I Embrutecerse.
ARRODILLARSE Prosternarse, hincar la rodilla, postrarse.
ARROGANCIA Orgullo, soberbia, desdén, ufanía, presunción, altivez, altanería, gallardía.
ARROGANTE Soberbio, desdeñoso, altanero, pedante, engreído, brioso, ufano, insolente, valeroso.
ARROGAR Atribuir, adoptar, prohijar.
ARROGARSE Atribuirse, achacarse, apropiarse, asignarse.
ARROJAR Lanzar, echar, tirar, despedir, disparar. I Precipitar, despeñar. I Vomitar, devolver, provocar.
ARROJARSE Precipitarse, despeñarse, abalanzarse, lanzarse. I Acometer, agredir, atacar.
ARROJO Atrevimiento, osadía, resolución, coraje, valentía, bravura, acometividad, denuedo, agallas.
ARROLLAR Envolver, empapelar, enrollar. I Dominar, vencer, derrotar, atropellar, desbaratar, aniquilar.
ARROPAR Abrigar, amantar, cubrir, tapar.
ARROSTRAR Resistir, soportar, afrontar, desafiar, enfrontar, retar.
ARROYO Riachuelo, arroyuelo, afluencia, corriente, regato.
ARRUGA Rugosidad, pliegue, ruga.
ARRUGAR Plegar, replegar, encoger, rebujar, fruncir, remangar, doblar.
ARRUINAR Destruir, desbaratar, asolar, arrollar, romper, derruir, tirar, desvastar. I Empobrecer.
ARRULLAR Adormecer, aletargar, mecer. I Enamorar.
ARRUMACO Zalamería, gatería, carantoña, embeleco, halago.
ARSENAL Astillero.
ARTE Habilidad, disposición, facultad, técnica, inspiración, destreza, ingenio. I Cautela, maña, astucia.
ARTEFACTO Máquina, aparato, ingenio, artilugio, mecanismo.
ARTERIA Calle, avenida, calzada. I Conducto.
ARTERÍA Amago, engaño, falsía, astucia.
ARTERO Mañoso, falso, tramposo, ladino, bellaco, charlatán, astuto, taimado, perillán.
ARTESA Artesón, cajón, bandeja, batea, azafate.
ARTESANO Artífice, menestral, trabajador, laborante.
ARTICULACIÓN Coyuntura, unión, junta, gozne, enlace. I Pronunciación.
ARTICULAR Juntar, unir, enlazar, acoplar. I Pronunciar.
ARTÍFICE Artista, creador, autor, técnico, expositor.
ARTIFICIAL Falso, fingido, ficticio, postizo, artificioso.
ARTIFICIO Primor, arte, habilidad, ingenio. I Falsedad, engaño, astucia, fingimiento, artimaña, disimulo.
ARTIFICIOSO Disimulado, astuto, ladino, marrullero, engañoso, cauteloso, taimado, artero.
ARTIMAÑA Engaño, treta, artificio, astucia, ardid, trampa.
ARTISTA Actor, comediante, esteta, ejecutante. I

Artífice.
ARTÍSTICO Bello, estético, sublime.
ARVEJA Guisante.
AS Paladín, defensor. I Naipe.
ASAETEAR Flechar, ballestear, acribillar, disparar. I Molestar, disgustar, importunar, sablear.
ASALARIADO Obrero, jornalero.
ASALTAR Acometer, atracar, sorprender, agredir, saltear.
ASALTO Agresión, acometida, atraco, embestida.
ASAMBLEA Junta, reunión, congreso, concilio.
ASAR Rustir, tostar, abrasar.
ASAZ Suficiente, bueno, bastante, harto.
ASCENDENCIA Estirpe, casta, familia, linaje, alcurnia. I Influencia, ascendiente, predominio.
ASCENDER Trepar, subir, escalar, elevarse. I Progresar, mejorar, adelantar. I Promover.
ASCENDIENTE Influencia, predominio, prestigio, autoridad. I Padre, abuelo, antepasado, antecesor.
ASCENSIÓN Elevación, ascenso, progreso, subida.
ASCETA Ermitaño, virtuoso, anacoreta, eremita, ejemplar.
ASCO Repulsión, repugnancia, náuseas, grima.
ASCUA Brasa.
ASEADO Pulcro, limpio, acicalado, aliñado, curioso.
ASEAR Limpiar, lavar, cepillar, componer, desempolvar.
ASECHANZA Acecho, engaño, encrucijada, celada, perfidia, insidia.
ASEDIAR Bloquear, sitiar, acosar, acechar. I Fastidiar, molestar.
ASEDIO Bloqueo, sitio, cerco, acoso.
ASEGURAR Preservar, resguardar. I Confirmar, aseverar, ratificar.
ASEMEJARSE Parecerse, ser semejante.
ASENSO Consentimiento, aprobación, asentimiento, admisión.
ASENTADERAS Posaderas, nalgas, nalgatorio.
ASENTAR Apisonar, aplanar. I Fundar, situar. I Afirmar.
ASENTIMIENTO Aprobación, aquiescencia, asenso, consentimiento. I Permiso, venia, anuencia.
ASENTIR Aprobar, consentir, conceder, afirmar.
ASEO Curiosidad, compostura, limpieza, higiene, pulcritud.
ASEQUIBLE Factible, abordable, accesible. I Barato.
ASERCIÓN Aseveración, aserto, afirmación.
ASESINO Criminal, homicida, parricida.
ASESOR Mentor, consultor, consejero.
ASESORAR Aconsejar, opinar, proponer, persuadir, enseñar, dictaminar.
ASESTAR Descargar, dar, sacudir. I Dirigir.
ASEVERACIÓN Aserción, aserto, afirmación, razón.
ASEVERAR Asegurar, ratificar, confirmar.
ASFIXIAR Ahogar, estrangular.
ASÍ Totalmente, de esta manera, precisamente.
ASIDERO Agarradero, asa, cogedero. I Pretexto,

ART

achaque.
ASIDUO Perseverante, frecuente, continuo, habitual, periódico, puntual.
ASIENTO Silla, banco, taburete. I Cordura, juicio, prudencia, madurez. I Anotación. I Residencia, domicilio, sede.
ASIGNACIÓN Retribución, salario, sueldo, pensión, honorarios.
ASILO Albergue, refugio, cobijo. I Protección, amparo, favor.
ASIMILADO Equiparado, asemejado.
ASIMILAR Comparar, igualar, asemejar.
ASIMILARSE Parecerse, asemejarse. I Apropiarse.
ASIR Tomar, coger, agarrar, pillar, atrapar, empuñar. I Aprehender.
ASISTENCIA Socorro, ayuda, contribución, auxilio, cooperación, apoyo. I Concurrencia.
ASISTENTE Ayudante, ordenanza, criado. I Concurrente, circunstante.
ASISTIR Ayudar, cuidar, auxiliar, socorrer. I Cuidar. I Concurrir, acudir.
ASNADA Asnería, necedad, tontería.
ASNO Borrico, burro, pollino, jumento, rucio. I Ignorante, necio, embrutecido, cretino, imbécil.
ASOCIACIÓN Corporación, comunidad, sociedad, entidad, gremio, coalición.
ASOCIADO Socio, miembro, aliado, coligado, adicto, agremiado.
ASOCIAR Reunir, juntar, unir. I Afiliar, sindicar, agremiar.
ASOCIARSE Unirse, coligarse, confederarse, juntarse.
ASOLAR Arrasar, arruinar, desvastar, demoler, desolar, destruir.
ASOMBRADIZO Espantadizo, asustadizo.
ASOMBRAR Sorprender, fascinar, maravillar, aturdir, pasmar, admirar.
ASOMBRO Admiración, sorpresa, estupor, maravilla, extrañeza, estupefacción. Espanto, susto, sobresalto.
ASOMBROSO Sorprendente, admirable, estupendo, portentoso, prodigioso, maravilloso, fenomenal, pasmoso.
ASOMO Indicio, seña, presunción, barrunto, duda, conjetura, sospecha.
ASONADA Sublevación, tumulto, alboroto, motín, revuelta.
ASONANCIA Relación, semejanza, similitud, parecido. I Asonante.
ASPECTO Apariencia, cara, semblante, físico, cariz, fachada, actitud, pelaje, catadura, traza, fisonomía.
ASPEREZA Rigor, austeridad, dureza, insuavidad, brusquedad. I Escabrosidad, fragosidad.
ÁSPERO Escabroso, espinoso, escarpado, desigual. I Duro, insuave, agrio, rígido, riguroso.
ASPIRACIÓN Anhelo, ansia, pretensión. I Acción de aspirar.
ASPIRANTE Solicitante, pretendiente, candidato,

ASP

meritorio.
ASPIRAR Pretender, ambicionar, anhelar, desear. I Inspirar.
ASQUEROSO Repugnante, repulsivo, sucio, nauseabundo, inmundo, apestoso.
ASTIL Empuñadura, mango.
ASTILLERO Arsenal. I Percha.
ASTRO Planeta, sol, estrella, satélite, cuerpo celeste.
ASTRONOMÍA Cosmografía, uranografía, mecánica celeste.
ASTROSO Desastrado, sucio, desgreñado, harapiento, andrajoso, desaliñado. I Despreciable, vil.
ASTUCIA Ardid, artificio, engaño, cautela, picardía, artimaña. I Sutileza, sagacidad.
ASTUTO Agudo, astucioso, ladino, mañero, sagaz, taimado, hábil, pícaro, sutil, artero, cuco.
ASUNTO Tema, argumento, propósito, materia. I Negocio, pretensión.
ASUSTADIZO Espantadizo, timorato, temeroso, cobarde, miedoso, asombradizo, pusilánime.
ASUSTAR Atemorizar, espantar, intimidar, horrorizar, acobardar, amedrentar, alarmar.
ATACAR Asaltar, acometer, embestir, arremeter. I Censurar, criticar, impugnar, refutar.
ATADURA Ligadura, unión, atadero.
ATAJAR Impedir, contener, paralizar, detener. I Abreviar.
ATALAJE Equipo, jaeces, guarniciones, arreos, aparejo, ajuar.
ATALAYA Vigía, celador, centinela.
ATAQUE Acometida, embestida, arremetida, agresión, asalto, embate. I Impugnación. I Altercado, disputa, pendencia.
ATAR Amarrar, unir, pegar, empalmar, enlazar, ligar, maniatar, juntar, uncir. I Dominar.
ATARANTAR Aturdir, atolondrar, marear.
ATAREADO Ocupado, hacendoso, afanado, engolfado.
ATARJEA Cañería, sumidero, alcantarilla.
ATASCAR Obstruir, cerrar, atrancar, entapujar, atarugar, tabicar, obturar, tapar, cegar, atorar.
ATAÚD Féretro, caja.
ATAVIADO Adornado, aseado, acicalado, engalanado, endomingado.
ATAVIAR Asear, acicalar, adecentar, componer, decorar, adornar, aderezar.
ATAVÍO Compostura, ornato, acicalamiento, decencia, adorno, aderezo, gala, atuendo. I Vestido.
ATEMORIZAR Acobardar, intimidar, asustar, amilanar, aterrar, horrorizar, amedrentar, arredrar, acoquinar.
ATEMPERAR Mitigar, ablandar, dulcificar, suavizar, moderar, templar. I Ajustar, acomodar.
ATENCIÓN Urbanidad, obsequio, consideración, cortesanía, miramiento, respeto, solicitud, cuidado, advertencia.
ATENDER Oír, escuchar. I Considerar, acoger, aguardar. I Vigilar, cuidar.
ATENERSE Ajustarse, amoldarse, ceñirse, sujetarse. I Adherirse, arrimarse.
ATENTADO Crimen, delito, exceso.
ATENTAMENTE Solícitamente, reflexivamente, cuidadosamente, cortésmente, urbanamente, respetuosamente, amablemente, finamente.
ATENTO Galante, comedido, deferente, afable, solícito, considerado, respetuoso, cuidadoso, cortés, amable.
ATENUAR Minorar, mitigar, disminuir, aminorar, paliar.
ATERRADOR Espantoso, horroroso, horripilante, horrible, espeluznante, horrendo, tremebundo, pavoroso, terrorífico.
ATERRAR Atemorizar, aterrorizar, horrorizar, espantar, amilanar, asustar, horripilar. I Derribar, abatir.
ATESORAR Acopiar, acumular, tesorizar, acaudalar, reunir.
ATESTAR Declarar, atestiguar. I Atiborrar, llenar, henchir, abarrotar.
ATESTIGUAR Declarar, testificar, testimoniar, atestar, deponer, certificar.
ATIBORRARSE Atracarse, hartarse, apiparse, saciarse, llenarse.
ATILDADO Acicalado, pulcro, elegante, compuesto, aseado, distinguido.
ATILDAR Componer, adornar, asear, decorar, engalanar, acicalar. I Censurar, reparar, notar.
ATINAR Acertar, adivinar, conjeturar.
ATINGENCIA Relación, incumbencia, conexión. I Acierto.
ATIRANTAR Tesar, atiesar, templar, estirar.
ATISBAR Acechar, espiar, mirar, avizorar, atalayar, observar.
ATIZAR Despabilar, fomentar, avivar, estimular. I Propinar.
ATLETA Luchador, deportista, púgil, gladiador, gimnasta.
ATMÓSFERA Ambiente, clima, masa de aire.
ATOLONDRAR Atontar, azorar, ofuscar, turbar, aturdir, aturrullar, alterar.
ATONÍA Debilidad, languidez.
ATÓNITO Espantado, sorprendido, maravillado, sobrecogido, estático, estupefacto, pasmado, absorto.
ATONTAR Atolondrar, aturdir, alelar, embrutecer, entontecer, abobar.
ATORAR Obstruir, atascar, atollar. I Atragantarse.
ATORMENTADO Torturado, apenado, cuitado, contristado.
ATORMENTAR Torturar, martirizar, disgustar, molestar, atribular, enfadar, afligir, acongojar.
ATORNILLAR Entornillar, aterrajar, fijar.
ATORRANTE Vagabundo, vago, holgazán.
ATOSIGAR Acosar, apurar, estrechar, apretar, dar prisa. I Emponzoñar, envenenar, intoxicar.

ATRABILIARIO Desabrido, irritable, irascible, colérico, adusto.
ATRACAR Atacar, agredir. I Atiborrar, hartar. I Abordar, arrimar.
ATRACCIÓN Afinidad, simpatía, fascinación, hechizo, incentivo, atractivo.
ATRACTIVO Agradable, llamativo, vistoso, atraíble, donaire, gracia. I Aliciente, cebo.
ATRAER Traer, tirar, llamar, hechizar, seducir, agradar. I Ocasionar.
ATRAGANTAR Ahogar, obstruir, atascar, atorar, cortar.
ATRAPAR Capturar, conseguir, coger, pillar. I Engañar, engatusar.
ATRASADO Rezagado. I Empeñado, endeudado, entrampado. I Inculto. I Retrógrado.
ATRASAR Retardar, posponer, dilatar, demorar, relegar, postergar.
ATRASO Retardo, demora, dilación, retraso. I Incultura, ignorancia.
ATRAVESADO Diagonal, diametral, transversal. I Malintencionado, perverso.
ATRAVESAR Traspasar, transponer, cruzar. I Perforar, calar.
ATRAYENTE Cautivador, sugestivo.
ATREVERSE Decidirse, resolverse, lanzarse, arriesgarse, afrontar, determinarse, arrostrarse.
ATREVIDO Arrojado, decidido, temerario, audaz, resuelto. I Insolente, fresco, descarado, desvergonzado.
ATREVIMIENTO Audacia, osadía, intrepidez, brío, arrojo, decisión, valor. I Insolencia, desvergüenza, descaro, frescura, desfachatez.
ATRIBUIR Imputar, achacar, asignar, arrogar, conferir.
ATRIBULAR Contristar, apesadumbrar, congojar, afligir, angustiar, acorar, desconsolar, atormentar, mortificar, desesperar.
ATRIBUTO Propiedad, cualidad, calidad, índole. I Símbolo.
ATRICIÓN Aflicción, remordimiento, arrepentimiento, pesar.
ATRINCHERARSE Protegerse, parapetarse, cubrirse, fortificarse.
ATRIO Pórtico. I Zaguán, vestíbulo.
ATROFIA Entorpecimiento, consunción, extinción.
ATROPELLADO Arrebatado, alborotado, precipitado, atolondrado, alocado. I Injuriado, lesionado, vejado.
ATROPELLAR Derribar, empujar. I Ultrajar, ofender, vejar, abusar, agraviar.
ATROPELLO Atropellamiento, precipitación, abuso, tropelía, desorden.
ATROZ Cruel, inhumano, implacable, riguroso, feroz, sañudo, bárbaro, brutal. I Desmesurado, enorme.
ATUFARSE Enojarse, amoscarse, enfadarse, irritarse, incomodarse.
ATURDIDO Turbado, atolondrado, atarantado, confuso, precipitado, irreflexivo, botarate, alelado.

ATR

ATUSAR Trasquilar, pelar. I Adornar.
AUDACIA Atrevimiento, arrojo, determinación, osadía, decisión, entereza, arresto, coraje, temeridad. I Descaro, avilantez.
AUDAZ Intrépido, osado, atrevido, resuelto, bragado, arriesgado, valiente. I Descarado, desvergonzado.
AUDITORIO Público, concurrencia, espectadores, oyentes, asistentes.
AUGUR Adivino, agorero, arúspice.
AUGURAR Pronosticar, predecir, presagiar, presentir, vaticinar, agorar.
AUGURIO Adivinación, agüero, presagio, pronóstico, vaticinio, predicción.
AUGUSTO Honorable, respetable, venerable, majestuoso, admirable.
AULA Cátedra, clase.
AULLAR Ladrar, gruñir, bramar, labadrear, ulular.
AUMENTAR Acrecer, añadir, extender, agrandar, ampliar, ensanchar, sumar, multiplicar, engrosar, adicionar.
AUNAR Juntar, fusionar, unir, asociar, incorporar, unificar, acoplar.
AUREOLA Prestigio, fama, gloria, corona.
AUSENCIA Alejamiento, aislamiento, separación. I Privación, falta, carencia.
AUSPICIO Protección, amparo, ayuda, patrocinio, apoyo. I Presagio, augurio, pronóstico, agüero.
AUSTERO Severo, rígido, riguroso, duro. I Agrio, insuave, hosco, áspero.
AUTÁRTICO Autónomo.
AUTÉNTICO Acreditado, positivo, evidente, inequívoco, genuino, legítimo.
AUTÓCRATA Déspota, dictador, tirano, absolutista.
AUTOMÁTICO Mecánico, maquinal, irreflexivo, involuntario.
AUTONOMÍA Emancipación, libertad, independencia, soberanía.
AUTOR Creador, genio, inventor, escritor, literato, poeta, padre.
AUTORIDAD Jefatura, poder, potestad, dominio, prepotencia, mando, facultad. I Pompa, fausto.
AUTORITARIO Imperioso, poderoso, despótico, imperativo, arbitrario, absolutista, absorbente.
AUTORIZAR Consentir, permitir, otorgar, conceder, acceder, apoderar, facultar, aprobar, confirmar.
AUXILIAR Asistir, acoger, defender, remediar, subvencionar, apoyar. I Ayudante, adjunto, agregado, cooperador.
AUXILIO Socorro, apoyo, amparo, asistencia, protección, defensa, ayuda.
AVALAR Garantizar, asegurar.
AVANZAR Prolongar, adelantar, anteponer, rebasar, progresar, prosperar. I Acometer, conquistar.
AVARICIA Ambición, avidez, egoísmo, cicatería, codicia, ruindad, roñería.
AVASALLAR Someter, rendir, sojuzgar, sujetar, dominar.

AVE

AVECINDAR Avecinar, arraigar, aproximarse.
AVEJENTAR envejecer, aviejar. I Ajarse, marchitarse. I Añejarse.
AVENENCIA Convenio, conformidad, concordia, arreglo, conciliación.
AVENIDA Inundación, ríada, crecida. I Calle, alameda, rambla.
AVENIRSE Entenderse, conformarse, atemperarse, arreglarse, amoldarse.
AVENTAJAR Superar, exceder, vencer, sobresalir, descollar, brillar. I Preferir, anteponer.
AVENTURA Suceso, odisea, lance, peripecia, episodio, diablura, riesgo.
AVENTURADO Arriesgado, apurado, peligroso, expuesto, azaroso.
AVENTURAR Arriscar, exponer, arriesgar, apostar.
AVENTURARSE Exponerse, arriesgarse, atreverse.
AVENTURERO Trotamundos, inquieto, bohemio. I Maleante, intrigante.
AVERGONZAR Humillar, anonadar, abochornar, sonrojar, afrentar, zaherir.
AVERÍA Deterioro, detrimento, daño, perjuicio, percance, desperfecto.
AVERIGUAR Investigar, indagar, inquirir, sonsacar, penetrar, sondear.
AVERSIÓN Animosidad, renuencia, repulsa, antipatía, aborrecimiento, repugnancia, ojeriza, inquina.
AVESTRUZ Ignorante, gaznápido. I Ave.
AVEZAR Habituar, acostumbrar, aclimatar, experimentar.
AVIAR Preparar, disponer, aprestar, alistar, proveer, armar. I Aderezar.
AVIDEZ Avaricia, voracidad, ansia, egoísmo, codicia, afán.
ÁVIDO Avaricioso, codicioso, ansioso, insaciable, avariento.
AVIESO Tortuoso, torcido, perverso, anormal, violento, atravesado, malo.
AVINAGRADO Desapacible, áspero, acre, agrio.
AVIÓN Aeroplano, aeronave, hidroavión, helicóptero.
AVÍOS Menesteres, utensilios, bártulos, trastos.
AVISADO Circunspecto, prudente, cauto, considerado, astuto, sagaz, listo, previsor, precavido.
AVISAR Advertir, notificar, informar, comunicar, anunciar, indicar, participar, prevenir, enterar.
AVISO Observación, notificación, noticia, advertencia, anuncio. I Prudencia, discreción. I Amonestación, requerimiento.
AVISPADO Listo, prudente, discreto, precavido, astuto, despabilado, agudo.
AVIVAR Animar, enardecer, excitar, acelerar, activar, aligerar, adelantar, vivificar, apresurar, apremiar.
AXIOMA Sentencia, proposición, principio.
AXIOMÁTICO Incontrovertible, incuestionable, irrefutable, inequívoco, indiscutible, manifiesto, evidente.
AYA Institutriz.

AYUDA Apoyo, socorro, beneficio, donación, caridad, asistencia, amparo, protección. I Lavativa.
AYUDANTE Asistente, cooperador, auxiliar, colaborador, adjunto, agregado.
AYUDAR Socorrer, apoyar, beneficiar, cooperar, amparar, asistir, favorecer, contribuir, proteger, auxiliar.
AYUNAR Abstenerse, retenerse, privarse.
AYUNO Abstinencia, inanición, dieta, parvedad. I Ignorante.
AYUNTAMIENTO Municipio, junta, concejo, consistorio, cabildo. I Unión.
AZAR Casualidad, acaso, sino, imprevisión, estrella.
AZARARSE Sobresaltarse, azorarse, irritarse, aturdirse, conturbarse.
AZAROSO Arriesgado, aventurado, casual, peligroso. I Funesto, infausto.
AZOTAR Fustigar, zurrar, golpear, vapulear, pegar, herir, flagelar.
AZOTE Flagelo, disciplinas. I Calamidad, plaga, epidemia.
AZOTEA Terraza, terrado, mirador, solana.
AZÚCAR Glucosa, dulce.
AZUZAR Enardecer, incitar, estimular, encolerizar, enconar, irritar.
AZUZÓN Maligno, chismoso, intrigante.

B

BABA Saliva, espumajo, babaza.
BABEL Confusión, barullo, desbarajuste, caos.
BABIECA Necio, tonto, flojo, bobo, idiota, incapaz, lelo, inepto, simple, papanatas, tontaina, memo, imbécil.
BABUCHA Chancla, chinela.
BACALAO Abadejo.
BACANAL Jolgorio, juerga, festín, orgía, parranda.
BACILO Bacteria.
BÁCULO Cayado, palo. I Alivio, consuelo, amparo.
BACHILLER Fisgón, impertinente, indiscreto, infundamentado.
BADULAQUE Botarate, torpe, majadero.
BAGAJE Impedimenta, maleta, equipaje. I Caudal, acervo.
BAGATELA Nadería, inutilidad, necedad, futilidad, trivialidad, vulgaridad, futesa, nonada, fruslería, minucia.
BAGAZO Paja, residuo.
BAILAR Danzar. I Bailotear, agitarse, zapatear, moverse.
BAILARÍN Danzante, bailador, danzarín.
BAILE Bailoteo, danza, diversión.
BAJADA Descenso, descendimiento, declinación.
BAJAR Descender, apear, disminuir, rebajar, abaratar. I Humillar, abatir.
BAJEL Buque, embarcación, navío, barco.
BAJEZA Ruindad, vileza, descrédito, servilismo, in-

dignidad, mezquindad.
BAJO Pequeño, chico. I Despreciable, ruin, vil, indigno, rastrero. I Descolorido, apagado, poco vivo.
BALA Proyectil, plomo. I Faldo, bulto, paca. I Persona alocada.
BALADÍ Insignificante, superficial, fútil, insubstancial, trivial.
BALANCEAR Columpiar, mecer, vaivenear. I Dudar, vacilar, titubear. I Igualar, equilibrar.
BALANZA Báscula.
BALAUSTRADA Balaustre, barandilla, barandal, antepecho.
BALBUCEAR Balbucir, chapurrear, deletrear, mascullar, borbotear.
BALCÓN Mirador, balconcillo, ventana grande.
BALDAR Relajar, tullir, distender, invalidar, derrengar.
BALDE Cubo.
BALDÍO Inculto, yermo. I Estéril, inútil, vano.
BALDÓN Injuria, deshonor, agravio, oprobio, desprecio, vituperio, deshonra, desdoro, mancha, estigma, vilipendio.
BALSA Alberca, almadía, charca, jangada.
BÁLSAMO Consuelo, alivio.
BALUARTE Parapeto, fortificación, muro, defensa, protección, bastión.
BANANA Plátano.
BANCA Bolsa, fondos, cuenta corriente. I Asiento. I Juego de naipes.
BANCO Asiento, sitial, banquillo, banqueta. I Establecimiento público.
BANDA Faja, zona, correa, brazal. I Cuadrilla, partida, pandilla, gavilla.
BANDEJA Fuente, batea.
BANDERA Insignia, enseña, lábaro, pabellón, emblema, símbolo, estandarte.
BANDERÍA Partido, bando, facción.
BANDIDO Malhechor, salteado, bandolero, ladrón. I Granuja, pícaro, bribón.
BANDOLERO Bandido, atracador, ladrón, despojador, desvalijador, cuatrero, abígeo, malhechor.
BANDONEÓN Acordeón.
BANQUETE Comilona, ágape, festín, francachela, convite.
BAÑERA Baño, bañadera.
BAÑO Tina, barreño, pila. I Remojón, inmersión, chapuzón.
BAQUETEADO Avezado, experimentado, advertido, experto, ducho, habituado.
BAQUIANO Práctico, experto, guía, conocedor, ducho.
BARAJAR Encartar, mezclar, confundir, cartear, revolver.
BARATERO Engañoso, embustero.
BARATIJA Fruslería, bagatela, futilidad, nonada, pamplina, futesa.
BARATO Asequible, reducido, módico, convenible.

BAJ

BARAHUNDA Confusión, alborozo, ruido.
BARBA Perilla, pelo, barbilla, chiva.
BARBARIDAD Desmán, atrocidad, descaro, demasía, bestialidad, salvajismo, brutalidad, animalada, temeridad.
BARBARIE Ineducación, rusticidad, incivilidad, barbarismo, brutalidad, incultura. I Crueldad.
BÁRBARO Cruel, fiero, inhumano, desmesurado, temerario. I Tosco, inculto, grosero.
BARBERO Peluquero, afeitador, rapabarbas, desuellacaras.
BARCO Nave, embarcación, navío, vapor, velero, submarino, paquebote, buque, yate, bajel, falucho, canoa.
BARDO Trovador, poeta, vate, aedo.
BARNIZ Tinte, berniz, laca, lustre.
BARRA Hierro, barreta, varilla, barrote, lingote.
BARRACA Choza. I Depósito, almacén.
BARRANCO Barrancal, precipicio, despeñadero, torrentera, quebrada. I Dificultad, embarazo, atolladero.
BARRENAR Agujerear, taladrar, horadar, perforar, atravesar.
BARRER Escobillar, escobar, barrisquear, expulsar, dispersar.
BARRERA Empalizada, valla, cercado, parapeto. I Traba, obstáculo, impedimento, embarazo.
BARRICA Pipa, barril, tonel.
BARRICADA Parapeto, trinchera.
BARRIO Suburbio, barriada, arrabal, albaicín.
BARRO Fango, cieno, arcilla, lodo, limo.
BARROCO Recargado, irregular, churrigueresco, extravagante.
BARRUNTAR Presumir, conjeturar, imaginar, prever, sospechar, columbrar, husmear, suponer.
BÁRTULOS Trastos, trebejes, enseres.
BARULLO Anomalía, confusión, desbarajuste, enredo, desorden, barahunda.
BASAR Apoyar, asentar, cimentar, fundamentar, hincar, descansar.
BASE Fundamento, cimiento, plataforma, apoyo, sostén, soporte, pie. I Origen.
BÁSICO Fundamental, primordial, esencial, capital.
BASTANTE Suficiente, harto, asaz.
BASTAR Abundar, alcanzar, llenar.
BASTARDO Ilegítimo, espurio, adulterino, natural.
BASTO Tosco, grosero, burdo, rústico, ordinario, palurdo, agreste.
BASTÓN Báculo, cayado, apoyo, bordón.
BASURA Inmundicia, cochinería, barreduras, escombros, residuo, excremento, cochambre, suciedad, porquería.
BATACAZO Trastazo, porrazo, costalazo, tumbo, golpe. I Quiebra.
BATAHOLA Estruendo, estrépito, algarabía, bulla, barahunda, bullicio, jarana, jaleo, gritería.
BATALLA Combate, contienda, disputa, choque, refriega, sarracina, lid, lucha, campaña.

BAT

BATALLADOR Guerrero, combatiente, belicoso, militar, pendenciero, táctico.
BATALLAR Disputar, reñir, luchar, contender, combatir, pelear, bregar.
BATIR Golpear, sacudir, destruir, deshacer, asestar, pelear, combatir. I Agitar, mover, menear.
BATUTA Mando, dirección, bastón corto.
BAÚL Caja, arca, cofre, mundo.
BAUTIZAR Cristianar, batear, crismar. I Apodar.
BAZOFIA Desperdicios, sobras, desechos, suciedad, porquería, heces. I Bodrio, comistrajo, guisote.
BEATITUD Bienaventuranza, dicha, bienestar, placidez, felicidad, bonanza.
BEATO Feliz, dichoso, bienaventurado; devoto, santurrón, beatón.
BEBÉ Niño, nene, rorro, chico.
BEBER Libar, poción, vino, líquido, cerveza, sidra, horchata.
BEFA Mofa, escarnio, zaherimiento, ironía, desprecio, burla, ludibrio.
BELICOSO Guerrero, batallador, aguerrido, beligerante, combatiente.
BELIGERANCIA Derecho.
BELIGERANTE Contendiente, guerrero, combatiente, belígero.
BELLACO Pícaro, ruín, tunante, villano, perverso, truhán, charrán, hampón, marrullero. I Astuto, taimado.
BELLEZA Beldad, primor, finura, elegancia, lindeza, hermosura.
BELLO Hermoso, alindado, guapo, majo, pulcro, agraciado, divino, admirable, lindo, bonito, precioso.
BENDICIÓN Consagración, prosperidad, abundancia, aprobación.
BENDITO Bienaventurado, sacrosanto, beatífico, santo, justo. I Inocente, simple, necio, incauto.
BENEFACTOR Bienhechor, protector, filántropo.
BENEFICIAR Favorecer, otorgar, mejorar, conceder, bonificar.
BENEFICIO Favor, gracia, atención, preferencia, ventaja, ayuda, protección. I Ganancia, rendimiento, provecho, utilidad.
BENEFICIOSO Provechoso, productivo, lucroso, benéfico, útil.
BENEPLÁCITO Aprobación, asentimiento, aceptación, consentimiento, autorización, permiso, conformidad, anuencia.
BENÉVOLO Bondadoso, indulgente, amable, compasivo, magnánimo, benigno, complaciente.
BENIGNIDAD Amabilidad, afabilidad, indulgencia, cordialidad, bondad, probidad, clemencia, dulzura.
BENIGNO Benévolo, amable, afable, piadoso, humanitario, bondadoso, propicio, bonachón. I Templado, moderado.
BEODO Ebrio, embriagado, borracho, curda, ajumado.
BERMEJO Rojizo, rojo, rubio.

BERRINCHE Rabieta, enojo, despecho, disgusto, coraje, atufo, mohina, enfado, sofocación.
BESAR Besuquear, acariciar, tocar.
BESO Acolada, ósculo.
BESTIA Animal, caballería, bruto. I Ignorante, idiota, bárbaro.
BESTIALIDAD Brutalidad, barbaridad, ferocidad, salvajismo, animalada, irracionalidad, incivilidad.
BICOCA Bagatela, pequeñez, nadería, insignificancia.
BICHARRACO Extravagante, ridículo. I Animalucho.
BICHO Alimaña, sabandija. I Malvado, extravagante, maligno, feo.
BIEN Atención, beneficio, provecho, merced, ganancia. I Perfecto.
BIENAVENTURADO Feliz, afortunado. I Incauto, inocente, ingenuo, modesto.
BIENES Capital, hacienda, fortuna, peculio, patrimonio.
BIENESTAR Comodidad, prosperidad, riqueza, salud, abundancia, holgura.
BIENHECHOR Benefactor, filántropo, protector, valedor, amparador.
BIENQUISTO Respetado, apreciado, considerado, estimado.
BIFURCACIÓN Ramificación, división, cruce, separación.
BIGARDO Vicioso, vago, holgazán, desaprensivo, desvergonzado.
BIGOTE Mostacho.
BILIOSO Amargado, atrabilario, colérico, cascarrabias.
BILIS Amargura, aspereza, hiel, desabrimiento.
BIOGRAFÍA Historia, hechos, hazañas, memorias, anales, vida.
BIRLAR Escamotear, robar, hurtar, estafar.
BISAGRA Gozne.
BISEL Chaflán.
BISOÑO Inexperto, nuevo, novato, aprendiz, pipiolo.
BIZARRÍA Arrestos, valor, gallardía, brío, valentía. I Esplendor, gentileza, generosidad, galantería.
BIZARRO Arrogante, varonil, bravo, esforzado, valeroso, valiente. I Generoso, espléndido, caballeroso.
BIZCO Bisojo. I Pasmado.
BLANCO Albo, pálido. I Objeto, fin. I Cobarde. I Claro, espacio.
BLANDAMENTE Levemente, mansamente, apaciblemente, suavemente.
BLANDO Tierno, benigno, suave, dulce, apacible. I Holgazán, cobarde, flojo, afeminado.
BLANDURA Delicadeza, dulzura, afabilidad, benignidad, suavidad.
BLANQUECINO Albarizo, albero, blanquinoso, blancota, lechoso, cano.
BLASFEMAR Renegar, maldecir, execrar, jurar, vituperar.
BLASFEMIA Insulto, maldición, irreverencia, juramento.

BLASFEMO Maldiciente, deslenguado, blasfemador, insolente, malhablado.
BLASÓN Divisa, armas, lema, heráldica, escudo, emblema.
BLASONAR Presumir, vanagloriarse, jactarse, pavonearse, preciarse.
BLINDAR Proteger, acorazar, chapar, reforzar, endurecer.
BLOQUE Agrupación, conjunto, pedrusco.
BLOQUEAR Asediar, incomunicar, sitiar, cercar, estrechar.
BOATO Fastuosidad, esplendidez, lujo, rumbo, fausto, ostentación, pomposidad, alardeo.
BOBADA Necedad, torpeza, simpleza, idiotez, majadería, imbecilidad, bobería, sandez, tontería.
BOBO Necio, bobalicón, babieca, pazguato, estúpido, idiota, torpe, memo, mentecato, papanatas, majadero.
BOCA Hocico, jeta. I Desembocadura. I Agujero, orificio, abertura.
BOCADO Dentellada, mordisco, mordedura. I Freno.
BOCETO Apunte, esbozo, croquis, maqueta, bosquejo, diseño, borrador.
BOCÓN Fanfarrón, hablador.
BOCHINCHE Barullo, confusión, alboroto, desorden, tumulto, trifulca.
BOCHORNO Vergüenza, sonrojo, desazón. I Sofocamiento, calor, asfixia.
BODA Casamiento, unión, desposorio, nupcias, enlace, himeneo.
BODEGA Bodegón, lagar, taberna, almacén, depósito, vinatera.
BODRIO Bazofia, guisote. I Adefesio, esperpento, feto. I Lío, trapisonda.
BOFETADA Cachetada, guantada, torta, revés, guantazo, bofetón, pescozón, manotazo. I Desaire, desprecio.
BOGA Auge, fama, popularidad, aceptación, reputación. I Moda.
BOGAR Remar, navegar.
BOHEMIO Gitano, aventurero. I Desordenado, trasnochador, extravagante.
BOLADA Coyuntura, suerte, casualidad, oportunidad.
BOLICHE tasca, tienducha, figón. I Juego de bolos.
BOLSA Saco, bolsillo, faltriquera, bolso. I Caudal, dinero. I Cambio, especulación, conversión.
BOLLO Torta, rosca, ensaimada, magdalena. I Abolladura.
BOMBA Explosivo, granada, obús. I Apagaincendio.
BONACHÓN confiado, sencillo, cándido, pacífico, bondadoso, crédulo, inocentón, amable.
BONANCIBLE Apacible, benigno. I Despejado, sereno, estrellado.
BONANZA Calma, escampada. I Fortuna, prosperidad. I Blandura.
BONDAD Sensibilidad, humanidad, virtud, agrado, clemencia, piedad, benignidad, mansedumbre, moralidad, indulgencia, ternura.

BONDADOSO Benévolo, benigno, indulgente, bonachón, servicial, sensible, bueno, virtuoso, tolerante, afable, generoso.
BONIFICACIÓN Mejora, abono, descuento, deducción, rebaja, beneficio.
BONITAMENTE Diplomáticamente, disimuladamente, mañosamente, solapadamente, tranquilamente, despacio.
BONITO Agraciado, hermoso, precioso, magnífico, primoroso, delicado, bello, lindo, airoso.
BOÑIGA Estiércol, bosta.
BOQUETE Abertura, brecha, orificio, agujero.
BORDADO Encaje, pasamanería, bordadura, adorno, calado.
BORDAR Festonear, adornar, embastar, embellecer, pulir.
BORDE Margen, orilla, encintado, balate, extremidad, cenefa, extremo.
BORDEAR Orillar, serpentear, circunvalar, cantear, zigzaguear.
BORRACHERA Ebriedad, beodez, jumera, pítima, embriaguez, melopea, curda, mona, turca, chispa.
BORRACHO Ebrio, beodo, achispado, embriagado, curda, bebido, ajumado.
BORRAR Esfumar, evaporar, descolorar, desdibujar, deshacer. I Tachar.
BORRASCA Tormenta, temporal, tempestad. I Peligro.
BORRASCOSO Riguroso, tempestuoso, turbulento, tormentoso. I Desordenado.
BORRICO Jumento, burro, asno, pollino, rucio. I Torpe, ignorante, necio.
BORRÓN Tacha, mancha, mácula, suciedad. I Boceto, apunte.
BORROSO Impreciso, confuso, oscuro, turbio, ambiguo, nebuloso. I Ilegible.
BOSQUE Selva, floresta, boscaje.
BOSQUEJAR Delinear, proyectar, esbozar, diseñar.
BOSQUEJO Boceto, croquis, esbozo, apunte, borrador, proyecto, esquema.
BOTAR Tirar, arrojar. I Despedir, despachar. I Saltar, rebotar.
BOTARATE Precipitado, irreflexivo, atontado, aturrullado, desatinado, aturdido, atolondrado, informal.
BOTE Barca, lancha, batel. I Vasija pequeña. I Brinco, salto.
BOTIJA Piporro, vasija, botijo, porrón.
BOTÍN Presa, despojo. I Calzado de cuero.
BOTÓN Capullo, yema, brote. I Broche, gemelo.
BÓVEDA Embovedado, cúpula, arco, medio punto.
BOYANTE Feliz, poderoso, próspero, triunfante, afortunado, rico.
BOZAL Candado, mordaza, frenillo, esportilla.
BRAGADO Enérgico, animoso, entero, valiente, resuelto.
BRAGAZAS Indolente, calzonazos, calzorras.

BRA

BRAMAR Bufar, mugir, vociferar, aullar, rebramar.
BRAVATA Baladronada, fanfarronada, amenaza.
BRAVÍO Salvaje, arisco, fiero, cerril, montaraz, indomable. I Fragoroso, silvestre, inculto, ineducado.
BRAVO Valiente, valeroso, violento, esforzado, chulo. I Magnífico, soberbio, suntuoso, espléndido, excelente.
BRAVUCÓN Valentón, bravote, perdonavidas, matón, jactancioso, pendenciero.
BRAZALETE Pulsera, argolla, brazal, esclava.
BRAZO Extremidades. I Valor, esfuerzo, brío. I Bifurcación.
BREAR Calafatear, alquitranar, embrear. I Maltratar, molestar.
BREBAJE Pócima, potingue, mejunje.
BRECHA Abertura, boquete, portillo, rotura.
BREGAR Forzajear, competir, luchar, pelear, combatir, batallar.
BRETE Dificultad, aprieto, apuro.
BREVE Instantáneo, corto, limitado, pasajero, sucinto, conciso.
BREVEDAD concisión, limitación, abreviación, prontitud, laconismo.
BRIBÓN Bellasco, canalla, tunante, vagabundo, pícaro, pillo.
BRILLANTE fulgurante, radiante, luminoso, resplandeciente reluciente, nítido, rutilante, centelleante.
BRILLAR Resplandecer, fulgurar, centellear, titilar. I Sobresalir, descollar, fulgurar.
BRILLO Resplandor, lustre, fulgor, brillantez. I Lucimiento, gloria, realce, fama.
BRINCAR Saltar, retozar. I Omitir.
BRINDAR Convidar, chocar, ofrecer, congratularse. I Prometer.
BRÍO Fuerza, pujanza, valor, espíritu, decisión, resolución, denuedo. I Gallardía, gentileza, bizarría.
BRISA Céfiro, aura, airecillo.
BRIZNA Menudencia, insignificancia, minucia. I Partícula.
BROMA Chanza, chacota, burla, chirigota, chunga, chiste, guasa. I Molestia.
BROMEAR Guasearse, chungearse, divertirse, burlarse, mofarse, embromar.
BROMISTA Guasón, burlón, cuchufletero, embromador, chancero.
BRONCA contienda, riña, camorra, quimera, reyerta, pelotera, jarana, trifulca, zaragata. I Fastidio, regaño.
BRONCE Metal.
BRONCO áspero, agrio, desagradable, desabrido, seco.
BROQUEL Defensa, escudo, broquelete, rodela, amparo.
BROTAR Dimanar, surgir, manar, germinar, emerger. I Originar, arrojar.
BROTE Pimpollo, germen, yema, tallo, botón.
BRUJA Lechuza, ave rapaz. I Arpía, furia. I Hechicera.
BRUJERÍA Hechicería, maleficio, superstición, magia, ocultismo, magismo.
BRUJO Mago, adivino, agorero, fetichista, embaucador, hechicero, cabalista.
BRÚJULA Compás, mira, dirección, aguja magnética, orientación.
BRUJULEAR Declinar, señalar, imantar. I Investigar, descubrir, adivinar.
BRUMA Neblina, brumal, niebla, boira.
BRUMOSO Neblinoso, brumado, nublado, incomprensible, confuso.
BRUÑIDO Acicalado, abrillantado, pulido, lustrado, pulimentado.
BRUSCO Grosero, áspero, esquinado, duro, intratable. I Repentino, pronto.
BRUTAL Salvaje, incivil, bárbaro, bestial, grosero, arisco.
BRUTO Rudo, bestia. I Necio, inculto, torpe, grosero, incapaz, irracional.
BUCLE Rizo.
BUCÓLICO Pastoral, pastoril, eglógico, agreste, virgiliano.
BUENAMENTE Cómodamente, voluntariamente, bien, fácilmente, sencillamente, naturalmente.
BUENAVENTURA Dicha, prosperidad, buena suerte. I Adivinación, vaticinio, pronóstico, augurio, predicción.
BUENO Bondadoso, afable, caritativo, misericordioso. I útil, provechoso, utilizable. I Robusto, sano, saludable.
BUFANDA Tapaboca, faja.
BUFAR Respirar, resoplar, rabiar, gruñir, trinar, resollar.
BUFIDO Bramido, resoplido. I Enojo.
BUFO Bufón, cómico, gracioso, ridículo, burlesco, risible, jocoso.
BUFÓN Truhán, chacarrero, chistoso, jocoso, gracioso, chancero, burlón, histrión, bufo. I Buhonero.
BUHARDILLA Sotabanco, guardilla, camaranchón, buharda, boardilla.
BÚHO Mochuelo, lechuza.
BUHONERO Quincallero, mercachifle, feriante, baratillero, placero.
BUITRE Ave de rapiña. I Explotador, usurero.
BULEVAR Avenida, paseo público.
BULO Mentira, falsedad, chisme, engaño, murmuración, trola, camelo.
BULTO Volumen, tamaño. I Fardo, paca. I Hinchazón, tumor. I Estatua.
BULLA Alboroto, gritería, vocerío, barullo, confusión, escandalera, agitación, bullanga, bullicio, algazara.
BULLICIO Tumulto, estrépito, alboroto, ruido.
BULLICIOSO Estrepitoso, ruidoso. I Travieso, inquieto, alegre, vivo, juguetón, vivaracho, revoltoso.
BULLIR Hervir. I Agitarse, menearse, moverse, revolverse.
BUQUE Nave, barco, embarcación, paquebot, nao, navío, vapor, bajel.

BURBUJA Ampolla, vejiga, pompa, glóbulo, górgoro.
BURDEL Mancebía. | Trifulca, bochinche.
BURDO Tosco, torpe, incapaz, grosero, rústico, basto. | Malhablado, soez.
BURGUÉS Ciudadano acomodado. | Natural de un burgo.
BURILAR Esculpir, cincelar, grabar.
BURLA Chanza, broma, camelo, chunga, cuchufleta, mofa, desprecio. | Chasco, engaño.
BURLAR Chasquear, frustrar, engañar, zumbar, desaire.
BURLARSE Mofarse, chunguearse, reírse, engañar, fisgar, pitorrearse.
BURLESCO Festivo, cómico, irrisorio, ridículo, grotesco, bufonesco, jocoso.
BURRADA Desatino, necedad, tontería, disparate. | Manada de burros.
BURRO Borrico, pollino, jumento, rucio, rucho, solípedo, asno. | Torpe, necio, tonto, ignorante, zote.
BUSCAR Inquirir, averiguar, explotar, rastrear, escudriñar, indagar, investigar, pesquisa, esculcar.
BUTACA Sillón. | Luneta.
BUZÓN Desagüe, sumidero. | Ranura, orificio. | Tapón.

C

CABAL Preciso, ajustado, cierto, puntual, recto, diligente, íntegro, completo, exacto, honrado, intachable.
CÁBALA Intriga, conjura, complot, trama, maquinación. | Artificio, conjetura, suposición.
CABALGADURA Montura. | Bestia de carga.
CABALGAR Montar, acaballar, jinetear, encabalgar.
CABALMENTE Justamente, precisamente, perfectamente, cabal.
CABALLERESCO Elegante, noble, caballero.
CABALLERÍA Cabalgadura, bestia, corcel, bridón, caballo, montura, cuadrúpedo, asno, mulo, jamelgo. | Orden militar.
CABALLERO Noble, hidalgo, distinguido, caballeroso, leal. | Jinete.
CABALLEROSIDAD Nobleza, hidalguía, distinción, generosidad, altruismo, señorío, lealtad, desinterés.
CABALLO Alazán, corcel, jaco, potro, bridón, rocinante. | Pez marino.
CABAÑA Choza, barraca, chamizo, jacal, gañanía, potrero. | Rebaño.
CABECEAR Amorrar, agachar, amochar, agarbarse.
CABECERA Principio, presidencia. | Almohada. | Capital. | Titular, rótulo.
CABELLO Pelo, melena, trenza, rodete, cabellera.
CABER Entrar, tener lugar. | Pertenecer, corresponder, tocar. | Admitir.
CABESTRO Ronzal, ramal. | Buey.
CABEZA Testa, testuz, testera, cholla, cráneo. | Talento, capacidad, inteligencia, cacumen. | Superior, jefe, director, adalid.

CABEZÓN Obstinado, terco, cabezudo, cabezota.
CABEZUDO Cabezota, cabezón. | Pez.
CABIDA Amplitud, espacio, capacidad, extensión.
CABILDO Ayuntamiento. | Comunidad.
CABINA Locutorio, compartimiento, camarote.
CABIZBAJO Afligido, triste, desconsolado, compungido, melancólico.
CABLE Maroma, cordón, amarra. | Cablegrama.
CABO Punta, fin, extremo, término, remate. | Hilo, hebra. | Parte, lugar.
CABRIOLA Salto, voltereta, brinco.
CACAHUETE Cacahué, maní, cacahuate.
CACIQUE Dueño, déspota, tirano, autoritario. | Politicastro.
CACO Ladrón, galafate, ratero.
CACHA Empuñadura, mango, puño.
CACHAR Ridiculizar, embromar, burlar. | Romper.
CACHAZA Parsimonia, lentitud, calma, flema, sosiego, pachorra.
CACHAZUDO Tardo, lento, pausado, calmudo, parsimonioso, calmoso, premioso, flemático.
CACHETE Puñetazo, bofetada, cachetada, sopapo, moquete. | Carrillo.
CACHIVACHES Bártulos, utensilios, trastos, vasijas, trebejos.
CACHORRO Hijuelo, cría, polluelo, lobezno, perrito.
CADALSO Patíbulo, plataforma, horca, suplicio.
CADÁVER Difunto, muerto, fallecido.
CADEJO Melena. | Madeja, guedela.
CADENA Engarce, serie, cadenilla, rosario, eslabonamiento. | Esclavitud, dependencia. | Cordillera.
CADENCIA Ritmo, sonoridad, canto, medida, movimiento, compás.
CADENCIOSO Rítmico, cadente, asonante, acompasado, eufórico.
CADUCAR Extinguirse, prescribir, expirar. | Chochear.
CADUCO Precario, corto, pasajero, fugaz, perecedero. | Agotado, decrépito.
CAER Desplomarse, desprenderse, descender, caerse, abatirse. | Sucumbir, perecer, morir. | Percatarse, comprender. | Minorarse, disminuirse.
CAFÉ Cafeto, bebida. | Cafetucho, cafetín, sitio público.
CÁFILA Multitud, muchedumbre, caterva.
CAFRE Cruel, bárbaro, salvaje, feroz, despiadado, bruto, inhumano. | Rústico, ignorante, zafio.
CAGAR Malograr, arruinar, estropear. | Evacuar.
CAGÓN Medroso, cobarde, pusilánime.
CAÍDA Declive, descenso. | Decadencia, declinación. | Porrazo, costalada, batacazo, barquinazo. | Desliz, falta, afrenta.
CAÍDO Postrado, rendido, amilanado, desfallecido, abatido, vencido, débil, desmazalado.
CAJA Cajón, cajeta, arqueta. | Féretro, ataúd. | Tambor.

CAL

CALABACEAR Desestimar, desairar. I Reprobar, suspender.
CALABAZA Calabacera, calabacino. I Zapallo. Ignorante, inepto.
CALABOZO Cárcel, mazmorra, prisión, ergástula, celda, gayola, chirona.
CALAMIDAD Infortunio, desdicha, miseria, desgracia, azote, plaga.
CALAMITOSO Desdichado, deplorable, siniestro, fatal, infausto, trágico, catastrófico, nefasto, aciago, ominoso, malaventurado.
CALAÑA Calidad, categoría, índole. I Modelo, muestra, patrón. I Abanico.
CALAR Introducir, atravesar, agujerear. I Descubrir, adivinar, conocer. I Empapar. I Rajar.
CALAVERA Alocado, mujeriego, desjuiciado, vicioso, libertino. I Cráneo.
CALCAR Copiar, reproducir, imita. I Plagiar.
CALCINAR Carbonizar, quemar.
CALCULAR Conjeturar, deducir, suponer, creer, computar. I Meditar, pensar. I Evaluar.
CÁLCULO Cómputo, investigación, cuenta. I Suposición, conjetura, criterio. I Interés, egoísmo.
CALDERILLA Numerario, cambio, moneda.
CALEFACCIÓN Calorífero, estufa, radiador, chimenea, fogón, calor.
CALENDARIO Almanaque.
CALENTAR Caldear, templar, achicharrar, tostar, quemar. I Azotar.
CALENTARSE Irritarse, exaltarse, enfadarse, encolerizarse, acalorarse.
CALENTURA Fiebre, hipertermia, destemplanza, temperatura, acaloramiento.
CALETRE Discernimiento, perspicacia, cabeza, cacumen, agudeza, magín, tino, acierto, capacidad.
CALIDAD Categoría, cualidad, condición, personalidad, lustre, clase, importancia, calificación.
CÁLIDO Ardiente, caluroso, ardoroso, caliente.
CALIENTE Cálido, caluroso, sofocante, candente, tórrido. I Fogoso.
CALIFICAR Adjetivar, clasificar, determinar, considerar, conceptuar. I Ennoblecer, ilustrar.
CALIFICATIVO Adjetivo, epíteto, nombre, título, epígrafe.
CALIGINOSO Brumoso, denso, nebuloso, calinoso, tenebroso, nuboso.
CÁLIZ Vaso, copa.
CALMA Reposo, tranquilidad, sosiego, serenidad, placidez. I Lentitud, parsimonia, indolencia, pereza. I Bonanza.
CALMANTE Analgésico, narcótico, lenitivo, paliativo, sedativo, bálsamo.
CALMAR Apaciguar, sosegar, pacificar, moderar, adormecer, tranquilizar, aquietar. I Escampar, despejar, aclarar.
CALMOSO Perezoso, indolente, lento, tardo, calmudo, tardón, flojo, parsimonioso, apático, cachazudo, flemático.
CALOFRÍO Escalofrío, estremecimiento, arrechucho.
CALOR Calina, ardor, llama, quemazón, fiebre. I Actividad, energía, viveza, ardimiento, entusiasmo.
CALOTEAR Robar, engañar, estafar, timar.
CALUMNIA Maledicencia, falsedad, mentira, falacia, difamación, injuria, impostura, villanía.
CALUMNIAR Infamar, murmurar, mentir, deshonrar, difamar, desacreditar.
CALUMNIOSO Infamante, denigrante, oprobioso, difamatorio, deshonroso.
CALUROSO Ardiente, cálido, caloroso, bochornoso, sofocante, vivo, agobiante. I Vehemente, entusiasta.
CALVARIO Amargura, pesadumbre, adversidad, viacrucis.
CALVO Pelado, yermo.
CALZA Calzadura, calce, cuña, alza. I Vestidura.
CALZARSE enchancletarse, asegurarse, afianzarse. I Ajustar, acuñar.
CALLADO Discreto, reservado, silencioso, taciturno.
CALLAR Silenciar, ensordecer, aguantarse, omitir, enmudecer, sigilar.
CALLE Vía Pública, arteria, camino, ronda, avenida, calzada, rambla.
CALLEJERO Errático, vagante, andorrero, bulevardero, vagabundo, gandul, holgazán, bigardo.
CALLOSIDAD Dureza.
CAMA Tálamo, lecho, piltra, litera.
CAMÁNDULA Hipocresía, embuste, triquiñuela, astucia, bellaquería, fingimiento. I Rosario.
CÁMARA Habitación, aposento, sala. I Neumático. I Parlamento, senado.
CAMARADA Amigo, compañero, adjunto, cofrade, colega.
CAMARANCHÓN Sotabanco, desván.
CAMARERO Criado, mozo de café, servidor, sirviente, doméstico.
CAMASTRÓN Hipócrita, astuto, camandulero, embustero, taimado.
CAMBALACHE Cambio, trueque. I Boliche, prendería.
CAMBIAR Permutar, modificar, mudar, alterar, invertir, variar, diferenciar, innovar, reemplazar, renovar, trocar, conmutar.
CAMBIO Permuta, trueque, mutación, variación, innovación, corrección, renovación, transformación, mudanza, metamorfosis, canje.
CAMELO Burda, decepción, engaño, chasco. I Galanteo.
CAMINANTE Viajero, peregrino, viajante, ambulante, andarín, pasajero, viandante, peatón.
CAMINAR Transitar, andar, pasear, deambular, circular, recorrer, errar, correr, marchar.
CAMINO Carretera, vía, estrada, pista, sendero, trocha. I Itinerario, ruta. I Procedimiento, manera, medio.
CAMORRA Riña, refriega, pelea, contienda, reyerta, trifulca, pelotera, bronca, trapatiesta.

CAMPANA Carillón, sonería, bronce.
CAMPANADA Escándalo, novedad ruidosa. I Golpe.
CAMPANTE Satisfecho, contento, alegre, ufano.
CAMPANUDO Altisonante, rimbombante, hinchado, retumbante, enfático, ampuloso, tumescente, hueco.
CAMPAÑA Campo, llanura. I Operaciones militares.
CAMPECHANO Afable, comunicativo, expansivo, jovial, familiar, sociable, franco, simpático, acogedor. I Generoso.
CAMPEÓN Adalid, paladín, caudillo, héroe, triunfador, gladiador.
CAMPESINO Labrador, labriego, agricultor, hortelano, horticultor, granjero. I Campestre.
CAMPO Campiña, labrados, pradera, ejido, cultivo. I Tema, asunto, materia.
CAMPOSANTO Cementerio, necrópolis, sacramental.
CAMUESO Necio, torpe, ignorante, bodoque.
CANALLA Bandido, pillo, pícaro, ruín, rufián, zascandil, perillán. I Populacho, plebe, turba.
CANALLADA Bribonada, bellaquería, granujada, vileza.
CANCELAR Abolir, derogar, anular. I Saldar, liquidar.
CANCIÓN Canto, tarareo, entonación, entono, aire, tonada, cantinela.
CANCHA Pista, estadio, hipódromo. I Habilidad.
CANDADO Cerradura, cerrojo, cierre. I Bozal.
CANDENTE Incandescente, abrasador, ígneo, ardiente. I Apasionante.
CANDIDATO Aspirante, postulante, demandante, pretendiente.
CÁNDIDO Simple, franco, candoroso, crédulo, incauto, papanatas, gaznápiro, inocente, ingenuo, sencillo.
CANDOR Sinceridad, sencillez, candidez, simplicidad, ingenuidad, pureza, inocencia, inexperiencia.
CANIJO Enfermo, débil, enclenque.
CANJE Trueque, permuta, cambio, substitución.
CANJEAR Cambiar, alterar, invertir, trocar, sustituir, permutar.
CANON Pauta, regla, norma. I Modelo, ejemplar.
CANONIZAR Santificar, beatificar, glorificar, nimbar.
CANONJÍA Sinecura, momio, prebenda.
CANSANCIO Fatiga, desaliento, agotamiento, agobio, ajetreo, desfallecimiento, molestia, incomodidad, extenuación, disgusto, laxitud.
CANSAR Fatigar, importunar, incomodar, ajetrear, perseguir, aburrir, enfadar, hastiar, molestar.
CANTANTE Cantarín, cantatriz, cupletista, diva, divo, tiple, tenor, soprano, chantre, seise.
CANTAR Canción, canto, copla, poesía. I Confesar, delatar, descubrir.
CANTAZO Pedrada.
CANTERA Pedregal, pedrera, pedriza. I Ingenio, agudeza, chispa, caletre.
CANTIDAD Importe, suma, cuantía, monto. I Fracción, porción.
CANTIMPLORA Frasco, chifle, sifón.
CANTO Tarareo, entonación, gorjeo, vocalización, canturria, salmodia. I Guijarro, piedra.
CANTURREAR Tararear, canturriar.
CAÑA Cálamo, bambú, anea, bejuco. I Medida agraria.
CAÑO Cañón, tubo. I Cloaca, albañal.
CAOS Confusión, ofuscación, desorden, laberinto, promiscuidad.
CAPA Capote, capetillo, pañosa, manto. I Velo, vena, estrato. I Barniz.
CAPACIDAD Cabida, espaciosidad, extensión. I Inteligencia, preparación, talento, disposición, suficiencia, aptitud, saber, genio.
CAPCIOSO Artificioso, engañoso, insidioso, sofístico, embaucador.
CAPILLA Adoratorio, oratorio, ermita, sagrario, iglesia, altar. I Capucha.
CAPITAL Caudal, hacienda, patrimonio, fortuna, riqueza, bienes. I Fundamental, esencial. I Capitalidad.
CAPITANEAR Mandar, acaudillar, guiar, conducir, dirigir, disponer.
CAPITULAR Convenir, concertar, pactar, ceder, rendirse, entregarse. I Ordenar, disponer.
CAPRICHO Antojo, extravagancia, gusto, voluntad, veleidad, fantasía, ventolera, tontería, arbitrariedad, deseo.
CAPRICHOSO Caprichudo, tornadizo, antojadizo, inconsciente, mudable, voluble, veleidoso, raro, variable.
CAPTARSE Conseguir, atraerse, alcanzar, lograr, granjearse.
CAPTACIÓN Persuasión, halago, atracción, señuelo, consecución, soborno. I Almacenamiento.
CAPTURAR Aprehender, apresar, aprisionar, atrapar, detener, agarrar, sujetar, asir, coger.
CARA Semblante, faz, rostro, fisonomía, aspecto. I Fachada. I Descaro, osadía, desvergüenza.
CARÁCTER Condición, índole, natural. I Energía, fuerza, genio, firmeza, rigidez. I Signo, señal.
CARACTERÍSTICA Cualidad, condición, rasgo, calidades, temperamento, particularidad, atributo.
CARACTERÍSTICO Congénito, peculiar, idiosincrásico, típico, propio.
CARACTERIZAR Distinguir, señalar, determinar, personalizar.
CARAMBOLA Casualidad, chiripa. I Fruto.
CARANTOÑA Zalamería, arrumaco, halago, embeleco, caricia.
CARAVANA Muchedumbre, multitud, tropa.
CARCAJADA Risotada, jocosidad, risada.
CARCAMAL Vejestorio, achacoso, carraca.
CÁRCEL Prisión, mazmorra, calabozo, penitenciaría, chirona, ergástulo.
CARCOMER Consumir, roer.
CARDENAL Prelado, purpurado. I Contusión, mo-

CAR

radura, señal.
CARDINAL Principal, fundamental, importante, esencial, inherente.
CAREAR Enfrentar, encarar, confrontar, cotejar.
CARECER Necesitar, faltar, no tener.
CARENTE Falto, desprovisto, careciente.
CARESTÍA Carencia, escasez, privación, penuria, falta.
CARETA Máscara, antifaz, mascarilla.
CARGA Fardo, cargazón, cargamento. I Impuesto, contribución, tributo. I Acometida, embestida, arremetida. I Censo, hipoteca.
CARGADO Abarrotado, lleno, completo. I Tempestuoso, amenazador, nuboso.
CARGANTE Fastidioso, molesto, engorroso, pegajoso, latoso, majadero, enojoso, impertinente, machacón, pesado.
CARGAR Fastidiar, molestar, irritar, importunar, cansar, enojar. I Embestir, acometer, atacar, arremeter. I Gravar, imponer.
CARGAZÓN Cargamento, carga. I Aglomeración.
CARGO Imputación, acusación. I Dignidad, puesto, destino. I Gobierno, cuidado, obligación, custodia. I Peso, carga.
CARIACONTECIDO Apenado, triste, mohíno, conturbado, sobresaltado.
CARICATURA Parodia, exageración, deformación, mono.
CARICIA Cariño, halago, mimo, zalamería, arrumaco, carantoñas, agasajo.
CARIDAD Misericordia, compasión, filantropía, auxilio, socorro, limosna, desprendimiento.
CARIÑO Ternura, amor, afecto, enamoramiento, querer, estimación, predilección. I Mimo, ternura, caricia. I Esmero.
CARIÑOSAMENTE Amorosamente, cordialmente, tiernamente, entrañablemente.
CARIÑOSO Afectivo, amoroso, zalamero, amante, tierno, afectuoso, obsequioso, mimador, amable, simpático.
CARITATIVO Altruista, bondadoso, desprendido, compasivo, humano, magnánimo, filántropo, misericordioso.
CARLANGA Guiñapo, harapo. I Molestia.
CARMEN Jardín, huerto, quinta, pensil.
CARNADA Añagaza, señuelo. I Cebo.
CARNAL Carnudo, carnoso, pulposo. I Lujurioso, lúbrico, libidinoso, sensual, lascivo.
CARNE Chicha, morrillo, solomillo, filete, magra.
CARNICERÍA Matanza, mortandad, destrozo.
CARNICERO Tablajero, destazador, matarife. I Sanguinario, feroz, cruel, inhumano, brutal, inclemente, bárbaro.
CARNOSO Pulposo, carnudo, carnal.
CARO Querido, amado, idolatrado, dilecto, estimado, adorado. I Costoso, gravoso, dispendioso.
CAROZO Hueso, pipa, pepita.

CARPINTERO Ebanista, ensamblador, calafate.
CARRACA Vejestorio, carcamal. I Nave.
CARRERA Corrida, recorrido, trayecto. I Carretera, calle, camino. I Estado, profesión. I Concurso hípico.
CARRETERA Camino, carrera, calle.
CARROÑA Putrefacción, corrupción, porquería.
CARRILLO Moflete, mejilla, pómulo, cachete.
CARRUAJE Vehículo, carricoche, coche, diligencia, carromato, berlina.
CARTA Epístola, mensaje, misiva. I Naipe. I Mapa. I Despacho, circular.
CARTAPACIO Carpeta, portapliegos. I Cuaderno. I Funda.
CARTEL Cartelón, letrero, rótulo, anuncio. I Fama, reputación, prestigio.
CARTERA Bolsa, billetero, tarjetero, portapapeles. I Ministerio.
CARTILLA Abecedario, silabario, alfabeto. I Libreta.
CASA Mansión, establecimiento, vivienda, morada, residencia, domicilio. I Linaje, raza, descendencia.
CASAMIENTO Matrimonio, unión, enlace, boda, nupcias, esponsales.
CASAR Desposar, unir, matrimoniar, juntar, enmaridar.
CASCAJO Trebejo, chisme, trasto. I Moneda.
CASCADA Catarata, chorrera, salto.
CASCAR Quebrantar, rajar, abrir, romper, hender. I Pegar, golpear, zurrar, sacudir. I Charlar.
CÁSCARA Corteza, cascarón, camisa, vaina, cubierta, envoltura.
CASCOTE Escombro, cascajo, broza. I Carcamal, vejestorio.
CASERÍO Casería, cortijo, alquería.
CASERO Familiar, doméstico, hogareño. I Arrendador, propietario, dueño.
CASI Aproximadamente, cerca, aína.
CASETA Casilla, garita.
CASILLA Albergue, caseta. I Compartimento, encasillado, división.
CASINO Círculo, club.
CASO Suceso, acontecimiento, sucedido, episodio, ocurrencia, lance, peripecia, asunto, circunstancia, coyuntura, casualidad.
CASQUETE Casco, cubierta. I Peluca. I Gorra.
CASQUIVANO Alocado, vanidoso, informal, ligero, irreflexivo, frívolo.
CASTA Abolengo, generación, alcurnia, clase, raza, linaje, ralea. I Calidad, especie.
CASTAÑUELA Castañeta, crótalo.
CASTICISMO Casticidad, purismo.
CASTIDAD Pureza, limpieza, honestidad, candor, virginidad, continencia, incorrupción, inocencia, pudor.
CASTIGAR Mortificar, afligir, golpear, azotar, corregir, escarmentar. I Penar, ajusticiar, supliciar.
CASTIGO Represión, punición, humillación, mortificación, corrección.
CASTIZO Casto, correcto, purista, tradicional.

CASTO Honesto, limpio, correcto, incorrupto, recatado. I Virginal, inviolado.
CASTRAR Capar, esterilizar. I Podar.
CASUAL Incidental, fortuito, accidental, imprevisto, esporádico, impensado, inopinado.
CASUALIDAD Eventualidad, improvisación, azar, chiripa, acaso, suerte.
CATACLISMO Catástrofe, desastre. I Desorden, trastorno.
CATADURA Aspecto, semblante, facha, fisonomía, traza, gesto, aire.
CATÁLOGO Inventario, lista, memoria.
CATAR Probar, gustar, beber. I Examinar, registrar, observar, mirar.
CATASTRO Padrón, censo.
CATÁSTROFE Desgracia, cataclismo, siniestro, desastre, calamidad.
CATECISMO Catequesis. I Compendio.
CÁTEDRA Clase, aula, tribuna, magisterio. I Dignidad.
CATEDRÁTICO Maestro, profesor.
CATEGORÍA Calidad, esfera, jerarquía, clase, condición. I Talla.
CATEGÓRICO Decisivo, inapelable, concluyente, terminante, definitivo, rotundo, claro, explícito.
CATEQUIZAR Persuadir, conquistar, convencer. I Enseñar, instruir.
CATERVA Muchedumbre, tropel, concurrencia, legión, multitud, turba. I Chusma, plebe, cáfila.
CATILINARIA Censura, filípica, invectiva.
CATÓLICO Universal, cristiano, creyente, ortodoxo, catequístico.
CAUCE Conducto, canal, álveo, lecho, acequia.
CAUDAL Caudaloso, torrente. I Bienes, patrimonio, fortuna, opulencia, capital, dinero. I Abundancia, cantidad.
CAUDILLO Adalid, jefe, cabeza, guía, paladín, campeón. I Presidente.
CAUSA Fundamento, razón, origen, génesis, móvil, elemento, motivo. I Proceso, litigio, pleito.
CAUSALIDAD Origen, motivo, causa, principio.
CAUSAR Hacer, producir, determinar, originar, motivar, promover, suscitar, ocasionar, irrogar.
CÁUSTICO Agresivo, irónico, satírico, agudo, mordaz. I Corrosivo, quemoso, abrasivo.
CAUTELA Reserva, circunscripción, precaución, miramiento, recato. I Astucia, habilidad, maña.
CAUTELOSO Receloso, desconfiado, reservado, precavido, ladino, astuto, sagaz, prudente, cauto.
CAUTERIZAR Restañar, quemar. I Corregir.
CAUTIVAR Seducir, embelesar, hechizar, arrebatar, encantar. I Prender, capturar, aprisionar, recluir.
CAUTIVO Prisionero, sujeto, sojuzgado, encadenado, preso.
CAUTO Prudente, sagaz, precavido, desconfiado, cauteloso, astuto, mesurado, reservado, circunspecto.

CAS

CAVAR Ahondar, penetrar, azadonar, remover, excavar, profundizar.
CAVERNA Cueva, covacha, antro, gruta, concavidad.
CAVIDAD Espacio, hueco, hoyo, vacío.
CAVILAR Reflexionar, pensar, meditar, deliberar, repensar, ensimismarse, considerar, preocuparse.
CAVILOSO Desconfiado, preocupado, suspicaz, pensativo, absorto, meditabundo, aprensivo, receloso.
CAZAR Atrapar, coger. I Sorprender. I Cautivar, prender.
CAZURRO Insociable, intratable, huraño.
CEBAR Alimentar, engordar, sustentar. I Fomentar, halagar, atraer.
CEBO Incentivo, anzuelo, fomento. I Carnada, alimento.
CEDAZO Criba, cernidor, tamiz.
CEDER Someterse, rendirse, flaquear, inclinarse, claudicar, aflojar, acceder, doblegarse. I Transferir, dar, traspasar, transmitir.
CÉDULA Escrito, pergamino, documento.
CEGAR Ofuscar, deslumbrar, oscurecer, encandilar, obcecar. I Cerrar, tapar, obstruir, obturar.
CEGARSE Obcecarse, exacerbarse, exasperarse, alucinar, turbarse.
CEGUEDAD Ceguera, obcecación, alucinación, exasperarse, alucinar, turbarse.
CEJAR Recular, retroceder. I Aflojar, ceder, decaer, debilitar.
CEJUDO Cejijunto, ceñudo, ceñoso.
CELADA Emboscada, engaño, asechanza, zancadilla, trampa, estratagema. Yelmo.
CELAR Cuidar, atender, observar, vigilar. I Disimular, disfrazar, encubrir.
CELEBRAR Encomiar, alabar, ponderar, conmemorar, aplaudir. I Venerar, solemnizar.
CÉLEBRE Notable, famoso, afamado, acreditado, mentado, memorable, distinguido, renombrado, popular, ilustre, eminente.
CELEBRIDAD Reputación, fama, consideración, popularidad, nombre, gloria, honra.
CELERIDAD Rapidez, prontitud, presteza, diligencia, actividad, prisa.
CELESTIAL Celeste, empíreo, glorioso, encantador, delicioso, divino, hechicero. I Inepto, tonto, bobo.
CELESTINA Encubridora, alcahueta.
CÉLICO Celestial, celeste, delicioso.
CELO Impulso, voluntad, estímulo, ansia. I Diligencia, interés, esmero, fervor, solicitud. I Rivalidad, envidia.
CELOS Inquietud, sospecha, duda, recelo, desconfianza, suposición. I Antagonismo.
CELOSO Asiduo, cuidadoso, activo. I Desconfiado, receloso, suspicaz, encelado, acharado.
CELSITUD Elevación, grandeza, excelencia.
CEMENTERIO Sacramental, necrópolis, camposanto, panteón.
CENAGAL Barrizal, lodazal, pantano, fangal.
CENCERRO Changarro, campanilla, esquilas.

CEN

CENEFA Ribete, orilla, viñeta, orla, dibujo, borde.
CENIZA Polvo, residuo, pavesa, vestigio, restos.
CENOBITA Anacoreta, eremita, fraile, penitente, monje, ermitaño.
CENOTAFIO Mausoleo, monumento sepulcral.
CENSO Padrón, registro, estadística. I Contribución, tributo, cargo.
CENSOR Crítico, dictaminador, corrector.
CENSURA Enjuiciamiento, dictamen, crítica, análisis, concepto. I Corrección, reprobación, objeción. I Mordaza.
CENSURABLE Reprochable, reprensible, reprobable, vituperable.
CENSURAR Reprobar, desechar, criticar, tildar, reconvenir, condenar, reprender, desaprobar, tachar, corregir.
CENTELLA Rayo, chispa, exhalación.
CENTELLEANTE Resplandeciente, fulgurante, rutilante, radiante, reluciente, titilante, brillante, refulgente, chispeante.
CENTELLEAR Relucir, brillar, resplandecer, centellar, fulgurar, fulgir, relumbrar, rutilar, fosforecer, titilar.
CENTENARIO Vetusto, longevo, provecto, secular. I Conmemoración, evocación, recuerdo.
CENTINELA Vigilante, guardia, custodio.
CENTRAL Matriz, principal. I Centrado, céntrico.
CENTRAR Reunir, concentrar, centraliza.
CENTRO Club, casino, sociedad. I Núcleo, eje, foco.
CEÑIDO Ajustado, sobrio, moderado, apretado.
CEÑIR Ajustar, apretar, religar, abarcar, cercar, rodear. I Abreviar, disminuir, reducir. I Abrazar.
CEÑIRSE Limitarse, amoldarse, ajustarse, concretarse, atenerse, conformarse, sujetarse, adaptarse.
CEÑO Sobrecejo, entrecejo, fruncimiento.
CEÑUDO Severo, adusto, rígido, sombrío. I Ceñoso, cejijunto.
CEPA Parra, viña. I Origen, raza, linaje, familia.
CEPILLAR Asear, limpiar, acepillar. I Desbastar, pulir.
CEPILLO Escobilla, estregadera. I Alcancía, cepo.
CERCA Vallado, tapia, cercado, empalizada, muro, cercamiento, balladar, valle. I Próximo, inmediato, junto.
CERCANÍA Proximidad, contigüedad, mediato, vecino, aledaños, alrededores, inmediación, contorno.
CERCANO Próximo, inmediato, vecino, contiguo, junto, confinante, limítrofe, allegado.
CERCAR Circundar, rodear, tapiar, vallar, bardar, murar, ceñir. I Asediar, sitiar.
CERCENAR Cortar, mutilar, separar, amputar, dividir. I Acortar, disminuir, amenguar, desmochar.
CERCIORAR Asegurar, corroborar, acreditar, certificar, confirmar, ratificar, aseverar, comprobar.
CERCO Contorno, aro, abrazaderas. I Bloqueo, asedio, sitio.
CERDO Puerco, marrano, cochino. I Hombre sucio.
CEREBRO Encéfalo, talento, juicio, mente, entendimiento, meollo, cabeza.
CEREMONIA Pompa, solemnidad, fausto, festividad, ceremonial, cortesía. I Presunción, afectación.
CEREMONIOSO Solemne, hierático, cumplido, peripuesto, tieso, afectado, repulido.
CERILLA Fósforo. I Cerumen.
CERNÍCALO Bruto, tonto, simple, ignorante, bobo, zoquete, zopenco.
CEROTE Aprensión, temor, miedo, perturbación. I Cerumen.
CERRADO Oculto, misterioso, clausurado, oscuro. I Obtuso, torpe.
CERRADURA Cerraja, cerramiento, cierre.
CERRAR Acometer, arremeter, embestir, cegar. I Cicatrizar, curar. I Clausurar, sellar, atrancar, tapar. I Concluir, terminar. I Cesar.
CERRERO Grosero, rústico, inculto.
CERRIL Cerrero, arisco, rústico, grosero, salvaje, indómito, montaraz. I Escabroso, desigual, áspero.
CERRO Elevación, altozano, colina, altura.
CERROJO Candado, pasador, barra, picaporte.
CERTAMEN Concurso, exposición, torneo.
CERTERO Firme, acertado, seguro. I Sabedor, cierto.
CERTEZA Certidumbre, evidencia, seguridad, convencimiento, persuasión, autenticidad, convicción.
CERTIFICAR Testimoniar, atestar, asegurar, afirmar, legitimar, legalizar, refrendar, atestiguar, autentificar.
CESACIÓN Cesantía, interrupción, suspensión, supresión.
CESAR Acabarse, suspenderse, terminar. I Interrumpir, cejar.
CESIÓN Abdicación, abandono, renuncia. I Transmisión, entrega, donación, transferencia, traspaso, endoso.
CESTA Banasta, cesto, canasto, canasta.
CETRINO Melancólico, amarillento, triste, cuitado, adusto, sombrío.
CICATERÍA Ruindad, tacañaría, sordidez, avaricia, mezquindad, miseria.
CICATRIZ Huella, vestigio, señal. I Impresión.
CICLÓPEO Gigante, desmesurado, colosal, excesivo, titánico.
CIEGO Cegado, anublado. I Ofuscado, poseído, alucinado, enloquecido, obcecado.
CIELO Gloria, salvación, paraíso, empíreo. I Atmósfera, firmamento. I Clima. I Techo plano.
CIÉNAGA Barrizal, cenagal, lodazal, fangal, lugar pantanoso.
CIENCIA Sabiduría, conocimiento, saber, erudición. I Maestría, técnica, habilidad, experiencia, aptitud.
CIENO Lodo, fango, légamo, barro, encenagamiento, limo.
CIENTÍFICO Especialista, técnico, docto, maestro, intelectual.
CIERTAMENTE Seguramente, evidentemente, in-

CIE

dudablemente, positivamente, infaliblemente, palpablemente.

CIERTO Verdadero, seguro, evidente, incuestionable, innegable, indubitable, auténtico, irrefutable, indudable, patente.

CIFRA Número, guarismo. I Suma, compendio. I Clave.

CIFRAR Resumir, numerar, abreviar, compendiar. I Ansiar, confiar.

CIMA Cumbre, cúspide, pináculo, cresta. I Término, meta, fin.

CIMENTAR Establecer, asegurar, afirmar, asentar. I Fundar.

CIMIENTO Cimentación, zanja, principio, raíz, sostén, fundamento.

CINCHO Abrazadera, aro, zuncho. I Faja.

CINEMATÓGRAFO Cine, cinema, proyección.

CÍNICO Desvergonzado, descarado, fresco, inverecundo, sucio, desaliñado, procaz, insolente, impúdico.

CINISMO Desvergüenza, grosería, descaro, desfachatez, atrevimiento, procacidad, descoco, inmoralidad.

CINTA Cintajo, adorno, listón, banda. I Película.

CINTURÓN Correa, cinto, ceñidor.

CIRCO Estadio, arena, hemiciclo, pista, anfiteatro.

CIRCUITO Perímetro, contorno, recinto.

CIRCULAR Divulgar, propalar, propagar. I Escrito, carta, notificación. I Andar, pasar, moverse, recorrer, transitar.

CÍRCULO Casino, centro, ateneo. I Redondel, órbita, anillo, aro. I Circunferencia.

CIRCUNDAR Rodear, vallar, cercar, circunvalar, redondear, tapiar.

CIRCUNLOQUIOS Pretextos, achaques, rodeos, ambages, indirectas, desviación, circunlocución.

CIRCUNSCRIBIRSE Ajustarse, concretarse, limitarse, amoldarse, ceñirse.

CIRCUNSCRIPCIÓN Jurisdicción, demarcación, término, distrito.

CIRCUNSPECTO Prudente, serio, respetable, mesurado, discreto, cuerdo, sensato, precavido. I Cauteloso.

CIRCUNSTANCIA Causa, razón, particularidad, ambiente, condición. I Situación, momento.

CIRCUNSTANTES Concurrentes, presentes, asistentes.

CISCO Altercado, pendencia, zipizape, ruido, algazara, trifulca, lío, alboroto, pelotera, reyerta, jaleo.

CISMA Discordia, desacuerdo, rompimiento, desavenencia, desunión.

CISTERNA Aljibe, pozo, depósito.

CITA Entrevista, convocatoria, reunión, llamamiento, citación.

CITACIÓN Cita, llamamiento, convocatoria, mandato, emplazamiento, notificación, requerimiento.

CITAR Convocar, llamar, notificar. I Mencionar, aludir, referirse, nombrar, enumerar.

CIUDAD Población, localidad, urbe.

CIUDADANO Habitante, vecino, cortesano, residente, conviviente.

CIUDADELA Fortaleza, fuerte.

CIVIL Sociable, amable, fino, urbano, atento. I Ciudadano, cívico.

CIVILIZACIÓN Cultura, educación, instrucción, enseñanza, ciencia, arte, adelanto, progreso.

CIVILIZADO Instruido, culto, educado, cortés, urbano, pulido.

CIVISMO Patriotismo.

CIZAÑA Discordia, disensión, enemistad. I Planta gramínea.

CLAMAR Suplicar, rogar, protestar, gritar, vociferar. I Dolerse, quejarse, gemir.

CLAMOR Grito. I Lamentación, gemido, lloriqueo, gimoteo, queja, alarido.

CLAMOROSO Chillón, vocinglero, gritón, bullicioso, zaragatero.

CLANDESTINO Oculto, misterioso, ilegal, reservado, furtivo, secreto, anónimo, ilícito, encubierto.

CLARABOYA Lumbrera, tragaluz.

CLARAMENTE Abiertamente, manifiestamente, notoriamente, palmariamente, descaradamente, paladinamente, patentemente.

CLAREAR Clarecer, amanecer, esclarecer, alborear.

CLARIDAD Franqueza, sinceridad, llaneza, sencillez. I Resplandor, luz. I Nitidez.

CLARIVIDENCIA Sutileza, penetración, talento, perspicacia, sagacidad, tacto, intuición, comprensión.

CLARO Diáfano, límpido, cristalino, nítido. I Manifiesto, evidente, patente, indubitable, notorio. I Brillante, luminoso. I Perspicaz, despierto, agudo, listo. I Intervalo, intermedio. I Ilustre.

CLASE Condición, variedad, raza, calidad, categoría. I Curso, estudio, lección. I Aula, cátedra.

CLÁSICO Principal, notable, imitable. I Antiguo.

CLASIFICAR Coordinar, arreglar, catalogar, ordenar.

CLAUDICAR Ceder, someterse, blandearse, transigir, rajarse. I Pecar.

CLÁUSULA Disposición, condición.

CLAUSURA Claustro, celda, encierro. I Cierre.

CLAUSURAR Cerrar, sellar, lacrar, obturar, acabar, terminar, finalizar. I Enclaustrar.

CLAVAR Introducir, plantar, enclavar, hincar, hundir, clavetear. I Perjudicar, engañar.

CLAVE Cifra. I Explicación, nota. I Código. I Llave, intríngulis.

CLAVO clavete, clavazón, alcayata, tachuela. I Daño, perjuicio, contrariedad. I Pena.

CLEMENCIA Misericordia, piedad, indulgencia, bondad, compasión, merced, benignidad.

CLEMENTE Benigno, misericordioso, piadoso, indulgente, condescendiente, magnánimo, benévolo.

CLÉRIGO Sacerdote, eclesiástico, cura, padre,

CLI

capellán.
CLIENTE Parroquiano, consumidor, marchante, comprador.
CLIMA Temperatura, atmósfera. I País, región, comarca. I Ambiente.
CLOACA Alcantarilla, sumidero, albañal.
CLUB Círculo, asociación, casino, tertulia, sociedad.
COACCIÓN Fuerza, violencia, imposición, intimación, amenaza.
COADJUTOR Vicario, lego, ayudante, auxiliar, acompañante.
COADYUVAR Contribuir, cooperar, colaborar, participar, ayudar.
COALICIÓN Confederación, unión, asociación, liga.
COARTADA Justificación, disculpa, excusa, defensa.
COARTAR Limitar, coercer, retringir, reducir, cohibir, constreñir.
COBA Adulación, halago. I Broma, embuste.
COBARDE Miedoso, pusilánime, tímido, apocado, irresoluto, medroso, blando, timorato.
COBARDÍA Pusilanimidad, temor, miedo, desánimo, irresolución. I Villanía.
COBERTIZO Tejado, saliente, porche, abrigaño, tapadizo, marquesina.
COBERTOR Manta, cobertura, cobija, cubrecama.
COBIJAR Cubrir, tapar. I Acoger, albergar, hospedar.
COBRAR Recaudar, percibir, reintegrarse. I Adquirir, tomar, exigir.
COBRO Recaudo, cobranza, percepción.
COCCIÓN Cocedura, cocimiento, cochura.
COCER Hervir. I Cocinar, guisar.
COCIDO Guisado, puchero, olla.
COCINAR Guisar, cocinear, aliñar, cocer, freír, estofar, aderezar, condimentar, adobar.
CÓCORA Molesto, impertinente, pesado, fastidioso.
COCHE Vehículo, tartana, carruaje, calesa, landó, diligencia.
COCHERO Auriga, postillón, conductor.
COCHINADA Grosería, indecencia. I Suciedad, cochinería.
COCHINO Puerco, cerdo, gorrino, marrano. I Desaseado, desaliñado, adán. I Miserable, tacaño.
CODICIA Avaricia, ambición, tacañería, avidez, ansia, cicatería, mezquindad, egoísmo, sordidez.
CODICIAR Ambicionar, apetecer, pretender, ansiar, desear. I Envidiar.
CODICIOSO Avaricioso, ambicioso, acucioso, ansioso, avariento. I Hacendoso, trabajador, laborioso, afanoso.
CÓDIGO Ley, compilación, reglamento. I Clave.
COERCER Refrenar, contener, retringir, sujetar, limitar, cohibir.
COETÁNEO Contemporáneo, coexistente.
COFRADÍA Hermandad, congregación, asociación, gremio.
COFRE Arca, baúl, arcón, caja, arqueta.
COGER Agarrar, asir, tomar, aprehender, atrapar,

apresar. I Sorprender, penetrar. I Ocupar, caber. I Encontrar. I Alcanzar.
COGORZA Borrachera, curda, jumera, pítima, mona, turca.
COHABITAR Amancebarse, abarraganarse, juntarse, liarse, fornicar, enredarse. I Convivir.
COHERENCIA Enlace, trabazón, relación, cohesión.
COHESIÓN Adherencia, unión, coherencia, adhesión, relación, compenetración, enlace.
COHIBIR Reprimir, sujetar, refrenar, contener, restringir, coartar.
COINCIDENCIA Concurrencia, concomitancia, exactitud, acierto.
COINCIDIR Convenir, coexistir, concordar. I Ajustar. I Corresponder.
COITO Ayuntamiento, cópula.
COJEAR Renquear, renguear. I Faltar.
COJO Renco, paticojo, rengo, cojitranco.
COLA Extremidad, rabo, punta, final. I Hilera.
COLABORACIÓN Participación, auxilio, contribución, trabajo, ayuda.
COLABORAR Cooperar, participar, contribuir, auxiliar, apoyar, acompañar, ayudar, concurrir.
COLACIONAR Confrontar, cotejar, comparar.
COLADURA Desacierto, error, pifia.
COLAPSO Agotamiento, postración, decaimiento.
COLAR Filtrar, purificar, pasar, cribar.
COLCHA Cubrecama, cobertura.
COLECCIÓN Surtido, acopio, conjunto, muestrario, reunión.
COLECCIONAR Reunir, escoger, compilar, acopiar, seleccionar.
COLECTIVIDAD Congregación, comunidad, corporación, sociedad.
COLEGA Camarada, compañero.
COLEGIAL Estudiante, escolar, alumno, educando, seminarista. I Inexperto, tímido, novato.
COLEGIO Escuela, academia, liceo, instituto.
COLEGIR Deducir, juzgar, derivar. I Ensamblar, juntar, unir.
COLÉRICO Amargado, frenético, violento, iracundo, irritable, furibundo, irascible, bilioso.
COLGADURA Cortina, cortinaje, tapicería.
COLGAJO Harapo, arrapiezo, pingajo.
COLGAR Suspender, pender. I Ahorcar. I Achacar, atribuir, imputar.
COLIGARSE Confederarse, unirse, asociarse, aliarse.
COLINA Altura, cerro, collado. I Simiente.
COLINDANTE Limítrofe, contiguo, lindante, fronterizo, limitáneo, próximo, inmediato.
COLISIÓN Encuentro, choque. I Combate, oposición, pugna.
COLMAR Abarrotar, llenar, invadir, atestar, atiborrar, saturar, sumir.
COLMO Rebasamiento, exceso, replección. I Acertijo, chiste.
COLOCACIÓN Empleo, destino, puesto, posición,

situación, acomodo, cargo, plaza.
COLOCAR Poner, situar, instalar, ubicar, depositar, destinar. I Emplear, ocupar.
COLONIZAR Fundar una colonia.
COLONO Cultivador, labrador, arrendatario, inquilino.
COLOQUIO Conversación, charla, plática, entrevista, diálogo, cháchara.
COLOR Colorido, tinte, tono, matiz. I Pretexto, motivo, achaque. I Aspecto.
COLORIDO Tonalidad, color, tinte, gama. I Brillante.
COLOSAL Inmenso, enorme extraordinario, grandioso, gigantesco, descomunal, monumental, desmesurado.
COLOSO Gigante, cíclope, titán.
COLUMBRAR Conjeturar, barruntar, suponer, sospechar, entrever, percibir.
COLUMNA Apoyo, poste, pilar. I Sostén. I Masa de tropas.
COLLADO Cerro, colina, depresión.
COLLAR Gargantilla. I Collarín, collera. I Joya. I Condecoración.
COMADRONA Partera, comadre.
COMARCA Territorio, poblado, región, departamento, jurisdicción, país.
COMARCANO Cercano, vecino, lindante, aledaño, circunvecino, contiguo.
COMBAR Torcer, arquear, doblar, acombar, abombar, enarcar, encorvar.
COMBATE Pelea, contienda, lucha, batalla. I Reyerta, riña, pelotera, zipizape. I Contradicción, pugna.
COMBATIENTE Beligerante, batallador, contendiente, soldado, luchador.
COMBATIR Batallar, luchar, reñir, pelear, contender, guerrear. I Contradecir, impugnar. I Agitar.
COMBINACIÓN Concordación, organización, acoplamiento, montaje, mezcla. I Maquinación.
COMBINAR Acoplar, mezclar, unir, amalgamar, asociar, coordinar, componer, juntar, ligar, hermanar, arreglar.
COMBUSTIBLE Madera, leño, carbón, gasolina, petróleo, alcohol. I Inflamable.
COMEDIA Farsa, ficción, histrionismo. I Obra, pieza. I Teatro.
COMEDIANTE Actor, cómico, farsante, histrión, artista. I Intrigante, hipócrita, simulador.
COMEDIDO Atento, tratable, cortés, ceremonioso, mesurado, prudente, discreto, solícito, circunspecto.
COMENTAR Glosar, desarrollar, explanar, interpretar, aclarar, resolver, dilucidar, definir.
COMENTARIO Explicación, aclaración, interpretación, disquisición, crítica, glosa, comento, conversación.
COMENZAR Principiar, empezar, iniciar. I Entablar, emprender. I Nacer.
COMER Masticar, mascar, ingerir, yantar, manducar. I Dilapidar, derrochar, disipar. I Corroer, estropear. I Omitir.
COMERCIANTE Negociante, tratante, negociador, mercachifle, mercader, traficante, trajinante.
COMERCIAR Negociar, traficar, vender, comprar, importar, mercadear, especular. I Tratar.
COMESTIBLE Alimento, manjar, mantenimiento.
COMETER Ejecutar, realizar, hacer. I Incurrir, caer. I Emplear, usar.
COMEZÓN Picazón, escozor. I Desazón, inquietud.
CÓMICO Actor, intérprete, comediante. I Gracioso, chistoso, histrión, bufo, divertido, jocoso, farandulero.
COMIDA Alimento, manjar, sustento, vianda.
COMIDILLA Murmuración, maledicencia, chismorreo, habladuría, chisme, calumnia.
COMILÓN Tragón, glotón, tragaldabas.
COMINO Minucia, nimiedad, insignificancia, miseria. I Hierba.
COMISIÓN Encargo, cometido, mandato, delegación. I Corporación, junta. I Retribución, estipendio.
COMITÉ Asociación, junta, centro, comisión.
COMITIVA Cortejo, acompañamiento, manifestación, séquito.
COMO Así, según que, a manera de.
CÓMODAMENTE Acomodadamente, regaladamente, ricamente, fructuosamente.
COMODIDAD Bienestar, facilidad, regalo, conveniencia, acomodamiento, prosperidad, molicie, descanso. I Oportunidad, ventaja.
CÓMODO Confortable, descansado, conveniente, agradable, fácil, manejable. I Provecho, utilidad.
COMPACTO Sólido, apretado, impenetrable, tupido, denso, amazacotado.
COMPADECER Lamentar, sentir, deplorar, dolerse, conmoverse, apiadarse. I Unirse, conformarse.
COMPAGINARSE Armonizarse, ajustarse, concertarse, ordenarse.
COMPAÑÍA Sociedad, corporación, conjunto. I Cuerpo. I Orden.
COMPARECER Personarse, avistarse, presentarse.
COMPARTIMIENTO Compartimento, departamento, piso.
COMPARTIR Distribuir, repartir, fraccionar. I Contribuir, ayudar, auxiliar, cooperar.
COMPÁS Aguja, brújula. I Cadencia, ritmo. I Regla.
COMPASIÓN Lástima, piedad, caridad, clemencia, misericordia, ternura.
COMPASIVO Misericordioso, clemente, humanitario, sentimental, benigno, pío, piadoso, sensible.
COMPATRIOTA Compatricio, conciudadano, paisano, connacional.
COMPELER Impeler, coaccionar, apremiar, estimular, coercer, obligar, forzar, constreñir, urgir.
COMPENDIAR Abreviar, compendizar, resumir, condensar, sintetizar, reducir, extractar.
COMPENDIO Resumen, recapitulación, síntesis, sumario, epílogo, abreviación, sinopsis, prontuario,

COM

repertorio.

COMPENDIOSO Reducido, resumido, conciso, lacónico, abreviado, sintetizado, breve, sucinto, corto, condensado.

COMPENETRARSE Comprenderse, coincidir, identificarse, asimilar, concordar. I Penetrarse.

COMPENSACIÓN Equilibrio, equivalencia. I Indemnización, reparación, remuneración, recompensa.

COMPENSAR Resarcir, desagraviar, igualar, subsanar, equilibrar.

COMPETENCIA Contienda, disputa, rivalidad, disensión. I Capacidad, suficiencia, disposición. I Potestad, autoridad. I Incumbencia.

COMPETENTE Idóneo, capacitado, entendido, docto, apto, hábil, diestro, capaz, dispuesto.

COMPETIDOR Rival, contrario, contrincante, contendiente, concurrente, émulo, antagonista, opuesto.

COMPETIR Rivalizar, contender, emular, disputar. I Igualar.

COMPILAR Reunir, allegar, coleccionar.

COMPLACENCIA Contentamiento, felicidad, satisfacción, alegría, placer, agrado, gusto, regocijo. I Tolerancia.

COMPLACER Condescender, contemporizar, agradar, transigir, acceder.

COMPLACIDO Satisfecho, contento, alegre, gustoso.

COMPLACIENTE Deferente, obsequioso, flexible, dúctil, transigente, condescendiente, contemporadizador, amable, bondadoso.

COMPLEJO Intrincado, complicado, difícil, enredado, laberíntico, dificultoso, espinoso. I Compuesto.

COMPLEMENTO Aditamento, suplemento, añadidura, adición. I Plenitud, integridad. I Perfección, madurez.

COMPLETAMENTE Plenamente, íntegramente, enteramente, cumplidamente, totalmente.

COMPLETAR Integrar, llenar, colmar, añadir, coronar, ultimar, concluir.

COMPLETO Íntegro, entero, total, acabado, pleno, cumplido, exacto. I Colmado, cargado.

COMPLEXIÓN Constitución, naturaleza, condición, estructura, índole.

COMPLICACIÓN Dificultad, enredo, confusión, laberinto, tropiezo, lío, embrollo, complejidad, inconveniente, molestia.

COMPLICADO Intrincado, complejo, difícil, laberíntico, enrevesado, escabroso, espinoso, embarazoso.

COMPLICAR Involucrar, enredar, entorpecer, embrollar, intrincar, enmarañar, confundir, dificultar.

CÓMPLICE Cooperador, coautor, colaborador, codelincuente, partícipe.

COMPLICIDAD Confabulación, connivencia, conspiración.

COMPLOT Conspiración, contubernio, confabulación, maquinación, conjura. I Intriga, enredo, trama.

COMPONENDA Pacto, arreglo, convenio. I Trampa, chanchullo. I Compostura. I Compadrazgo.

COMPONER Ordenar, concertar, reparar, arreglar. I Ajustar, reconciliar, concordar. I Asear, ataviar. I Construir, constituir. I Versificar.

COMPORTAMIENTO Conducta, proceder, manera, porte.

COMPORTARSE Conducirse, gobernarse, proceder, portarse.

COMPOSICIÓN Compostura, acoplamiento, estructura, contextura, mezcla. I Aderezo, atavío. I Obra, producción.

COMPOSTURA Arreglo, remiendo, aliño, reparación, restauración. I Decencia, decoro, aseo. I Mesura, circunspección.

COMPRADOR Adquisidor, cliente, parroquiano, comprero.

COMPRAR Adquirir, mercar. I Sobornar, corromper, cohechar. I Captar.

COMPRENDER Abrazar, abarcar, contener. I Discernir, interpretar, entender, penetrar, alcanzar. I Ceñir, rodear.

COMPRENSIBLE Concebible, fácil, claro, inteligible, explicable.

COMPRIMIDO Deprimido, aplastado.

COMPRIMIR Apretujar, prensar, ceñir, estrangular, atiborrar, apisonar. I Concentrar, condensar. I Contener.

COMPRIMIRSE Reprimirse, sujetarse, contenerse, refrenarse.

COMPROBACIÓN Confirmación, verificación, justificación, cotejo. I Confrontación, careo.

COMPROBAR Confirmar, verificar, demostrar, probar, evidenciar, persuadir, cotejar, cerciorarse.

COMPROMETER Exponer, arriesgar, obligar, aventurar, compeler.

COMPROMETIDO Delicado, dificultoso, arriesgado, expuesto, grave, difícil, aventurado, arduo.

COMPROMISO Obligación, deber, ofrecimiento. I Dificultad, embarazo, aprieto, apuro, conflicto. I Convenio, pacto.

COMPUESTO Mezclado, mixto, complicado, aleado, combinado. I Limpio, aseado, adornado, engalanado.

COMPULSAR Comparar, cotejar, examinar, confrontar.

COMPUNCIÓN Arrepentimiento, pesar, contricción, remordimiento, dolor, sentimiento, pena, aflicción.

COMPUNGIDO Pesaroso, arrepentido, triste, dolorido, quejumbroso, apenado, afligido, atribulado.

CÓMPUTO Cuenta, recuento, computación, montante, cálculo.

COMULGAR Participar. I Dar o recibir la sagrada comunión.

COMÚN Ordinario, vulgar, general, corriente. I Mediocre, despreciable. I Excusado, retrete.

COMUNICABLE Sociable, tratable, afable.

COMUNICACIÓN Correspondencia, relación, trato. I Escrito, aviso, participación. I Conexión, contacto,

union.
COMUNICAR Manifestar, esparcir, expandir, propagar, divulgar, informar, anunciar, avisar. I Conversar. I Contagiar, contaminar, pegar.
COMUNICATIVO Sociable, amable, amigable, expansivo, expresivo, cordial, acogedor, campechano, efusivo.
COMUNIDAD Congregación, asociación, familia, corporación, junta.
COMÚNMENTE Usualmente, ordinariamente, vulgarmente, frecuentemente.
CONATO Intento, tentativa, propósito, designio. I Esfuerzo, empeño.
CONCATENACIÓN Trabazón, correspondencia, encadenamiento.
CONCAVIDAD Cavidad, hueco, vacío. I Barranco, sima, hondonada, hoyo.
CONCEBIR Idear, conceptuar, idealizar, imaginar, crear, planear. I Preñar, encintar. I Alcanzar, penetrar, entender.
CONCEDER Conferir, otorgar, dar, asignar, donar, obsequiar. I Admitir, asentir, acceder, aceptar.
CONCEJO Ayuntamiento, municipio, consistorio, cabildo, corporación.
CONCENTRAR Centralizar, condensar, ceñir, monopolizar, absorber.
CONCEPTO Opinión, juicio, idea. I Estima, crédito. I Agudeza, dicho.
CONCEPTUAR Convenir, contratar, apalabrar, acordar, arreglar, pactar. I Opinar, apreciar, considerar.
CONCERNIENTE Perteneciente, correlativo, referente, tocante, relacionado.
CONCERNIR Incumbir, corresponder, pertenecer, atañer.
CONCERTAR Acordar, arreglar, componer. I Armonizar, cotejar, concordar. I Pactar, convenir, tratar, apalabrar.
CONCESIÓN Otorgamiento, beneficio, asignación, adjudicación, privilegio, licencia, gracia.
CONCIENCIA Subconsciente, sensibilidad, moralidad, integridad, introspección, interior, noción.
CONCIERTO Disposición, convenio, ajuste, pacto, determinación, inteligencia. I Orden, armonía, concordia. I Recital.
CONCILIAR Componer, concertar, acordar, avenir. I Apaciguar, aplacar, pacificar.
CONCILIO Congreso, junta, sínodo, asamblea, deliberación.
CONCISIÓN Laconismo, precisión, sobriedad, síntesis, abreviación.
CONCISO Concreto, breve, corto, preciso, escueto, sobrio, sucinto, sintético, lacónico, parco, somero.
CONCIUDADANO Compatriota, paisano, connacional.
CONCLUIR Acabar, terminar, finalizar, rematar, resolver. I Deducir, inferir, colegir. I Agotar, consumir, gastar.

CONCLUSIÓN Consumación, terminación, remate, fin, término. I Consecuencia, deducción, derivación, proposición.
CONCLUYENTE Definitivo, terminante, acabable, convincente, indiscutible, irrebatible, decisivo, rotundo, categórico.
CONCOMITANCIA Correspondencia, concordancia, coexistencia.
CONCORDANCIA Unanimidad, conformidad, reciprocidad, fraternidad, asenso, avenencia, armonía, acuerdo, asentimiento, convenio.
CONCORDAR Concertar, convenir, congeniar.
CONCORDIA Conformidad, unidad, fraternidad, compañerismo, avenencia. I Convenio, ajuste, alianza, arreglo.
CONCRETAR Combinar, concordar, mezclar. I Resumir, compendiar, sintetizar, abreviar, extractar, acortar.
CONCRETARSE Limitarse, ceñirse, circunscribirse.
CONCRETO Determinado, explícito, preciso, terminante, categórico, sucinto, resumido, abreviado. I Concreción. I Argamasa.
CONCUBINA Manceba, querida, barragana, coima, querindanga, entretenida.
CONCULCAR Atropellar, humillar, escarnecer, hollar, infringir, vulnerar.
CONCUPISCENCIA Apetencia, vehemencia. I Codicia, avaricia, avidez. I Vicio, voluptuosidad, sensualidad, lascivia.
CONCURRENCIA Muchedumbre, multitud, público, espectadores. I Asistencia, influjo, ayuda. I Rivalidad.
CONCURRIDO Frecuentado, visitado.
CONCURRIR Asistir, confluir, acudir, juntarse. I Cooperar, contribuir, ayudar, auxiliar. I Concursar.
CONCURSO Concurrencia, muchedumbre, público, gentío, auditorio, espectadores. I Certamen, torneo. I Cooperación, ayuda.
CONCHA Ostra. I Carey. I Ensenada.
CONCHABAR Asociar, juntar, contratar, unir, mezclar. I Conspirar, connivir, maquinar.
CONDECORAR Premiar, galardonar, honrar.
CONDECORADO Distinguido, laureado, galardonado, honrado.
CONDENABLE Censurable, vituperable, execrable, reprobable.
CONDENACIÓN Condena, sentencia, castigo, pena. I Vituperio, censura, desaprobación, reprobación.
CONDENAR Sentenciar, reprender, enjuiciar, castigar, reprobar, desaprobar. I Tapiar, tabicar, cerrar, tapar.
CONDENSAR Abreviar, compendiar, concentrar, comprimir, sintetizar, resumir, reducir.
CONDESCENDENCIA Benevolencia, bondad, transigencia, deferencia, complacencia, tolerancia.
CONDESCENDIENTE Complaciente, dúctil, deferente, tolerante, obsequioso, flexible, transigente, elástico, contemporizador.

CON

CONDICIÓN Naturaleza, estado, propiedad, esencia. I Temperamento, idiosincrasia, genio. I Particularidad, circunstancia, cláusula.
CONDIMENTAR Sazonar, aliñar, especiar, guisar, adobar, aderezar.
CONDIMENTO Aliño, salsa, guiso, adobo, aderezo, condimentación.
CONDOLERSE Compadecerse, contristarse, apiadarse, dolerse.
CONDONAR Indultar, redimir, perdonar.
CONDUCENTE Conveniente, útil, provechoso, beneficioso, eficaz, adecuado.
CONDUCIR Transportar, guiar, encaminar, dirigir. I Administrar, orientar, regir. I Proceder, portarse, comportarse.
CONDUCTA Comportamiento, proceder, porte. I Conducción. I Virtud, entereza, lealtad. I Dirección, mando.
CONDUCTO Canal, tubo, sifón. I Alcantarilla, atarjea. I Intermedio.
CONDUCTOR Cochero, auriga, chofer, piloto, maquinista. I Director.
CONECTAR Acoplar, unir, relacionar, contactar.
CONEXIÓN Amistad, mancomunidad, enlace, trabazón, concatenación, unión.
CONFABULACIÓN Contubernio, complot, connivencia, intriga, conciliábulo, maquinación, trama, conspiración, conjuración.
CONFABULARSE Conspirar, maquinar, conchabarse, tramar, complotar.
CONFECCIONAR Fabricar, preparar, hacer, componer.
CONFEDERACIÓN Asociación, pacto, federación, alianza, unión, liga.
CONFERENCIA Discurso, disertación. I Junta, asamblea, reunión. I Conversación, plática, coloquio, interlocución.
CONFERENCIAR Conversar, platicar, entrevistarse, dialogar, perorar, deliberar, departir.
CONFERIR Acordar, conceder, otorgar, adjudicar, dar, proporcionar. I Comparar, cotejar. I Examinar. I Conferenciar.
CONFESAR Reconocer, admitir, declarar, manifestar, proclamar, aceptar.
CONFESIÓN Manifestación, aclaración, confidencia, revelación, declaración, exposición, deposición, testimonio. I Penitencia, atrición.
CONFIADO Crédulo, inocente, ingenuo, cándido. I Seguro, tranquilo, fiado, esperanzado. I Vanidoso, jactancioso, fatuo.
CONFIANZA Esperanza, aliento, ánimo, tranquilidad. I Familiaridad, franqueza, libertad. I Presunción.
CONFIAR Fiar, esperar. I Depositar, encomendar, encargar.
CONFIDENCIAL Reservado, secreto, confiadamente.
CONFIGURACIÓN Semejanza, disposición, conformación, constitución, forma, aspecto, hechura, apariencia.
CONFINANTE Limítrofe, colindante, fronterizo, contérmino, lindante.
CONFINAR Desterrar, expulsar, recluir. I Lindar, circundar, limitar.
CONFIRMAR Afirmar, revalidar, fortalecer, legalizar, afirmarse, apoyar, asegurar, convalidar, acreditar, ratificar, aseverar, justificar.
CONFISCAR Decomisar, incautarse, desposeer, expropiar, retener, quitar.
CONFLAGRACIÓN Incendio, fuego. I Perturbación, conflicto, guerra.
CONFLICTO Dificultad, aprieto, compromiso. I Combate, antagonismo, lucha, choque. I Angustia.
CONFLUIR Desembocar. I Converger, concurrir, afluir, juntarse.
CONFORMAR Acomodar, adecuar, adaptar, aplicar. I Amoldarse, avenirse. I Satisfacer.
CONFORMARSE Avenirse, ajustarse, resignarse, acomodarse, reducirse.
CONFORME Adecuado, acorde. I Paciente, avenido. I Correspondiente, proporcionado.
CONFORMIDAD Resignación, paciencia. I Acuerdo, aprobación, afinidad. I Concordia, unión. I Armonía, proporción.
CONFORTABLE Agradable, fácil, cómodo.
CONFORTANTE Confortable, estimulante, tónico, reconstituyente.
CONFORTAR Reanimar, consolar, estimular, animar, alentar. I Vigorizar.
CONFRONTAR Cotejar, compulsar, comparar, identificar. I Congeniar.
CONFUNDIR Equivocar, perturbar, trastornar, trabucar. I Mezclar. I Humillar, avergonzar, abochornar, abatir.
CONFUSIÓN Desorden, embrollo, desconcierto, caos, trastorno. I Humillación, vergüenza, bochorno. I Afrenta, ignominia. I Vacilación.
CONFUSO Mezclado, revuelto. I Perplejo, turbado, desconcertado, humillado, avergonzado. I Incomprensible, incierto, dudoso.
CONGÉNERE Semejante.
CONGENIAR Convenir, avenirse, coincidir, entenderse, simpatizar, intimar.
CONGÉNITO Hereditario, connatural.
CONGESTIÓN Amontonamiento, aglomeración, acumulación.
CONGOJA Angustia, desmayo, inquietud, zozobra, consternación, pesar, tribulación, ansia, pena, desconsuelo, aflicción.
CONGRATULAR Felicitar, congraciarse, cumplimentar, alabar.
CONGREGACIÓN Comunidad, cofradía, junta, hermandad, orden.
CONGREGAR Reunir, convocar, juntar, unir.
CONGRESO Reunión, junta, asamblea, comicio. I Parlamento, Senado, Ayuntamiento, Cámara.

CONGRUENTE Oportuno, razonable, conveniente, conducente, pertinente, proporcionado, adecuado, apropiado, congruo.
CONJETURA Suposición, hipótesis, presentimiento, predicción, presunción, cálculo, vislumbre, asomo.
CONJETURAR Entrever, sospechar, adivinar, predecir, vislumbrar, presumir, imaginar, columbrar.
CONJUNCIÓN Reunión, aproximación, junta, unión.
CONJUNTO Unido, junto. I Epílogo, compendio. I Compuesto, agregado.
CONJURA Conspiración, connivencia, contubernio, confabulación, trama, maquinación, complot, intriga.
CONJURAR Conspirar, tramar, maquinar, fraguar, conchabarse. I Implorar, invocar, suplicar. I Exorcizar. I Juramentar.
CONLLEVAR Sobrellevar, tolerar, sufrir, soportar.
CONMEMORAR Recordar, retener, rememorar, perpetuar, conmemoración.
CONMENSURABLE Valuable, medible, mensurable, graduable, calculable.
CONMINAR Intimidar, amonestar, apercibir, advertir, amenazar.
CONMISERACIÓN Compasión, piedad, lástima, misericordia.
CONMOCIÓN Movimiento, sacudimiento, perturbación. I Disturbio, levantamiento, tumulto, desorden. I Oscilación, vibración, temblor.
CONMOVEDOR Emocionante, enternecedor, sentimental, impresionante, patético, aflictivo.
CONMOVER Inquietar, perturbar, agitar, enternecer, excitar, impresionar, alterar, sacudir. I Ablandar, estremecer.
CONMUTAR Cambiar, trocar, modificar, invertir, alterar, perturbar, mudar.
CONNIVENCIA Confabulación, complicidad, conspiración. I Tolerancia.
CONOCEDOR Versado, ducho, práctico, experto, entendido, hábil. I Instruido, informado, sabedor.
CONOCER Saber, entender, observar, percibir, notar, percatarse. I Distinguir, reconocer, confesar. I Tratar, intimar.
CONOCIDO Afamado, acreditado, ilustre, renombrado, prestigioso, celebrado, sonado. I Popular. I Ordinario, comprensible, trivial.
CONOCIMIENTO Entendimiento, inteligencia, razón. I Conocido. I Noción.
CONQUISTAR Ganar, invadir, expurgar, adquirir, tomar. I Persuadir, catequizar, convencer, atraer.
CONSAGRAR Ofrecer, dedicar, destinar. I Deificar, divinizar, purificar. I Sancionar.
CONSANGUINIDAD Parentela, vínculo, descendencia, parentesco, entronque, progenie, familia, sangre.
CONSCIENTE Reflexivo, concienzudo, escrupuloso, serio, sabedor, instruido, conocedor, voluntario, subjetivo.
CONSECUCIÓN Adquisición, alcance, obtención, logro.

CONSECUENCIA Resultado, derivación, importancia, conclusión, deducción, efecto, influencia, relación.
CONSECUENTE Razonable, lógico, justo, contiguo, constante. I Consiguiente.
CONSEGUIR Obtener, conquistar, adquirir, atrapar, agarrar, procurarse, alcanzar, captar, tomar, lograrse.
CONSEJA Narración, cuento, fábula, leyenda. I Confabulación.
CONSEJERO Mentor, asesor, maestro, guía.
CONSEJO Reflexión, admonición, exhortación, advertencia, apercibimiento, sugerencia. I Acuerdo, junta, reunión.
CONSENTIDO Mimado, malcriado, contemplado, caprichoso. I Cornudo.
CONSENTIMIENTO Licencia, permisión, aquiescencia, tolerancia, concesión, anuencia, autorización.
CONSENTIR Autorizar, tolerar, permitir, otorgar, conceder, facultar. I Malcriar, mimar.
CONSERJE Portero, mayordomo, ujier, bedel.
CONSERVAR Cuidar, archivar, almacenar, retener, preservar, guardar, mantener, atesorar, sustentar.
CONSERVATORIO Academia, escuela, colegio.
CONSIDERABLE Importante, cuantioso, numeroso, vasto, desmedido, extenso, espacioso, formidable. I Apreciable, estimable.
CONSIDERACIÓN Estima, aprecio, respeto, deferencia, atención, cortesía. I Fundamento, motivo, razón. I Reflexión, meditación.
CONSIDERADO Atento, reflexivo, afable, amable, deferente, circunspecto, comedido. I Estimado, apreciado, bienquisto.
CONSIDERAR Recapacitar, pensar, cavilar, discurrir, meditar, reflexionar, analizar. I Conceptuar, estimar. I Respetar. I Figurarse.
CONSIGNAR Remitir, destinar, entregar. I Depositar. I Asentar.
CONSIGUIENTE Consecuente, supeditado, consecutivo.
CONSISTENCIA Duración, resistencia, firmeza, solidez. I Coherencia, enlace, trabazón.
CONSISTIR Fundarse, estribar, asentarse, apoyarse, gravitar, fundar.
CONSOLACIÓN Aliviamiento, mejoría, lenitivo, mitigación, aliento, ánimo.
CONSOLAR Calmar, confortar, ayudar, mitigar, paliar, remediar, aminorar, aliviar, alentar, animar, tranquilizar, sosegar, apaciguar.
CONSOLIDAR Asegurar, afirmar, afianzar. I Reunir, agrupar.
CONSONANCIA Proporción, armonía, cadencia. I Relación.
CONSORCIO Compañía, asociación. I Condominio. I Matrimonio.
CONSORTE Cónyuge, marido, esposa.
CONSPICUO Notable, esclarecido, insigne, ínclito, famoso, ilustre, preclaro, excelso, distinguido.

CON

CONSPIRACIÓN Complot, contubernio, connivencia, confabulación, intriga, trama, conchabanza, conjuración, maquinación.
CONSPIRAR Tramar, intrigar, conjurar, coludir, convivir, confabular, complotarse, conchabarse.
CONSTANCIA Perseverancia, firmeza, entereza, empeño, persistencia, insistencia, asiduidad, obstinación, tenacidad. I Exactitud, certeza.
CONSTANTE Tenaz, persistente, firme, férreo, asiduo, tesonero, empeñoso, inflexible, perseverante, invariable, continuo.
CONSTAR Formarse, componerse, consistir, constituirse.
CONSTERNAR Conturbar, abatir, afligir. I Desolar, espantar.
CONSTIPADO Acatarrado, resfriado.
CONSTITUCIÓN Naturaleza, carácter, contextura, complexión. I Ley, pragmática, estatuto.
CONSTITUIR Organizar, fundar, crear, formar, componer. I Ordenar, establecer, mandar.
CONSTREÑIR Compeler, imponer, apremiar, forzar, violentar, impulsar, obligar, impeler, exigir.
CONSTRUCTIVO Organizador, fomentador, creador.
CONSTRUIR Fabricar, edificar, levantar, obrar, erigir, elevar.
CONSUELO Confortación, alivio, mitigación, desahogo, lenitivo, descanso.
CONSUETUDINARIO Acostumbrado, habitual, corriente, usual.
CONSULTA Consejo, asesoramiento, opinión, parecer, conferencia, dictamen, reflexión, deliberación, reunión.
CONSULTAR Opinar, advertir, tratar, estudiar, examinar, asesorarse, aconsejarse, analizar, considerar, discurrir.
CONSUMACIÓN Extinción, acabamiento, cesación.
CONSUMADO Entendido, versado, conocedor, experimentado, experto. I Perfecto, acabado, terminado.
CONSUMIDO Flaco, extenuado, afligido, apurado, desmirriado.
CONSUMIR Destruir, arruinar, extinguir. I Agotar, acabar, gastar, apurar, disipar. I Atribular, acongojar. I Aniquilarse.
CONSUNCIÓN Enflaquecimiento, extenuación, agotamiento, consumimiento, debilidad, adelgazamiento. I Dispendio, consumo.
CONTACTO Aproximación, cercanía. I Trato, relación, visita, frecuentación, amistad, entrevista, comunicación.
CONTADO Determinado, señalado, computado. I Escaso, raro.
CONTAGIAR Contaminar, infectar, inocular, inficionar, pegar. I Viciar, corromper, pervertir, depravar, dañar.
CONTAGIO Propagación, contaminación, transmisión. I Epidemia, germen, plaga, virus. I Corrupción, perversión.

CONTAGIOSO Infeccioso, pegadizo, contaminabie, pegajoso.
CONTAR Computar, numerar, ajustar, saldar, tantear. I Relatar, narrar, referir.
CONTEMPLAR Admirar, examinar, considerar, observar, mirar. I complacer, condescender, mimar.
CONTEMPLATIVO Observador, reflexivo, ensimismado. I Condescendiente.
CONTEMPORÁNEO Coetáneo, moderno, coexistente, simultáneo.
CONTEMPORIZADOR Complaciente, acomodaticio, deferente, transigente, acomodadizo, elástico, flexible.
CONTENDER Combatir, batallar, reñir, luchar. I Competir, pleitear, rivalizar, litigar, debatir.
CONTENER Reprimir, refrenar, detener, reducir, sujetar, dominar. I Encerrar, abarcar, incluir.
CONTENTAMIENTO Contento, alborozo, regocijo, alegría, gozo, deleite.
CONTENTAR Complacer, agradar, halagar, regocijar, animar, alegrar, satisfacer.
CONTENTO Alegre, satisfecho, alborozado, encantado, complacido. I Regocijo, satisfacción, placer, júbilo.
CONTERRÁNEO Paisano, compatriota.
CONTESTACIÓN Réplica, respuesta. I Altercado, querella, disputa, debate, controversia, discusión.
CONTESTAR Responder, replicar. I Resolver, atender. I Corroborar.
CONTEXTO Contenido, texto, encadenamiento, trabazón, argumento.
CONTEXTURA Constitución. I Conexión, compaginación, unión.
CONTIENDA Disputa, riña, altercado, pleito, reyerta, trifulca, gresca, pendencia, bronca, zaragata, cisco.
CONTIGUO Inmediato, aledaño, vecino, limítrofe, lindante, confinante, colindante, adyacente.
CONTINENCIA Moderación, templanza, sobriedad, abstinencia, honestidad, castidad, decoro.
CONTINENTE Aire, porte, compostura, talante, aspecto. I Templanza, moderación, continencia.
CONTINUACIÓN Prolongación, prosecución, seguimiento, proseguimiento.
CONTINUAR Proseguir, persistir, insistir, seguir, prorrogar, prolongar, permanecer, perseverar.
CONTINUO Constante, perseverante, prolongado, perenne, perpetuo, invariable, permanente, incesante.
CONTORNO Perfil, silueta, orla. I Circuito, periferia, afueras, alrededores, circunscripción.
CONTORSIÓN Convulsión, contracción. I Gesticulación, ademán.
CONTRA Oposición, obstáculo, contrariedad, inconveniente. I Enfrente.
CONTRABANDO Matute, alijo, comercio ilegal.
CONTRADECIR Rebatir, disputar, impugnar, desmentir, refutar, objetar, rechazar, argumentar, replicar, oponer.

CON

CONTRADICTORIO Contradicción, opuesto, antagónico, contradicho, encontrado.
CONTRAER Comprometerse. I Juntar, limitar, retraer, ajustar, acortar, achicar, embeber, condensar, encoger, reducir.
CONTRAERSE Reducirse, circunscribirse, atenerse, limitarse. I Crisparse.
CONTRAHECHO Torcido, jorobado, gibado, concorvado, deforme, jiboso.
CONTRAPESAR Contrastar, verificar, comprobar, cotejar.
CONTRAPONER Confrontar, oponer, enfrentar, comparar, encarar.
CONTRAPROPOSICIÓN Comparación, antítesis, oposición, contraste, antagonismo, rivalidad, encaramiento.
CONTRARIAR Molestar, mortificar, fastidiar, incomodar, disgustar. I Oponerse, estorbar, dificultar, impedir, rebatir, impugnar.
CONTRARIEDAD Disconformidad, inconveniencia, antipatía, dificultad, disgusto, decepción, desengaño, discordancia, incompatibilidad.
CONTRARIO Dañino, perjudicial, adverso, desfavorable. I Contradictorio, antagónico, incompatible, opuesto. I Adversario, enemigo, rival, competidor. I Diferente, desemejante, distinto.
CONTRARRESTAR Resistir, arrostrar, afrontar, soportar, oponerse. I Impugnar, contradecir, contrariar.
CONTRASTAR Comprobar, verificar, marcar, contraponer. I Diferenciarse.
CONTRASTE Divergencia, oposición, diferencia, desemejanza, disparidad.
CONTRATAR Negociar, ajustar, concertar, pactar, estipular, concluir, apalabrar, convenir, comerciar.
CONTRATIEMPO Adversidad, percance, desventura, dificultad, descalabro, contrariedad, desgracia, infortunio, disgusto, revés.
CONTRATISTA Empresario, destajista.
CONTRATO Pacto, concierto, compromiso, ajuste, acuerdo, convenio, arreglo, transacción.
CONTRAVENCIÓN Violación, vulneración, transgresión, quebrantamiento.
CONTRAVENIR Incumplir, infringir, vulnerar, transgredir, quebrantar.
CONTRIBUCIÓN Impuesto, carga, subsidio, tributación, gravamen, derrama, cuota, censo, gabela, imposición.
CONTRIBUIR Pagar, concurrir, obsequiar, asistir, apoyar, cooperar, favorecer, colaborar, participar, aportar, ayudar.
CONTRICIÓN Dolor, tristeza, desconsuelo, amargura, angustia, sentimiento, aflicción, compunción, arrepentimiento, pesar.
CONTRINCANTE Adversario, contrario, competidor, antagonista, rival.
CONTRISTAR Afligir, apesadumbrar, acongojar, acuitar, desconsolar, amustiar, apenar, entristecer, atribular, disgustar, amargar.
CONTRITO Afligido, contristado, triste, apenado, compungido, pesaroso, arrepentido.
CONTROL Comprobación, supervisión, inspección, registro, examen, verificación. I Dirección, mando.
CONTROVERSIA Polémica, disputa, porfía, impugnación, discusión, debate.
CONTUBERNIO Conjuración, confabulación, conjura, alianza vituperable.
CONTUMAZ Tenaz, obstinado, recalcitrante, tozudo, empecinado, rebelde, porfiado, terco, testarudo, renuente.
CONTUNDENTE Decisivo, terminante, concluyente, convincente, irrevocable, enérgico, persuasivo, definitivo, rotundo.
CONTURBAR Perturbar, revolver, alterar, alborotar, trastornar, azorar, turbar, inquietar, ofuscar, intranquilizar.
CONTUSIÓN Magullamiento, cardenal, daño, equimosis.
CONVALECER Recobrarse, recuperarse, reponerse, restablecerse, mejorarse.
CONVENCER Persuadir, inducir, exhortar, catequizar, seducir, disuadir.
CONVENIENTE Provechoso, ventajoso, beneficioso, fructuoso, valioso, proporcionado, útil, pertinente, oportuno.
CONVENIO Ajuste, acuerdo, negociación, estipulación, alianza, tratado, compromiso, avenencia, contrato, trato, arreglo.
CONVENIR Concordar, coincidir, concertar, establecer. I Reconocer, aceptar, conceder, estipular. I Agradar, satisfacer. I Corresponder.
CONVENTO Monasterio, cartuja, abadía, claustro.
CONVERGER Confluir, coincidir, concentrar, inclinarse, desembocar.
CONVERSACIÓN Coloquio, charla, comentarios, cotorreo, plática, palique, diálogo, cháchara.
CONVERSAR Dialogar, tertuliar, parlamentar, hablar, perorar, platicar, departir, charlar, tratar.
CONVERSIÓN Abjuración, epístrofe, retractación, mutación, cambio.
CONVERTIR Cambiar, transformar, transmutar, mudar, reducir. I Catequizar.
CONVICCIÓN Convencimiento, persuasión, seguridad, certeza.
CONVIDAR Ofrecer, invitar, brindar. I Incitar, inducir, atraer, llamar.
CONVINCENTE Persuasivo, terminante, decisivo, concluyente, categórico, definitivo, contundente, preciso.
CONVITE Invitación, agasajo, convidada, banquete, ágape, colación.
CONVOCAR Llamar, citar, reunir, congregar, emplazar, invitar.
CONVOCATORIA Llamamiento, convocación, citación, anuncio, edicto, orden.

CON

CONVOY Acompañamiento, séquito, escolta. I Tren. I Vinagreras, angarillas.
CONVULSIÓN Acceso, temblor, palpitación, contorsión, estremecimiento, agitación, sacudida.
COOPERAR Colaborar, coadyuvar, contribuir, auxiliar, asistir, socorrer, apoyar, participar, ayudar.
COORDINAR Arreglar, metodizar, ordenar, regularizar.
COPA Copón, cáliz. I Trofeo, premio.
COPETE Altanería, presunción, atrevimiento. I Moño, cresta.
COPIA Reproducción, imitación, transcripción, facsímil, plagio, réplica. I Abundancia, muchedumbre, profusión, multitud, riqueza.
COPIOSAMENTE Abundantemente, considerablemente, numerosamente, mucho, cuantiosamente, enormemente.
COPIOSO Abundante, excesivo, profuso, nutrido, cuantioso, considerable.
CÓPULA Ayuntamiento, coito. I Ligamiento, unión, trabazón.
COQUETA Presuntuosa, engreída, presumida. I Tocador.
COQUETERÍA Galanteo, femineidad, gracia, seducción, encanto, picardía.
COQUETÓN Gracioso, atrayente, interesante, simpático, galante, seductor, lisonjero, guapo, llamativo, agradable, vistoso.
CORAJE Decisión, valor, brío, ánimo, arrojo, bravura, arrestos. I Ira, irritación, furor, indignación, enojo, rencor, despecho.
CORAZA Blindaje. I Caparazón.
CORAZÓN Benevolencia, voluntad. I Espíritu, valor. I Interior, órgano.
CORCEL Caballo, potro, pingo, trotón, jaco, jaca.
CORCOVADO Contrahecho, jiboso, jorobado.
CORDERO Humilde, dócil, manso. I Borrego.
CORDIAL Efusivo, afable, amable, afectuoso, cortés, atento, agradable.
CORDIALIDAD Sinceridad, confianza, veracidad, lealtad, franqueza, expansión, amabilidad, atención, cortesía, afabilidad.
CORDURA Prudencia, juicio, sensatez, acierto, sabiduría, discreción, mesura, tacto.
CORIFEO Guía, cabeza, jefe.
CORO Orfeón, vocalización, conjunto, masa coral. I Compás.
CORONA Insignia, diadema. I Monarquía, reino. I Recompensa, galardón.
CORONACIÓN Coronamiento, coronamento. I Ultimación, término, fin, conclusión, remate.
CORONAR Laurear, aureolar, recompensar, premiar. I Terminar, concluir, rematar, cumplir.
CORPORACIÓN Comunidad, institución, colectividad, asamblea, consejo. I Ayuntamiento, asociación, entidad, sociedad.
CORPORAR Corpóreo, físico, orgánico.

CORPULENTO Fuerte, robusto, grueso, grande, enorme, titánico.
CORRAL Encerradero, cercado, redil, gallinero, cobertizo.
CORRECCIÓN Represión, castigo, censura, penitencia. I Enmienda, rectificación, fe de erratas, cambio, alteración. I Urbanidad, cortesía.
CORRECTO Cumplido, comedido, cortés, deferente, servicial. I Exacto, justo, esmerado, cabal.
CORREDOR Pasillo, pasadizo, galería. I Intermedio. I Chismoso, alcahuete.
CORREGIR Enmendar, mejorar, modificar, rectificar. I Reprender, castigar, amonestar. I Atemperar, moderar.
CORREGIRSE Mejorarse, pulirse, enmendarse.
CORRELIGIONARIO Partidario, secuaz.
CORREO Posta, comunicación, estafeta. I Correspondencia.
CORRER andar, recorrer, huir, escapar, acosar, perseguir. I Extenderse, propalarse, divulgarse. I Avergonzarse, abochornarse, sofocarse.
CORRERÍA Excursión, algarada, incursión. I Correaje.
CORRESPONDENCIA Correo, catas, comunicación. I Relación, reciprocidad, consonancia, proporción, exactitud.
CORRESPONDER Pagar, devolver, retribuir. I Incumbir, atañer, concernir. I Escribir, comunicar.
CORRESPONDIENTE Apropiado, conveniente, acorde, proporcionado, oportuno.
CORRETEAR Zancajear, callejear, trajinar, viltrotear.
CORRIDO Astuto, avezado, experimentado. I Abochornado, avergonzado, turbado, confundido, sofocado. I Vicioso. I Continuo, seguido.
CORRIENTE Ordinario, habitual, común, usual, vulgar. I Fluido. I Fácil, afable, llano, tratable.
CORRO Reunión, grupo, rueda, círculo, camarilla.
CORROBORAR Confirmar, aprobar, ratificar, afirmar, aseverar, probar.
CORROER Desgastar, carcomerse, consumir, minar, roer. I Remorder.
CORROMPER Pudrir, dañar, pobrecer, viciar. I Pervertir, depravar, estragar. Cohechar, sobornar. I Irritar, fastidiar.
CORROMPIDO Corrupto, pervertido, depravado, vicioso, pútrido, infecto, estragado. I Descompuesto, putrefacto.
CORROSIVO Corrosible, cáustico, revulsivo, mordicante. I Satírico.
CORRUPCIÓN Depravación, vicio, perversión, corruptela. I Descomposición, pudrimiento, corruptibilidad.
CORTADO Seccionado, dividido, partido. I Proporcionado, acomodado. I Avergonzado, turbado.
CORTADURA Incisión, herida, corte, cisura, hendidura, abertura, tajo. I Recortado.
CORTAPISA Limitación, obstáculo, traba, impedi-

COR

mento, condición.
CORTAR Dividir, separar, trozar, amputar, guillotinar, recortar. I Atravesar, hender. I Interrumpir, detener. I Abochornar, confundir.
CORTE Incisión, cortadura, cisura, herida, amputación. I Séquito, comitiva, acompañamiento. I Cortejar, galantear, hacer la corte.
CORTEDAD Pusilanimidad, timidez, apocamiento, encogimiento, poquedad.
CORTEJAR Galantear, festejar, enamorar. I Acompañar, obsequiar, asistir.
CORTEJO Séquito, comitiva, acompañamiento. I Fineza, obsequio, regalo.
CORTÉS Atento, afable, tratable, comedido, distinguido, cumplido, considerado, amable, fino, deferente.
CORTESANO Palatino, palaciego. I Afable, urbano, atento.
CORTESÍA Cortesanía, afabilidad, cultura, amabilidad, finura, distinción, gentileza, educación, urbanidad, corrección. I Tratamiento.
CORTEZA Rusticidad, apariencia, cascarilla, costura. I Exterioridad.
CORTINA Cortinaje, cortinón, visillo, tapiz.
CORTO Escaso, mezquino, menguado, insuficiente, miserable, limitado. I Pusilánime, tímido, timorato, irresoluto, vacilante, apocado.
CORVO Curvo, curvado, recorvo, comboso, arqueado. I Gancho.
COSA Cuestión, tema, punto, ser, entidad, existencia, hechura, algo.
COSECHA Recolección, vendimia, rendimiento, producción.
COSECHAR Recolectar, agotar, racimar, espigar, acopiar, recoger.
COSER Pespuntear, unir, hilvanar, pegar, ribetear, remendar, embastar.
COSMÉTICO Pomada, crema, afeite.
COSQUILLEO Picor, comezón, cosquillejas, hormiguillo.
COSQUILLOSO Cojijoso, quisquilloso, hormigoso. I Sensible, susceptible.
COSTA Playa, litoral, puerto, bahía, ribera, orilla.
COSTADO Banda, flanco, lado.
COSTALADA Golpazo, trastazo, batacazo.
COSTAR Valer, importar. I Remorder, inquietar, intranquilizar.
COSTEAR Satisfacer, pagar, abonar, sufragar. I Mantener, sostener.
COSTOSO Dispendioso, caro, subido, gravoso. I Difícil, arriesgado.
COSTUMBRE Hábito, rutina, regla, tradición, querencia, práctica, uso.
COSTURA Cosido, labor, zurcidura, hilván, pespunte, corcusido. I Sutura.
COTEJAR Comparar, parangonar, equipar, confrontar, comprobar, examinar.

COTIDIANO Diario, ordinario, frecuente, habitual, normal. I Periódico.
COTIZAR Apreciar, estimar, valorar, tasar, valuar.
COVACHA Guarida, chiribitil, tugurio, cubil, zahurda, cueva.
COYUNTURA Oportunidad, ocasión. I Articulación, juntura, trabazón.
COZ Coceadura, patada. I Injuria, grosería, patochada, brutalidad.
CRASO Inexcusable, imperdonable, indisculpable. I Grueso, espeso.
CREACIÓN Universo, cosmos, orbe. I Invención, producción.
CREADOR Autor, padre, inventor, forjador, artista. I Dios.
CREAR Engendrar, hacer, producir. I Fundar, establecer, instituir.
CRECER Aumentar, desarrollarse, subir, espigarse, progresar, formarse, elevarse.
CRECIDA Riada, avenida, creciente.
CRECIMIENTO Desarrollo, subida, incremento, progresión, aumento, estirón.
CREDENCIAL Documento, nombramiento.
CRÉDITO Prestigio, fama, renombre, autoridad, consideración, celebridad. I Apoyo, comprobación. I Asenso.
CREDO Doctrina, dogma, creencia, ideario, programa, teoría.
CRÉDULO Cándido, sencillo, creyente, bonachón, confiado, supersticioso.
CREENCIA Conformidad, crédito, credulidad, certidumbre. I Fe, credo, convicción, persuasión.
CREER Pensar, juzgar, estimar, figurarse, opinar, fiarse, afirmar, entender, sospechar, considerar.
CREMACIÓN Incineración, quema, quemazón.
CREPÚSCULO Anochecer, ocaso, atardecer, amanecer, madrugada. I Declinación, decadencia.
CRESO Acaudalado, rico, poderoso.
CRETINO Estúpido, idiota, imbécil.
CREYENTE Crédulo, confiado, cándido, bonachón. I Religioso, devoto.
CRIADO Mozo, fámulo, sirviente, servidor, doméstico.
CRIANZA Cortesía, educación, urbanidad.
CRIAR Alimentar, nutrir, amamantar, lactar. I Formar, crear, enseñar, educar, dirigir.
CRIATURA Chiquillo, infante, párvulo, niño, chico, inocente.
CRIBA Cedazo, tamiz, zaranda, harnero.
CRIBAR Acribar, cerner, filtrar, tamizar, separar, despejar, garbillar.
CRIMEN Delito, atentado, culpa, delincuencia, homicidio, asesinato.
CRIMINAL Delincuente, malhechor, reo, forajido, homicida, asesino, malvado, culpable.
CRISIS Mutación. I Malestar, riesgo, peligro, alarma, angustia.

CRI

CRISPAR Contraer, encoger.
CRISTALINO Transparente, diáfano, claro, limpio, traslúcido, puro.
CRISTIANISMO Catolicismo, evangelismo, ortodoxia, heterodoxia, doctrina.
CRITERIO Máxima, juicio, pauta, norma, discernimiento, sentido común, principio, cordura.
CRÍTICA Opinión, apreciación, análisis, examen, parecer, enjuiciamiento, juicio. I Censura, critiquez, reproche, murmuración.
CRITICABLE Reprobable, censurable, vituperable, enjuiciable.
CRITICAR Censurar, calificar, juzgar, estimar, discernir, opinar, fallar, vituperar, reprobar, fustigar, desaprobar.
CRÍTICO Juez, censor. I Decisivo.
CRÓNICA Narración, comentario, episodio, descripción, historia, anales.
CROQUIS Bosquejo, ensayo, tanteo, boceto, proyecto, diseño.
CRUCE Cruzamiento, bifurcación, empalme, crucero, encrucijada.
CRUCIFICAR Atormentar, mortificar, sacrificar, aspar.
CRUDEZA Aspereza, rigor, severidad, rigurosidad, dureza, rudeza.
CRUDO Inmaduro, verde. I Cruel, áspero, despiadado, inclemente, bárbaro, sañudo, brutal, inhumano.
CRUEL Feroz, inhumano, incompasible, duro, salvaje, insensible, despiadado, crudo, atroz, sangriento, brutal. I Angustioso, doloroso, insufrible.
CRUJÍA Pasillo, galería, corredor. I Verja.
CRUZ Suplicio, aflicción, pesadumbre, calvario, viacrucis.
CRUZAR Atravesar, pasar. I Persignar, santiguar.
CUADRAR Cuadricular. I Agradar, convenir. I Resistir.
CUADRILLA Partida, gavilla, camarilla, conglomerado, banda. I Peonada.
CUADRO Rectángulo. I Lienzo, pintura, lámina, fresco. I Marco. I Cuadrado.
CUAJAR Solidificar, macizar, coagular. I Gustar, agradar.
CUALIDAD Calidad, atributo. I Carácter, naturaleza, índole, genio.
CUANTÍA Importancia, cantidad, valor, suma, importe.
CUANTIOSO Considerable, fabuloso, grandioso, formidable, desmedido, copioso, abundante, grande, numeroso.
CUARTEAR Partir, fraccionar, tronzar, disyuntar. I Abrirse, agrietarse, romperse, separarse, henderse.
CUARTO Habitación, aposento, cámara, antesala, recibidor, pieza, sala.
CUATRERO Bribón, pícaro. I Abigeo.
CUBETA Recipiente, vasija, cuba.
CUBIERTA Cubrimiento, techumbre, cobertizo. I Tapadera, tapa. I Neumático.
CUBIL Madriguera, guarida, covacha, zahurda.
CUBRIR Abrigar, arropar, cobijar, disimular, tapar. I Ocultar. I Techar.
CUBRIRSE Cobijarse, arroparse, vestirse.
CUCHILLADA Herida, corte, tajo.
CUCHILLO Cuchilla, faca, trinchete, puñal, tajadera, cañivete, facón.
CUCHITRIL Covacha, cochitril, tabuco, chiribitil.
CUELLO Garganta, pescuezo. I Tirilla, sobrecuello.
CUENTA Importe, montante, factura. I Explicación, satisfacción, razón. I Incumbencia, obligación, cuidado. I Cálculo, operación.
CUENTO Relato, fábula, narración, historieta. I Chisme, habladuría, lío, enredo, patraña. I Cómputo.
CUERDA Cordel, soga, bramante, maroma, guita, mecate. I Resorte.
CUERDO Juicioso, reflexivo, sensato, formal, asentado, equilibrado, prudente, sesudo, cabal.
CUERO Piel, pellejo, odre.
CUERPO Organismo, cadáver. I Grueso, consistencia. I Corporación, comunidad. I Volumen.
CUESTA Pendiente, costana, repecho, declive, ladera, subida, rampa.
CUESTIÓN Problema, riña, discusión, reyerta, disputa, gresca, altercado. I Asunto, materia, tema. I Interrogación.
CUESTIONAR Disputar, reñir, contender, discutir, altercar.
CUEVA Caverna, madriguera, guarida, albergue, escondrijo. I Sótano, covacha, bodega.
CUIDADO Atención, solicitud, reflexión, esmero, exactitud. I Vigilancia, cautela, prudencia. I Miedo, temor, inquietud, congoja, recelo.
CUIDADOSO Solícito, activo, minucioso, escrupuloso, diligente.
CUIDAR Guardar, conservar, atender, asistir, vigilar, mimar, velar, proteger, custodiar.
CUITA Aflicción, desgracia, tristeza, desconsuelo, pesadumbre, congoja, angustia, cuidado, zozobra.
CULMINANTE Alto, empinado, cimero, elevado, prominente. I Principal, superior, excelente, aventajado. I Decisivo.
CULPA Falta, pecado, delito. I Error, yerro, imprudencia. I Responsabilidad.
CULPABLE Delincuente, culpado, incurso, reo. I Responsable.
CULPAR Inculpar, acusar, imputar, achacar, atribuir, responsabilizar.
CULTERANO Estudiado, artificioso, rebuscado, campanudo, amanerado. I Gongorino, retórico.
CULTIVAR Labrar, laborar, arar, roturar. I Mantener, conservar, fomentar. I Practicar, ejercitarse, estudiar.
CULTIVO Cultivación, labor, laboreo, sembrado, labrantío. I Cultura.
CULTO Erudito, instruido, ilustrado, lumbrera, docto, civilizado. I Devoción, sacerdocio, adoración. I Rito. I

Culterano.
CULTURA Culto, perfección, ilustración, erudición, saber, cortesía, instrucción, civilización.
CUMBRE Cúspide, elevación, cima, altura, cresta. I Pináculo. I Término.
CUMPLIDO Cortesía, atención, cortés, atento, puntual, cuidadoso, fino, correcto. I Completo, abundante, amplio, extenso, lleno.
CUMPLIMENTAR Efectuar, verificar, realizar. I Congratular, felicitar.
CUMPLIR Consumar, ejecutar, realizar, efectuar. I Caducar, expirar, terminar. I Acatar, observar. I Convenir.
CÚMULO Acumulación, agolpamiento, conjunto, cantidad, sinnúmero, multitud, aglomeración. I Plétora.
CUNA Estirpe, familia, linaje, alcurnia, ascendencia. I Principio, origen. I Inclusa. I Camita. I Patria, país.
CUNDIR Extenderse, propagarse, reproducirse, aumentar, difundirse, divulgarse, propalarse.
CUÑA Calce, calza, calzo, falca. I Influencia, recomendación, palanca.
CUOTA Cantidad, cupo, asignación, contribución, porcentaje, prorrateo.
CUQUERÍA Pillería, viveza, picardía, astucia.
CURANDERO Charlatán.
CURAR Sanar. I Curtir. I Cuidar, atender.
CURDA Beodo, borracho. I Borrachera, pítima, jumera, turca.
CURIOSIDAD Aseo, limpieza, pulcritud, esmero. I Inquisición, discreción, fisgoneo. I Antigualla.
CURIOSO Pulcro, limpio, aseado, cuidadoso. I Indiscreto, fisgador, espía, mirón, impertinente. I Raro, extraño.
CURRUTACO Figurín, gomoso, petrimetre, pisaverde.
CURSADO Acostumbrado, experimentado, avezado, habituado, ejercitado, ducho, práctico, versado.
CURSAR Estudiar. I Habituar, acostumbrar, frecuentar. I Tramitar.
CURSI Vulgar, ramplón, chabacano, pueril.
CURSO Circulación, difusión. I Camino, trayecto, dirección, rumbo. I Corriente. I Carrera.
CURTIDO Acostumbrado, habituado, versado, ejercitado, fortalecido, experimentado, avezado. I Adobado. I Curado.
CURTIRSE Adiestrarse, ejercitarse, acostumbrarse, endurecerse.
CURVA Vuelta, sinuosidad.
CURVO Curvilíneo, alabeado, torcido, ovalado, combo.
CÚSPIDE Cima, cumbre. I Meta, término, fin. I Vértice.
CUSTODIA Vigilancia, depósito, resguardo, protección. I Sagrario.
CUSTODIAR Asegurar, vigilar, velar, proteger, guardar, conservar.

CUTIS Piel, epidermis, dermis.
CUTRE Tacaño, usurero, ruin, avaro, cicatero, mezquino, roñoso, miserable, agarrado.
CUZCO Gozque, perro pequeño.

CH

CHABACANO Grosero, descuidado, vulgar, ridículo, ramplón, plebeyo, cursi.
CHABOLA Choza, cobijo, chamizo, refugio, cabaña, jacal.
CHACOTA Bullicio, chanza, burla, guasa, picardía, chufla, bufonada, chirigota, zumba, broma.
CHÁCHARA Charlatanería, palabrería, palique, charla.
CHAFAR Aplastar, despachurrar. I Ajar, arrujar, deslucir, desmejorar, marchitar. I Apabullar.
CHAFLÁN Esquina, borde, ángulo. I Bisel.
CHAL Pañoleta, mantón, manteleta, mantilla, pañolón.
CHALADO Alelado, abobado, guillado, aturdido, turulato, atontado, pasmado. I Amartelado, enamorado, seducido.
CHALUPA Barca, lancha, bote.
CHAMARILERO Prendero, ropavejero, trapero.
CHAMBA Casualidad, azar, suerte, chiripa.
CHAMÓN Chapucero, chanflón, chiripero, potroso, torpe, inhábil.
CHAMUSCAR Torrar, tostar, socarrar.
CHANCEAR Embromar, bromear, chufletear, truhanear, burlar, zumbar.
CHANCLETA Pantufla, chinela, chancla.
CHANCHULLO Trampa, componenda, enjuague, engaño.
CHANGARRO Tenducho, tendejón. I Cencerro.
CHANZA Broma, chiste, bufonada, novatada, chunga, chasco, chirigota, zumba, chufla, chacota.
CHAPA Lámina, placa, plancha, hoja. I Seriedad, formalidad, cordura.
CHAPUCERO Fullero, churanguero, frangollón. I Embustero, trapacero.
CHAPUZAR Zambullir, sumergir, sumir, hundir, zampuzar.
CHAPUZÓN Zambullida, inmersión, capuzón, baño.
CHARCA Ciénaga, pantanar, charco, bache, pozanco, estero.
CHARLA Conversación, habla, plática, coloquio. I Palabrería, cháchara.
CHARLAR Conversar, hablar, departir, conferenciar, paliquear, charlatanear, cascar, rajar.
CHARLATÁN Hablador, parlachín, locuaz, lenguaz, vocinglero. I Embustero, impostor, mentiroso, embaucador, farsante.
CHASCARRILLO Anécdota, ocurrencia, agudeza,

CHA

chiste, historieta.
CHASQUEAR Engañar, embromar, burlar, zumbar. | Fustigar, crujir, restallar, crepitar. | Decepcionar, desilusionar, defraudar.
CHATO Romo, vulgar, anodino. | Pleno, aplastado, mocho.
CHAVETA Pasador, clavija, clavo. | Sin juicio.
CHICO Niño, muchacho, chiquillo, infante. | Reducido, pequeño, corto.
CHICOLEO Piropo, galantería, dicho, requiebro, donaire.
CHIFLADO Alelado, embobado, alocado, precipitado, desquiciado, loco.
CHIFLADURA Capricho, fantasía, manía, antojo, rareza. | Acción de silbar.
CHILLAR Gritar, alborotar, escandalizar, vociferar. | Rechinar, chirriar.
CHILLIDO Alarido, rugido, grito, vociferación, clamor.
CHIMENEA Fogón, hogar.
CHINCHE Insecto. | Impertinente, molesto, fastidioso, pesado.
CHINCHORRERÍA Impertinencia, pesadez, fastidio. | Chisme, cuento, lío, calumnia, mentira.
CHIQUILICUATRO Chisgarabis, necio, fatuo, zascandil, mequetrefe, ligero.
CHIQUILLO Niño, muchacho, chico, párvulo, rapazuelo, criatura, chiquelo.
CHIRIGOTA Broma, chufla, chunga, chiste, burla, camelo, chanza, humorada, chacota, zumba, guasa.
CHIRIPA Casualidad, suerte, ventura, azar, chamba, carambola.
CHIRLE Insípido, insustancial, desabrido, soso, insulso.
CHIRONA Cárcel, encierro, reclusión, prisión, calabozo.
CHIRRIAR Rechinar, crujir, crepitar. | Desafinar, desentonar.
CHISGARABÍS Mequetrefe, zascandil, botarate, chiquilicuatro.
CHISME Hablilla, cuento, murmuración, historia, comadreo, mentira, chichorrería, lío. | Baratija, trasto.
CHISMOSO Murmurador, infundioso, chinchorrero, lioso, cuentista, maldiciente, enredador, intrigante, alcahuete.
CHISPA exhalación, centella, rayo. | Ingenio, agudeza, gracia, caletre, cacumen, penetración. | Jumera, curda, borrachera, pítima.
CHISPEANTE Ingenioso, talentoso, listo, clarividente, perspicaz, vivo, chirigotero, saleroso, gracioso, despierto. | Reluciente.
CHISTE Ocurrencia, gracia, chirigota, humorada, sátira, agudeza, burla.
CHISTOSO Divertido, gracioso, chirigotero, cómico,

agudo, ocurrente.
CHOCANTE Sorprendente, raro, llamativo, exótico, ridículo, extraño, original, peregrino.
CHOCAR Tropezar, entrechocar, topar. | Sorprender, extrañar, asombrar. | Reñir, disputar, pelear.
CHOCARRERÍA Grosería, bufonada, chiste grosero.
CHOQUE Encontronazo, encuentro, topetazo, topetón. | Pendencia, riña, pelea, disputa, contienda, refriega.
CHORLITO Distraído, aturdido, irreflexivo, precipitado.
CHORRO Caño, surtidor, manantial, saltadero.
CHOZA Cabaña, garita, chamizo, jacal, chabola, chozo, barraca.
CHUBASCO Chaparrón, aguacero. | Contratiempo, adversidad.
CHUCHERÍA Fruslería, golosina, baratija.
CHULO Rufián, farolero, valentón, jactancioso, fachendoso, fatuo, petulante, pinturero.
CHUNGA Chanza, broma, chirigota, burla, zumba.
CHUPADO Extenuado, consumido, delgado, flaco. | Borracho, ajumado.
CHUPAR Chupetear. | Absorber, empapar. | Emborracharse, embriagarse.
CHURRIGUERESCO Sobrecargado, excesivo, barroco, exagerado.
CHUSCADA Picardía, agudeza, chascarrillo, chiste, ocurrencia, gracia.
CHUSCO Chistoso, pícaro, ocurrente, bromista, picaresco, agudo, chancero, zumbón, chacotero, gracioso.
CHUSMA Gentuza, hampa, morralla, hez, golfería, populacho, canalla.
CHUZO Lanza, pica.

D

DABLE Hacedero, posible, viable, factible, realizable, ejecutable.
DÁDIVA Merced, regalo, obsequio, presente, don, gracia.
DADIVOSO Generoso, desprendido, pródigo, espléndido, rumboso, caritativo, obsequioso, liberal, largo.
DADOS Veintiuna, canilla, parejas, azar.
DAMA Señora, dueña, cortesana, ricahembra. | Losa.
DAMISELA Jovenzuela, mozuela, muchacha.
DANTESCO Terrible, fantástico, tremebundo, grandioso.
DANZA Baile. | Trifulca, bronca, bochinche. | Jarana, holgorio.
DANZANTE Danzarina, danzador, bailador, bailarín, bailarina. | Botarate, mequetrefe, petulante, zascandil.
DANZAR Bailar, bailotear, zapatear. | Mezclarse, entremeterse.
DAÑAR Perjudicar, menoscabar, lastimar, lesionar. |

Estropear, deteriorar, matratar, pervertir.
DAÑINO Perjudicial, malo, nocivo, pernicioso.
DAÑO Perjuicio, nocividad, agravio, detrimento, estrago, mal, menoscabo. I Deterioro, avería.
DAÑOSO Dañino, pernicioso, nocivo, desfavorable, perjudicial, maléfico.
DAR Entregar, adjudicar, conferir, conceder, donar, proporcionar. I Adivinar, acertar. I Pegar. I Untar, aplicar. I Tropezar, tocar.
DARDO Venablo, saeta, arpón, flecha, jabalina, chuzo.
DATA Fecha.
DATO Antecedente, información, detalle, nota. I Documento, testimonio, fundamento, clave.
DEAMBULAR Pasear, caminar, callejear, circular, vagar.
DEBAJO Abajo. I Sometido.
DEBATE Controversia, discusión, polémica, litigio, porfía, contienda, disputa, altercado, agarrada, lucha.
DEBATIR Discutir, disputar, polemizar, controvertir, altercar. I Guerrear, combatir, pelear, luchar.
DEBELAR Vencer, abatir, derrotar, batir, aplastar, reducir, someter, triunfar, subyugar.
DEBER Adeudar. I Compromiso, obligación. I Débito, deuda.
DEBIDAMENTE Justamente, estrictamente, cumplidamente, obligatoriamente.
DÉBIL Flaco, frágil, endeble, enclenque, blandengue, delicado, canijo, decaído, raquítico, anémico, flojo, alicaído, pachucho.
DEBILIDAD Apatía, anemia, flaqueza, impotencia, agotamiento, laxitud, quebranto, desmadejamiento, flojedad, raquitismo. I Abulia.
DEBILITAR Abatir, extenuar, enflaquecer, marchitar, desvirtuar.
DEBILITARSE Desfallecer, aplanarse, desmejorarse, desgastar, decaer, aflojar, consumirse, extenuarse.
DÉBILMENTE Lánguidamente, flojamente, flacamente, desmayadamente, feblemente.
DEBUT Presentación, estreno.
DECADENCIA Declinación, decaimiento, debilidad, disminución, ruina, menoscabo, descenso, agotamiento, desgracia.
DECAER Degenerar, declinar, debilitarse, arruinarse, desfallecer, flaquear, menguar, empeorar.
DECAPITAR Guillotinar, descabezar, degollar, desmochar.
DECENCIA Aseo, compostura, adorno. I Recato, modestia, honestidad, dignidad, decoro, pudor.
DECENTE Decoroso, justo, honesto, honrado, ecuánime, imparcial, digno, pudoroso. I Curioso, aseado, compuesto, pulcro.
DECEPCIÓN Desilusión, desencanto, fracaso, chasco. I Engaño, pesar.
DECIDIDO Atrevido, determinado, audaz, osado, valiente, denodado, resuelto, intrépido, bragado.
DECIDIR Resolver, fallar. I Determinar, declarar, acordar, concluir.

DECIR Expresar, manifestar, hablar, referir. I Informar, aducir, declarar, afirmar, aseverar, sostener. I Insinuar, estimar, significar, determinar, limitar, trazar, señalar.
DECISIÓN Determinación, resolución, conclusión. I Fallo, dictamen, sentencia. I Entereza, energía, fortaleza, valor.
DECISIVO Definitivo, concluyente, terminante, categórico, contundente. I Culminante.
DECLAMACIÓN Recitación, entonación. I Discurso, invectiva.
DECLAMAR Recitar, entonar. I Perorar.
DECLARACIÓN Explicación, manifestación, expresión, enunciado. I Revelación, confesión, deposición.
DECLARAR Expresar, manifestar, decir, explicar, enunciar. I Testificar, deponer, exponer.
DECLARARSE Manifestarse, confesarse, resolverse. I Originarse, producirse, formarse.
DECLINAR Decaer, disminuir, desmejorar, flaquear, desfallecer, arruinarse. I Rehusar, renunciar.
DECLIVE Pendiente, inclinación, desnivel, rampa, repecho, cuesta, declinación, costanilla, escarpa.
DECORACIÓN Ornamentación, adorno, ornato, engalanamiento, embellecimiento.
DECORAR Hermosear, adornar, exornar, engalanar, ornar. I Condecorar.
DECORATIVO Adornado, vistoso, enjaezado, hermoso.
DECORO Honra, pundonor, seriedad, respeto, dignidad, honestidad, recato, decencia, honorabilidad, respetabilidad, pureza, circunspección.
DECOROSO Honroso, honorable, decente, pundonoroso, respetable, distinguido, honesto, digno.
DECRECER Disminuir, minorar, amenguar, mitigar, declinar, menguar, descender, reducir, decaer, acortar.
DECRÉPITO Viejo, caduco, decadente, acabado, senil, chocho, machucho.
DECREPITUD Vetustez, senilidad, acabamiento, ancianidad, chochez.
DECRETAR Estatuir, decidir, sancionar, ordenar, determinar, resolver.
DECRETO Resolución, determinación, ley, precepto, disposición, decisión, orden, regla.
DECHADO Ejemplar, modelo, ejemplo, muestra, arquetipo.
DÉDALO Maraña, embrollo, laberinto, confusión, enredo, lío.
DEDICAR Destinar, ofrecer, consagrar, ofrendar. I Asignar, fijar, dirigir, señalar.
DEDUCCIÓN Derivación, inferencia, consecuencia, suposición, razonamiento. I Reducción, descuento, resta, rebaja.
DEDUCIR Inferir, concluir, derivar, colegir. I Extraer, descontar, rebajar, disminuir, restar.
DEFECCIÓN Deslealtad, abandono, huida, traición.
DEFECTO Imperfección, deficiencia, vicio, desarre

DEF

glo, desperfecto, falta, tacha, tara. I Deformidad.
DEFECTUOSO Imperfecto, defectivo, incompleto. I Tarado, lisiado.
DEFENDER Amparar, socorrer, proteger, ayudar, auxiliar, preservar. I Disculpar, justificar, excusar, abogar. I Sostener, mantener.
DEFENSA Protección, amparo, socorro, auxilio, ayuda, apoyo. I Armadura. I Muralla, parapeto, fortificación. I Resistencia.
DEFENSOR Intercesor, abogado, amparador, letrado, mediador, protector. I Defendedor.
DEFERENCIA consideración, respeto, miramiento, indulgencia, delicadeza, condescendencia, atención.
DEFERENTE Atento, cortés, correcto, reverente, comedido, considerado, solícito, condescendiente, tratable, respetuoso, mirado.
DEFERIR Complacer, condescender, respetar, admitir, ceder, adherirse.
DEFICIENTE Escaso, insuficiente, incompleto, limitado, defectuoso, imperfecto, falto.
DÉFICIT Descubierto.
DEFINICIÓN Explicación, dilucidación, demostración, exposición, explanación, interpretación, aclaración.
DEFINIR Precisar, fijar, puntualizar, exponer, explanar, determinar. I Resolver, aclarar.
DEFINITIVO Decisivo, terminante, concluyente, final, absoluto, resuelto, indiscutible, convincente.
DEFORMAR Desfigurar, afear, desformar. I Alterar, variar.
DEFORME Desproporcionado, desfigurado, malhecho, grotesco, imperfecto, disforme, feo, monstruoso.
DEFRAUDAR Estafar, sablear, timar, robar, malversar, quitar. I Frustar.
DEFUNCIÓN Fallecimiento, expiración, muerte, óbito, deceso.
DEGENERADO Pervertido, corrompido, vicioso. I Deficiente.
DEGENERAR Declinar, empeorar, decaer, perder, bastardear. I Pervertir, envilecer, corromper, viciar.
DEGOLLAR Guillotinar, decapitar, asesinar, cortar, sesgar.
DEGRADANTE Humillante, vil, abyecto, vergonzoso, indigno, ruin.
DEGRADAR Envilecer, deshonrar, prostituir, abatir, humillar, rebajar, exonerar, aminorar. I Deponer, destituir.
DEHESA Prado, sesteadero, tierra de pastos.
DEIFICAR Endiosar, divinizar. I Ensalzar.
DEJACIÓN Desistimiento, abandono, renuncia, cesión. I Abdicación.
DEJADEZ Negligencia, abandono, pereza, inercia, desidia, indolencia.
DEJADO Perezoso, negligente, desidioso. I Desaliñado, sucio, incurioso. I Desalentado, amilanado, abatido.

DEJAR Abandonar, desamparar, retirarse, faltar. I Renunciar, desistir, olvidar. I Legar, dar. I Soltar. I Producir, rentar.
DEJO Dejamiento, dejación.
DELACIÓN Denuncia, acusación, soplo.
DELANTE Enfrente, primero, antes.
DELANTERA Anticipación, ventaja, adelanto. I Fachada.
DELATAR Denunciar, descubrir, soplar, inculpar, acusar, revelar.
DELEGACIÓN Filial, sucursal. I Comisión, autorización, encargo.
DELEGADO Encargado, comisionado, representante, apoderado, negociador, agente, mandatario.
DELEGAR Comisionar, encomendar, apoderar, confiar, mandar, encargar, facultar, autorizar.
DELEITABLE Agradable, ameno, grato, alegre, delicioso, placentero, deleitoso, encantador.
DELEITAR Encantar, agradar, complacer, alegrar, entretener.
DELEITE Placer, delicia, encanto, complacencia, bienestar, diversión, gozo, gusto, delectación.
DELEITOSO Delicioso, sabroso, exquisito, encantador, gustoso, amable, delectable, plácido, cómodo, divertido.
DELETÉREO Destructor, mortal, venenoso, mortífero.
DELEZNABLE Quebradizo, inconsistente, débil, inseguro. I Resbaladizo, escurridizo.
DELGADO Flaco, enjuto, amojamado, cenceño, chupado. I Delicado, suave, menudo, fino. I Agudo, ingenioso.
DELIBERACIÓN Meditación, reflexión, consideración, razonamiento, acuerdo, debate, discusión.
DELIBERAR Discutir, debatir, contender, disputar, considerar, consultar, tratar. I Resolver.
DELICADEZA Delicadez, suavidad, tacto, exquisitez, cortesía, finura. I Melindrería, escrúpulo, suspicacia. I Halago, mimo.
DELICADO Atento, mirado, suave, fino. I Enfermizo, flaco, enclenque. I Susceptible, exigente, quisquilloso. I Sabroso, apetitoso. I Difícil, embarazoso. I Blando.
DELICIA Deleite, encanto, complacencia, contento, placer, gusto, agrado.
DELICIOSO Agradable, encantador, complaciente, divertido, deleitable, voluptuoso, ameno, apacible, grato.
DELINCUENTE Criminal, malhechor, reo, facineroso, forajido, infractor.
DELINEAR Diseñar, trazar, apuntar, describir, contornear, demarcar.
DELINQUIR Infringir, violar, quebrantar, transgredir.
DELIRAR Disparatar, desvariar, fantasear, loquear, chochear, desatinar.
DELIRIO Desvarío, quimera, frenesí. I Ensueño. I Disparate, barbaridad, despropósito, dislate.

DEL

DELITO Culpa, infracción, delincuencia, criminalidad, demasía, crimen.
DEMANDA Petición, ruego, solicitud, súplica, reclamación, requerimiento. I Pregunta. I Encargo, pedido.
DEMANDANTE Demandador, peticionario, solicitante, aspirante, postulante.
DEMANDAR Suplicar, rogar, pedir, solicitar, instar. I Interpelar, interrogar. I Codiciar, desear, ambicionar.
DEMARCAR Delimitar, determinar, jalonar, delinear, limitar.
DEMÁS Además, por demás.
DEMASÍA Descortesía, atrevimiento, insolencia. I Desafuero, maldad. I Exceso, sobrante.
DEMASIADO Excesivo, inmoderado, desmesurado, exorbitante, sobrado.
DEMENCIA Locura, vesanía. I Insensatez, furia.
DEMENTE Alienado, loco, anormal, vesánico, chalado. I Insensato.
DEMOLER Deshacer, derribar, desmantelar, desbaratar, derrocar, aniquilar, descimentar.
DEMONIO Diablo, Lucifer, Luzbel, Belcebú, Satanás. I Travieso, revoltoso, bullicioso. I Maligno, perverso, pérfido.
DEMORA Tardanza, dilación, espera, retraso, atraso, retardo.
DEMORAR Retrasar, retardar, dilatar, aplazar, tardar, diferir.
DEMORARSE Tardarse, retardarse, retrasarse, dilatarse, atrasarse.
DEMOSTRACIÓN Explicación, definición, comprobación, esclarecimiento, confirmación, verificación, testimonio.
DEMOSTRAR Manifestar, exponer, mostrar, presentar, probar, descubrir, declarar, comprobar. I Convencer, enseñar.
DEMOSTRATIVO Probatorio, contundente, definitivo, persuasivo, cierto, categórico, justificativo, apodíctico.
DEMUDAR Disfrazar, desfigurar. I Mudar, cambiar, variar.
DENEGAR Rechazar, excusar, rehusar.
DENIGRANTE Infamante, deshonroso, oprobioso, infamatorio, calumnioso, injurioso, afrentoso, infame.
DENIGRAR Ofender, injuriar, calumniar, desacreditar, agraviar, infamar, denostar, deshonrar, empañar, manchar.
DENODADO Intrépido, atrevido, audaz, arrojado, fuerte, varonil, gallardo, impávido, resuelto, esforzado, animoso, valiente.
DENOMINAR Señalar, llamar, titular, nombrar, designar, apellidar.
DENOSTAR Injuriar, insultar, infamar, ofender, ultrajar.
DENOTAR Indicar, mostrar, significar, señalar, enseñar, decir, expresar.
DENSO Compacto, apretado. I Craso, espeso. I Apiñado, unido. I Oscuro, confuso.
DENTELLADA Mordedura, bocado, mordisco.
DENTRO Adentro, interiormente, por dentro.
DENUEDO Valor, esfuerzo, valentía, bravura, virtud, osadía, acometividad, intrepidez, brío, coraje, arrojo, ánimo.
DENUESTO Ofensa, injuria, agravio, afrenta, desaire, escarnio, burla, ultraje, entuerto, baldón, insulto.
DENUNCIA Delación, acusación, inculpación, soplo, denunciación.
DENUNCIAR Inculpar, acusar, delatar, soplar. I Anular. I Advertir, avisar. I Descubrir, revelar, declarar.
DEPARTIR Conversar, dialogar, discutir, platicar, parlamentar, charlar.
DEPAUPERADO Extenuado, debilitado, alicaído, canijo, raquítico, desnutrido, enflaquecido.
DEPENDENCIA Sujeción, supeditación, subordinación, sumisión, tributo.
DEPENDER Servir, obedecer, pender.
DEPENDIENTE Subalterno, subordinado, auxiliar, inferior.
DEPLORABLE Lamentable, desagradable, siniestro, fatídico, infausto, desgraciado, triste, calamitoso, sensible, aciago.
DEPLORAR Sentir, lamentar, dolerse.
DEPONER Destituir, degradar, despojar, desposeer, privar. I Apartar, separar. I Atestiguar, aseverar.
DEPORTAR Desterrar, confinar, expatriar, proscribir, extrañar, expulsar.
DEPORTE Recreación, juego, sport, deportismo.
DEPOSITAR Poner, colocar, consignar, confiar, entregar. I Ingresar.
DEPRAVACIÓN Adulteración, corrupción, perversidad, escándalo, vicio, envilecimiento, libertinaje, desenfreno.
DEPRAVADO Pervertido, libertino, corrompido, envilecido, desvergonzado.
DEPRAVAR Pervertir, corromper, envilecer, viciar, malear, prostituir, desmoralizar. I Adulterar.
DEPRECIAR Desestimar, desvalorar, malbaratar, realizar, malvender. I Menospreciar.
DEPREDACIÓN Pillaje, devastación, saqueo, robo. I Malversación, exacción.
DEPRESIVO Deprimente, degradante, humillante, infamante, vergonzoso.
DEPRIMIR Rebajar, humillar, rehundir, desalentar, abatir, contristar.
DEPUESTO Destituido, cesante, retirado, exonerado, sustituido, expulsado.
DEPURADO Limpio, puro, inmaculado, acendrado, purificado, refinado.
DEPURAR Limpiar, purificar, refinar, expurgar, perfeccionar, acendrar.
DERECHO Recto, seguido, enderezado, erguido. I Justo, legítimo, razonable. I Libertad, opción, protesta.
DERIVAR Proceder, conducir, emanar, seguirse, encaminar.

DER

DEROGAR Invalidar, anular, abolir, deshacer, extinguir, abrogar, suprimir.
DERRAMAR Verter, desparramar, volcar. I Divulgar, extender, cundir, publicar. I Distribuir, repartir.
DERRENGADO Cansado, molido, fatigado, deslomado.
DERRETIR Fundir, disolver, desleír. I Disipar, consumir, gastar.
DERRETIRSE Enamorarse, encariñarse, amartelarse. I Inquietarse, impacientarse, enardecerse. I Deshelarse.
DERRIBAR Demoler, derruir, asolar, descimentar, derrumbar, abatir, desbaratar. I Destronar, deponer, malquistar.
DERROCAR Derribar, destronar, arrojar. I Precipitar, despeñar. I Deshacer.
DERROCHAR Malgastar, destrozar, dilapidar, malbaratar, despilfarrar, disipar, consumir, desperdiciar.
DERROCHE Despilfarro, dispendio, dilapidación, desperdicio, prodigalidad.
DERROTA Pérdida, fracaso, desastre, quebranto, descalabro. I Camino, senda.
DERROTADO Vencido, destrozado, aniquilado. I Harapiento, andrajoso, pobre.
DERROTAR Batir, vencer, destronar, rendir, aplastar. I Aventajar, exceder. I Destruir, romper. I Disipar.
DERROTERO Rumbo, dirección, camino, ruta, itinerario.
DERRUIR Demoler, destruir, derribar, asolar, desbaratar, deshacer, desmoronar, descimentar, destrozar. I Socavar.
DESABRIDO Insípido, soso, insulso, desagradable. I Esquivo, arisco, hosco, huraño, desapacible. I Destemplado.
DESABRIGAR Desarropar, descobijar, descubrir, destapar.
DESABROCHAR Desatar, desabotonar, soltar, abrir. I Delatar.
DESACATO Irreverencia, desobediencia, irrespetuosidad. I Desatención, descomedimiento.
DESACERTAR Desatinar, marrar, errar, equivocarse.
DESACIERTO Torpeza, yerro, equivocación, error, desatino, disparate.
DESACORDAR Disonar. I Olvidarse, desmemoriarse.
DESACOSTUMBRADO Desusado, inhabitual, infrecuente, nuevo, inusitado.
DESACREDITADO Desconceptuado, impopular, mancillado, desautorizado, malmirado, malquisto, deshonrado, desvalorizado.
DESACREDITAR Desprestigiar, desautorizar, menoscabar, difamar, denigrar, deshonrar, deshonorar, oprobiar, mancillar, afrentar.
DESACUERDO Discordia, disconformidad, desavenencia, discrepancia, diferencia, disentimiento. I Desacierto.
DESAFECTO Antipatía, malquerencia, animadversión, animosidad, menosprecio, aversión, desdén. I Contrario.
DESAFIAR Competir, contender. I Afrontar. I Provocar, retar.
DESAFÍO Provocación, reto, duelo, lucha, contienda. I Concurso. I Rivalidad.
DESAFORADO Descomedido, desatentado, desmedido, desproporcionado, grande.
DESAFUERO Violencia, abuso, desmán, atropello, brutalidad, exceso, desconsideración, desaguisado.
DESAGRADABLE Penoso, desabrido, enojoso, desapacible, molesto, insoportable, antipático, pesado, aburrido, tedioso.
DESAGRADAR Disgustar, desplacer, descontentar, fastidiar, amohinar, chocar, repugnar, enojar, enfadar.
DESAGRADECIDO Ingrato, descastado, egoísta, olvidadizo, desleal.
DESAGRAVIO Enmienda, corrección, satisfacción, explicación, reparación.
DESAGUAR Derramar, desembocar. I Vomitar.
DESAGUISADO Agravio, desafuero, injusticia. I Disparate, desatino, desconcierto, desacierto, desbarajuste.
DESAHOGADO Descarado, desvergonzado, desfachatado, fresco. I Amplio, expedito, libre, despejado. I Holgado, desocupado, descansado.
DESAHOGARSE Confiarse, recobrarse, rehacerse.
DESAHOGO Descaro, desvergüenza, desenfado, insolencia, frescura. I Bienestar, comodidad. I Tranquilidad, descanso, sosiego. I Expansión, diversión.
DESAHUCIADO Desesperanzado, insanable, incurable.
DESAHUCIAR condenar, desesperanzar. I Desalojar.
DESAIRADO Despreciado, desestimado, desdeñado, menospreciado. I Engañado, chasqueado. I Deslucido, desaliñado, desvaído.
DESALENTAR Intimidar, acobardar, desanimar, desesperanzar, achicar, acoquinar, amilanar, apocar, abatir.
DESALIENTO Decaimiento, desánimo, abatimiento, desfallecimiento, postración, acoquinamiento, desesperación, descorazonamiento.
DESALIÑADO Descuidado, desaseado, extravagante, estrafalario, sucio, astroso, adán, desharrapado.
DESALIÑO Negligencia, incuria, descuido, abandono, dejadez. I Descompostura, desaseo, desatavío.
DESALMADO Cruel, bárbaro, sanguinario, despiadado, brutal, perverso, bruto, inhumano, malvado, feroz, salvaje.
DESALOJAR Cambiar, trasladar, sacar. I Desahuciar, desaposentar, desalquilar. I Desbancar.
DESAMPARADO Abandonado, desvalido, indefenso, solo. I Desierto, desabrigado.
DESAMPARAR Abandonar, desasistir, desatender, descuidar, repudiar, dejar.
DESANIMAR Desalentar, amedrentar, intimidar, acobardar, abatir, postrar.
DESAPACIBLE Desagradable, desabrido, displi-

DES

cente, insoportable, fastidioso, enfadoso, áspero, molesto, ingrato, intratable.
DESAPARECER Eclipsarse, esconderse, perderse, esfumarse, huir, ocultarse.
DESAPARICIÓN Desaparecimiento, disipación, escamoteo, eclipse, huída. I Ocultación, pérdida. I Muerte, fin.
DESAPEGO Frialdad, alejamiento, tibieza, despego, desvío.
DESAPLICADO Negligente, descuidado, holgazán, gandul, perezoso, remolón.
DESAPROBAR Reprobar, disentir, improbar, desechar, vituperar, afear, censurar, condenar, criticar.
DESAPROVECHADO Desperdiciado, infructuoso, inútil, improductivo, ineficaz, inservible, dilapidado, malgastado, malbaratado, derrochado.
DESARMAR Aplacar, mitigar, pacificar, minorar, templar. I Separar, desmontar.
DESARRAIGAR Arrancar, extirpar, descuajar. I Extinguir, acabar. I Desterrar.
DESARRAPADO Andrajoso, harapiento, roto, haraposo, desharrapado.
DESARREGLO Desbarajuste, confusión, descomposición, desorganización, desorden, desconcierto, trastorno.
DESARROLLAR Desenrollar, desenvolver, desplegar, extender. I Perfeccionar, aumentar, mejorar, progresar. I Ampliar, exponer.
DESARROLLO Progreso, adelanto, aumento, incremento, progresión, desenvolvimiento, crecimiento, amplitud.
DESARROPAR Desabrigar, desvestir, descobijar, descubrir, destapar, desnudar.
DESASEADO Sucio, mugriento, descuidado, roñoso, desastrado, roto, dejado.
DESASIRSE Desatarse, desprenderse, soltarse.
DESASOSIEGO Intranquilidad, disgusto, malestar, agobio, desazón, tribulación, congoja, ansiedad, pesadumbre, zozobra, angustia, preocupación.
DESASTRADO Andrajoso, descuidado, desaseado, desaliñado. I Desastroso, aciago, infausto, funesto.
DESASTRE Ruina, desgracia, catástrofe, hecatombe, siniestro, calamidad, asolamiento, infortunio. I Derrota.
DESASTROSO Desgraciado, calamitoso, catastrófico, adverso, infausto, ruinoso, desvastador, destructor. I Desaliñado, descamisado.
DESATAR Desligar, desenlazar, soltar, desabotonar, deshacer. I Desencadenar. I Derretir, desleír.
DESATASCAR Desembarazar, auxiliar, desatollar, desatrampar. I Desatrancar, desatancar.
DESATENCIÓN Descuido, distracción. I Descortesía, desaire, disfavor, grosería, desestima, menosprecio, indiferencia.
DESATENDER Abandonar, desentenderse, descuidar, abandonar, menospreciar.
DESATENTO Incorrecto, desconsiderado, incivil, inculto, ramplón, descomedido, descortés. I Distraído.
DESATINADO Descabellado, disparatado, desacertado, irracional, ilógico. I Mentecato, insensato.
DESATINAR Desatender, desbarrar, disparatar, desacertar, equivocarse.
DESATINO Desacierto, despropósito, ofuscación, absurdo, dislate, pifia.
DESAUTORIZADO Desacreditado, desconceptuado, destituido, degradado.
DESAVENENCIA Desunión, discordia, disconformidad, disentimiento, desacuerdo.
DESAVENIDO Discorde, malquisto, disidente, desacorde, disconforme.
DESAZÓN Inquietud, ansiedad, malestar, desasosiego. I Disgusto, enfado, molestia, descontento, pesadumbre.
DESAZONAR Disgustar, impacientar, intranquilizar, soliviantar, inquietar.
DESBANCAR Desembarazar, substituir, suplantar, reemplazar, quitar.
DESBARAJUSTE Desorden, anomalía, desgobierno, confusión, desarreglo, caos, desconcierto, disloque.
DESBARATAR Deshacer, destruir, desarticular, demoronar, desmantelar. I Derrochar, malgastar, despilfarrar. I Impedir, cortar, estorbar.
DESBARRAR Desatinar, equivocarse, disparatar, errar. I Escurrirse.
DESBOCADO Malhablado, descarado, deslenguado, desvergonzado, descocado.
DESBROZAR Despejar, limpiar.
DESCABALAR Truncar, mutilar, desaparejar, baldar.
DESCABELLADO Desacertado, desrazonable, insensato, desatinado, disparatado, ilógico, absurdo, falso.
DESCAECIMIENTO Desaliento, debilidad, flaqueza, desánimo.
DESCALABRAR Maltratar, lesionar, lastimar, golpear, herir, dañar.
DESCALABRO Contratiempo, desdicha, desventura, pérdida, percance, perjuicio, infortunio, desgracia, daño, fracaso.
DESCALIFICAR Desacreditar, desautorizar, desconceptuar, deshonrar.
DESCAMINADO Desviado, alejado, extraviado, despistado, desorientado, descarriado, desencaminado. I Depravado, pervertido.
DESCAMISADO Desharrapado, desastrado, harapiento, indigente, mísero, necesitado, menesteroso, desvalido, pobre.
DESCANSADO Reposado, sosegado, tranquilo, desahogado, quieto.
DESCANSAR Sosegar, reposar, dormir, holgar. I Abandonarse, fiarse, confiar. I Alentar, respirar.
DESCANSO Reposo, holganza, quietud, calma, inacción, respiro, asueto. I Relleno, meseta, apoyo.
DESCARADO Insolente, desvergonzado, descocado, desahogado, fresco, cínico, atrevido, deslavado, petulante.

DES

DESCARARSE Desmandarse, atreverse, descocarse, insolentarse, desvergonzarse, deslenguarse.
DESCARGAR Desembarcar, desarrumar, aligerar. I Disparar, descerrajar. I Exonerar. I Transferir.
DESCARGO Excusa, disculpa, alegato, justificación, defensa, satisfacción.
DESCARNADO Enjuto, seco, desmirriado, flaco. I Crudo.
DESCARO Desvergüenza, impudor, desahogo, frescura, petulancia, desfachatez, insolencia, procacidad, cinismo, descoco.
DESCARRILAR Desmandar, descarriarse, desbarrar.
DESCARTAR Suprimir, eliminar, rehuir, evitar, desechar, apartar, separar, quitar.
DESCENDENCIA Linaje, sucesión, hijos, prole.
DESCENDER Apearse, saltar, bajar. I Rebajarse. I Derivarse, proceder. I Caer, correr, fluir.
DESCENSO Bajada, descendimiento. I Declinación, decadencia, acaso, disminución, crepúsculo.
DESCENTRADO Desorbitado. I Excéntrico.
DESCIFRAR Aclarar, entender, acertar, adivinar, dilucidar, desembrollar, interpretar, descubrir, desenvolver.
DESCLAVAR Desenclavar, arrancar, desprender, soltar, desengarzar.
DESCOCADO Desahogado, desvergonzado, desenvuelto, descarado, procaz.
DESCOLGARSE Escurrirse, escaparse. I Aparecer, mostrarse.
DESCOLORARSE Decolorarse, desteñirse, despintarse.
DESCOLLAR Sobresalir, dominar, resaltar, predominar, distinguirse, destacar, señalarse, despuntar.
DESCOMEDIDO Desproporcionado, desmesurado, excesivo, exagerado. I Desatento, descortés, malhablado, grosero, incorrecto, intemperante.
DESCOMPONER Desbaratar, desordenar, deshacer, destruir, desarreglar. I Indisponer, malquistar. I Dividir, apartar.
DESCOMPOSTURA Malestar, indisposición. I Desaliño. I Atrevimiento, descaro.
DESCOMUNAL Enorme, gigantesco, extraordinario, piramidal, monstruoso.
DESCONCERTAR Perturbar, descomponer, dislocar, aturdir, turbar, alterar, confundir, desarreglar.
DESCONCIERTO Confusión, desorganización, desarreglo, caos, descomposición, desintegración, desunión. I Alteración, destemple.
DESCONECTAR Interceptar, interrumpir. I Descomponer, desarreglar.
DESCONFIADO Receloso, escamón, incrédulo, escéptico, malicioso, suspicaz, miedoso, celoso, caviloso.
DESCONFIANZA Inconfidencia, incredulidad, aprensión, suspicacia, escepticismo, malicia, escama, sospecha, prevención.
DESCONFIAR Dudar, sospechar, recelar, maliciar, temer.
DESCONOCIDO Ignorado, incógnito, incierto, anónimo, ignoto. I Desagradecido, ingrato. I Inexplorado.
DESCONSIDERACIÓN Descortesía, irreflexión, desatención, ligereza, precipitación, inconsideración.
DESCONSOLADO Afligido, dolorido, inconsolado, cuitado, compungido, pesaroso, tristón, triste, mustio.
DESCONSUELO Desconsolación, pena, aflicción, tripulación, tristeza, consternación, amargura, abatimiento, angustia, pesar.
DESCONTAR Rebajar, substraer, disminuir, quitar, deducir, restar, acortar, aminorar.
DESCONTENTO Disgustado, quejoso, enojado, fastidiado, malhumorado. I Desagrado, disgusto, enfado.
DESCORRER Plegar, arrugar, cerrar, fruncir. I Descifrar, revelar, descubrir.
DESCORTÉS Inurbano, grosero, vulgar, plebeyo, inculto, soez, desatento, descomedido, incivil, ordinario, inconsiderado.
DESCORTEZAR Mondar, descascarar, pelar. I Desbastar, educar.
DESCRÉDITO Desdoro, deslustre, deshonra, mancha, deshonor, desmérito, mancilla, mengua, baldón, desprestigio vergüenza.
DESCREÍDO Incrédulo, ateo, hereje, escéptico.
DESCRIBIR Definir, especificar, reseñar, explicar, representar, pintar, referir, delinear, señalar.
DESCRIPCIÓN Explicación, representación, especificación, relación, relato, narración.
DESCUARTIZAR Despedazar, destrozar.
DESCUBIERTO Desenmascarado. I Encontrado. Destapado. I Déficit.
DESCUBRIMIENTO Hallazgo, invención, invento, encuentro.
DESCUBRIR Hallar, divisar, encontrar. I Denunciar, revelar. I Inventar. I Destapar, abrir.
DESCUENTO Rebaja, disminución, merma, deducción.
DESCUIDADO Dejado, negligente, perezoso, abandonado, holgazán, desaliñado, desaseado, estrafalario, desidioso. I Desprevenido.
DESCUIDAR Desatender, abandonar, olvidar, omitir, relegar, dejar.
DESCUIDO Abandono, olvido, distracción, indiligencia, incuria, omisión, negligencia, desatención. I Equivocación, tropiezo, falta.
DESDECIR Desmerecer, degenerar, decaer. I Desmentir, retractarse. I Discrepar, discordar.
DESDÉN Desaire, desprecio, desatención, desgaire, indiferencia, altivez, menosprecio, despego, arrogancia.
DESDEÑAR Despreciar, desestimar, desechar, menospreciar, desairar.
DESDEÑOSO Despreciativo, altanero, orgulloso, soberbio, arrogante, indiferente, despectivo.

DES

DESDIBUJAR Desvanecer, esfumar.
DESDICHA Infortunio, desgracia, infelicidad. | Pobreza, miseria, necesidad, desamparo.
DESDORO Descrédito, mancilla, baldón, mancha, deslustre.
DESEABLE Apetecible, codiciable, envidiable..
DESEAR Querer, ambicionar, anhelar, codiciar, envidiar, apetecer, ansiar, aspirar.
DESECAR Secar, deshumedecer.
DESECHAR Despreciar, rechazar, apartar, relegar, arrumbar, repudiar, excluir, reprobar, desestimar. | Arrojar.
DESEMBARCAR Bajar, apearse, tomar tierra, zallar.
DESEMBARAZO Desenvoltura, despejo, desahogo, desenfadado, desparpajo.
DESEMBOCAR Desaguar, afluir, desbocar, derramar.
DESEMBOLSAR Pagar, indemnizar, retribuir, liquidar, saldar, reintegrar, abonar, dispendiar, satisfacer.
DESEMBROLLAR Desenmarañar, aclarar, desenredar.
DESEMEJANTE Diferente, desigual, disímil, distinto, diverso.
DESENCANTO Desilusión, chasco, desengaño, decepción.
DESENFADO Desenvoltura, frescura, desparpajo, descomedimiento, soltura, desahogo, desembarazo.
DESENFRENARSE Descomedirse, extralimitarse, desmandarse, desencadenarse.
DESENFRENO Desorden, desmesura, descortesía, osadía, insolencia, libertinaje, licencia, desmán.
DESENGAÑO Desencanto, contrariedad, chasco, desilusión, decepción, escarmiento, despecho, desaliento, desesperanza.
DESENLACE Desenredo, conclusión, explicación, final, solución.
DESENREDAR Desembrollar, desentrañar, destapar, aclarar, desenmarañar.
DESENTERRAR Exhumar, excavar. | Recordar, evocar.
DESENTRAÑAR Desenmarañar, averiguar, desenredar, descifrar, elucidar. | Despanzurrar, destripar.
DESENVOLTURA Desenfado, desempacho, soltura, naturalidad, desfachatez. | Deshonestidad, desvergüenza.
DESENVOLVER Extender, desencoger, estirar, distender, desarrollar. | Aclarar, descifrar, descubrir, averiguar.
DESEO Apetencia, ambición, afán, anhelo, ansia, codicia, envidia, aspiración, antojo, pretensión.
DESEOSO Anheloso, ansioso, antojadizo, ávido, ganoso.
DESERCIÓN Renuncia, abjuración, abandono, apostasía, traición.
DESERTAR Huir, separarse, abandonar, fugarse.
DESESPERACIÓN Desespero, desmoralización, decepción, irritación, enojo, ira, abatimiento, desaliento, desfallecimiento.
DESESPERAR Desesperanzar, exasperar, desconfiar, enojar, irritar, impacientar, importunar.
DESESTIMAR Menospreciar, desdeñar. | Rechazar, denegar, desechar.
DESFALLECER Descaecer, desmayarse, desvanecerse, flaquear, desmejorarse, extenuarse, debilitarse, flojear.
DESFALLECIMIENTO Descaecimiento, desaliento, decaimiento, desvanecimiento, desesperación, debilidad, deliquio.
DESFAVORABLE Hostil, discrepante, contrario, adverso, perjudicial, desacorde, nocivo, pernicioso.
DESFIGURAR Desemejar, deformar, cambiar, alterar, tergiversar, encubrir, disimular, falsear, desnaturalizar, disfrazar.
DESFILADERO Enfoscadero, cañón, angostura, precipicio.
DESFILAR Marchar, evolucionar, pasar.
DESFOGAR Descargar, desahogar.
DESGAJAR Desgarrar, desprender, separar, trozar, arrancar, despedazar.
DESGANA Saciedad, desabrimiento, apatía, displicencia, indiferencia, abulia, indolencia. | Inapetencia.
DESGARRAR Rasgar, desgajar, esgarrar, despedazar, arrancar, dilacerar.
DESGARRO Rompimiento, rotura. | Desvergüenza, desfachatez, descaro. | Fanfarronada.
DESGASTE Debilitación, decadencia, extenuación, consumación, depauperación. | Raspadura, roedura.
DESGOBIERNO Desorden, desbarajuste, desconcierto, desorganización, caos, barullo, desarreglo.
DESGRACIA Adversidad, infelicidad, desventura, desamparo, miseria, fatalidad, tragedia, infortunio, desdicha, aflicción. | Disfavor.
DESGRACIADO Desventurado, infortunado, desdichado, infeliz, miserable, mísero, desafortunado, pobre. | Incapaz, inhábil.
DESHABITADO Despoblado, desierto, abandonado, inhabitado, vacío.
DESHACER Desbaratar, descomponer, dividir, romper, destruir. | Suprimir. | Derrotar, dispersar. | Disolver.
DESHARRAPADO Harapiento, roto, andrajoso, desarrapado, desastrado.
DESHONESTO Impúdico, inhonesto, desvergonzado, obsceno, sucio, libidinoso, licencioso, indecoroso, inmundo.
DESHONOR Vileza, deshonra, ignominia, abyección, bajeza, villanía, afrenta, oprobio, descrédito, ultraje, baldón.
DESHONRA Deshonor, desprestigio, mancha, deslustre, mengua, desdoro.
DESHONRAR Desprestigiar, deshonorar, menospreciar, denigrar, afrentar, ultrajar, difamar, vilipendiar. | Estuprar.

DES

DESHONROSO Ignominioso, afrentoso, indecoroso, infamante, indecente, denigrante, escandaloso, degradante.
DESIDIOSO Perezoso, negligente, descuidado, dejado, desaseado, abandonado.
DESIERTO Despoblado, yermo, estepario, desolado, inhabilitado, solitario.
DESIGNAR Denominar, nombrar, fijar, destinar, elegir, escoger, señalar, indicar, mostrar.
DESIGNIO Pensamiento, intención, determinación, decisión, propósito, proyecto, plan, idea, mira.
DESIGUAL Diferente, distinto, disímil, dispar, mudable. l Voluble, veleidoso, caprichoso, inconstante. l Dificultoso.
DESIGUALDAD Diferencia, desemejanza, disimilitud, disconformidad, inconstancia, veleidad, ligereza, volubilidad. l Desnivel.
DESILUSIÓN Desencanto, contrariedad, decepción, desengaño, chasco.
DESINFECTANTE Antiséptico.
DESINTERÉS Desprendimiento, altruismo, largueza, liberalidad, desapego.
DESINTERESADO Desprendido, altruísta, hospitalario, humanitario, liberal, generoso, dadivoso, abnegado.
DESISTIR Renunciar, ceder, substraerse, abandonar, dimitir, cesar.
DESLEAL Infiel, traidor, pérfido, vil, renegado, alevoso, felón, falso.
DESLEALTAD Falsedad, ingratitud, falsía, villanía, defección, intriga, deserción, traición, alevosía.
DESLENGUADO Desvergonzado, lenguaraz, insolente, malhablado, procaz.
DESLINDAR Amojonar, limitar, señalar, marcar, demarcar. l Explicar, aclarar, apurar.
DESLIZ Resbalón, deslizamiento, falta, descuido, caída, traspié.
DESLIZARSE Resbalar, patinar, rodar, escurrirse, evadirse, huir.
DESLUCIDO Indecoroso, deslustroso. l Desdorado, afeado. l Desacreditado.
DESLUMBRAR Encandilar, enceguecer, alucinar, confundir, ofuscar, cegar, asombrar, pasmar, impresionar.
DESMÁN Exceso, demasía, intemperancia, inmoderación, desconcierto, desenfreno. l Barbaridad, atrocidad, tropelía.
DESMANDARSE Descomedirse, indisciplinarse, desmanarse, excederse, propasarse, descarriarse.
DESMANTELAR Desamparar, desguarnecer, desabrigar, destruir, desarbolar, abandonar, desarmar, demoler, desaparejar.
DESMAYAR Desanimarse, accidentarse, sincoparse, aletargarse, desfallecer, flaquear, acobardarse, aplanarse, anonadarse.
DESMAYO Desvanecimiento, desfallecimiento, vahído, vértigo, aturdimiento, deliquio, síncope. l Desánimo.
DESMEDIDO Desmesurado, extraordinario, desproporcionado, descomedido, excesivo.
DESMEDRAR Decaer, desmejorarse, enflaquecer, debilitarse, deteriorarse.
DESMEJORAR Enfermar, indisponer, quebrantarse, adolecer. l Afear, ajar.
DESMEMORIADO Descuidado, olvidadizo, distraído.
DESMENTIR Contradecir, refutar, impugnar, objetar, rebatir, negar.
DESMESURADO Desmedido, extraordinario, desproporcionado, excesivo. l Insolente, descortés, atrevido.
DESMORALIZAR Corromper, viciar, depravar, pervertir, estragar. l Desalentar, amilanar, desanimar.
DEMORONAR Deshacer, arrasar, derribar, demoler, derruir, derrumbar.
DESNATURALIZAR Falsificar, mixtificar, desfigurar, pervertir. l Desarraigar.
DESNIVEL Peralte, rampa, altibajo, pendiente, cuesta, hondura.
DESNUDAR Desvestir, desabrigar, destocar, descubrir, desarropar, desataviar. l Despojar, expoliar, desposeer.
DESNUDEZ Desabrigo. l Impudor, indecencia. l Pobreza, miseria, indigencia, necesidad.
DESNUDO Desvestido, desabrigado. l Desharrapado, pobre, desamparado. l Patente, manifiesto, claro.
DESOBEDIENTE Insumiso, indócil, insubordinado, indisciplinado, rebelde, malmandado, desmandado.
DESOCUPADO Deshabitado, despoblado, disponible, vacío. l Desidioso, vago, ocioso, inactivo.
DESOÍR Desentenderse, desatender.
DESOLACIÓN Aflicción, desconsuelo, infelicidad, dolor, angustia, pena. l Desastre, devastación, ruina, estrago, destrucción.
DESOLLAR Despellejar, escochar. l Criticar, murmurar. l Cuerear.
DESORDEN Confusión, desconcierto, desarreglo, desgobierno, desbarajuste, barullo, laberinto, trastorno, desorganización, caos. l Alboroto, perturbación, asonada, motín, tumulto. l Exceso.
DESORDENADO Perturbador, atropellado, desarreglado, confuso, anómalo, enredado, irregular, desorganizado.
DESORDENAR Desorganizar, desquiciar, desgobernar, confusionar, desarreglar, desbarajustar, revolver, trastornar, confundir, alterar.
DESORGANIZAR Enmarañar, desordenar.
DESORIENTAR Desencaminar, acharar, ofuscar, despistar, extraviar, perder, aturdir, turbar, desmoralizar.
DESPABILADO Listo, advertido, avisado, vivo, despierto. l Desvelado.
DESPACIO Lentamente, gradualmente, pausadamente, paulatinamente, perezosamente.

DES

DESPACHAR Abreviar, resolver, concluir, apurar. I Licenciar, despedir, echar. I Enviar, remitir, expedir. I Expender. I Matar.
DESPACHO Bufete, escritorio, estudio. I Comunicación, telefonema, telegrama, oficio. I Expendeduría, establecimiento, tienda.
DESPARPAJO Desenfado, desembarazo, desenvoltura, desahogo, atrevimiento, desfachatez.
DESPARRAMAR Extender, desperdigar, esparcir, dispersar. I Malgastar, dilapidar, disipar, malbaratar, derrochar.
DESPAVORIDO Medroso, horrorizado, amedrentado, asustado, espantado, horripilado, aterrado, pavorido.
DESPECTIVO Desdeñoso, orgulloso, arrogante, altivo, despreciativo.
DESPECHO Aborrecimiento, animosidad, aversión, indignación, abominación, resentimiento, rencor.
DESPEDAZAR Descuartizar, destrozar, desmembrar, desgarrar, romper, desperdigar, descomponer.
DESPEDIDA Adiós, partida, separación, despido, cortesía.
DESPEDIR Soltar, arrojar, apartar, alejar, lanzar. I Destituir, licenciar, despachar, deponer. I Difundir.
DESPEGADO Huraño, intratable, esquivo, arisco, insociable. I Separado, desencolado. I Desprendido.
DESPEGO Desafecto, indiferencia, desapego, frialdad, aspereza.
DESPEJADO Despierto, inteligente, listo, despabilado, vivo. I Desocupado, libre, desembarazado. I Sereno, claro.
DESPELLEJAR Murmurar, criticar. I Desollar.
DESPENSA Alacena, proveeduría, armario, almacén.
DESPEÑAR Arrojar, derrumbar, derrocar, precipitar. I Enviciar.
DESPEÑARSE Precipitarse, caerse, arrojarse. I Enviciarse, pervertirse, desenfrenarse.
DESPERDICIAR Desaprovechar, desechar, tirar, malgastar, disipar, perder, despilfarrar, malbaratar.
DESPERDICIO Residuo, sobras, arrebañaduras, migajas. I Escoria, escombro. I Derroche, malbaratamiento.
DESPERFECTO Avería, perjuicio, defecto, deterioro, falta, daño.
DESPERTAR Desvelar, despabilarse, desadormecer. I Recordar, evocar. I Estimular, provocar, excitar.
DESPIADADO Desalmado, incompasivo, inhospitalario, inhumano, cruel, despiadado, implacable, inexorable, impío.
DESPIERTO Inteligente, advertido, vivo, listo, espabilado, astuto. I Desvelado, insomne.
DESPILFARRAR Malgastar, tirar, derrochar, dilapidar, disipar, malbaratar, desperdiciar, prodigar.
DESPLANTE Audacia, arrogancia, desfachatez, descaro.
DESPLEGAR Extender, desenvolver, desenrollar, desdoblar, desarrollar.

DESPLOMARSE Derrumbarse, hundirse, desmoronarse, caerse. I Desmayarse. I Arruinarse.
DESPOBLADO Deshabitado, desierto, solitario, inhabilitado, descampado.
DESPOBLAR Deshabitar, abandonar, desguarnecer.
DESPOJAR Desposeer, robar, expoliar, expropiar, desplumar, rapiñar, quitar, usurpar, confiscar, estafar.
DESPOJO Botín, robo, presa, latrocinio, saqueo, hurto, desvalijamiento.
DESPOSARSE Matrimoniar, casarse.
DESPOSEER Despojar, desapropiar, hurtar, robar, quitar, privar, expoliar, rapiñar. I Decomisar, confiscar. I Destituir.
DÉSPOTA Opresor, tirano, dictador, autócrata.
DESPÓTICO Arbitrario, exigente, avasallador, opresor, sojuzgador, dictatorial, absoluto, abusivo, injusto.
DESPRECIABLE Indigno, plebeyo, innoble, vil, villano, abominable, vituperable, rastrero, ruin, abyecto, soez, desdeñable.
DESPRECIAR Desestimar, desapreciar, repudiar, repulsar, desechar, menospreciar, desdeñar, vilipendiar.
DESPRECIO Desestimación, desaire, desdén, menosprecio.
DESPRENDER Soltar, desasir, desunir, despegar, separar, desatar.
DESPRENDIMIENTO Generosidad, desinterés, largueza, liberalidad, munificencia.
DESPREOCUPARSE Desentenderse, desdecirse.
DESPREVENIDO Desapercibido, descuidado, desproveído.
DESPROPORCIÓN Desconformidad, desigualdad, deformidad, incongruencia.
DESPROPÓSITO Desacierto, dislate, disparate, desbarro, extravagancia, necedad, desatino, absurdo, insensatez, barbaridad.
DESPROVISTO Carente, despojado, privado, necesitado.
DESPUÉS Posteriormente, luego, detrás, ulteriormente, seguidamente.
DESPUNTAR Distinguirse, resaltar, sobresalir, descollar, destacarse. I Alborear, amanecer.
DESQUICIAR Desencajar, descomponer, desbaratar. I Derrocar.
DESQUITARSE Vengarse, resarcirse, satisfacerse, desagraviarse.
DESTACARSE Sobresalir, distinguirse, resaltar, descollar.
DESTAPAR Descubrir, desabrigar, desarropar, descobijar. I Mostrar, revelar.
DESTARTALADO Descompuesto, desordenado, desproporcionado.
DESTEMPLADO Intemperie, inmoderado, descomedido, desconsiderado, alterado, disgustado. I Disonante.
DESTERRAR Expulsar, proscribir, deportar, de-

DES

sarraigar, expatriar, exiliar, confinar, alejar.
DESTINAR Aplicar, ordenar, asignar, emplear, ocupar, comisionar, designar, dedicar, señalar.
DESTINO Designación, asignación, puesto, empleo, ocupación, colocación. I Sino, hado, estrella, fortuna. I Señalamiento.
DESTITUIR Deponer, remover, desacomodar, licenciar, despedir, sustituir, desposeer, exonerar, separar.
DESTREZA Habilidad, capacidad, pericia, acierto, experiencia, disposición, ingenio, maña, maestría, primor.
DESTROZAR Estropear, despedazar, desbaratar, romper. I Deshacer, arrollar. I Gastar, derrochar, disipar.
DESTRUIR Derribar, devastar, romper, deshacer, aniquilar, descomponer, demoler, arruinar, asolar, desbaratar, desmantelar.
DESUNIÓN Desavenencia, rompimiento, discordia, desacuerdo.
DESUNIR Apartar, dividir, desjuntar, distanciar, separar. I Indisponer, cizañar, desavenir, enemistar.
DESUSADO Inusual, inhabitual, obsoleto, desacostumbrado, infrecuente, raro, insólito, intempestivo, impropio.
DESVALIDO Abandonado, desheredado, desamparado, huérfano.
DESVÁN Sobrado, tabanco, buhardilla, zaquizamí, camaranchón, mechinal, buharda, trastero, chiribitil.
DESVANECER Deshacer, suprimir, disgregar, anular, esfumar, atenuar, borrar, aclarar.
DESVANECIMIENTO Vahído, desmayo, vértigo, síncope. I Vanidad, altanería.
DESVARÍO Absurdo, devaneo, quimera, desatino, disparate, manía, desatino, extravío, aberración, fantasía, delirio, locura.
DESVELO Desvelamiento, insomnio, despabilamiento, vigilia. I Cuidado, actividad, celo, aplicación, esmero, diligencia, solicitud.
DESVENCIJADO Destartalado, estropeado, flojo, descompuesto, desunido.
DESVENTAJA Quebranto, perjuicio, menoscabo, detrimento, mengua, inferioridad, inconveniencia.
DESVENTURA Infelicidad, infortunio, desdicha, desamparo, malaventura, fatalidad, adversidad, desgracia.
DESVENTURADO Desgraciado, malaventurado, infeliz, desafortunado, pobre, mísero, desdichado, desheredado, infortunado.
DESVERGONZADO Insolente, descomedido, procaz, impúdico, indecente, descarado, imprudente, atrevido.
DESVERGONZARSE Insolentarse, propasarse, descararse.
DESVERGÜENZA Insolencia, cinismo, sinvergüenza, desfachatez, deslenguamiento, descaro, procacidad, avilantez.
DESVIAR Apartar, alejar, descaminar, despistar, desorientar, extraviar, torcer. I Persuadir.
DESVÍO Desafecto, extrañeza, retraimiento, despego, frialdad, desapego.
DESVIVIRSE Deshacerse, perecerse, engolondrinarse, morirse, desvelarse.
DETALLE Particularidad, circunstancia. I Fragmento. I Menudeo, pormenor.
DETENCIÓN Dilación, demora, alto, descanso, quietud, detenimiento, espera, tardanza. I Captura, encarcelamiento. I Cuidado, dedicación.
DETENER Interceptar, frenar, atajar, contener, paralizar, inmovilizar. I Aprehender, arrestar, sujetar. I Diferir, suspender.
DETENERSE Demorarse, retardarse, pararse.
DETERIORAR Averiar, estropear, perjudicar, dañar.
DETERIORO Daño, menoscabo, detrimento, ajamiento, desperfecto, perjuicio, avería, falta, estropeo.
DETERMINACIÓN Disposición, partido, resolución, decisión. I Valor.
DETERMINAR Precisar, especificar, establecer, concertar, definir, fijar, delimitar. I Ocasionar, producir. I Distinguir.
DETESTABLE Execrable, odioso, infame, antipático, aborrecible, despreciable, abominable, grimoso.
DETRACTOR Calumniador, difamador, maldiciente, infamador.
DETRIMENTO Deterioro, avería, desmejora, deformación, daño, perjuicio, quebranto, menoscabo, lesión.
DEUDA Débito, adeudo, adeudamiento. I Pecado, ofensa, culpa.
DEUDOR Atrasado, quebrado, debiente, insolvente.
DEVASTACIÓN Asolamiento, desolación, destrucción, arrasamiento, ruina.
DEVOCIÓN Fervor, recogimiento, virtud, religiosidad. I Inclinación.
DEVOLVER Reintegrar, reembolsar, restituir, corresponder. I Vomitar.
DEVOTO Fervoroso, religioso, piadoso, ferviente, beato. I Partidario, admirador, entusiasta. I Aficionado, apegado.
DIABLO Maligno, perverso. I Astuto. I Satanás, Lucifer, Satán.
DIÁFANO Transparente, claro, traslúcido, trasluciente, cristalino, limpio. I Inteligible.
DIÁLOGO Conversación, plática, charla, coloquio, palique.
DIARIO Cotidiano, periódico. I Dietario.
DIBUJAR Pintar, delinear, trazar, apuntar, diseñar, perfilar, esbozar.
DIBUJO Diseño, lineamiento, delineación, gráfico, bosquejo, apunte.
DICCIONARIO Léxico, vocabulario, enciclopedia.
DICTADOR Autócrata, tirano, déspota, dominador, avasallador, opresor.
DICTAMEN Juicio, parecer, apreciación, criterio, discernimiento, opinión, concepto.

DIC

DICTAR Expedir, pronunciar, promulgar. I Sugerir, inspirar, mandar, aconsejar.
DICTERIO Denuesto, insulto, injuria, improperio.
DICHA Ventura, suerte, bonanza, felicidad, prosperidad, fortuna.
DICHO Palabra, expresión, frase, apotegma, refrán, máxima. I Ocurrencia, chiste.
DICHOSO Afortunado, feliz, venturoso, alegre, satisfecho, encantado, bienafortunado. I Molesto, enfadoso.
DIESTRO Experto, mañoso, apañado, habilidoso, apto, hábil, versado. I Ramal, ronzal, cabestro. I Derecho. I Torero.
DIETA Junta, congreso, asamblea. I Abstinencia, ayuno, privación.
DIFAMACIÓN Impostura, maledicencia, calumnia, murmuración.
DIFAMADOR Deshonrador, injuriador, calumniador, detractor, maldiciente, murmurador, denigrador, infamador.
DIFAMAR Desacreditar, mancillar, calumniar, oprobiar, vituperar, deshonrar, denigrar, infamar, baldonar.
DIFERENCIA Discrepancia, divergencia, disconformidad, disentimiento, desavenencia. I Diversidad, desemejanza, desigualdad. I Residuo.
DIFERENCIARSE Distinguirse. I Discordar, discrepar, desemejar, diferir.
DIFERENTE Distinto, desigual, disparejo, diverso, desemejante, dispar, diferencial, disímil, disconforme.
DIFERIR Dilatar, atrasar, postergar, posponer, prorrogar, demorar, retardar, aplazar, retrasar. I Diferenciarse. I Discrepar.
DIFÍCIL Dificultoso, enredoso, complejo, enrevesado, incomprensible, complejo, arduo, trabajoso, penoso, complicado.
DIFICULTAD Inconveniente, obstáculo, impedimento, estorbo, complicación, embarazo, contrariedad. I Objeción, duda.
DIFICULTAR Estorbar, embarazar, complicar, entorpecer, retardar, contrariar, oponer.
DIFUNDIR Esparcir, extender, propagar, enseñar, propalar, expandir, divulgar, publicar.
DIFUSO Espacioso, dilatado, amplio, prolijo, extenso. I Desleído.
DIGERIR Asimilar, madurar, quilificar.
DIGNIDAD Título, tratamiento, prerrogativa. I Decoro, merecimiento, honor, distinción.
DIGNO Honorable, decoroso, distinguido, decente, caballeroso. I Acreedor, merecedor. I Proporcionado.
DILACERAR Desgarrar, despedazar, lastimar.
DILACIÓN Tardanza, retardo, atraso, prórroga, dilatoria, demora.
DILATADO Extenso, ancho, extendido, espacioso, vasto. I Prolijo, difuso.
DILATAR Extender, aumentar, prolongar, expandir, agrandar, ensanchar. I Prorrogar, retardar, demorar, aplazar. I Propagar, divulgar
DILEMA Alternativa, disyuntiva.
DILIGENCIA Prontitud, rapidez, actividad, prisa. I Solicitud, cuidado, desvelo, esmero, atención. I Encargo. I Carruaje.
DILIGENTE Cuidadoso, solícito, aplicado, esmerado, atento, exacto. I Expeditivo, activo, emprendedor, ligero, pronto.
DILUCIDAR Esclarecer, deslindar, elucidar, explicar, resolver, descifrar, desarrollar, definir.
DIMANAR Proceder, emanar, nacer, provenir, originarse, venir, salir.
DIMENSIÓN Magnitud, extensión, volumen, superficie, medida, proporción, tamaño, longitud, cantidad.
DINERO Caudal, capital, numerario, cantidad, metálico, peculio, fortuna, moneda, plata.
DIOS Creador, Jehová, Señor, Criador.
DIPLOMACIA Cortesía, astucia, habilidad.
DIPLOMÁTICO Embajador, mediador. I Disimulado, astuto, sagaz, taimado.
DIPUTADO Parlamentario, congresista.
DIQUE Valladar, muro, escollera, malecón, rompeolas, espigón, presa.
DIRECCIÓN Ruta, trayectoria, camino, derrotero, orientación, rumbo. I Administración, conducción. I Domicilio, señas. I Jefatura.
DIRECTO Derecho, recto, seguido, rectilíneo.
DIRECTOR Dirigente, directivo, orientador, guía.
DIRIGIR Enderezar, conducir, educar, orientar, encauzar, guiar, encaminar, adiestrar. I Gobernar, presidir. I Aconsejar.
DIRIMIR Terminar, resolver, ajustar, zanjar, componer. I Deshacer, anular.
DISCERNIR Comprender, distinguir, reputar, dictaminar, apreciar, percibir.
DISCIPLINA Doctrina, enseñanza, instrucción, arte, ciencia. I Regla, orden, método. I Acatamiento, obediencia, subordinación, docilidad.
DISCIPLINAR Metodizar, ordenar, regularizar. I Enseñar, instruir. I Azotar.
DISCÍPULO Alumno, estudiante, escolar, aprendiz, educado.
DÍSCOLO Indócil, perturbador, indisciplinado, revoltoso, inobediente.
DISCONTINUO Interrumpido, intermitente, irregular, cortado.
DISCORDAR Disentir, discrepar, disconvenir.
DISCORDE Discordante, disconforme, discrepante, desacorde, desavenido, opuesto, diverso, contrario.
DISCORDIA Desavenencia, división, desunión, discrepancia, disentimiento, oposición, desacuerdo, cizaña.
DISCRECIÓN Prudencia, sensatez, seriedad, reflexión, ecuanimidad, mesura, tacto, tino, cordura, circunspección, discernimiento. I Agudeza.
DISCREPAR Desemejar, disentir, disconvenir, di-

DIS

ferir, disonar, distar.
DISCRETO Prudente, juicioso, sensato, mesurado, considerado, cauto, circunspecto, cuerdo, moderado. I Ingenioso.
DISCULPA Excusa, justificación, excusación, pretexto, evasiva, descargo.
DISCULPAR Exculpar, justificar, excusar, tolerar, perdonar, cohonestar.
DISCULPARSE Excusarse, defenderse, justificarse, exculparse, alegar.
DISCURRIR Pensar, razonar, meditar, deducir, reflexionar, cavilar. I Andar, correr, caminar. I Calcular, suponer. I Inventar.
DISCURSO Raciocinio, razonamiento, reflexión. I Alocución, prédica, conferencia, charla, disertación, perorata. I Espacio.
DISCUSIÓN Polémica, altercado, agarrada, debate, controversia, porfía, disputa.
DISCUTIBLE Controvertible, disputable, debatible, problemático, objetable.
DISCUTIR Disputar, porfiar, argumentar, deliberar, razonar, cuestionar. I Examinar, estudiar.
DISEMINAR Esparcir, dispersar, sembrar, desperdigar, desparramar.
DISENTIR Discrepar, discordar, disconvenir, disputar, divergir.
DISEÑAR Abocetar, delinear, esbozar, dibujar, esquematizar, bosquejar.
DISEÑO Delineación, bosquejo, esbozo, dibujo, esquema, boceto, croquis.
DISERTAR Discursear, razonar, dilucidar, hablar, perorar, exponer, analizar, discurrir, tratar.
DISFAVOR Descortesía, desatención, desprecio, desaire.
DISFRAZAR Falsear, ocultar, alterar, disimular, desfigurar, velar.
DISFRAZARSE Embozarse, cubrirse, enmascararse, encaratularse.
DISFRUTAR Gozar, disponer, poseer, regocijarse, alegrarse, complacerse. I Usufructuar.
DISGREGAR Desunir, apartar, separar, desagregar.
DISGUSTADO Descontento, enojado, malhumorado, quejoso, incomodado.
DISGUSTAR Descontener, desagradar, enfadar, contrariar, incomodar, molestar, desconcertar, chocar.
DISGUSTARSE Molestarse, enfadarse, enemistarse.
DISGUSTO Desagrado, desabrimiento, molestia, desazón, descontento, enfado, resquemor, desagrado, resentimiento, fastidio, malestar, malhumor.
DISIDENCIA Separación, desacuerdo, disconformidad, escisión, rompimiento, discordia, cisma.
DISIMULADO Falso, solapado, tortuoso, fingido, hipócrita, simulado.
DISIMULAR Disfrazar, enmascarar, cubrir, fingir, afectar, tapar. I Disculpar, dispensar, tolerar, permitir, callar, pasar.
DISIPADOR Malgastador, derrochador, dilapidador, despilfarrador.
DISIPAR Malgastar, derrochar, malbaratar, evaporar, despilfarrar, dilapidar. I Desvanecer, desmentir, aclarar, esparcir.
DISLATE Desatino, desacierto, disparate, despropósito, barbaridad, absurdo, enormidad.
DISMINUCIÓN Reducción, merma, mengua, minoración, menoscabo, rebaja, descuento, decrecimiento.
DISMINUIR Aminorar, menguar, recortar, reducir, restar, rebajar, sustraer, acortar, achicar, mermar.
DISOCIAR Desunir, divorciar, separar, desagregar, apartar.
DISOLVER Deshacer, disgregar, desleír, diluir. I Desunir, separar. I Anular.
DISPAR Distinto, diferente, desigual.
DISPARAR Arrojar, tirar, enviar, asestar, despedir, lanzar, tirotear, descargar. I Correr, partir.
DISPARATADO Irracional, ilógico, absurdo, irrazonable, desatinado, descabellado, inconveniente, infundado, inverosímil.
DISPARATE Desacierto, desatino, barbaridad, insensatez, inconexión, contrasentido, absurdo, dislate, despropósito, necedad, enormidad.
DISPARIDAD Desemejanza, desigualdad, diferencia, discrepancia.
DISPARO Detonación, tiro, estallido, estampido.
DISPENSAR Eximir, exentar, perdonar, disculpar, excusar. I Otorgar, conceder. I Distribuir.
DISPERSAR Desparramar, desperdigar, esparcir, diseminar, disgregar. I Ahuyentar, derrotar, desordenar.
DISPERSO Extendido, diseminado, desparramado, esparcido, suelto, desperdigado, disgregado, regado, sembrado.
DISPLICENTE Indiferente, desabrido, desapacible, desagradable, fastidioso, apático, áspero.
DISPONER Determinar, ordenar, resolver, decretar, establecer, preceptuar, mandar. I Concertar, aderezar, arreglar.
DISPONER Utilizable, aprovechable. I Libre, desocupado.
DISPOSICIÓN Resolución, determinación, decisión, prescripción. I Aptitud, suficiencia, habilidad, inclinación, afición, capacidad. I Decreto, mandato, orden. I Medida, preparativo. I Distribución.
DISPUESTO Decidido. I Despierto, ingenioso, inteligente, espabilado, capaz, habilidoso, vivo, despejado, hábil.
DISPUTA Porfía, contienda, polémica, debate, problema, apuesta, querella, altercado, agarrada, pelotera, cuestión.
DISPUTAR Porfiar, discutir, polemizar, contender, rivalizar, competir, altercar, pelear, litigar.
DISTANCIA Lejanía, trayecto, espacio, trecho, intervalo. I Disparidad, diferencia, discrepancia, desemejanza.
DISTANTE Apartado, lejano, retirado, remoto, es-

paciado, longincuo.
DISTAR Disentir, diferenciarse, diferir, discrepar.
DISTINCIÓN Privilegio, consideración, prerrogativa, honor, honra, excepción. I Delicadeza, elegancia, cortesía, educación, gusto. I Diferencia.
DISTINGUIDO Ilustre, caballeroso, preclaro, nobiliario, esclarecido, noble, señorial, educado, elegante.
DISTINGUIR Discriminar, reconocer, diferenciar, seleccionar, preferir, discernir. I Honrar, estimar. I Divisar, ver.
DISTINTIVO Divisa, emblema, insignia, marca, símbolo, señal, nota.
DISTINTO Diferente, desigual, diverso, heterogéneo. I Claro, preciso, comprensible, lúcido, explícito, concreto.
DISTRACCIÓN Entretenimiento, diversión, pasatiempo, recreo, placer. I Negligencia, desapercibimiento, olvido, imprevisión, descuido.
DISTRAER Entretener, divertir, recrear. I Descuidar, desadvertir.
DISTRAERSE Olvidarse, desmemoriarse. I Recrearse, divertirse, entretenerse, holgarse, solazarse.
DISTRIBUIR Repartir, compartir, racionar, partir. I Disponer, arreglar.
DISTURBIO Perturbación, subversión, confusión, turbulencia, levantamiento, tumulto, motín, trastorno, alteración, asonada, revuelta.
DISUADIR Desengañar, desaconsejar, desviar, retraer, convencer.
DIVAGAR Vagar, errar, vagabundear, zancadillear. I Delirar, desvariar.
DIVERGENCIA Desviación, dispersión, diferencia, desemejanza, disensión, discrepancia, desacuerdo, disconformidad, disimilitud.
DIVERSIDAD Variedad, pluralidad, diferencia, heterogeneidad. I Abundancia.
DIVERSIÓN Recreo, esparcimiento, expansión, holgorio, parranda, distracción, solaz, pasatiempo, regocijo, entretenimiento.
DIVERSO Distinto, diferente, desemejante, desigual.
DIVERTIDO Alegre, entretenido, animado, cómico, distraído, festivo, parrandero, chistoso, jovial.
DIVERTIR Distraer, recrear, entretener, solazar, alegrar.
DIVIDIR Partir, fraccionar, distribuir, rapartir, compartir. I Indisponer, malquistar, desunir, enemistar, desavenir.
DIVINAMENTE Perfectamente, admirablemente, cabalmente, estupendamente.
DIVINIDAD Deidad, eternidad, omnipresencia, ídolo. I Preciosidad, beldad.
DIVINO Deífico, eterno. I Excelente, angelical, primoroso, perfecto, fino.
DIVISA Insignia, señal, distintivo. I Moneda. I Emblema, bandera, enseña.
DIVISAR Ver, distinguir, precisar, vislumbrar, percibir.

DIS

DIVISIÓN Discordia, desunión, separación, desavenencia. I Distribución, partición, fraccionamiento, reparto.
DIVULGAR Propalar, difundir, propagar, informar, revelar, publicar, pregonar, esparcir, anunciar.
DOBLAR Torcer, arquear, retorcer, curvar, encorvar. I Duplicar. I Volver.
DOBLARSE Humillarse, someterse, doblegarse, encorvarse, torcerse, ceder.
DOBLEGAR Doblar, encorvar, inclinar, curvar, torcer. I Humillar, dominar.
DOBLEZ Fingimiento, simulación, engaño, disimulo. I Repliegue, pliegue.
DÓCIL Apacible, sumiso, disciplinado, dulce, bonachón, obediente, manso, suave, dúctil, blando.
DOCTO Sabio, erudito, instruido, ilustrado, competente, sapiente, culto, entendido, letrado, versado.
DOCTRINA Enseñanza, instrucción, ciencia, sistema, filosofía, teoría, opinión, dogma, tesis, sabiduría.
DOCUMENTAR Enseñar, informar, instruir, doctrinar. I Comprobar, justificar.
DOLENCIA Indisposición, achaque, mal, padecimiento, dolor, malestar, enfermedad, afección.
DOLER Padecer, atormentar, lastimar.
DOLERSE Arrepentirse. I Compadecerse, apiadarse, condolerse. I Lamentarse, quejarse.
DOLIENTE Dolorido, contristado, quejoso, quejumbroso, apenado. I Enfermo.
DOLO Doblez, malicia, simulación, engaño, superchería, trampa.
DOLORIDO Afligido, contristado, apenado, atribulado, angustiado, desconsolado, apesarado, acongojado.
DOLOROSO Angustioso, lastimador, lamentable, lastimoso, angustiado, deplorable, triste, amargo, penoso.
DOLOSO Engañoso, falaz, capcioso, tramposo, falso.
DOMAR Desbravar, domesticar, desembravecer, amansar. I Sujetar, dominar, reprimir, domeñar. I Calmar, apaciguar.
DOMESTICAR Amansar, amaestrar, reducir, domar, acostumbrar, aplacar.
DOMICILIO Residencia, morada, casa, vivienda, mansión, hogar.
DOMINANTE Sobresaliente, preponderante, predominante, culminante, preeminente, superior. I Autoritario, dictatorial, altanero, intransigente, avasallador, despótico.
DOMINAR Domeñar, someter, esclavizar, sujetar, avasallar, sojuzgar, vencer, refrenar. I Poseer, saber. I Abarcar. I Imperar.
DOMINATIVO Dominador, absoluto, dominante, tiránico, sojuzgador, opresivo.
DOMINIO Dominación, poder, mando, autoridad, potestad, predominio. I Propiedad, posesión. I Control.
DON Dádiva, merced, regalo, ofrenda, obsequio. I

DON
Habilidad, talento, disposición, gracia. I Tratamiento.
DONAIRE Gallardía, galanura, gentileza, donosura, apostura. I Gracia, discreción. I Ocurrencia, chispa, ingenio, garbo, chiste, salero.
DONATIVO Regalo, dádiva, cesión.
DONCELLA Muchacha, moza, mocita, soltera, virgen. I Criada, camarera.
DORADO Risueño, halagüeño, esplendoroso. I áureo. I Tostado.
DORAR Bruñir, pulir, abrillantar, sobredorar.
DORMIR Reposar, descansar. I Calmarse, apaciguarse. I Abandonarse, descuidarse. I Pernoctar.
DORSO Reverso, revés, espalda.
DOTACIÓN Tripulación. I Dote, patrimonio. I Personal.
DOTAR Abastecer, suministrar, surtir, proporcionar, avituallar, aprovisionar, equipar. I Asignar, señalar. I Adornar.
DOTE Patrimonio, donación, asignación, regalo. I Calidad, cualidad.
DRAMA Desgracia, catástrofe, tragedia.
DROGA Medicina, brebaje, medicamento, remedio. I Estupefaciente.
DÚCTIL Condescendiente, acomodaticio, elástico. I Blando, maleable.
DUCHO Experimentado, versado, práctico, entendido, perito, hábil, diestro.
DUDA Suspensión, indeterminación, hesitación, incertidumbre, vacilación. I Sospecha, aprensión, escrúpulo, recelo.
DUDAR Titubear, vacilar, fluctuar. I Sospechar, recelar, desconfiar.
DUDOSO Sospechoso, problemático, incierto, ambiguo, equívoco. I Indeciso, vacilante, receloso.
DUELO Desafío, combate, lucha, encuentro, pelea. I Dolor, sentimiento, pena, aflicción, desconsuelo. I Funerales, entierro.
DUEÑO Propietario, amo, patrón, hacendado.
DULCE Dulzón, azucarado, meloso, gustoso. I Afable, bondadoso, complaciente, melifluo, indulgente.
DULCEMENTE Blandamente, suavemente, lentamente, débilmente, meladamente.
DULZURA Suavidad, placer, blandura, deleite, afabilidad, bondad, benignidad, docilidad.
DUPLICIDAD Falsedad, simulación, engaño, doblez, hipocresía, fingimiento.
DURAR Persistir, continuar, perdurar, permanecer, perseverar, subsistir. I Eternizar, vivir, envejecer.
DUREZA Rudeza, severidad, inclemencia, rigor. I Callosidad. I Consistencia, reciura, temple, endurecimiento, solidez, resistencia.
DURO Resistente, recio, consistente, sólido, macizo. I Infatigable, sufrido, fuerte. I Intolerable. I Rudo, riguroso, áspero, insensible, severo, cruel.
E
EBRIO Embriagado, bebido, beodo, achispado, ajumado, curda, alumbrado, borracho, pítima, ahumado.
EBULLICIÓN Efervescencia, agitación, ardor, hervidero. I Hervor.
ECLESIÁSTICO Clérigo, sacerdote, prelado, cura, capellán.
ECLIPSAR Oscurecer, anublar, ensombrecer, lobreguecer. I Exceder, aventajar, sobrepasar, sobrepujar.
ECLIPSARSE Ausentarse, evadirse, desaparecer, huir, escaparse, fugarse.
ECLIPSE Oscuridad, oscurecimiento, ausencia.
ECO Resonancia, repetición, reproducción, retumbo. I Rumor, noticia. I Aceptación, acogida.
ECONOMÍA Administración, hacienda. I Ahorro. I Escasez, miseria, estrechez, mezquindad, parquedad.
ECONÓMICO Ahorrador, ahorrativo. I Miserable, avariento. I Barato.
ECONOMIZAR Ahorrar, guardar, proteger, defender, reservar, escatimar.
ECUÁNIME Igual, imparcial, justo, equilibrado, recto. I Paciente, sufrido, inalterable.
ECHAR Arrojar, eliminar, lanzar, despedir, pasaportar, tirar. I Destituir, deponer, expulsar. I Acostar, tumbar, reclinar. I Comenzar. I Jugar, apostar.
ECHARSE Tumbarse, acostarse, tenderse, reclinarse. I Precipitarse, abalanzarse. I Calmarse.
EDAD época, tiempo, años.
EDICTO Mandato, ley, decreto, proclama, manifiesto, aviso, orden, bando.
EDIFICAR construir, fabricar, urbanizar, sobreedificar, obrar, elevar. I Moralizar, ejemplarizar. I Fundar.
EDIFICIO Edificación, obra, inmueble, construcción, fábrica.
EDITAR Imprimir, publicar.
EDUCACIÓN Instrucción, enseñanza, cortesía, urbanidad, corrección, cultura. I Docencia.
EDUCAR Dirigir, formar, encaminar, enseñar, instruir, doctrinar. I Perfeccionar, afinar.
EDUCATIVO Aleccionador, formativo, pedagógico, doctrinal, instructivo, ilustrativo, didáctico.
EFECTIVO Real, positivo, objetivo, práctico, seguro, auténtico, verdadero. I Numerario, dinero.
EFECTO Consecuencia, resultado, conclusión. I Sorpresa, conmoción, impresión.
EFECTOS Utensilios, muebles, enseres. I Mercadería, mercancía.
EFECTUAR Ejecutar, consumar, cumplir, realizar, proceder, verificar.
EFERVESCENCIA Agitación, exaltación, fermentación, ardor, acaloramiento.
EFICACIA Poder, energía, vigor, firmeza, eficiencia, aptitud, validez.
EFICAZ Eficiente, enérgico, activo, fuerte, poderoso, útil.
EFIGIE Imagen, estatua, modelo, retrato, figura, busto.
EFICIENCIA Habilidad, capacidad, destreza, pericia.

EFU

EFUSIVO Cordial, cariñoso, afectuoso, vehemente, expansivo, comunicativo.
ÉGIDA Protección, amparo, defensa, escudo.
EGOÍSMO Egolatría, individualismo, ingratitud, mezquindad.
EGOÍSTAEgólatra, ambicioso, interesado, codicioso, positivista, convenenciero.
EGREGIO Insigne, afamado, acreditado, ilustre, distinguido, inmortal, digno, benemérito, esclarecido, ínclito, preclaro.
EJECUCIÓN Consumación, realización, cumplimiento, acción. I Fusilamiento.
EJECUTAR Efectuar, cumplir, realizar, verificar, hacer. I Embargar. I Ajusticiar, fusilar, matar. I Tocar.
EJEMPLAR Edificativo, arquetípico, plausible, perfecto. I Muestra, modelo, reproducción, copia, patrón, impreso.
EJEMPLO Modelo, prototipo, medida, norma, dechado, espejo, ejemplar, lección, regla, tipo.
EJERCICIO Práctica, adiestramiento, ejercitación, entrenamiento, uso. I Deberes, tarea.
EJERCITAR Adiestrar, instruir, practicar, ejecutar, cultivar, ejercer.
EJÉRCITO Tropa, armada, hueste.
ELACIÓN Presunción, ampulosidad, altivez, soberbia. I Grandeza, elevación.
ELÁSTICO Flexible, dúctil, doblegable, manejable. I Muelle, resorte.
ELECCIÓN Opción, selección, escogimiento. I Votación.
ELECTRIZAR Inflamar, exaltar, entusiasmar, avivar, animar.
ELEGANCIA Distinción, delicadeza, cortesía, finura, donaire, desenvoltura, gracia, gusto, galanura.
ELEGANTE Distinguido, gallardo, galano, cortés.
ELEGÍACO Melancólico, lamentable, plañidero, triste.
ELEGIR Escoger, preferir, optar, designar, adoptar.
ELEMENTAL Fundamental, primordial, básico. I Comprensible, evidente, obvio, sencillo, conocido, claro.
ELEMENTOS Nociones, rudimentos, fundamentos. I Recursos, medios, bienes.
ELEVACIÓN Altura, encumbramiento. I Arrobamiento, éxtasis. I Presunción, elación, altivez, engreimiento.
ELEVAR Levantar, subir, construir, alzar, edificar. I Engrandecer, encumbrar, ennoblecer, exaltar. I Ascender.
ELIMINAR Suprimir, excluir, omitir, prescindir, separar, expulsar, abolir, anular, descartar, acabar.
ELIMINARSE Suicidarse, matarse.
ELOCUENTE Grandilocuente, persuasivo, convincente, demostino, conmovedor.
ELOGIAR Alabar, ensalzar, enaltecer, honorar, loar, encomiar, ponderar, aplaudir, celebrar, engrandecer.
ELOGIO Alabanza, aprobación, loa, encomio, aplauso, aclamación, ponderación, celebracion, apología, enaltecimiento.
ELUDIR Rehuir, esquivar, soslayar, capotear, sustraerse, sortear, evitar.
EMANAR Proceder, provenir, originarse, fluir, exhalarse, derivar, nacer.
EMBADURNAR Pintarrajear, manchar, ensuciar. I Embarrar, untar.
EMBAJADA Mensaje, misión, delegación, representación. I Exigencia.
EMBAJADOR Diplomático, representante, plenipotenciario, emisario.
EMBALAR Enfardar, empaquetar, empacar, arpillar, envasar, liar.
EMBALSAMAR Aromatizar, conservar, momificar, perfumar, preservar.
EMBARAZARSE Preñarse, dificultar, entorpecer.
EMBARAZO Impedimento, obstáculo, molestia, entorpecimiento. I Cortedad, timidez, encogimiento. I Preñez.
EMBARCACIÓN Barco, nave, buque, navío, vapor, velero, bajel, nao.
EMBARCARSE Navegar, zarpar, marchar, partir. I Lanzarse, aventurarse.
EMBARGO Incautación, requisa, comiso, retención.
EMBARULLAR Embrollar, mezclar, enredar, confundir, revolver.
EMBATE Acometida, arremetimiento, asalto, embestida, ataque.
EMBAUCADOR Embajador, engañador, charlatán, prestidigitador, impostor, trapacero, enlabiador, mentiroso, farsante.
EMBAUCAR Embair, seducir, engañar, alucinar.
EMBEBER Encogerse, tupirse. I Empapar. I Encajar, embutir.
EMBELESADO Enajenado, cautivado, embobado, atónito, alelado, turulato, arrobado, extasiado, boquiabierto.
EMBELESAR Embelecar, cautivar, arrebatar, pasmar, arrobar, entontecer, encantar, embobar, enajenar.
EMBELLECER Adornar, decorar, alindar, acicalar, enjoyar, hermosear, engalanar, agraciar, atildar.
EMBESTIDA embate, arremetida, acometida, agresión, embestidura, ataque.
EMBESTIR Acometer, arremeter, asaltar, abalanzarse, atracar, irrumpir.
EMBLEMA Símbolo, insignia, lema, escudo, alegoría, expresión.
EMBOBAR Entretener, distraer, embobecer, embelesar, asombrar, atontar.
EMBONAR Acomodar, ensamblar, empalmar, ajustar.
EMBORRACHAR Adormecer, atontar, perturbar, marear, aturdir. I Embriagar.
EMBOSCADA Celada, trampa, sorpresa, asechanza, maquinación.
EMBOTAMIENTO Embotadura, despuntadura,

EMB

chatedad.

EMBOTAR Entorpecer, enervar, debilitar. | Despuntar.

EMBOZAR Disimular, ocultar, recatar, disfrazar, encubrir. | Obstruir.

EMBOZARSE Cubrirse, envolverse, arrebujarse, disfrazarse, taparse.

EMBRIAGADO Borracho, beodo, ebrio.

EMBRIAGARSE Emborracharse, alumbrarse, ahumarse, ajumarse, achisparse, alegrarse, encandilarse, amonarse.

EMBRIÓN Germen, principio, feto, origen. | Comienzo, boceto. | Rudimento.

EMBROLLAR Enredar, embarullar, desordenar, perturbar, confundir.

EMBROLLO Enredo, maraña, lío, confusión, enredijo. | Embuste, chisme, mentira. | Problema, conflicto.

EMBROMAR Importunar, engañar, chasquear, bromear, chancear, fastidiar, cansar, cachar.

EMBRUTECER Atontar, alelar, embobecer, atontecer, atolondrar, ofuscar, arrocinar, embrutar.

EMBUSTE Mentira, engaño, embrollo, trápala, farsa, invención, impostura, embeleco, infundio, fábula.

EMBUSTERO Mentiroso, mendaz, falaz, embaidor, infundioso, lioso, farsante, trolero, fulero, engañoso, patrañero, charlatán.

EMBUTIR Embuchar, introducir, incrustar, encajar, taracear, apretar.

EMBUTIRSE Atracarse, apiparse, atiborrarse, rellenarse.

EMERGENCIA Incidencia, ocurrencia, accidente. | Urgencia.

EMIGRACIÓN Expatriación.

EMIGRAR Expatriarse, ausentarse.

EMINENTE Alto, elevado, empinado, encumbrado, sobresaliente. | Ilustre, insigne, distinguido, excelso, esclarecido, notable, excelente.

EMITIR Arropar, expulsar, lanzar, despedir. | Expresar, manifestar, opinar, exponer. | Propalar.

EMOCIÓN Emotividad, conmoción, efusión, estremecimiento, pasión, inquietud, turbación, exaltación, afectividad, sentimiento, temor.

EMOCIONARSE Conmoverse, enternecerse, excitarse, impresionarse, agitarse, desasosegarse, turbarse, alterarse.

EMOLUMENTO Salario, remuneración, utilidad, honorario, sueldo, gaje.

EMPACHARSE Hartarse, empalagarse, indigestarse, estomagarse.

EMPACHO Impedimento, estorbo, inconveniente. | Vergüenza, turbación, cortedad, timidez. | Indigestión.

EMPALAGAR Cansar, fastidiar, importunar, aburrir, molestar, enfadar. | Ahitar, hastiar, empachar.

EMPALAGOSO Fastidioso, cargante, molesto, engorroso, pegajoso, pesado. | Empachoso, indigesto.

EMPALIZADA Estacada, cerca, palizada, valla, vallado.

EMPALMAR Juntar, aglutinar, pegar, ensamblar, unir, agregar, combinar, reunir. | Seguir, sustituir, sucederse.

EMPANTANAR Estancar, detenerse, atascar, embarazar. | Encharcar.

EMPAÑAR Deslustrar, ajar, desflorar, oscurecer, deslucir.

EMPAPAR Humedecer, bañar, embeber, absorber, recalar, ensopar, calar.

EMPECINADO Terco, testarudo, contumaz, porfiado, obstinado, tozudo, importuno, pertinaz.

EMPEDERNIDO Insensible, inhumano, incompasivo, despiadado, duro, inexorable, impenitente, endurecido, cruel, implacable, protervo.

EMPELLÓN Empujón, envión, rempujón.

EMPEÑAR Pignorar. | Precisar.

EMPEÑARSE Entramparse, endeudarse. | Trabarse. | Encapricharse, encastillarse, obstinarse, emperrarse, insistir.

EMPEÑO Obligación, deber, deuda, compromiso. | Obstinación, porfía, tesón, constancia, capricho. | Anhelo, afán, ansia.

EMPEORAMIENTO Desmejoramiento, peoría, ajamiento, decadencia, deterioro.

EMPEORAR Desmejorar, agravarse.

EMPEQUEÑECER Reducir, recortar, disminuir, achicar, abreviar. | Depreciar, desdeñar, menospreciar.

EMPERRARSE Obstinarse, encastillarse, encapricharse, empeñarse. | Encolerizarse, irritarse.

EMPEZAR Iniciar, emprender, incoar, entablar. | Comenzar, nacer, principiar. | Estrenar. | Inaugurar.

EMPINAR Alzar. | Beber.

EMPLAZAR Situar, ubicar, plantar. | Citar.

EMPLEADO Funcionario, dependiente. | Ocupado.

EMPLEAR Ocupar, destinar, colocar. | Consumir. | Adoptar, aplicar, dedicar. | Usar.

EMPLEO Ocupación, destino, cargo, puesto, plaza, colocación, oficio, acomodo. | Uso.

EMPOBRECER Arruinarse, declinar, decaer.

EMPONZOÑAR Corromper, inficionar, dañar. | Intoxicar, envenenar.

EMPRENDER Comenzar, acometer, principiar, promover, abordar, empezar, iniciar.

EMPRESA Compañía, negocio, sociedad. | Proyecto, plan, campaña, obra. | Lema, emblema.

EMPUJAR Impulsar, propulsar, estimular, achuchar, impeler, mover, incitar, excitar, animar.

EMPUÑADURA Mango, puño, guarnición.

EMPUÑAR Asir, aferrar, apretar, atrapar, pillar. | Alcanzar, lograr.

EMULACIÓN Envidia, rivalidad.

ÉMULO Competidor, adversario, rival, contrincante, opositor.

ENAJENAMIENTO Letargo, ensimismamiento, abstracción, encantamiento, insensibilidad. | Embeleso, admiración, asombro, sorpresa.

ENAJENAR Extasiar, embelesar, encantar, embriagar, suspender. I Vender. I Transmitir, ceder.
ENALTECER Engrandecer, ennoblecer, magnificar, solemnizar, aclamar, honrar, realzar, encomiar, encumbrar, alabar.
ENAMORAR Galantear, seducir, conquistar, camelar, cortejar, requebrar.
ENAMORARSE Prendarse, chiflarse, enamoriscarse, encariñarse, aficionarse.
ENARBOLAR Izar, levantar.
ENARDECER Excitar, avivar, incitar, encandecer, estimular, inflamar, exaltar, entusiasmar, animar, encender.
ENCABEZAR Acaudillar. I Principiar, iniciar.
ENCADENAR Ligar, unir, trabar, sujetar, atar, eslabonar. I Esclavizar, oprimir, avasallar, aherrojar, cautivar.
ENCAJAR Acoplar, ensamblar, ajustar, empotrar. I Encasquetar. I Dispersar, arrojar, soltar. I Endilgar.
ENCALABRINARSE Encapricharse, emperrarse, empeñarse.
ENCALLAR Embarrancar, varar, enarenar.
ENCAMINAR Orientar, conducir, encarrilar, enderezar, guiar, dirigir.
ENCANDILAR Alucinar, embaucar. I Turbar, deslumbrar, ofuscar.
ENCANTAR Fascinar, seducir, embelesar, cautivar, sugestionar, embobar, hechizar, maravillar, alucinar.
ENCANTO Seducción, fascinación, gracia, belleza, embeleso. I Encantamiento, hechizo. I Amor, primor.
ENCAPOTARSE Nublarse, obscurecerse, aborrascarse.
ENCAPRICHARSE Antojarse, obstinarse, empeñarse, emperrarse, aferrarse. I Enamorarse, apasionarse.
ENCARAMARSE Subirse, escalar. I Exaltarse.
ENCARARSE Enfrentarse, oponerse, revolverse, carear.
ENCARCELAR Recluir, arrestar, encerrar, enrejar, aprisionar, enjaular, enchiquerar.
ENCARECER Exagerar, abultar, ponderar. I Recomendar, alabar.
ENCARGAR confiar, depositar, autorizar, encomendar, recomendar, delegar, facultar, comisionar. I Prevenir, aconsejar. I Pedir.
ENCARGO Encomienda, comisión. I Pedido.
ENCARIÑARSE Apasionarse, prendarse, aficionarse, enamorarse.
ENCARNIZAMIENTO Ensañamiento, saña, ferocidad, crueldad.
ENCARRILAR Encaminar, dirigir, guiar, conducir, encauzar, enderezar.
ENCASTILLARSE Obstinarse, emperrarse, porfiar, empeñarse.
ENCAUZAR conducir, enderezar, dirigir, encaminar. I Enseñar, educar, adoctrinar. I Procesar, enjuiciar.
ENCENAGADO enviciado, depravado, corrompido. I Cenagoso, pantanoso.

ENA

ENCENDER Irritar, excitar, enardecer, inflamar. I Prender. I Incendiar.
ENCERRADO Preso, enclaustrado, recluso. I Cercado.
ENCERRAR Recluir, aprisionar, enceldar, enclaustrar, enjaular. I contener, incluir, comprender.
ENCIERRO Clausura, prisión, calabozo, reclusión, celda.
ENCINTA Grávida, preñada, embarazada, gruesa.
ENCLAVADO Incluido, comprendido, implícito. I Situado, colocado. I Ajustado, encajado, encuadrado.
ENCLAVAR Clavar, asegurar, fijar. I Traspasar.
ENCLENQUE Enfermizo, encanijado, endeble, raquítico, flaco, enteco.
ENCOGER Arrugar, fruncir, doblar. I Disminuir, contraer, achicar.
ENCOGERSE Acobardarse, apocarse, amilanarse. I Contraerse, achicarse.
ENCOGIDO Apocado, pusilánime, retraído, tímido, timorato, vergonzoso.
ENCOLERIZAR Enfurecer, exasperar, enojar, irritar, enconar, enfadar.
ENCOMENDAR Encargar, confiar, recomendar, facultar, deferir, encarecer.
ENCOMIAR enaltecer, aplaudir, ensalzar, encarecer, elogiar, celebrar, ponderar, adular, lisonjear.
ENCOMIÁSTICO Lisonjero, halagüeño, elogioso, halagador laudatorio.
ENCONAR Exasperar, envenenar, irritar, encolerizar, agriar. I Inflamar.
ENCONO Resentimiento, odio, rencor, saña.
ENCONOSO Nocivo, dañoso, pernicioso, virulento, maléfico, perjudicial, dañino, rencoroso.
ENCONTRAR Hallar, descubrir, ver. I Topar, tropezar, acertar. I Coincidir.
ENCONTRARSE Hallarse, aparecer, parecer. I Oponerse. I Chocar. I Sentirse.
ENCOPETADO Petulante, presumido, vanidoso, altanero. I Acomodado, rico.
ENCORVAR Doblar, arquear, torcer, alabear, enarcar, inclinar.
ENCRESPARSE Enfurecerse, agitarse, irritarse, enardecerse. I Dificultarse.
ENCUADERNAR Empastar, encartonar, enlomar.
ENCUADRAR Ajustar, encajar.
ENCUBRIR Esconder, encerrar, entapujar, recatar, ocultar, disimular. I Callar, fingir, omitir.
ENCUENTRO Hallazgo, descubrimiento, invención. I Choque, combate, refriega, escaramuza, pelea. I Contradicción.
ENCUESTA Averiguación, pesquisa, indagación.
ENCUMBRARSE Elevarse, auparse, empinarse, alzarse, sobresalir. I Ensoberbecerse, envanecerse.
ENDEBLE Débil, enclenque, delgado, delicado, frágil, endeblucho, flaco.
ENDEMONIADO Perverso, maligno, endiablado, malo, nocivo, malvado. I Revoltoso, travieso.

END

ENDEREZADO Derecho, tieso, erguido, recto. | Corregido, dirigido, acuerdado.
ENDEUDARSE Empeñarse, entramparse.
ENDIOSARSE Envanecerse, infatuarse, engreírse, ensoberbecerse. | Enajenarse, suspenderse.
ENDOSAR Enjaretar, endilgar. | Traspasar.
ENDULZAR Confitar, adulzar, almibarar, dulcificar, azucarar. | Apaciguar, suavizar, atenuar, desacerbar, mitigar, calmar.
ENDURECER Fortalecer, empedernir, templar, fortalecer, robustecer. | Exasperar, enconar.
ENDURECIMIENTO Obstinación, pertinacia, tenacidad, terquedad, dureza.
ENEMIGO Adversario, contrario, rival. | Opuesto, hostil, esquinado.
ENEMISTAD Rivalidad, hostilidad, aversión, antipatía, animadversión, odio, despego. | Disensión.
ENEMISTAR Indisponer, desobligar, malquistar, pelear, regañar, reñir, desavenir, desunir, cizañar.
ENERGÍA Eficacia, vigor, entereza, fuerza, virtud. | Voluntad, fibra, tesón, firmeza, poder. | Potencia.
ENÉRGICO Vigoroso, pujante, resuelto, poderoso, vehemente, fuerte, vivaz, ahincado, activo, eficaz, tenaz.
ENERGÚMENO Exaltado, furioso, arrebatado.
ENERVAR Extenuar, debilitar, abatir, enflaquecer, embotar.
ENFADARSE Enojarse, exasperarse, sulfurarse, acalorarse, resentirse, irritarse, encresparse, cabrearse, enfuriarse, molestarse.
ENFADOSO Impertinente, cargante. | Enojoso, molesto, pesado, engorroso, fastidioso, desagradable, trabajoso, latoso.
ENFÁTICO Ampuloso, campanudo, altisonante, rimbombante, hinchado, solemne.
ENFERMAR Indisponerse, descomponerse, adolecer, desgraciarse.
ENFERMEDAD Dolencia, mal, padecimiento, desmejoramiento, indisposición, achaque, afección, malestar.
ENFERMO Enfermizo, paciente, delicado, débil, doliente, indispuesto, achacoso, malsano.
ENFERVORIZAR Animar, alentar, entusiasmar.
ENFLAQUECER Adelgazar, demacrarse, encanijar, debilitar, desengrosar, flaquear, desmayar.
ENFOCAR Analizar, estudiar, examinar.
ENFRASCARSE Ensimismarse, abstraerse, engolfarse, reconcentrarse.
ENFRENTAR Encarar, afrontar, arrostrar.
ENFRIAR Refrescar, refrigerar, helar, congelar. | Resfriarse.
ENFURECER Encolerizar, sulfurar, irritar, enojar.
ENFURECERSE Irritarse, encresparse, sulfurarse, emberrincharse, atufarse, alborotarse, rabiar.
ENGALANAR Adornar, ornamental, decorar. | Ataviar, acicalar, alindar, embellecer, hermosear, endomingar.
ENGALLADO Arrogante, soberbio, erguido, derecho, altivo, altanero. | Envalentonado.
ENGANCHAR Reclutar, alistar, levantar. | Uncir.
ENGAÑADOR Embaucador, tramposo, engañabobos, trapacero, engañamundos, embelecador, farandulero.
ENGAÑAR Timar, estafar, burlar, embaucar, mentir, engatusar, alucinar. | Entretener, distraer.
ENGAÑO Mentira, falsedad, disimulo, embuste, fraude, superchería, dolo. | Error, espejismo, equivocación.
ENGAÑOSO Mentiroso, insidioso, falso, capcioso, embustero. | Artificioso, irreal, ilusorio.
ENGARZAR Engastar, trabar, unir, encadenar, enlazar. | Rizar, ensortijar.
ENGATUSAR Engañar, camelar, enlabiar, halagar, seducir.
ENGENDRADOR Procreador, genitor, generador.
ENGENDRAR Procrear, concebir, fecundar. | Originar, ocasionar, provocar, causar, formar.
ENGLOBAR Incluir, sumar, reunir, comprender, abarcar.
ENGOLOSINAR Excitar, incitar, estimular, atraer.
ENGORDAR Cebar, encarnecer, engrosar, engruesar. | Enriquecerse.
ENGRANDECER Realzar, enaltecer, alabar, ponderar, encomiar, exagerar. | Acrecentar, aumentar, agrandar, progresar. | Elevar, exaltar.
ENGRASAR Ensebar, encrasar, untar, lubrificar, lubricar.
ENGREÍDO Orgulloso, enfático, soberbio, arrogante, altanero, envanecido, presumido, ensoberbecido, inflado.
ENGREÍRSE Ensoberbecerse, ufanarse, pavonearse, enorgullecerse, altivarse, hincharse, engallarse, infatuarse, vanagloriarse.
ENGULLIR Tragar, zampar, atiborrarse, ingurgitar.
ENHIESTO Derecho, erguido, levantado, recto.
ENHORABUENA Felicitación, plácemes, parabién.
ENIGMÁTICO Incomprensible, equívoco, enrevesado, complicado, obscuro, misterioso, recóndito, inexplicable, insondable, secreto.
ENJAULAR Recluir, encerrar, encarcelar, aprisionar, enchiquerar.
ENJUGAR Secar, escurrir, enjutar, deshumedecer. | Cubrir. | Adelgazar.
ENJUICIAR Juzgar, procesar, encausar, sentenciar. | Criticar, censurar.
ENLACE Casamiento, matrimonio, nupcias, boda, desposorios. | Enlazamiento, unión, encadenamiento, trabazón, conexión, concatenación.
ENLAZAR Aprisionar, encadenar, relacionar, unir, entrelazar. | Casar.
ENMARAÑAR Embrollar, confundir, enredar. | Desarreglar. | Desgreñar.
ENMENDAR Corregir, rectificar, subsanar, modificar, reformar. | Reparar, indemnizar, recompensar, resarcir.
ENMUDECER Callar, silenciarse, acallar.

498

ENNOBLECER Dignificar, realzar, ilustrar, elevar, ensalzar.
ENOJAR Molestar, irritar, fastidiar, encolerizar, desasosegar, enrabiar, enfurecer, disgustar, enfadar, sulfurar, indisponer.
ENOJO Ira, furor, coraje, indignación, rabia, irritación, furia, enfado. I Pesar, molestia.
ENOJOSO Enfadoso, pesado, fastidioso, engorroso, gruñón, inaguantable, molesto, desagradable, pelma.
ENORME Desmedido, disparatado, desmesurado, descomunal, tremendo, monumental, exorbitante, formidable, grandioso, colosal, ingente.
ENORMIDAD Exceso, barbaridad, atrocidad. I Disparate, desatino, despropósito.
ENREDADOR Embrollador, trapisondista, enmarañador, lioso, chismoso, embarullador, embrollón, mentiroso, intrigante.
ENREDAR Embrollar, enmarañar, embolicar, complicar, intrigar, mezclar.
ENREDO Maraña, intrincamiento, confusión, dificultad, embrollo, enredijo, lío, trapisonda, embuste, mentira, engaño.
ENREVESADO Enredado, confuso, revuelto, intrincado, difícil, revesado.
ENRIQUECER Prosperar, engrandecerse, progresar, atesorar. I Aumentar, acrecentar. I Adornar.
ENROJECER Enrubescer, arrebolar. I Ruborizarse, sonrojarse, avergonzarse, abochornarse.
ENSALADA Mezcla, mezcolanza, enredo, lío, confusión.
ENSALZAR Engrandecer, enaltecer, honrar, alabar, realzar, encumbrar, encomiar, elogiar, ponderar, glorificar.
ENSAMBLADURA Acopladura, enlace, encaje, empotramiento, incrustación.
ENSANCHAR Dilatar, ampliar, engrandecer, extender.
ENSAÑAMIENTO Brutalidad, crueldad, encarnizamiento, salvajismo.
ENSAYAR Experimentar, probar, comprobar, tantear, intentar. I Amaestrar, adiestrar.
ENSAYO Prueba, experiencia, examen, intento, tanteo, reconocimiento.
ENSEÑANZA Instrucción, ilustración, pedagogía, disciplina, educación.
ENSEÑAR Instruir, aleccionar, ilustrar, doctrinar, documentar. I Exponer. I Exhibir, indicar, mostrar.
ENSEÑOREARSE Adueñarse, sojuzgar, posesionarse, ocupar, apoderarse.
ENSIMISMADO Absorto, meditabundo, caviloso, embebecido, abstraído, pensativo, cabizbajo.
ENSIMISMARSE Abstraerse, embeberse, embobarse, reconcentrarse, extasiarse.
ENSOBERBECIDO Envanecido, encampanado, infatuado, presumido, soberbio, orgulloso, pedante, presuntuoso, vanidoso, engreído, engallado.
ENSORDECER Enmudecer, asordar, callar.

ENSUCIAR Manchar, emporcar, emborronar, embadurnar, enmugrecer, empañar, pringar. I Defecar, evacuar.
ENSUEÑO Soñación, imaginación, quimera, figuración, alucinación, fantasía.
ENTABLAR Cubrir, asegurar, entablillar, afianzar. I Iniciar, comenzar, disponer, promover, empezar, emprender.
ENTECO Enclenque, enfermizo, flaco, enjuto, chupado, canijo.
ENTENDER Comprender, concebir, deducir, percibir, interpretar, intuir. I Conocer, saber. I Oír.
ENTENDIDO Docto, sabio, culto, técnico, capaz, hábil, experimentado.
ENTENDIMIENTO Intelecto, razón, juicio, talento, inteligencia, meollo, discernimiento.
ENTENEBRECER Empalidecer, empañar, anublar, obscurecer.
ENTERAMENTE Completamente, plenamente, totalmente, cabalmente.
ENTERAR Informar, participar, comunicar, avisar, anunciar, instruir, advertir, notificar, revelar, publicar.
ENTEREZA Integridad, fortaleza, resistencia, decisión, resolución, energía, constancia, carácter, valor, voluntad.
ENTERNECER Emblandecer, conmover, ablandar, apiadar.
ENTERO Íntegro, cumplido, exacto, firme, recto, bragado, enérgico, cabal. I Incorrupto.
ENTERRAR Inhumar, sepultar, soterrar, sepeliar. I Arrinconar. I Introducir, clavar, hundir.
ENTIBIAR Templar, disminuir, sosegar, calmar, moderar.
ENTIDAD colectividad, comunidad, gremio, corporación, organismo, sociedad, agrupación. I Importancia, consideración.
ENTIERRO Enterramiento, sepultura, inhumación, sepelio, soterramiento.
ENTONAR Armonizar, afinar. I Vigorizar, fortalecer, robustecer, tonificar.
ENTONTECER Idiotizar, alelar, atontar.
ENTORPECER Dificultar, estorbar, interrumpir, detener, paralizar, impedir, retardar. I Obscurecer.
ENTRADA Acceso, ingreso. I Puerta. I Principio.
ENTRAMPAR Engañar, enredar, confundir, embrollar. I Adeudar.
ENTRAMPARSE Endeudarse, empeñarse.
ENTRAÑABLE Afectuoso, íntimo, cariñoso.
ENTRAR Penetrar, introducirse, meterse, pasar, colarse. I Desaguar, desembocar. I Acometer, arremeter. I Participar, intervenir. I Invadir. I Clavar, meter, encajar.
ENTREACTO Intermedio, intervalo, descanso.
ENTREDICHO Veto, reprobación, prohibición. I Discrepancia, diferencia.
ENTREGA Donación, reparto, cesión. I Capitulación, rendición.

ENT

ENTREGAR Depositar, dar, donar, posesionar, transmitir, confiar, prestar.
ENTRELAZAR Trabar, enlazar, entretejer.
ENTREMETERSE Entrometerse, meterse, inmiscuirse, zascandilear, injerirse.
ENTREMETIDO Entrometido, intruso, indiscreto, inoportuno, oficioso.
ENTRENAR Practicar, adiestrar, ejercitar, amaestrar.
ENTRETEJER Entrelazar, entrenzar, enlazar, introducir, injerir, mezclar.
ENTRETENER Divertir, distraer, recrear. l Detener, dilatar. l Engañar.
ENTRETENIMIENTO Diversión, regocijo, esparcimiento, recreo, distracción, pasatiempo, solaz.
ENTREVER Vislumbrar, columbrar, percibir. l Sospechar, presentir, conjeturar.
ENTREVERAR Mezclar, confundir, interpolar.
ENTREVISTA Charla, conversación, interviú. l Coloquio.
ENTRISTECER Afligir, contristar, apenar, apesadumbrar, angustiar, desconsolar, atribular, acongojar, apesarar, acuitar, amargar.
ENTROMETIDO Entremetido, intruso, cominero.
ENTRONIZAR Entronar, coronar. l Enaltecer, ensalzar, realzar.
ENTUMECER Entorpecer, paralizar, impedir, entullecer.
ENTUMECERSE Entumirse, pasmarse, agarrotarse, paralizarse, entorpecerse. l Abotagarse, inflarse.
ENTUMECIMIENTO Envaramiento, atonía, anquilosis, parálisis, letargo.
ENTURBIAR Ensuciar, empañar, alterar, obscurecer, revolver.
ENTUSIASMAR Apasionar, enardecer, arrebatar, exaltar, fervorizar.
ENTUSIASMO Exaltación, fervor, pasión, admiración, arrobamiento, frenesí, efervescencia.
ENUMERACIÓN Cómputo, cuenta, catalogación, lista. l Relación.
ENUMERAR Contar, inventariar, alistar, referir, relatar.
ENUNCIAR Explicar, manifestar, declarar, exponer.
ENVANECERSE Ensoberbecerse, engreírse, infatuarse, hincharse, altivarse, vanagloriarse, pavonearse, jactarse, ufanarse.
ENVASAR Enfrascar, embotijar, introducir, entonelar.
ENVASE Envoltorio. l Recipiente.
ENVEJECER Aviejar, encanecer, avejentar, estropearse, ajarse.
ENVEJECIDO Avejentado, encanecido, aviejado. l Anciano. l Habituado.
ENVENENAR Emponzoñar, intoxicar, corromper, inficionar. l Enconar, agriar, acriminar. l Amargar, acongojar.
ENVIADO Recadero, mensajero, representante.
ENVIAR Expedir, remitir, dirigir, mandar, despachar.
ENVICIARSE Corromperse, picardearse, viciarse, estragarse.
ENVIDIABLE Apetecible, codiciable, deseable.
ENVIDIAR Codiciar, apetecer, desear, anhelar.
ENVIDIOSO Celoso, suspicaz, avaricioso, egoísta, intrigante, ambicioso.
ENVILECER Avillanar, degradar, prostituir, enlodar, mancar, deshonrar, degenerar, corromper, rebajar.
ENVÍO Remesa, expedición, mensaje, remisión.
ENVOLTORIO Bulto, fardo, lío, paquete.
ENVOLTURA Cubierta, cobertura, vestidura. l Corteza, piel, cáscara.
ENVOLVER Cubrir, arropar, liar, embalar. l Complicar, enredar. l Encerrar, contener. l Atascar, estrechar, acorralar.
EPIDEMIA Calamidad, peste, plaga, azote.
EPÍGRAFE Inscripción, resumen, letrero. l Título, rubro, rótulo. l Cita, pensamiento, sentencia. l Encabezamiento.
EPÍLOGO Recapitulación, resumen, compendio, conjunto, epilogación. l Conclusión.
EPISODIO Circunstancia, suceso, incidente. l Digresión. l Narración.
EPÍSTOLA Misiva, escrito, comunicación, carta, correspondencia, esquela.
EPÍTOME Compendio, prontuario, resumen, extracto.
ÉPOCA Era, período, tiempo estación, temporada.
EQUIDAD Imparcialidad, rectitud, justicia, igualdad, ecuanimidad.
EQUILIBRIO Armonía, correspondencia, igualdad, proporción.
EQUIPAR Suministrar, proveer, abastecer.
EQUIPARAR Comparar, cotejar, confrontar, parangonar. l Igualar.
EQUIPO Equipaje, bagaje. l Brigada, cuadrilla. l Ajuar, indumentaria.
EQUITATIVO Ecuánime, justo, justiciero, honesto, equilibrado, íntegro, imparcial, neutral, honrado, recto.
EQUIVALENTE Parigual, idéntico, parecido, semejante, sinónimo, análogo.
EQUIVALER Igualar, emparejar, nivelar, compensar, equilibrar, equiparar.
EQUIVOCACIÓN Error, desacierto, inadvertencia, inexactitud, yerro, gazapo.
EQUIVOCARSE Errar, engañarse, fallir, marrar, desbarrar, confundirse, colarse, aberrar.
EQUÍVOCO Ambiguo, sospechoso, oscuro, enigmático, mendoso, incierto.
ERECTO Rígido, erguido, tieso, levantado.
ERGUIR Levantar, enderezar, empinar, alzar. l Engreírse, envanecerse.
ERIAL Páramo, yermo, baldío, eriazo.
ERIGIR Fundar, crear, instituir, establecer. l Levantar, construir, edificar, fundamentar, obrar, fabricar.
ERIZADO Tieso, derecho, rígido. l Difícil, espinoso, cubierto, arduo.

ERMITAÑO Anacoreta, solitario, eremita, cenobita.
EROSIÓN Depresión, lesión, desgaste, excavación, corrosión.
ERÓTICO Sensual, voluptuoso, lascivo, lúbrico, pasional, mórbido, amatorio.
ERRADO Equivocado, desacertado, descaminado.
ERRANTE Errático, vagabundo, gandul, holgazán, errabundo, andorrero, callejero.
ERRAR Vagabundear, ambular, vagar, pasearse. I Marrar, fallar, equivocarse, desacertar, pifiar.
ERRÁTIL Errante, inconstante, incierto, mutable.
ERRÓNEO Errado, mentiroso, equívoco, inexacto, falso.
ERROR Equívoco, confusión, tergiversación, pifia, desacierto, yerro, equivocación, inexactitud, desatino, disparate, lapsus. I Defecto. I Errata.
ERUDITO Instruido, ilustrado, documentado, letrado, perito, sapiente, docto, versado, culto.
ESBELTO Gallardo, apuesto, bizarro, elegante, gentil, garboso, garrido.
ESBOZAR Bosquejar, abocetar, esquematizar, proyectar.
ESCABROSO Áspero, abrupto, duro, desigual. I Dificultoso, embarazoso, difícil, peligroso. I Licencioso.
ESCABULLIRSE Desaparecer, escurrirse, escaparse, irse, evadirse, eclipsarse, fugarse.
ESCALA Graduación, gradación, gama. I Escalafón. I Escalera.
ESCALAR Subir, ascender, trepar, encaramar. I Encumbrarse.
ESCALDADO Escarmentado, desconfiado, escamado, receloso.
ESCALERA Escalinata, escalerilla, escala.
ESCALOFRÍO Calofrío.
ESCAMA Sospecha, inquietud, desconfianza, presunción, suposición, suspicacia, recelo. I Membrana.
ESCAMARSE Desconfiar, recelar, sospechar.
ESCAMPADO Descubierto, descampado, raso, desembarazado.
ESCANDALIZAR Alborotar, gritar, chillar.
ESCÁNDALO Perversión, depravación, desvergüenza, desenfreno. I Alboroto, desorden, ruido. I Admiración, asombro. I Campanada.
ESCANDALOSO Pervertido, desvergonzado, deshonesto, inmoral, depravado, libertino, desenfrenado. I Tumultuoso, ruidoso, bullicioso.
ESCAPAR Huir, esquivar, salir, fugarse, escurrirse, evadirse, escabullirse.
ESCARAMUZA Refriega, choque. I Disputa, riña, altercado, pendencia, reyerta, bronca, bochinche, contienda.
ESCARMENTAR Corregir, reprender, castigar. I Desengañarse.
ESCARMIENTO Desengaño, decepción, advertencia. I Corrección, castigo.
ESCARNECER Calumniar, zaherir, ridiculizar, mofarse, reírse, afrentar, deshonrar, despreciar, maltratar.
ESCARNIO Injuria, mofa, ironía, irrisión, sarcasmo, befa, agravio, lidibrio, burla, afrenta, menosprecio.
ESCARPADO Abrupto, clivoso, retrepado, montañoso, pendiente, peligroso, inaccesible, áspero, quebrado.
ESCASEAR Faltar, disminuir, escatimar, acortar. I Excusar, ahorrar.
ESCASEZ Cortedad, poquedad, insuficiencia, carencia, penuria, apuro, falta, disminución, miseria, pobreza.
ESCASO Poco, insuficiente, incompleto, insignificante, exiguo, falto, tasado, limitado.
ESCATIMAR Disminuir, cicatear, tasar, regatear, tacañear, cercenar.
ESCENA Escenario, teatro. I Suceso.
ESCENARIO Escena, proscenio, tablado, teatro.
ESCÉPTICO Incrédulo.
ESCISIÓN Rompimiento, desacuerdo, disensión, división, discordia, cisma. I Incisión, cortadura.
ESCLARECER Aclarar, resolver, desentrañar, dilucidar, explicar. I Ilustrar, acreditar, ennoblecer, calificar. I Iluminar.
ESCLARECIDO Ilustre, célebre, renombrado, distinguido, notable, famoso, insigne, preclaro, excelso, egregio.
ESCLAVITUD Servidumbre, opresión, sumisión, ilotismo, cadena.
ESCLAVIZAR Subyugar, aherrojar, tiranizar, oprimir.
ESCLAVO Siervo, ilota, paria. I Enamorado, rendido.
ESCOGER Elegir, preferir, seleccionar, optar, separar, entresacar.
ESCOGIDO Preferido, designado, elegido, excelente.
ESCOLAR Alumno, discípulo, estudiante, educando, colegial.
ESCOLTA Acompañamiento, guardia, séquito, convoy.
ESCOLTAR Convoyar, conducir, resguardar, custodiar, acompañar.
ESCOLLO Peñasco, banco, arrecife, bajío. I Peligro, tropiezo, riesgo, dificultad, obstáculo.
ESCOMBRO Desecho, broza, cascote, desperdicio, residuo.
ESCONDER Ocultar, encubrir, tapar, cubrir, celar, internar, enterrar, entapujar, recatar.
ESCORCHAR Despellejar, desollar. I Molestar, fastidiar.
ESCOZOR Rescoldo, resquemor, recelo. I Picazón.
ESCRIBIENTE Oficinista, mecanógrafo, copista, amanuense.
ESCRIBIR Redactar, componer, copiar, transcribir, pergeñar, trazar, mecanografiar.
ESCRITO Carta, documento, apuntación, escritura, comunicación. I Alegato.
ESCRITOR Autor, literato, publicista, prosista, periodista, cronista, novelista, cuentista, dramaturgo, sainetero.

ESC

ESCRITORIO Despacho, escribanía, oficina, secretaría. I Mesa, pupitre.
ESCRÚPULO Escrupulosidad, exactitud, esmero, precisión. I Prevención, prejuicio. I Recelo, temor, aprensión. I Repugnancia.
ESCRUPULOSO Aprensivo, receloso, melindroso. I Esmerado, preciso, exacto, minucioso, concienzudo, cuidadoso, puntual.
ESCRUTAR Inquirir, indagar, examinar, explorar. I Computar.
ESCUCHAR Percibir, oír, atender. I Obedecer, acatar.
ESCUDARSE Protegerse, resguardarse, cubrirse, abroquelarse, ampararse.
ESCUDO Defensa, protección, rodela, broquel. I Moneda. I Blasón.
ESCUDRIÑAR Averiguar, inquirir, escrutar, rebuscar, examinar, indagar.
ESCUELA Estudio, colegio, liceo, instituto, facultad, seminario. I Doctrina, método. I Instrucción.
ESCUETO Despejado, abierto, descubierto, libre. I Limpio, conciso, simple, puro, sencillo. I Seco.
ESCULPIR Expectorar, esputar, expeler, salivar. I Arrojar, soltar, lanzar, despedir.
ESCULTURA Estatua, imaginería, talla, ornamentación.
ESCUPIDERA Orinal, salivadera, bacín, bacinilla.
ESCUPIR Cincelar, tallar, labrar, esculturar, entretallar, modelar.
ESCURRIR Destilar, gotear, vaciar, chorrear, secar. I Resbalar. I Estrujar.
ESCURRIRSE Escabullirse, ocultarse, escaparse, huir. I Resbala.
ESENCIA Ser, existencia, propiedad, sustancia, consustancialidad, naturaleza, carácter, constitución, natura, cualidad. I Extracto.
ESENCIAL Substancial, principal, indispensable, inseparable, inevitable, consubstancial, innato, ingénito, intrínseco.
ESFÉRICO Orbicular, redondo.
ESFORZADO Valiente, bizarro, bravo, fuerte, animoso, denodado, intrépido, indomable, valeroso, alentado.
ESFORZAR Fortalecer, fortificar, reforzar, vivificar, animar, robustecer, vigorizar, alentar, remozar.
ESFORZARSE Luchar, contender, batallar, pugnar, pelear, porfiar. I Arriesgarse, crecerse, animarse.
ESFUERZO Brío, ánimo, aliento, valor, denuedo, empuje, espíritu, tesón, ahinco, empeño, decisión, impulso, vehemencia.
ESGRIMIR Blandir, jugar, empuñar.
ESLABONAR Encadenar, relacionar, enlazar, unir.
ESOTÉRICO Recóndito, misterioso, metafísico, obscuro.
ESPACIARSE Dilatarse, extenderse, esparcirse.
ESPACIOSO Ancho, dilatado, extenso, amplio, vasto, holgado, despejado, capaz. I Flemático, pausado, lento.

ESPADA Tizona, espadín, acero, cuchilla, sable, espadón, estoque.
ESPALDA Dorso, espaldar, lomo, revés, envés.
ESPANTADIZO Asustadizo, asombradizo, pusilánime, miedoso, tímido, cobarde, abanto, despavorido.
ESPANTAJO Espantapájaros, esperpento, pelele. I Molesto, despreciable.
ESPANTAR Acobardar, atemorizar, asustar, aterrar, aterrorizar. I Ahuyentar.
ESPANTO Temor, terror, pánico, horror, pavor, miedo.
ESPANTOSO Terrible, terrorífico, terrífico, horrible, horrendo, aterrador, horroroso, horripilante, pavoroso, espantable, espeluznante.
ESPARCIMIENTO Distracción, recreo, diversión, entretenimiento, solaz.
ESPARCIR Derramar, dispersar, diseminar, sembrar, extender, espaciar, desperdigar. I Propagar, divulgar, difundir, publicar, propalar.
ESPASMO Contracción, pasmo.
ESPECIAL Peculiar, característico, específico, singular, particular, excepcional, extraño, exclusivo, personal, raro.
ESPECIALIDAD Particularidad, singularidad, fuerte.
ESPECIFICAR Individualizar, distinguir, singularizar, determinar, precisar, personalizar, detallar, particularizar.
ESPECIOSO Engañoso, artificioso, falso. I Hermoso, perfecto, precioso.
ESPECTÁCULO Representación, función, diversión, histrionismo, teatro, circo, variedades, tauromaquia. I Escándalo.
ESPECTADOR Concurrencia, afluencia, multitud, público, concurrente.
ESPECULAR Comerciar, traficar, negociar. I Raciocinar, reflexionar, meditar, considerar. I Abusar.
ESPEJISMO Quimera, ficción, ilusión, delirio, desvarío.
ESPEJO Luna, cristal, reflejo. I Modelo, ejemplo, dechado, ejemplar.
ESPELUZNANTE Horroroso, espantoso, horripilante, horrible, monstruoso, horrendo.
ESPELUZNO Escalofrío, estremecimiento.
ESPERA Expectativa, dilación, acecho. I Calma, paciencia. I Término.
ESPERANZA Confianza, seguridad, creencia, fe. I Consuelo, ánimo. I Ilusión.
ESPERAR Aguardar, confiar, atender, creer.
ESPESAR Concentrar, condensar, apretar, unir, cerrar.
ESPESO Denso, compacto, condensado, grueso. I Cerrado, lujuriante, abundante, tupido, apiñado.
ESPIAR Acechar, observar, escuchar, vigilar, atisbar.
ESPIGADO Crecido, esbelto, desarrollado, alto.
ESPINOSO Arduo, intrincado, dificultoso, escabroso, laberíntico, complicado, molesto, penoso, embrollado.

502

ESPÍRITU Conciencia, esencia, alma. l Brío, energía, ánimo, aliento, vivacidad, valor, vigor. l Principio. l Tendencia.
ESPIRITUAL Anímico, psíquico, subjetivo, místico, vital, sobrenatural, psicológico, agudo.
ESPLENDENTE Esplendoroso, brillante, relumbrante, refulgente.
ESPLÉNDIDO Dadivoso, generoso, rumboso, desprendido. l Magnífico, soberbio, suntuoso, admirable, regio, señorial.
ESPLENDOR Resplandor, brillo, fulgor. l Nobleza, majestad, lustre, gloria, reputación, celebridad.
ESPLENDOROSO Deslumbrador, brillante, esplendente, reluciente, luminoso, resplandeciente, fúlgido, radiante.
ESPOLEAR Picar, excitar, avivar, aguijar, estimular, aguijonear, incitar, agitar.
ESPONJARSE Engreírse, envanecerse, infatuarse, ensoberbecerse, ahuecarse, hincharse.
ESPONJOSO Poroso, esponjado, fofo, ligero, blando, fungoso.
ESPOSO Cónyuge, consorte, marido, compañero.
ESPUELA Estímulo, aguijón, espolín, acicate.
ESPURIO Ilegítimo, adulterado, falso, bastardo.
ESQUELETO Armadura, armazón, anaquelería. l Osamenta.
ESQUIFE Canoa, lancha, bote.
ESQUILAR Trasquilar, tusar, atusar.
ESQUILMAR Arruinar, despojar, trasquilar, empobrecer.
ESQUINA ángulo, chaflán, esquinazo, canto.
ESQUIVAR Rehuir, eludir, evadir, pretextar, evitar, rehusar.
ESQUIVEZ Desagrado, desdén, desafecto, indiferencia, despego, aspereza, frialdad.
ESQUIVO Desdeñoso, huraño, duro, intratable, hoscoso, arisco, retraído, despegado.
ESTABILIDAD Durabilidad, equilibrio, duración, firmeza, consistencia, seguridad, asiento.
ESTABLE Fijo, durable, sólido, firme, inalterable, constante, permanente.
ESTABLECER Instalar, crear, fijar, fundar. l Estatuir, ordenar, disponer. l Probar, sentar.
ESTABLECIMIENTO Fundación, institución. l Ordenanza, ley, estatuto.
ESTACIÓN Temporada, etapa, período, época. l Detención, parada.
ESTACIONARSE Detenerse, estancarse, situarse, asentarse.
ESTADIO Cancha, arena, pista, palenque, palestra.
ESTADO Jerarquía, clase, situación, posición, disposición. l Nación, país. l Complexión, temperamento, carácter, temple. l Resumen.
ESTAFADOR Defraudador, timador, tramposo, birlador, bribón, trampeador.
ESTALLAR Restallar. l Reventar, detonar, crepitar. l Sobrevivir.

ESTAMPAR Imprimir, prensar, ilustrar, marcar, señalar.
ESTAMPIDO Disparo, detonación, tiro.
ESTANCAR Empantanar, detener, paralizar, suspender, obstruir, parar. l Embalsamar.
ESTANCIA Aposento, habitación, residencia, cuarto, sala. l Estrofa.
ESTANDARTE Insignia, símbolo, enseña, lábaro, bandera, flámula, emblema, pendón, guión.
ESTANQUE Depósito, aljibe, tanque, piscina.
ESTANTE Repisa, escaparate, armario, biblioteca, anaquelería, entrepaño.
ESTAR Hallarse, sentirse, encontrarse. l Permanecer, persistir. l Tocar.
ESTATUA Escultura, figura, efigie, imagen, monumento, bronce.
ESTATUIR Establecer, determinar, ordenar, señalar, decretar, mandar.
ESTENTÓREO Resonante, vibrante, retumbante, sonoro, ruidoso.
ESTÉRIL Infecundo, infructuoso, improductivo, ineficaz, erial, baldío, árido. l Impotente.
ESTIÉRCOL Excremento, bosta, fiemo.
ESTIGMA Deshonra, afrenta, baldón, mancilla. l Señal, huella, marca.
ESTILO Costumbre, moda, práctica. l Manera, forma. l Punzón.
ESTIMA Estimación, apreciación, respeto, merecimiento, amor, cariño. l Fama, honra, gloria, honor, mérito.
ESTIMAR Querer, distinguir, considerar, respetar, amar, apreciar. l Tasar, valuar, conceptuar, reputar, juzgar.
ESTIMULAR Apremiar, instigar, impeler, animar, inducir. l Aguijonear, estimular, punzar, excitar, avivar, pinchar, mover.
ESTÍMULO Aliciente, incentivo, acicate, inducción, aguijón, instigación, impulso.
ESTIPENDIO Paga, sueldo, honorarios, salario, remuneración, retribución.
ESTIPULAR Convenir, negociar, acordar, establecer. l Señalar, determinar.
ESTIRAR Prolongar, ensanchar, dilatar, extender. l Planchar.
ESTIRPE Linaje, ascendencia, familia, origen, generación, alcurnia, dinastía, abolengo, cuna, raza.
ESTOICISMO Austeridad, impasibilidad, fortaleza.
ESTOICO Imperturbable, impávido, impertérrito, inflexible, inalterable, inquebrantable, indiferente, insensible, ecuánime.
ESTOLIDEZ Idiotez, necedad, tontería, estupidez, insensatez.
ESTORBAR Dificultar, entorpecer, perturbar, obstaculizar, obstruir, imposibilitar, embarazar, atascar, detener.
ESTORBO Impedimento, embarazo, privación, obstrucción, obstáculo, inconveniente, traba, atascadero,

EST

entorpecimiento, molestia.
ESTRAFALARIO Extravagante, desaseado, excéntrico, estrambótico, desaliñado, ridículo, raro, grotesco.
ESTRAGO Daño, destrucción, asolamiento, desolación, ruina, devastación, matanza, carnicería. I Vicio.
ESTRAMBÓTICO Extravagante, irregular, estrafalario, extraño.
ESTRATAGEMA Engaño, astucia, artificio, asechanza, emboscada, celada, ardid, fingimiento, treta.
ESTRATEGIA Habilidad, pericia, maña.
ESTRECHAR Angostar, reducir, encoger, condensar, contraer, acercar, apremiar, constreñir.
ESTRECHEZ Estrechura, pobreza, miseria, escasez, indigencia. I Austeridad. I Aprieto.
ESTRECHO Reducido, angosto, ajustado, ceñido, escurrido. I Desfiladero, pasadizo, garganta. I Miserable, mezquino. I Limitado, apocado.
ESTRECHURA Estrechez, angostura, apretura. I Austeridad, indigencia.
ESTRELLA Destino, suerte, sino, hado, fortuna. I Astro.
ESTRELLARSE Golpearse, chocar, romperse, despedazarse. I Hundirse, fracasar.
ESTREMECER Conmover, sobresaltar, trepidar.
ESTRENAR Inaugurar, comenzar, iniciar, representar, abrir.
ESTREÑIDO Miserable, tacaño, avaro, mezquino. I Constipado.
ESTRÉPITO Estruendo, ruido, fragor, bullicio, algarabía.
ESTRIBAR Descansar, apoyarse, afirmarse, asentar, fundarse, basarse, radicar, consistir.
ESTRIBO Fundamento, apoyo.
ESTRICTO Escrupuloso, preciso, exacto, minucioso, severo, puntual, riguroso, ajustado.
ESTRIDENTE Agudo, chirriante, estruendoso, destemplado, desapacible.
ESTROPEAR Dañar, maltratar, deteriorar, malograr, romper, menoscabar.
ESTROPICIO Rotura, destrozo, trastorno. I Jaleo.
ESTRUCTURA Distribución, contextura, índole, naturaleza, composición, estructuración, complexión, constitución, organización.
ESTRUENDO Alboroto, bullicio, estrépito, explosión, estallido, algazara.
ESTRUJAR Apretar, exprimir, prensar, comprimir. I Agotar, esquilmar.
ESTUCHE Funda, embalaje, caja.
ESTUDIAR Cursar, preparar, aplicarse, aprender. I Observar. I Explorar.
ESTUDIO Aplicación, habilidad, maña, esfuerzo, trabajo. I Tanteo, boceto. I Despacho, bufete. I Conocimientos.
ESTUDIOSO Aprovechado, aplicado, cuidadoso, afanoso, hacendoso.
ESTULTICIA Necedad, estolidez, estupidez, sandez.

ESTUPEFACCIÓN Pasmo, asombro, admiracion, sorpresa, abstracción, embeleso, estupor, extrañeza.
ESTUPEFACTO Atónito, suspenso, asombrado, petrificado, admirado, pasmado, absorto, patidifuso, sorprendido, maravillado.
ESTUPENDO Admirable, portentoso, prodigioso, sorprendente, extraordinario, maravilloso, pasmoso.
ESTÚPIDO Necio, imbécil, inepto, majadero, mentecato, sandio, obtuso, estulto, torpe, tonto, idiota.
ESTUPOR Estupefacción, enajenamiento, admiración, pasmo, asombro, consternación, sorpresa.
ETÉREO Sublime, incorpóreo, elevado, sutil, deletéreo, volátil, impalpable, puro, vaporoso.
ETERNIDAD Perpetuidad, inmortalidad, perdurabilidad.
ETERNO Duradero, perpetuo, interminable, inacabable, infinito, permanente, inmortal, perdurable, imperecedero.
ETIQUETA Rótulo, inscripción, letrero, dirección, marbete, marca. I Ceremonia, corrección, protocolo, cumplimiento.
EUCARISTÍA Hostia, sacramento, viático, sagrario.
EVACUAR Expedir. I Defecar. I Desocupar, dejar, abandonar.
EVADIR Esquivar, rehuir, eludir, evitar.
EVADIRSE Fugarse, escabullirse, huir, zafarse, salvarse, escaparse.
EVALUACIÓN Valoración, apreciación, cálculo, estimación, tasa.
EVANGELIZAR Catequizar, adoctrinar, cristianizar, sermonear, predicar.
EVAPORAR Desvanecer, volatizar, disipar, vaporar.
EVAPORARSE Disiparse, desvanecerse, desaparecer, esconderse, fugarse, huir, ocultarse.
EVASIVA Disculpa, excusa, escapatoria, subterfugio, pretexto, recurso, achaque, efugio.
EVENTUAL Acaecedero, accidental, casual, fortuito, viable, incierto, inseguro, imprevisto.
EVIDENCIA Certidumbre, certitud, convicción, seguridad, infalibilidad, certeza, convencimiento.
EVIDENTE Cierto, indudable, palpable, incontrovertible, innegable, irrefutable, manifiesto, axiomático, incontestable, patente, claro.
EVITAR Precaver, prever, prevenir, remediar, reparar, salvar, impedir, eludir, conjurar, excusar, librarse.
EVOCAR Recordar, rememorar, invocar, llamar.
EVOLUCIÓN Desarrollo, progreso, transformación, cambio. I Ejercicio, maniobra, movimiento.
EXACERBAR Exasperar, encolerizar, agravar, irritar, enfadar.
EXACTAMENTE Cabalmente, puntualmente, religiosamente.
EXACTITUD Puntualidad, precisión, asiduidad, veracidad, propiedad.
EXACTO Puntual, preciso, diligente, correcto, estricto, cabal, idéntico, fiel, justo, riguroso, verdadero.
EXAGERACIÓN Ponderación, exceso, adulación,

EXA

afectación, hipérbole, encarecimiento, abultamiento.
EXAGERAR Ponderar, abultar, recargar, inflar, aumentar, hiperbolizar, hinchar, encarecer, agrandar.
EXALTADO Apasionado, entusiasta, fanático, irritable, violento, hincha.
EXALTAR Encumbrar, ponderar, enaltecer, realzar, elevar, alabar, ensalzar, glorificar.
EXALTARSE Irritarse, acalorarse, descomedirse, arrebatarse, entusiasmarse, exasperarse, enardecerse.
EXAMEN Indagación, prueba, observación, estudio, tanteo.
EXAMINAR Inquirir, investigar, indagar, registrar, tantear, inspeccionar. l Analizar, probar, considerar. l Contemplar, observar.
EXÁNIME Desmayado, desfallecido. l Muerto.
EXASPERAR Irritar, enfurecer, disgustar, enfadar, enojar, exacerbar.
EXCAVAR Socavar, ahondar, fosar, profundizar, minar.
EXCEDER Aventajar, superar, rebasar, sobrar, abundar.
EXCELENTE Sobresaliente, sublime, excelso, óptimo, inapreciable, exquisito, magnífico, extraordinario, maravilloso, imponderable.
EXCELSO Elevado, eminente, alto, grandioso, magnífico. l Ilustre.
EXCEPCIONAL Extraordinario, raro, notable, exorbitante, formidable, estupendo, singular.
EXCEPTO Salvo, tan sólo, menos, aparte, descontando.
EXCESIVO Excedente, superabundante, demasiado, sobrado, exorbitante, abundante. l Descomedido, abusivo, inmoderado.
EXCESO Demasía, abundancia, exorbitancia, sobrante, colmo, plétora. l Delito, violencia, vicio, abuso, desarreglo.
EXCITACIÓN Alteración, irritación, acaloramiento, exasperación, enajenamiento. l Provocación, incitación, instigación.
EXCITAR Encolerizar, instigar, irritar, incitar, enfurecer, provocar, exasperar, estimular, enardecer, enconar, acalorar, atizar. l Exhortar.
EXCLAMAR Clamar, gritar, protestar, prorrumpir, imprecar.
EXCLUIR Descartar, exceptuar, suprimir, quitar, omitir, desechar, eliminar, echar, sacar.
EXCLUSIÓN Eliminación, excepción, omisión, destitución, separación.
EXCLUSIVA Monopolio, privilegio.
EXCORIACIÓN Desollón, desolladura.
EXCREMENTO Fiemo, estiércol, heces.
EXCUSA Disculpa, pretexto, justificación, evasiva, achaque, defensa.
EXCUSAR Disculpar, dispensar, justificar, eximir, defender, exculpar. l Precaver, rehuir, eludir, rehusar.
EXECRACIÓN Imprecación, aborrecimiento, maldición, abominación, horror.
EXECRAR Maldecir, condenar, vituperar, anatematizar, abominar, odiar.
EXENCIÓN Franquicia, absolución, dispensación, descargo, privilegio.
EXENTO Libre, indemne, dispensado, desembarazado, franco.
EXHALAR Emanar, lanzar, emitir, despedir, proferir, arrojar.
EXHAUSTO Consumido, acabado, agotado, extenuado, debilitado.
EXHIBICIÓN Exposición, presentación.
EXHIBIR Manifestar, presentar, exponer, descubrir, ostentar, evidenciar, mostrar, enseñar, exteriorizar.
EXHORTACIÓN Advertencia, amonestación, sermón, apercibimiento, aviso. l Ruego, invitación, súplica.
EXHORTAR Advertir, avisar, recomendar, amonestar, apercibir. l Suplicar, rogar, incitar, predicar, persuadir.
EXHORTO Oficio, requisitoria.
EXIGENCIA Pretensión, apremio.
EXIGENTE Reclamante, insistente. l Severo, rígido, autoritario, despótico. l Pedigüeño.
EXIGIR Pedir, reivindicar, reclamar, demandar, requerir, apremiar, conminar, necesitar, urgir.
EXIGUO Insuficiente, limitado, reducido, irrisorio, mezquino, escaso, pequeño, módico.
EXIMIO Excelso, insigne, prestigioso, magnífico, ilustre, eminente, ínclito, famoso, incomparable.
EXIMIR Dispensar, exencionar, perdonar, exceptuar, excusar, liberar, desembarazar, libertar, condonar, exonerar.
EXISTENCIA Subsistencia, vivencia, ser, vida, sustantividad.
EXISTIR Vivir, ser, subsistir, estar. l Durar.
ÉXITO Victoria, triunfo, fama. l Terminación.
ÉXODO Peregrinación, emigración.
EXORBITANTE Desmesurado, excesivo, extraordinario, monstruoso, enorme.
EXORDIO Principio, prólogo, prefacio, introducción, preámbulo.
EXÓTICO Extraño, raro, extranjero, peregrino, singular.
EXPANSIÓN Extensión, dilatación, propagación. l Diversión, recreo, esparcimiento, distracción. l Difusión, propaganda, circulación.
EXPANSIVO Comunicativo, accesible, abierto, afable, franco.
EXPEDICIÓN Remesa, envío. l Excursión. l Prontitud, facilidad, desembarazo.
EXPEDIR Enviar, despachar, remitir, remesar. l Librar, extender.
EXPEDITIVO Activo, rápido, vivo, diligente, ligero.
EXPEDITO Libre, exento, despejado, desembarazado. l Dispuesto, pronto.
EXPERIENCIA Conocimiento, práctica, costumbre, hábito, pericia. l Ensayo, prueba, experimento.

EXP

EXPERIMENTADO Experto, práctico, versado, ejercitado, conocedor, ducho, avezado, entendido. I Probado.
EXPERIMENTAR Examinar, ensayar, estudiar, probar. I Observar, sentir.
EXPERIMENTO Experiencia, prueba, ensayo, ejercicio, tentativa.
EXPERTO Experimentado, conocedor, hábil, entendido, práctico, inteligente, avezado, versado, perito.
EXPIAR Purgar, sufrir, purificar, reparar, llorar.
EXPIRAR Acabar, finalizar, concluir, terminar, fenecer. I Fallecer, morir.
EXPLANAR Allanar, igualar, terraplenar, nivelar. I Explicar, declarar.
EXPLICACIÓN Exposición, interpretación, descripción, justificación, exégesis. I Satisfacción, aclaración.
EXPLICAR Manifestar, exponer, explanar, esclarecer, interpretar, comentar, definir, desarrollar, glosar, enseñar, demostrar.
EXPLÍCITAMENTE Expresamente, determinadamente, claramente.
EXPLÍCITO Claro, expreso, manifiesto, terminante.
EXPLORAR Reconocer, examinar, averiguar, indagar, tantear, inquirir, registrar, investigar, sondear.
EXPLOSIÓN Estallido, estruendo, estampido, trueno, detonación.
EXPLOTAR Exprimir. I Aprovechar, utilizar. I Reventar.
EXPONER Manifestar, explicar, notificar, interpretar, formular. I Aventurar, arriesgar. I Presentar, exhibir.
EXPOSICIÓN Exhibición, presentación, muestra. I Peligro, riesgo. I Narración.
EXPRESAR Manifestar, hablar, declarar, decir, sugerir, opinar, formular, significar, proclamar, exponer.
EXPRESIÓN Dicción, vocablo, término, locución. I Gesto, semblante.
EXPRESIVO Afectuoso, vehemente, cariñoso. I Elocuente, vivo. I Animado, gracioso.
EXPRESO Expresamente. I Claro, manifiesto, patente, preciso, evidente.
EXPROPIAR Desposeer, confiscar, incautar.
EXPUESTO Arriesgado, aventurado.
EXPULSAR Echar, despedir, arrojar. I Desterrar, extrañar, proscribir. I Desalojar.
EXPULSIÓN Deshaucio, echamiento. I Exilio, extrañamiento, destierro.
EXQUISITO Sabroso, delicioso, apetitoso. I Primoroso, precioso, delicado, selecto, fino, prodigioso.
EXTASIARSE Enajenarse, arrobarse, embelesarse, abstraerse, maravillarse.
ÉXTASIS Enajenamiento, exaltación, arrobamiento, suspensión, deliquio, transporte, elevación.
EXTEMPORÁNEO Inoportuno, inconveniente, intempestivo, impropio.

EXTENDER Dilatar, ensanchar, aumentar, prolongar, amplificar, desarrollar. I Propagar, divulgar, difundir. I Despachar.
EXTENSIÓN Dilatación, amplitud. I Espacio. I Longitud, desarrollo. I Duración.
EXTENSO Vasto, dilatado, espacioso, amplio, grande, lato, desarrollado.
EXTENUAR Enflaquecer, agotar, debilitar, depauperar, abatir, fatigar.
EXTERIOR Aspecto, apariencia, porte, traza. I Superficial, extremo.
EXTERIORIZAR Exponer, manifestar, declarar, descubrir.
EXTERMINIO Devastación, matanza, destrucción, ruinas, asolamiento, desolación.
EXTINGUIR Apagar, sofocar, asfixiar. I Anonadar, agotar. I Morir, espirar, acabar.
EXTINTO Fallecido, difunto, muerto, finado. I Apagado.
EXTRACCIÓN Abolengo, prosapia, nacimiento, origen, clase. I Retiro.
EXTRACTO Esencia, meollo, substancia. I Compendio, resumen, epítome.
EXTRAER Sacar, quitar, excluir, separar. I Extractar, compendiar. I Retirar.
EXTRANJERO Extraño, forastero, foráneo, exótico. I Exterior.
EXTRAÑAR Desterrar, confinar, expulsar, exiliar. I Chocar, sorprender. I Añorar.
EXTRAÑARSE Asombrarse, admirarse, maravillarse, chocar.
EXTRAÑEZA Admiración, asombro, sorpresa. I Extravagancia, irregularidad, novedad, rareza. I Desafecto, frialdad, desvío.
EXTRAÑO Extravagante, raro, chocante, insólito, estrambótico, peregrino, llamativo, singular, excepcional. I Ajeno, extranjero.
EXTRAORDINARIO Excepcional, importante, excelente, extraño, singular, raro, sorprendente, asombroso, prodigioso. I Eminente, notable.
EXTRAVAGANTE Estrafalario, extraño, estrambótico, excéntrico, ridículo, grotesco, chocante.
EXTRAVIAR Desviar, descaminar, descarriar, despistar.
EXTRAVIARSE Desorientarse, desviarse, descarriarse, despistarse, descaminarse. I Perderse.
EXTRAVÍO Descamino, descarrío. I Pérdida. I Frenesí, demasía, exceso.
EXTREMADO Extremoso, excesivo, desmesurado, radical, exagerado.
EXTREMARSE Desvelarse, aplicarse, esmerarse, desvivirse.
EXTREMIDAD Extremo, cabo, límite, término, remate, punta, fin. I Miembro.
EXTREMO Extremidad, fin, cabo, remate. I Excesivo, exagerado, extremado, sumo. I Punto. I Límite.
EXUBERANCIA Profusión, abundancia, riqueza.

EXUBERANTE Abundante, pletórico, prolijo, fértil, pródigo, profuso.
EXVOTO Ofenda, donación, don, oblación.
EYECCIÓN Expectoración, vómito, esputo, deyección.

F

FÁBRICA Taller, manufactura, industria. I Construcción.
FABRICAR Manufacturar, elaborar, producir. I Construir, edificar, obrar. I Inventar, imaginar, disponer, hacer.
FÁBULA Invención, ficción, patraña, hablilla, quimera. I cuento, relato. I Mitología.
FABULOSO Falso, ficticio, ilusorio, imaginario, fingido. I Quimérico, increíble, fantástico, inverosímil. I Prodigioso, portentoso.
FACCIÓN Pandilla, partido, banda. I Rasgo.
FACCIOSO Perturbador, provocador, rebelde, sedicioso, alzado, sublevado, insurgente, revoltoso.
FACETO Afectado, presuntuoso, amanerado, ridículo.
FÁCIL Sencillo, hacedero, factible, simple, posible, corriente. I Manejable, acomodaticio, dócil. I Liviano, ligero, frágil. I Agradable.
FACILIDAD Disposición, aptitud, habilidad, capacidad. I Complacencia, condescendencia. I Comodidad, bienestar.
FACILITAR Proporcionar, suministrar, posibilitar, allanar, simplificar, dar, proveer, entregar.
FACINEROSO Delincuente, bandido, criminal, desalmado, salteador, malvado, malhechor.
FACSÍMIL Reproducción, imitación, copia.
FACTIBLE Hacedero, posible, realizable.
FACTOTUM Entremetido, importuno, oficioso.
FACULTAD Autoridad, potestad, privilegio, poder, albedrío, derecho, disposición. I Autorización, licencia, opción. I Ciencia.
FACULTAR Permitir, consentir, autorizar, acreditar, comisionar, delegar.
FACULTATIVO Potestativo, discrecional, atributivo. I Cirujano, médico.
FACUNDO Elocuente, locuaz, tribunicio, verboso.
FACHA Traza, apariencia, presencia, pelaje, fisonomía, aspecto. I Adefesio, mamarracho.
FACHADA Frontispicio, portada, frente, exterior. I Apariencia, presencia.
FACHENDA Vanidad, vanagloria, fatuidad, petulancia, flamenquería, pedantería, postín, jactancia, presunción.
FACHENDOSO Jactancioso, fanfarrón, presumido, fatuo, postinero, marchoso, fachenda, presuntuoso, vano.
FAENA Labor, tarea, trabajo, quehacer, ocupación, actividad.
FAJA Cinturón, ceñimiento, fajín. I Cincho. I Línea, zona. I Tira.
FALACIA Mentira, engaño, falsedad, fraude.
FALAZ embustero, mentiroso, mendaz, falso, impostor, lioso, engañoso, artero.
FALDA Saya, faldas, naguas, halda. I Regazo.
FALIBLE Inexacto, engañoso, erróneo, mendaz.
FALSEAR Falsificar, corromper, adulterar, desnaturalizar, sofisticar. I Desafinar, desentonar, discordar, disonar. I Descomponer.
FALSEDAD Mentira, engaño, superchería, falsía, calumnia, impostura, argucia, doblez, deslealtad, hipocresía, disimulo.
FALSIFICAR Falsear, adulterar, alterar, contrahacer, desnaturalizar. I Mixtificar, sofisticar.
FALSO Engañoso, ficticio, sofístico, mentiroso, aparente. I Simulador, desleal, perjuro, traidor, felón, hipócrita. I Equivocado, inexacto.
FALTA Privación, carestía, escasez. I Descuido, pecado, culpa, desliz. I Deficiencia, imperfección, defecto. I Equivocación. I Ausencia.
FALTAR Consumirse, acabarse, fenecer. I Desmandarse, propasarse, ofender. I Incumplir, fallar. I Mentir, engañar. I Caer, pecar. I Restar.
FALTO Necesitado, mezquino, pobre, escaso, carente, desabastecido. I Insuficiente, deficiente.
FALLAR Fracasar, marrar, pifiar, faltar. I Sentenciar, determinar, decidir.
FALLECER Morir, fenecer, expirar, sucumbir, finar.
FALLO Dictamen, sentencia, resolución, laudo, juicio, decisión.
FAMA Nombradía, celebridad, reputación, crédito, renombre. I Honra, opinión, voz. I Triunfo, lauro.
FAMILIA Parentela, casta, estirpe, progenie, linaje, prole, abolengo, cepa, cuna, raza.
FAMILIAR Pariente, deudo, allegado. I Natural, corriente, sencillo. I Accesible. I Casero.
FAMILIARIDAD Confianza, intimidad, sinceridad, franqueza, libertad, llaneza.
FAMOSO Afamado, célebre, acreditado, reputado, conocido. I Magnífico, admirado, excelente. I Glorioso. I Sonado, renombrado, ruidoso.
FÁMULO Doméstico, criado, lacayo, sirviente.
FANÁTICO Exaltado, apasionado, entusiasta, admirador, partidario, sectario, intransigente, intolerante.
FANATISMO Intransigencia, intolerancia, exaltación, apasionamiento.
FANATIZAR Apasionar, excitar, exaltar.
FANFARRÓN Valentón, petulante, jactancioso, bravote, bravucón, matasiete.
FANFARRONADA Balandronada, bravata, fanfarria, compadrada.
FANFARRONERÍA Fanfarria, presunción, bravuconería, baladronada, valentonada, fanfarronada, matonismo, petulancia, jactancia.
FANGO Lodo, cieno, barro. I Degradación, depravación.
FANTASÍA Ficción, imaginación, quimera, irreali-

FAN

dad. | Capricho, antojo.
FANTASIOSO Presuntuoso, presumido, vano, entonado.
FANTÁSTICO Quimérico, fingido, imaginario. | Increíble, fabuloso, prodigioso. | Extravagante, supuesto, caprichoso.
FARAMALLA Morralla, hojarasca, fárrago, paja.
FARANDULERO Comediante, histrión. | Trapacero, hablador.
FARFANTÓN Valentón, fanfarrón, bravucón.
FARFULLAR Tartamudear, balbucir, barbullar, tartajear.
FARO Guía, dirección, indicación. | Foco, destello, luz.
FAROLEAR Alardear, presumir, fantasear, fachandear, pedantear.
FARRA Parranda, fiesta, holgorio, jarana, juerga.
FARSA Comedia, intriga, engaño, tramoya, embrollo, enredo, ficción, patraña. | Farándula.
FARSANTE Comediante, cómico, histrión, actor. | Mentiroso, embustero, tramposo, hipócrita, embaucador, impostor.
FASCINACIÓN Alucinación, engaño. | Atractivo, seducción, encanto.
FASCINAR Alucinar, engañar, aojar. | Deslumbrar, atraer, seducir, encantar, embaucar, camelar.
FASTIDIAR Enojar, molestar, cansar, importunar, aburrir, hartar, disgustar, enfadar, hastiar, empalagar.
FASTIDIO Disgusto, enfado, molestia, cansancio, saciedad, aburrimiento, hastío, tedio, monotonía, desgano.
FASTIDIOSO Importuno, tedioso, pesado, molesto, insoportable, aburrido, latoso, cargante, insípido, cargoso.
FASTUOSIDAD Ostentación, lujo, fausto, pompa.
FASTUOSO Lujoso, ostentoso, regio, señorial, suntuoso, magnífico, vistoso.
FATAL Fatídico, desgraciado, funesto, infausto, aciago, nefasto, siniestro. | Inevitable, irrevocable, ineludible, ineluctable, forzoso.
FATALIDAD Desgracia, adversidad, infortunio, desventura, desdicha, infelicidad. | Catástrofe, desastre, hecatombe.
FATIGA Cansancio, agotamiento, extenuación, cansera, laxitud, ahogo.
FATIGAR Cansar, extenuar, agotar, rendir. | Desalentar, importunar, aburrir, molestar, reventar.
FATUIDAD Petulancia, presunción, impertinencia, vanidad, necedad.
FATUO Necio, presumido, impertinente, insensato, vanidoso, petulante, presuntuoso, tonto, bobo.
FAUSTO Boato, pompa, ornato, lujo, ostentación, suntuosidad, esplendor, magnificencia. | Venturoso, afortunado, dichoso.
FAVOR Ayuda, servicio, amparo, socorro, defensa, asistencia. | Merced, beneficio, gracia. | Valimiento, influencia.

FAVORABLE Propicio, benigno, apacible. | Providencial, indulgente. | Próspero.
FAVORECER Proteger, ayudar, beneficiar, amparar, socorrer, otorgar, apoyar, asistir, auxiliar.
FAVORITO Preferido, predilecto, privilegiado, elegido.
FAZ Fisonomía, cara, semblante, rostro. | Fachada, frontispicio. | Aspecto.
FE Virtud. | Creencia, religión, convencimiento, credulidad. | Esperanza. | Certificación, testimonio. | Fidelidad.
FEALDAD Deformidad, desproporción, monstruosidad. | Torpeza, vergüenza, maldad, iniquidad.
FEBRIL Calenturiento, febricitante, afiebrado. | Desasosegado, ardiente, inquieto, ardoroso, violento, intranquilo.
FECUNDAR Fecundizar, fertilizar, abonar. | Preñar, encintar, concebir.
FECUNDIDAD Fertilidad, feracidad, abundancia, fecundación.
FECUNDO Abundante, fructífero, fructuoso, óptimo, productivo, fértil, ubérrimo, rico, feraz. | Prolífico, viripotente.
FECHA Data, tiempo, día.
FEDERACIÓN Confederación, asociación.
FEDERARSE Confederarse, asociarse, sindicarse, ligarse.
FEÉRICO Maravilloso, fantástico.
FELICIDAD Ventura, dicha, bonanza. | Prosperidad, fortuna, bienestar, suerte, auge. | Satisfacción, gusto, placer, contento.
FELICITACIÓN Norabuena, pláceme, congratulación, parabién, cumplimiento.
FELICITAR Congratular, cumplimentar, gratular.
FELIZ Satisfecho, dichoso, venturoso, afortunado. | Alegre, contento. | Oportuno, acertado, atinado.
FELONÍA Deslealtad, infamia, traición, perfidio, alevosía.
FEMENINO Mujeril, femenil, afeminado, adoncellado, delicado.
FEMENTIDO Perverso, engañoso, desleal, traidor, infiel, infame, felón, vil, pérfido, aleve, malo.
FENOMENAL Tremendo, descomunal, asombroso, colosal, extraordinario.
FEO Feúcho, malcarado, disforme, mal parecido. | Censurable, indigno, reprobable. | Grosería, afrenta, desprecio.
FERACIDAD Fecundidad, abundancia, fertilidad.
FERAZ Fértil, fructífero, rico, productivo, óptimo, fecundo, fructuoso, productivo, generoso.
FERIA Mercado, ferial. | Exposición.
FERMENTAR Recentar, hervir, leudar.
FEROZ Fiero, inhumano, despiadado, insensible, desalmado, brutal, cruel, atroz, sañudo, empedernido, bárbaro.
FÉRREO Inflexible, duro, tenaz, fuerte, resistente.
FÉRTIL Abundante, feraz, productivo, exuberante,

óptimo, fecundo, fructífero, fructuoso. I Ubérrimo.
FERTILIZAR Fecundizar, fructíferar, fecundar, abonar.
FERVIENTE Férvido, ardiente, ardoroso, cálido. I Fervoroso, piadoso, devoto. I Solícito, diligente, activo.
FERVOR Devoción, piedad, recogimiento. I Entusiasmo, vehemencia, pasión, celo, ardor.
FESTEJAR Cortejar, galantear, requebrar. I Obsequiar, agasajar, regalar. I Divertirse, recrearse.
FESTIVIDAD Fiesta, solemnidad, función, ceremonia, conmemoración. I Donaire, agudeza.
FESTIVO Chistoso, ocurrente, divertido, gracioso, salado, jovial, alegre, jocoso, agudo. I Feriado.
FÉTIDO Hediondo, carroñoso, apestoso, infecto, pestilente, repugnante, pestífero, mefítico.
FEUDAL Señorial, feudatorio, noble.
FIANZA Garantía, arras, prenda, depósito, aval.
FIAR Garantizar, responder, avalar, afianzar, garantir. I Confiar.
FIBRA Energía, nervio, vigor, carácter, firmeza, resistencia. I Filamento, hebra.
FIBROSO Filiforme, hebroso, filamentoso. I Robusto, enérgico, resistente.
FICCIÓN Mito, fábula, cuento, invención, fingimiento, quimera, mentira.
FICTICIO Fingido, ilusorio, imaginario, fantástico, quimérico, supuesto.
FIDEDIGNO Auténtico, fehaciente, verosímil, creíble, verdadero.
FIDELIDAD Lealtad, constancia, rectitud, honradez. I Escrupulosidad, veracidad, probidad, sinceridad. I Exactitud.
FIEL Leal, probo, honrado, incorruptible. I Puntual, seguro. I Verdadero, sincero, verídico.
FIELMENTE Exactamente, escrupulosamente, puntualmente, religiosamente.
FIERO Feroz, cruel, duro, inhumano, sanguinario, brutal. I Salvaje, bravío. I Furioso, horroroso, terrible. I Peligroso.
FIESTA Alegría, regocijo, diversión, placer. I Festividad, conmemoración. I Halago, agasajo, zalamería. I Broma.
FIGURA Forma, aspecto, traza, hechura. I Rostro, efigie, faz, cara. I Símbolo. I Imagen, representación, retrato. I Metáfora.
FIGURADO Imaginado, supuesto, hipotético, fingido.
FIGURAR Disponer, configurar. I Aparentar, suponer, simular, fingir. I Imaginar, inventar, idear. I Contener, pertenecer.
FIGURATIVO Representativo, simbólico, emblemático.
FIJAR Hincar, asegurar, sujetar, afianzar, clavar. I Precisar, determinar, establecer, señalar. I Consolidar.
FIJARSE Advertir, reparar. I Establecerse. I Determinarse, decidirse.

FIJEZA Constancia, persistencia, firmeza, continuidad, seguridad.
FIJO Firme, sujeto, inmóvil, seguro, asegurado, invariable.
FILA Hila, ringlera, hilera. I Tirria, antipatía, ojeriza, odio.
FILÁNTROPO Altruista, generoso, bienhechor, benefactor, humano.
FILFA Embuste, mentira, engaño, fábula, patraña.
FILÍPICA Reprimenda, amonestación, invectiva, catilinaria, rapapolvo.
FILO Corte, arista, borde, tajo.
FILOLOGÍA Lingüística, lexicología, fraseología.
FILOSOFÍA Doctrina, sistema. I Conformidad, resignación.
FILOSÓFICO Afilosofado, metafísico, pensador, ideológico.
FILTRACIÓN Infiltración, colada, transvasación. I Malversación.
FIN Terminación, conclusión, final, desenlace. I Extremidad, cabo, punta. I Objeto, propósito, finalidad, meta. I Resultado. I Muerte.
FINADO Muerto, difunto.
FINALIDAD Fin, fundamento, pretexto, motivo, razón, causa, objeto.
FINALIZAR Acabar, terminar, concluir, liquidar, extinguir, rematar.
FINAMENTE Cortésmente, delicadamente.
FINCA Propiedad, predio, posesión, heredad.
FINGIDO Disimulado, aparente, engañoso, postizo, simulado, ficto.
FINGIMIENTO Simulación, apariencia, afectación, falsedad, ficción, astucia, doblez, engaño, estratagema, artificio.
FINGIR Simular, disimular, mentir, pretextar, aparentar, afectar, desfigurar, disfrazar.
FINO Delicado, pulido, suave, refinado. I Sutil, delgado. I Cumplido, cortés, comedido, atento. I Sagaz, astuto. I Amoroso, fiel.
FINURA Delicadeza, exquisitez, pulcritud. I Cortesía, distinción, comedimiento, urbanidad. I Sutileza.
FIRMAMENTO Espacio, cielo.
FIRMAR Rubricar, suscribir, signar, certificar.
FIRME Fijo, estable, sólido, invariable, fuerte. I Inquebrantable, íntegro, constante, entero.
FIRMEZA Fortaleza, consistencia, resistencia, solidez. I Entereza, constancia, fidelidad, perseverancia.
FISCALIZAR Investigar, averiguar, criticar. I Controlar.
FISGARSE Mofarse, burlarse, reírse, engañar, chancearse.
FISONOMÍA Semblante, figura, rostro, faz, cara, físico, aspecto.
FLACO Enjuto, magro, chupado, consumido, esmirriado, esquelético, delgado, escuálido. I Flojo, endeble, frágil. I Defecto, debilidad.
FLAGELAR Azotar, vapulear, zurrar, disciplinar, fus-

FLÁ

tigar. I Censurar.
FLAMANTE Resplandeciente, rutilante, chispeante, reluciente, brillante. I Nuevo, reciente. I Fresco.
FLÁMULA Banderola, gallardete, grímpola.
FLAQUEAR Aflojar, ceder, desistir, desmayar, cejar, claudicar, amainar, flojear, debilitarse, desanimarse, decaer.
FLAQUEZA Extenuación, delgadez, consunción. I Debilidad, sumisión, blandura. I Desliz.
FLECHA Saeta, dardo.
FLEMA Lentitud, tranquilidad, imperturbabilidad, tardanza, calma.
FLEXIBLE Doblegable, mimbreante, cimbreante. I Acomodaticio, condescendiente, contemporizador.
FLOJEDAD Flaqueza, decaimiento, debilidad, desánimo. I Indolencia, descuido, pereza, negligencia, apatía.
FLOJO Lacio, caído. I Flaco, débil. I Indolente, negligente, perezoso, tardo, descuidado. I Pusilánime.
FLOR Florón. I Requiebro, piropo, galantería, cumplido, lisonja. I Novedad, frescura. I Juventud.
FLORECER Florar, brotar. I Prosperar, progresar, adelantar, desarrollarse. I Existir.
FLORECIENTE Florido. I Próspero, desarrollado, pujante. I Feliz, dichoso.
FLORECIMIENTO Florescencia, floración, fecundación, desarrollo.
FLORILEGIO Antología, selección, anacletas.
FLOTAR Sobrenadar, emerger, nadar, boyar. I Flamear, ondear, ondular.
FLUCTUAR Oscilar, titubear, dudar, vacilar. I Variar.
FLUIR Correr, manar, rezumar, brotar.
FOBIA Aversión, ojeriza, manía, antipatía, aborrecimiento.
FOFO Hueco, poroso, blando, fláccido, esponjoso.
FOGATA Lumbrada, hoguera, pira.
FOGOSO Ardoroso, brioso, impetuoso, impulsivo, ardiente, vehemente, arrebatado, violento.
FOGUEADO Experimentado, avezado, ducho, acostumbrado.
FOLLAJE Hojarasca, broza, borusca, jaramalla. I Palabrería, redundancia.
FOMENTADOR Creador, organizador.
FOMENTAR Enardecer, atizar, instigar, caldear, excitar. I Alimentar, sostener, estimular, proteger.
FOMENTO Protección, sostenimiento, estímulo. I Compresa. I Calor.
FONDA Hostería, posada, pensión.
FONDEADERO Ancladero, surgidero.
FONDO Profundidad, hondura, hondo. I Condición, carácter, índole. I Argumento, asunto. I Lecho. I Retrete.
FORAJIDO Bandolero, malvado, facineroso, salteador, bandido.
FORASTERO Extraño, foráneo, ajeno, forano.
FORCEJEAR Forcejar, bregar, forzar, luchar, batallar, rebatir, pugnar.

FORJAR Inventar, fingir. I Fraguar, estructurar.
FORMA Estructura, hechura, configuración, conformación. I Fórmula, estilo, manera. I Hostia.
FORMACIÓN Constitución, conformación, instrucción, composición, elaboración.
FORMAL Serio, cumplidor, cabal, juicioso, sincero. I Puntual. I Preciso, explícito, determinado, positivo.
FORMALIDAD Exactitud, puntualidad, regularidad. I Sinceridad, seriedad, circunspección. I Regla.
FORMALIZAR Fijar, precisar, concretar, determinar. I Ofenderse.
FORMAR Crear, fabricar, componer, construir, constituir. I Instituir, reunir, organizar, establecer. I Instruir.
FORMARSE Capacitarse, desarrollarse, educarse, crecer.
FORMIDABLE Asombroso, superior, excelente, colosal, grandioso. I Espantoso, terrible, temible, tremendo, espantable.
FÓRMULA Forma, regla, pauta, sistema, norma. I Receta.
FORMULAR Exponer, manifestar, enunciar, proponer. I Prescribir.
FORNIDO Vigoroso, recio, robusto, corpulento, fuerte.
FORRAR Tapizar, guarecer, cubrir, enfundar, aforrar.
FORTALECER Fortificar, vigorizar, tonificar, vigorizar, alimentar, confortar, robustecer, reforzar, vivificar.
FORTALEZA Energía, pujanza, vigor, solidez, fuerza, robustez. I Castillo, fuerte, fortificación, ciudadela. I Integridad, entereza.
FORTIFICAR Vigorizar, robustecer, fortalecer, confortar. I Amurallar, guarnecer, acorazar, encastillar.
FORTUITO Casual, ocasional, imprevisto, incidental, esporádico, impensado, eventual, inopinado, repentino.
FORTUNA Capital, riqueza, hacienda. I Suerte, sino, destino, azar. I Casualidad. I Felicidad, ventura.
FORÚNCULO Divieso, furúnculo.
FORZAR Violentar, obligar, apremiar, compeler. I Violar.
FORZOSO Obligatorio, ineludible, imperioso, inevitable, inexcusable, preciso, necesario, esencial.
FOSA Sepultura, tumba, huesa, hoyo.
FRACASAR Malograrse, fallar, frustrarse, naufragar.
FRACASO Descalabro, caída, derrumbe, barquinazo, quebranto, fiasco, revés, contratiempo, contrariedad.
FRACCIONAR Fragmentar, dividir, distribuir, partir, repartir.
FRACTURAR Quebrar, romper, quebrantar.
FRAGANCIA Aroma, efluvio, perfume.
FRAGANTE Perfumado, oloroso, aromoso, aromático.
FRÁGIL Quebradizo, débil, endeble, inconsistente, rompedizo. I Pasajero, perecedero, caduco.
FRAGMENTO Porción, partícula, esquirla. I Fracción, pedazo, trozo.

FRA

FRAGOSIDAD Espesura, escabrosidad, maleza, aspereza, maraña.
FRAGUAR Forjar, idear, discurrir, tramar, maquinar, urdir, armar, pensar.
FRANCACHELA Convite, comilona, bacanal, holgorio, jarana, juerga.
FRANCO Sincero, llano, claro. l Sencillo, ingenuo, abierto. l Despejado, desembarazado. l Dispensado, exento.
FRANJA Tira, lista, faja, borde, cenefa. l Guarnición, orla.
FRANQUEAR Eximir, libertar. l Estampillar. l Conceder. l Despejar, librar.
FRANQUEZA Claridad, sinceridad, naturalidad, llaneza. l Exención.
FRANQUICIA Exención, privilegio, exoneración, dispensa, fuero.
FRASE Expresión, locución, dicción, dicho.
FRATERNAL Fraterno, hermanal, cariñoso, afectuoso.
FRATERNIZAR Intimar, simpatizar, congeniar.
FRAUDE Dolo, engaño, estafa, sablazo, defraudación, timo, fraudulencia.
FRAUDULENTO Mentiroso, engañoso, falaz, doloso.
FRECUENTE Usual, corriente, acostumbrado, regular, asiduo, habitual, ordinario, común.
FREGAR Restregar, lavar, fregotear. l Fastidiar, molestar, jorobar.
FREÍR Fritar, refreír. l Molestar, importunar.
FRENESÍ Exaltación, delirio, locura, enajenación, furia.
FRENÉTICO Furioso, exaltado, alocado, impulsivo, desequilibrado, rufioso, rabioso, desjuiciado, enajenado.
FRENO Bocado, bridón, ronzal, serreta. l Sujeción, dique, coto.
FRENTE Semblante, cara. l Frontispicio, fachada, portada, delantera, anverso, frontis.
FRESCA Claridad, crudeza, verdad.
FRESCO Frío, frígido. l Nuevo, reciente. l Desenfadado, desahogado, desvergonzado, descarado. l Inmutable, sereno, impávido.
FRESCURA Amenidad, lozanía, verdor. l Desenfado, descaro, desfachatez, desvergüenza. l Impasibilidad, serenidad, tranquilidad. l Negligencia.
FRIALDAD Frigidez, frío. l Indiferencia, desafecto, desinterés, despego. l Descuido, indolencia, apatía. l Impotencia.
FRÍGIDO Frío, destemplado, gélido, crudo.
FRÍO Frígido, congelado, tieso. l Impávido, sereno, tranquilo, impasible, indiferente, imperturbable. l Impotente.
FRITO Fritada, fritura, fritanga. l Fastidiado, aviado.
FRÍVOLO Ligero, veleidoso, inconsecuente, versátil, voluble, superficial. l Anodino, baladí, trivial.
FRONDOSIDAD Espesura, lozanía.
FRONTERA Confín, límite, linde, limítrofe, rayano, lindante.
FRONTERIZO Confinante, rayano, limítrofe, continuo, frontero, lindante, medianero.
FROTACIÓN Frotadura, roce, frotamiento, fricción, frote.
FROTAR Friccionar, restregar, ludir, refregar.
FRUCTIFICAR Frutar, frutecer, madurar, granar. l Producir, rendir, dar.
FRUGAL Moderado, comedido, mesurado, sobrio, parco, templado.
FRUGALIDAD Moderación, parquedad, templanza, sobriedad, mesura.
FRUSLERÍA Futilidad, nadería, chuchería, futesa, nonada, friolera.
FRUSTRADO Malogrado, fracasado, abortado.
FRUSTRAR Malograr, desperdiciar, fracasar, estropear, defraudar, desgraciar.
FRUTO Producción, ganancia, utilidad, recompensa, premio. l Fruta, fructificación, granazón, producto.
FUEGO Ignición, lumbre, brasa, llama, incendio. l Pasión, vehemencia, ardor, ímpetu, calor.
FUELLE Aventador, soplillo, barquín.
FUENTE Manantial, fontana, surtidor, hontanar. l Fundamento, origen, antecedente, venero, principio.
FUERO Ley, jurisdicción, poder. l Privilegio. l Presunción, arrogancia.
FUERTE Robusto, corpulento, forzudo, resistente, recio, vigoroso, duro. l Animoso, enérgico, tenaz. l Sonoro, agudo, penetrante. l Grande, impetuoso, rabioso, terrible. l Aptitud, especialidad. l Versado.
FUERZA Vigor, brío, energía, robustez, fortaleza, reciedumbre, vitalidad, poderío. l Violencia, impulso, ímpetu. l Valor, eficacia, firmeza.
FUGA Evasión, huida, estampida, escape.
FUGARSE Marcharse, evadirse, escurrirse, evaporarse, huir, zafarse.
FUGAZ Efímero, momentáneo, instantáneo, rápido, breve, transitorio, corto, huidizo, perecedero, pasajero.
FUGITIVO Evadido, fugado, prófugo. l Fugaz, pasajero.
FULGENTE Resplandeciente, centelleante, refulgente, brillante, radiante, luminoso, fúlgido.
FULGURAR Brillar, refulgir, centellear, rutilar, resplandecer, fulgir, titilar, chispear, relumbrar, relucir.
FULMINANTE Terminante, repentino, fulmíneo, categórico. l Pistón.
FULMINAR Amenazar, imponer. l Aniquilar.
FUMAR Humear, chupar. l Birlar. l Burlar, chasquear. l Faltar.
FUNCIÓN Espectáculo, fiesta, diversión, representación. l Ocupación, empleo, ministerio.
FUNCIONAR Ejecutar, verificar, actuar, ejercitar, marchar, moverse.
FUNDA Cubierta, envoltura, almohada, forro, vaina.
FUNDAMENTAL Primordial, esencial, elemental, básico, vital, principal.

FUN

FUNDAMENTO Base, cimiento, sostén, apoyo. l Elemento, origen, principio, raíz. l Razón, causa, móvil.
FUNDAR Fundamentar, instituir, establecer, crear. l Justificar, basar, apoyar. l Construir, levantar, edificar.
FUNDIR Derretir, moldear, desleír, amoldar.
FÚNEBRE Luctuoso, lúgubre, tétrico, funesto, sombrío.
FUNESTO Triste, lamentable, aciago, luctuoso, infausto, fatídico, desgraciado, nefasto, doloroso, fatal.
FURIA Furor, ira, cólera, rabia, frenesí. l Impetuosidad, velocidad, vehemencia. l Actividad, agitación. l Demencia, locura.
FURIBUNDO Impetuoso, colérico, rabioso, corajudo, iracundo, airado, furibundo, frenético, violento.
FURTIVO Oculto, escondido, encubierto, clandestino, subrepticio, secreto.
FUSILAR Ajusticiar, ejecutar. l Plagiar.
FUSIÓN Unión, mezcla. l Reconciliación.
FUSTE Fundamento, entidad, importancia, substancia. l Talla, jerarquía.
FUSTIGAR Azotar, flagelar. l Criticar, censurar, vituperar, zaherir.
FUTESA Fruslería, nadería, bagatela, minucia, puerilidad, nonada, insignificancia, friolera, nimiedad.
FÚTIL Trivial, insignificante, anodino, pueril, baladí, insubstancial.
FUTURO Porvenir, venidero, mañana. l Prometido, novio.

G

GABÁN Sobretodo, abrigo, raglán.
GABELA Tributo, contribución, gravamen, impuesto, obligación, carga.
GABINETE Ministerio, gobierno. l Tocador, saleta.
GACETA Periódico, publicación. l Charlatán, hablador, correveidile.
GACHONERÍA Donaire, gachonada, atractivo, gracia.
GAFAS Anteojos, lentes, antiparras, quevedos, espejuelos.
GAJE Utilidad, salario, emolumento, ganancia, sueldo. l Señal, prenda.
GAJO Racimo, parte, división. l Lóbulo.
GALA Ceremonia, fiesta, fausto. l Gracia, garbo, bizarrería. l Ostentación, alarde. l Adorno.
GALÁN Apuesto, guapo, elegante, agradable, galanteador, cortejador, bizarro, garboso, gentil.
GALANTE Atento, obsequioso, cumplido, cortés, urbano, fino, solícito.
GALANTEAR Requebrar, piropear, enamorar, cortejar, seducir, agasajar, festejar, obsequiar.
GALANTEO Coqueteo, flirteo, enamoramiento, galantería, cortejo, seducción.
GALANTERÍA Distinción, cortesanía, gentileza, cortesía, atención. l Flor, requiebro.
GALANURA Gentileza, elegancia, galanía, donaire, agudeza, gracejo, gracia, donosura, garbo, gallardía.

GALARDÓN Premio, recompensa, lauro, compensación, palma, laurel.
GALBANA Pereza, holgazanería, indolencia, remolonería, flojera, desidia.
GALIMATÍAS Jerigonza, guirigay.
GALOPÍN Pillo, sinvergüenza, pícaro, bribón.
GALLARDEAR Bizarrear, pavonear, guapear.
GALLARDÍA Bizarría, valentía, brío, marcialidad, valor, garbo. l Arresto, esfuerzo, arrojo. l Esbeltez, lozanía.
GALLARDO Bizarro, valiente, valeroso, esforzado, arriscado. l Apuesto, gentil, galán, garboso, esbelto. l Hermoso, excelente.
GALLINA Ave. l Cobarde, tímido, pusilánime.
GAMBETA Regate, esguince.
GANA Deseo, apetencia, ansia, anhelo, afán, antojo. l Apetito.
GANADERÍA Vacada, yeguada, torada, hacienda, rebaño, manada, mulada.
GANANCIA Utilidad, beneficio, rendimiento, producto, ingresos, provecho.
GANAR Embolsar, lograr, alcanzar. l Superar, aventajar, vencer. l Triunfar, dominar, tomar. l Adquirir, conseguir.
GANCHO Garfio, garabato. l Atractivo.
GANDUL Vagabundo, perezoso, vago, negligente, desidioso, zángano, haragán.
GANDULEAR Holgazanear, perecear, haraganear, barlotear.
GANDULERÍA Holgazanería, poltronería, haraganería, pereza.
GANGA Ventaja, breva, gollería. l Canongía.
GANSADA Botaratada, sandez, simpleza, estupidez.
GANSO Oca, ansar. l Necio, torpe, mentecato, simple, tonto, imbécil.
GAÑÁN Mozo, labriego, bracero, jayán. l Tosco, patán.
GARABATO Monigote, garrapato. l Gancho, garfio.
GARANTÍA Fianza, caución, prenda, depósito, señal. l Protección.
GARANTIZAR Garantir, avalar, afianzar, proteger, asegurar.
GARBO Gallardía, lozanía, galanía, donosura, apostura, desenfado, gentileza. l Bizarría, desinterés, generosidad.
GARGANTA Cuello, gaznate, tragaderas, fauces. l Desfiladero, angostura. l Canal. l Gorja.
GARGUERO Garganta, gaznate, tragaderas.
GARLITO Trampa, celada, asechanza.
GARRAFAL Exorbitante, morrocotudo, enorme, grande, monumental.
GARRIDO Hermoso, apuesto, galano, gentil.
GASEOSO Vaporoso, volátil, espiritoso, vaporable, deletéreo.
GASTADO Desgastado, usado, rozado, deslucido, ajado, pelado. l Extenuado, cansado, alicaído, consumido, agotado, acabado.

GAT

GASTAR Desembolsar. I Desgastar, estropear, destrozar. I Lucir, poseer. I Consumir, agotar.
GASTO Dispendio, desembolso, consumo, expendio.
GATEAR Trepar, subir. I Arañar. I Mayar, maullar, ronronear.
GATO Minino, morrongo. I Astuto, sagaz. I Máquina.
GAVILLA Haz, garbón. I Pandilla, cuadrilla.
GAZMOÑO Mojigato, hipócrita, simulador, santurrón, beatón.
GÉLIDO Helado, frío.
GEMIDO Lamento, suspiro, quejido, queja.
GEMIR Quejarse, clamar, plañir, aullar, gruñir, lamentarse.
GENEALOGÍA Generación, ascendencia, estirpe, linaje, origen, abolengo.
GENERACIÓN Engendramiento, fecundación. I Familia, casta, especie, genealogía, estirpe.
GENERAL Global, total. I Universal. I Frecuente, acostumbrado, común. I Impreciso, indeciso.
GENERALIZAR Universalizar, pluralizar, extender, divulgar. I Sistematizar.
GÉNERO Especie, clase, naturaleza. I Manera, forma. I Tejido, mercancía.
GENEROSIDAD Esplendidez, desprendimiento, desinterés, largueza. I Munificencia, magnanimidad.
GENEROSO Desprendido, pródigo, espléndido, munífico, caritativo, magnánimo, desinteresado. I Fértil.
GENIAL Inspirado, clarividente, creador. I Genio. I Agradable, placentero.
GENIO Temperamento, condición, carácter, humor, índole, idiosincrasia. I Ingenio, talento, lumbrera. I Disposición.
GENTE Concurrencia, conjunto, público, gentío, personas. I Familia.
GENTIL Apuesto, gallardo, esbelto, garboso, juncal, galán. I Agradable, bello. I Noble. I Bizarro.
GENTILEZA Gallardía, cortesía, delicadeza, educación, hidalguía, galanura. I Nobleza. I Desembarazo.
GENTUZA Populacho, gentualla, chusma, plebe, morralla.
GENUINO Verdadero, legítimo, auténtico, positivo, natural, real, seguro, fidedigno, propio.
GERMEN Embrión, semilla, brote. I Principio, origen, causa.
GERMINAR Brotar, crecer, desarrollarse, nacer.
GESTIÓN Trámite, diligencia, delegación, gerencia.
GESTO Expresión, mímica, visaje, ademán, actitud, apariencia, aspecto. I Mueca, mohín.
GIBA Gibosidad, chepa, corcova, joroba. I Incomodidad, molestia.
GIBOSO Cheposo, jorobado, corcovado. I Malhecho.
GIGANTESCO Gigante, agigantado, tremendo, ciclópeo, descomunal, titánico, colosal, extraordinario, enorme, grandioso.
GIMNASIA Gimnástica, flexión, acrobacia, ejercicio, deporte.

GIRO Vuelta, volteo, torno, rodeo. I Cariz, aspecto, dirección, sesgo. I Libranza, libramiento, letra.
GLACIAL Frígido, gélido, congelado, helado, frío. I Imperturbable, impenetrable, displicente.
GLOBO Esfera, planeta, orbe. I Aeróstato. I Embuste, mentira.
GLORIA Paraíso, bienaventuranza, cielo. I Reputación, celebridad, nombradía, fama, renombre, aureola, aura. I Delicia, placer.
GLORIARSE Vanagloriarse, jactarse, alabarse, preciarse.
GLORIFICAR Encumbrar, enaltecer, ensalzar, alabar, gloriar, honrar, realzar, afamar, aclamar.
GLORIOSO Ilustre, famoso, insigne, acreditado, célebre, heroico, memorable, excelso, egregio, afamado, renombrado.
GLOSA Anotación, apostilla, acotación, comentario, explicación, nota.
GLOSAR Anotar, interpretar, comentar, explicar.
GLOTÓN Insaciable, comilón, hambrón, tragón, heliogábalo, tragaldabas.
GLUTINOSO Pegajoso, pegadizo, viscoso, gomoso.
GOBERNADOR Regidor, gobernante, regente.
GOBERNAR Regentar, guiar, conducir, mandar, regir, administrar.
GOBIERNO Administración, conducción, mando, dirección, autoridad, dominio. I Gabinete, consejo, ministerio.
GOCE Disfrute, gozo, delectación, alegría, regalo, regodeo, posesión.
GOLOSO Laminero, galamero, sibarita, gulusmero. I Antojadizo.
GOLPE Choque, encuentro, golpazo. I Infortunio, revés, desgracia. I Ingenio, ocurrencia. I Admiración, sorpresa.
GOLPEAR Percutir, pegar, azotar, zumbar, atizar, vapulear. I Llamar.
GOLLERÍA Ganga, sinecura, canonjía, breva. I Superfluidad. I Golosina.
GORDO Grueso, graso, obeso, rechoncho, voluminoso, rollizo, orondo, gordinflón. I Importante, grande.
GORDURA Grasa, sebo. I Obesidad, adiposidad. I Grasitud.
GORRÓN Gorrero, parásito, arrimadizo, vividor, pegadizo.
GOTEAR Rezumar, escurrir, destilar, chorrear.
GOZAR Disfrutar, saborear, aprovechar, complacerse, recrearse. I Usufructuar, poseer, utilizar.
GOZNE Visagra, charnela, gonce.
GOZO Placer, alegría, contento, gusto, goce, complacencia, júbilo, satisfacción, regocijo.
GOZOSO Jubiloso, contento, regocijado, satisfecho, placentero, alegre, divertido, grato.
GRABADO Lámina, figura, ilustración, estampa. I Clisé.
GRABAR Estampar, imprimir, esculpir, inscribir,

513

GRA

burilar. I Incrustar.
GRACIA Donaire, garbo, seducción, encanto, hechizo. I Favor, servicio, beneficio, merced. I Misericordia, perdón. I Ocurrencia, chiste.
GRACIOSAMENTE Gratuitamente. I Ingeniosamente.
GRACIOSO Agudo, chistoso, entretenido, saleroso, jocoso, ocurrencia, divertido. I Atrayente, hermoso. I Gratuito.
GRADACIÓN Progresión, sucesión.
GRADO Jerarquía, categoría, orden. I Voluntad. I Título.
GRADUALMENTE Sucesivamente, progresivamente, lentamente.
GRADUAR Escalonar, matizar, medir, ordenar.
GRÁFICO Dibujo, plan, mapa, esquema, boceto. I Expresivo.
GRANDE Excesivo, considerable, amplio, exagerado, espacioso, desmedido. I Prócer, magnate, noble. I Grave, serio.
GRANDEZA Magnificencia, grandiosidad, esplendidez, vastedad. I Generosidad, magnanimidad, elevación. I Gloria, majestad, esplendor.
GRANDIOSO Fenomenal, monumental, colosal, espléndido, imponente, magnífico, estupendo, extraordinario, descomunal, gigantesco, exorbitante.
GRANERO Silo, camaraje, hórreo, sobrado, troj.
GRANJA Cortijo, ranchería, hacienda, estancia, alquería.
GRANJERÍA Utilidad, provecho, ganancia, fruto.
GRANUJA Vagabundo, pícaro, pillo, truhán, bribón, bellaco, charrán, tunante, golfo, bribonzuelo.
GRASA Adiposidad, gordura, grasura. I Suciedad, porquería, pringue, mugre.
GRATIFICACIÓN Recompensa, remuneración, propina, viático, premio, plus.
GRATIFICAR Recompensar, premiar, retribuir, remunerar, galardonar.
GRATIS Gratuitamente, de balde, graciosamente, gratuito.
GRATITUD Agradecimiento, reconocimiento.
GRATO Gustoso, placentero, agradable, satisfactorio, sabroso, delicioso, lisonjero. I Acogedor, amigable, afable.
GRATUITO Graciosamente, gratis, regalado, irremunerable, de balde. I Inmerecido, injusto.
GRAVAMEN Carga, obligación, impuesto, gabela, contribución. I Censo, canon.
GRAVAR Cargar, imponer, pesar, censar, hipotecar.
GRAVE Difícil, peligroso, comprometido, arduo, espinoso, dificultoso. I Molesto, embarazoso. I Serio, reservado, mesurado, adusto, austero. I Importante, grande, considerable.
GRAVIDEZ Embarazo, preñez.
GRAVITAR Entibar, apoyar, cargar, descansar, pesar, estribar.
GRAVOSO Cargante, fastidioso, engorroso, pesado, molesto, intolerable. I Costoso, oneroso, caro.
GRESCA Contienda, reyerta, altercado, trifulca, disputa, bronca, riña, pelotera, bochinche. I Vocería, gritería, algazara, bulla.
GRIETA Hendedura, raja, rendija, fisura, resquebrajadura, resquicio.
GRIMA Aversión, asco, repugnancia. I Molestia, disgusto, desazón.
GRITAR Chillar, alborotar, vocear, vociferar, ulular, clamar.
GRITERÍA Griterío, vocerío, chillería, algarabía, vocinglería, grita, algazara, clamoreo, bulla, alboroto.
GRITO Alarido, clamor, lamento, chillido, vociferación, voz.
GROSERO Basto, rústico, ordinario, imperfecto. I Desatento, descomedido, descortés, brutal, torpe.
GROSOR Espesor, grueso, dimensión.
GROTESCO Ridículo, chocarrero, fachoso, estrafalario, irrisorio, adefesio, extravagante, raro, chocante.
GRUESO Corpulento, voluminoso, rollizo, gordo, enorme, grande, abultado.
GRUÑIR Rezongar, refunfuñar, gañir, mascullar. I Regañar. I Verraquear.
GRUPO Conglomerado, conjunto, corrillo, corro, reunión. I Partida, gavilla, pandilla.
GRUTA Antro, caverna, cueva.
GUANTAZO Manotazo, bofetada, guantada.
GUARDA Guardián, vigilante. I Custodia, tutela, observancia.
GUARDAR Custodiar, cuidar, preservar, defender, vigilar, velar. I Ahorrar, embolsar. I Cumplir, observar, respetar, acatar, obedecer.
GUARDIA Custodia, amparo, protección, cuidado, defensa. I Policía.
GUARECER Cubrir, conservar, preservar. I Proteger, cobijar, socorrer.
GUARISMO Número, cifra, cantidad.
GUARNECER Ornar, embellecer, revestir, adornar. I Enlucir, revocar. I Equipar, proveer, dotar.
GUARNICIÓN Adorno, paramento, aliño, atavío, aderezo. I Guardia.
GUASÓN Embromador, chancero, burlón, bromista, chacotero. I Pesado, soso.
GUERRA Contienda, conflicto, hostilidad, combate, disidencia, refriega, pelea, pugna, lucha.
GUERRERO Batallador, combatiente, guerreador, belicoso. I Soldado.
GUÍA Conductor, cicerone, maestro, preceptor, consejero. I Caudillo, jefe, adalid. I Regla, modelo, pauta, norma.
GUIAR Conducir, encauzar, dirigir, encaminar, orientar, manejar, instruir, aconsejar, gobernar, adiestrar.
GUIJARRO Pedrusco, guija, chinarro, piedra, canto.
GUIÑAPO Harapo, andrajo. I Despreciable, vil, andrajoso.
GUISAR Cocinar, adobar, cocer. I Disponer, preparar, componer, arreglar.

GULA Gulosidad, glotonería, voracidad, avidez, gastronomía.
GUSTAR Sentir, percibir. I Paladear, saborear, catar, probar. I Agradar, satisfacer, celebrar, placer. I Desear. I Experimentar.
GUSTO Sabor, sazón. I Placer, agrado, deleite, complacencia. I Arbitrio, capricho, deseo. I Preferencia, opinión.
GUSTOSO Delicioso, sabroso, apetitoso, suculento, agradable, exquisito, excelente, rico. I Placentero, divertido, grato.

H

HABER Poseer, tener. I Bienes, hacienda, caudal, fortuna. I Suceder, acontecer, ocurrir, acaecer. I Alcanzar, atrapar. I Encontrarse, existir.
HABERES Salario, sueldo, emolumentos, paga, asignación, soldada.
HÁBIL Capaz, habilidoso, inteligente, diestro, competente, mañoso, apto, ingenioso, diligente, dispuesto. I Astuto.
HABILIDAD Capacitar, disposición, maestría, pericia, experiencia, competencia, aptitud, destreza. I Astucia, tacto.
HABITACIÓN Vivienda, residencia, domicilio, morada, casa, apartamiento, hogar, pieza, aposento, cuarto, estancia.
HABITANTE Ciudadano, inquilino, morador, avecindado, vecino, residente.
HABITAR Vivir, residir, ocupar, alojarse, aposentarse, morar, parar.
HÁBITO Costumbre, uso, estilo, práctica. I Vestido.
HABITUAL Consuetudinario, usual, rutinario, frecuente, acostumbrado.
HABITUAR Acostumbrar, avezar, familiarizar, aclimatar.
HABITUARSE Acostumbrarse, avezarse, familiarizarse, hacerse.
HABLA Idioma, lenguaje, palabra, léxico, dialéctico. I Charla.
HABLADOR Hablanchín, charlatán, charlador, parlanchín. I Chismoso, soplón.
HABLADURÍA Murmuración, mentira, chisme, voz, cuento.
HABLAR Articular, pronunciar, musitar, balbucir. I Charlar, conversar, platicar, perorar, departir. I Rogar, interceder. I Discurrir.
HABLILLA Habladuría, rumor, embuste, mentira, cotillería, infundio, bulo, murmuración, chisme, cuento.
HACEDERO Posible, viable, realizable, ejecutable, factible.
HACENDADO Acomodado, hacendista, estanciero, acaudalado.
HACENDOSO Trabajador, afanoso, estudioso, cuidadoso, laborioso, diligente.
HACER Fabricar, producir, construir, elaborar. I Ocasionar, determinar. I Disponer, componer, arreglar. I Ejecutar, efectuar, verificar, practicar. I Desempeñar, ejercer.
HACIENDA Bienes, patrimonio, caudal, fortuna, riqueza. I Propiedad, finca, granja, heredad, predio.
HACINAR Acumular, acopiar, amontonar, aglomerar, apilar.
HACHA Segul, destral, azuela. I Tea, antorcha.
HADO Destino, suerte, sino, estrella, fortuna.
HALAGADOR Adulador, lisonjero, agradable, halagüeño, zalamero.
HALAGAR Lisonjear, alabar, adular. I Satisfacer, agradar, complacer. I Acariciar, obsequiar, mimar, festejar.
HALAGO Agasajo, alabanza, mimo, adulación, caricia, fiesta, lisonja.
HALAGÜEÑO Lisonjero, risueño, halagador, zalamero, lagotero, obsequioso, grato, suave, encomiástico.
HALLAR Encontrar, descubrir, tropezar, inventar, atinar. I Averiguar, investigar. I Notar, observar.
HALLAZGO Descubrimiento, hallamiento, invención, encuentro.
HAMBRE Apetito, apetencia, gazuza, gana. I Escasez, necesidad, carestía.
HAMBRIENTO Hambrón, famélico, necesitado, menesteroso. I Ansia, deseo.
HAMPA Chusma, hez, canalla, morralla, pillería, haraganería, escoria.
HARAGÁN Holgazán, vago, maula, perezoso, tumbón, poltrón.
HARAPIENTO Haraposo, pingajoso, andrajoso, zancajiento, roto, astroso.
HARAPO Andrajo, guiñapo, pingajo, piltrafa, trapajo.
HARNERO Cedazo, criba.
HARTAR Ahitar, empachar, saciar, apipar, llenar, satisfacer. I Aburrir, fastidiar, hastiar, cansar, agobiar.
HARTARSE Atracarse, saciarse, atiborrarse.
HARTAZGO Saciedad, atracón, panzada, empacho, hartura.
HARTO Ahito, sobrado, repleto, satisfecho, saciado. Cansado.
HASTIAR Cansar, aburrir, fastidiar, enfadar, hartar, asquear.
HASTÍO Aburrimiento, tedio, fastidio, cansancio, desgana, disgusto.
HATAJO Cúmulo, conjunto, multitud, montón.
HATO Ropa, provisiones, ajuar. I Montón, hatajo. I Gavilla, corrillo. I Rebaño.
HAZ Gavilla, garba, atado. I Cara, superficie. I Faz.
HAZAÑA Gesta, heroicidad, proeza, valentía, hombrada.
HECATOMBE Destrozo, matanza, mortandad, carnicería. I Inmolación.
HECHICERÍA Brujería, magia, encantamiento. I Filtro, hechizo.
HECHICERO Mago, brujo, zahorí, mágico. I Seductor, cautivador, fascinador, embelesador, encantador.
HECHIZAR Encantar, cautivar, arrebatar, embelesar, seducir. I Embrujar, maleficiar, ensalmar, aojar. I

HEC

HECHIZO Encanto, seducción, atractivo, embeleso, magia. | Maleficio, conjuro, sortilegio, filtro. | Artificio.
HECHO Acontecimiento, suceso, obra. | Asunto, negocio, materia. | Maduro, perfecto, acabado. | Acostumbrado, familiarizado.
HECHURA Figura, forma, contextura, molde. | Composición.
HEDIONDEZ Pestilencia, fetidez, peste, hedor.
HEDIONDO Pestífero, fétido, maloliente, apestoso. | Repugnante, obsceno, sucio. | Enfadoso.
HEDOR Hediondez, pestilencia, fetidez.
HELADO Glacial, congelado, frío, gélido. | Pasmado, turulato, sobrecogido, tieso, estupefacto, yerto. | Impasible, indiferente.
HELAR Congelar, coagular, cuajar, enfriar. | Desanimar, desalentar, acobardar, amilanar. | Pasmar.
HELARSE Aterirse, congelarse.
HELENO Griego, helénico.
HENCHIR Llenar, hinchar, abarrotar, atestar, colmar, inflar, rehenchir.
HENDER Hendir, romper, cortar, rajar, abrir, cascar, agrietar.
HENDIDURA Hendedura, abertura, rendija, quebradura, ranura, fisura, grieta, resquicio.
HERCÚLEO Forzudo, fuerte, robusto, vigoroso, fornido.
HEREDAD Posesión, finca, propiedad, predio, hacienda.
HEREDAR Suceder, adquirir.
HEREDERO Sucesor, beneficiario, asignatario, legatario.
HEREJE Heterodoxo, heresiarca, converso, iconoclasta.
HEREJÍA Apostasía, sacrilegio, impiedad. | Disparate, equivocación.
HERENCIA Sucesión, adquisición, beneficio, legado, cesión, patrimonio.
HERIDA Lesión, desgarrón, contusión, corte, pinchazo, daño.
HERIDO Lesionado, lisiado, contuso, lastimado, descalabrado. | Ofendido.
HERIR Lesionar, lastimar, descalabrar, apuñalar, dañar, desgarrar. | Ofender, molestar, agraviar, chocar. | Golpear, batir. | Deslumbrar.
HERMANAR Fraternizar, confraternizar, armonizar, juntar, uniformar.
HERMANARSE Unirse, armonizarse, uniformarse.
HERMANDAD Congregación, cofradía. | Correspondencia, consanguinidad, vínculo.
HERMOSEAR Embellecer, adornar, realzar, ataviar.
HERMOSO Lindo, bonito, bello, precioso, agraciado. | Encantador, soberbio, perfecto, espléndido, magnífico, bueno. | Sereno, despejado.
HERMOSURA Beldad, belleza, lindura, preciosidad, encanto, perfección.
HERNIA Relajación, quebradura.
HÉROE Campeón, paladín.

HEROICIDAD Hazaña, proeza, gesta, heroísmo, nombrada.
HEROICO Épico, perínclito, denodado, hazañoso, valentísimo, grande.
HERRAMIENTA Utensilio, útil, instrumento.
HERRUMBRE óxido, moho, orín.
HERVIR Bullir, borbotar, borbollar, cocer. | Agitarse. | Abundar.
HESITACIÓN Duda, perplejidad, indecisión, vacilación.
HETEROGÉNEO Diferente, complejo, desigual.
HEZ Residuo, escoria, desecho, desperdicio, inmundicia. | Sedimento.
HIDALGO Noble, caballeroso, filántropo, señoril, ilustre, generoso, magnánimo, distinguido.
HIEL Cólera, pena, irritación, amargura, aspereza. | Bilis.
HIELO Escarcha, nieve, glaciar. | Frialdad, indiferencia, pasmo, desvío.
HIERBA Yerba, yerbajo, pasto.
HIERRO Metal, fierro, dúctil.
HÍGADO Arrojo, aliento, bravura, valentía.
HIJO Vástago, retoño, descendiente, natural. | Consecuencia, producto, fruto.
HILADO Hilaza, tejido.
HILARIDAD Risa, carcajada, risotada.
HILERA Línea, ringla, ristra, cadena, sarta. | Serie, orden.
HILO Filamento, hebra, cordón, cuerda. | Alambre. | Chorro.
HILVANAR Apuntar, embastar, bastear, pespuntar, coser. | Proyectar, planear.
HINCAPIÉ Insistencia.
HINCAR Introducir, embutir, plantar, estacar, ensartar, clavar, atravesar, afianzar, enclavar.
HINCHA Apasionado, entusiasta, fanático. | Odio.
HINCHADO Abultado, henchido, tumefacto, prominente, inflado. | Presuntuoso, engreído, infatuado, vano, presumido. | Hiperbólico, rimbombante, enfático, afectado. | Turgente, mórbido.
HINCHAR Henchir, infatuar, inflar, abultar, rellenar, soplar. | Tumefacer.
HINCHAZÓN Tumescencia, tumefacción.
HIPÉRBOLE Exageración, ponderación, abultamiento.
HIPERBÓLICO Afectado, redundante, hueco, hinchado, pomposo.
HIPNÓTICO Adormecedor, narcotizador, somnífero, letargoso.
HIPNOTIZAR Magnetizar, narcotizar, sugestionar, adormir, aletargar.
HIPOCRESÍA Fingimiento, disimulo, afectación, doblez, ficción, simulación, falsedad, mojigatería.
HIPÓCRITA Fingidor, simulador, farsante. | Mojigato, santurrón, jesuítico.
HIPOSTENIA Postración, abatimiento, decaimiento.
HIPOTÉTICO Dudoso, problemático, incierto, dubi-

table, supuesto, indeciso.
HIRIENTE Agravante, ultrajante, injurioso, ofensivo.
HISTORIA Narración, crónica, relato. I Cuento, fábula. I Enredo, chisme.
HISTÓRICO Cronístico, verdadero, cierto, seguro, positivo, auténtico.
HISTRIÓN Cómico, comediante, farsante, bufón. I Mimo, payaso.
HITO Unido, fijo. I Mojón, marca, poste. I Tángano.
HOCICAR Hociquear, tropezar. I Hozar. I Rebajarse, ceder.
HOGAR Casa, domicilio, morada, vivienda. I Fogón, chimenea, lar.
HOGUERA Fogata, pira, fogarada, fuego.
HOJA Pétalo, pámpano. I Cuchilla, espada, acero, tizona. I Folio, página, plana. I Lámina, plancha.
HOJARASCA Faramalla, morralla, broza, borusca. I Fruslería.
HOLGADO Ancho. I Acomodado, desahogado. I Desocupado.
HOLGAR Vagar, ociar, haraganear. I Reposar, descansar, sobrar. I Alegrarse.
HOLGARSE Divertirse, regocijarse, solazarse, alegrarse, entretenerse.
HOLGAZÁN Vagabundo, haragán, vago, maula, gandul, gandulear, bigardo, flojo, zángano, gabarro, pelafustán.
HOLGAZANEAR Haraganear, remolonear, vagabundear, gandulear, flojear, vaguear, bartolear.
HOLGORIO Regocijo, diversión, jarana, parrandeo, bullicio, jolgorio.
HOLGURA Regocijo, jolgorio, recreo, esparcimiento, juerga. I Amplitud, anchura, comodidad, desahogo, espaciosidad.
HOLLAR Pisotear, atropellar, patalear, mancillar, manchar, escarnecer. I Pisar.
HOMBRE Varón, macho, mortal, humano. I Esposo, marido. I Persona.
HOMENAJE Veneración, agasajo, halago, enaltecimiento, respeto. I Vasallaje.
HOMICIDIO Asesinato, muerte.
HOMÓLOGO Semejante.
HONDO Profundo. I Misterioso, insondable, recóndito, íntimo. I Fondo.
HONDURA Fondo, profundidad, hoya.
HONESTIDAD Recato, castidad, pudicia, pudibundez, vergüenza, decencia, decoro, pudor, honra, virtud.
HONESTO Recatado, casto, decente, pudoroso, decoroso. I Honrado. I Razonable, equitativo, justo.
HONOR Fama, reputación, honra, renombre, estima. I Decencia, probidad, honestidad, decoro. I Celebridad, obsequio. I Dignidad.
HONORABLE Venerable, distinguido, respetable.
HONORÍFICO Preciado, honroso, decoroso.
HONRA Reputación, honradez, renombre, estima, fama, gloria. I Decoro, probidad, recato, honestidad,

HIR

decencia. I Distinción.
HONRADEZ Probidad, austeridad, virtud, rectitud, lealtad, honra, honor, decoro, integridad.
HONRADO Probo, honesto, íntegro, leal, recto, decente, incorruptible. I Estimado, venerado, respetado.
HONRAR Venerar, reverenciar. I Ensalzar, enaltecer, realzar, ennoblecer. I Distinguir.
HONROSO Honorífico, honrable, eminente, singular, respetable. I Decoroso, decente.
HORADAR Agujerear, perforar, barrenar, ojetear, fresar, taladrar, abrir.
HORCA Patíbulo, cadalso. I Ristra.
HORMIGÓN Argamasa, mezcla, concreto.
HORMIGUERO Hervidero, afluencia, enjambre, multitud, muchedumbre.
HORÓSCOPO Pronóstico, profecía, predicción, presagio, vaticinio.
HORRENDO Espantoso, horripilante, pavoroso, espeluznante, horrible, horroroso, hórrido, espantable.
HORRIBLE Horrendo, espantoso, espeluznante, espantable, horrorífico, monstruoso, horroroso, horripilante, pavoroso, terrible.
HORRIPILAR Horrorizar, espeluznar, sobresaltar, espantar, aterrar.
HORROR Espanto, consternación, pavor, terror, pánico, jindama. I Repulsión, odio. I Atrocidad, enormidad.
HORRORIZAR Horripilar, espeluznar, aterrar, espantar.
HORROROSO Horrorífico, horrendo, horripilante, pavoroso, aterrador, espantoso, monstruoso, horrible. I Repugnante.
HOSCO Fosco, huraño, intratable, ceñudo, descortés, esquivo, desabrido, arisco, áspero, severo.
HOSPEDAR Albergar, alojar, aposentar, acoger.
HOSPEDARSE Albergarse, habitar, alojarse, aposentarse, posar.
HOSPITAL Clínica, sanatorio, enfermería, nosocomio.
HOSPITALIDAD Albergue, refugio, protección, asilo.
HOSTELERO Hospedero, posadero, mesonero.
HOSTIA Viático, forma.
HOSTIGAR Azotar, fustigar, flagelar, vapulear, castigar. I Atosigar, perseguir, molestar, fastidiar. I Incitar.
HOSTIL Enemigo, adversario, rival. I Contrario, desfavorable, opuesto.
HOSTILIDAD Enemistad, oposición, rivalidad, odio, enemiga, agresión.
HOYA Concavidad, excavación, fosa, sepultura, zanja, caverna, hueco, hondura, hoyo, pozo, abismo.
HUECO Oquedad, agujero, vacío, concavidad, hoyo. I Presuntuoso, fatuo, presumido, hinchado. I Mullido, ahuecado.
HUELGA Ocio, vagancia, holganza, inacción, paro. I Diversión, holgorio, recreación.
HUELLA Pisada, rastro, pista, señal, rodada. I Marca,

HUÉ
estigma. I Vestigio.
HUÉRFANO Abandonado, desamparado, solo.
HUERO Vano, vacío, inane, fútil.
HUERTA Huerto, vega, granja, vergel, hortecillo.
HUESO Osamenta, óseo, zancarrón. I Pepita. I Fastidio, incordio.
HUÉSPED Mesonero, posadero, hostelero, hospedero. I Alojado, invitado.
HUESTE Tropa, partida, guerrilla, facción, ejército.
HUIDA Evasión, fuga, escape. I Derrota, desbandada.
HUIR Escapar, escurrirse, evadirse, fugarse, escabullirse. I Esquivar, evitar, rehuir.
HUMANARSE Humanizarse, familiarizarse, compadecerse.
HUMANIDAD Benignidad, compasión, misericordia, bondad, benevolencia, afabilidad, caridad, piedad. I Corpulencia.
HUMANO Humanal, afable, compasivo, filantrópico, benévolo, humanitario, indulgente, benigno, caritativo. I Persona, hombre.
HUMEAR Ahumar, sahumar, entizonar. I Presumir.
HUMEDAD Humidad, vapor, niebla.
HUMEDECER Humectar, mojar, bañar, regar, calar, empapar, rociar.
HÚMEDO Remojado, mojado, empapado, bañado, calado, chapoteado, rociado.
HUMILDAD Sumisión, acatamiento, docilidad, obediencia, timidez. I Pobreza, modestia.
HUMILDE Sumiso, dócil, obediente, sencillo, tímido, modesto. I Pobre, cuitado, vulgar.
HUMILLACIÓN Ofensa, burla, desprecio. I Vileza, arrastramiento, servilismo.
HUMILLANTE Vil, torpe, indigno, rastrero, ruin, bajo. I Injurioso, degradante, ignominioso, innoble.
HUMILLAR Abatir, achicar, someter, domeñar, doblegar, sojuzgar. I Degradar, mortificar, avergonzar, rebajar, ofender.
HUMO Vapor, gaz, fumarola, humazo. I Soberbia, presunción, vanidad.
HUMOR Secreción, pus, aguanosidad, serosidad. I Condición, carácter, genio, índole. I Agudeza, gracia, ingenio, humorismo.
HUMORADA Ocurrencia, chiste, broma, chanza, fantasía, burla, capricho.
HUMORISMO Donaire, ingenio, humor, gracia, mordacidad, ironía, sátira.
HUMORÍSTICO Satírico, jocoso, chistoso, burlesco, festivo.
HUNDIMIENTO Caída, desplome, derrumbamiento, desmoronamiento.
HUNDIR Sumir, hincar, clavar. I Destruir, arruinar, destrozar, derribar, forzar. I Abatir, confundir. I Sumergir.
HUNDIRSE Sumergirse, naufragar, sumirse, zozobrar. I Arruinarse, quebrar. I Abismarse, enfrascarse.
HURA Madriguera, huronera, agujero, respiradero.
HURAÑO Áspero, esquivo, hosco, retraído, misántropo, intratable, arisco, insociable.
HURGAR Menear, revolver, manosear, tentar, remover, tocar. I Excitar, incitar, conmover, azuzar, enzarzar.
HURONEAR Curiosear, husmear, fisgonear, escudriñar, fisgar.
HURTAR Robar, sustraer, ratear, limpiar, escamotear, latrocinar, timar, rapiñar, afanar, saquear. I Esquivar, desviar, alejar.
HURTO Robo, ratería, estafa, latrocinio, rapiña, pillaje, saqueo.
HUSMEADOR Fisgador, oliscador, averiguador, indagador, escudriñador, pesquisidor, entremetido, curioso.
HUSMEAR Rastrear. I Fisgonear, oliscar, candiletear, averiguar, indagar, oler, fisgar.

I

IBÉRICO Íbero, español.
IBEROAMERICANO Hispanoamericano.
IDA Marcha, traslación, traslado, partida.
IDEA Manía, obsesión, capricho, empeño. I Propósito, plan, proyecto. I Juicio, concepto, opinión, conocimiento. I Representación, imagen, recuerdo. I Imaginación, fantasía, inventiva. I Esbozo.
IDEAL Sueño, ilusión, deseo, ambición. I Sublime, perfecto, elevado. I Prototipo, modelo, dechado.
IDEALISTA Visionario, iluso, soñador.
IDEALIZAR Poetizar.
IDEAR Imaginar, inventar, discurrir, trazar, concebir, pensar.
IDÉNTICO Equivalente, semejante, congénere, homogéneo, similar, igual.
IDENTIDAD Equivalencia, semejanza, igualdad. I Filiación.
IDENTIFICAR Reconocer, examinar. I Unificar, uniformar.
IDILIO Noviazgo, enamoramiento, coloquio.
IDIOMA Habla, lengua, lenguaje.
IDIOSINCRASIA Índole, carácter, temperamento, genio.
IDIOTA Imbécil, tonto, estúpido, necio, sandio, bobo, estulto.
IDÓLATRA Apasionado, adorador. I Gentil, pagano.
IDOLATRÍA Heliolatría, adoración, pasión. I Gentilidad, fetichismo, paganismo, gentilismo.
IDONEIDAD Aptitud, suficiencia, capacidad, competencia, inteligencia, disposición, habilidad.
IDÓNEO Apto, competente, capaz, adecuado, calificado, hábil, dispuesto.
IGLESIA Templo, parroquia, santuario, basílica. I Congregación, clero.
IGNICIÓN Incandescencia, combustión.
IGNOMINIA Afrenta, desdoro, deshonra, infamia, deshonor, baldón, estigma. I Bajeza, ruindad, miseria.
IGNOMINIOSO Afrentoso, denigrante, infamatorio,

IGN

humillante, vergonzoso, innoble, deshonroso, oprobioso.
IGNORANCIA Desconocimiento, ineptitud, incultura, inerudición, insipiencia, necedad, inconsciencia, torpeza.
IGNORANTE Ignaro, necio, torpe, inepto, inculto, idiota, alcornoque, zote.
IGNORAR Desconocer.
IGNOTO Ignorado, desconocido.
IGUAL Similar, parecido, idéntico, equivalente, semejante, correspondiente. I Uniforme, llano, liso, plano, parejo.
IGUALAR Nivelar, allanar, uniformar. I Equilibrar, compensar, equiparar. I Adecuar. I Equivaler.
IGUALDAD Uniformidad, regularidad, armonía, equivalencia, unidad, equidad. I Semejanza, correspondencia, paridad, conformidad.
ILACIÓN Relación, inducción, consecuencia, deducción, inferencia.
ILEGAL Injusto, ilegítimo, prohibido, ilícito, indebido, subrepticio.
ILEGÍTIMO Ilegal, falso, bastardo, espurio.
ILESO Indemne, intacto, incólume.
ILÍCITO Ilegal, indebido, prohibido, clandestino, injusto.
ILIMITADO Ilimitable, inmenso, infinito, indefinido, incalculable.
ILOTA Siervo, esclavo, paria, exárico.
ILUMINAR Alumbrar, clarecer, fulgurar. I Enseñar, ilustrar. I Inspirar.
ILUSIÓN Representación, imagen, sueño, quimera, alucinación, desvarío.
ILUSIONAR Seducir, engañar, esperanzar.
ILUSIVO Engañoso, quimérico, ficticio, irreal.
ILUSO Idealista, visionario. I Seducido, engañado.
ILUSORIO Aparente, quimérico, engañoso, fingido, falso.
ILUSTRACIÓN Instrucción, preparación, cultura, erudición. I Estampa, figura, grabado, lámina. I Aclaración, interpretación, explicación.
ILUSTRADO Culto, instruido, documentado, entendido, docto, letrado.
ILUSTRE Insigne, célebre, esclarecido, distinguido, eximio, afamado, egregio, ínclito, eminente, excelso, preclaro, admirable, docto, notable, famoso, brillante, genial, magno.
IMAGEN Figura, representación, efigie, apariencia, símbolo, semejanza, copia. I Icono, ídolo.
IMAGINACIÓN Fantasía, quimera, imaginativa, inventiva, pensamiento. I Aprensión, visión.
IMAGINAR Inventar, pensar, idear, concebir, meditar, discurrir. I Presumir, forjar, sospechar, creer.
IMAGINARIO Inexistente, quimérico, ilusorio, ficticio, supuesto, utópico.
IMAGINARSE Suponer, creer, figurarse, persuadirse.
IMAGINATIVO Visionario, ensoñador, soñador, iluso, utopista, fantaseador.

IMBÉCIL Idiota, necio, bobo, tonto, mentecato, estulto, alelado.
IMBERBE Desbarbado, lampiño, barbilampiño.
IMBORRABLE Inalterable, indeleble, indestructible, permanente.
IMBUIR Inculcar, persuadir, infundir, sugerir.
IMITACIÓN Fingimiento, artificio, falsedad. I Plagio, remedo, copia. I Caricatura, parodia.
IMITADO Copiado, parecido, semejante.
IMITAR Copiar, calcar, representar, reproducir, plagiar, remedar, fusilar, retratar, contrahacer.
IMPACIENCIA Desasosiego, intranquilidad, excitación.
IMPACIENTAR Irritar, enfadar, incomodar, excitar, desesperar.
IMPACIENTARSE Enfadarse, repudrirse, desesperarse, enojarse.
IMPACIENTE Inquieto, intranquilo, desasosegado, nervioso, excitado.
IMPALPABLE Inmaterial, incorpóreo.
IMPARCIAL Justo, recto, incorruptible, ecuánime, sereno, neutral.
IMPARCIALIDAD Neutralidad, equidad, rectitud, desinterés, justicia.
IMPASIBLE Insensible, estoico, indiferente, imperturbable, inmutable, intrépido, tranquilo, impávido, frío.
IMPÁVIDO Impertérrito, imperturbable, tranquilo, denodado, valeroso, inobjetable, sereno, intrépido, valiente, resuelto, audaz.
IMPECABLE Intachable, puro, irreprochable, correcto, cabal, perfecto, inobjetable, magistral, admirable.
IMPEDIDO Paralítico, inválido, baldado.
IMPEDIMENTO Traba, inconveniente, ineptitud, inhabilidad, obstáculo, estorbo, dificultad, atascadero, atolladero.
IMPEDIR Imposibilitar, dificultar, prohibir, desbaratar, disuadir, entorpecer, estorbar, detener, evitar, embarazar, obstruir, privar.
IMPELER Incitar, impulsar, propulsar, empujar, mover, estimular. I Achuchar.
IMPENETRABLE Inexplicable, inescrutable, enigmático, misterioso, enrevesado, inextricable, esotérico, incomprensible, oculto.
IMPENITENTE Incorregible, contumaz, obstinado, insensible, persistente, empedernido, endurecido, duro. I Impío.
IMPENSADO Casual, imprevisto, inadvertido, espontáneo, insospechado, accidental, inesperado, fortuito, involuntario.
IMPERAR Prevalecer, dominar, regir, mandar, predominar.
IMPERATIVO Dominante, mandante, avasallante, autoritario, preceptivo, imperioso, altanero.
IMPERCEPTIBLE Insensible, inapreciable, indiscernible, insignificante, minúsculo, mínimo, invisible.
IMPERDONABLE Indisculpable, inexcusable, irre-

IMP

misible.

IMPERECEDERO Perpetuo, eterno, inacabable, interminable, inmortal, perdurable, sempiterno.

IMPERFECCIÓN Deficiencia, incorrección, defecto, falla, tacha.

IMPERFECTO Defectuoso, informe, incompleto, inacabado, deficiente. I Chapucero. I Deforme.

IMPERICIA Inhabilidad, incapacidad, inexperiencia, torpeza.

IMPERIO Dominación, mandato, dominio, potencia. I Ascendencia, influencia. I Arrogancia, soberbia, orgullo, altivez.

IMPERIOSO Autoritario, despótico, soberbio, altanero, dominante. I Imprescindible, necesario, urgente, perentorio, apremiante.

IMPERMEABILIZAR Alquitranar, calafatear, embrear, encerar, engrasar.

IMPERMEABLE Impenetrable.

IMPERTINENCIA Insolencia, grosería, disparate, despropósito, importunidad.

IMPERTINENTE Importuno, fastidioso, descortés, grosero, pesado, cargante, machacón, indiscreto, molesto, insolente.

IMPERTURBABILIDAD Impavidez, serenidad, impasibilidad, calma.

IMPERTURBABLE Impasible, inalterable, inconmovible, impertérrito, impávido, templado, tranquilo.

ÍMPETU Violencia, fuerza, impetuosidad, frenesí, ira, arrebato, ardor, furia, prontitud, impulso, vehemencia, decisión, acometida.

IMPETUOSO Precipitado, fogoso, vehemente, brusco, ardoroso, vivo, impulsivo, arrebatado, irresistible, violento, acalorado.

IMPÍO Irreligioso, profano, anticatólico, laico, incrédulo.

IMPLACABLE Despiadado, rencoroso, inexorable, duro, severo, vengativo, cruel.

IMPLANTAR Establecer, plantear, introducir, instaurar.

IMPLICAR Incluir, encerrar, enredar, entrañar, envolver. I Impedir.

IMPLÍCITO Tácito, virtual, incluido, comprendido, sobreentendido.

IMPLORAR Impetrar, solicitar, demandar, rogar, suplicar, orar, invocar.

IMPONDERABLE Inestimable, incalculable, inapreciable.

IMPONENTE Majestuoso, colosal, monumental, inmenso, grandioso, enorme. I Espantoso, terrorífico, horrible. I Altanero, orgulloso, arrogante. I Venerable.

IMPONER Aplicar, instruir, dirigir, ilustrar. I Acobardar, amilanar, amedrentar, intimidar. I Aplicar, interesar, infligir.

IMPOPULAR Malquisto, desprestigiado, desacreditado, malmirado, antipático.

IMPORTANCIA Magnitud, trascendencia, significación, consideración, alcance, cantidad, influencia,
fundamento. I Precio, valor.

IMPORTANTE Interesante, trascendental, esencial, primordial, urgente, vital, substancial, fundamental, principal, conveniente. I Cuantioso, ponderable. I Famoso, notable. I Preponderante.

IMPORTAR Introducir. I Interesar, incumbir. I Ascender, valer, costar, montar, subir.

IMPORTE Coste, precio, valor, costo, valía.

IMPORTUNAR Molestar, aburrir, fatigar, incomodar, cansar, asediar, fastidiar, hastiar, atosigar, marear.

IMPORTUNO Intempestivo, molesto, impertinente, cargante, entremetido, indiscreto, inoportuno, machacón.

IMPOSIBILITAR Inhabilitar, incapacitar, impedir, trabar.

IMPOSIBLE Irrealizable, inhacedero, impracticable, utópico. I Dificultoso, trabajoso, arduo, espinoso. I Inaguantable, intolerable.

IMPOSTOR Fingidor, calumniador, hipócrita, murmurador, simulador, charlatán, engañador, falsario, farsante, embaucador.

IMPOSTURA Fingimiento, engaño, falacia, superchería, chisme, calumnia, falsedad, mentira, imputación, fraude.

IMPOTENCIA Imposibilidad, ineficacia, inutilidad, incapacidad, ineptitud, debilidad. I Infecundidad, esterilidad.

IMPOTENTE Ineficaz, incapaz, infructuoso, débil. I Infecundo, estéril, agotado.

IMPRACTICABLE Inaccesible, desigual, intransitable, quebrado. I Imposible.

IMPRECAUCIÓN Negligencia, descuido, inadvertencia, omisión, ligereza, olvido.

IMPRECISO Indeterminado, indefinido, indistinto, ambiguo, neutro, confuso, vago, equívoco.

IMPREMEDITACIÓN Irreflexión, ligereza, negligencia, imprevisión, descuido.

IMPRESCINDIBLE Indispensable, insustituible, necesario, forzoso, irremplazable, inexcusable, obligatorio.

IMPRESIÓN Sensación, emoción, efecto. I Marca, huella, señal, estampa. I Edición, tirada.

IMPRESIONABLE Sensible, sentimental, excitable, sensiblero, emotivo, afectivo, susceptible, afectable.

IMPRESIONAR Conmover, afectar, emocionar. I Persuadir, convencer.

IMPREVISIÓN Impremeditación, irreflexión, descuido, negligencia, imprudencia, inadvertencia, ligereza.

IMPREVISTO Inopinado, improvisado, inadvertido, insospechado, repentino, súbito, fortuito, casual, impensado.

IMPRIMIR Publicar, marcar, estampar, tirar. I Transmitir, comunicar.

ÍMPROBO Agotador, excesivo, penoso, abrumador, fatigoso, trabajoso. I Infame, detestable, perverso, malvado.

IMPROCEDENTE Inconveniente, inadecuado, indebido, impropio, infundado.
IMPRODUCTIVO Infructífero, yermo, estéril, infecundo.
IMPROPERIO Insulto, reproche, injuria, afrenta, denuesto, ofensa.
IMPROPIEDAD Despropósito, importunidad, inexactitud, incorrección, anacronismo.
IMPROPIO Improcedente, disconforme, inadecuado, incompatible, discordante, extraño, ajeno, indebido, inconveniente.
IMPRORROGABLE Inaplazable.
IMPRÓVIDO Imprevisor, desapercibido, descuidado, desprevenido.
IMPROVISAR Repentizar.
IMPRUDENCIA Irreflexión, descuido, impremeditación, precipitación, imprevisión, ligereza. I Atrevimiento, temeridad.
IMPRUDENTE Aturdido, atolondrado, desatinado, alocado, precipitado. I Temerario, arriesgado, atrevido. I Hablador. I Descarado, indiscreto.
IMPUDENCIA Desfachatez, desdoro, atrevimiento, descaro, desvergüenza, descompostura, descoco.
IMPUDENTE Desvergonzado, inhonesto, obsceno, impúdico, inmundo, descarado, licencioso, deshonesto, desfachatado.
IMPUDICIA Deshonestidad, liviandad, impureza, obscenidad, libertinaje.
IMPÚDICO Deshonesto, cínico, impudente, indecente, obsceno, libertino, pornográfico, inmoral, licencioso, desenfrenado.
IMPUESTO Tributo, gravamen, carga, contribución, gabela, arbitrio, alcabala. I Instruido, aleccionado. I Acreditado.
IMPUGNABLE Rebatible, discutible, refutable, controvertible, contestable.
IMPUGNACIÓN Refutación, rebatimiento, objeción, dificultad, oposición.
IMPUGNAR Combatir, opugnar, refutar, rebatir, replicar, oponer, objetar, contradecir, argüir, denegar, contradecir.
IMPULSAR Impeler, propulsar, estimular, acrecentar, incitar, propulsar, empujar, inducir, mover, instigar.
IMPULSIVO Impelente, brusco, apasionado, irreflexivo, arrebatado, vehemente, súbito, violento.
IMPULSO Impulsión, empujón, envío, ímpetu, estímulo, fuerza, incentivo.
IMPUNE Indemne, manumiso, exento, libre.
IMPUREZA Adulteración, inmundicia, porquería, suciedad. I Deshonestidad.
IMPURO Inmundo, adulterado, turbio, sucio, mezclado. I Deshonesto.
IMPUTAR Inculpar, recriminar, achacar, acusar, culpar.
INABORDABLE Inaccesible.
INACABABLE Inextinguible, interminable, inagotable, duradero. I eterno, imperecedero, perenne.
INACCESIBLE Impracticable, impenetrable, inabordable, abrupto, escarpado, inalcanzable. I Incomprensible.
INACCIÓN Inactividad, ineficacia, despreocupación, indiferencia, pasividad, inercia, impotencia, indolencia, ociosidad.
INACTIVO Abstinente, indiferente, quieto, ocioso, pasivo, inerte.
INADECUADO Indebido, impropio, desigual, inconveniente, improcedente.
INADMISIBLE Inaceptable, inverosímil, inhacedero, imposible, inadoptable.
INADVERTENCIA Irreflexión, descuido, imprevisión, ligereza, distracción.
INADVERTIDO Desapercibido, distraído, irreflexivo, atolondrado.
INAGOTABLE Inacabable, ininterrumpido, continuo, fecundo, abundante.
INAGUANTABLE Insufrible, intolerable, insoportable.
INALTERABLE Inconmovible, imperturbable, impasible, impávido, inmutable, impertérrito, constante. I Invariable, fijo, estable, firme.
INAMOVIBLE Firme, inconmovible.
INANIMADO Inmóvil, exánime, inánime.
INAPELABLE Inconmovible, irrevocable, indiscutible, incuestionable.
INAPETENCIA Desgano, desgana, hastío.
INAPLICADO Desaprovechado, desaplicado, indolente, perezoso.
INAPRECIABLE Valioso, inestimable, imponderable.
INAUDITO Extraño, singular, increíble, insólito. I Escandaloso, atroz, infame, enorme, monstruoso.
INAUGURAR Principiar, iniciar, comenzar, estrenar, abrir.
INCALCULABLE Enorme, inconmensurable, descomunal, inmenso, ilimitado, imponderable, inestimable.
INCALIFICABLE Detestable, execrable, atroz, abominable, odioso.
INCANSABLE Infatigable, resistente, tesonero, perseverante. I Laborioso, trabajador.
INCAPACIDAD Ineptitud, insuficiencia, incompetencia, ignorancia, nulidad, inhabilidad, torpeza.
INCAPACITAR Inhabilitar, impedir, imposibilitar, anular, descalificar.
INCAPAZ Inepto, inhábil, ineficaz, inexperto, inútil, torpe, nulo.
INCAUTARSE Apropiarse, adueñarse, apoderarse. I Confiscar, decomisar.
INCAUTO Ingenuo, inocentón, sencillo, necio, cándido, simple, crédulo.
INCENDIAR Quemar, encender, inflamar.
INCENDIO Fuego, siniestro, quema. I Pasión, abrasamiento.

INC

INCENTIVO Incitativo, atractivo. I Acicate, estímulo, aguijón.
INCERTIDUMBRE Vacilación, escepticismo, incredulidad, sospecha, duda, inseguridad, indecisión.
INCESANTE Inacabable, inagotable, continuo, constante, incesable, ininterrumpido, perenne.
INCIDENCIA Eventualidad, coyuntura, ocurrencia, acontecimiento, episodio.
INCIDENTE Fortuito, casual, imprevisto, incidental. I Cuestión, litigio, discusión. I Suceso.
INCIENSO Halago, adulación, lisonja.
INCIERTO Inseguro, indeciso, problemático, dudoso. I Confuso, vacilante, irresoluto, tornadizo. I Inconstante, inestable, variable. I Desconocido.
INCISIÓN Cortadura, tajo, corte, saja. I Cisura.
INCISIVO Satírico, punzante, mordaz, picante, cáustico. I Cortante.
INCITAR Estimular, instigar, empujar, animar, exhortar, aguijar, espolear, acuciar, inducir, apremiar, impeler. I Engrescar, excitar.
INCIVIL Desatento, inurbano, malcriado, ordinario, incorrecto, inculto, descortés, grosero.
INCLEMENCIA Rigor, impiedad, dureza, crudeza. I Crueldad, severidad.
INCLEMENTE Impío, despiadado, severo, cruel, duro.
INCLINACIÓN Tendencia, propensión, afección, instinto, afición. I Través, oblicuidad. I Declive, pendiente. I Reverencia.
INCLINADO Sesgado, oblicuo, torcido. I Aficionado, apegado, afecto, adicto.
INCLINAR Torcer, oblicuar, desnivelar, ladear, desviar. I Impulsar, incitar, persuadir.
ÍNCLITO Ilustre, célebre, insigne, preclaro, excelso, notable, egregio, eximio, famoso, celebérrimo, renombrado, claro.
INCLUIR Adjuntar, comprender, englobar, introducir, ingerir, insertar, contener, poner, refundir, meter.
INCLUSO Contenido, encerrado, incluido.
INCOERCIBLE Irreprimible, irrefrenable, incontenible.
INCÓGNITO Desconocido, ignorado, incierto, secreto, anónimo, oculto.
INCOHERENCIA Discontinuidad, disconformidad, absurdo, desacierto, pifia.
INCOHERENTE Incohesivo, inconexo, discordante, enredado, inconsistente.
INCOLORO Descolorido, apagado, sucio, desteñido.
INCÓLUME Intacto, indemne, ileso, salvo, incorrupto.
INCOMBUSTIBLE Ininflamable, apagadizo, calorífugo, ignífugo.
INCOMODAR Molestar, fastidiar, irritar, mortificar, disgustar, enojar, enfadar, encocorar, abrumar, importunar.
INCOMODIDAD Molestia, fastidio, enojo, enfado, inconveniente, perturbación, malestar, desagrado, disgusto.
INCÓMODO Molesto, fastidioso, enojoso, pesado, importuno, desagradable.
INCOMPARABLE Inmejorable, singular, excelente, único, imponderable.
INCOMPATIBLE Inadecuado, inaplicable, inoportuno, antagónico, opuesto.
INCOMPETENCIA Ineptitud, inhabilidad, incapacidad, insuficiencia.
INCOMPLETO Deficiente, dispar, falto, desparejo, descabal, trunco, escaso. I Defectuoso, imperfecto.
INCOMPRENSIBLE Ininteligible, inimaginable, enigmático, inexplicable, inconcebible, indescifrable, abstruso, obscuro, raro.
INCOMPRENSIÓN Ambigüedad, confusión, secreto, ignorancia, ofuscación, galimatías, enigma, tergiversación.
INCOMUNICAR Aislar, clausurar, encerrar.
INCONCEBIBLE Increíble, extraordinario, inimaginable, inesperado, incomprensible, sorprendente, extraño, inaudito.
INCONCILIABLE Antagónico, incompatible.
INCONCUSO Incontrovertible, indudable, incuestionable, irrebatible, inequívoco, evidente, cierto, seguro, innegable, indubitable, irrefutable.
INCONDICIONAL Absoluto, incondicionado, partidario, ilimitado.
INCONFUNDIBLE Determinado, preciso, característico, típico.
INCONGRUENTE Improcedente, inconveniente, absurdo, inoportuno, inadecuado.
INCONMOVIBLE Inamovible, inalterable, consistente, indestructible, sólido, imperturbable, frío, indiferente, impasible.
INCONQUISTABLE Inexpugnable, irresistible, invencible. I Severo, íntegro.
INCONSCIENCIA Ignorancia, irreflexión, insipiencia, desconocimiento.
INCONSCIENTE Irreflexivo, aturdido, alocado, atolondrado, desjuiciado.
INCONSECUENTE Inconstante, voluble, versátil, tornadizo, informal, irreflexivo, ilógico. I Incierto, dudoso.
INCONSIDERADO Irreflexivo, imprudente, precipitado, inadvertido, aturdido. I Desacreditado. I Descortés, descomedido, grosero, desatento.
INCONSOLABLE Apenado, acongojado, apesadumbrado, desconsolable, abatido.
INCONSTANCIA Inestabilidad, volubilidad, deslealtad, inconsecuencia, veleidad, versatilidad, ligereza.
INCONTABLE Innumerable, inconmensurable, considerable, infinito.
INCONTENIBLE Irrefrenable, irreprimible.
INCONTESTABLE Cierto, inconcuso, irrefutable, irrebatible, incuestionable, indubitable, inequívoco, reconocido, indiscutible, indudable, palmario, evidente.

INC

INCONTINENCIA Lujuria, lascivia, liviandad, concupiscencia, sensualidad.
INCONTRASTABLE Irrebatible, irrefutable, incuestionable, incontrovertible, indudable, incontestable. I Invencible, inconquistable.
INCONVENIENCIA Desconformidad, disconformidad, discrepancia, desacuerdo, disonancia, incompatibilidad. I Despropósito, grosería, incorrección.
INCONVENIENTE Daño, perjuicio. I Obstáculo, impedimento, dificultad, reparo, traba. I Incómodo, inconvenible. I Indecoroso.
INCORDIO Molestia, fastidio, pelmacería, pejiguera. I Cargante.
INCORPORAR Agremiar, agregar, añadir, reunir. I Levantar.
INCORPORARSE Asociarse, unirse, inscribirse, afiliarse. I Levantarse.
INCORRECTO Descomedido, intemperante, indelicado, descortés, grosero, incivil. I Inexacto, defectuoso.
INCORRUPTIBLE Íntegro, inconquistable, honrado, puro, virtuoso.
INCRÉDULO Impío, ateo, descreído, hereje. I Desconfiado, receloso, maliciable, suspicaz, escéptico.
INCREÍBLE Inconcebible, improbable, imposible, inaudito, sorprendente, inverosímil, extraordinario.
INCREMENTO Acrecentamiento, desarrollo, aumento, progreso, auge.
INCREPAR Reprender, sermonear, amonestar, regañar, reñir.
INCRUSTAR Encajar, embutir, embeber, acoplar.
INCUESTIONABLE Incontestable, indiscutible, indudable, innegable, indisputable, incontrovertible.
INCULCAR Imbuir, infundir.
INCULPAR Acusar, culpar, atribuir, imputar, achacar.
INCULTO Iletrado, ineducado, ignorante, analfabeto, lego, rústico. I Desaliñado, descuidado. I Salvaje, baldío, agreste, yermo.
INCULTURA Ineducación, rustiquez, rusticidez, tosquedad, ignorancia, analfabetismo, zafiedad, atraso.
INCUMBENCIA Competencia, obligación.
INCUMBIR Competer, concernir, interesar, atañer, corresponder.
INCURABLE Insanable, inmedicinable, deshauciado. I Irremediable.
INCURIA Descuido, negligencia, desidia, abandono, dejadez.
INCURRIR Caer, cometer, incidir, contravenir. I Causar, merecer.
INCURSIÓN Correría, algarada, irrupción, cabalgada. I Reconocimiento.
INDAGACIÓN Averiguación, búsqueda, investigación, pesquisa, busca.
INDAGAR Investigar, averiguar, deducir, inquirir, buscar, husmear.
INDECENCIA Deshonestidad, liviandad, grosería, obscenidad, insolencia.

INDECENTE Obsceno, indecoroso, impuro, impudico, grosero, insolente, lascivo, inhonesto, deshonesto, torpe, inmoral.
INDECIBLE Indescriptible, incomunicable, inenarrable, inexplicable, inefable. I Maravilloso, grandioso.
INDECISO Vacilante, titubeante, perplejo, irresoluto. I Dudoso, incierto. I Indeterminado.
INDECOROSO Obsceno, lascivo, indecente, nefando, vergonzoso, torpe, grosero, indigno, insolente.
INDEFENSO Inerme, desarmado, impotente. I Abandonado, desvalido, solo.
INDEFINIBLE Indescifrable, incomprensible, indeterminable, inexplicable, raro, extraño.
INDEFINIDO Ilimitado, indefinible, indistinto, indeciso, indeterminado.
INDELEBLE Imborrable, indestructible, durable, inalterable, permanente.
INDELIBERADO Irreflexivo, espontáneo, involuntario, inconsciente.
INDEMNE Incólume, intacto, ileso, inmune.
INDEMNIZACIÓN Compensación, resarcimiento, recompensa, reparación.
INDEMNIZAR Compensar, reparar, subsanar, resarcir.
INDEPENDENCIA Libertad, soberanía, autonomía, emancipación. I Resolución, firmeza.
INDEPENDIENTE Autónomo, emancipado, libre.
INDESCIFRABLE Ininteligible, incomprensible, enrevesado, inexplicable, indescriptible. I Misterioso.
INDESCRIPTIBLE Inexpresable, inexplicable, indefinible, indescifrable. I Sublime, perfecto, maravilloso, admirable, inefable.
INDETERMINACIÓN Vacilación, irresolución, duda, indecisión, perplejidad.
INDETERMINADO Indefinido, confuso, impreciso, ambiguo, vago. I Irresoluto, vacilante, indeciso.
INDICACIÓN Advertencia, prevención, insinuación. I Declaración, dato, denotación, informe, señal, indicio.
INDICAR Señalar, mostrar, denotar, advertir, designar, significar. I Denunciar, indicar, revelar, mostrar, apuntar.
ÍNDICE Indicio, señal. I Catálogo, lista, enumeración.
INDICIO Señal, vestigio, presagio, sospecha, conjetura, barrunto, síntoma, rastro, dato. I Indicación.
INDIFERENCIA Displicencia, apatía, indolencia, inacción, inercia, abandono. I Olvido, desdén, desvío.
INDIFERENTE Indolente, apático, displicente. I Insensible, estoico, impertérrito, frío. I Neutral, indeterminado, imparcial. I Trivial.
INDÍGENA Aborigen, autóctono, oriundo, natural, originario.
INDIGENCIA Pobreza, penuria, miseria, estrechez, necesidad, escasez, ahogo, desdicha.
INDIGENTE Miserable, necesitado, menesteroso, pobre, falto, mísero.
INDIGESTARSE Empacharse, ahitarse.

IND

INDIGESTIÓN Ahitera, empacho, ahíto, asiento.
INDIGNACIÓN Enfado, rabia, coraje, cólera, enojo, ira, irritación, furor.
INDIGNAR Enfadar, irritar, enojar, encolerizar, sublevar.
INDIGNARSE Irritarse, enfadarse, enojarse, enchilarse, disgustarse, despecharse, exasperarse, atufarse.
INDIGNIDAD Perversidad, vileza, bajeza, maldad. I Afrenta.
INDIGNO Vil, despreciable, bajo, ruin, odioso, repugnante. I Incorrecto.
INDIRECTA Alusión, insinuación, embozo, eufemismo, rodeo, doblez.
INDISCIPLINADO Indócil, rebelde, díscolo, desobediente, incorregible, indómito, insubordinado.
INDISCRECIÓN Imprudencia, descuido, desacierto, irreflexión, inoportunidad, descomedimiento, imprevisión.
INDISCRETO Imprudente, incauto, descarado, importuno, desatinado, despreocupado, entremetido, curioso, hablador.
INDISCUTIBLE Irrefutable, incontrovertible, innegable, evidente, indudable, incontestable, irrebatible, patente, cierto, manifiesto.
INDISOLUBLE Indivisible, inseparable.
INDISPENSABLE Preciso, necesario, imprescindible, vital, inexcusable, imperioso, forzoso, obligatorio, esencial.
INDISPONER Malquistar, enemistar, desavenir, cizañar, enzarzar, desunir, enojar, pelear.
INDISPOSICIÓN Dolencia, achaque, malestar, afección, mal. I Incapacidad, torpeza, ineptitud.
INDISPUESTO Enfermo, achacoso, débil, delicado, enclenque, malucho.
INDISPUTABLE Indiscutible, incontrastable, incontestable, innegable, evidente, irrebatible.
INDIVIDUALIDAD Originalidad, personalidad, particularidad.
INDÓCIL Rebelde, desobediente, remiso, díscolo, incorregible, atravesado, indisciplinado, terco.
ÍNDOLE Carácter, idiosincrasia, personalidad, condición, calidad, natural, humor, genio.
INDOLENCIA Negligencia, indiligencia, dejadez, flojedad, pereza, ocio, apatía, insensibilidad, indiferencia, desidia, inercia.
INDOLENTE Negligente, apático, desidioso, holgazán, inaplicado, descuidado, flojo, perezoso, remolón, abandonado.
INDÓMITO Indomable, arisco, fiero, indomesticable, bravío, salvaje. I Rebelde, arrebatado, impetuoso, fogoso.
INDUBITABLE Incuestionable, cierto, indefectible, infalible, inequívoco, indudable, innegable, inconcuso.
INDUCIR Incitar, persuadir, instigar, inculcar, inclinar, empujar. I Deducir, inferir.
INDUDABLE Cierto, probado, indiscutible, incuestionable, indisputable, inequívoco, evidente, manifiesto, innegable, seguro.
INDULGENCIA Piedad, misericordia, compasión, perdón, clemencia, tolerancia, benignidad, benevolencia, condescendencia.
INDULGENTE Tolerante, condescendiente, complaciente, benigno, transigente, clemente, benévolo, humano.
INDULTAR Perdonar, absolver, rehabilitar.
INDULTO Perdón, condonación, amnistía, indulgencia, gracia. I Privilegio.
INDUMENTARIA Vestidura, traje, vestido, vestimenta.
INDUSTRIA Maña, destreza, habilidad, maestría, disposición, inteligencia, arte, ingenio. I Manufactura, fabricación. I Profesión.
INDUSTRIAL Fabricante, manufacturero, técnico.
INDUSTRIOSO Diligente, laborioso, aplicado, inteligente, diestro, ingenioso, mañoso, activo.
INEFABLE Inexplicable, indecible, delicioso, agradable, maravilloso, encantador, sublime, inenarrable.
INEFICAZ Inaplicable, inútil, infructuoso, flojo, débil, impotente.
INELUDIBLE Inevitable, forzoso, obligatorio, imprescindible, preciso, necesario, fatal, ineluctable.
INEPTO Incapaz, torpe, inexperto, incompetente, ineficaz, inhábil, obtuso. I Necio, imbécil, estúpido, tonto, simple.
INEQUÍVOCO Indudable, innegable, indiscutible, seguro, cierto, evidente, manifiesto, claro, indubitable.
INERCIA Flojedad, inacción, pasividad, desidia, apatía, flojera, negligencia, pereza, indolencia, dejadez.
INERME Indefenso, desarmado, abandonado.
INERTE Inactivo, ineficaz, inútil, estéril, desidioso, flojo, perezoso, indolente, negligente, apático, ocioso. I Exánime, muerto, yerto.
INESPERADO Imprevisto, impensado, accidental, súbito, repentino, inopinado, insospechado, brusco, casual, ocasional.
INESTABLE Vacilante, movedizo, inconstante, inestable, intermitente, variable, inseguro, mudable.
INEVITABLE Inexcusable, ineluctable, ineludible, forzoso.
INEXACTO Erróneo, equivocado, errado, falible, falso.
INEXORABLE Implacable, inflexible, insensible, riguroso, severo, cruel, duro, despiadado, rígido, inclemente.
INEXPERTO Imperito, inepto, inhábil. I Novicio, novato, principiante, bisoño.
INEXPLICABLE Increíble, ininteligible, enigmático, ambiguo, extraño, inimaginable, incomprensible, indescifrable, raro.
INEXPUGNABLE Invencible, inconquistable. I Incorruptible, inatacable.
INEXTRICABLE Enrevesado, enmarañado, intrincado.

INF

INFALIBLE Seguro, indefectible, indudable, innegable, indiscutible, irrefutable, inequívoco, cierto, patente.
INFAMANTE Deshonroso, infamativo, ignominioso, denigrativo, indecoroso, degradante, afrentoso, calumnioso, incalificable.
INFAMAR Deshonrar, afrentar, desacreditar, denigrar, mancillar, desprestigiar, menoscabar, vilipendiar.
INFAME Indigno, ignominioso, ruin, perverso, vil, abyecto, malvado, despreciable. I Censurable, desacreditado. I Indecente.
INFAMIA Descrédito, deshonra, vilipendio, vergüenza, perversidad, indignidad, desprestigio, ignominia, afrenta, maldad, vileza.
INFANCIA Puericia, niñez.
INFANTIL Pueril, niño, cándido, inocente, ingenuo.
INFATIGABLE Incansable, constante, laborioso, persistente, tenaz.
INFATUARSE Ufanarse, envanecerse, enorgullecerse, engreírse, vanagloriarse.
INFAUSTO Desdichado, desgraciado, funesto, infortunado, aciago, infeliz.
INFECTO Contagioso, infeccioso, contaminoso. I Asqueroso, repugnante. I Pestilente, fétido, podrido.
INFELICIDAD Infortunio, desventura, desgracia, calamidad, desdicha.
INFELIZ Infortunado, desafortunado, desdichado, mísero, desgraciado, pobre, cuitado, miserable, malhadado. I Bondadoso, sencillo.
INFERIOR Menor, mínimo, peor, malo. I Subalterno, subordinado.
INFERIR Deducir, entender, concluir, discurrir, colegir. I Ocasionar, producir.
INFERNAL Endemoniado, diabólico, satánico, demoníaco. I Perjudicial.
INFESTAR Infectar, inficionar, inocular, contagiar, contaminar. I Viciar, pervertir. I Saquear, desvastar.
INFICIONAR Corromper, depravar, contagiar, contaminar, pervertir, infestar.
INFIEL Desleal, traidor, falso, pérfido. I Pagano, perjuro, hereje. I Erróneo, inexacto.
INFILTRACIÓN Introducción, penetración, filtración.
INFILTRAR Penetrar. I Inspirar, inducir, infundir.
INFINIDAD Inmensidad, vastedad, sinnúmero, multitud, cúmulo. I Espacio, infinito.
INFINITO Ilimitado, innúmero, incontable, incalculable, inmenso, inagotable, indefinido, sinfín.
INFLAMACIÓN Tumefacción, hinchazón, irritación, alteración.
INFLAMAR Encender, quemar, incendiar. I Enardecer, excitar, acalorar, incitar, encandecer.
INFLAR Hinchar, llenar, henchir, rellenar.
INFLEXIBLE Firme, inexorable, inquebrantable, férreo, tenaz, indoblegable.
INFLIGIR Condenar, imponer, asestar, inferir.
INFLUENCIA Preponderancia, ascendiente, poder, potestad, valimiento, autoridad, prestigio, crédito, influjo.
INFLUIR Intervenir, contribuir, valer, poder, ayudar, inspirar, inducir.
INFLUYENTE Importante, acreditado, poderoso.
INFORMACIÓN Indicación, noticia, novedad. I Investigación, averiguación.
INFORMAL Inobservante, incumplido, faltón.
INFORMAR Enterar, participar, significar, advertir, prevenir, decir, comunicar, avisar, noticiar.
INFORME Deforme, imperfecto, disforme, contrahecho. I Referencia, información, noticia, dato, razón.
INFORTUNADO Desgraciado, desventurado, miserable, malhadado, desafortunado, desdichado, infeliz, pobre.
INFRACCIÓN Delito, falta, contravención, transgresión, inobservancia, incumplimiento, quebrantamiento.
INFRINGIR Quebrantar, delinquir, contravenir, violar, transgredir, desobedecer, vulnerar, faltar.
INFRUCTÍFERO Infecundo, inútil, estéril, improductivo.
ÍNFULAS Vanidad, engreimiento, presunción, arrogancia, orgullo.
INFUNDADO Absurdo, vano, descabellado, inmotivado, baldío.
INFUNDIR Comunicar, promover, sugerir, infiltrar, impulsar, inspirar.
INGENIAR Imaginar, inventar, discurrir.
INGENIO Inteligencia, talento, penetración, perspicacia, listeza, agudeza, chispa, ocurrencia. I Habilidad, destreza. I Artificio, máquina.
INGENIOSO Inteligente, vivaz, mañoso, hábil, inventivo, listo, perspicaz, agudo, talentoso, sutil.
INGENTE Inmenso, desmesurado, enorme, colosal.
INGENUIDAD Naturalidad, confianza, veracidad, sencillez, honradez, franqueza, llaneza, sinceridad, familiaridad, candor, inocencia.
INGENUO Sencillo, abierto, cordial, expansivo, comunicativo, explícito, espontáneo, sincero, llano.
INGERIR Injertar, introducir, encajar, meter, entrar. I Beber, chupar.
INGRATITUD Desagradecimiento, infidelidad, deslealtad, egoísmo, olvido.
INGRATO Desagradecido, egoísta, olvidadizo. I Desapacible, desagradable. I Infructuoso, estéril.
INGREDIENTE Substancia, droga, componente.
INGRESAR Entrar, penetrar, afiliarse, colegiarse, incorporarse. I Depositar.
INHÁBIL Inepto, torpe, inexperto, incapaz, novato.
INHABILITAR Incapacitar, imposibilitar.
INHALACIÓN Inspiración, aspiración, absorción.
INHERENTE Inseparable, ingénito, innato, unido.
INHIBIR Impedir, suprimir, prohibir, contener.
INHIBIRSE Abstenerse, desentenderse, despreocuparse.
INHONESTO Deshonesto, desvergonzado, indecente,

INH

impuro, descocado.
INHUMANO Cruel, inclemente, incompasivo, empedernido, insensible, brutal, implacable, bárbaro, despiadado, feroz.
INICIADO Catecúmeno, adepto, neófito.
INICIAR Principiar, empezar, comenzar, inaugurar. I Enseñar, instruir.
INICUO Injusto, improcedente, indebido, pervertido, ignominioso, inmoral, infame, arbitrario, perverso.
ININTELIGIBLE Indescifrable, incomprensible, obscuro.
INIQUIDAD Injusticia, arbitrariedad, perversidad, maldad, infamia, perversión, inmoralidad.
INJERIR Ingerir, sorber, ingurgitar. I Introducir, incluir.
INJERTAR Inserir, prender, agarrar.
INJURIA Agravio, ultraje, desprecio, afrenta, ofensa, oprobio, escarnio, baldón, insulto. I Perjuicio, menoscabo.
INJURIAR Agraviar, ultrajar, despreciar, afrentar, ofender, baldonar, zaherir, difamar, deshonrar, denigrar. I Perjudicar, menoscabar.
INJURIOSO Ofensivo, agravioso, irrespetuoso, afrentoso, vejatorio, insultante, humillante, ultrajante.
INJUSTICIA Iniquidad, parcialidad, prejuicio, ilicitud, sinrazón, maldad, arbitrariedad, ilegalidad.
INJUSTO Parcial, ilícito, improcedente, ilegal, inmoral, inicuo.
INMARCESIBLE Imperecedero, perdurable, inmarchitable.
INMATERIAL Incorpóreo, irreal, invisible, espiritual, etéreo.
INMEDIACIÓN Proximidad, contigüedad, vecindad.
INMEDIATO Contiguo, cercano, lindante, próximo, vecino, junto.
INMEJORABLE Excelente, óptimo.
INMENSO Inconmensurable, ilimitado, interminable, inagotable, desmesurado, incalculable, enorme, grandioso.
INMISCUIRSE Entremeterse, ingerirse, mezclarse.
INMINENTE Inmediato, próximo. I Amenazante.
INMODERADO Descomedido, intemperante, excesivo, descompuesto, desconsiderado, incorrecto.
INMODESTO Presumido, presuntuoso, vanidoso, pedante, jactancioso.
INMORAL Deshonesto, licencioso, desaprensivo, lujurioso, desvergonzado, libertino, crapuloso, disoluto.
INMORTAL Eterno, imperecedero, perdurable, permanente, inextinguible, estable, sempiterno, indestructible.
INMORTALIDAD Perpetuidad, perdurabilidad, eternidad.
INMORTALIZAR Eternizar, perpetuar.
INMÓVIL Fijo, inmovible, quieto, inamovible.
INMOVILIZAR Paralizar, detener, parar.
INMUNDO Sucio, desaseado, abandonado, dejado, puerco, mugroso, asqueroso, mugriento, cochino, repugnante. I Impúdico, deshonesto, vicioso.
INMUNE Libre, indemne, exento.
INMUNIDAD Invulnerabilidad, dispensa, privilegio, protección, prerrogativa.
INMUTABLE Imperturbable, insensible, inalterable, invariable, impávido, inconmovible, impertérrito, permanente.
INMUTARSE Alterarse, desconcertarse, afectarse, emocionarse, turbarse.
INNATO Congénito, propio, connatural, consustancial, peculiar, natural.
INNECESARIO Inútil, fútil, sobrado, superfluo.
INNEGABLE Indubitable, indudable, incuestionable, inequívoco, auténtico, seguro, absoluto, irrefutable, cierto, positivo.
INNOBLE Despreciable, rastrero, infame, vil, abyecto.
INNUMERABLE Incontable, crecido, numeroso, innúmero.
INOCENCIA Candor, sencillez, ingenuidad, simplicidad, sinceridad, virtud. I Inculpabilidad.
INOCENTE Cándido, sencillo, inofensivo, candoroso, puro, casto, virginal, inmaculado. I Inculpado, inculpable.
INOFENSIVO Inocuo, inocente, candoroso.
INOLVIDABLE Imperecedero, memorable, perenne, inmortal, imborrable. I Afamado, célebre, notable, ilustre.
INOPINADO Imprevisto, repentino, inesperado, impensado.
INOPORTUNO Improcedente, inadecuado, inconveniente, extemporáneo, desusado, importuno, disonante, intempestivo.
INQUEBRANTABLE Inalterable, inexorable, constante, firme, invariable, rígido, inflexible.
INQUIETAR Desasosegar, perturbar, intranquilizar, desazonar, alarmar, agitar, conmover, alterar.
INQUIETO Intranquilo, desasosegado, agitado, alterado, preocupado. I Bullicioso, vivaracho, diligente, revoltoso, travieso.
INQUIETUD Intranquilidad, desasosiego, perturbación, confusión, alarma, zozobra, angustia, impaciencia, ansiedad. I Sospecha, duda.
INQUINA Odio, ojeriza, rencor, aversión.
INQUIRIR Investigar, escrutar, deducir, penetrar, indagar, averiguar, preguntar, buscar, sondear, interrogar.
INSACIABLE Avaricioso, egoísta, avaro, ambicioso. I Hambriento, hambrón, comilón, insatisfecho.
INSANO Loco, anormal, maniático, alocado, enajenado, demente.
INSCRIBIR Afiliar, apuntar, asentar, matricular, empadronar, anotar. I Esculpir, grabar.
INSCRIPCIÓN Apuntación, etiqueta, rótulo, leyenda. I Registro, matrícula.
INSEGURO Inestable, inconstante, mudable, movedizo, falso, incierto.

INS

INSENSATO Idiota, demente, necio, loco, tonto, babieca, memo, estulto, imbécil, insano.
INSENSIBLE Indolente, impasible, estupefacto, inexorable, inalterable, estoico, imperturbable, frío, indiferente.
INSEPARABLE Indisoluble, indivisible.
INSERTAR Introducir, inserir, meter, incluir. I Publicar.
INSIDIA Asechanza, encrucijada, zancadilla, trampa, emboscada, perfidia, intriga, celada, estratagema, engaño.
INSIDIOSO Engañador, capcioso, embaucador, intrigante, trapacista.
INSIGNE Célebre, ilustre, distinguido, afamado, conocido, recordado, preclaro, eximio, ínclito, excelso, glorioso, egregio, esclarecido.
INSIGNIA Bandera, estandarte, pendón, lábaro. I Distintivo, emblema, divisa, señal.
INSIGNIFICANCIA Futilidad, nadería, inanidad, trivialidad, pequeñez, bagatela, futesa, puerilidad, minucia, fruslería, menudencia.
INSIGNIFICANTE Exiguo, fútil, trivial, pueril, pequeño, mezquino, irrisorio, baladí, anodino, imperceptible.
INSINUACIÓN Indicación, indirecta, alusión, reticencia, ambigüedad.
INSINUAR Apuntar, inspirar, señalar, indicar, aludir, sugerir.
INSÍPIDO Insulso, desaborido, desabrido, simple, insustancial, soso.
INSISTENCIA Obstinación, contumacia, renuencia, obcecación, terquedad, testarudez, empeño, tenacidad, tesonería, pertinancia.
INSISTIR Reafirmar, machacar, porfiar, persistir, instar, obstinarse.
INSOCIABLE Huraño, intratable, hosco, arisco, bravío, desasociable, esquivo, huraño, áspero.
INSOLENCIA Atrevimiento, desfachatez, desvergüenza, descaro, procacidad. I Ofensa, insulto, injuria.
INSOLENTE Descarado, irreverente, fresco, desvergonzado, deslenguado, procaz, cínico, desahogado, petulante. I Injurioso, ofensivo.
INSÓLITO Desacostumbrado, inusitado, infrecuente, anormal, raro, desusado, excepcional, extraño.
INSONDABLE Inescrutable, inescudriñable, profundo, impenetrable.
INSOPORTABLE Insufrible, inaguantable, molesto, enojoso, pesado, cargante, intolerable, fastidioso, incómodo.
INSPECCIONAR Examinar, registrar, observar, intervenir, reconocer.
INSPIRACIÓN Intuición, iluminación, numen, vena. I Sugestión, advertencia.
INSPIRAR Sugerir, insinuar, alentar, imbuir. I Aspirar.
INSTABLE Transitorio, inconstante, voluble, inestable, incierto, veleidoso, versátil, variable.

INSTALAR Aposentar, alojar, colocar, disponer, situar, acomodar.
INSTANTÁNEO Breve, rápido, fugaz, momentáneo, pasajero, efímero.
INSTANTE Momento, segundo, soplido, periquete, santiamén.
INSTAR Insistir, solicitar, reclamar, apurar, instigar, apremiar.
INSTIGAR Incitar, inducir, excitar, estimular, apremiar, espolear, compeler, aguijonear, azuzar, impulsar.
INSTINTIVO Reflejo, intuitivo, maquinal, automático, indeliberado, involuntario, inconsciente.
INSTINTO Interior, reflejo, inconsciencia, inclinación, naturaleza.
INSTITUCIÓN Fundación, creación, establecimiento. I Enseñanza, instrucción.
INSTITUTO Institución, academia, cenáculo, asociación, corporación. I Regla.
INSTRUCCIÓN Educación, enseñanza, ilustración, conocimiento, cultura, criterio, erudición, saber. I Preceptos, métodos, normas.
INSTRUIDO Culto, ilustrado, documentado, competente, docto, versado, entendido, erudito.
INSTRUIR Enseñar, ilustrar, educar, aleccionar. I Enterar, informar.
INSTRUMENTO Utensilio, herramienta, máquina. I Documento, escritura.
INSUBORDINACIÓN Indisciplina, rebelión, desobediencia, sublevación, rebeldía, levantamiento.
INSUBSTANCIAL Anodino, insípido, trivial, ligero, hueco.
INSUFICIENTE Deficiente, escaso, limitado, poco, exiguo, corto. I Ignorante, torpe, inepto.
INSUFRIBLE Inaguantable, intolerable, insoportable, irresistible.
INSULSO Insubstancial, simple, anodino, zonzo. I Desabrido, insípido.
INSULTANTE Ofensivo, ultrajante, irrespetuoso, injurioso, afrentoso.
INSULTAR Ofender, ultrajar, injuriar, baldonar, improperar, molestar, afrentar, agraviar, denostar, denigrar.
INSULTO Ofensa, injuria, afrenta, escarnio, vituperio, agravio, denuesto, ultraje, improperio, insolencia.
INSUPERABLE Imponderable, inmejorable, óptimo, excelente, perfecto. I Infranqueable, invicto, invencible.
INSURRECCIÓN Sedición, sublevación, rebelión, pronunciamiento, levantamiento, alzamiento.
INSUSTANCIAL Insípido, anodino, ligero, trivial.
INTACTO Íntegro, inmaculado, puro, limpio. I Indemne, incólume, completo, íntegro, ileso, entero.
INTACHABLE Perfecto, íntegro, honorable, irreprochable, respetable, probo, recto.
INTANGIBLE Impalpable, incorporal, invisible, intocable, inmaterial.

INT

INTEGRAR Componer, completar, formar. I Reintegrar, restituir.
INTEGRIDAD Perfección, honradez, rectitud, limpieza, probidad. I Entereza.
ÍNTEGRO Cabal, completo, perfecto, entero, integral. I Honrado, probo, justo, desinteresado, equitativo, recto.
INTELECTUAL Inteligente, culto.
INTELIGENCIA Entendimiento, intelecto, conocimiento, raciocinio, talento, razón, discernimiento, caletre, juicio, meollo. I Convenio, acuerdo, avenencia, trato. I Habilidad, sagacidad, pericia.
INTELIGENTE Talentudo, juicioso, entendido, listo, instruido, sagaz, perspicaz, docto, hábil, sutil, ingenioso, despierto.
INTELIGIBLE Claro, lúcido, comprensible, legible, descifrable, fácil.
INTEMPERANCIA Exceso, demasía, saciedad, inmoderación, gula, incontinencia, descomedimiento, desenfrenamiento.
INTEMPESTIVO Inoportuno, extemporáneo, importuno.
INTENCIÓN Propósito, proyecto, objeto, idea, pensamiento, propensión, designio, deseo, ánimo.
INTENCIONAL Meditado.
INTENSIDAD Vehemencia, viveza, intensión, fuerza. I Potencia.
INTENSO Fuerte, grande, violento, intensivo, vehemente, doloroso, cruel.
INTENTAR Pretender, proyectar, acometer, abordar, emprender, probar.
INTENTO Tentativa, proyecto, plan, ensayo, diligencia, intención, propósito.
INTERCAMBIO Permuta, reciprocidad, cambio, trueque, canje.
INTERCEDER Mediar, interponer, reconciliar, abogar, rogar.
INTERCEPTAR Interrumpir, impedir, detener, obstruir, embarazar, atajar.
INTERCESOR Medianero, avenidor, conciliador, intermediario.
INTERÉS Conveniencia, utilidad, ventaja, provecho, ganancia, beneficio. I Atención, afición, inclinación. I Rédito. I Consideración, importancia.
INTERESANTE Atrayente, atractivo, encantador, sugestivo, agradable.
INTERESAR Asociar, habilitar. I Importar, concernir. I Gravar. I Conmover, agradar, atraer. I Afectar.
INTERFERENCIA Interposición, interrupción.
INTERINO Temporal, provisional, transitorio, accidental.
INTERIOR Intimidad, interioridad, intrínseco. I Secreto.
INTERMINABLE Inacabable, ininterrumpido, imperecedero, eterno, permanente.
INTERMITENTE Discontinuo, inconstante, esporádico, irregular.

INTERNARSE Penetrar, adentrarse, introducirse, avanzar.
INTERPONER Entremeter, introducir, interpolar, intercalar, entremezclar.
INTERPRETAR Explicar, desentrañar, aclarar, desarrollar. I Verter, traducir. I Comprender, alcanzar, entender.
INTÉRPRETE Interpretador, comentador, traductor, glosador, romanzador. I Artista, actor.
INTERROGACIÓN Pregunta, demanda, interpelación. I Signo ortográfico.
INTERROGAR Preguntar, interpelar, demandar, examinar.
INTERRUMPIR Suspender, diferir, cortar, interpolar, atajar, estorbar, detener, rezagar, interceptar.
INTERRUPCIÓN Cesación, suspensión, interferencia, obstáculo. I Pausa.
INTERSTICIO Hendidura, resquicio, grieta, rendija. I Intermedio.
INTERVALO Intermedio, pausa, distancia, intersticio, tregua, entreacto.
INTERVENCIÓN Mediación, intromisión, intercepción, interposición. I Tratamiento, operación.
INTERVENIR Participar, mezclarse, interponerse, mediar, terciar, interceder. I Inspeccionar.
INTIMACIÓN Notificación, aviso, citación, apremio, requerimiento.
INTIMAR Fraternizar, congeniar, avenirse, amistar. I Apremiar, citar, requerir, notificar, interpelar.
INTIMIDAD Confianza, amistad, familiaridad.
INTIMIDAR Atemorizar, arredrar, acobardar, asustar, amedrentar, acoquinar, amilanar, imponer.
ÍNTIMO Privado, recóndito, secreto, interno, reservado. I Inseparable, entrañable, familiar. I Intrínseco.
INTOLERABLE Insufrible, inaguantable, molesto, fastidioso, insoportable.
INTOLERANCIA Intransigencia, intemperancia, fanatismo.
INTOXICAR Atoxicar, envenenar, emponzoñar, inficionar, atosigar.
INTRANQUILIZAR Inquietar, alarmar, agitar, perturbar, soliviantar, desasosegar, sobresaltar, asustar, atemorizar.
INTRANQUILO Desasosegado, zozobroso, inquieto, angustiado, alarmado.
INTRANSIGENTE Terco, testarudo, obstinado, fanático, intolerante.
INTRANSITABLE Fragoso, impracticable, áspero.
INTRATABLE Insociable, huraño, descortés, áspero, desabrido, incivil, hosco, grosero, arisco.
INTREPIDEZ Arrojo, osadía, bravura, denuedo, coraje, valentía, impavidez.
INTRÉPIDO Arrojado, osado, valeroso, decidido, bragado, audaz, esforzado, valiente, animoso, atrevido, denodado.
INTRIGA Enredo, chisme, embrollo, maraña, trapisonda, trama, complot, entremetimiento, maquina-

ción, astucia.
INTRIGANTE Maquinador, trapisondista, enredador, entremetido, farsante, chismoso, chanchullero.
INTRIGAR Enredar, tramar, conspirar, trapichear, complotar, entremeterse.
INTRINCADO Enrevesado, embrollado, enmarañado, peliagudo, confuso, oscuro, enredado, laberíntico.
INTRÍNSECO íntimo, interno, esencial, sustancial, propio, interior.
INTRODUCCIÓN Prólogo, prefacio, preámbulo, exordio, introito, entrada. I Acoplamiento, hincadura, metimiento, inmersión.
INTRODUCIR Meter, embutir, entremeter, encajar. I Relacionar, presentar. I Ocasionar, causar. I Importar.
INTROITO Prólogo, entrada, proemio, introducción, principio, prefacio.
INTRUSO Entrometido, indiscreto, entremetido, oficioso.
INTUICIÓN Comprensión, clarividencia, visión, presentimiento, vislumbre.
INTUIR Adivinar, desentrañar, comprender, descifrar, penetrar.
INUNDACIÓN Anegación, torrentero, aguazal, riada, desbordamiento. I Abundancia, multitud.
INUNDAR Anegar, arriar, desbordar, encharcar. I Esparcir, llenar.
INURBANO Incivil, descortés, ordinario, grosero, vulgar, rústico.
INUSITADO Inusual, desacostumbrado, inhabitual, raro, insólito, desusado.
INÚTIL Inservible, estéril, vano, ineficaz, infructuoso, nulo. I Inepto, ignorante, incapaz, torpe.
INUTILIZAR Incapacitar, inhabilitar, invalidar.
INVADIR Irrumpir, entrar, asaltar. I Anegar, inundar.
INVALIDAR Incapacitar, inhabilitar, abolir, abrogar, desautorizar, anular, rescindir, derogar.
INVÁLIDO Impedido, tullido. I Nulo.
INVARIABLE Inalterable, inquebrantable, impasible, inflexible, inconmovible. I Firme, fijo.
INVASIÓN Irrupción, ocupación, intrusión, desbordamiento.
INVENCIBLE Invicto, indomeñable, indomable, inconquistable.
INVENCIÓN Descubrimiento, hallazgo, invento, improvisación. I Mentira, mito, engaño, ficción, fábula.
INVENTAR Descubrir, hallar, crear, encontrar, concebir, imaginar. I Fingir, fraguar, forjar.
INVENTIVA Imaginación, ingenio, idea.
INVENTOR Descubridor, creador, autor.
INVERNAL Hibernal, invernizo, hibernizo, hiemal.
INVEROSÍMIL Improbable, irracional, absurdo, sorprendente, fantástico, asombroso, extraño, increíble.
INVERSO Opuesto, contrario.
INVERTIR Transponer, alterar, trastornar, cambiar, desordenar. I Emplear, gastar.
INVESTIGACIÓN Averiguación, examen, pregunta, escudriñamiento, pesquisa, indagación, búsqueda,

INT

informacion.
INVESTIGAR Inquirir, indagar, escudriñar, pesquisar, examinar, averiguar, buscar, husmear, registrar.
INVESTIR Conferir, conceder, ungir, asignar, adjudicar.
INVETERADO Arraigado, antiguo.
INVIOLABLE Respetable, improfanable, sacrosanto, intangible, sagrado.
INVISIBLE Intangible, incorpóreo, imaginario, misterioso, impalpable, oculto, inapreciable, encubierto.
INVITACIÓN Convite, agasajo. I Llamamiento, convocatoria.
INVITAR Convidar, brindar. I Mover, incitar.
INVOCAR Impetrar, suplicar, implorar, rogar. I Solicitar, alegar.
INVOLUCRAR Confundir, mezclar, trastornar.
INVOLUNTARIO Indeliberado, inconsciente, instintivo, impensado, maquinal, espontáneo, irreflexivo.
INVULNERABLE Inviolable, inatacable.
IR Marchar, andar, viajar, dirigirse, acudir, asistir. I Extenderse. I Pasar.
IRA Cólera, enojo, indignación, enfado, molestia, pasión, violencia, furor, rabia, coraje, iracundia.
IRACUNDO Irascible, frenético, colérico, violento, atrabiliario, rabioso, airado, furibundo, arrebatado, furioso.
IRONÍA Humor, burla, sátira, broma, causticidad, sarcasmo.
IRÓNICO Humorístico, cáustico, mordaz, sarcástico, burlón, satírico.
IRRACIONAL Absurdo, irrazonable, insensato, ilógico. I Bestial, brutal.
IRRAZONABLE Disparatado, desatinado, ilógico, irracional, absurdo.
IRREAL Inexistente, ilusorio, imaginario, quimérico, ficticio, fantástico.
IRREBATIBLE Incontrastable, incuestionable, indisputable, irrefutable.
IRREFLEXIVO Impremeditado, involuntario, indeliberado, inconsciente, maquinal. I Aturdido, atropellado, atolondrado, alocado, precipitado, inconsiderado.
IRREFUTABLE Incuestionable, incontrovertible, indubitable.
IRREGULAR Anormal, anómalo, raro. I Desordenado, informal, voluble, desarreglado. I Desproporcionado, asimétrico. I Variable.
IRRELIGIÓN Irreligiosidad, laicismo, ateísmo, incredulidad, paganismo, indevoción, racionalismo.
IRREPARABLE Irremediable, insubsanable, irresarcible.
IRRESISTIBLE Invencible, pujante, impetuoso, indomable, irrefrenable. I Intolerable, insufrible.
IRRESOLUTO Dudoso, incierto, irresoluble, indeciso, vacilante, perplejo, confuso.
IRREVERENTE Profano, impío, sacrílego, blasfemo, irrespetuoso, apóstata.
IRREVOCABLE Inapelable, inevitable, invariable. I

IRR
Decidido, resuelto.
IRRIGAR Rociar, regar.
IRRISORIO Ridículo, cómico, risible, extravagante, grotesco. I Insignificante, miserable, baladí, fútil, trivial.
IRRITABLE Irascible, enfadadizo, malsufrido, puntilloso, susceptible, iracundo, colérico, quisquilloso.
IRRITACIÓN Enfado, cólera, exasperación, enojo, ira. I Inflamación.
IRRITAR Encolerizar, enfadar, exasperar, enfurecer, fastidiar, excitar, malquistar, enrabiar, enojar, sulfurar, exacerbar, endemoniar, alterar, enviscar, enconar.
IRRITARSE Encolerizarse, arrebatarse, enojarse, enfadarse, indignarse, acalorarse, enfurruñarse, sulfurarse, encenderse.
IRRUMPIR Entrar, invadir.
ISLAMITA Mahometano, musulmán, agareno, islámico, morisco.
ISRAELITA Judío, hebreo, sefardí.
ITINERARIO Camino, ruta, dirección, recorrido.
IZAR Enarbolar, levantar, elevar.
IZQUIERDA Siniestra.

J

JACARANDOSO Garboso, gracioso, desenfadado, alegre, airoso.
JACTANCIA Presunción, petulancia, vanidad, inmodestia, pedantería, ostentación, alarde, arrogancia, orgullo, vanagloria.
JACTANCIOSO Presumido, petulante, vanidoso, jactabundo, pedante, aparatoso, presuntuoso, fachendoso, fatuo.
JACTARSE Gloriarse, ufanarse, alabarse, preciarse, pavonearse, presumir, alardear, vanagloriarse.
JADEAR Cansarse, acezar.
JAEZ Adorno, clase, índole. I Guarnición, arreo.
JALEO Bullicio, alboroto, alegría, jarana, diversión, holgorio, farra.
JALONAR Estacar, deslindar, amojonar.
JAMELGO Rocín, penco, jaco, matalón.
JARANA Alboroto, bulla, jaleo, parranda, zaragata, zambra, fiesta. I Pendencia, gresca, trifulca, bochinche, bronca.
JARDÍN Vergel, carmen, parque, pensil.
JAULA Pajarera, canariera. I Prisión, cárcel.
JEFATURA Autoridad, poder, superioridad.
JEFE Superior, director, principal. I Conductor, guía. I Patrón.
JESUCRISTO Jesús, El Nazareno, Redentor, Cristo.
JESUITA Enredador, astuto, sagaz.
JINETE Cabalgador, caballista, caballero.
JIRÓN Andrajo, harapo, desgarrón, tira, pedazo, trapajo.
JOCOSO Gracioso, chistoso, alegre, sandunguero, donairoso, humorista, festivo, divertido.

JOLGORIO Holgorio, parranda, fiesta, jaleo, huelga, regocijo, jarana, bullicio.
JORNADA Camino, viaje, trayecto. I Lance. I Acto. I Día.
JORNAL Remuneración, estipendio, sueldo, salario, retribución.
JORNALERO Obrero, bracero, trabajador.
JOROBA Deformidad, giba, chepa, corcova.
JOROBADO Giboso, jorobeta, corcovado, gibado, contrahecho.
JOROBAR FAstidiar, molestar, corcovar, gibar, mortificar, enfadar, jeringar, vejar, importunar.
JOVEN Adolescente, mozo, mozalbete, muchacho, chaval, mozuelo, zagal.
JOVIAL Alegre, festivo, juguetón, divertido, alborozado, jocundo, jaranero, apacible.
JOYA Alhaja, dije, presea, aderezo, sortija.
JUBILADO Retirado, licenciado, eximido, pasivo.
JUBILAR Licenciar, eximir, apartar, eliminar.
JÚBILO Alegría, regocijo, fiesta, alborozo, felicidad, gozo, contento.
JUDÍO Israelita, hebreo, sefardita. I Usurero, avaro, logrero, prestamista.
JUEGO Entretenimiento, pasatiempo, recreo, diversión. I Funcionamiento, movimiento.
JUERGA Holgorio, alboroto, parranda, jaleo, francachela, jolgorio, jarana, diversión, fiesta.
JUEZ Magistrado, árbitro, juzgador.
JUGAR Entretenerse, divertirse, juguetear, retozar. I Intervenir, participar. I Apostar, arriesgar. I Engañar, burlarse.
JUGARRETA Truhanería, treta, pillería, tunantada, picardía.
JUGO Jugosidad, zumo, savia, sustancia. I Utilidad, beneficio.
JUGOSO Zumoso, sustancioso, aguanoso.
JUICIO Criterio, sensatez, cordura, seso, cabeza, madurez. I Opinión, parecer, concepto.
JUICIOSO Cuerdo, sensato, atinado, acertado, discreto, prudente, mesurado.
JUMENTO Burro, pollino, asno.
JUNTA Unión, articulación, coyuntura. I Reunión, asamblea, congreso.
JUNTAR Reunir, congregar, aunar. I Acopiar, almacenar, aglomerar. I Acoplar, aparear.
JUNTO Próximo, cercano, contiguo. I Unido, adjunto, anexo.
JURAMENTO Testimonio, voto, promesa. I Blasfemia, maldición, reniego, taco.
JURAR Juramentar, afirmar, prometer. I Blasfemar, renegar, votar.
JURÍDICO Lícito, legal, procedente. I Abogadesco.
JURISDICCIÓN Potestad, competencia, atribuciones, poder, autoridad, fuero, derecho. I Partido, término.
JUSTICIA Equidad, imparcialidad, neutralidad, ecuanimidad, derecho, rectitud, probidad.

JUSTIFICAR Demostrar, probar, evidenciar. l Disculpar, excusar, vindicar, defender.
JUSTO Ecuánime, equitativo, imparcial, recto. l Razonable, legal. l Exacto, completo. l Escaso, apretado.
JUVENIL Adolescente, jovial, alegre, lozano, mocil, joven.
JUVENTUD Adolescencia, mocedad, mancebez, pubertad.
JUZGADO Audiencia, tribunal, foro, sala, palacio de justicia.
JUZGAR Enjuiciar, considerar, calificar, apreciar, valorar. l Dictaminar, opinar. l Sentenciar, fallar, decidir.

L

LÁBARO Estandarte, bandera, insignia, enseña, símbolo.
LABERÍNTICO Intrincado, complicado, tortuoso, incomprensible, enmarañado, confuso, complejo, difícil.
LABIA Verbosidad, retórica, locuacidad, facundia, desparpajo, verborrea.
LABIO Rebaba, borde.
LABOR Trabajo, faena, quehacer, tarea, ocupación. l Labranza, cultivo. l Obra.
LABORIOSO Trabajador, diligente, industrioso, aplicado, afanoso, estudioso. l Penoso, dificultoso, trabajoso.
LABRADOR Labriego, campesino, agricultor, cultivador.
LABRANZA Cultivo, laboreo, agricultura, labor.
LABRAR Cultivar, roturar, arar. l Trabajar, laborar. l Cincelar, grabar.
LABRIEGO Campesino, cultivador, labrador.
LACAYO Sirviente, doméstico, criado, escudero.
LACIO Caído, flojo. l Marchito, ajado.
LACÓNICO Breve, conciso, corto, sucinto, compendioso, sobrio, parco.
LACONISMO Concisión, sobriedad, brevedad, precisión, condensación, síntesis, parquedad.
LACRA Defecto, vicio. l Huella, estigma, marca.
LADEAR Inclinar, torcer, sesgar, oblicuar.
LADINO Astuto, socarrón, sagaz, taimado, advertido, pícaro.
LADO Costado, flanco, banda. l Paraje, lugar, sitio. l Anverso, reverso.
LADRAR Ladrear, gruñir, gañir. l Amenazar, vociferar.
LADRIDO Aullido, gruñido, chillido, aúllo. l Murmuración, crítica, censura.
LADRÓN Atracador, ratero, caco, estafador, malhechor, bandolero, salteador, bandido.
LAGO Laguna, estero.
LÁGRIMA Lloro, sollozo, llanto.
LAGUNA Lago. l Falta, vacío, hueco, espacio.
LAMENTACIÓN Lamento, gemido, queja, clamor, plañido.
LAMENTAR Deplorar, implorar, sentir, llorar.

LAMENTARSE Afligirse, condolerse, quejarse, apenarse, gemir.
LÁMINA Plancha, hoja, placa. l Ilustración, grabado, estampa, efigie.
LÁMPARA Candil, candelero, quinqué, linterna, bombilla.
LANCE Trance, percance, apuro, ocurrencia, conflicto, aprieto. l Encuentro, riña, querella, quimera. l Acontecimiento.
LANCHA Bote, barca, embarcación, canoa, piragua, gabarra.
LÁNGUIDO Débil, fatigado, debilitado, abatido, desanimado, extenuado.
LANZA Alabarda, lanzón, pica, venablo. l Pértiga.
LANZAR Expulsar, arrojar, botar, tirar, largar. l Echar, verter.
LAPSO Espacio, curso, transcurso.
LARGAR Soltar, desplegar, aflojar. l Tirar, lanzar.
LARGARSE Marcharse, ausentarse, irse, escurrirse, escabullirse.
LARGO Extenso, luengo, alongado, prolongado. l Generoso, dadivoso, pródigo, desprendido. l Abundante, copioso, excesivo.
LARGUERO Cabezal, travesaño.
LARGUEZA Generosidad, dadivosidad, liberalidad, esplendidez, munificencia, altruismo, rumbo. l Largor, longitud.
LASCIVIA Sensualidad, voluptuosidad, liviandad, impudicia, lubricidad.
LASCIVO Liviano, obsceno, sensual, libertino, libidinoso, lujurioso, lúbrico, deshonesto, impúdico, carnal.
LASITUD Languidez, desfallecimiento, flojedad, cansancio, flojera.
LÁSTIMA Compasión, miseración, conmiseración, sentimiento, pena, aflicción. l Quejido, lamento.
LASTIMAR Agraviar, ofender. l Herir, dañar, perjudicar.
LASTIMOSO Deplorable, sensible, lamentable, triste.
LATENTE Secreto, recóndito, reservado, oculto, escondido.
LATERAL Contiguo, limítrofe, vecino. l Ladero.
LATIDO Pulsación, palpitación.
LÁTIGO Fusta, rebenque, vergajo, disciplina, zurriago.
LAUDABLE Plausible, meritorio, loable, encomiable, digno.
LAURO Triunfo, premio, palma, gloria, honor, laurel, honra, recompensa, loa.
LAVABO Lavamanos, aguamanil.
LAVAR Limpiar, purificar, enjuagar.
LAVATORIO Lavado, baño, lavamiento, enjuagatorio.
LAXITUD Debilidad, flojedad.
LAZO Ligadura, atadura, enlazadura. l Emboscada, ardid, asechanza, trampa. l Obligación, vínculo.
LEAL Fiel constante, sincero, confiable, cumplidor, honrado, recto.

LEA

LEALTAD Fidelidad, nobleza, honradez, probidad, rectitud, franqueza, cumplimiento, caballerosidad, sinceridad.
LECCIÓN Instrucción, enseñanza, adiestramiento. I Ejemplo, advertencia. I Ejercicio.
LECTOR Leedor, descifrador.
LECHO Cama, tálamo. I Cauce, madre.
LECHOSO Blanquecino, lactífero, lácteo.
LEGADO Dejación, herencia, legítima, don. I Embajador, delegado, representante, enviado.
LEGAL Permitido, reglamentario, constitucional, legítimo. I Puntual, recto.
LEGALIZAR Legitimar, firmar, formalizar, refrendar, promulgar, autorizar, certificar.
LEGAR Dejar, transferir, testar, transmitir, donar, mandar.
LEGISLAR Codificar, estatuir, formalizar, sancionar, promulgar, refrendar, establecer, instituir.
LEGÍTIMO Legal, auténtico, genuino, propio, natural, estatuido, verdadero, fidedigno.
LEGO Ignorante, iletrado, indocto, inculto. I Laico, seglar.
LEGUMBRE Verdura, hortaliza.
LEJANÍA Alejamiento, distancia, lontananza. I Antigüedad.
LEJANO Distante, alejado, apartado, remoto, retirado. I Antiguo.
LEMA Emblema, título, divisa, mote.
LENGUA Lenguaje, idioma, dialecto, habla.
LENGUAJE Lengua, palabra, habla, idioma.
LENITIVO Consuelo, alivio. I Calmante.
LENTE Luna, ocular, anteojo, espejuelo, monóculo, gafas, antiparras.
LENTITUD Tardanza, calma, sosiego, pausa, espacio, dilación, flema.
LENTO Calmoso, pausado, tardo, despacioso, calmudo, lerdo, flemático, parsimonioso, cachazudo, torpe.
LEÑA Combustible, troncos, ramas. I Paliza, castigo, tunda, vapuleo.
LESIÓN Herida, contusión, golpe, arañazo, desolladura. I Perjuicio, daño, detrimento.
LESIONAR Herir, lisiar, contusionar, maltratar, lastimar. I Menoscabar, perjudicar.
LETARGO Torpeza, sopor, insensibilidad, modorra.
LETRA Carácter, signo. I Cheque, giro.
LETRADO Docto, instruido, versado, ilustrado. I Abogado.
LETRERO Rótulo, título, cartel, epígrafe.
LEVA Reclutamiento, enganche, recluta.
LEVADURA Fermento.
LEVANTAMIENTO Motín, rebelión, alzamiento, sedición, pronunciamiento. I Elevación, encumbramiento.
LEVANTAR Subir, elevar, alzar, encumbrar. I Edificar, construir. I Enaltecer, exaltar. I Amotinar, sublevar, rebelar. I Enganchar, alistar, reclutar. I Suprimir.
LEVANTE Este, oriente, naciente.
LEVANTISCO Indócil, indómito, díscolo, sedicioso, revoltoso, revolucionario, inquieto, alborotador.
LEVE Liviano, ligero, feble, tenue. I Insignificante, genial, baladí, superficial, inquieto, alborotador.
LÉXICO Lenguaje, vocabulario.
LEY Código, ordenanza, estatuto, precepto, constitución. I Lealtad, amor, fidelidad. I Religión.
LEYENDA Fantasía, tradición, narración, fábula, cuento, mito. I Divisa, lema, mote.
LIAR Sujetar, amarrar, atar, asegurar, empaquetar, ligar. I Enredar, engañar, envolver.
LIBAR Gustar, catar, beber, probar, sorber.
LIBERAL Desprendido, generoso, desinteresado, pródigo, dadivoso, largo, altruista, munífico.
LIBERALIDAD Generosidad, largueza, desinterés, desprendimiento, rumbo, dadivosidad, altruismo, munificencia.
LIBERTAD Liberalismo, independencia, emancipación, democracia. I Familiaridad, atrevimiento. I Franqueza, desembarazo. I Liberación.
LIBERTINO Inmoral, depravado, licencioso, desenfrenado, impúdico, libidinoso, lascivo, lujurioso, obsceno.
LIBIDINOSO Lujurioso, libertino, lúbrico, torpe, lascivo, rijoso, erótico, deshonesto, liviano.
LIBRAR Liberar, proteger, preservar, salvar. I Expedir, girar. I Dar.
LIBRE Suelto, expedito, franco. I Independiente, emancipado. I Atrevido. I Libertino, licencioso. I Disponible. I Soltero.
LIBRERÍA Biblioteca.
LIBRO Volumen, tomo, ejemplar, obra.
LICENCIA Permiso, aprobación, autorización, facultad, anuencia. I Atrevimiento, desenfreno, abuso, osadía.
LICENCIAR Despedir.
LICENCIOSO Libertino, inmoral, jaranero, desvergonzado, deshonesto, crapuloso, disoluto, depravado.
LICEO Instituto.
LICUAR Liquidar, derretir, fundir.
LID Pelea, disputa, combate, encuentro, liza, riña, contienda.
LIDIA Contienda, combate, lucha, pelea, pugilato. I Tauromaquia, toros, trasteo, faena.
LIDIAR Luchar, batallar, contender, combatir, pelear. I Torear.
LIGA Atadura, cinta, tira. I Corporación, alianza, federación, gremio, consorcio. I Unión, mezcla.
LIGAR Atar, amarrar, liar, enlazar, sujetar, unir. I Alear, mezclar.
LIGAZÓN Conexión, trabazón, unión, enlace.
LIGERAMENTE Levemente, superficialmente, someramente.
LIGEREZA Celeridad, agilidad, prontitud, presteza, diligencia, rapidez. I Volubilidad, irreflexión, inconstancia.

LIGERO Veloz, rápido, vivo, diligente, presto, expedito. I Voluble, tornadizo, irreflexivo, inconstante.
LIMAR Desgastar, pulir, perfeccionar. I Cercenar, disminuir.
LIMITACIÓN Término, circunscripción, límite, demarcación, acotación. I Prohibición, cortapisa.
LIMITAR Delimitar, tasar, demarcar, acotar, alindar. I Reducir, acortar.
LÍMITE Lindero, frontera, confín. I Término. I Máximo, culminación.
LIMÍTROFE Fronterizo, colindante, contiguo, aledaño, medianero, vecino, lindante, divisorio.
LIMO Cieno, fango, lodo, barro.
LIMOSNA Caridad, socorro, ayuda, auxilio.
LIMOSNERO Mendigo, pordiosero, pedigüeño. I Caritativo.
LIMPIAR Asear, baldear, lavar, purificar, barrer. I Acicalar. I Hurtar, rapiñar, robar, quitar.
LÍMPIDO Transparente, claro, cristalino, inmaculado, puro, terso.
LIMPIEZA Higiene, aseo, curiosidad, pulcritud. I Honradez, integridad, rectitud. I Castidad, pureza.
LIMPIO Aseado, nítido, pulcro, límpido, impoluto. I Depurado.
LINAJE Ascendencia, estirpe, alcurnia, prosapia, generación, calidad, origen, sangre, cuna, abolengo.
LINCE Sagaz, perspicaz.
LINDANTE Limítrofe, medianero, limitáneo, contiguo, aledaño, colindante, confinante, rayano.
LINDERO Limítrofe, lindante. I Término, confín.
LINDEZA Belleza, donaire, hermosura, lindura, gracia. I Insultos, dicterios, invectivas, improperios.
LINDO Bonito, bello, hermoso, precioso, agraciado. I Primoroso, perfecto.
LÍNEA Raya, renglón. I Clase, especie. I Ascendencia. I Término.
LINEAMIENTO Contorno, esbozo, perfil, rasgo, bosquejo.
LÍO Fardo, envoltorio, bulto, paquete. I Enredo, confusión, embrollo. I Maraña, intriga.
LIQUIDAR Amortizar, ajustar, saldar. I Derretir, licuar, diluir. I Finiquitar.
LÍQUIDO Bebida. I Saldo. I Exento.
LISIADO Inválido, mutilado, imposibilitado, baldado, tullido.
LISIAR Golpear, mutilar, herir, maltratar, tullir, baldar.
LISO Parejo, plano, llano, raso, igual.
LISONJA Adulación, halago, alabanza, carantoña.
LISONJERO Adulador, pelotillero, servil, lavacaras. I Deleitable, amable, seductor, agradable, encantador.
LISTA Catálogo, relación, repertorio, inventario, nómina, registro. I Raya.
LISTO Diligente, expedito, apercibido, inteligente, vivo, perspicaz, activo, sagaz, despabilado. I Preparado.
LITERAL Textual.
LITERATO Escritor, periodista, novelista, dramaturgo, autor, prosista, poeta, intelectual, cronista.

LITERATURA Humanidades, retórica, preceptiva, narración, letras.
LITIGAR Pleitear, discutir, controvertir, ventilar, enjuiciar, debatir.
LITIGIO Pleito, enjuiciamiento, causa. I Altercado, contienda, disputa.
LITORAL Ribereño, costeño, orilla.
LIVIANDAD Impudicia, lascivia, incontinencia.
LIVIANO Inconstante, tornadizo, versátil. I Ligero, leve. I Lascivo, impúdico, deshonesto, licencioso, libertino.
LÍVIDO Amoratado, pálido, demacrado, descolorido.
LIZA Lid, disputa, pugilato, combate, pelea. I Cancha, estadio, pista.
LOABLE Plausible, meritorio, laudable.
LÓBREGO Sombrío, tenebroso, umbroso, oscuro. I Triste, desgraciado.
LOCACIÓN Arrendamiento, alquiler.
LOCALIDAD Lugar, población, aldea, poblado, pueblo. I Asiento, butaca.
LOCALIZAR Situar, limitar, puntualizar, determinar.
LOCO Alienado, demente, desequilibrado, chiflado, desquiciado. I Aturdido, imprudente, inconsciente, insensato, temerario.
LOCUAZ Hablador, charlatán, lenguaz, parlanchín, gárrulo.
LOCUCIÓN Elocución, expresión, frase.
LOCURA Demencia, alienación, chifladura, manía, vesania. I Disparate, aberración, extravagancia.
LODO Barro, cieno, limo, légamo, fango.
LÓGICO Razonable, analítico, positivo, categórico, racional, natural, normal, regular.
LOGRAR Alcanzar, conseguir, obtener, conquistar, adquirir.
LOGRO Beneficio, utilidad, lucro. I Usura.
LOMO Dorso, solomillo, espalda, envés.
LONGEVIDAD Ancianidad.
LONGITUD Largo, largura, largueza.
LONJA Alhóndiga, plaza, mercado, zoco. I Bolsa. I Loncha.
LOOR Alabanza, honor, elogio, encomio.
LORO Papagayo, cotorra. I Parlanchín, hablador, charlatán.
LOSA Lámina, plancha. I Sepulcro, sepultura.
LOTE Partición, división, fracción, porción.
LOZANÍA Frescura, frondosidad, verdor. I Fuerza, vigor, salud.
LOZANO Fresco, ameno, frondoso, verde. I Robusto, airoso, sano, vigoroso.
LUBRICAR Aceitar, engrasar.
LÚCIDO Agraciado, donairoso, agradable, gracioso, apuesto, garrido, brillante, sobresaliente. I Ocurrente, agudo.
LUCIR Brillar, resplandecer. I Aventajar, destacar, descollar, sobresalir. I Ostentar, alardear.
LUCRATIVO Lucroso, provechoso, beneficioso, productivo, fructífero, útil.

LUC

LUCRO Ganancia, utilidad, rendimiento, beneficio, usura, provecho, ingreso, remuneración.
LUCHA Contienda, combate, acometividad, batalla, liza, pelea. I Oposición.
LUCHADOR Adversario, competidor, gladiador, batallador, combatiente.
LUCHAR Pelear, combatir, reñir, contender, lidiar. I Disputar, altercar.
LUDIBRIO Desprecio, escarnio, mofa.
LUGAR Sitio, emplazamiento, puesto, espacio, paraje. I Ciudad, pueblo, villa. I Asiento. I Causa, motivo.
LÚGUBRE Melancólico, triste, funesto.
LUJO Fausto, atuendo, ostentación, boato, opulencia, suntuosidad, magnificencia, abundancia, riqueza.
LUJURIA Lascivia, lubricidad, concupiscencia, carnalidad, incontinencia, sensualidad, liviandad, deshonestidad.
LUJURIOSO Sensual, lúbrico, voluptuoso, libidinoso, impúdico, lascivo.
LUMBRE Fuego, llama. I Esplendor, fulgor, claridad, brillo.
LUMBRERA Genio, talento, sabio. I Tronera, claraboya, buharda. I Esclarecido.
LUMINOSO Brillante, refulgente, resplandeciente, radiante, lumínico, esplendente. I Oportuno, excelente.
LUNA Planeta. I Espejo.
LUNÁTICO Maniático, monomaniático. I Caprichoso, raro, loco.
LUSTRE Brillo, brillantez, tersura, fulgor. I Fama, gloria, renombre, celebridad, reputación, honra.
LUSTROSO Reluciente, brillante.
LUTO Duelo, aflicción, pena, dolor.
LUZ Lámpara, candelero, vela. I Inteligencia. I Resplandor, claridad, relumbro, lumbre, fulgor, claror.

LL

LLAGA úlcera. I Pesadumbre, dolor, pena, infortunio.
LLAGARSE Ulcerarse.
LLAMA Flama, llamarada, fuego, luz. I Pasión, ardor.
LLAMAMIENTO Llamada, apelación, voz, grito. I Convocatoria, citación.
LLAMAR Nombrar, designar, nominar, intitular. I Gritar, vocear, invocar, clamar. I Convocar, citar. I Suplicar, pedir. I Golpear.
LLAMATIVO Excitativo, atrayente, atractivo, sugestivo. I Exagerado, extravagante, excéntrico.
LLAMEAR Flamear, fogarizar, relucir, centellear, arder, quemar.
LLANEZA Sencillez, naturalidad, simplicidad, familiaridad, espontaneidad, franqueza, afabilidad.
LLANO Plano, liso, raso. I Afable, accesible, tratable, sencillo, natural, espontáneo. I Llanura, planicie, explanada.
LLAVE Ganzúa, llavín. I Dato, pista, clave.
LLEGADA Arribo, venida, arribada.
LLEGAR Arribar, venir, regresar. I Acontecer, verificarse. I Emparejar, arrimar, acercar. I Subir, ascender.
LLEGARSE Arrimarse, acercarse. I Unirse.
LLENAR Henchir, colmar, abarrotar, repletar. I Cumplir. I Satisfacer.
LLENO Pleno, pletórico, henchido, macizo, repleto, atiborrado. I Plenilunio.
LLEVADERO Tolerable, manejable, sufrible, soportable, aguantable.
LLEVAR Transportar, trasladar, acarrear. I Conducir, manejar, dirigir. I Sobrellevar, sufrir, soportar, tolerar. I Inducir.
LLORAR Lloriquear, lacrimar, plañir, gimotear. I Lamentar, deplorar, sentir.
LLORÓN Plañidero, lacrimoso, gemebundo, lloroso.
LLORO Llanto.
LLUVIA Aguacero, nubarrada, chaparrón, temporal, nube, llovizna, aguas, chapetón.
LLUVIOSO Pluvioso, llovioso.

M

MACABRO Mortuorio, fúnebre.
MACACO Simio.
MACANUDO Magnífico, superior, excelente, abundante, grande.
MACERAR Machacar, insistir, porfiar, fastidiar.
MACILENTO Flaco, débil, afilado, enjuto, descarnado, desmedrado, desmirriado, mustio, triste, descolorido.
MACIZO Sólido, relleno, fuerte, compacto, grueso, lleno, firme, repleto.
MÁCULA Deshonra, mancha, mancilla, desdoro. I Mentira, engaño. I Defecto, falta, tacha.
MACHACAR Machucar, magullar, triturar, deshacer, aplastar. I Importunar, insistir. I Redundar. I Mascar.
MACHACÓN Importuno, pesado, prolijo, insistente, impertinente, porfiado, cargante. I Redundante, farragoso.
MACHETE Bayoneta, charrasca.
MACHO Semental, padrote, mulo, hombre, varón. I Mazo. I Fuerte, varonil, robusto, vigoroso.
MACHUDO Sosegado, juicioso, reflexivo, sensato, prudente. I Decrépito.
MADEJA Ovillo, carrete, cadejo, madejeta, bobina.
MADRE Mamá. I Raíz, origen. I Lecho, cauce.
MADRIGUERA Cuevecilla, guarida, escondrijo, gazapera, cubil.
MADRUGADA Amanecer, alborada, aurora, alba, amanecida.
MADRUGAR Mañanear.
MADURAR Perfeccionarse, meditar, considerar, reflexionar.
MADURO Hecho. I Sazonado, sesudo, juicioso, machucho, reflexivo.
MAESTRÍA Arte, destreza, habilidad, astucia, adiestramiento, pericia, competencia, disposición.
MAESTRO Profesor, pedagogo, catedrático, preceptor, instructor, mentor. I Hábil, ducho, avezado, prác-

tico, diestro, perito.
MAGIA Hechicería, ocultismo, adivinación, brujería, nigromancia, encantamiento, fascinación.
MÁGICO Asombroso, maravilloso, estupendo, encantador, hechicero, seductor, fascinador. I Brujo.
MAGÍN Entendimiento, caletre, cabeza, mollera, imaginación.
MAGISTRADO Juez, juzgador, togado.
MAGISTRAL Magnífico, notable, perfecto, inimitable, espléndido, original, lucido, admirable, excelente.
MAGNÁNIMO Noble, pródigo, generoso, caballeroso, liberal.
MAGNANIMIDAD Generosidad, grandeza, nobleza.
MAGNATE Principal, pudiente, prócer, noble, ilustre, poderoso.
MAGNETIZAR Hipnotizar.
MAGNIFICENCIA Fausto, suntuosidad, lujo, esplendor, pompa, fastuosidad, fasto, grandeza. I Esplendidez.
MAGNÍFICO Suntuoso, ostentoso, pomposo, espléndido, valioso, soberbio. I Tamaño, dimensión, extensión, cantidad.
MAGNO Grande, famoso, sublime, excelso, óptimo, soberbio, magnífico, extraordinario, considerable.
MAGRO Flaco, descarnado, delgado, enjuto.
MAHOMETANO Islamita, musulmán, moro, agareno.
MAJADERO Necio, mentecato, molesto, memo, torpe, lelo, pamplinero, bodoque, sandio, estulto, lerdo, zoquete, gilí, molesto.
MAJAR Machacar. I Importunar, cansar, molestar.
MAJESTAD Realeza, soberanía, magnificencia, grandeza, pompa.
MAJESTUOSO Solemne, majestoso, admirable, respetable, imponente, sagrado, fastuoso, lujoso, pomposo.
MAJO Guapo. I Compuesto, ataviado, adornado.
MAL Dolencia, padecimiento, enfermedad. I Desgracia, calamidad, daño. I Detestable, maligno, perverso.
MALABARISTA Equilibrista.
MALANDRÍN Perverso, pillo, bellaco, ruin.
MALBARATAR Despilfarrar, dilapidar, malgastar, derrochar. I Malvender.
MALCRIADO Desatento, grosero, incivil, incorrecto, descarado, descortés. I Mimado, consentido.
MALDAD Malignidad, malicia, injusticia, deslealtad, perversión, delito.
MALDECIR Execrar, denigrar, detestar, anatematizar, detractar, abominar.
MALDICIÓN Execración, detestación, anatema, amenaza, excomunión. I Juramento, blasfemia.
MALDITO Condenado, malvado, execrable, detestable, miserable, endemoniado, malo, perverso, réprobo.
MALEABLE Elástico, dúctil, acomodaticio, blando.
MALEANTE Delincuente, vago, perverso. I Maligno, burlón.

MAG

MALEFICIO Sortilegio, filtro, hechizo, encanto.
MALESTAR Indisposición, molestia. I Desasosiego, ansiedad, pesadumbre, inquietud, descontento.
MALÉVOLO Malvado, perverso, malo.
MALEZA Maraña, brozal, espesura, matorral.
MALGASTAR Disipar, derrochar, despilfarrar, dilapidar, tirar, prodigar.
MALHADADO Desgraciado, desventurado, infortunado, desdichado, cuitado, infeliz, miserable.
MALHECHOR Delincuente, criminal, infractor, bandolero, ladrón, fascineroso, salteador, forajido.
MALICIA Disimulo, astucia. I Malignidad, perversidad, maldad. I Sospecha. I Perspicacia, ingenio, penetración, agudeza.
MALICIOSO Astuto, bellaco, zorro, taimado, solapado, ladino, sagaz, pícaro, socarrón. I Suspicaz. I Perverso.
MALIGNO Perverso, malandrín, malo, pernicioso, ladino. I Virulento.
MALO Depravado, bellaco, perverso. I Enfermo. I Perjudicial, dañino, nocivo, pernicioso. I Fastidioso, molesto. I Deteriorado, estropeado, precario, pésimo. I Inquieto, travieso, revoltoso.
MALOGRAR Frustrar, defraudar, imposibilitar, impedir, desaprovechar, perder, desperdiciar, estropear, dificultar.
MALPARADO Maltrecho, maltratado.
MALQUERENCIA Antipatía, enemistad, odio, aversión, tirria, ojeriza, inquina.
MALQUISTAR Indisponer, desavenir, desunir, descomponer, enemistar, engrescar, encizañar.
MALROTAR Malgastar, malbaratar, despilfarrar. disipar.
MALSANO Insano, enfermizo, nocivo, insalubre. I Maligno.
MALTRATADO Malparado, estropeado, maltrecho.
MALTRATAR Zaherir, vejar, ofender, injuriar, insultar. I Estropear, lastimar, percutir, dañar.
MALVADO Perverso, ruin, detestable, infame, depravado, maldito, inmoral.
MALVERSAR Malgastar, malrotar, disipar. I Robar, desfalcar, estafar.
MAMAR Succionar, chupar, lactar.
MAMARRACHO Esperpento, ridículo, adefesio, bodrio.
MANADA Rebaño, hato, majada.
MANANTIAL Manadero, venero, fuente. I Semillero, germen, origen.
MANAR Brotar, dimanar, surtir, nacer, borbollar, aflorar, fluir. I Proceder.
MANCEBA Querida, coima, concubina, barragana.
MANCILLA Afrenta, deshonor, mancha, deshonra, infamia.
MANCHA Mácula, estigma, tacha, mancilla, deshonra. I Suciedad, borrón, churrete, tiznón.
MANCHAR Ensuciar, emporcar, salpicar. I Deshonrar, macular, estigmatizar.

MAN

MANDAR Ordenar, establecer, disponer, decretar, estatuir. I Remitir, enviar. I Acaudillar.
MANDATARIO Gobernante. I Apoderado.
MANDATO Orden, disposición, decreto, edicto, ley. I Mando.
MANDO Poder, autoridad, caudillaje, superioridad, dominio, potestad.
MANDRIA Mentecato, necio, tonto, simple. I Pusilánime. I Holgazán.
MANEJAR Maniobrar, dirigir, gobernar, manipular. I Administrar.
MANEJO Dirección, administración, gobierno. I Uso, empleo. I Enredo.
MANERA Condición, temperamento, costumbre, forma, moda, sistema, procedimiento, conducto. I Carácter.
MANGO Astil, puño, asidero, cabo.
MANÍA Lunatismo, extravagancia, capricho, antojo, prurito, rareza. I Antipatía, ojeriza, tirria.
MANIÁTICO Venático, chalado, caprichoso, lunático, chiflado, antojadizo.
MANIDO Sobado, manoseado. I Vulgar.
MANIFESTACIÓN Revelación, demostración, declaración. I Protesta, reunión pública, asonada.
MANIFESTAR Declarar, exponer, comunicar, expresar, indicar. I Revelar, mostrar, exhibir.
MANIFIESTO Ostensible, claro, visible, evidente, notorio, palpable. I Proclama, alocución.
MANIJA Puño, mango, manubrio.
MANIOBRA Movimiento, operación, evolución. I Manejo.
MANIPULAR Operar, usar, manejar.
MANJAR Alimento, sustento, condumio, comestible.
MANO Destreza, habilidad. I Ayuda, asistencia, protección. I Turno, vuelta. I Barniz, capa.
MANOJO Haz, gavilla, brazado, hacina, fajo.
MANOSEAR Sobar, tocar, manotear, deslucir, ajar, palpar.
MANSEDUMBRE Apacibilidad, domesticidad, afabilidad, obediencia, docilidad, benignidad, bondad.
MANSIÓN Residencia, morada, casa, albergue.
MANSO Benigno, apacible, sosegado, suave, obediente, dócil. I Cabestro. I Domesticado.
MANTA Cobertor, edredón, cobija, frazada.
MANTECA Mantequilla. I Grasa, gordura.
MANTENEDOR Guía, juez, defensor. I Torneante.
MANTENER Alimentar, sustentar, sostener, nutrir. I Afirmar, defender, apoyar. I Conservar.
MANTENIMIENTO Sustentación, alimento, sustento.
MANUABLE Manejable, manual.
MANUAL Compendio, prontuario. I Manuable.
MANUFACTURA Fabricación, fábrica.
MANUTENCIÓN Sustento, mantenimiento, alimento, sostén. I Conservación.
MAÑA Destreza, maestría, habilidad, tacto, apaño. I Costumbre, hábito.

MAÑOSO Diestro, hábil, industrioso, experto, habilidoso. I Astuto, sagaz.
MÁQUINA Mecanismo, artilugio, ingenio, utensilio, herramienta, locomotora, artefacto, instrumento.
MAQUINACIÓN Enredo, maniobra, intriga, trama, trapisonda, asechanza, complot, confabulación, conjura.
MAQUINAR Urdir, fraguar, intrigar, enredar, confabularse.
MAR Océano, piélago. I Enjambre, multitud.
MARAÑA Enredo, embrollo, lío, intriga, embuste, cábala. I Maleza.
MARAVILLA Prodigio, fenómeno, portento, milagro, pasmo, admiración.
MARAVILLAR Sorprender, admirar, asombrar, pasmar, fascinar.
MARAVILLOSO Prodigioso, portentoso, extraordinario, admirable, fantástico, estupendo, sorprendente, asombroso, excelente.
MARCA Huella, señal, traza, distintivo. I Estigma. I Cicatriz.
MARCAR Señalar, aplicar, apuntar, rayar.
MARCIAL Militar, bizarro, aguerrido, guerrero.
MARCHA Viaje, partida, camino. I Velocidad. I Sistema, procedimiento.
MARCHANTE Parroquiano, cliente, comprador.
MARCHITAR Secar, ajar, deslucir, enlaciar, enmustiar, agostar.
MAREAR Aturdir, enfadar, fastidiar, molestar, aburrir.
MAREJADA Oleada. I Oleaje. I Exaltación, agitación.
MAREO Indisposición, mareamiento, vértigo, desmayo. I Fastidio, molestia, pesadez, ajetreo.
MARGEN Intervalo. I Orilla, extremidad, borde, espacio. I Motivo, pretexto.
MARIDO Esposo, cónyuge.
MARIMACHO Varona, machota, hombruna.
MARINO Marinero, nauta, navegante, tripulante.
MARIONETA Polichinela, títere.
MARISCO Cigala, langosta, percebe, ostra, almeja, molusco.
MARRAJO Cauto, astuto, taimado.
MARRULLERO Mañero, taimado, socarrón, astuto, artero, zorro.
MARTILLO Mazo, percutor, macho.
MARTIRIO Suplicio, tortura, tormento, sufrimiento. I Aureola.
MARTIRIZAR Atormentar, torturar, afligir, importunar.
MASA Mezcla, pasta. I Conjunto, reunión, totalidad, volumen.
MASCAR Masticar. I Murmurar.
MÁSCARA Velo, mascarilla, disfraz, antifaz, careta. I Pretexto, excusa, tapujo, velo.
MASCULINO Varonil, viril.
MÁSTIL Palo, antena, árbol, mastelero, asta.
MASTUERZO Estúpido, necio, tonto, cernícalo, torpe.

MAT

MATA Matojo, planta. I Guedeja.
MATADERO Tajadero, macelo, degolladero, rastro. I Aperreo, ajetreo.
MATANZA Degollina, carnicería, hecatombe, destrozo.
MATAR Fusilar, ejecutar, escabechar, asesinar, ajusticiar. I Aniquilar, extinguir, arruinar. I Rebajar.
MATARIFE Carnicero.
MATEMÁTICO Calculador, aritmético. I Puntual. I Preciso, exacto.
MATERIA Asunto, motivo, causa, objeto. I Naturaleza, substancia. I Pus.
MATERIAL Tangible, corpóreo, físico, substancial. I Ingrediente.
MATINAL Matutino, mañanero.
MATIZ Gradación, colorido, tono, variedad.
MATIZAR Graduar, combinar, irisar, teñir, colorear, componer.
MATORRAL Mata, maleza, matorralejo, brazal, breña, jaral.
MATRICULAR Inscribir, registrar, alistar, enrolar.
MATRIMONIO Casamiento, enlace, unión, boda, consorcio, coyunda.
MATRIZ útero, ovario. I Original, materna, principal. I Molde.
MATUTE Contrabando, alijo, fraude.
MAULA Tramposo, astuto, morboso, remolón. I Flojo. I Engaño, artificio.
MAUSOLEO Panteón.
MÁXIMA Sentencia, precepto, doctrina, apotegma, principio, regla, adagio, refrán.
MAYAR Maullar.
MAYOR Primogénito. I Superior, grande, jefe.
MAYORAL Capataz, caporal, rabadán, conductor, cortijero.
MAYORES Antepasados, progenitores, ascendientes, antecesores.
MAZO Macho, martillo. I Gavilla, brazado, manojo, haz, puñado. I Pesado, fastidioso.
MEANDRO Vuelta, recoveco, recodo, sinuosidad. I Adorno.
MECENAS Protector, patrocinador, favorecedor.
MECER Acunar, columpiar, cunear, mover, vaivenear.
MECHA Pabilo, torcida.
MEDALLA Galardón, premio. I Medallón.
MEDIACIÓN Arbitraje, intervención, injerencia, intercesión, concordia.
MEDIADOR Medianero, intermediario, conciliador, árbitro, terciador, avenidor, componedor.
MEDIANO Regular, mediocre, vulgar, adocenado.
MEDIAR Promediar, terciar, interesarse, intervenir, interceder, abogar, interponerse, conciliar.
MEDICAMENTO Medicina, específico, antídoto, sustancia, droga, pócima, brebaje, remedio, menjunje.
MÉDICO Galeno, facultativo, doctor.

MEDIDA Proporción, cantidad, módulo, tasas, graduación, escala. I Providencia, prevención, disposición.
MEDIOS Manera, modo, forma, recurso, procedimiento. I Recurso, caudal, bienes, fortuna.
MEDIR Tantear, mensurar, evaluar, gradual.
MEDITABUNDO Preocupado, caviloso, absorto, pensativo, cabizbajo.
MEDITAR Reflexionar, discurrir, considerar, pensar. I Combinar.
MEDRAR Progresar, aumentar, crecer, prosperar, adelantar, subir, ascender.
MEDROSO Temeroso, miedoso, cobarde, tímido. I Horroroso.
MEDULAR Fundamental, esencial, principal, substancial.
MEJORA Mejoramiento, aumento, crecimiento, medra, adelantamiento, perfeccionamiento, progreso.
MEJORAR Prosperar, adelantar, medrar, acrecentar. I Aliviar, curar. I Reparar, perfeccionar. I Abonanzar.
MEJORÍA Confortamiento, alivio, mejora.
MELANCÓLICO Triste, taciturno, sombrío, mohino, mustio, nostálgico.
MELENA Cabellera, pelo, cabello, pelambrera.
MELINDROSO Melindrero, remilgado, mimoso, tierno, blandengue, dengoso.
MELODIOSO Armonioso, agradable, cadencioso, melódico, musical, acorde.
MELOSO Empalagoso, acaramelado, dulzón, melifluo, almibarado, suave.
MEMORABLE Evocable, inolvidable, imperecedero, célebre, notable, importante.
MEMORIA Recuerdo, reminiscencia, recordación. I Mente, retentiva. I Fama, gloria.
MEMORIAL Memorándum. I Solicitación, demanda, ruego, petición.
MENAJE Ajuar, enseres, bártulos, moblaje, efectos.
MENCIÓN Recuerdo, referencia, indicación, memoria, cita, conmemoración.
MENCIONAR Referir, aludir, nombrar, indicar, citar, contar, mentar, señalar, relatar, rememorar.
MENDICANTE Mendigo
MENDIGAR Mendiguear, pordiosear, limosnear, implorar, pedir.
MENDIGO Pordiosero, mendicante, limosnero, menesteroso, pobre, indigente.
MENDIGUEZ Mendacidad, pordiosería, indigencia, pobreza, mendicancia.
MENEAR Hurgar, agitar, revolver, mover, tambalear. I Gobernar, dirigir.
MENEO Movimiento, movilidad, oscilación, agitación. I Vapuleo, paliza.
MENESTER Carencia, falta. I Labor, quehacer, tarea, ocupación. I Necesidad.
MENESTEROSO Pobre, desacomodado, necesitado, indigente, mendigo, mísero.
MENESTRAL Trabajador, artesano, obrero.

MEN

MENGUA Pobreza, necesidad, estrechez, escasez. I Deshonra, afrenta, desdoro, descrédito. I Merma, disminución.
MENGUADO Cobarde, pusilánime, mezquino, ruin, servil. I Necio, limitado, lerdo, corto, obtuso, mentecato.
MENGUAR Decaer, degenerar, disminuir, decrecer, mermar, amenguar. I Empobrecer, empeorar.
MENOR Inferior.
MENOSCABAR Quebrantar, desprestigiar, injuriar, perjudicar, mancillar. I Disminuir, reducir. I Deteriorar, deslustrar, estropear.
MENOSCABO Descrédito, desdoro, afrenta, deshonra, mengua, detrimento. I Perjuicio, deterioro, daño.
MENOSPRECIAR Desdeñar, desairar, repulsar, desestimar. I Difamar.
MENOSPRECIO Desestima, desaire, descortesía, zaherimiento, desdén. I Burla.
MENSAJE Noticia, comunicación, recado, misiva, encargo, mensajería.
MENSAJERO Recadero, cosario, propio, mandadero. I Enviado, emisario.
MENSUALIDAD Sueldo, paga, salario, haber, mesada, emolumento.
MÉNSULA Soporte.
MENTAR Citar, nombrar, recordar, mencionar.
MENTE Entendimiento, inteligencia, pensamiento. I Intención, propósito. I Magín, caletre.
MENTECATO Tonto, menguado, insensato, majadero, necio, simple, obtuso, limitado, estúpido, imbécil, idiota, lerdo, memo.
MENTIR Engañar, trapalear, fingir, embustear.
MENTIRA Engaño, falsedad, embuste, infundio, patraña, cuento, invención.
MENTIROSO Embustero, falaz, embuste, infundio, patraña, cuento, invención.
MENTÍS Desmentido, negación.
MENTOR Maestro, preceptor, guía, consejero.
MENUDEAR Frecuentar. I Abundar, acostumbrar. I Detallar.
MENUDO Insignificante, chico, pequeño. I Minucioso, exacto, escrupuloso.
MEQUETREFE Trasto, tarambana, chiquilicuatro, danzante.
MERCADER Traficante, negociante, comerciante, feriante, tratante, asentador, vendedor.
MERCADERÍA Mercancía, género, mercaduría.
MERCADO Plaza, ferial, rastro, zacatín, zoco, tienda, alhóndiga, lonja.
MERCED Premio, remuneración, donación, don, beneficio, gracia, gratificación, dádiva. I Arbitrio.
MERECEDOR Digno, acreedor, benemérito.
MERECER Valer, meritar, ganar.
MERECIDO Condigno, justo.
MERETRIZ Prostituta, zorra, ramera, pecadora, puta, buscona, golpa, perendeca, hetera, perdida.

MERIDIANO Patente, clarísimo, palmario. I Relativo a la hora del mediodía.
MERIDIONAL Antártico, austral, súrico, andaluz.
MÉRITO Merecimiento, bondad, estimación, virtud, valía, decoro, consideración, valor, crédito.
MERITORIO Alabable, estimado, laudable, plausible, loable.
MERMA Aminoración, descrecimiento, disminución, baja, descenso, pérdida.
MERMAR Aminorar, reducir, menguar, disminuir, consumirse. I Sisar, bajar.
MESA Mesilla, mostrador, tabla. I Presidencia. I Comida.
MESETA Rellano, descansillo, descanso, llanura elevada, explanada, llano.
MESÓN Albergue, hostal, ventorro, fonda, hostería, parador, alberguería, posada, ventorrillo, venta.
MESONERO Hostelero, posadero, ventero.
MESTIZO Cruzado, mixto.
MESURADO Templado, mirado, contenido, moderado, comedido, modoso, prudente, circunspecto.
META Término, fin, objetivo.
METAFÍSICO Abstruso, esotérico, incomprensible, abstracto.
METÁFORA Figura, imagen.
METER Introducir, incluir, pasar, insertar, encerrar, levantar, promover, encajar, ocasionar, poner.
METICULOSO Medroso, asustadizo, timorato, miedoso, pusilánime, pávido, cobarde. I Minucioso, exacto, circunspecto, escrupuloso.
METÓDICO Ordenado, sistemático, cuidadoso, mirado.
MÉTODO Orden, regla, régimen, sistema, norma, procedimiento, táctica.
METRÓPOLI Capital.
MEZCLA Mixtura, mezcladura, mezcolanza, composición, menjunje, amasijo, ensalada, combinación, compuesto. I Hormigón, concreto, mortero.
MEZCLADO Revuelto, desordenado, heterogéneo, impuro, falsificado, revuelto.
MEZCLARSE Inmiscuirse, entrometerse, meterse, ingerirse, juntarse.
MEZCOLANZA Mezcla, pepitoria, pisto.
MEZQUINDAD Pobreza, miseria, escasez. I Cicatería, tacañería, avaricia, ruindad, roñería, egoísmo, pequeñez.
MEZQUINO Avaro, usurero, miserable, ruin, interesado, apretado, tacaño, cicatero, sórdido. I Escaso, menguado, pobre, miserable.
MIEDO Temor, cuidado, aprensión, recelo. I Susto.
MIEDOSO Medroso, aprensivo, tímido, pusilánime, asustadizo, receloso, cobarde, espantadizo, despavorido, pávido.
MIGA Migaja, migajón, partícula, trozo. I Substancia, meollo.
MIGAJAS Desperdicios, restos, sobras.
MILAGROSO Portentoso, asombroso, maravilloso,

MILICIA Tropa, soldadesca.
MILITAR Soldado. I Afiliarse. I Combatir, servir, batir.
MILLONARIO Acaudalado, ricachón, adinerado, pudiente, opulento, potentado.
MIMADO Consentido, malcriado. I Acariciado, halagado, festejado.
MIMAR Halagar, regalar, obsequiar, consentir, acariciar.
MIMO Cariño, caricia, halago, complacencia. I Cómico, histrión.
MINAR Excavar, socavar. I Devorar, destruir, consumir, debilitar. MININO Gato.
MINISTERIO Gobierno, gabinete. I Oficio, ocupación, destino, empleo.
MINUCIA Nimiedad, insignificancia, miseria, bagatela, menudencia, pequeñez, bicoca, nadería.
MINUCIOSO Escrupuloso, meticuloso, cuidadoso, exacto, quisquilloso, nimio, esmerado, circunspecto, reparón.
MINUTA Anotación, cuenta, lista, apunte, borrador, extracto.
MIRADA Ojeada, vistazo.
MIRADO Prudente, moderado, circunspecto, mesurado, reflexivo, ponderado, cauto, cuidadoso, respetuoso.
MIRAMIENTO Cautela, circunspección, reflexión, atención, esmero, cuidado, mesura, respeto, recelo, precavido, juicioso.
MIRAR Atisbar, observar, guipar, otear, fisgar. I Reflexionar, pensar, apreciar. I Proteger, amparar, atender, cuidar.
MIRÍFICO Asombroso, maravilloso, admirable, llamativo, fascinador, portentoso.
MISA Culto, ceremonia, oración.
MISÁNTROPO Insociable, intratable.
MISERABLE Infortunado, desdichado, desventurado, infeliz, desgraciado, mísero, pobre. I Tacaño, avaro, cicatero, ruin. I Granuja, canalla, infame, abyecto, despreciable. I Mezquino, escaso. I Indigente, necesitado.
MISERIA Desgracia, infortunio, desdicha, desventura, infelicidad. I Mezquindad, tacañería, avaricia. I Pobreza, estrechez, indigencia, escasez.
MISERICORDIA Compasión, piedad, lástima, conmiseración, aflicción.
MISERICORDIOSO Piadoso, humano, compasivo, clemente, caritativo, humanitario, altruista, pío.
MISIÓN Comisión, encargo, cometido, gestión. I Evangelización, predicación.
MISMO Igual, semejante, equivalente, idéntico, congénere.
MISTERIO Secreto, arcano, incógnita, enigma.
MISTERIOSO Secreto, oculto, arcano, oscuro, encubierto, recóndito, enigmático.
MISTICISMO Místico, espíritu, éxtasis.

MIL

MÍSTICO Contemplativo, extático, arrobadizo, asceta, austero.
MITIGAR Moderar, disminuir, suavizar, atenuar, calmar, aplacar, aliviar, adormecer, aminorar, dulcificar, amortiguar.
MODELAR Esculpir, formar, diseñar, plasmar.
MODELO Ejemplar, ideal, prototipo, norma, tipo, dechado, paradigma. I Plantilla.
MODERACIÓN Sobriedad, mesura, templanza, circunspección, modestia, honestidad, ponderación, discreción, comedimiento. I Frugalidad, sobriedad.
MODERADO Mesurado, comedido, modesto, sobrio, templado, módico, contenido, modoso, parco, humilde.
MODERAR Mesurar, arreglar, disminuir, corregir, atemperar, suavizar, mitigar, aplacar, atenuar, calmar, templar, contener.
MODERNO Contemporáneo, actual, reciente, nuevo, flamante, novador.
MODESTIA Recato, humildad, honestidad, decencia, sencillez, pureza, pudor.
MODESTO Honesto, humilde, recatado, sencillo, decente, moderado.
MÓDICO Limitado, reducido, moderado.
MODIFICAR Limitar, determinar, cambiar, corregir, alterar, rectificar, enmendar.
MODO Estilo, escuela, técnica, manera, forma, modalidad. I Carácter, temperamento.
MOHO Óxido, orín, herrumbre, cardenillo, mogo.
MOHOSO Oxidado, herrumbroso, florecido, roñoso, ruginoso.
MOJAR Rociar, humedecer, empapar, calar, bañar, enjuagar.
MOJIGATO Santurrón, hipócrita, gazmoño, beato.
MOLE Masa, bulto, corpulencia.
MOLER Machacar, desmenuzar, pulverizar, molturar, triturar. I Maltratar. I Cansar, fastidiar.
MOLESTAR Incomodar, perturbar, enfadar, fastidiar, embarazar, hastiar, cansar, jeringar, fregar, jorobar, moler.
MOLESTIA Incomodidad, fastidio, tabarra, desagrado, embarazo, perjuicio. I Desazón, fatiga.
MOLESTO Incómodo, enojoso, fastidioso, engorroso, pegajoso, pesado, embarazoso, impertinente. I Desazón, fatiga.
MOLICIE Blandura. I Afeminación, voluptuosidad.
MOLUSCO Marisco.
MOLIDO Cansado, fatigado, derrengado.
MOMENTÁNEO Breve, pasajero, rápido, instantáneo, transitorio.
MOMENTO Instante, punto. I Circunstancia, ocasión.
MONA Embriaguez, borrachera, pítima, curda, tranca.
MONAGUILLO Monacillo, monago, acólito, escolano.
MONARCA Soberano, rey.
MONASTERIO Convento, cartuja, rábida.
MONÁSTICO Conventual, monacal, cenobial.

MON

MONDAR Desvainar, pelar, descascarar, cortar, limpiar.
MONEDA Pecuniaria, dinero, plata.
MONIGOTE Insignificante, títere, insubstancial.
MONO Pulido, fino, bonito, hermoso, primoroso, gracioso. I Mico, tití, cuadrúmano, simio, macaco, antropoide, orangután, gorila, chimpancé.
MONÓLOGO Soliloquio.
MONOPOLIZAR Estancar, acaparar, abarcar, acopiar, exclusiva, centralizar.
MONÓTONO Uniforme, regular, igual, contiguo. I Pesado, aburrido.
MONSTRUOSO Grotesco, disforme, feo, deforme. I Descomunal, enorme, colosal. I Perverso, inhumano, cruel.
MONTAÑA Sierra, cerro, monte, cordillera, serranía, promontorio.
MONTAÑOSO Escarpado, montuoso, montañés, serrano.
MONTAR Cabalgar, jinetear, caballear. I Elevarse, subir. I Amartillar.
MONTARAZ Agreste, indomable, salvaje, selvático. I Arisco, indómito, fiero. I Intratable, grosero.
MONTÓN Cúmulo, infinidad, pila, sinnúmero, multitud, tropel, conjunto, porción, rimero.
MONUMENTAL Ciclópeo, gigantesco, colosal, grandioso, piramidal, inmenso, enorme.
MORADA Domicilio, casa, habitación, estancia, hogar, mansión, vivienda, residencia.
MORAL Ética, conciencia, moralidad, obligación.
MORALEJA Fábula, conseja, parábola, enseñanza.
MORAR Residir, vivir, habitar, ocupar.
MÓRBIDO Morboso, enfermizo, insalubre, malsano. I Suave, blando, delicado.
MORDAZ Cáustico, incisivo, mortificante, sarcástico. I áspero.
MORDER Mordisquear, consumir, mordiscar, mordicar, corroer. I Gastar. I Murmurar, satirizar.
MORDISCO Bocado, dentellada, mordedura.
MORIGERADO Moderno, templado, comedido, sobrio, mesurado, circunspecto.
MORIR Expirar, sucumbir, fallecer, perecer, finar, fenecer, espichar. I Apagarse. I Desaparecer, acabar.
MORISQUETA Mueca, visaje, gesto.
MORRAL Talega, mochila, bolsa.
MORROCOTUDO Inapreciable, valioso, importantísimo, fenomenal, excelente, considerable, monumental, complicadísimo, atroz.
MORTAL Mortífero, fatal, letal. I Excesivo. I Cierto, seguro.
MORTECINO Apagado, débil, caído, desfalleciente. I Moribundo.
MORTIFICAR Afligir, molestar, desazonar, fastidiar, atormentar, consumir, humillar, apesadumbrar. I Ofender, escarnecer.
MOSQUEARSE Enfadarse, resentirse, enojarse, dudar.

MOSTRAR Manifestar, expresar, revelar, exponer, enseñar, exhibir. I Demostrar, probar, indicar.
MOSTRENCO Ignorante, bruto, rudo, imbécil.
MOTE Sobrenombre, apodo, alias, remoquete. I Divisa, máxima, sentencia, lema.
MOTEJAR Criticar, censurar, notar, calificar, reprochar, tildar.
MOTÍN Disturbio, amotinamiento, alzamiento, sublevación, alboroto, revuelta.
MOTIVAR Originar, ocasionar, causar, producir, suscitar, promover, engendrar, formar, inferir.
MOTIVO Causa, razón, móvil, porqué, finalidad, objeto. I Asunto, tema, materia.
MOVEDIZO Inseguro, inestable, vacilante, tornadizo, inconstante, voluble. I Movible.
MOVER Menear, mudar, remover, trasladar, alterar. I Caminar, marchar, circular, andar. I Inducir, excitar, guiar, persuadir.
MOVIMIENTO Movilidad, animación, meneo, cadencia, vaivén. I Pronunciamiento, levantamiento. I Agitación, alteración, conmoción.
MOZO Muchacho, zagal, joven. I Camarero, peón. I Célibe, soltero.
MUCHACHO Adolescente, niño, chaval, chiquillo, galopín, gurí, joven, mozo.
MUCHEDUMBRE Multitud, masa, enjambre, concurrencia, gentío, afluencia. I Vulgo, plebe, populacho.
MUCHO Abundante, exuberante, excesivo, copioso, considerable, nutrido, numeroso, profuso, colmado, rico.
MUDANZA Cambio, alteración, transformación, variación, evolución. I Veleidad, inconstancia, volubilidad.
MUDAR Variar, innovar, cambiar, trastocar, alterar, trasladar, pasar.
MUDO Callado, silencioso, áfono, silente.
MUEBLE Mobiliario, moblaje.
MUELLE Mórbido, suave, blando, voluptuoso. I Dique, andén. I Resorte.
MUERTE Defunción, fallecimiento, óbito, deceso. I Destrucción, aniquilamiento. I Homicidio. I Parco.
MUERTO Finado, difunto, extinto, matado, cadáver. I Desvaído, acabado, apagado, marchito. I Exánime.
MUESTRA Rótulo, cartel. I Modelo, prueba, tipo, regla. I Ademán, porte.
MUGIR Bramar.
MUJER Hembra, dama, doncella, esposa, señora, cónyuge, ama, damisela.
MUJERIL Mujeriego. I Feminista, afeminado, misógino.
MULTIPLICAR Redoblar, acrecer, aumentar, reproducir, ampliar, propagar.
MULTITUD Muchedumbre, afluencia, masa, sinnúmero, gentío, hormiguero, infinidad, porción.
MUNDANO Frívolo, carnal, licencioso, elegante, libertino, profano, trivial.
MUNDIAL Universal.

MUN

MUNDO Cosmos, orbe, globo, creación. I Planeta, tierra. I Humanidad, universo.
MUNICIPAL Concejil, urbano, consistorial, edilicio.
MUNICIPIO Consejo, municipalidad, ayuntamiento, cabildo, consistorio, comunidad, comuna.
MUNIFICENCIA Generosidad, esplendidez, largueza, desprendimiento, rumbo, liberalidad, desinterés.
MUÑEQUEAR Apoyar, palanquear.
MURMURACIÓN Murmurio, crítica, maledicencia, murmullo, rumor, chisme, mentidero, habladuría. I Funfuño, mascullar, gruñir.
MURMURAR Murmullar, susurrar. I Despellejar, criticar, censurar. I Refunfuñar, rezongar.
MURRIA Tedio, melancolía, malhumor, tristeza.
MUSA Inspiración, fantasía, numen. I Poesía.
MUSEO Pinacoteca, exposición, salón, galería.
MÚSICA Armonía, melodía, solfa, tonalidad.
MUSTIO Ajado, lacio, marchito. I Mohino, melancólico, triste, afligido, compungido, taciturno, lánguido.
MUSULMÁN Islamita, moro, mahometano.
MUTACIÓN Cambio, mudanza, innovación, alteración, variación.
MUTILAR Cercenar, amputar, circundir, cortar.
MUTUO Recíproco, mutual, correlativo, bilateral.

N

NACER Germinar, brotar, originarse, emanar, provenir, derivarse.
NACIMIENTO Nacencia, natalidad, vida, natalicio. I Origen, principio. I Manantial.
NACIÓN Territorio, pueblo, patria, país.
NACIONAL Patrio, oriundo, originario.
NADA Cero, entelequia, ficción, quimera.
NADAR Flotar, boyar, bracear, sumergirse.
NADERÍA Insignificancia, puerilidad, futesa, bagatela, fruslería, pequeñez, minucia, niñería.
NAIPES Cartas, barajas.
NARCÓTICO Soporífero.
NARRACIÓN Cuento, relato, historia, fábula, descripción, versión, relación, exposición, crónica, novela.
NARRAR Relatar, referir, mencionar, decir, novelar, historiar, reseñar, contar, fabular.
NATA Crema.
NATIVO Natural, nacido, oriundo, aborigen, autóctono, originario, indígena.
NATURAL Nativo, originario, oriundo, nacido, aborigen. I Lógico, habitual, común, acostumbrado, corriente, normal. I Carácter, temperamento, índole, condición, inclinación. I Espontáneo.
NATURALEZA Natura, índole, característica, esencia, substancia, temperamento.
NATURALIDAD Ingenuidad, franqueza, sinceridad, sencillez, llaneza, espontaneidad, familiaridad.
NAUFRAGAR Zozobrar, anegarse, irse a pique, perderse. I Fracasar, frustrarse.

NAUFRAGIO Hundimiento, zozobra, siniestro.
NAUSEABUNDO Asqueroso, inmundo, repugnante.
NAVE Barco, embarcación, nao, navío, buque.
NAVEGACIÓN Marina, náutica, pilotaje, cabotaje.
NAVEGAR Marinar, surcar, pilotar, tripular, zarpar.
NEBULOSO Neblinoso, brumoso, oscuro. I Incomprensible, confuso.
NECEDAD Estupidez, insuficiencia, incapacidad, torpeza, ignorancia, sandez, simpleza, estulticia, imbecilidad, memez, desatino, disparate.
NECESARIO Preciso, inexcusable, imprescindible, indeclinable, ineludible, forzoso, esencial, vital.
NECESIDAD Fatalidad, desatino, obligación, menester, precisión. I Apuro, aprieto, ahogo, penuria, indigencia, estrechez.
NECESITADO Pobre, indigente, mendigo, menesteroso, miserable, falto, escaso.
NECESITAR Precisar, menester, urgir, requerir.
NECIO Ignorante, imbécil, majadero, bobo, pendejo, insensato, bodoque, estúpido, mentecato, simple, sandio, desatinado, idiota, mastuerzo, ceporro. I Terco.
NEFASTO Desgraciado, funesto, calamitoso, fatal, infeliz, aciago, desventurado, triste, deplorable, adverso.
NEGAR Denegar, rehusar, impugnar, prohibir, vedar, desestimar.
NEGATIVA Negación, repulsa, prohibición, oposición, impugnación, rechazo.
NEGLIGENCIA Desidia, apatía, descuido, incuria, dejadez, flojedad, indolencia, abandono, omisión.
NEGLIGENTE Descuidado, decidioso, incurioso, perezoso, apático, dejado, holgazán, flojo, abandonado.
NEGOCIANTE Traficante, tratante, comerciante, trajinante, mercader, corredor.
NEGOCIAR Tratar, traficar, comerciar. I Descontar, endosar.
NEGOCIO Comercio, tráfico, trato. I Ocupación, trabajo. I Negociación.
NEGRO Endrino, negruzco, obscuro, azabachado, denegrido. I Melancólico, triste. I Desventurado. I Apretado, apurado.
NERVIO Vigor, energía, eficacia, fuerza. I Encéfalo, plexo, ganglio.
NERVIOSO Vigoroso, fuerte, enérgico. I Irritable, excitable, neurótico, impresionable, neurálgico.
NEURASTÉNICO Nervioso, agotado.
NETO Limpio, transparente, terso, inmaculado, claro, puro.
NEUTRALIZAR Debilitar, oponer, anular.
NIDO Guarida, madriguera. I Morada, hogar, casa.
NIEBLA Neblina, bruma, boira. I Confusión.
NIÑERÍA Niñada, muchachada, chiquillada. I Insignificancia, pequeñez, bicoca, nadería, bagatela.
NIÑO Chiquillo, chicuelo, rapazuelo, chavea, chiquilín, nene, criatura, chico, párvulo, pequeño, infante, muchacho.

NIT

NÍTIDO Limpio, claro, transparente, intacto, inmaculado, terso, puro, inviolado, resplandeciente, brillante.
NIVELAR Igualar, rasar, explanar, equilibrar.
NOBLE Insigne, preclaro, ilustre, distinguido, principal, nobiliario, linajudo, magnate. I Estimable, honroso, digno.
NOBLEZA Calidad, porte, aristocracia, linaje, señorío, hidalguía, grandeza. I Altruismo, magnanimidad.
NOCIÓN Idea, noticia, conocimiento.
NOCIVO Dañoso, pernicioso, perjudicial, maléfico, insaluble, malo. I Ofensivo.
NOCTURNO Noctámbulo, trasnochador, nocturnal.
NOCHE Obscuridad, tinieblas, sombras. I Confusión, ignorancia.
NODRIZA Criandera, nana, ama, nutriz.
NÓMADA Vagabundo, trashumante, ambulante, bohemio, inestable, errante.
NOMBRADÍA Celebridad, fama, nombre, crédito, renombre, reputación, nota.
NOMBRAR Llamar, designar, apellidar, denominar. I Escoger, elegir.
NOMBRE Denominación, título I Apellido. I Reputación. I Autoridad.
NORMA Regla, guía, pauta, modelo, precepto, canon, método, fórmula.
NORMAL Regular, regulado, ritual, acostumbrado, correcto, sistemático, ordinario, usual, habitual, corriente, natural, reglamentario.
NORMALIZAR Reglamentar, regularizar, preceptuar, arreglar, regular, reglar.
NOSTALGIA Añoranza, aflicción, soledad, morriña, saudade, melancolía, tristeza, memoranza.
NOTA Apuntación, dato, apunte. I Aviso, noticia, informe. I Acotación, llamada. I Nombradía, renombre, crédito, concepto. I Cuestión, asunto.
NOTABLE Valioso, importante, extraordinario, trascendental, principal, interesante, admirable, valioso, respetable, famoso.
NOTAR Advertir, observar, reparar, apuntar, marginal, registrar, alistar, divisar, percatarse, percibir. I Conocer, enterarse.
NOTICIA Información, indicación, confidencia, referencia, novedad, nueva, suceso, reseña. I Conocimiento.
NOTIFICAR Participar, enterar, imponer, informar, comunicar, anunciar, prevenir, instruir, publicar.
NOTORIO Manifiesto, evidente, público, vulgar, divulgado, palpable, explícito, palmario, averiguado, visible, claro.
NOVATO Novel, novicio, bisoño, inexperto, aprendiz, principiante, nuevo.
NOVEDAD Alteración, cambio, mudanza, variación. I Noticia, suceso, nueva.
NOVELESCO Novelero, romancero. I Inventado, sorprendente, maravilloso.
NOVIO Prometido, futuro.
NUBE Nublo, nubarrón, nublado. I Sinnúmero, multitud.
NUBLAR Anublar, añublar. I Amortiguar, obscurecer.
NUEVO Moderno, reciente, novísimo, flamante, actual. I Novato, principiante, novel, novicio.
NULIDAD Invalidez, inutilidad, caducidad, prescripción. I Ineptitud, incapacidad, torpeza.
NULO Incapaz, inepto, torpe, inútil. I Caducado, invalidado.
NUMERACIÓN Foliación.
NUMEROSO Abundante, cuantioso, considerable, incontable, inexhausto, innumerable, profuso, copioso.
NUNCA Jamás.
NUPCIAS Casamiento, boda.
NUTRIR Alimentar, sustentar, fortalecer, vigorizar, mantener, robustecer.
NUTRITIVO Alimenticio, nutrimental, alimentoso, nutricio.

Ñ

ÑOÑEZ Tontería, necedad, sandez.
ÑOÑO Necio, tonto. I Asustadizo.

O

OASIS Descanso, refugio, reposo, manantial.
OBCECARSE Ofuscarse, empeñarse, emperrarse, cegarse, chiflarse.
OBEDECER Cumplir, acatar, inclinarse, observar, respetar, seguir, ceder.
OBEDIENCIA Docilidad, conformidad, respeto, sujeción, sumisión, acatamiento.
OBEDIENTE Dócil, obsecuente, subordinado, disciplinado, manejable.
OBESO Voluminoso, gordinflón, grueso, orondo, gordo.
ÓBICE Obstáculo, escrúpulo, impedimento, inconveniente, dificultad, estorbo.
OBISPO Prelado, pastor.
ÓBITO Fallecimiento.
OBJECIÓN Observación, reparo, impugnación, oposición.
OBJETAR Impugnar, contradecir, rechazar, refutar, triturar, argumentar.
OBJETO Intención, finalidad, propósito, causa, fin, asunto.
OBLIGACIÓN Deber, compromiso, necesidad, cargo, deuda, incumbencia, empeño, responsabilidad. I Título al portador.
OBLIGAR Forzar, impeler, comprometer, compelir, precisar, impulsar.
OBLIGATORIO Forzoso, indispensable, imprescindible, imperioso, imperativo, necesario, preciso.
OBRA Trabajo, labor, tarea. I Volumen, libro. I Producción.
OBRAR Hacer, practicar, ejecutar, realizar. I Conducirse, proceder, comportarse, actuar. I Defecar.

OBSCENO Impúdico, libidonoso, pornográfico, lúbrico, lascivo, sicalíptico, deshonesto, indecente.
OBSEQUIAR Agasajar, festejar, regalar. I Cortejar, galantear.
OBSEQUIO Agasajo, regalo, presente. I Deferencia, gentileza, afabilidad.
OBSEQUIOSO Galante, cortés, cortesano, afable, complaciente, ceremonioso, atento, comedido, caballeroso.
OBSERVACIÓN Advertencia, corrección, reflexión, reparo, consideración.
OBSERVADOR Espectador, curioso, examinador, contemplador, mirón.
OBSERVANCIA Cumplimiento, reverencia, satisfacción, escrupulosidad, celo, obediencia, cuidado.
OBSERVAR Obedecer, respetar, ejecutar, acatar, cumplir. I Vigilar, acechar, espiar. I Notar, reparar, advertir.
OBSESIÓN Preocupación, manía, ofuscación, prejuicio, inquietud.
OBSTÁCULO Impedimento, estorbo, imposibilidad, inconveniente, molestia, dificultad, rémora, engorro, atasco, óbice.
OBSTAR Impedir, imposibilitar, contradecir, vedar, oponerse.
OBSTINACIÓN Testarudez, porfía, tenacidad, terquedad, tesón, obcecación, tozudez, pertinancia.
OBSTINADO Terco, tozudo, porfiado, testarudo, cabezota, contumaz, pertinaz, empecinado, recalcitrante.
OBSTINARSE Porfiar, emperrarse, aferrarse, empeñarse, encalabrinarse.
OBSTRUIR Tascar, estancar, entorpecer, atorar, estorbar, atrancar, cegar, ocluir, taponar, cerrar, obturar.
OBTEMPERAR Conformarse, asentir, aceptar, obedecer.
OBTENER Conseguir, alcanzar, lograr, adquirir, agenciar, sacar, conquistar, recabar. I Conservar.
OBVENCIÓN Gaje.
OBVIO Fácil, llano, expedito, manifiesto, hacedero, asequible, practicable, notorio, evidente, indiscutible, incontestable, claro.
OCASIÓN Coyuntura, oportunidad, sazón, circunstancia. I Motivo, lugar, causa. I Peligro, contingencia.
OCASIONAL Esporádico, eventual.
OCASIONAR Acarrear, motivar, originar, causar, promover, provocar. I Excitar.
OCASO Poniente, occidente, oeste. I Decadencia, declinación, postrimería.
OCIO Descanso, holganza, inacción.
OCIOSIDAD Ocio, holganza, gandulería, poltronería, pereza, holgazanería.
OCIOSO Inactivo, desocupado, parado. I Haragán, holgazán, perezoso, gandul. I Inútil, zangarullón.
OCULTAR Cubrir, esconder, tapar, recatar, encubrir. I Reservar, disimular, callar, velar.
OCULTO Escondido, tapado, encubierto, recatado. I Inescrutable, recóndito, misterioso, ignorado, secreto, desconocido, arcano.
OCUPACIÓN Trabajo, tarea, faena, actividad, quehacer, labor, profesión. I Posesión.
OCUPADO Atareado, agobiado, abrumado. I Lleno.
OCUPAR Apoderarse, adueñarse, posesionarse, apropiarse. I Habitar, morar, residir, vivir. I Destinar. I Estorbar. I Llenar.
OCURRENCIA Encuentro, ocasión, oportunidad, coyuntura, circunstancia, contingencia. I Chiste, agudeza, pensamiento, gracia.
OCURRIR Acaecer, suceder, sobrevenir, acontecer, pasar, ofrecerse. I Acudir, concurrir. I Anticiparse.
ODIAR Abominar, detestar, aborrecer, execrar.
ODIO Aborrecimiento, rencor, aversión, hincha, manía, ojeriza, encono, resentimiento, animosidad, inquina, enemistad, malquerencia, desafecto, tirria, execración.
ODIOSO Abominable, execrable, detestable, aborrecible.
OESTE Poniente, occidente.
OFENDER Insultar, agraviar, afrentar, baldonar, infamar, deshonrar, faltar, maltratar. I Disgustar, molestar, fastidiar.
OFENSA Injuria, agravio, ultraje, desaire, burla, afrenta, insulto, desprecio, daño, zaherimiento.
OFENSIVO Injurioso, ultrajante, agravioso, humillante, vejatorio, insolente, agresivo, afrentoso.
OFERTA Promesa, ofrecimiento, propuesta. I Donativo, regalo, don.
OFICINA Despacho, bufete, estudio, escritorio.
OFICIO Empleo, profesión, cargo, ocupación, trabajo.
OFICIOSIDAD Solicitud, cuidado, complacencia. I Aplicación, diligencia. I Indiscreción, entrometimiento.
OFRECER Prometer, proponer, mostrar, convidar, invitar. I Presentar, exponer, manifestar.
OFRENDA Donación, oblación. I Sacrificio. I Entrega.
OFUSCACIÓN Obcecar, perturbar, obsesión, incomprensión, ceguera, obstinación.
OFUSCAR Conturbar, perturbar, trastornar. I Deslumbrar.
OGRO Intratable, huraño.
OÍR Escuchar, enterarse, percibir, sentir, atender.
OJERIZA Odio, malquerencia, manía, aborrecimiento, tirria, inquina, aversión, animosidad.
OJO Vista. I Cuidado, atención.
OLEAJE Marejada, resaca, olaje.
OLER Olfatear, husmear, respirar, oliscar, barruntar, inquirir. I Sospechar, presentir.
OLFATO Penetración, sagacidad.
OLOR Efluvio, tufillo, perfume, fragancia. I Reputación.
OLOROSO Olfativo, oliente, odorífico, perfumado, fragante, aromático.
OLVIDADIZO Desmemoriado, desagradecido, descuidado, aturdido, distraído.

OLV

OLVIDAR Descuidar, desaprender, desconocer, omitir, abandonar, desatender.
OLVIDO Omisión, descuido, inadvertencia, distracción, negligencia.
OMISIÓN Negligencia, olvido, inadvertencia, distracción, incuria, desidia, imprevisión, indolencia, falta.
OMITIR Prescindir, sigilar, silenciar, olvidar, suprimir, callar.
ONANISMO Masturbación.
ONDA Ola, vibración, sinuosidad, curva, serpenteo.
ONDEAR Ondular, flamear, flotar, curvar.
ONEROSO Gravoso, costoso, dispendioso, caro. I Pesado, molesto, fastidioso, engorroso, estorboso.
OPACO Oscuro, sombrío, entenebrecido, amortiguado. I Melancólico, triste.
OPCIÓN Elección, selección, alternativa, disyuntiva, preferencia.
OPERAR Comerciar, tratar, especular. I Intervenir. I Maniobrar.
OPINAR Juzgar, pensar, discurrir, enjuiciar, estimar, calificar.
OPINIÓN Juicio, discernimiento, concepto, idea, parecer, sentir, criterio, dictamen, enjuiciamiento.
OPONERSE Impugnar, contrariar, rechazar, objetar, refutar.
OPORTUNIDAD Ocasión, coyuntura, circunstancia, sazón, proporción, lugar, tiempo.
OPORTUNO Pertinente, conveniente, puntual, exacto, preciso. I Acertado, atinado. I Chistoso, agudo, gracioso. I Práctico.
OPOSICIÓN Contrariedad, implicación, resistencia, impugnación, discusión, antinomia, antagonismo, antítesis.
OPOSITOR Contradictor, contrincante, opugnador, antagonista, rival.
OPRESOR Tirano, déspota, absolutista, dictador.
OPRIMIR Dominar, estrujar, comprimir, sujetar, apretar. I Agobiar, tiranizar, molestar, vejar.
OPROBIO Ignominia, deshonra, vilipendio, vergüenza, baldón, mancha, estigma, afrenta, desdoro.
OPTAR Elegir, preferir, escoger.
OPTIMISMO Seguridad, confianza.
OPUESTO Contrario, adverso, reacio, refractario. I Diferente, distinto, desigual, encontrado. I Enemigo.
OPULENTO Acaudalado, poderoso, hacendado, ricachón. I Fecundo, ubérrimo.
OQUEDAD Vacío, hueco, horado.
ORACIÓN Súplica, rezo, ruego, plegaria. I Alocución, discurso, arenga, perorata, disertación.
ORÁCULO Agorero, vidente, adivino, zahorí, augur, profeta, vate, grafólogo.
ORADOR Discursante, arengador, tribuno, conferenciante.
ORAR Perorar, discursear. I Predicar, rezar, invocar.
ORATORIA Elocuencia, improvisación, peroración, discurso, dialéctica, conferencia, charla.
ORBE Círculo, esfericidad, órbita, redondez. I Creación, tierra.
ORDEN Concierto, disciplina, regularidad, método, organización, armonía. I Disposición, mandato, decreto.
ORDENANZA Mandato, estatuto, orden.
ORDENADO Metódico, reglado, dirigido.
ORDENAR Coordinar, metodizar, organizar, regular. I Mandar, disponer, decretar, estatuir, prescribir, preceptuar. I Enderezar, dirigir.
ORDINARIO Común, frecuente, corriente, habitual, acostumbrado. I Grosero, inculto, vulgar, soez.
ORFANDAD Desamparo, aislamiento.
ORGANIZACIÓN Estructura, disposición, arreglo, orden, formación, sistematización.
ORGANIZAR Ordenar, concertar, instituir, fundar, metodizar, compaginar, coordinar, arreglar, crear, establecer, disponer.
ÓRGANO Armonio. I Víscera. I Vocero, portavoz.
ORGÍA Festín, bacanal, desvergüenza.
ORGULLO Soberbia, altivez, arrogancia, fantasía, suficiencia, pedantería, jactancia, vanidad, engreimiento, fatuidad.
ORGULLOSO Soberbio, altivo, vanidoso, insolente, infatuado, fanfarrón, pedante, engreído, arrogante.
ORIENTAR Informar, instruir, noticiar, indicar, conducir, guiar, encaminar, asesorar, dirigir.
ORIFICIO Agujero, abertura.
ORIGEN Principio, procedencia, comienzo, nacimiento, causa. I Ascendencia, familia. I País.
ORIGINAL Raro, singular, extraño, curioso, nuevo. I Propio, personal, único, peculiar. I Inicial. I Texto.
ORIGINAR Causar, motivar, acarrear, engendrar, suscitar, crear, provocar, producir, promover.
ORIGINARIO Primigenio, original. I Nativo, oriundo.
ORILLA Borde, límite, término, lindero. I Ribera, margen. I Cenefa, orillo, orla, festón.
ORILLAR Bordear, terminar. I Arreglar, solventar, resolver, ordenar. I Esquivar, eludir.
ORÍN Moho, herrumbre, verdín. I Orina.
ORIUNDO Procedente, originario, nativo, natural.
ORNAR Ornamentar, decorar, adornar, engalanar, aderezar, atildar, componer, acicalar, adecentar, ataviar.
ORNATO Adorno, atavío, gala, pulcritud, pompa.
OROPEL Chafalonía, relumbrón.
OSADÍA Atrevimiento, valor, intrepidez, audacia, temeridad, arrojo, brío, decisión. I Desfachatez, descaro.
OSAR Atreverse, arrojarse, lanzarse, aventurarse, intentar, afrontar.
OSCILAR Variar, titubear, fluctuar, vacilar. I Balancearse.
OSCURECER Ensombrecer, anublar, sombrear, anochecer.
OSCURIDAD Tenebrosidad, opacidad, lobreguez, oscurecimiento.
OSCURO Tenebroso, lóbrego, negro, sombrío. I

Enigmático, confuso, incomprensible. I Ignorado, desconocido.
OSTENSIBLE Visible, manifiesto, palpable, patente.
OSTENTACIÓN Jactancia, fatuidad, petulancia, vanagloria, presunción, pedantería. I Boato, magnificencia, suntuosidad.
OSTENTAR Mostrar, alardear, farolear, exhibir, manifestar.
OSTENTOSO Aparatoso, fastuoso, espléndido, magnífico, grandioso, regio, ostentativo, blasonante, presumido.
OTEAR Acechar, registrar, escudriñar.
OTORGAR Conceder, dispensar, adjudicar, acceder, conferir, asignar, agraciar, dar, condescender.
OVILLO Madeja, carrete, bobina, cadejo. I Enredo, maraña.
OYENTE Concurrente, espectador, asistente.

P

PABELLÓN Alojamiento, cobertizo. I Bandera, insignia.
PACER Pastar, ramonear, apacentar, campear, rustrir.
PACIENCIA Espera, conformidad, clama, flema, correa, estoicismo, resignación, aguante, perseverancia.
PACIENTE Resignado, tolerante, sufrido. I Doliente, enfermo.
PACIFICAR Apaciguar, calmar, serenar, quietar, aplacar, tranquilizar.
PACÍFICO Quieto, sosegado, tranquilo, reposado, benigno.
PACTAR Negociar, ajustar, concertar, estipular, apalabrar, concluir, acordar, convenir.
PACTO Convenio, negociación, trato, estipulación, ajuste, concierto.
PADECER Sufrir, tolerar, permitir, penar, sentir, soportar, sobrellevar.
PADECIMIENTO Sufrimiento. I Enfermedad, achaque, mal, dolencia.
PADRE Sacerdote. I Progenitor, principal, cabeza. I Inventor, autor.
PADRINO Protector, amparador, bienhechor, favorecedor, patrocinador.
PADRÓN Lista, nómina, censo, registro. I Modelo.
PAGA Sueldo, salario, retribución, amortización, asignación, estipendio, remuneración, pagamento.
PAGANO Incrédulo, impío. I Gentil, idólatra, gentílico.
PAGAR Remunerar, satisfacer, reintegrar, abonar, solventar, saldar. I Purgar, expiar.
PÁGINA Carilla, plano, folio.
PAÍS Pueblo, nación, territorio, región, comarca. I Patria.
PAISAJE Panorama, vista, perspectiva.
PAISANO Compatricio, compatriota, conciudadano. I Campesino.
PAJA Broza, faramalla, hojarasca.

PÁJARO Ave, avecilla, pajarraco. I Espantajo.
PALA Raqueta. I Astucia, artificio.
PALABRA Término, vocablo, dicho, voz, dicción, voxequible. I Léxico, lenguaje.
PALABRERÍA Cháchara, palique, fraseología, charlatanería, verborrea, verbosidad, monserga, retahila, garrulería.
PALADEAR Saborear, gustar.
PALADINAMENTE Claramente, públicamente, manifiestamente, abiertamente, patentemente.
PALANCA Cuña, protección. I Barra, palanqueta.
PALIAR Disimular, Cohonestar, encubrir. I Atenuar, aminorar, suavizar, calmar, mitigar.
PALIATIVO Calmante, atenuante, sedativo.
PALIDECER Empalidecer, descolorar, ponerse pálido, enlividecer.
PÁLIDO Descolorido, demudado, macilento, lívido, amarillento.
PALIZA Vapuleo, tunda, zurra, solfa, azotina, somanta, felpa.
PALMA Palmera. I Triunfo, victoria.
PALMO Cuarta.
PALPABLE Evidente, palmario, notorio, claro.
PALPITACIÓN Latido, pulsación, pulsada.
PALPITANTE Jadeante, anhelante, conmovedor, penetrante, emocionante, cordial, vivificante.
PALURDO Paleto, aldeano, cerril, pánfilo, patán, tosco, pazguato, rudo, montaraz, zafio.
PAMPLINA Tontería, bobería, simpleza.
PAN Alimento, sustento, comida. I Chusco, panecillo, barra.
PANDILLA Caterva, gavilla, partida, cuadrilla. I Peña.
PANEGÍRICO Encomiástico, laudatorio. I Alabanza.
PANIAGUADO Protegido, ayudado, allegado.
PÁNICO Temor, espanto, terror, pavor, canguelo, miedo, jindama.
PANORAMA Vista, espectáculo, paisaje.
PANTALLA Lienzo, telón. I Nube, sombra, veladura. I Aventador.
PANZA Barriga, abdomen, vientre, tripa.
PAÑO Albero, fieltro, buriel, pañete. I Asunto, materia.
PAPA Pontífice, Santo Padre. I Tubérculo.
PAPALINA Jumera, borrachera, tajada, mona, curda.
PAPANATAS Papamoscas, cándido, bobalicón, simple, tonto, pazguato, ingenuo, necio, babieca, pánfilo, gaznápiro, asimplado, pueblerino, alelado.
PAPEL Papiro, hoja, cuartilla, resma.
PAQUETE Envoltorio, bulto, lío, atado. I Embuste, patraña. I Elegante.
PAR Pareja, doble, duplicidad, yunta.
PARADA Detención, pausa. I Revista. I Estación. I Apariencia. I Jactancia.
PARADIGMA Modelo, ejemplo, tipo.
PARADA Detención, paralización, estacionamiento, permanencia, estancamiento, alto, quietud, espera, descanso.
PARADOR Posada, hostería, mesón, ventorro, figón,

PAR

hostal, fonda, ventorrillo, hospedaje, casa de huéspedes.
PARAÍSO Cielo, gloria, edén.
PARAJE Sitio, lugar, estancia, país, mansión, punto, parte.
PARALELO Equidistante. I Semejante, correspondiente. I Comparación.
PARALIZAR Entumecer, detener, impedir, entorpecer, estorbar, atajar, cortar, parar, inmovilizar.
PARANGONAR Confrontar, comparar, cotejar, equiparar, paralelar.
PARAPETO Baranda, petril, antepecho.
PARAR Detener, contener, retener, estancar, dificultar, impedir, inmovilizar, frenar. I Vivir, hospedarse, habitar. I Concluir.
PARCIAL Fragmentario, incompleto, fraccionario, truncado. I Ilegal, partidario, apasionado, arbitrario.
PARCO Moderado, sobrio, frugal, templado, mesurado, comedido. I Escaso, pobre, insuficiente, exiguo, corto.
PARECER Juicio, opinión, dictamen. I Aspecto. I Asemejarse. I Mostrarse.
PARECIDO Semejante, análogo, afín, similar, comparable, aproximado.
PARED Tapia, muro, muralla, tabique, medianería.
PARENTESCO Afinidad, consanguinidad, vínculo, lazo, entronque.
PARIENTE Familiar, deudo, allegado, consanguíneo, afín.
PARIR Alumbrar, dar a luz. I Producir, crear.
PARLAMENTAR Hablar, dialogar, platicar, conferenciar. I Capitular.
PARLAMENTO Asamblea, Cámara, Cortes, Congreso.
PARODIA Imitación, remedo, copia.
PARQUEDAD Moderación, prudencia, sobriedad, economía, parsimonia.
PARROQUIA Templo, iglesia, feligresía, vicaría, abadía.
PARSIMONIA Parquedad, frugalidad, sobriedad, moderación, mesura, templanza, prudencia, discreción.
PARTE Fracción, porción, pedazo, trozo, fragmento. I Comunicado, despacho, telegrama. I Lugar, paraje, punto, sitio. I Participación. I Litigante. I Partido, lado.
PARTICIPAR Terciar, compartir. I Comunicar, informar, notificar, anunciar. I Cooperar, colaborar.
PARTÍCIPE Porcionero, aparcero, copartícipe, copropietario, condueño.
PARTICULAR Peculiar, individual, característico. I Personal, privado. I Extraordinario, singular, especial. I Distinto, extravagante.
PARTICULARIDAD Singularidad, individualidad, modalidad, propiedad, cualidad, idiosincrasia, especialización.
PARTIDA Marcha, retirada, evacuación, traslación, viaje. I Gavilla, cuadrilla, fracción, banda. I Importe, cantidad.
PARTIDARIO Secuaz, prosélito, adepto, simpatizante, correligionario, aficionado, adicto, inclinado.
PARTIDO Parcialidad, bando, parte, grupo, bandería. I Cortado, dividido. I Ventaja, provecho, utilidad. I Distrito. I Protección, favor.
PARTIR Marchar, salir, arrancar. I Fraccionar, quebrar, dividir, romper. I Distribuir, repartir.
PARTO Alumbramiento.
PARVEDAD Parvidad, pequeñez, cortedad, tenuidad, poquedad.
PÁRVULO Criatura, niño, infante, pequeño, chiquillín, chiquillo, pibe.
PASABLE Pasadero, practicable, transitable, aceptable, tolerable, llevadero, soportable, admisible.
PASADO Pretérito, lejano, anterior, viejo. I Estropeado, descompuesto.
PASAJE Tránsito, paso, travesía. I Callejón. I Galería.
PASAJERO Transitorio, momentáneo, fugaz, efímero, breve. I Caminante, viajero, viandante.
PASAPORTE Salvoconducto, pase, permiso, carnet.
PASAR Transitar, circular, recorrer, andar. I Llevar, transferir, conducir. I Trasegar. I Suceder, acontecer, ocurrir. I Filtrar, colar. I Sufrir, tolerar, perdonar. I Aprobar.
PASATIEMPO Diversión, distracción, entrenamiento, solaz, devaneo. I Rompecabezas, acertijo, adivinanza, crucigrama.
PASEAR Caminar, andar, deambular, callejear, divagar.
PASEO Caminata, excursión, ejercicio.
PASILLO Pasadizo, crujía, pasaje, tránsito, túnel, subterráneo, corredor, galería.
PASIÓN Ardor, vehemencia, acaloramiento, excitación, efusión. I Idolatría, deseo, ceguedad.
PASIVIDAD Paciencia, padecimiento, sensibilidad, excitabilidad.
PASMAR Asombrar, embelecer, entontecer, atontar, maravillar, aturdir.
PASMO Resfriado, catarro, constipado. I Aturdimiento, embobamiento, estupefacción, enajenamiento.
PASMOSO Maravilloso, asombroso, estupendo, imponente, admirable, inaudito, portentoso, prodigioso, sorprendente.
PASO Pisada, huella, zancada, rastro. I Suceso, aventura, trance. I Gestión, diligencia. I Vado.
PASTEL Pastelón, bollo, tarta, dulce, torta. I Chanchullo, enjuague, pacto, arreglo, fullería.
PASTO Pastura, hierba, forraje, heno, grano, pienso, paja, moyuelo. I Alimento, pábulo, comida.
PASTOR Zagal, caporal, rabadán, cabrerizo, apacentador. I Eclesiástico, prelado.
PASTORIL Pastoricio, pastoral.
PATÁN Aldeano, paleto, campesino, rústico. I Tosco, grosero, ordinario, torpe, descortés, soez.
PATENTE Manifiesto, claro, notorio, evidente, perceptible, palmario, ostensible, palpable. I Título.

PATERNAL Paterno, afectuoso, bondadoso, benévolo, comprensivo, indulgente, solícito.
PATÉTICO Conmovedor, emocionante, impresionante, dramático, sentimental.
PATÍBULO Horca, cadalso.
PATOCHADA Disparate, majadería, gansada, mentecatez.
PATRAÑA Mentira, farsa, embuste, chisme, embrollo, cuento, infundio, argucia, bola.
PATRIA País, tierra, nación, pueblo.
PATRIMONIO Herencia, bienes, renta, pertenencia, propiedad, hacienda.
PATRIOTISMO Civismo.
PATROCINAR Defender, proteger, amparar, apadrinar, auxiliar, recomendar, ayudar, apoyar, favorecer.
PATRONA Ama, dueña, señora, jefa, propietaria, madrina.
PAULATINAMENTE Lentamente, despacio, pausadamente.
PAUSA Interrupción, detención, intervalo, alto. I Calma, lentitud. I Silencio.
PAUSADO Lento, despacioso, flemático, acompasado, tardo.
PAUTA Modelo, regla, guía, norma, dechado, patrón.
PAVONEAR Presumir, alardear, fantasear, blasonar.
PAVONEARSE Vanagloriarse, farolear, alabarse, jactarse, ufanarse.
PAVOR Espanto, terror, pánico, temor.
PAVOROSO Temeroso, espantoso, medroso, terrible, horrífico, espeluznante, truculento, horroroso, terrorífico, tremebundo.
PAYASO Clown, tonto, gracioso, bufón, histrión. I Fantoche.
PAZ Tranquilidad, serenidad, calma, sosiego, concordia, armonía, pacifismo.
PEATÓN Transeúnte, viandante, peón.
PECADO Culpa, falta, yerro, desliz, caída, maldad.
PECAR Faltar, errar, maliciar.
PECULIAR Especial, privativo, esencial, singular, personal, individual, propio, característico, particular.
PECULIO Capital, dinero, hacienda, caudal, moneda. I Bolsa.
PECHO Pechuga, busto, seno, tórax. I ánimo, arrojo. I Impuesto, tributo.
PEDAGOGO Educador, ayo, maestro, mentor, profesor, catedrático.
PEDANTE Vanidoso, amanerado, afectado, petulante, empalagoso, estirado, engolado, relamido, purista.
PEDAZO Parte, trozo, apartijo, ración, tajada, cacho, fragmento.
PEDERASTA Invertido, sodomita.
PEDESTAL Base, peana, basamento, fundamento, soporte.
PEDIR Demandar, impetrar, impartir, postular, solicitar, reivindicar, requerir. I Mendigar.
PEGADIZO Pegajoso, gorrón, pelma. I Falso, agregado, postizo, sobrepuesto.

PEGAR Adherir, unir, juntar, aglutinar. I Abofetear, zurrar, maltratar, golpear. I Contaminar, contagiar, comunicar. I Chasquear.
PELAR Trasquilar, atusar, desmelenar, depilar, rapar. I Descortezar.
PELEA Combate, lucha, contienda, reyerta, riña, pendencia, pelotera, camorra, bronca, lid, batalla, gresca. I Enemistad, desavenencia.
PELEAR Combatir, reñir, luchar, contender, batallar, disputar, cuestionar, lidiar. I Indisponerse, enemistarse.
PELIAGUDO Difícil, embarazoso, intrincado, enrevesado, complicado, escabroso. I Apto, mañoso, hábil.
PELIGRO Riesgo, exposición, inseguridad, trance, dificultad.
PELIGROSO Arriesgado, aventurado, comprometido, expuesto, temible, resbaladizo, comprometedor.
PELMA Molesto, latoso, incordio, fastidioso, pesado. I Cachazudo.
PELO Cabello. I Pelusa, vello, melena, barba.
PELUDO Armadillo.
PELUQUERO Rapador, barbero, rapabarbas.
PENA Castigo, corrección, punición, sanción, correctivo. I Dolor, pesar, sentimiento, congoja, sufrimiento, tristeza, aflicción.
PENAR Castigar, padecer, sufrir, expiar, aguantar.
PENDENCIERO Contendiente, camorrista, matachín, reñidor, peleante, quimerista, lidiante.
PENDIENTE Incompleto, aplazado, inacabado, suspendido. I Subida, repecho, inclinación, cuesta. I Zarcillo, arete.
PENETRACIÓN Inteligencia, juicio, agudeza, perspicacia, talento, agudo, sagacidad, sutileza, sutilidad.
PENETRANTE Agudo, gritón, chillón, fuerte, estruendoso. I Abismal, hondo, profundo.
PENETRAR Entrar, irrumpir, introducirse, colarse, meterse, pasar. I Descubrir, adivinar, comprender. I Ahondar, profundizar, calar.
PENITENCIA Castigo, pena, corrección, mortificación, disciplina, ayuno, contrición.
PENITENTE Confesado, arrepentido, eremita, anacoreta, nazareno.
PENOSO Trabajoso, arduo, laborioso, difícil, intrincado, peligroso, agobiante, apurado. I Apesadumbrado, afligido.
PENSAMIENTO Idea, concepto. I Designio, proyecto, plan. I Caletre, juicio. I Adagio, apotegma, sentencia.
PENSAR Imaginar, discurrir, idear, cavilar. I Reflexionar, recapacitar, meditar. I Intentar, proyectar, urdir. I Figurarse, creer, suponer.
PENSATIVO Absorto, reflexivo, cabizbajo, ensimismado, abstraído, meditabundo, contemplativo.
PENSIONADO Pensionista, retirado, pasivo, becario.
PENURIA Escasez, carencia, miseria, necesidad, apuro, falta, estrechez.
PEÓN Bracero, jornalero. I Viandante. I Trompo.
PEQUEÑEZ Parvedad, parvulez. I Escasez, ruindad,

PER

miseria, mezquindad. I Insignificancia, fruslería, bagatela, nadería.
PERCANCE Contrariedad, daño, estorbo, accidente, desgracia, perjuicio.
PERCIBIR Sentir. I Cobrar, recoger, recibir. I Descubrir, adivinar. I Distinguir, ver, notar, divisar.
PERCUDIR Manchar, deslucir, ajar. I Pasar, penetrar.
PERDER Disipar, derrochar, malograr, malgastar, despreciar. I Extraviar.
PÉRDIDA Menoscabo, daño, perjuicio, detrimento, malogro, desgracia, derroche, gasto. I Extravío, quiebra, perdición.
PERDIDO Arruinado, descaudalado. I Calavera, perdidizo, vicioso, extraviado, fracasado. I Desorientado.
PERDÓN Remisión, condonación, indulgencia, gracia, liberación, indulto, absolución, exculpación.
PERDONAR Condonar, remitir, amnistiar, libertar, conmutar, rehabilitar. I Exceptuar, omitir, dispensar.
PERDULARIO Pícaro, pillo. I Descuidado, bohemio.
PERDURABLE Duradero, imperecedero, inmortal, pertinaz, permanente, pasajero, corto, temporal.
PERECEDERO Breve, fugaz, transitorio, efímero, instantáneo, caduco, pasajero, corto, temporal.
PERECER Acabar, terminar, finalizar, extinguirse, sucumbir, expirar, fenecer, concluir, fallir.
PERENNE Imperecedero, permanente, continuo, perpetuo, incesante.
PEREZA Vagancia, holgazanería, gandulería, galbana, ociosidad, flojera, descuido. I Tardanza, lentitud, indolencia.
PEREZOSO Negligente, holgazán, gandul, vago, flojo, descuidado, poltrón, desidioso, dejado, apático, indolente, inactivo.
PERFECCIÓN Progreso, perfeccionamiento, mejoramiento, adelantamiento. I Pulcritud, esmero. I Finura, belleza.
PERFECCIONAR Prosperar, progresar, adelantar, mejorar. I Completar, puntualizar, concluir, pulir, refinar, adornar, sutilizar.
PERFECTO Completo, acabado, cumplido, excelente, cabal, correcto, fino, irreprochable.
PERFIDIA Deslealtad, infidelidad, traición, falsedad, insidia, felonía, maquiavelismo, perjurio, engaño, vileza.
PÉRFIDO Desleal, traidor, renegado, perjuro, traicionero, vil, falso, insidioso, felón, infiel.
PERFIL Contorno, rasgo, silueta, perímetro.
PERFORAR Taladrar, agujerear, horadar.
PERFUMADO Oloroso, fragante, aromado, odorante.
PERFUME Olor, aroma, fragancia, efluvio, esencia.
PERGEÑO Aspecto, traza, disposición, porte, apariencia.
PERICIA Habilidad, maestría, solercia, agilidad, destreza, práctica, experiencia, conocimiento, arte, sutileza.
PERIÓDICO Fijo, regular, habitual, sistemático. I Diario, revista, gaceta.

PERIODISTA Redactor, diarista, editorialista, crítico, articulista, gacetillero, gacetero, noticiero.
PERÍODO Etapa, división, grado, fase. I Temporada, estación. I Frase.
PERIPUESTO Atildado, compuesto, acicalado, ataviado.
PERITO Experimentado, práctico, inteligente, experto, capaz, versado, competente, conocedor, apto, ducho.
PERJUDICAR Dañar, menoscabar, deteriorar, vulnerar, lastimar, arruinar, ofender, sacrificar.
PERJUDICIAL Malo, insano, pernicioso, nocivo, lesivo, desfavorable, arruinador, contrario, dañino, dañable.
PERJUICIO Daño, menoscabo, inconveniente, pérdida, quebranto, lesión, detrimento, deterioro, castigo.
PERMANECER Persistir, continuar, mantenerse. I Residir, quedarse, conservarse.
PERMANENTE Persistente, invariable, inalterable, firme, inmutable, fijo, estable, indeleble, perpetuo, inacabable.
PERMISO Licencia, consentimiento, beneplácito, otorgamiento, concesión, autorización, anuencia, aquiescencia.
PERMITIDO Autorizado, consentido, lícito, tolerado, legítimo.
PERMITIR Consentir, facultar, conceder, asentir, tolerar. I Autorizar.
PERMUTAR Trocar, canjear, cambiar, conmutar.
PERNICIOSO Desfavorable, dañino, malo, nocivo, perjudicial, lesivo, desventajoso. I Insalubre, insano.
PERORAR Discursear, hablar, declamar.
PERPETUAR Inmortalizar, eternizar, glorificar.
PERPLEJIDAD Vacilación, irresolución, duda, dubitación, indeterminación, hesitación, indecisión.
PERPLEJO Vacilante, indeciso, irresoluto, incrédulo, indeterminado, confuso, dudoso.
PERRO Can, ducho, tuso, gozque.
PERSEGUIR Acosar, apretar, hostigar. I Fastidiar, molestar, mortificar. I Procurar, buscar, instar.
PERSEVERANCIA Constancia, firmeza, entereza, tenacidad, asiduidad, insistencia, obstinación, empeño, tesón.
PERSEVERAR Insistir, perseguir, porfiar, persistir, obstinarse, continuar. I Subsistir, durar.
PERSISTIR Obstinarse, proseguir, perdurar, perseverar, permanecer.
PERSONA Individuo, personaje, habitante, ser, sujeto.
PERSONAJE Personalidad, héroe, persona, figurón.
PERSONAL Individual, particular, privativo, propio, singular.
PERSPECTIVA Aspecto, faceta, apariencia. I Esperanza. I Visión.
PERSPICAZ Agudo, sutil, listo, penetrador, clarividente, fino, despierto, penetrante, inteligente, avis-

pado.
PERSUADIR Convencer, decidir, inclinar, inmacular, imbuir, inducir.
PERSUASIÓN Convicción, argumentación, convencimiento.
PERSUASIVO Concluyente, convincente, catequizador, suasorio, convencedor.
PERTENECER Incumbir, atañer, concernir, corresponder.
PERTENECIENTE Correspondiente, propio, concerniente, referente, relativo, tocante.
PÉRTIGA Varal, garrocha.
PERTINAZ Obstinado, contumaz, testarudo, tozudo, tenaz, renuente, porfiado, recalcitrante.
PERTINENTE Relativo, conducente, perteneciente, referente. I Oportuno.
PERTRECHAR Dotar, aprovisionar, proporcionar, surtir, municionar, abastecer, bastimentar.
PERTURBACIÓN Alteración, trastorno, subversión, convulsión, alboroto, desorden, desarreglo, disturbio, tumulto.
PERTURBADOR Subversivo, revolucionario, malcontento, tumultuario, levantisco, bullanguero.
PERVERSIDAD Maldad, pervertimiento, corrupción, malevolencia, iniquidad, depravación, malignidad, perfidia, inmoralidad, protervidad.
PERVERSO Pervertido, escandaloso, vicioso, malvado, maligno, depravado, corrompido, ímprobo, inmoral.
PERVERTIDO Enviciado, maleado, depravado, malvado, facineroso, escandaloso, estragado, endemoniado.
PERVERTIR Malear, prostituir, depravar, corromper, enviciar, inficionar. I Desnaturalizar, adulterar.
PESADEZ Impertinencia, terquedad, importunación. I Molestia. I Exceso.
PESADILLA Angustia, ensueño, alucinación, delirio. I Preocupación.
PESADO Machacón, cargante, terco, tozudo, testarudo, impertinente, latoso. I Lento, calmoso. I Intenso. I Intolerable, duro.
PESADUMBRE Pesadez, gravedad, agravio, disgusto, molestia, sentimiento, desazón, fatiga.
PÉSAME Condolencia, dolor.
PESAR Aflicción, pena, arrepentimiento, pesadumbre, sentimiento. I Sopesar, balancear, romanear.
PESAROSO Apesadumbrado, arrepentido, afligido, sentido, compungido, dolido.
PESCAR Apresar, atrapar, pillar, tomar. I Sorprender. I Coger peces.
PESO Pesantez, gravedad. I Pesada, romaneo. I Carga. I Estorbo.
PESQUISA Búsqueda, investigación, averiguación, indagación. I Pesquisante.
PESTE Plaga, enfermedad, epidemia, calamidad. I Fetidez, hedor.
PESTILLO Cerrojillo, pasador.

PETARDO Explosivo, cohete. I Engaño, estafa.
PETICIÓN Pedido, demanda, súplica, ruego, solicitud. I Plegaria, preces.
PETULANTE Descarado, insolente, atrevido. I Presuntuoso, vanidoso, engreído, fatuo, aparatoso.
PIADOSO Humano, misericordioso, compasivo. I Devoto, creyente, beato, pío, santurrón.
PICAJOSO Susceptible, puntilloso, quisquilloso.
PICANTE Mordaz, quemajoso, cáustico, acerbo, picaresco, punzante, satírico, acre.
PICAR Punzar, morder, pinchar. I Incitar, excitar, mover, impulsar. I Rayar.
PICARDÍA Astucia, disimulo, bellaquería, canallada, truhanada, bribonada, travesura, maldad, engaño, vileza.
PICARESCO Intencionado, picante, atrevido, libre.
PÍCARO Ruin, pillo, tunante, bribón. I Enredador, astuto, disimulado, travieso, taimado.
PICAZÓN Comezón, escozor, picor. I Disgusto, enojo.
PIE Basamento, base, peana, fundamento. I Planta, pezuña. I Sedimento, poso.
PIEDAD Caridad, amor, cariño, misericordia, lástima. I Devoción.
PIEDRA Adoquín, guijarro, canto, roca. I Granizo. I Cálculo.
PIEL Pellejo, cuero, cutis, epidermis. I Corteza.
PIEZA Habitación, sala, aposento, cuarto. I Pedazo, parte, porción.
PIFIA Error, equivocación, plancha, coladura, torpeza, desacierto.
PILA Bañera, pilón, recipiente. I Conjunto, montón.
PILLADA Pillería, tunantada, bellaquería, picardía.
PILLAR Hurtar, robar, rapiñar, saquear. I Aprehender, agarrar, prender, atrapar, coger.
PILLO Desvergonzado, pícaro, ladino, sinvergüenza. I Listo, astuto, sagaz.
PINÁCULO Cumbre, cima, cúspide, apogeo.
PINCHE Aprendiz, ayudante, marmitón.
PINGAJO Harapo, andrajo, guiñapo.
PINGÜE Abundante, fértil, cuantioso, copioso. I Gordo, graso.
PINTAR Pincelar, dibujar. I Engrandecer, ponderar, fingir. I Significar.
PINTORESCO Agradable, lindo, placentero, grato, atrayente. I Animado.
PÍO Piadoso, devoto. I Generoso, compasivo.
PIPA Barrica, bocoy, tonel. I Pepita.
PIRAMIDAL Monumental, grandioso.
PIROPO Alabanza, lisonja, requiebro.
PIRUETA Salto, cabriola.
PISAR Pisotear, hollar, maltratar, atropellar.
PISCINA Estanque. I Pileta.
PISO Pavimento, suelo, enlosado, embaldosado. I Cuarto, habitación, morada, residencia, hogar, vivienda.
PISOTEAR Atropellar, hollar, despreciar, ajar, abatir,

PIS

conculcar, escarnecer, humillar.
PISTA Huella, rastro, indicio, pisada, marca.
PITANZA Condumio, comida.
PÍTIMA Jumera, borrachera, chispa, cogorza, curda, mona, turca.
PITONISA Adivina, vidente, sacerdotisa, hechicera.
PIZCA Pequeñez, fruslería, insignificancia, menudencia, bicoca, minucia.
PLÁCEME Enhorabuena, felicitación, parabién.
PLACENTERO Agradable, regocijado, alegre, apacible, afable, atractivo.
PLACER Alegría, consentimiento, agrado, beneplácito, diversión, complacencia, satisfacción, regocijo, deleite, gusto, júbilo, gozo. I Agradar, complacer, gustar.
PLÁCIDO Tranquilo, manso, quieto, sosegado, impávido, reposado, afable, pacífico, suave, placentero.
PLAGA Peste, azote, desgracia, calamidad, infortunio. I Epidemia. I Abundancia.
PLAGIAR Imitar, reproducir, copiar. I Secuestrar.
PLAN Proyecto, intención, aspiración, disposición, intento, idea. I Esquema, planteamiento, plano.
PLANO Llano, igual, liso, nivelado.
PLANCHAR Alisar, desarrugar, estirar.
PLANICIE Llanura, llano.
PLANTAR Hincar, sembrar, cultivar, colocar. I Fundar, establecer. I Burlar. I Propinar.
PLANTEAR Proponer, plantificar, establecer.
PLAÑIDERO Lastimero, lúgubre, lloroso, triste, quejumbroso, lagrimoso.
PLÁTICA Conversación, charla, coloquio. I Conferencia, discurso, predicación, sermón.
PLATICAR Conferenciar, conversar, charlar, departir, hablar, tertuliar.
PLATO Platillo, bandeja. I Vianda, manjar.
PLAUSIBLE Loable, digno, recomendable, alabable, meritorio.
PLAZA Zoco, mercado, feria, ágora. I Empleo, puesto.
PLAZO Término, vencimiento, tiempo.
PLEBE Pueblo, burguesía, populacho, vulgo, multitud, turba.
PLEGAR Doblar, encuadernar, encoger. I Someter.
PLEGARIA Oración, ruego, preces, rogativa, rezo, súplica.
PLEITEAR Litigar, disputar, discutir.
PLEITO Contienda, litigio, altercado, disputa, juicio. I Riña. I Batalla.
PLENARIO Entero, cumplido, completo, lleno.
PLIEGO Documento, carta.
PLIEGUE Doblez, repliegue, arruga, frunce, dobladillo.
PLOMO Metal.
PLUMA Pelo, penacho. I Péndola, péñola. I Estilográfica.
POBLACIÓN Localidad, poblado, capital, metrópoli, pueblo, villa. I Vecindario.
POBLAR Llenar. I Urbanizar, colonizar.

POBRE Necesitado, mendigo, menesteroso, pordiosero, indigente. I Humilde, modesto. I Escaso, mezquino, corto. I Infeliz, desdichado.
POBREZA Necesidad, escasez, estrechez, indigencia, miseria, carencia, penuria, mezquindad, privación.
PÓCIMA Brebaje, medicamento, menjurje, mejunje.
POCO Escaso, insuficiente, limitado, corto, incompleto.
PODAR Cercenar, cortar, chapodar, desmochar, mochar, limpiar, disminuir, reducir, ramonear.
PODER Dominio, mando, poderío, autoridad, facultad. I Vigor, fuerza, pujanza. I Autorización.
PODEROSO Potente, omnipotente, vigoroso. I Acaudalado, pudiente, rico, afortunado. I Magnífico, excelente.
PODRIDO Pútrido, putrefacto, corrupto, descompuesto, viciado.
POEMA Epopeya, leyenda, canto, rapsodia, canción, oda.
POETA Bardo, vate, rápsoda, trovador, juglar, versificador, rimador.
POETIZAR Idealizar, versificar, embellecer, rimar.
POLÉMICA Discusión, controversia, disputa, dialéctica, altercado, litigio.
POLICÍA Detective, agente, polizonte, guardia, urbano, rondín, esbirro.
POLÍTICA Cortesía, urbanidad, atención, finura, politiquería. I Régimen.
POLÍTICO Estadista, diplomático. I Urbano, fino, cortés, atento.
POLVORIENTO Polvoroso, cenizoso, pulverulento.
POLLINO Borrico, asno. I Ignorante, tonto, simple.
POMPA Fausto, boato, magnificencia, ostentación, lujo, fastuosidad, suntuosidad, grandeza, rumbo, atuendo.
POMPOSO Fastuoso, rumboso, espléndido, vistoso, ostentoso, magnífico. I Ampuloso, enfático, altisonante, hueco.
PONDERACIÓN Consideración, cuidado, atención, exactitud, equilibrio. I Encarecimiento, exageración.
PONDERAR Examinar, pesar, hiperbolizar, exagerar, abultar, encarecer, hinchar, engrandecer, inflar.
PONER Acomodar, colocar, situar, instalar, ubicar. I Apostar. I Agregar, añadir. I Aplicar. I Demorar, tardar.
PONIENTE Occidente, oeste.
PONZOÑOSO Nocivo, dañoso, perjudicial, lesivo. I Venenoso.
POPULARIDAD Renombre, fama.
POPULOSO Numeroso, bullicioso, animado, poblado, concurrido, crecido.
POQUEDAD Escasez, miseria. I Cobardía, timidez, pusilanimidad.
PORCIÓN Fracción, parte, trozo, fragmento. I Muchedumbre, infinidad, sinnúmero. I Ración.
PORDIOSERO Pobre, mendicante, indigente, necesitado, mendigo.
PORFÍA Obstinación, obcecación, encastillamiento,

POR

insistencia, testarudez. I Contienda, discusión.
PORFIADO Terco, cabezudo, contumaz, pertinaz, testarudo, tozudo, pesado.
PORFIAR Insistir, machacar, obstinarse, altercar, importunar, discutir, emperrarse, empecinarse.
PORMENOR Detalle, dato, circunstancia, particularidad. I Menudencia, minucia, pequeñez, nimiedad.
PORNOGRAFÍA Obscenidad.
PORQUERÍA Inmundicia, basura, suciedad. I Indecencia, grosería, descortesía. I Engaño.
PORRAZO Golpazo, costalada, trastazo, golpe.
PORTADA Frontispicio, fachada, cara, frente.
PORTAR Llevar, traer. I Conducirse, distinguirse.
PORTARSE Comportarse, amoldarse, proceder, manejarse.
PORTE Aspecto, apariencia, presencia. I Capacidad, tamaño. I Moralidad.
PORTENTOSO Prodigioso, admirable, grandioso, quimérico, maravilloso, milagroso, estupendo, extraordinario, emocionante, pasmoso.
PORVENIR Futuro, posteridad, venidero. I Perspectivas.
POSADA Mesón, hostal, hotel, parador, fonda. I Alojamiento, hospedaje.
POSARSE Asentarse, descansar, reposar, pararse.
POSEER Tener, haber, posesionarse, obtener, disfrutar. I Conocer.
POSESIÓN Tenencia, poder, disfrute. I Finca, propiedad.
POSIBILIDAD Probabilidad, eventualidad, verosimilitud, facilidad, contingencia, potencia.
POSIBLE Probable, verosímil, acaecedero, hacedero, viable, factible, concebible, dable.
POSITIVO Cierto, axiomático, constante, patente, seguro, manifiesto, indudable, irrefutable, evidente, tangible, verdadero, auténtico.
POSO Sedimento, lodo, hez, asiento, residuo. I Reposo, descanso.
POSTERGAR Posponer, diferir, relegar, retrasar.
POSTIZO Artificial, añadido, innatural, ficticio, falso, simulado.
POSTRACIÓN Desaliento, desánimo, abatimiento, extenuación, aplanamiento, languidez, debilidad. I Humillación.
POSTRERO último, postrer, posterior, postrimer.
POSTULAR Pedir, pretender, solicitar.
POSTURA Posición, actitud, porte, colocación. I Puesta. I Convenio.
POTENCIA Poder, fuerza, fortaleza, vigor. I Autoridad, dominación. I Nación.
POTENTE Poderoso, enérgico, eficiente, pujante, fuerte, vigoroso, valeroso. I Grande.
POTESTAD Poder, dominio, autoridad, superioridad, albedrío, poderío, prepotencia, autorización, permisión.
POTRO Trotón, jaca, caballo, bridón, pingo, corcel.
PRÁCTICA Ejercicio, funcionamiento, experiencia, actividad, maña, competencia, costumbres, conocimiento, pericia, destreza.
PRACTICAR Ejecutar, ejercitar, actuar, obrar, manejar, promover, estilar.
PRÁCTICO Experimentado, avezado, experto, conocedor, competente, versado, diestro. I Positivista.
PREÁMBULO Exordio, proemio, prefacion, introducción, introito. I Prólogo, principio.
PREBENDA Ganga, canonjía, momio, sinecura.
PRECARIO Inestable, fugaz, inseguro, transitorio, frágil.
PRECAUCIÓN Previsión, prevención, cautela, prudencia, circunspección, sospecha, disimulo, evasiva.
PRECAVER Prever, preservar, prevenir, eludir, evitar, esquivar, soslayar.
PRECAVIDO Prudente, reservado, discreto, cauteloso, cauto, sagaz, previsor.
PRECEDENTE Antecedente, precursor, antedicho, anterior, previo.
PRECEDER Mandato, reglar, orden, máxima, principio, disposición, ordenamiento.
PRECEPTUAR Ordenar, disponer, mandar, prescribir.
PRECIADO Estimable, valioso, estimado, apreciable, precioso, recomendable. I Vano, presumido, jactancioso.
PRECIO Estimación, importancia, valor, costo, valía.
PRECIOSO Excelente, exquisito, primoroso, magnífico, soberbio, inapreciable. I Festivo, chistoso.
PRECIPICIO Derrumbadero, precipitadero, barranco. I Ruina.
PRECIPITACIÓN Prontitud, aceleración, prisa, urgencia, arrebato, inconsideración. I Temeridad. I Imperfección.
PRECIPITAR Acelerar, embarullar, embrollar, apresurar. I Arrojar, despeñar.
PRECISAR Necesitar, requerir, menester. I Determinar, señalar, especificar.
PRECISIÓN Regularidad, puntualidad, concisión. I Obligación, necesidad. I Claridad.
PRECISO Indispensable, forzoso, necesario, imprescindible, urgente, imperioso. I Determinado, puntual. I Conciso, concreto.
PRECLARO Esclarecido, famoso, ilustre, ínclito, notable, insigne, reputado.
PRECONIZAR Encomiar, ponderar, celebrar, alabar.
PRECOZ Prematuro, prometedor.
PREDECIR Pronosticar, anunciar, anticipar, vaticinar, presentir, augurar, presagiar, agorar, profetizar.
PREDESTINAR Preelegir, reservar.
PREDICAR Misionar, sermonear, reprender, regañar. I Alabar. I Manifestar.
PREDICCIÓN Previsión, adivinación, pronóstico, vaticinio, presagio, profecía, auspicio, presentimiento, suposición, conjetura.
PREDILECCIÓN Preferencia, cariño, inclinación, favoritismo.

PRE

PREDIO Finca, hacienda, tierra, heredad.
PREDISPOSICIÓN Inclinación, tendencia.
PREDOMINIO Imperio, supremacía, ascendiente, superioridad, autoridad, poder, influjo.
PREEMINENCIA Privilegio, exención, preferencia, ventaja, prerrogativa.
PREFACIO Prólogo, preámbulo, introducción, introito, exordio, proemio.
PREFERENCIA Distinción, favor, protección. l Inclinación, predilección.
PREFERIDO Predilecto, escogido, favorito, elegido, privilegiado.
PREFERIR Distinguir, mimar, elegir, escoger. l Anteponer.
PREGONAR Proclamar, divulgar, anunciar, vocear. l Desterrar, proscribir.
PREGUNTAR Demandar, interrogar, investigar, interesarse.
PREHISTÓRICO Legendario.
PREJUICIO Preferencia, parcialidad, aprensión, obsesión, prevención.
PRELUDIO Introducción, comienzo, principio, obertura. l Prefacio, proemio, preámbulo.
PREMATURO Anticipado, adelantado, precoz, temprano.
PREMEDITAR Reflexionar, meditar, preconcebir, deliberar, recapacitar.
PREMIAR Laurear, honrar, enaltecer, galardonear. l Remunerar, recompensar, gratificar, retribuir.
PREMIO Recompensa, gratificación. l Lauro, galardón. l Prima.
PREMIOSO Ajustado, apretado, encogido, molesto. l Rígido, estricto.
PREMURA Urgencia, prisa. l Aprieto, apuro.
PRENDA Garantía, fianza, aval, señal. l Joya. l Atavío.
PRENDARSE Aficionarse, enamorarse, encariñarse, chalarse.
PRENDER Asir, tomar, coger, agarrar, atrapar, aprisionar, detener, capturar. l Arraigar.
PRENSAR Comprimir, estrechar, apretar.
PREOCUPACIÓN Inquietud, manía, cavilosidad, desasosiego. l Ofuscación, prevención, obsesión.
PREOCUPARSE Impacientarse, turbarse, inquietarse, desvelarse.
PREPARAR Prevenir, predisponer. l Aprontar, disponer, proyectar, aprestar.
PREPONDERANCIA Autoridad, superioridad, predominio.
PRERROGATIVA Facultad, privilegio, atributo, ventaja, potestad.
PRESAGIAR Anunciar, profetizar, vaticinar, presentir, barruntar, predecir, adivinar.
PRESBÍTERO Sacerdote, clérigo.
PRESCINDIR Eliminar, excluir, exceptuar, quitar, omitir, desechar, adivinar.
PRESCRIBIR Ordenar, preceptuar, decretar. l Determinar. l Terminar, fenecer.

PRESENCIA Aspecto, apariencia, figura, traza, existencia.
PRESENTAR Exponer, exhibir, ofrecer, mostrar, manifestar. l Introducir.
PRESENTIR Sospechar, adivinar, barruntar, presagiar.
PRESERVAR Resguardar, amparar, proteger, salvaguardar, escoltar.
PRESIDIR Disponer, predominar, gobernar, mandar, legislar.
PRESTAR Dar, facilitar, anticipar. l Ayudar, socorrer, suministrar.
PRESTEZA Prontitud, velocidad, ligereza, diligencia, agilidad, viveza, prisa, aceleración, actividad.
PRESTIDIGITADOR Ilusionista.
PRESTIGIO Fascinación, sortilegio, ascendiente, influjo, autoridad, crédito, reputación, renombre.
PRESTO Diligente, rápido, ligero, raudo, vertiginoso, presuroso, listo. l Pronto.
PRESUMIDO Vanidoso, presuntuoso, orgulloso, petulante, ufano, aparatoso, postinero, charlatán, engreído, jactancioso, fatuo.
PRESUMIR Vanagloriarse, jactarse, engreírse, ufanarse, pavonearse. l Conjeturar, sospechar, barruntar, suponer, maliciar.
PRESUNCIÓN Conjetura, sospecha, suposición. l Jactancia, petulancia, fatuidad, engreimiento, presuntuosidad.
PRESUNTO Reputado, supuesto.
PRESUROSO Presto, ligero, rápido, raudo, acelerado, veloz, pronto, listo.
PRETENDER Solicitar, aspirar, desear, querer, pedir, procurar.
PRETENSIÓN Aspiración, solicitación, demanda, instancia. l Exigencia.
PRETEXTO Excusa, disculpa, evasiva, subterfugio, achaque, asidero.
PREVALECER Superar, sobresalir, exceder, rebasar, adelantar, aventajar, descollar, predominar. l Arraigar.
PREVENCIÓN Disposición, medida, apercibimiento, providencia, preparativo. l Suspicacia, recelo, prejuicio.
PREVENIR Preparar, disponer, aprontar, apercibir. l Precaver, prever. l Avisar, advertir. l Imbuir.
PREVER Presentir, conjeturar, barruntar.
PREVIO Anterior, anticipado.
PREVISOR Cauto, precavido, prudente, circunspecto, sagaz, advertido.
PRIMA Sobreprecio, comisión, premio.
PRIMERO Inicial, principal, anterior, preliminar, primordial. l Urgente, indispensable.
PRIMITIVO Primero, originario, autóctono, original, vernáculo, primario. l Antiguo, rudo, sencillo, salvaje.
PRIMOR Esmero, cuidado, destreza, habilidad, delicadeza, tacto, pulcritud, maestría. l Finura, perfección.
PRIMOROSO Delicado, refinado, exquisito, excelente, bonito, bello, gracioso, elegante, hermoso,

esmerado, pulcro, grácil, lindo.
PRINCIPAL Importante, trascendental, substancial, capital. I Distinguido, esclarecido, noble, ilustre.
PRINCIPIAR Empezar, comenzar, promover, iniciar, encabezar. I Inaugurar.
PRINCIPIO Comienzo, preámbulo, encabezamiento. I Fundamento, causa, base, origen. I Precepto, regla.
PRINGARSE Mancharse, ensuciarse, engrasarse. I Malversar, denigrarse.
PRIOR Previo, anterior. I Superior, abad.
PRISA Rapidez, presteza, prontitud, aceleración, agudeza, brevedad.
PRISIÓN Encarcelamiento, reclusión, encierro, presidio, cárcel.
PRÍSTINO Primitivo, antiguo, original, primero.
PRIVACIÓN Usurpación, despojo, carencia, escasez. I Abstinencia.
PRIVADO Personal, particular, familiar. I Favorito. I íntimo, interior.
PRIVAR Despojar, usurpar, confiscar. I Prohibir, impedir, negar. I Predominar, prevalecer.
PRIVATIVO Particular, propio, exclusivo.
PRIVILEGIADO Preferido, predilecto, favorito, válido. I Excepcional, afortunado, aventajado. I Extraordinario.
PRIVILEGIO Prerrogativa, derecho, ventaja, dispensa, distinción, fuero.
PROBABLE Posible, creedero, admisible, aceptable, verosímil, creíble.
PROBAR Demostrar, justificar, confirmar, evidenciar, persuadir, atestiguar, convencer, acreditar. I Catar.
PROBIDAD Rectitud, honradez, moralidad, delicadeza, integridad.
PROBLEMÁTICO Incomprensible, inseguro, irresoluble, discutible, dudoso, incierto, enigmático.
PROCACIDAD Insolencia, atrevimiento, desfachatez, descaro, desvergüenza, imprudencia, osadía, cinismo, petulancia.
PROCEDER Provenir, derivar, dimanar, descender, nacer, derivarse. I Conducirse, comportarse.
PROCEDIMIENTO Modo, forma, manera, sistema, disposición, práctica.
PRÓCER Prohombre, personaje, magnate, grande, dignatario. I Elevado.
PROCESAR Encausar, enjuiciar, sumariar, encartar.
PROCESO Enjuiciamiento, causa, sumario, juicio. I Evolución, adelanto.
PROCLAMAR Pregonar, divulgar, publicar, vocear, revelar. I Celebrar.
PROCREAR Engendrar, multiplicar.
PROCURAR Probar, tantear, pretender, proyectar, intentar, ensayar.
PRODIGALIDAD Larguez, exuberancia, abundancia, derroche, generosidad.
PRODIGIO Portento, prodigiosidad, excelencia, milagro, maravilla.
PRODIGIOSO Milagroso, maravilloso, admirable, extraordinario, portentoso, asombroso, estupendo. I Primoroso, excelente.
PRÓDIGO Dilapidador, derrochador, malgastador, disipador, liberal. I Dadivoso, magnánimo, generoso.
PRODUCIR Engendrar, crear, fructificar. I Originar, causar, provocar, ocasionar, inventar. I Redituar.
PRODUCTIVO Provechoso, lucrativo, beneficioso, fructuoso. I Fructífero, fértil, producible.
PRODUCTO Ganancia, utilidad, provecho, lucro, rendimiento, beneficio. I Fruto, objeto.
PROEZA Valentía, heroicidad, temeridad, arrojo, hazaña.
PROFANACIÓN Profanidad, sacrilegio.
PROFANO Ignorante, rudo. I Inmodesto, deshonesto, libertino.
PROFECÍA Presagio, augurio, pronóstico, predicción.
PROFESIÓN Ocupación, trabajo, oficio, actividad, carrera, empleo.
PROFETA Vidente, profetizante, precursor, vaticinante, vate, adivino.
PROFUNDIZAR Cavar, ahondar, profundar. I Discurrir, analizar, examinar.
PROFUNDO Hondo, abismal, insondable, grande, recóndito. I Penetrante.
PROFUSO Abundante, copioso, superabundante, numeroso, excesivo. I Dilatado. I Infinito. I Fecundo.
PROGENITOR Ascendiente, padre, procreador, genitor, antepasado.
PROGRAMA Proyecto, plan, sistema, doctrina, tema.
PROGRESAR Adelantar, aventajar, prosperar, evolucionar, desarrollar, crecer, mejorar, florecer, perfeccionarse.
PROGRESIVO Evolutivo, creciente, próspero, floreciente.
PROGRESO Perfeccionamiento, adelanto, evolución, mejoramiento, desarrollo, prosperidad, auge, acrecentamiento. I Civilización, cultura.
PROHIBIR Impedir, privar, proscribir, negar, vedar.
PRÓJIMO Semejante.
PROLE Descendencia, hijos, linaje, generación, sucesión, progenie.
PROLÍFICO Fecundo.
PROLIJO Nimio, difuso, amplio, dilatado, extenso. I Cuidadoso, esmerado, meticuloso. I Hablador, impertinente.
PRÓLOGO Introito, preámbulo, proemio, prefacio, exordio, introducción.
PROLONGAR Extender, estirar, ampliar, dilatar, alargar.
PROMESA Oferta, prometimiento, palabra, ofrecimiento, manda.
PROMETER Ofrecer, proponer, asegurar.
PROMISCUIDAD Mezcolanza, confusión.
PRONOSTICAR Presagiar, vaticinar, augurar, predecir, anunciar, presentir, adivinar, agorar.
PRONÓSTICO Predicción, vaticinio, augurio, con-

PRO

jetura, presagio, profecía, presentimiento.
PRONTITUD Presteza, ligereza, rapidez, velocidad, aceleramiento, diligencia, viveza, actividad.
PRONTO Veloz, rápido, vertiginoso, presuroso, raudo. I Dispuesto. I Prontamente, presto.
PRONUNCIAMIENTO Rebelión, sublevación, insurrección, alzamiento.
PRONUNCIAR Emitir, proferir, decir. I Sublevar, rebelar.
PROPAGANDA Difusión, divulgación, anuncios, avisos, publicidad.
PROPAGAR Extender, divulgar, publicar, expandir, transmitir, difundir, propalar, transfundir.
PROPASARSE Excederse, abusar. I Insolentarse.
PROPENSIÓN Tendencia, predisposición, inclinación, afición.
PROPENSO Inclinado, aficionado, simpatizante, adicto, prono.
PROPICIO Favorable, oportuno, benigno. I Dispuesto, predispuesto.
PROPIEDAD Heredad, pertenencia, posesión, predio, finca. I Realidad, naturalidad. I Atributo.
PROPINA Recompensa, gratificación. I Añadidura.
PROPIO Perteneciente, patrimonial. I Conveniente, oportuno, apropiado. I Esencial, natural, real.
PROPONER Plantear, proyectar. I Recomendar. I Determinar, resolver. I Indicar.
PROPORCIÓN Correspondencia, relación, simetría, armonía. I Dimensión, tamaño, medida. I Conveniencia, oportunidad.
PROPORCIONAR Facilitar, suministrar, proveer, distribuir.
PROPÓSITO Idea, fin, intención, proposición, proyecto, decisión, ánimo, resolución, mira, objeto.
PRÓRROGA Aplazamiento, demora, prorrogación, suspensión.
PRORRUMPIR Exclamar, clamar, proferir, emitir. I Saltar, salir, brotar.
PROSAICO Trivial, vulgar, ordinario, insulso.
PROSEGUIR Seguir, adelantar, continuar, prorrogar, mantener.
PROSÉLITO Adepto, partidario, afiliado, secuaz, parcial, sectario.
PROSISTA Escritor, literato, redactor, purista.
PROSPERAR Mejorar, progresar, adelantar, medrar, florecer, enriquecer.
PROSPERIDAD Felicidad, progreso, dicha, adelanto, florecimiento, auge.
PRÓSPERO Dichoso, boyante, venturoso, feliz, rico, satisfecho, propicio.
PROSTÍBULO Lupanar, burdel, mancebía.
PROSTITUTA Mujerzuela, ramera, meretriz, cortesana, zorra, puta, perdida, pecadora, pendona, hetaira, golfa, suripanta.
PROTECCIÓN Amparo, refugio, sostén, ayuda, defensa, preservación.
PROTECTOR Bienhechor, defensor, padrino. I Preservativo.
PROTEGER Amparar, defender, resguardar, preservar. I Patrocinar, ayudar. I Favorecer, alentar.
PROTERVIA Perversidad, maldad.
PROTESTAR Reclamar, rebelarse, indignarse, oponerse. I Afirmar, certificar, prometer, declarar.
PROVECTO Viejo, maduro, antiguo.
PROVECHO Utilidad, conveniencia, beneficio, rendimiento, lucro, fruto, ganancia.
PROVECHOSO Beneficioso, saludable, fértil, valioso, fructuoso, conveniente, productivo.
PROVEER Proporcionar, facilitar, suministrar, abastecer, avituallar, surtir. I Resolver, disponer. I Prevenir. I Otorgar. I Dictar.
PROVENIR Proceder, derivar, ascender, venir, dimanar, nacer, arrancar.
PROVERBIAL Notorio, sabido, patente, palmario, sentencioso. I Acostumbrado, habitual, tradicional.
PROVERBIO Aforismo, máxima, sentencia, refrán.
PROVIDENCIA Dios. I Prevención, disposición, designación, medida. I Resolución.
PROVISIONAL Provisorio, accidental, transitorio, interino.
PROVOCAR Incitar, originar, instigar, inducir. I Insultar, retar, desafiar. I Arrojar, vomitar. I Ocasionar.
PROXIMIDAD Inmediación, vecindad, cercanía.
PRÓXIMO Vecino, cercano, contiguo, inmediato, aledaño, lindante, confinante, junto.
PROYECTAR Planear, concebir, bosquejar, imaginar, idear. I Lanzar, arrojar. I Disponer. I Maquinar, tramar.
PROYECTO Idea, plan, designio, programa, esquema, pensamiento, intención.
PRUDENCIA Sensatez, cordura, tacto, mesura, previsión, parsimonia, discreción, tino. I Discernimiento.
PRUDENTE Juicioso, discreto, cuerdo, cauto, sensato, circunspecto, mesurado, previsor, moderado.
PRUEBA Explicación, argumento, razonamiento, comprobación, demostración, testimonio. I Experimentado, ensayo.
PUBLICAR Proclamar, divulgar, esparcir, anunciar, pregonar. I Imprimir, insertar, editar, producir.
PÚBLICO Notorio, patente, manifiesto, sabido, popular. I Concurrencia, auditorio, asistentes, espectadores.
PÚDICO Honesto, pudoroso, decoroso, modesto, casto.
PUDIENTE Poderoso, rico, acaudalado, hacendado, opulento.
PUDOR Recato, decoro, castidad, honestidad, modestia, pudicia.
PUDRIR Corromper, descomponer, dañar, podrir. I Pervertir, empeorar.
PUEBLO Casta, raza. I País, nación. I Población, poblado, lugar, ciudad. I Vulgo, plebe.
PUERIL Inocente, infantil. I Frívolo.
PUERTA Abertura, portezuela. I Entrada, salida.

PUERTO Atracadero, desembarcadero, fondeadero, ensenada. I Amparo, refugio.
PUESTO Sitio, paraje, espacio, lugar, punto. I Cargo, empleo, oficio, destino, ocupación. I Destacamento.
PUGNAR Luchar, contender, reñir, batallar. I Porfiar. I Pujar.
PUJANTE Vigoroso, enérgico, fuerte, forzudo, robusto, potente, poderoso, dinámico, brioso.
PUJAR Aumentar, subir, tantear, forcejear. I Esforzarse, pugnar.
PUJANZA Vigor, fortaleza, potencia, robustez, impulso.
PULCRITUD Aseo, esmero, limpieza, cuidado. I Finura, atildamiento.
PULCRO Aseado, atildado, cuidadoso, limpio, acicalado, selecto, fino.
PULIMENTAR Abrillantar, bruñir, pulir.
PULIR Pulimentar, bruñir, abrillantar. I Ataviar, adornar, afinar. I Perfeccionar. I Componer.
PULSACIÓN Pulsada, latido.
PULULAR Abundar, bullir, agitarse, moverse, multiplicarse. I Provenir.
PULVERIZAR Moler, dispersar, machacar. I Destruir, aniquilar.
PUNDONOROSO Caballeroso, respetable, digno, decoroso, puntilloso.
PUNTA Aguijón, pincho. I Clavo. I Cúspide.
PUNTERÍA Habilidad, tino, destreza.
PUNTO Sitio, paraje, parte, lugar, puesto. I Momento, instante. I Cuestión. I Tanto. I Parada. I Pundonor.
PUNTUAL Exacto, preciso, seguro, diligente, regular, indudable, minucioso, escrupuloso, estricto, adecuado.
PUNTUALIDAD Exactitud, precisión, rigor. I Formalidad.
PUNZANTE Pinchoso. I Mordaz, agudo, picante.
PUÑETAZO Trompada, puñada, puñete.
PURAMENTE Estrictamente.
PUREZA Castidad, virginidad, doncellez, inocencia, integridad, continencia.
PURGARSE Purificarse, limpiarse, depurarse, acrisolarse, expeler, evacuar.
PURIFICAR Limpiar, purgar, acrisolar, clarificar, refinar, sanear.
PURO Limpio, impoluto. I Recto, sano, casto. I Habano. I Simple.
PUSILÁNIME Apocado, tímido, temeroso, cobarde, miedoso, corto.
PÚSTULA Llaga, postilla.
PUTREFACCIÓN Descomposición, corrupción, podredumbre, inmundicia, pudrición, infección.

Q

QUEBRADIZO Frágil, endeble, delicado, rompible, rompedero.
QUEBRADO Tortuoso, desigual. I Fallido. I Quebrantado. I Fracción. I Herniado.
QUEBRANTAR Romper, fracturar, trozar, triturar, partir, machacar, desgarrar. I Vulnerar, infringir, violar, profanar, forzar. I Disminuir, suavizar. I Apesadumbrar. I Revocar, anular.
QUEBRANTO Perjuicio, pérdida, deterioro, menoscabo, daño. I Lástima, pena. I Quebrantamiento, desaliento, desánimo, debilidad. I Aflicción.
QUEBRARSE Doblarse, torcerse, marchitarse, ceder, flaquear. I Relajarse.
QUEDAR Sobrar, restar. I Terminar, cesar. I Faltar. I Estar, permanecer.
QUEDARSE Apoderarse. I Engañar.
QUEJA Descontento, disgusto, resentimiento. I Lamento, quejido. I Querella. I Reclamación.
QUEJOSO Quejumbroso, clamoso, descontento, resentido. I Doliente, plañidero, quejicoso.
QUEMAR Arder, abrazar, calcinar, achicharrar, incinerar. I Malbaratar. I Irritar, fastidiar, enojar, enfadar, impacientar.
QUERELLA Disputa, pendencia, pelotera, riña, cuestión, pleito, rencilla, discusión, litigio. I Queja.
QUERER Desear, ambicionar, apetecer, codiciar. I Apreciar, estimar, amar. I Decidir, pretender, resolver, determinar.
QUERIDO Estimado, amado, apreciado, amigo, dilecto. I Amante.
QUIEBRA Pérdida, menoscabo, quebranto. I Grieta, hendidura, rotura.
QUIETO Inmóvil, firme. I Quedo. I Pacífico, reposado, tranquilo, sosegado.
QUIETUD Calma, estabilidad, tranquilidad, descanso, sosiego, reposo, inacción. I Serenidad, inmovilidad, paz.
QUIMERA Fantasía, desvarío, visión, ficción, utopía. I Riña, trifulca, pelotera, disputa, bronca, pendencia, altercado.
QUIMÉRICO Imaginario, inexistente, irreal, imposible, fantástico, ilusorio, mitológico, irrealizable.
QUISQUILLOSO Puntilloso, susceptible, melindroso, delicado, sensible.
QUITANZA Recibo.
QUITAR Separar, restar, retirar. I Robar, hurtar. I Suprimir. I Derogar, suspender. I Prohibir.
QUITASOL Sombrilla.
QUITE Estorbar, regate, engaño.

R

RABIA Cólera, violencia, enojo, furia, coraje, berrinche, indignación. I Hidrofobia.
RABIAR Enfurecerse, encolerizarse, desesperarse, enojarse, impacientarse. I Anhelar.
RABIOSO Enojado, colérico, furioso, enfurecido, frenético. I Hidrófobo. I Vehemente, susceptible.
RABO Cola, penca, rabillo.
RACIONAR Entender, discurrir, deducir, colegir, ar-

RAC

gumentar, juzgar.
RACIOCINIO Juicio, deducción, argumento, razonamiento.
RACIONAL Lógico, justo, derecho, equitativo, razonable.
RADIANTE Resplandeciente, reluciente, rutilante, brillante, luminoso. I Satisfecho, contento, alegre, animado.
RADICAL Fundamental, básico, esencial, primordial, sustancial. I Excesivo. I Drástico, enérgico.
RADICAR Residir, arraigar, fincar.
RADIO Distrito, zona, sector. I Radiotelefonía.
RAER Rasurar, rallar, raspar, limar.
RAÍZ Principio, origen, fundamento, fibra, raigón, cepa.
RAJA Hendidura, grieta, abertura, quebradura, fisura, incisión, intersticio. I Tajada, rebanada.
RAJAR Abrir, partir, romper, hender. I Despacharse, charlar.
RAMA Brazo, gajo, ramilla.
RAMERA Prostituta, cortesana, perdida, golfa, buscona, zorra, hetaira, pecadora, suripanta.
RAMPLÓN Grosero, desaliñado, tosco, inculto, vulgar.
RANCIO Añejo, antiguo, tradicional, viejo, arcaico.
RAPAPOLVO Amonestación, reprimenda, represión.
RAPAZ Muchacho, chico, joven, zagal, niño, mozo, mancebo.
RÁPIDO Acelerado, vertiginoso, pronto, momentáneo, veloz, raudo, presuroso, ágil, ligero.
RAPTO Arrebato, impulso. I Arrobamiento.
RAQUÍTICO Escaso, pequeño, endeble, exiguo. I Depauperado, débil, canijo. I Miserable, pobre, mezquino.
RAREZA Singularidad, extravagancia, anomalía, genialidad.
RARO Singular, extraño, anómalo. I Extraordinario, excepcional. I Sobresaliente.
RASGAR Romper, desgarrar. I Rasguear.
RASGO Expresión, actitud, ademán, gesto, mímica. I Cualidad, característica, particularidad.
RASGUÑO Arañazo, uñada, frotamiento, raspadura.
RASO Libre, desembarazado, despejado. I Llano, plano, liso. I Imberbe, lampiño.
RASPAR Raer. I Hurtar, quitar. I Borrar, rallar.
RASTREAR Investigar, inquirir, indagar, olfatear.
RASTRERO Bajo, servil, despreciable, indigno, lacayo, abyecto, vil.
RASTRO Rastrillo, rodillo. I Señal, pista, huella, vestigio, indicio.
RASURAR Afeitar, rapar, raer.
RATIFICAR Confirmar, revalidar, mantener, apoyar, insistir, acreditar.
RATO Instante, momento, periquete.
RAUDO Rápido, veloz, precipitado.
RAYA Línea, tilde. I Grieta, ranura. I Frontera, confín, término.
RAYANO Fronterizo, limítrofe, contiguo, vecino, cercano.
RAYAR Señalar, trazar, marcar. I Confinar, limitar. I Descollar.
RAYO Centella, chispa, fulguración.
RAZA Linaje, casta, abolengo, estirpe, pueblo.
RAZÓN Raciocinio, racionalidad, cordura. I Prueba, explicación. I Derecho, verdad. I Entendimiento, inteligencia.
RAZONABLE Racional, admisible. I Legítimo, legal, justo. I Moderado, regular, mediano, asequible.
RAZONAMIENTO Raciocinio, argumento, discurso, juicio.
RAZONAR Racionar, argumentar, discurrir, hablar, deducir, resolver.
REACIO Inobediente, rezongón, remolón, refractario, remiso, indócil, porfiado, terco, renuente, opuesto.
REAL Existente, verdadero, efectivo, cierto, positivo. I Suntuoso, regio, espléndido, soberbio, magnífico.
REALCE Adorno, prominencia, esplendor, lustre, brillo. I Relieve. I Reputación, honra, lucimiento, lauro.
REALIDAD Verdad, sinceridad, propiedad, naturalidad, existencia, objetividad.
REALIZABLE Hacedero, posible, factible, verificable.
REALIZAR Ejecutar, verificar, hacer, producir. I Vender, liquidar, malbaratar.
REALZAR Engrandecer, enaltecer, honrar, glorificar, subliminar, exaltar. I Embellecer, destacar.
REANIMAR Alentar, consolar, reforzar, confortar. I Rejuvenecer.
REAPARECER Renacer, resurgir.
REBAJA Disminución, reducción, descuento, bonificación, deducción.
REBAJAR Aminorar, disminuir, reducir, achicar, descontar. I Humillar, degradar, envilecer, despreciar, abatir.
REBASAR Traspasar, pasar. I Colmar.
REBATIR Rechazar, impugnar, contrarrestar, refutar.
REBELARSE Sublevarse, insubordinarse, amotinarse, alzarse, levantarse. I Protestar, resistir.
REBELDE Sublevado, insurrecto, indócil, faccioso, revoltoso, perturbador, subversivo, insurgente, amotinado, insumiso.
REBOSAR Desbordar, derramarse, desbordarse. I Exteriorizar.
REBOZAR Cubrir, embozar, tapar.
RECABAR Alcanzar, lograr, conseguir, obtener, sacar. I Solicitar.
RECAER Reincidir, recidivar, reiterar.
RECALCAR Reiterar, insistir, instar, porfiar, machacar. I Acentuar.
RECALCITRANTE Pertinaz, terco, incorregible, obstinado, cabezudo, porfiado, tozudo, empecinado, reincidente.
RECAPACITAR Meditar, reflexionar.
RECAPITULAR Resumir, compendiar, sintetizar, extractar, extractar, reducir.

RECATAR Esconder, encubrir, ocultar.
RECAUDACIÓN Colecta, cobro, cobranza, recaudo.
RECELAR Maliciar, desconfiar, sospechar, dudar, temer.
RECELO Sospecha, desconfianza, presunción, duda, temor, suspicacia, resquemor, cuidado, desasosiego.
RECELOSO Celoso, suspicaz, escarmentado, desconfiado, escamado, sospechoso.
RECESO Apartamiento, desvío, separación.
RECETAR Ordenar, prescribir, disponer, formular.
RECIBIMIENTO Acogida. | Antesala.
RECIBIR Tomar, admitir, aceptar, cobrar, acoger, percibir, obtener.
RECIBIRSE Licenciarse.
RECIENTE Flamante, fresco, moderno, nuevo, actual, contemporáneo.
RECIO Enérgico, fuerte, robusto, hercúleo, vigoroso, valiente, pujante. | Grueso, abultado, corpulento. | Frío, riguroso, duro, grave.
RECIPIENTE Receptáculo.
RECÍPROCO Mutuo, inverso, bilateral.
RECITAR Declamar, decir, entonar.
RECLAMACIÓN Exigencia, protesta, reivindicación, derecho.
RECLAMAR Demandar, exigir, pedir, compeler, conminar, reivindicar, solicitar.
RECLINAR Recostar, apoyar, sostener, inclinar.
RECLUIR Encerrar, cautivar, encarcelar, aprisionar.
RECLUTAR Enganchar, alistar.
RECOBRAR Recuperar, vindicar, reconquistar, rescatar.
RECODO Sinuosidad, revuelta, recoveco, ángulo.
RECOGER Coger, colectar, cosechar. | Captar. | Albergar, acoger. | Congregar.
RECOGIMIENTO Acopio, recolección, cosecha, recogida. | Aislamiento, reflexión, meditación, abstracción.
RECOLETO Recogido, desierto, incomunicado, solitario, aislado. | Monástico, anacorético.
RECOMENDAR Encomendar, encarecer, encargar, pedir, presentar, confiar.
RECOMPENSA Premio, retribución, remuneración, galardón, compensación.
RECOMPENSAR Compensar, resarcir, satisfacer, enaltecer, premiar, galardonar, retribuir, remunerar.
RECONCENTRARSE Abstraerse, recogerse, ensimismarse.
RECONCILIARSE Unirse, avenirse, amistar, hablarse, perdonar.
RECÓNDITO Reservado, hondo, profundo, oculto, secreto, confidencial. | Abstruso.
RECONOCER Examinar, inspeccionar, registrar, mirar. | Acatar, aceptar, considerar, declarar. | Explorar. | Recordar.
RECONOCIDO Agradecido, devoto, obligado. | Admitido, aceptado. | Identificado.
RECONOCIMIENTO Averiguación, inspección, examen, registro, cacheo, requisa. | Gratitud, agradecimiento.
RECONSTRUIR Reorganizar, reparar, restaurar, rehacer.
RECONVENCIÓN Cargo, demanda, represión, amonestación, recriminación, repaso, reproche, regañina.
RECOPILACIÓN Compendio, recolección, colección.
RECORDAR Rememorar, remembrar, acordarse, evocar, memorar.
RECORRER Atravesar, andar, caminar. | Acogerse. | Inspeccionar, registrar. | Reparar.
RECORTAR Perfilarse, destacar.
RECOVECO Sinuosidad, recodo, revuelta.
RECREARSE Alegrarse, distraerse, deleitarse, solazarse, holgarse.
RECREATIVO Recreable, distraído, esparcido, gracioso, entretenido, divertido.
RECRIMINAR Censurar, reprochar, reconvenir.
RECTIFICAR Reformar, corregir, modificar, enmendar, enderezar, mejorar, rehacer, desdecirse.
RECTITUD Justicia, legalidad, derechura, imparcialidad, integridad.
RECTO Imparcial, justo, íntegro, firme, equitativo, razonable. | Erguido. | Derecho.
RECUERDO Recordación, memoria, recordatorio.
RECUPERAR Reconquistar, recobrar, vindicar, rescatar, sacar.
RECURRIR Apelar, acudir, interponer, acogerse.
RECURSO Apelación, petición, solicitud. | Procedimiento, arbitrio, medio.
RECUSAR Rehusar, rechazar.
RECHAZAR Repudiar, despreciar, rehusar, repeler, desdeñar. | Excluir. | Negar.
RECHINAR Crujir, chirriar.
RED Malla, hamaca. | Trampa, engaño, ardid.
REDACTAR Escribir, apuntar, expresar, componer, crear.
REDENCIÓN Rescate, liberación, salvación, emancipación, libertad.
REDENTOR Libertador, salvador, emancipador. | Jesucristo.
REDILAR Redilear, amajadar, encorralar, apriscar.
REDIMIR Libertar, rescatar, librar, leberar, emancipar, despenar. | Cancelar.
RÉDITO Rendimiento, utilidad, beneficio, renta.
REDOMADO Cauteloso, astuto.
REDONDO Orondo, redondeado. | Claro, concreto. | Terminante. | Esférico.
REDUCIDO Estrecho, angosto, apretado, limitado, pequeño, chico, corto.
REDUCIR Disminuir, limitar, achicar, amenguar. | Someter, sujetar. | Transformar. | Abreviar, acortar.
REDUNDANTE Difuso, recargado, ampuloso, hinchado, reiterado, retórico, barroco, prosopopéyico.
REEMPLAZAR Relevar, sustituir, suplir, cambiar.
REFERENCIA Historia, narración, relato, noticia. |

REF
Alusión, cita. I Relación.
REFERIR Relatar, contar, decir, historiar. I Relacionar, remitirse. I Encaminar.
REFINADO Sobresaliente, exquisito. I Malicioso, astuto.
REFINAR Clarificar, perfeccionar, depurar.
REFLEJAR Repercutir, reverberar, reflectar.
REFLEJO Espejismo, reverberación, imagen, refracción, destello, vislumbre.
REFLEXIONAR Considerar, pensar, discurrir, deliberar, cavilar, recapacitar, examinar, ponderar, repensar.
REFLEXIVO Meditabundo, pensativo, contemplativo, prudente, avisado, irisdiscente, reflectante, considerado.
REFÓCILO Fulguración, rayo, relámpago, chispa.
REFORMA Reparación, mejora, restauración, revisión, corrección, enmienda, perfeccionamiento, cambio.
REFORMAR Rehacer, restaurar, restablecer, reparar. I Modificar, enmendar, rectificar, regenerar. I Reducir, quitar, rebajar, minorar.
REFORZAR Aumentar, añadir, fortalecer, vigorizar. I Reanimar. I Acrecentar.
REFRACTARIO Contrario, opuesto, enemigo, respondón, incompatible, antagónico.
REFRÁN Adagio, aforismo, máxima, axioma, dicho, frase, moraleja, sentencia, proverbio.
REFRENAR Reprimir, comprimir, sujetar, moderar, sofrenar, morigerar, contener, dulcificar, suavizar.
REFRESCAR Refrigerar, atemperar, disminuir. I Reproducir. I Descansar, reponerse. I Recordar.
REFRIEGA Combate, encuentro, pelea, lid, escaramuza, choque.
REFUERZO Apoyo, ayuda, auxilio, socorro.
REFUGIAR Amparar, socorrer, acoger, admitir, asilar.
REFUGIO Protección, amparo, retiro, acogida, defensa.
REFULGENTE Brillante, radiante, resplandeciente, fulgurante, esplendente, espléndido, deslumbrante, rutilante, luminoso.
REFUTAR Contradecir, argüir, impugnar, rechazar, repeler, objetar, oponer, debatir, desmentir.
REGALADO Delicado, deleitoso, grato, agradable, exquisito, placentero. I Gratuito, dedicado, donado, obsequiado.
REGALAR Entregar, donar, conceder, obsequiar, dar. I Agasajar, deleitar, lisonjear, acariciar, halagar.
REGALO Obsequio, cortesía, presente, donación, fineza, propina.
REGAÑAR Reprender, sermonear, reconvenir, amonestar, reprochar, afear. I Indisponerse, pelearse, enfadarse, enemistarse.
REGAR Irrigar, bañar, rociar, derramar, esparcir.
REGENERAR Reformar, reconfortar, corregir, renovar.
REGENTAR Mandar, administrar, dirigir.
REGIO Suntuoso, magnífico, grandioso, espléndido, soberbio, fastuoso, señorial, ostentoso. I Real, soberano.
REGIR Administrar, dirigir, regentar, disponer, mandar, conducir, guiar.
REGISTRAR Escudriñar, explorar, buscar, inspeccionar, reconocer. I Inscribir, asentar, anotar. I Señalar.
REGISTRO Matrícula, padrón.
REGLA Precepto, norma, pauta, guía, sistema, estatuto, ley. I Templanza, moderación. I Menstruación.
REGOCIJAR Festejar, alborozar, animar, alborotar, satisfacer, gozar.
REGOCIJO Júbilo, contento, satisfacción, placer, alborozo, fiesta, animación, excitación, humorismo.
REGRESAR Reintegrarse, retornar, volver, regresión.
REGULAR Reglar, ordenar, ajustar, medir. I Mediano, moderado, razonable. I Corriente, ordinario, común. I Metódico, uniforme.
REGULARIZAR Ordenar, metodizar, uniformar, normalizar.
REHACER Reparar, restablecer, reponer, reformar.
REHUIR Eludir, rehusar, repugnar, esquivar, sustraerse, apartar.
REHUSAR Rechazar, repeler, renunciar, declinar, excusar, repudiar, negarse, devolver, recusar.
REINAR Imperar, dominar, prevalecer, predominar. I Gobernar.
REINTEGRAR Restituir, establecer, devolver.
REIRSE Mofarse, burlarse, bromear, carcajear, reír, desternillarse.
REITERAR Reproducir, reafirmar, repetir.
REJUVENECER Remozar.
RELACIÓN Conexión, trabazón, vínculo, correspondencia. I Narración, descripción. I Lista, índice, catálogo.
RELACIONAR Narrar, contar, relatar, referir. I Enlazar, comparar.
RELAJAR Laxar, debilitar, ablandar, aflojar, suavizar. I Divertirse.
RELAMIDO Rebuscado, lamido, afectado.
RELÁMPAGO Fulguración, centella, resplandor, rayo.
RELATAR Narrar, contar, referir, describir, exponer.
RELATIVO Concerniente, correlativo, referente, tocante, relacionado. I Proporcional.
RELATO Historia, narración, relación, descripción, conseja.
RELEVANTE Excelente, insuperable, sobresaliente, inapreciable, selecto, eximio, superior, imponderable.
RELEVAR Reemplazar, sustituir. I Engrandecer, realzar. I Perdonar, excusar, dispensar, absolver. I Exonerar. I Socorrer.
RELIEVE Saliente, realce.
RELIGIÓN Culto, devoción, creencia, ley, piedad, dogma.
RELIGIOSO Fraile, conventual, novicio, profeso, monja.

REL

RELUCIENTE Resplandeciente, brillante, pulido, esplendoroso, centelleante.
RELUMBRAR Relucir, fulgurar, brillar, resplandecer, lucir, centellear.
RELLANO Descansillo, meseta, descanso.
REMANENTE Residuo, sobrante, resto.
REMATADO Desahuciado, perdido.
REMATAR Acabar, terminar, finalizar, concluir. I Despenar. I Subastar.
REMATE Extremidad, punta, término, cabo. I Subasta. I Adorno, frontispicio.
REMEDAR Parodiar, emular, simular, reproducir, imitar, copiar.
REMEDIAR Enmendar, reparar, componer, corregir. I Separar, apartar. I Socorrer, ayudar. I Evitar.
REMEMORAR Evocar, conmemorar, recordar.
REMENDAR Componer, zurcir, reparar, repasar. I Reforzar. I Corregir.
REMILGADO Repulido, melindroso, rebuscado, dengoso.
REMINISCENCIA Remembranza, recuerdo.
REMISIÓN Expedición, remesa, envío. I Perdón.
REMISO Negligente, indócil, flojo, dejado, indeciso, vacilante, renuente, parado, irresoluto, perezoso.
REMITIR Enviar, mandar, remesar, exportar, despachar. I Perder. I Diferir, suspender, aplazar. I Condonar.
REMOLINO Torbellino. I Disturbio, agitación, inquietud, alteración, desorden, confusión.
REMOLÓN Perezoso, holgazán, reacio, flojo.
REMONTARSE Encumbrarse, exaltarse, subir, elevarse.
RÉMORA Estorbo, obstáculo.
REMOTO Apartado, retirado, lejano, distante, lejos.
REMOVER Trasladar, apartar, cambiar, alterar. I Resolver, conmover. I Exonerar, deponer.
REMUNERACIÓN Retribución, premio, donación, recompensa, sueldo, salario, mensualidad, gratificación, honorarios, paga.
REMUNERAR Gratificar, recompensar, asalariar, devengar, pagar, retribuir, premiar, cobrar.
RENCOR Resentimiento, odio, inquina, enemistad.
RENCOROSO Irreconciliable, enconoso, violento, vengativo, iracundo, encarnizado, resentido.
RENDICIÓN Sumisión, entrega, capitulación.
RENDIDO Sometido, sumiso, acatante. I Fatigado, cansado. I Enamorado.
RENDIMIENTO Rendición, fatiga, cansancio. I Beneficio, ganancia, utilidad. I Subordinación, sumisión. Servilismo.
RENDIR Vencer, sujetar, someter. I Producir, redituar. I Fatigar, cansar.
RENEGADO Descastado, descariñado. I Apóstata, negado.
RENEGAR Blasfemar, maldecir, jurar. I Apostatar. I Detestar.
RENIEGO Juramento, blasfemia.

RENOMBRADO Famoso, reputado, célebre, acreditado, conocido, popular.
RENOMBRE Reputación, crédito, celebridad, merecimiento, popularidad, estimación, gloria, fama, honra, nombradía. I Apodo.
RENOVACIÓN Reconstrucción, reforma, renuevo, restauro, reparación.
RENOVAR Restituir, repetir. I Restaurar, rehacer, reemplazar. I Trocar. I Restablecer, reinstalar.
RENTA Utilidad, beneficio, producto, rendimiento, ganancia. I Pensión, retiro, jubilación.
RENUENTE Insumiso, reacio, remiso, indócil.
RENUNCIA Abandono, renunciación, desistimiento, abstención. I Dimisión.
RENUNCIAR Abandonar, deponer, dejar, desistir, declinar. I Dimitir.
REÑIDO Enojado, contrario, disgustado. I Sangriento, encarnizado, porfiado.
REÑIR Sermonear, regañar, reprender, amonestar. I Indisponerse, enemistarse. I Luchar, disputar, pelear.
REO Delincuente, criminal, culpable, acusado, malhechor, convicto.
REPARACIÓN Arreglo, mejoramiento, refacción, compostura, apaño. I Satisfacción, desagravio.
REPARAR Rehacer, componer, restaurar, arreglar, subsanar. I Advertir, percatarse, observar. I Desagraviar, satisfacer. I Atender, considerar. I Restablecer. I Indemnizar.
REPARÓN Observador, criticón, mirón, motejador.
REPARTIR Dividir, distribuir, asignar, adjudicar, prorratear.
REPASAR Corregir, remirar, verificar, compulsar. I Zurcir, recoser.
REPECHO Cuesta, subida, declive, pendiente, rampa.
REPELENTE Asqueroso, repulsivo, repugnante.
REPENTINO Instantáneo, inopinado, imprevisto, insospechado, súbito, impensado, brusco.
REPERTORIO Conjunto, colección, prontuario, recopilación.
REPETIR Reiterar, duplicar, recalcar, reproducir, reafirmar.
REPICAR Sonar, tañer. I Alardear, jactarse.
REPLETO Lleno, rebosante, atiborrado, pletórico, colmado. I Ahíto.
REPLICAR Argumentar, responder, contestar, argüir, objetar.
REPONER Restaurar, restablecerse, restituir. I Reemplazar.
REPORTARSE Contenerse, refrenarse, reprimirse.
REPOSADO Tranquilo, quieto, sereno, impávido, pacífico, apacible, afable.
REPRENDER Amonestar, regañar, sermonear, bronquear, corregir, reprochar, increpar, vituperar, censura.
REPRENSIÓN Amonestación, reprimenda, regaño, reproche, rapapolvo, reconvención, filípica, sermón, bronca.

559

REP

REPRESALIA Venganza, castigo, desquite, desagravio.
REPRESENTANTE Agente, comisionado. I Suplente, sustituto, apoderado.
REPRESENTAR Declarar, referir, informar, manifestar. I Interpretar, encarnar, simbolizar. I Actuar, ejecutar.
REPRIMENDA Amonestación, reprensión, regaño, rociada, rapapolvo.
REPRIMIR Refrenar, sujetar, moderar, aplacar, domar, comprimir, dominar, templar, coercer, cohibir.
REPROBABLE Censurable, criticable, vituperable.
REPROBAR Desaprobar, condenar, censurar, afear, criticar, desalabar.
REPROCHE Censura, crítica, reprobación, queja, reconvención, afeamiento.
REPRODUCIR Copiar, imitar, plagiar, repetir, reimprimir.
REPUDIAR Desdeñar, desechar, rechazar, repeler. I Renunciar, declinar.
REPUESTO Restituido, rehabilitado. I Restablecido. I Retirado, apartado.
REPUGNANCIA Repulsión, repulsa, asco, aversión, tedio, desgana.
REPUGNANTE Repulsivo, asqueroso, fétido, desagradable, repelente. I Violento, gruñón, indeseable, respondón.
REPULSIÓN Repugnancia, antipatía. I Rechazo.
REPUTACIÓN Renombre, celebridad, prestigio, crédito, fama, consideración, gloria, enaltecimiento, aura.
REQUEBRAR Adular, alabar, galantear, piropear.
REQUERIMIENTO Demanda, solicitación, aviso.
REQUIEBRO Adulación, halago, galanteo, piropo, lisonja.
REQUISITO Circunstancia, condición.
REQUISITORIA Exhorto.
RESABIO Vicio. I Señal, muestra, sello.
RESALTAR Destacar, sobresalir, distinguirse, descollar, despuntar. I Saltar.
RESARCIR Compensar, indemnizar, neutralizar, recompensar, recobrar.
RESBALADIZO Resbaloso, escurridizo.
RESBALAR Rodar, deslizarse, escurrirse. I Tropezar, caer.
RESCINDIR Invalidar, anular, revocar, derogar.
RESENTIMIENTO Rencor, encono, animosidad, queja, disgusto, despecho, envidia, antipatía, agravio.
RESENTIRSE Ofenderse, agraviarse, enojarse, disgustarse. I Dolerse.
RESEÑA Referencia, resumen, descripción, crónica.
RESERVA Precaución, cautela, discreción, prudencia, comedimiento. I Secreto. I Ahorro.
RESERVADO Precavido, desconfiado, cauteloso, receloso. I Discreto, recatado, prudente. I Confidencial, secreto.
RESERVAR Acumular, retener, guardar. I Economizar, ahorrar.
RESFRIADO Constipado, destemple, catarro.
RESFRIARSE Acatarrarse, constiparse, estornudar, enfriarse.
RESGUARDAR Preservar, abrigar, proteger, amparar, salvaguardar.
RESGUARDO Amparo, seguridad, protección, defensa, reparo, defensión.
RESIDENCIA Vivienda, mansión, morada.
RESIDIR Morar, habitar, radicar, vivir, permanecer, domiciliarse.
RESIDUO Sobrante, resto, saldo, escurriduras, desperdicio. I Diferencia.
RESIGNADO Dócil, conformado, condescendiente, paciente, dúctil, transigente.
RESIGNARSE Avenirse, someterse, condescender, allanarse, conformarse.
RESISTENCIA Obstrucción, oposición. I Indocilidad, rebeldía. I Entereza, aguante, fortaleza, firmeza, vigor. I Defensa.
RESISTENTE Firme, fuerte, robusto, sólido, vigoroso, incansable, invulnerable.
RESISTIR Aguantar, soportar, sufrir. I Plantarse, contrarrestar, forcejear, contrariar. I Defenderse, afrontar, desafiar.
RESOLUCIÓN Arriscamiento, audacia, atrevimiento, arrojo, ánimo, osadía. I Prontitud, actividad. I Determinación. I Decreto, sentencia, fallo.
RESOLVER Solventar, solucionar. I Determinar, decidir, acordar. I Epilogar, recapitular. I Despegar, desatar, desenredar.
RESONANCIA Repercusión, eco, sonoridad. I Reclamo, propaganda, divulgación.
RESONAR Retumbar, rugir, repercutir.
RESPALDAR Corroborar, afirmar, apoyar, sostener.
RESPECTO Sobre, referente.
RESPETABLE Admirable, imponente, sagrado, venerable, digno, caracterizado, importante, notable.
RESPETAR Acatar, reverenciar, venerar, enaltecer.
RESPETO Reverencia, miramiento, acatamiento, mesura, veneración, consideración, sumisión, admiración, lealtad, devoción, fervor.
RESPIRAR Inspirar, espirar, alentar, aspirar, exhalar, resoplar.
RESPLANDECER Relucir, fulgurar, brillar, relumbrar, rutilante, refulgir.
RESPLANDECIENTE Reluciente, fulguroso, esplendente, fulgente, brillante, radiante, luminoso, relumbroso.
RESPONDER Replicar, contestar. I Garantizar. I Corresponder. I Responsabilizarse. I Fructíferar.
RESPONSABLE Culpable, garantizador.
RESPUESTA Réplica, contestación, impugnación.
RESQUICIO Hendidura. I Ocasión, oportunidad, coyuntura.
RESTA Sustracción, diferencia, disminución, descuento.

RES

RESTABLECER Restituir, reinstalar, reponer, rehabilitar, reanudar.
RESTABLECERSE Recuperarse, reponerse.
RESTAR Disminuir, rebajar, mermar, quitar, sustraer, deducir. I Quedar.
RESTAURAR Restablecer, renovar, reparar, reponer. I Recobrar.
RESTITUIR Reintegrar, restablecer, rendir, devolver, reponer, renovar.
RESTO Remanente, sobrante, residuo, saldo, retal.
RESTRICCIÓN Cortapisa, impedimento, traba, limitación.
RESUCITAR Revivir. I Restablecer, renovar, reponer, restaurar, regenerar, resurgir.
RESUELTO Intrépido, arriesgado, temerario, audaz, denodado, determinado, decidido, arriscado, bragado, atrevido.
RESULTADO Consecuencia, secuela, resulta, producto, efecto.
RESULTAR Salir, redundar, refluir. I Originarse, nacer. I Resurtir, resaltar. I Agradar.
RESUMEN Recopilación, recapitulación, síntesis, sumario, argumento, compendio, extracto, epítome, manual.
RESUMIR Abreviar, compendiar, recapitular, sintetizar, cifrar, sustanciar, epilogar, extractar.
RESURGIR Reaparecer, descubrirse, manifestarse, comprenderse, convertirse.
RETAHILA Cadena, sarta, letanía, serie.
RETAL Resto, residuo, sobrante.
RETAR Provocar, desafiar, reñir, rivalizar. I Amonestar, censurar.
RETARDAR Retrasar, diferir, posponer, postergar, embarazar, detener, trasladar, aplazar.
RETENER Conservar, guardar. I Arrestar, detener. I Deducir. I Suspender.
RETIRADA Retorno, retroceso, encierro, retiro, reclusión.
RETIRADO Desierto, distante, aislado, lejano, apartado, separado, escondido, incomunicado, desviado.
RETIRAR Alejar, separar, apartar, sacar, quitar. I Destituir, boicotear, encerrar, aislar.
RETIRO Recogimiento, aislamiento, retraimiento, clausura. I Jubilación. I Refugio. I Retirada, apartamiento.
RETO Duelo, desafío, combate, esgrima, encuentro.
RETOCAR Mejorar, perfeccionar.
RETORCER Incurvar, combar, torcer, doblar, enroscar, arrugar, encorvar.
RETÓRICO Declamatorio, altisonante, hueco, hinchado, afectado, orador.
RETOZAR Juguetear, diablear, corretear, brincar, saltar.
RETRAERSE Retirarse, alejarse, apartarse, ocultarse. I Refugiarse, acogerse, encerrarse.
RETRAÍDO Apartado, alejado, retirado, refugiado, solitario.

RETRAIMIENTO Aislamiento, apartamiento, alejamiento, recogimiento, soledad, misantropía, retiro, abstracción.
RETRASAR Diferir, demorar, suspender, dilatar, atrasar, aplazar.
RETRASO Demora, retardo, dilación, atraso, rezago, dilatación.
RETRETE Excusado, letrina, servicio.
RETRIBUCIÓN Recompensa, premio, remuneración, paga, sueldo, haber, mensualidad, asignación, honorarios.
RETROCEDER Recular, retraerse, retirarse, cejar, recalcitrar, desandar.
RETRÓGRADO Reaccionario, cavernícola, troglodita.
RETUMBANTE Rimbombante, resonante, ruidoso.
REUNIÓN Asociación, sociedad, corporación. I Conjunto, peña, casino, fiesta, visita, velada, sesión.
REUNIR Compilar, allegar, juntar, congregar, arracimar, apiñar, agrupar, aglomerar, amontonar, recoger.
REVALIDAR Confirmar, ratificar.
REVELAR Manifestar, divulgar, progonar, publicar, descubrir, propalar.
REVENTAR Detonar, estallar, quebrarse. I Desternillarse. I Molestar.
REVERENCIA Veneración, tratamiento, respeto. I Inclinación, sombrerazo.
REVERENCIAR Venerar, acatar, respetar, honrar, obedecer, adorar.
REVÉS Espalda, reverso, dorso, envés. I Infortunio, contratiempo, desgracia, percance, desastre.
REVESADO Incomprensible, difícil. I Revoltoso, enredador.
REVESTIR Cubrir, investir, recubrir, arropar.
REVIVIR Renacer, renovar, resucitar.
REVOLCARSE Restregarse, volquearse, frotarse.
REVOLTOSO Rebelde, indisciplinado, perturbador, sedicioso, indócil, revolucionario, faccioso, insurrecto.
REVOLUCIÓN Alboroto, rebelión, revuelta, sedición, perturbación, asonada, levantamiento, alzamiento, insurrección.
REVOLUCIONARIO Alborotador, sedicioso, insurrecto, rebelde, conspirador, insumiso, agitador, revoltoso.
REVOLVER Agitar, sacudir. I Trastornar, enredar, desordenar, revolucionar.
REYERTA Alboroto, cuestión, disputa, lucha, sarracina, bronca, gresca, altercado, pendencia, contienda, zafarrancho, cisco, bochinche.
REZAGARSE Demorarse, retrasarse.
REZAR Orar, suplicar, meditar, adorar.
REZONGAR Refunfuñar, gruñir, murmurar.
RIADA Inundación, crecida, desbordamiento, avenida, torrentero.
RIBERA Margen, orilla, costa, playa.
RICO Hacendado, acaudalado, opulento. I Exquisito, sabroso, agradable, apetitoso. I Exuberante, copioso,

RID

fecundo. I Valioso.
RIDÍCULO Extravagante, irrisible, fachoso, cómico, extraño, excéntrico.
RIENDAS Sujeción. I Mando, dirección.
RIESGO Inseguridad, exposición, peligro, dificultad.
RIFA Tómbola, sorteo, lotería.
RIGIDEZ Rigor, endurecimiento, severidad, austeridad.
RIGUROSO Inflexible, severo, rígido. I Estricto, exacto. I áspero, acre.
RIMBOMBANTE Ostentoso, jactancioso, aparatoso, petulante, hueco, campanudo, altisonante, retumbante, enfático.
RINCÓN Esquina, ángulo, recoveco, escondite.
RIÑA Disputa, quimera, pugna, desafío, altercado, reyerta, pendencia, pelea, contienda, trifulca, zafarrancho, gresca.
RÍO Torrente, arroyuelo, corriente, riacho, caudal.
RIQUEZA Bienestar, fortuna, bienes, holgura. I Opulencia.
RISA Risada, carcajada, sonrisa, risoteo, hilaridad.
RISIBLE Irrisorio, cómico.
RISUEÑO Divertido, jocoso, alegre, placentero, festivo. I Próspero, propicio.
RIVAL Competidor, contendiente, contrincante, émulo, antagonista, adversario, enemigo.
RIVALIDAD Oposición, enemistad, competencia, inquina, contienda, lucha.
RIVALIZAR Contender, desafiar, apostar, competir.
ROBAR Usurpar, quitar, saquear, desvalijar, despojar, latrocinar, saltear, hurtar, coger, estafar, rapiñar, desfalcar.
ROBO Saqueo, latrocinio, pillaje, rapacidad, rapiña, desvalijamiento, hurto, despojo, atraco, estafa, desfalco.
ROBUSTECER Fortificar, vigorizar, afianzar, consolidar, reanimar, confortar. I Corroborar.
ROBUSTEZ Vigor, dureza, pujanza, poderío, reciedumbre, vitalidad, nervio, fuerza, firmeza, fortaleza, ánimo.
ROCA Piedra, peñasco.
ROCIAR Irrigar, asperjar, esparcir, polvorear, humedecer.
ROCÍN Jaco, jamelgo, mancarrón.
RODAR Girar, voltear, rolar. I Transcurrir. I Abundar.
RODEAR Ladear, senderear, sortear, circundar, cercar.
RODEO Desvío, descamino, circunvolución, recodo. I Indirecta, ambages.
ROER Carcomer. I Molestar.
ROGAR Implorar, interceder, demandar, pedir, solicitar, suplicar, instar.
ROÍDO Desgastado, mezquino, escaso. I Carcomido.
ROJO Colorado, encarnado, purpúreo, carmesí, vermellón, rubro, sanguíneo.
ROLLIZO Robusto, fornido, grueso. I Cilíndrico. I Durmiente.

ROMÁNTICO Sensible, melancólico, patético, sentimental, idealista.
ROMERÍA Peregrinación.
ROMPECABEZAS Acertijo, problema.
ROMPER Quebrar, saltar, quebrantar. I Enemistarse, reñir. I Deshacer, desbaratar. I Roturar. I Brotar, abrirse.
RONCHA Verdugón, cardenal. I Daño.
RONDAR Galantear. I Amenazar.
RONQUERA Enronquecimiento, carraspera, ronquez, afonía.
ROÑA Suciedad, porquería, miseria, mugre, sarna.
ROÑOSO Asqueroso, sucio, sórdido, mugriento. I Miserable, ruín, tacaño, avaro, cicatero.
ROPA Ropaje, indumento, vestidura, indumentaria, vestido.
ROSCA Espiral.
ROSTRO Semblante, figura, faz, cara, fisonomía.
RÓTULO Título, cartel, inscripción, letrero, etiqueta.
ROTUNDO Terminante, preciso, claro, concluyente.
ROTURA Ruptura, rasgamiento, rompimiento, desgarrón. I Fractura.
ROZAGANTE Ufano, orgulloso, altivo, llamativo, vistoso, altanero, arrogante, satisfecho.
ROZAMIENTO Incidente, roce.
ROZARSE Tocarse, acariciarse, frotarse, relacionarse.
RUBOR Confusión, vergüenza, sonrojo, bochorno, turbación, corrimiento.
RUBORIZAR Sonrojar, humillar, abochornar, avergonzar, confundir.
RUBRICAR Suscribir, firmar:
RUDEZA Rustiquez, tosquedad, grosería, brusquedad, descortesía. I Violencia.
RUDIMENTARIO Superficial, rudimental, primitivo, embrionario.
RUDIMENTOS Principios, elementos.
RUDO áspero, basto, brusco, descortés, grosero, violento. I Torpe, romo.
RUEGO Petición, súplica, solicitud, instancia.
RUIDO Sonido, barullo, estrépito, silbido, gritería. I Rumor.
RUIDOSO Escandaloso, estruendoso, estrepitoso, chillón, resonante.
RUIN Esmirriado, enclenque, pequeño. I Tacaño, roñoso, avariento, mezquino. I Indigno, despreciable, miserable.
RUINA Quiebra, decadencia. I Desolación, destrozo, destrucción, perdición, desvastación, desgracia.
RUINDAD Roñería, tacañería, mezquindad. I Indignidad, infamia, vileza.
RUMBO Camino, derrotero, dirección, ruta. I Generosidad, esplendidez, fausto, pompa.
RUMBOSO Desprendido, generoso, desinteresado, dadivoso, liberal. I Ostentoso, espléndido, magnífico.
RUMIAR Reflexionar, meditar. I Murmurar, rezongar, gruñir.

RUMOR Murmurio, chisme, habladuría, especie, hablilla.
RUNFLA Serie, sarta, colección.
RURAL Campesino, rústico. I Tosco, inculto.
RÚSTICO Campestre, labriego, campesino, aldeano. I Tosco, rudo, inculto, ordinario, vulgar, zafio, descortés. I Pastoril.
RUTILANTE Relumbrante, lustroso, reluciente, refulgente, esplendente, flamante, resplandeciente, brillante, centelleante.
RUTINA Tradición, hábito, costumbre. I Maña.
RUTINARIO Frecuente, rutinero, ritual, corriente, habitual. I Maquinal.

S

SABEDOR Enterado, certero, noticioso, instruido.
SABER Entender, percatarse, conocer, observar. I Erudición, conocimientos, ciencia.
SABIDO Notorio.
SABIDURÍA Sapiencia, instrucción, saber, ciencia, conocimiento. I Prudencia, cordura, juicio, seso.
SABIO Instruido, entendido, docto, sapiente, ilustrado, documentado, culto. I Juicioso, prudente, cuerdo, avisado.
SABLE Tizona, charrasca, acero.
SABOREAR Paladear, probar, gustar, relamerse, deleitarse.
SABROSO Delicado, gustoso, delicioso, apetecible, agradable, incitante.
SACAR Quitar, extraer, extirpar. I Desocupar, vaciar. I Conseguir, obtener, lograr. I Averiguar, deducir. I Excluir, exceptuar. I Mostrar. I Criar, producir. I Desenvainar.
SACERDOTE Cura, capellán, párroco, clérigo, padre, predicador.
SACIAR Satisfacer, cumplir, hartar, llenar.
SACIEDAD Hartura, hartazgo, saturación, empacho, atracón, panzada.
SACO Talego, costal, bolsa. I Chaqueta.
SACRIFICAR Matar, inmolar, degollar, ofrecer.
SACRIFICIO Holocausto, ofrenda, inmolación. I Desinterés, renunciamiento.
SACRÍLEGO Profano, apóstata, irreverente, impío, perjuro.
SACRISTÁN Monacillo, monaguillo, monago.
SACUDIDA Sacudimiento, conmoción.
SACUDIR Mover, menear, remover, agitar. I Apartar, despedir, arrojar.
SAETA Manecilla. I Brújula. I Dardo, flecha, saetilla.
SAGACIDAD Sutileza, perspicacia, penetración, astucia, picardía, socarronería, agudeza, cautela.
SAGAZ Astuto, perspicaz, sutil, agudo, lince, listo, inteligente, previsor, prudente.
SAGRADO Sacro, consagrado, bendito.
SAHUMAR Fumigar, aromatizar, perfumar.
SAL Cloruro. I Salumbre, salobridad. I Agudeza, donosura, ingenio, gracia, donaire, saiero.
SALA Aposento, gabinete, recibidor, pieza, salón.
SALADO Ingenioso, saleroso, ocurrente, gracioso, chistoso.
SALARIO Paga, honorarios, jornal, estipendio.
SALIDA Despedida, ausencia, partida, excursión. I Ocurrencia. I Venta. I Fin.
SALIR Surgir, brotar, aparecer. I Sobresalir, resaltar. I Irse, marcharse, ausentarse, partir. I Manifestarse, descubrirse. I Resultar. I Desaparecer, quitarse.
SALIRSE Derramarse, desbordar.
SALIVAJO Salivazo, escupitajo.
SALPICAR Hisopar, esparcir, espurrear, rociar.
SALTAR Brincar, retozar. I Resaltar, destacarse. I Quebrarse, romperse.
SALTEAR Atracar, asaltar, saquear, acometer, sorprender.
SALTO Brinco, saltación. I Omisión. I Cascada. I Sima, despeñadero, precipicio.
SALUBRE Saludable, sano.
SALUD Lozanía, salubridad, vigor, fuerzas.
SALUDABLE Sano, salubre, salubérrimo, lozano, robusto, fresco. I Provechoso, beneficioso, conveniente, útil.
SALUDAR Proclamar, aclamar, descubrirse.
SALVAGUARDIA Defensa, protección, amparo.
SALVAJE Silvestre, agreste, bravío, montés, montaraz. I Inhumano, feroz, atroz, bestial, brutal.
SALVAR Redimir, sacar, librar. I Exculpar. I Proteger, defender. I Evitar.
SALVO Incólume, ileso, indemne. I Excepto. I Inmune. I Exceptuado.
SANAR Curarse, reponerse, recobrarse.
SANDEZ Estupidez, majadería, tontería, simpleza, vaciedad.
SANGRE Familia, casta, raza, parentesco, estirpe. I Plasma.
SANGUINARIO Inhumano, cruel, feroz, vengativo, insensible, atroz, despiadado, carnicero, inexorable.
SANIDAD Saneamiento, salubridad.
SANO Saludable, robusto, lozano, fuerte, bueno. I Sincero, recto.
SANTIAMÉN Momento, segundo, instante.
SANTIFICAR Beatificar, glorificar, canonizar, consagrar, bendecir.
SANTIGUARSE Signarse, persignarse.
SANTO Inviolable, puro, sagrado, justo, bendito. I Viñeta, grabado, estampa. I Ejemplar, elegido.
SANTUARIO Templo, basílica, iglesia.
SAÑA Furor, encono, furia, rabia, cólera, mohína, coraje, ira.
SAPIENCIA Conocimientos, sabiduría.
SAQUEAR Atracar, robar, pillar.
SARCÁSTICO Cáustico, satírico, irónico, mordaz, burlón.
SARRACENO Mahometano, musulmán, moro.
SATÁNICO Perverso, diabólico. I Monstruoso, des-

SAT
mesurado.
SATÍRICO Cáustico, sarcástico, mordaz, burlón, irónico, burlesco, mofador.
SATIRIZAR Ironizar, mortificar, escarnecer, censurar, zaherir, criticar, mofarse, burlarse.
SATISFACER Abonar, cubrir, pagar, liquidar. I Llenar, hartar, saciar. I Remediar. I Contentar.
SATISFACTORIO Agradable, solvente, lisonjero, grato.
SATISFECHO Dichoso, contento, feliz, alegre. I Vanidoso, orgulloso, presumido, hueco.
SATURAR Colmar, saciar.
SAZONAR Condimentar, aderezar, aliñar.
SECAR Enjugar, deshumedecer, escurrir, orear, tender.
SECESIÓN Apartamiento. Separación.
SECO Estéril, árido. I Agostado, marchito. I Delgado, flaco. I Riguroso, estricto. I Adusto. I Desabrido.
SECRETO Oculto, escondido, reservado, ignorado, callado. I Reserva, sigilo. I Misterio. I Clandestino.
SECUELA Corolario, consecuencial
SECUNDAR Apoyar, servir, favorecer, ayudar.
SECUNDARIO Supletorio, accesorio.
SED Sequedad, polidispsia. I Deseo, anhelo, necesidad, ardor.
SEDANTE Calmante, sedativo.
SEDE Jurisdicción, residencia. I Diócesis.
SEDICIÓN Sublevación, alzamiento, insurrección, rebelión.
SEDUCIR cautivar, atraer, conquista, fascinar. I Corromper, engatusar, engañar. I Sobornar.
SEGUIDO Consecutivo, continuo, incesante.
SEGUIR Continuar, proseguir, perseguir. I Convoyar, escoltar. I Secundar. I Copiar, imitar. I Adoptar.
SEGURIDAD Garantía, fianza. I Tranquilidad, asilo. I Certidumbre, certeza, calma.
SEGURO Fijo, firme. I Indemne, salvo, sano. I Cierto, indudable, positivo. I Tranquilo.
SELVA Bosque, espesura, floresta.
SELLAR Marcar, contrasellar, estampar, timbrar, estampillar. I Precintar, lacrar.
SEMBLANTE Rostro, fisonomía, cara, aspecto.
SEMBRAR Sementar, diseminar, esparcir, derramar, desparramar, granear. I Publicar, divulgar.
SEMEJANTE Similar, parecido, semejado, análogo. I Prójimo.
SEMEJANZA Analogía, afinidad, similitud, parangón, asimilación, parecido. I Imitación.
SEMEN Simiente, germen, semilla.
SEMILLA Simiente, grano, hueso, pepita.
SEMPITERNO Perpetuo, eterno.
SENCILLEZ Sinceridad, llaneza, franqueza, esparcimiento, naturalidad, candidez, confianza, espontaneidad, humildad, simplicidad.
SENCILLO Natural, propio, regular, corriente, espontáneo. I Ingenuo, simple, cándido, inocente. I Comprensible, fácil.

SENDA Vereda, veril, sendero, ruta, camino.
SENECTUD Ancianidad, senilidad, vejez.
SENSATEZ Juicio, prudencia, cordura, reflexión, moderación, cautela, mesura, discreción, circunspección.
SENSATO Cuerdo, moderado, equilibrado, prudente, mesurado, reflexivo.
SENSIBLE Afectivo, impresionante, sensitivo, emocional. I Lamentable, doloroso, lastimoso, deplorable.
SENSUALIDAD Sensualismo, sibaritismo, epicureísmo, desenfreno, lascivia, lujuria, voluptuosidad.
SENTAR Asentar, anotar, registrar. I Aplanar, allanar. I Convenir, cuadrar.
SENTENCIA Dictamen, juicio, decisión, parecer, solución, veredicto, arbitrio. I Adagio, refrán, máxima.
SENTENCIAR Fallar, dictar, condenar, castigar.
SENTIDO Afecto, expresión. I Conocimiento, discernimiento, entendimiento. I Sensibilidad, percepción. I Significación.
SENTIMENTAL Emotivo, sensible, emocionante, conmovedor, romántico.
SENTIMIENTO Afecto, dolor, pena, pesar, aflicción, tristeza, amargura. I Pasión.
SENTIR Experimentar, opinar, parecer, presentir, deplorar, lamentarse, dolerse, enternecerse, conmoverse. I Percibir, oír, barruntar. I Apreciar, comprender. I Sentimiento.
SEÑA Nota, indicio. I Señal.
SEÑAL Indicio, índice, barrunto, anuncio, marca. I Vestigio, huella. I Mojón. I Anticipo. I Cicatriz.
SEÑALADO Famoso, distinguido, glorioso, notable, importante, admirable, conspicuo, insigne. I Contrasentido, reseñado.
SEÑALAR Marcar, indicar, subrayar. I Trazar, denotar, aludir. I Determinar, fijar. I Apuntar, especificar, registrar, mencionar.
SEÑAS Domicilio, dirección.
SEÑOR Amo, propietario, patrono. I Dios.
SEÑORA Dama.
SEPARAR Alejar, apartar, desterrar. I Destituir. I Distanciar, desunir, desgajar, dividir. I Deshacer, desarticular.
SEPULCRO Sepultura, tumba, panteón, sarcófago, mausoleo.
SEPULTURA Tumba, sepulcro, túmulo, nicho, cripta, cenotafio, cementerio.
SEQUEDAD Aridez, agostamiento. I Descortesía, dureza, desabrimiento.
SÉQUITO Comitiva, cortejo, acompañamiento, concurrencia.
SER Criatura, naturaleza, esencia, substancia, existencia. I Corresponder, pertenecer. I Aprovechar. I Suceder. I Costar. I Existir.
SERAFÍN Querubín, ángel.
SERENAR Sosegar, calmar, aquietar, tranquilizar, apaciguar. I Moderar, templar.
SERENIDAD Confianza, sosiego, ecuanimidad, valor,

calma, estoicismo, placidez, espera, sangre fría, impavidez.
SERENO Templado, tranquilo, impávido, sosegado, indiferente, estoico. I Relente. I Claro, despejado, abierto.
SERIE Rueda, ciclo, cola, sarta, rosario, orden, cadena, escala.
SERIO Considerable, importante, grave, solemne, majestuoso. I Sincero, positivo, verdadero, efectivo. I Sensato, severo, austero, mesurado, circunspecto.
SERMÓN Represión, amonestación, regaño, rapapolvo, rociada, reprimenda.
SERVICIAL Escuderil, servil, famular. I Complaciente, obsequioso, cumplido, correcto, urbano.
SERVIR Aprovechar, valer. I Galantear, cortejar. I Suministrar. I Poner.
SESO Mollera, cerebro, inteligencia. I Madurez, cordura, prudencia, reflexión, sensatez, sentido.
SESUDO Juicioso, reflexivo, cabal, sensato, meolludo, cuerdo, prudente.
SEVERO Rígido, riguroso, duro, áspero. I Grave, solemne, imponente, inflexible, inexorable. I Puntual, exacto, intolerante.
SICALÍPTICO Obsceno, pornográfico.
SIEMPRE Invariablemente, perpetuamente, constantemente.
SIGILO Discreción, prudencia, reserva, secreto. I Sello.
SIGNARSE Santiguarse, persignarse.
SIGNIFICACIÓN Sentido, acepción, significado, alcance.
SIGNIFICAR Figurar, representar. I Notificar, manifestar, expresar.
SIGNO Señal, indicio. I Sino.
SILBA Rechifla, protesta, pita, burla, abucheo.
SILBAR Pitar, chiflar.
SILENCIOSO Taciturno, callado, sordo, secreto, reservado. I Tranquilo, sosegado.
SILUETA Contorno, perfil.
SILVESTRE Inculto, rústico, salvaje, campestre, montaraz, agreste.
SIMBÓLICO Metafórico, figurado, alegórico, emblemático.
SÍMBOLO Imagen, representación, alegoría, quimera, mito.
SIMILITUD Parecido, semejante, análogo.
SIMIO Mono.
SIMPATÍA Analogía, afinidad, inclinación, tendencia, atracción.
SIMPÁTICO Atractivo, amable, simpatizante, agradable, sugestivo.
SIMPATIZAR Intimar, entenderse, congeniar, avenirse.
SIMPLE Sencillo, elemental, único. I Comprensible, fácil. I Mentecato, tonto, bobo. I Ingenuo, inocente, cándido. I Desabrido.
SIMPLEZA Necedad, bobería, majadería, inocencia,

SER

candor, infantilismo, tontería, ingenuidad, simplicidad.
SIMULADO Afectado, imitado, falso, fingido, insincero, engañoso, capcioso.
SIMULAR Aparentar, engañar, fingir, mentir, disimular, pretextar, burlar.
SIMULTÁNEO sincrónico, coexistente, contemporáneo.
SINCERIDAD Sencillez, franqueza, veracidad, naturalidad, ingenuidad, lealtad, claridad, pureza, candidez.
SINCERO Abierto, sencillo, honrado, claro, franco, explícito, comunicativo, puro, noble, recto.
SINECURA Ganga, prebenda, momio, canongía.
SINGULAR único. I Original, raro. I Inusitado, extraordinario. I Especial.
SINGULARIZARSE Distinguirse, señalarse, caracterizarse, destacarse, revelarse, sobresalir.
SINIESTRO Perverso, malintencionado, viciado, malicioso, funesto. I Adverso, nefasto, fatídico, infausto, trágico. I Izquierdo. I Catástrofe.
SINO Destino, suerte, hado, estrella, ventura, casualidad, providencia.
SINÓNIMO Equivalente, parecido, análogo.
SINTETIZAR Abreviar, condensar, esquematizar, recapitular, resumir.
SÍNTOMA Indicio, signo, indicación, barrunto, manifestación, denotación.
SINUOSO Torcido, ondulado. I Taimado, disimulado, tortuoso.
SINVERGÜENZA Pícaro, bribón.
SIRVIENTE Doméstico, criado, servidor.
SISTEMA Modalidad, procedimiento, norma, regla, plan, método, conjunto.
SITIAR Cercar, estrechar, rodear, asediar, acorralar.
SITIO Paraje, punto, lugar, parte, espacio, situación. I Asedio, bloqueo.
SITUACIÓN Disposición, postura, colocación, posición. I Estado.
SITUAR Colocar, poner, emplazar, fijar. I Asignar.
SOBACO Axila.
SOBERANÍA Superioridad, dominación, reinado, imperio, dignidad, monarquía, majestad.
SOBERBIA Inmodestia, arrogancia, presunción, ufanía, vanidad, entonación, altivez, altanería, orgullo, humos, jactancia. I Cólera, rabia, ira.
SOBERBIO Orgulloso, altivo, altanero. I Magnífico, grandioso, hermoso, admirable. I Iracundo, arrebatado, colérico, violento.
SOBORNAR Corromper, comprar.
SOBRANTE Excedente. I Superfluo, necesario, sobrado. I Desperdicios, desechos.
SOBRELLEVAR Soportar, aguantar, sufrir, resignarse.
SOBRENATURAL Sobrehumano, milagroso, prodigioso, extraordinario, admirable, maravilloso.
SOBREPONER Superponer, aplicar.

SOB

SOBRESALIR Aventajar, adelantar, despuntar, descollar, predominar, resaltar, distinguirse.
SOBRESALTARSE Angustiarse, inquietarse, turbarse, intranquilizarse.
SOBRESALTO Intranquilidad, turbación, inseguridad, susto, temor. l Desconcierto, confusión.
SOBRETODO Guardapolvo, gabán, abrigo, gabardina.
SOBREVENIR Ocurrir, suceder, acontecer.
SOBRIEDAD Mesura, comedimiento, morigeración, continencia, frugalidad, ponderación, compostura, virtud.
SOBRIO Templado, mesurado, contenido, comedido, abstemio, sencillo, parco, moderado.
SOCIABILIDAD Dulzura, cordialidad, atención, naturalidad, cortesía, amistad, afabilidad, jovialidad.
SOCIABLE Civilizado, comunicable, efusivo, expansivo, cordial, campechano, servicial, cortés, afable.
SOCIEDAD Corporación, compañía, empresa, unión, círculo, consorcio, asociación, reunión.
SOCORRER Favorecer, asistir, ayudar, remediar, sufragar, subvenir, contribuir, apoyar, defender.
SOCORRO Ayuda, favor, beneficio, subsidio, donación, contribución, auxilio, amparo, subvención, asistencia.
SOEZ Indigno, grosero, descortés, descarado, bajo, indecente, cerril.
SOFISMA Sutileza, añagaza, fingimiento, argucia, evasiva, escapatoria.
SOFOCAR Apagar, extinguir, reprimir, dominar. l Asfixiar, ahogar. l Importunar, abochornar, avergonzar.
SOJUZGADO Sometido, avasallado, dominado, encadenado, subyugado, vencido.
SOLAPADO Taimado, reservado, espía, socarrón, astuto, hipócrita, falso.
SOLAZ Diversión, recreación, regocijo, esparcimiento, expansión, placer, distracción, gusto. l Consuelo, descanso.
SOLAZARSE Distraerse, divertirse, expansionarse, descansar, recrearse.
SOLDADURA Corrección, enmienda, pegadura.
SOLEDAD Desacompañamiento, recogimiento, misantropía, aislamiento, apartamiento, retraimiento.
SOLEMNE Ceremonioso, grandioso, imponente. l Formal, grave, firme. l Importante, interesante. l Altisonante, pomposo, enfático.
SOLER Usar, acostumbrar.
SOLICITAR Pedir, gestionar, buscar, requerir, diligenciar, demandar, instar, invitar, procurar.
SOLÍCITO Afectuoso, cuidadoso, diligente, esmerado, escrupuloso.
SOLICITUD Diligencia, atención, cuidado. l Instancia, memorial, petición, solicitación, demanda.
SOLIDARIDAD Adhesión, unión, colaboración.
SOLIDEZ Densidad, seguridad, estabilidad, fortaleza, resistencia.
SÓLIDO Consistente, macizo, firme, resistente, duro, fuerte, concreto.
SOLILOQUIO Monólogo, soledad.
SOLITARIO Desierto, abandonado retirado, deshabitado, despoblado. l Diamante. l Anacoreta, ermitaño. l Solo, aislado.
SOLO Solitario, abandonado, desamparado, aislado. l único.
SOLTAR Libertar, desaprisionar, desatar, desligar. l Explicar, resolver.
SOLTERO Célibe, mozo, mancebo, doncel.
SOLUCIÓN Terminación, desenlace, explicación, averiguación, medida.
SOLVENTAR Solucionar, resolver, liquidar, arreglar.
SOMBRA Penumbra, obscuridad. l Apariencia, espectro, fantasma. l Favor. l Defecto. l Suerte.
SOMBRÍO Sombroso, melancólico, triste, tétrico, taciturno.
SOMERO Ligero, superficial, sucinto, intrascendente.
SOMETER Subyugar, avasallar, dominar, humillar, sujetar, supeditar, sojuzgar. l Proponer.
SONAR Reteñir, resonar, silbar. l Gemir, citarse, parecer.
SONIDO Son, resonancia, silbido, tañido, música, martilleo.
SONORO Resonante, agudo, penetrante, vibrante, armonioso.
SONROJO Bochorno, rubor, vergüenza, turbación.
SONSONETE Tonillo, estribillo.
SOÑAR Imaginar, ensoñar, fantasear, divagar.
SOÑOLIENTO Dormilón, adormilado, amodorrido, perezoso.
SOPLAR Espirar, inspirar, inhalar, inflar. l Delatar, acusar. l Hurtar.
SOPLO Soplido, insuflación, aliento, espiración. l Delación, denuncia. l Aviso secreto.
SOPOR Adormecimiento, sueño, modorra. l Aburrimiento, fastidio.
SOPORÍFERO Adormecedor, estupefaciente, soporoso. l Pesado, fastidioso, aburrido.
SOPORTABLE Sufrible, aguantable, comportable, tolerable, llevadero.
SOPORTAR Aguantar, tolerar, resistir, sufrir.
SOPORTE Parapeto, antepecho, descanso. l Apoyo, sostén.
SORDIDEZ Avaricia, mezquindad, descanso. l Apoyo, sostén.
SORDO Insensible, tardo, insonoro. l Indiferente.
SORPRENDENTE Sensacional, maravilloso, extraordinario, sobrenatural, raro, asombroso, admirable.
SORPRENDER Maravillar, turbar, sobrecoger, asombrar, desconcertar. l Coger, atrapar, descubrir.
SORPRESA Admiración, estupor, asombro, sobresalto, extrañeza.
SORTIJA Cintillo, alianza, anillo, sello.
SOSEGADO Tranquilo, pacífico, calmado, impávido, quieto, sereno, apacible.
SOSEGAR Aplacar, moderar, calmar, tranquilizar,

aquietar, apaciguar. | Reposar.
SOSIEGO Descanso, calma, serenidad, quietud, tranquilidad, bonanza, paz.
SOSO Desabrido, insípido, desaborido, insulso. | Zonzo, patoso, deslucido.
SOSPECHA Indicios, presunción, suposición, barrunto, recelo, escama, duda, conjetura, desconfianza.
SOSPECHAR Recelar, dudar, pensar, conjeturar, desconfiar, maliciar, temer.
SOSPECHOSO Escarmentado, suspicaz, desconfiado, receloso, escaldado, caviloso.
SOSTÉN Apoyo, soporte, base. | Sostenimiento, amparo, protección. | Prenda interior.
SOSTENER Sustentar, mantener, perseverar, asegurar. | Apuntalar, soportar, defender, apoyar.
SOTERRAR Esconder, ocultar.
SUAVE Blando, pulido, muelle. | Agradable, grato. | Manso, apacible, dócil. | Dúctil, moderado, lento.
SUAVIDAD Blandura, delicadeza, ductilidad, finura, apacibilidad. | Tersura.
SUAVIZAR Pulimentar, alisar, acepillar, pulir. | Amansar, mitigar, calmar, templar, serenar.
SUBALTERNO Subordinado, secundario, inferior, dependiente, accesorio.
SÚBDITO Vasallo.
SUBIDA Ascensión, encumbramiento, pendiente, repecho, cuesta. | alza, aumento.
SUBIDO Excelente, intenso, fuerte, elevado, fino.
SUBIR Ascender, escalar, montar, emcumbrar, elevarse. | Cabalgar. | Alzar. | Encarecer, aumentar. | Pujar.
SÚBITO Repentino, impensado, insospechado, improvisado, imprevisto, improviso, súbito.
SUBLEVACIÓN Alzamiento, rebelión, pronunciamiento, insurrección.
SUBLIMAR Alambicar, volatizar. | Exaltar, enaltecer, glorificar, emcumbrar.
SUBLIME Extraordinario, excelente, magno, eminente, grande, insuperable, relevante, colosal, magnífico, elevado.
SUBREPTICIO Oculto, disimulado.
SUBROGAR Reemplazar, reponer, sustituir, relevar.
SUBSCRIBIRSE Abonarse.
SUBSIGUIENTE Subsecuente, consecutivo.
SUBSISTIR Mantenerse, conservarse, durar, persistir, permanecer. | Vivir.
SUBSTANCIAR Extractar, resumir.
SUBTERFUGIO Disculpa, pretexto, excusa, achaque.
SUBTERRÁNEO Profundo, grotesco, rupestre, túnel, excavación, subsuelo.
SUBURBIO Arrabal, andurrial, extrarradio.
SUCEDER Acontecer, mediar, efectuarse, sobrevenir, acaecer, pasar. | Reemplazar, sustituir.
SUCESO Acontecimiento, sucedido, hecho, ocurrencia, peripecia, caso.
SUCESOR Descendiente, continuador, beneficiario, heredero.

SOS

SUCIEDAD Inmundicia, basura, porquería, cochambre, mugre, roña.
SUCIO Puerco, desaseado, cochino, roñoso, cochambroso. | Deshonesto. | Infecto.
SUCUMBIR Rendirse, someterse. | Fallecer, morir, expirar, fenecer. | Caer.
SUELDO Haberes, remuneración, paga.
SUELTO Aislado. | Libre. | Corriente. | Comunicado, escrito, información. | Desembarazo, expedito. | ágil, hábil.
SUEÑO Letargo, sopor, descanso, modorra, ensueño. | Fantasía.
SUERTE Ventura, fortuna, casualidad, azar. | Manera. | Destino. | Género, especie, clase. | Condición.
SUFICIENCIA Aptitud, capacidad, competencia. | Abundancia, bienestar.
SUFICIENTE Bastante, asaz. | Competente, apto, capaz, idóneo.
SUFRAGIO Favor, protección, ayuda. | Voto.
SUFRIDO Tolerante, resignado, paciente.
SUFRIR Aguantar, resistir, consentir, permitir, transigir, conformarse. | Padecer, sobrellevar.
SUGERIR Inspirar, apuntar, aconsejar, insinuar.
SUGESTIVO Llamativo, atrayente.
SUJETAR Dominar, contener, someter, subyugar. | Encolar, fijar, precintar.
SUJETO Inmóvil, firme, fijo, seguro. | Persona, prójimo, individuo. | Asunto, materia, tema.
SULFURAR Irritar, enfurecer, exasperar, indignar, enojar, encolerizar.
SUMA Adición, cantidad, anexión. | Compendio, recopilación.
SUMERGIDO Hundido, sumido, abismado. | Abstraído, ensimismado.
SUMISIÓN Acatamiento, obediencia, sometimiento, humillación, resignación, capitulación, docilidad, subordinación.
SUMISO Manejable, dócil, humillado, rendido, resignado, vasallo.
SUNTUOSO Lujoso, opulento, solemne, imponente, espléndido, fastuoso, ostentoso, magnífico, costoso, regio.
SUPEDITADO Dominado, sujeto, doblegado, subyugado, oprimido, sometido.
SUPERAR Aventajar, exceder, ganar, reducir, someter, sobrepujar.
SUPERFICIAL Ligero, frívolo, aparente, substancial, rudimentario.
SUPERFLUO Innecesario, sobrante, excesivo, inútil.
SUPERIOR Cimero, supremo. | Preeminente, aventajado. | Notable, excelente.
SUPERIORIDAD Preponderancia, predominio, dominio. | Ventaja, preeminencia.
SUPERSTICIÓN Hechicería, magia, credulidad, brujería, agüero, superchería.
SUPERSTICIOSO Fetichista, agorero, quimerista, maniático, crédulo.

SUP

SUPLANTAR Reemplazar, suceder, suplir. I Falsificar.
SÚPLICA Demanda, ruego, petición, impetración. I Instancia, pretensión.
SUPLICAR Pedir, rogar, impetrar, solicitar, instar, recurrir.
SUPLIR Sustituir, reemplazar, relevar. I Renovar, integrar, proveer.
SUPONER Entender, admitir, creer, imaginar, conjeturar, estimar, conceder, opinar, sospechar, considerar.
SUPOSICIÓN Presunción, conjetura, hipótesis, supuesto, creencia. I Cábala.
SUPREMACÍA Dominio, hegemonía, preeminencia, superioridad.
SUPRESIÓN Cesación, exterminio, omisión, inhibición, fin.
SUPRIMIR Quitar, omitir, eliminar. I Anular, revocar, excluir. I Descartar.
SUPUESTO Admitido, atribuido, imaginado, figurado, problemático, tácito.
SURCAR Atravesar, navegar, hender, cortar. I Arar.
SURCO Carril, hendedura, carrilera. I Cauce, estela.
SURGIR Manifestarse, aparecer, mostrarse, salir, levantarse, brotar. I Manar, aflorar.
SURTIR Proveer, suministrar, abastecer. I Fondear. I Fluir, surgir, manar.
SUSCEPTIBLE Dispuesto, capaz. I Quisquilloso, picajoso, impresionable, delicado, puntilloso.
SUSCITAR Producir, ocasionar, causar, determinar, promover, originar.
SUSCRIBIR Adherirse, abonar, consentir, firmar, acceder.
SUSPENDER Enganchar, tender, colgar. I Interrumpir, detener, diferir, cortar. I Descalificar, reprobar. I Maravillar, pasmar, asombrar, admirar.
SUSPICAZ Sospechoso, receloso, desconfiado, escamón, maliciable.
SUSPIRADO Deseado, ansiado, apetecido, anhelado, envidiable, codiciable.
SUSPIRAR Quejarse, anhelar, ansiar, lloriquear. I Aspirar.
SUSTANCIAL Consustancial, ingénito, intrínseco, inherente, esencial.
SUSTANCIOSO Sabroso, jugoso, suculento.
SUSTENTAR Sostener, nutrir, mantener, alimentar.
SUSTENTO Manutención, nutrimiento, sostenimiento, alimento. I Apoyo.
SUSTITUIR Suplir, reemplazar, suplantar, suceder, renovar.
SUSTO Alarma, pavor, miedo, sobresalto, asombro, repullo, inseguridad.
SUSTRAER Deducir, restar, destarar, rebajar. I Hurtar, robar, rapiñar.
SUSURRAR Rumorear, cuchichear, murmurar, musitar.
SUTIL Refinado, delicado, delgado, fino, tenue. I Ingenioso, clarividente, perspicaz, penetrador.
SUTILEZA Delicadeza, finura, exquisitez, tacto. I Ingenio, argucia, agudeza, perspicacia, penetración.
SUTILIZAR Atenuar, afinar, perfeccionar.
SUTURA Costura. I Cordoncillo.

T

TABACO Cigarro, picadura, habano, puro.
TABARRA Molestia, cansera, pesadez.
TABERNA Figón, tasca, vinatería.
TABURETE Banco, asiento, banqueta, banquillo.
TACAÑERÍA Mezquindad, cicatería, ruindad, nimiedad, avaricia, miseria.
TACAÑO Roñoso, cicatero, mezquino, usurero, avaro, miserable, agarrado. I Pícaro, astuto, bellaco, marrullero, taimado.
TACITURNO Tácito, silencioso, callado, melancólico, triste, apesadumbrado.
TACTO Discreción, habilidad, gracia, maña. I Tiento, tino, tactibilidad.
TACHA Mancha, mancilla, mácula, desdoro, falta, defecto. I Borrón.
TACHAR Suprimir, borrar, rayar, eliminar. I Censurar, recriminar, reprochar, culpar.
TACHONAR Clavetear, colmar, cubrir.
TAIMADO Hipócrita, disimulado, bellaco, ladino, tunante, marrullero, zorro, tuno. I Testarudo, recalcitrante.
TAJO Cortadura. I Tarea.
TALADRAR Horadar, perforar, calar, atravesar, agujerear, barrenar.
TALAR Trozar, cortar, podar, aserrar. I Arrasar, desbastar, destruir.
TALENTO Penetración, capacidad, agudeza, inteligencia, ingenio, sutileza, listeza, caletre.
TALISMÁN Mascota, amuleto, fetiche.
TALLA Medida, estatura. I Escultura, modelado. I Marca.
TALLO Brote, vástago.
TAMAÑO Magnitud, dimensión, volumen, altura, medida, proporción.
TAMBALEAR Vacilar, oscilar, bambolear.
TAMIZ Cedazo.
TANGIBLE Tocable, palpable, positivo, táctil.
TANTEAR Comparar, parangonar, medir, examinar, reconocer, calcular, probar, ensayar, regular.
TAPA Cubierta, tapadera.
TAPAR Obturar, cerrar. I Abrigar, cubrir. I Ocultar, simular, esconder.
TAPIA Valla, muro, empalizada, pared, tabique, estacada.
TAPIZ Cortinaje, alfombra, colgadura, paño.
TAPONAR Obstruir, cerrar.
TARACEA Incrustación, marquetería.
TARDANZA Retraso, lentitud, morosidad, pesadez, calma, demora, cachaza.

TARDAR Retardar, demorarse, detenerse.
TARDÍO Pausado, detenido, retardado, perezoso, lento.
TARDO Pesado, perezoso, moroso, torpe, calmoso, indolente, flojo, tardío.
TAREA Faena, trabajo, esfuerzo, ocupación. I Afán.
TARTA Tortada, pastel, torta.
TARTAMUDEAR Trastabillar, tartajear, balbucear.
TASA Ajuste, regla, medida, valoración.
TASAR Valuar, valorar, estimar, justipreciar, evaluar. I Reducir.
TASATIVO Limitado, concreto.
TEATRAL Dramático, escénico, sainetesco, artificial, cómico.
TÉCNICA Procedimiento, sistema, método, norma, maña, pericia, habilidad.
TECHO Techumbre, techado, tejado. I Habitación, domicilio, hogar, casa.
TEDIO Fastidio, desgana, hastío, saciedad, repugnancia, molestia, cansancio, monotonía, enfado.
TEDIOSO Fastidioso, aburrido, repugnante, importuno, molesto.
TEGUMENTO Envoltura, tejido.
TEJER Tramar, urdir, maquinar. I Ordenar, componer, encanillar, entrelazar.
TELA Textura, tejido. I Membrana. I Pintura, lienzo, cuadro. I Materia.
TEMA Cuestión, argumento, materia, asunto. I Obstinación, porfía, manía. I Oposición.
TEMER Sospechar, dudar, recelar. I Asustarse, espantarse, sobrecogerse, atemorizarse.
TEMERARIO Osado, arrojado, atrevido, intrépido, necio, incauto, alocado.
TEMERIDAD Atrevimiento, irreflexión, imprudencia, osadía, necedad, inconsideración, audacia, alocamiento.
TEMEROSO Medroso, pusilánime, miedoso. I Espantoso, pavoroso, aterrador, fiero, tremebundo, espeluznante, imponente.
TEMIDO Obedecido, respetado, honrado, aguantado, servido, acatado.
TEMOR Pánico, espanto, pavor, miedo. I Sospecha, desconfianza. I Timidez.
TEMPERAR Disminuir, calmar, atemperar, templar.
TEMPESTAD Temporal, tormenta, huracán, aguacero, nube, borrasca, ciclón.
TEMPESTUOSO Borrascoso, tormentoso.
TEMPLADO Sobrio, moderado, mesurado. I Impávido, valiente, sereno, denodado, bizarro, animoso, estoico.
TEMPLAR Suavizar, atemperar, atenuar, moderar, aplacar. I Afinar.
TEMPLO Santuario, basílica, iglesia, oratorio, mezquita, sinagoga.
TEMPORADA Estación, época, período, tiempo.
TEMPORAL Pasajero, provisorio, transitorio, breve. I Tormenta, borrasca, huracán, tromba, diluvio,

TAR

galerna.
TEMPRANO Anticipado, tempranero, adelantado, prematuro.
TENACIDAD Constancia, perseverancia, persistencia, firmeza, insistencia, fuerza, asiduidad, terquedad, empeño.
TENAZ Resistente, infatigable, pertinaz, duro, incansable, firme. I Terco, porfiado, testarudo, obstinado, persistente, asiduo.
TENDENCIA Inclinación, disposición, carácter, propensión, querencia.
TENDER Desplegar, desdoblar, extender, colgar. I Propender, derivar, inclinarse, encaminarse.
TENEBROSO Oscuro, lóbrego, tétrico, sombrío. I Incomprensible, ininteligible. I Pérfido.
TENER Haber, gozar, poseer. I Sujetar, agarrar, asir. I Contar, comprender. I Estimar, atender, apreciar. I Guardar. I Experimentar.
TENERSE Asegurarse, afirmarse. I Resistirse. I Sostenerse. I Atenerse.
TENSO Estirado, tieso, tirante.
TENTACIÓN Fascinación, instigación, sugestión, estímulo.
TENTAR Tocar, palpar, examinar. I Inducir, instigar. I Probar; tantear. I Provocar, incitar, hostigar.
TENTATIVA Intentona, ensayo, intento, prueba, propuesta.
TENUE Débil, delicado, sutil, ligero, sencillo, delgado.
TEÑIR Tintar, entintar, colorar.
TEORÍA Especulación.
TERCIAR Mediar, interponerse, intervenir.
TERCO Obstinado, contumaz, pertinaz, empecinado, rebelde, cabezudo, testarudo, tenaz.
TERGIVERSAR Desfigurar, sofisticar, mixtificar.
TERMINACIÓN Conclusión, fin, consumación, colofón, prescripción, límite.
TERMINANTE Preciso, claro, categórico, concluyente, conclusivo, explícito.
TERMINAR Acabar, concluir, rematar, finalizar, agotar, finiquitar.
TÉRMINO Conclusión, terminación, límite. I Remate. I Plazo. I Meta. I Palabra, vocablo, expresión.
TERNURA Sensibilidad, delicadeza, dulzura, afecto, cariño, amor, agrado.
TERNO Juramento, voto. I Traje.
TERQUEDAD Contumacia, testarudez, pertinacia, insistencia, manía, porfía.
TERRAZA Terrado, azotea, mirador.
TERRENO Terrestre, terrenal. I Tierra.
TERRIBLE Temible, aterrador, espantable, espantoso, formidable, horrendo, espeluznante, pavoroso.
TERROR Espanto, miedo, pavor.
TERSO Pulido, brillante, aseado, limpio, inmaculado, resplandeciente.
TESITURA Disposición, actitud.
TESÓN Perseverancia, entereza, constancia, tena-

TES

cidad, asiduidad, empeño.
TESTARUDO Tozudo, cabezota, terco, porfiado, pertinaz, recalcitrante.
TESTIGO Declarante, atestante.
TESTIMONIAR Afirmar, atestar, atestiguar, aseverar, certificar, declarar, cerciorar, refrendar.
TESTIMONIO Afirmación, atestación, prueba, aseveración, certificación, testificación, palabra, fe, legitimación.
TÉTRICO Sombrío, triste, lúgubre, melancólico.
TEXTURA Contextura, constitución, estructura.
TIBIO Descuidado, indiferente, abandonado. I Templado.
TIEMPO Época, período, siglo, era. I Coyuntura, ocasión, oportunidad.
TIENTO Cuidado, cordura, medida, prudencia, cautela. I Pulso.
TIERNO Dulce, delicado, suave, sensible, afectuoso, cariñoso, amable, afable. I Moderno, joven. I Impresionable.
TIERRA Mundo. I Patria, comarca, provincia, región. I Terreno, suelo. I Polvo.
TIESO Firme, rígido, duro. I Tirante, estirado, correoso. I Obstinado, terco. I Grave.
TIFÓN Tromba.
TIMAR Hurtar, rapiñar, robar, ratear, sustraer, engañar.
TIMIDEZ Cortedad, cobardía, apocamiento, encogimiento, pusilanimidad, languidez, vergüenza, rubor, temor, miedo.
TÍMIDO Timorato, apocado, pusilánime, retraído, remiso, vergonzoso, indeciso, irresoluto, miedoso.
TIMO Estafa, engaño, trampa, maulería, argucia, fraude, dolo.
TIMÓN Gobierno, dirección. I Gobernalle.
TINGLADO Tapadizo, cobertizo. I Artificio, maquinación, intriga.
TINIEBLAS Obscuridad.
TINO Acierto, puntería, destreza, pulso. I Cordura, juicio, habilidad.
TINTE Tintura, teñidura, tonalidad, color.
TIÑA Mezquindad, miseria.
TIPÓGRAFO Impresor.
TIRANÍA Autocracia, arbitrariedad, injusticia, yugo, dominio, dominación, opresión, dictadura, avasallamiento.
TIRÁNICO Arbitrario, abusivo, injusto, draconiano. I Dominante, avasallador, dictatorial, dominador, intolerante.
TIRANO Déspota, opresor, dictador.
TIRANTE Estirado, tieso, tenso, rígido. I Inflexible, duro.
TIRAR Lanzar, arrojar, despedir, disparar, cañonear. I Malgastar, dilapidar, malbaratar, derrochar. I Imprimir. I Extender, estirar.
TIRITAR Vibrar, temblar, castañear.
TIRRIA Ojeriza, manía, aborrecimiento, hincha, aversión, antipatía.
TITÁNICO Gigantesco, inmenso, colosal.
TITUBEAR Dudar, oscilar, fluctuar, vacilar.
TITULAR Denominar, nombrar, intitular, rotular. I Profesión.
TÍTULO Dignidad, tratamiento. I Denominación, rubro, epíteto, epígrafe. I Fundamento, pretexto, origen. I Rótulo, letrero.
TIZNAR Manchar, ahumar, entiznar, deslustrar.
TOCAR Tentar, palpar. I Alcanzar. I Persuadir, estimular. I Corresponder, atañer, concernir. I Tañer.
TODAVÍA Empero, aún.
TODO Conjunto, integridad, suma, indivisible, impartible. I Absolutamente, completamente, íntegramente.
TOLERABLE Sufrible, aguantable, soportable, aceptable.
TOLERANCIA Resignación, condescendencia, conformidad, indulgencia, calma, paciencia. I Permiso.
TOLERANTE Indulgente, sufrido, condescendiente, sufriente, pacienzudo, manso, paciente.
TOLERAR Soportar, aguantar, disimular, resignarse, condescender, consentir, sufrir, conllevar.
TOLLINA Paliza, zurra, solfa, azotina.
TOMAR Coger, asir. I Hurtar, quitar. I Admitir, recibir. I Apoderarse, adueñarse, ocupar. I Beber, comer. I Percibir.
TOMO Volumen, ejemplar, obra. I Importancia, valía. I Corpulencia.
TONADA Canción, copla, cantar, tonadilla, cantinela, entonación.
TONIFICAR Vigorizar, entonar.
TONO Matiz, relieve. I Energía, fuerza, vigor. I Carácter. I Tonada.
TONTERÍA Necedad, tontada, insensatez, simpleza, bobada, vaciedad.
TOPAR Entrechocar. I Encontrarse, tropezar. I Acertar. I Consistir.
TÓPICO Trivialidad, vulgaridad. I Materia, asunto.
TOQUE Llamamiento. I Sonido, tañido. I Pincelada. I Ensayo, examen, prueba.
TORBELLINO Atropellado, irreflexivo, atolondrado, aturdido.
TORCER Arquear, retorcer, encorvar, inclinar. I Tergiversar.
TORCIDO Encorvado, oblicuo, inclinado, combado. I Desviado, inmoral, libertino, perdido, violento.
TOREAR Lidiar, trastear. I Esquivar, rehuir. I Burlarse, molestar.
TORMENTA Borrasca, tempestad, galerna, aguacero, diluvio, huracán. I Adversidad.
TORMENTO Suplicio, tortura, martirio, castigo. I Dolor, pena, congoja, angustia, sufrimiento.
TORMENTOSO Tempestuoso, borrascoso, inclemente, huracanado.
TORNASOLADO Adulador, servil.
TORPE Inhábil, desmañado. I Tardo, lento. I Obtuso, tonto. I Deshonesto, indecoroso, obsceno, infame,

ignominioso.
TORRE Torrecilla, campanario, atalaya, torreón.
TORRENTE Crecida, inundación, cascada, río. I Masa humana, multitud.
TORTUOSO Torcido, sinuoso. I Cauteloso, solapado, taimado, astuto.
TORTURAR Martirizar, atormentar, angustiar, supliciar.
TOSCO Burdo, rudo, grosero, ignorante, rústico.
TOSTAR Quemar, torrefactar, dorar, asar.
TOTALITARIO Absoluto, centralizador, integralista, dictatorial.
TOZUDO Testarudo, obstinado, tenaz, porfiado.
TRABAJADOR Jornalero, asalariado, proletario, obrero, artesano, operario. I Hacendoso, laborioso, estudioso.
TRABAJAR Elaborar, bregar, laborar.
TRABAJO Tarea, ocupación, faena, labor. I Escrito, tratado, publicación, estudio, investigación, producción. I Molestia, dificultad.
TRABAJOSO Difícil, ingrato, laborioso, penoso, dificultoso.
TRABAZÓN Conexión, cohesión, unión, enlace.
TRACCIÓN Arrastre, remolque, propulsión.
TRADICIÓN Leyenda, crónica, creencia, costumbres, hábito, práctica.
TRADICIONAL Cotidiano, acostumbrado, proverbial, usual, corriente.
TRADUCCIÓN Interpretación, explicación, versión, traslación.
TRADUCIR Interpretar, trasladar, explicar. I Trocar, mudar. I Verter.
TRAER Transportar, acarrear, trasladar, atraer. I Persuadir.
TRAFICAR Negociar, comerciar, comprar, vender, importar, exportar.
TRAGALUZ Lumbrera, claraboya.
TRAGEDIA Catástrofe, cataclismo, desgracia, drama.
TRÁGICO Nefasto, desgraciado, adverso, infausto, fatídico, funesto, catastrófico, fatal.
TRAICIÓN Falsedad, felonía, infidelidad, deslealtad, alevosía, perfidia, deserción, apostasía.
TRAIDOR Infiel, traicionero, desleal, tránsfuga, fementido, judas, falso.
TRAJE Vestimenta, prenda, terno.
TRAJÍN Ajetreo, agitación, acarreo.
TRAMAR Urdir, fraguar, maquinar, discurrir, conspirar, confabular.
TRAMPA Artimaña, ardid, lazo, treta.
TRAMPOSO Engañador, timador, trampeador, mentiroso, embustero.
TRANCE Paso, momento, ocurrencia, apremio, conflicto, riesgo, peligro.
TRANQUILIDAD Sosiego, quietud, reposo, serenidad, paz, satisfacción.
TRANQUILIZAR Aquietar, apaciguar, pacificar, serenar, aplacar, asegurar, sosegar, calmar, moderar.

TOR

TRANQUILO Quieto, reposado, flemático, impávido, inmutable, pacífico, plácido, calmoso, sosegado, apacible.
TRANSACCIÓN Trato, avenencia, convenio, negocio, componenda, concordia.
TRANSCURRIR Deslizarse, correr, pasar.
TRANSEÚNTE Pasajero, caminante, viajero, viandante, peatón.
TRANSFERIR Transmitir, traspasar, trasladar. I Ceder.
TRANSFORMACIÓN Mudanza, alteración, innovación, renovación, conversión, cambio, conmutación, reforma.
TRANSFORMAR Cambiar, modificar, alterar, transfigurar, variar.
TRANSGREDIR Infringir, quebrantar, violar.
TRANSGRESIÓN Quebrantamiento, violación, vulneración, infracción, incumplimiento, desafuero, inobservancia.
TRANSIGIR Contemporizar, ceder, condescender, resignarse, consentir.
TRANSITAR Circular, caminar, viajar, pasar.
TRANSITORIO Pasajero, interino, temporal, provisional. I Caduco, corto, breve, efímero, momentáneo.
TRANSMITIR Trasladar, traspasar, transferir, ceder. I Contagiar. I Comunicar. I Enviar.
TRANSMUTAR Transformar, cambiar, trocar.
TRANSPARENTE Claro, diáfano, límpido, cristalino, lúcido, ralo.
TRANSPIRAR Sudar, exudar.
TRANSPORTAR Conducir, acarrear, portear, trasladar, importar, exportar.
TRANSPORTE Traslado, trasportación, importación, arrastre, conducción. I Éxtasis, exaltación, entusiasmo.
TRANSVERSAL Colateral.
TRAPALÓN Embustero, mentiroso, engañador.
TRAQUETEO Movimiento, agitación, trajín.
TRASCENDER Extenderse, difundirse.
TRASEGAR Trasladar, transvasar. I Beber, empinar, trincar.
TRASLADAR Transportar, conducir. I Cambiar, transponer. I Traducir. I Copiar.
TRASLUCIRSE Transparentarse, clarearse. I Deducirse.
TRASPAPELARSE Perderse, extraviarse.
TRASPASAR Transponer, cambiar, trasladar. I Cruzar. I Transferir, vender. I Atravesar. I Extralimitarse.
TRASTADA Tunantada, barrabasada, picardía, pillada.
TRASTAZO Golpazo, topetazo, porrazo, costalada, trompazo.
TRASTO Utensilio, chirimbolo. I Danzante, inútil, informal.
TRASTORNAR Perturbar, trastocar, invertir, agitar, enredar, desordenar, revolver, desarreglar.
TRASUNTO Imitación, copia, representación.

TRA

TRATABLE Amable, atento, delicado, cumplido, sociable, educado, comedido, distinguido, afable, fino.
TRATAMIENTO Amistad, relaciones, trato. I Título, dignidad, honores. I Método, procedimiento, régimen.
TRATAR Manejar, manipular, usar. I Relacionarse. I Hablar, discurrir, disputar. I Versar. I Intentar, procurar, pretender. I Negociar, comerciar, traficar.
TRATO Relación, amistad, relaciones, tratamiento. I Pacto, convenio, negocio, alianza.
TRAVIESO Revoltoso, bullicioso, inquieto, alocado, retozón, escandaloso. I Ingenioso, sagaz, perspicaz.
TRAZA Habilidad, maña. I Figura, apariencia, facha, aspecto. I Proyecto.
TREBEJO Utensilio, instrumento.
TRECHO Distancia, recorrido, espacio, intervalo.
TREGUA Paréntesis, interrupción, inacción, pausa, asueto, licencia. I Armisticio.
TREMEBUNDO Espantoso, terrible, horrendo, tremendo.
TREMOLAR Enarbolar, agitar, ondear.
TREMOLINA Bronca, zafarrancho, gresca, confusión, jaleo, cisco, polvareda, bulla, trifulca.
TRENZAR Entretejer, enlazar.
TREPAR Ascender, escalar, subir. I Taladrar, horadar, agujerear, perforar.
TREPIDAR Vibrar, temblar, temblequear. I Vacilar.
TRETA Engaño, trampa, artimaña, ardid, añagaza, argucia.
TRIBULACIÓN Aflicción, turbación, inquietud, dolor, adversidad, pena.
TRIBUNAL Juzgado, audiencia, consejo, justicia, corte, sala.
TRIBUTO Contribución, gabela, impuesto, gravamen, carga, canon. I Homenaje.
TRIFULCA Pelea, riña, camorra, bronca, reyerta, querella, altercado, cisco, choque, agarrada, cuestión, zipizape.
TRÍO Terceto.
TRIPA Vientre, panza, barriga, intestino.
TRIPÓN Barrigudo, gordo.
TRISTE Afligido, inconsolable, atristado, contribulado, apesadumbrado, malhumorado, melancólico, desventurado, desgraciado, infausto, abatido, apenado.
TRISTEZA Aflicción, pesadumbre, desconsuelo, congoja, pena, amargura, tribulación, melancolía.
TRIUNFANTE Vencedor, victorioso, triunfador.
TRIUNFAR Superar, vencer, aventajar. I Lucir, aparentar.
TRIUNFO Victoria, premio, ganancia, éxito.
TRIVIAL Manido, vulgar, conocido, común. I Insignificante, ligero.
TRIZA Trozo, cacho, pedazo, fragmento, brizna.
TROCAR Permutar, conmutar, renovar, intercambiar, mudar, canjear. I Tergiversar.
TROGLODITA Reaccionario, retrógrado.

TROMPADA Puñetazo, golpe, trompazo, tropezón.
TROMPETA Clarín.
TRONCHAR Romper, desgarrar, partir.
TROPEL Muchedumbre, rebaño, turba.
TROPEZAR Topar, entrechocar, chocar.
TROPIEZO Dificultad, obstáculo, impedimento, estorbo. I Falta, desliz. I Tropezón.
TROTAR Correr, apresurarse, ajetrearse.
TROVADOR Poeta, bardo, payador, vate.
TROZO Porción, fragmento, parte, pedazo, sección, rebanada, partícula, parcela, fracción, cacho.
TRUCULENTO Atroz, tremendo, cruel.
TRUHÁN Pícaro, tunante, pillo, tuno, charrán, bellaco, bribón. I Chistoso, gracioso.
TRUNCADO Despuntado, mutilado.
TUGURIO Zahurda, caramachón, cuchitril, cuartucho. I Choza.
TUMBA Sepultura, sepulcro, mausoleo.
TUMBAR Derrumbar, derribar, abatir, tirar. I Destruir, derrocar.
TUMEFACCIÓN Hinchazón.
TUMOR Dureza, escrófula, flemón, cáncer, ántrax, postema, furúnculo, absceso, tuberosidad, hinchazón, lobanillo.
TÚMULO Mausoleo, panteón.
TUMULTO Alboroto, desorden, revuelta, confusión, algazara, bullicio, agitación, asonada, motín.
TUMULTUOSO Revuelto, alborotado, agitado, desordenado.
TUNANTE Bribón, truhán, rufián, taimado, granuja, charrán, tuno, hampón, bellaco, sagaz, pícaro.
TÚNEL Pasaje, galería.
TUPIDO Obtuso, cerrado. I Apretado, denso.
TURBA Plebe, muchedumbre, tropel.
TURBAR Avergonzar, aturdir.
TURBIO Revuelto, alborotado, borroso, revuelto, tumultuoso, revoltoso.
TURBULENTO Desordenado, agitado, revuelto, tumultuoso, revoltoso.
TURISTA Visitante, viajero, pasajero, excursionista. I Vagabundo.
TURGENTE Hinchado, abultado, tumefacto.
TURNAR Alternar, seguir, sucederse.
TURNO Alternativa, sucesión, correlación, vuelta, vez.
TURULATO Atónito, atontado, estupefacto, alelado.
TUTELA Protección, amparo, tutoría, defensa, guarda, administración.
TUTELAR Amparar, defender.

U

UBÉRRIMO Exuberante, pletórico, fértil, fecundo, feraz.
UBICUIDAD Omnipresencia.
UFANARSE Jactarse, vanagloriarse, engreírse, envanecerse, postinear, farolear, enorgullecerse.
UFANO Presuntuoso, engreído, orgulloso, arrogante,

fatuo, presumido, fanfarrón. I Alegre, jubiloso, contento.
ÚLCERA Tumor, llaga, absceso.
ULTIMAR Concluir, finalizar, acabar. I Ejecutar, rematar.
ÚLTIMO Postrero, postrer. I Lejano, apartado, retirado, final.
ULTRAJAR Injuriar, agraviar, zaherir, maltratar, ofender. I Deshonrar.
ULTRAJE Injuria, vejación, atropello, violencia, afrenta, agravio, burla, insulto.
UNÁNIME Total, general. I Coincidente, afín, acorde.
UNANIMIDAD Concordia, hermandad, fraternidad, asentimiento, acuerdo.
UNCIÓN Extremaunción. I Devoción, fervor.
UNGIR Untar, embadurnar. I Sacramentar.
ÚNICO Extraordinario, raro, incomparable, singular, solo.
UNIDAD Conformidad, unificación, unión, uno. I Cifra, cantidad.
UNIFORME Parejo, equivalente, homogéneo, semejante, común.
UNIÓN Fusión, unidad, conformidad. I Alianza, asociación, confederación. I Matrimonio, casamiento, boda. I Correspondencia.
UNIR Reunir, mezclar, enlazar, juntar, maridar, fundir. I Casar.
UNIVERSAL Mundial, ecuménico, general, cósmico.
UNTAR Embadurnar, ungir, pintar, reuntar. I Corromper, sobornar.
UNTUOSO Craso, grasiento, graso.
URBANIDAD Civilidad, cultura, comedimiento, afabilidad, distinción, cortesía, finura, amabilidad.
URBANO Atento, culto, distinguido, afable, fino, delicado, galante, comedido, amable.
URDIR Preparar, tramar, maquinar, fraguar.
URGENTE Perentorio, inaplazable, apremiante, premioso.
URGIR Apremiar, acuciar, apurar, atosigar, instar, necesitar.
USADO Viejo, deslucido, estropeado, ajado. I Ducho, práctico, ejercitado.
USAR Practicar, manejar, emplear, acostumbrar, gastar, servirse, utilizar, ejercitar, aplicar.
USO Costumbre, estilo, acción, hábito, manera, ejercicio, usanza. I Gasto, usufructo, utilidad.
USUAL Frecuente, corriente, proverbial, manido, habitual.
USURA Logrería, avaricia, abuso, exceso.
USURPAR Arrebatar, despojar, robar, quitar, apropiarse, arrogarse, desposeer, suplantar.
UTENSILIO Herramienta, instrumento, útil.
ÚTIL Fructuoso, conveniente, lucrativo, práctico, beneficioso. I Aprovechable, utilizable, servible, eficaz.
UTILIDAD Provecho, ganancia, beneficio, renta, interés, útil, rendimiento, lucro, conveniencia, valor.

ÚLC

UTILIZABLE útil, valedero, fructuoso, disponible, aprovechable, servible.
UTILIZAR Usufructuar, usar, aprovechar, emplear, valerse.
UTOPÍA Ficción, quimera, plan, anhelo, fantasía, ensueño, irrealizable.
UTOPISTA Visionario, soñador.

V

VACACIÓN Descanso, asueto, recreo, ocio, holganza.
VACANTE Libre, abandonado, desocupado, vacío, disponible, desierto.
VACIAR Evacuar, desembarazar, desocupar, verter, agotar. I Afilar. I Excavar. I Desaguar.
VACILACIÓN Incertidumbre, hesitación, titubeo, duda, irresolución.
VACILANTE Irresoluto, perplejo, indeciso, indeterminado, cobarde.
VACILAR Dudar, fluctuar, titubear. I Temblar, oscilar, trepidar.
VACÍO Vacuo, vano, hueco. I Desierto, despoblado, deshabitado. I Fatuo, presuntuoso. I Vacante.
VAGABUNDO Vago, vagante, ocioso, trotamundos, holgazán, nómada, andorrero, errante, callejero.
VAGUEDAD Vagabundeo, inacción, holgazanería, vagancia. I Ambigüedad, indeterminación, imprecisión.
VAHÍDO Vértigo, desmayo, síncope, desvanecimiento, mareo, colapso.
VALEDOR Amparador, mecenas, protector, defensor, patrocinador.
VALENTÍA Aliento, resolución, arrojo, bravura, valor, ánimo. I Arrogancia, gallardía, espíritu.
VALER Importar, valor, valía, costar.
VALEROSO Esforzado, bizarro, resuelto, fuerte, valiente, bravo.
VALÍA Aprecio, mérito, valor, estimación, valer. I Valimiento, favor, poder, privanza.
VÁLIDO Vigente, subsistente. I Sano, robusto, fuerte. I útil.
VALIENTE Arrojado, denodado, intrépido, valeroso, bizarro, resuelto. I Animoso, fuerte, activo.
VALIOSO Inestimado, excelente, meritorio, apreciable, excelente.
VALOR Valentía, arrojo, intrepidez, resolución, aliento, bizarría. I Descaro, osadía. I Aprecio, importancia, valía.
VALORAR Estimar, tasar, evaluar, justipreciar, valuar, apreciar.
VALORES Acciones, obligaciones, títulos.
VALLE Arroyada, hoya, hondonada, val.
VANAGLORIARSE Engreírse, presumir, jactarse, ufanarse, blasonar.
VANAMENTE Infundadamente, tontamente, inútilmente.

VAN

VANIDAD Engreimiento, presunción, vanagloria, soberbia. I Pompa, ostentación. I Inutilidad.
VANIDOSO Fatuo, presumido, engreído, farolero, presuntuoso.
VANO Engreído, arrogante, presumido, vanidoso, soberbio, presuntuoso. I Frívolo, tonto. I Infundado.
VAPOR Hálito, aliento, vaho. I Barco.
VAPOROSO Volátil, ligero, leve, tenue, sutil.
VAPULEO Azotina, tunda, paliza, felpa, zurra, solfa.
VARAPALO Disgusto, desazón.
VARIABLE Cambiable, mudadizo, alterable, mudable, instable, tornadizo, inconstante, transfigurable, desigual.
VARIACIÓN Transformación, modificación, cambio, mudanza.
VARIEDAD Pluralidad, dualidad, diversidad. I Inconstancia, mudanza.
VARIO Diferente, distinto, variado, diverso. I Variable, mudable, instable.
VARÓN Hombre.
VARONIL Masculino, hombruno, viril. I Esforzado, firme, valiente, animoso, bizarro, valeroso.
VASALLO Súbdito, sometido, servidor, tributario.
VASO Vasija, cubilete, recipiente. I Casco. I Conducto.
VASTO Extenso, difuso, holgado, despejado, espacioso, dilatado, amplio.
VATE Poeta, bardo. I Profeta, vidente, precursor, agorero, vaticinador, sibila, pitonisa.
VATICINAR Pronosticar, profetizar, presentir, presagiar, agorar, predecir.
VATICINIO Adivinación, oráculo, previsión, presagio, profecía, augurio, auspicio, pronóstico.
VECINDAD Vecinos. I Cercanía, inmediación, contorno, proximidad, alrededores, contigüidad.
VEDAR Prohibir, impedir, defender, negar, privar.
VEHEMENCIA ímpetu, violencia, furor, frenesí, ardor, fogosidad, excitación, arrebato, descomedimiento.
VEHEMENTE Impetuoso, fuerte, impulsivo, brusco, extremoso, ardoroso, violento, arrebatado, frenético.
VEHÍCULO Carruaje, ferrocarril, automóvil, nave, litera, coche.
VEJAR Molestar, atropellar, oprimir, maltratar, fastidiar, ofender, injuriar, avasallar.
VEJEZ Ancianidad, longevidad, edad provecta.
VEJIGA Ampolla.
VELAR Cuidar, vigilar, mirar. I Ocultar, disimular.
VELEIDAD Voluntad, inconstancia, inestabilidad, capricho, versatilidad, ligereza, deslealtad, antojo.
VELEIDOSO Mudable, voluble, variable, inconstante, instable, caprichoso.
VELOCIDAD Presteza, celeridad, prisa, prontitud, rapidez.
VELOZ Rápido, presuroso, raudo, ligero, pronto.
VENADO Ciervo.
VENCER Ganar, destrozar, derrotar. I Contener, refrenar, dominar, sujetar. I Superar. I Triunfar. I Inclinar.
VENDER Expender, liquidar, saldar, comerciar, traficar. I Traicionar.
VENERA Insignia.
VENERACIÓN Reverencia, respeto, idolatría, admiración, acatamiento.
VENERAR Acatar, honrar, respetar, idolatrar.
VENGANZA Vindicación, desquite, represalia, vindicta, desagravio, desagravio. I Castigo, reparación.
VENGATIVO Vengador, vindicador, rencoroso, cruel, inhumano, feroz, impiadoso, brutal.
VENIDA Regreso, vuelta, llegada.
VENIDERO Porvenir, futuro, pendiente.
VENIR Llegar, regresar, volver. I Aproximarse, acercarse. I Avenirse, consentir. I Presentarse. I Provenir, proceder.
VENTA Contrato, operación. I Posada, hostería, mesón, parador. I Salida, liquidación, reventa.
VENTAJA Utilidad, ganancia, prebenda. I Superioridad. I Comodidad.
VENTAJOSO Fructuoso, barato, fácil, provechoso, beneficioso.
VENTILAR Orear, airear, aventar. I Discutir, controvertir, examinar, dilucidar, litigar.
VENTUROSO Dichoso, satisfecho, eufórico, jubiloso, radiante, optimista, feliz, afortunado.
VER Otear, mirar, divisar, distinguir, descubrir. I Reflexionar, examinar, advertir. I Conocer. I Parecer, apariencia.
VERAZ Certero, verdadero, sincero, verídico.
VERDAD Realidad, veracidad, autenticidad, certidumbre, certeza.
VERDADERO Cierto, veraz, efectivo, positivo, verídico, auténtico, legítimo, serio, cierto.
VERDE Aceitunado, oliváceo, cetrino, verdoso. I Indecente, obsceno, deshonesto, picante, indecoroso. I Inmaduro.
VEREDA Senda, vericueto, sendero.
VERGEL Carmen, parque, jardín, huerta, quinta.
VERGONZOSO Tímido, encogido, corto, apocado. I Afrentoso, infamante, bochornoso, vituperable.
VERGÜENZA Dignidad, pundonor, verecundia. I Confusión, humildad, rubor, aturdimiento, cortedad. I Afrenta.
VERIFICAR Probar, examinar, revisar, comprobar. I Realizar, efectuar, ejecutar, contrastar.
VEROSÍMIL Creíble, probable, aceptable, posible, plausible.
VERSADO Entendido, instruido. I Ejercitado, práctico, diestro, perito.
VERSÁTIL Inconsecuente, caprichoso, veleidoso, inestable, tornadizo, voluble, antojadizo, variable.
VERSIÓN Interpretación, comentario, explicación. I Traducción.
VERTICAL Perpendicular.
VERTIGINOSO Raudo, rápido, veloz, apresurado, vehemente.

VESÍCULA Vejiga, ampolla.
VESTÍBULO Pórtico, portal, antecámara, antesala.
VESTIGIO Huella, signo, indicio, rastro.
VESTIR Cubrir. I Adornar, exornar. I Disimular.
VETO Negativa, oposición.
VETUSTO Viejo, rancio, provecto, decrépito, ruinoso, anciano.
VEZ Ocasión, tiempo, turno, período.
VÍA Sendero, ruta, camino. I Conducto. I Carril.
VIAJE Camino, recorrido, trayecto, itinerario, travesía.
VIANDANTE Caminante, peatón, peregrino, andarín, pasajero, transeúnte.
VICIAR Corromper, pervertir, enviciar, dañar. I Adulterar. I Invalidar.
VICIOSO Calavera, perdido, corrompido, crapuloso, depravado, libidinoso.
VICISITUD Alternativa. I Sucesión, orden.
VICTORIA Lauro, triunfo. I Planta.
VICTORIOSO Triunfador, invicto, vencedor, decisivo.
VIDA Existencia, subsistencia. I Biografía. I Movimiento, tiempo, actividad. I Longevidad, supervivencia.
VIDRIERA Escaparate.
VIDRIOSO Vítreo, vidriado. I Frágil, delicado. I Susceptible.
VIEJO Provecto, anciano, vetusto. I Acabado, deslucido, estropeado. I Arruinado, ruinoso.
VIENTO Aire. I Jactancia.
VIGÍA Atalaya.
VIGILANCIA Celo, cuidado, atención, guardia, custodia.
VIGILAR Atender, custodiar, velar, celar, cuidar.
VIGILIA Velada, velación. I Insomnio, desvelamiento. I Abstinencia.
VIGOR Brío, fortaleza, pujanza, fuerza, reciedumbre, robustez.
VIGORIZAR Fortalecer, robustecer, tonificar. I Reanimar, confortar.
VIGOROSO Robusto, enérgico, fuerte, brioso, pujante, fornido.
VIL Infame, grosero, plebeyo, indigno, abyecto, despreciable. I Traidor, truhán, desleal, infiel, alevoso.
VILEZA Infamia, bajeza, ruindad, traición, tunería, granujada, golfería, deslealtad, canallada.
VILIPENDIAR Desdeñar, menospreciar, insultar, despreciar, denigrar.
VILLANÍA Infamia, bajeza, ruindad, traición, tunería, granujada, golfería, deslealtad, traición.
VINCULAR Atar, sujetar, supeditar, asegurar, perpetuar, fundar.
VÍNCULO Vinculación, lazo, ligadura, unión.
VINDICAR Rehabilitarse, reivindicar.
VIOLAR Deshonrar, estuprar, desflorar. I Romper, violentar. I Vulnerar, quebrantar. I Profanar.
VIOLENTAR Atropellar, transgredir, quebrantar, forzar.

VIOLENTO Arrebatado, impetuoso, iracundo, vehemente. I Penoso, forzado, molesto, duro.
VIPERINO Hiriente, mordaz.
VIRGINIDAD Pureza, inocencia, candor, integridad, doncellez, virgo.
VIRGO Himen.
VIRTUD Poder, vigor, fuerza. I Moral.
VIRTUOSO Probo, ejemplar, bueno, justo, puritano, ascético, honrado.
VIRULENCIA Malignidad, mordacidad, encono.
VÍSCERA Órgano, entraña.
VISIBLE Ostensible, perceptible, distinguible, claro, manifiesto, notorio, palpable, indudable.
VISLUMBRAR Columbrar, conjeturar, entrever, sospechar.
VISO Aspecto, apariencia. I Reflejo.
VISTA Visión, visibilidad, visualidad, luz. I Paisaje, panorama. I Fotografía, cuadro. I Propósito.
VISTOSO Agradable, brillante, hermoso, sugestivo, atractivo.
VITAL Fuerte, vivaz, trascendental, fundamental, preponderante.
VITOREAR Aclamar, encumbrar, ovacionar, aplaudir.
VITUPERABLE Reprobable, reprochable, condenable, censurable, vilipendiable, criticable, afeable.
VITUPERAR Agraviar, insultar, denostar, afrentar, censurar, reprochar, deshonrar, humillar, atropellar, denigrar.
VIVAZ Vigoroso, enérgico. I Ingenioso, brillante, agudo.
VIVEZA Celeridad, rapidez, actividad, presteza. I Ingenio, agudeza, perspicacia. I Picardía. I Energía, ardor.
VIVIENDA Habitación, residencia, hogar, casa, domicilio, morada, estancia, mansión.
VIVIFICAR Avivar, reanimar, confortar, activar, alentar, vitalizar.
VIVIR Vida, existencia. I Habitar, residir, morar.
VIVO Viviente, sobreviviente. I Organizado, activo, diligente, rápido. I Persuasivo, expresivo. I Perspicaz, sutil. I Impetuoso.
VOCABLO Expresión, término, dicción, voz, palabra.
VOCABULARIO Léxico, catálogo, diccionario.
VOCACIÓN Inspiración, citación, iluminación, llamamiento, tendencia, apego, afición.
VOCEAR Gritar, vociferar, dar voces, desgañitarse. I Pregonar.
VOCERÍO Algarabía, gritería.
VOLAR Remontarse, alzarse, elevarse. I Huir, escurrirse, desaparecer, diluirse. I Propagarse, divulgarse. I Irritar, encolerizar.
VOLCAR Verter, derramar, tumbar, derribar.
VOLUBLE Mudable, tornadizo, antojadizo, caprichoso, veleidoso, instable, inconstante, versátil.
VOLUMEN Libro, ejemplar, tomo. I Bulto, contorno.
VOLUMINOSO Corpulento, grueso, abultado, espeso, rollizo.

VOL

VOLUNTAD Ánimo, mente, albedrío, disposición, intención. I Afecto, inclinación, cariño. I Asentimiento, consentimiento. I Mandato. I Ansia, deseo.
VOLUNTARIO Voluntarioso, espontáneo, facultativo, libérrimo, libre.
VOLUNTARIOSO Caprichoso, mudable, inconstante, inconsecuente, veleidoso. I Dispuesto.
VOLUPTUOSO Concupiscente, deshonesto, lujurioso, lascivo, sensual.
VOLVER Voltear, virar, retornar, regresar. I Vomitar. I Restituir. I Verter. I Torcer.
VORACIDAD Glotonería.
VORAZ Tragón, hambrón, devorador. I Destructor, violento.
VOTAR Sortear, elegir, escoger, optar, designar, preferir. I Blasfemar, jurar, renegar.
VOZ Vocablo, expresión, palabra, dicción. I Opinión, rumor. I Grito.
VUELO Revoloteo, volada. I Amplitud, anchura, desarrollo, encumbramiento, extensión.
VUELTA Circunvolución, circunloquio. I Cambio. I Devolución, restitución. I Turno, vez. I Voltereta. I Meandro.
VULGAR Corriente, adocenado, común, manido, chabacano, inculto, trivial, ordinario, general, popular.
VULGARIDAD Grosería, chabacanería, comúnmente.
VULGO Pueblo, público, gente, plebe, multitud, populacho, turba. I Comúnmente.
VULNERABLE Censurable, defectuoso. I Conquistable. I Débil.
VULNERAR Asestar, lacerar, lesionar, perjudicar, lastimar. I Contravenir, desobedecer, desacatar, quebrantar, violar, incumplir.
VULPEJA Vulpécula, zorra.

Y

YA Inmediatamente, ahora.
YACARÉ Caimán, reptil, saurio.
YACER Descansar, echarse, reposar, tumbarse.
YANTAR Comer.
YEMA Botón, renuevo. I Dulce.
YERMO Desierto, inhabilitado, despoblado. I Terreno inculto.
YERRO Equivocación, errata, error, omisión, desacierto, pifia.
YERTO Rígido, áspero, tieso, congelado, helado, gélido.
YESCA Lumbre, pajuela, enjuto.
YUGO Ubio. I Dominio, prisión, tiranía, opresión.
YUNQUE Bigornia, ayunque. I Paciente, víctima.

Z

ZAFAR Desembarazar, desatar, libertar, soltar.
ZAFARRANCHO Trifulca, bronca, reyerta, riña, alboroto, bochinche.
ZAFIO Inculto, grosero, rústico, rudo, tosco, malcriado, patán, ordinario, montaraz, cerril.
ZAFRA Recolección, cosecha.
ZAHERIMIENTO Vejamen, burla, sátira, mortificación, descrédito, vejación, sarcasmo, ironía, murmuración.
ZAHERIR Vejar, mortificar, satirizar, ofender, escarnecer, censurar, reprender, molestar.
ZALAMERÍA Carantoña, embeleso, arrumaco, halago.
ZAMARREAR Zarandear, sacudir.
ZAMBRA Algazara, bullicio, jaleo, parranda, bulla, algarabía, gritería.
ZANCADA Tranco.
ZANCADILLA Traspié, asechanza, trampa, ardid, engaño, trápala.
ZANCUDO Zanquilargo, patilargo.
ZÁNGANO Vago, holgazán, remolón, haragán, indolente, flojo, negligente.
ZANJA Trinchera, cuneta.
ZAPATO Bota, zapatilla, calzado, chancla, pantufla, chinela, botín.
ZAQUIZAMÍ Sotabanco, desván, cuchitril, buhardilla, tugurio.
ZARAGATA Riña, trifulca, pendencia, gresca, bronca, cisco, reyerta.
ZARANDAJAS Nimiedades, minucias, bagatelas.
ZARCILLO Arete, pendiente, arracada.
ZASCANDIL Mequetrefe, trasto, botarate.
ZOCO Plaza, mercado.
ZONA Lista, tira, faja. I Demarcación, distrito.
ZOQUETE Tonto, zopenco, cernícalo, zote.
ZORRA Vulpécula, vulpeja. I Prostituta, ramera, adúltera, puta, daifa.
ZORRO Perezoso, astuto, disimulado, pícaro, taimado, ladino.
ZOZOBRA Desasosiego, sobresalto, angustia, inquietud, intranquilidad.
ZOZOBRAR Naufragar, hundirse, sumergirse, peligrar, anegarse.
ZUMBAR Golpear, azotar, abofetear. I Retumbar, ronronear. I Cuchichear.
ZUMO Jugosidad, sustancia, savia. I Utilidad, provecho. I Melaza.
ZURCIR Remendar, repasar, coser. I Juntar, recoser, sujetar.
ZURRAR Tundear, apalear, vapulear, azotar. I Curtir, adobar.
ZURRÓN Mochila, talego, macuto, alforja, morral, saco.